KAFKA IN NEUER SICHT

HARTMUT BINDER

Kafka in neuer Sicht

Mimik, Gestik und Personengefüge als Darstellungsformen des Autobiographischen

Mit 21 Abbildungen

J. B. METZLER STUTTGART

FÜR H.

Ce

CIP-Kurztitelaufnahme der Deutschen Bibliothek

Binder, Hartmut
Kafka in neuer Sicht: Mimik, Gestik u. Perso-
nengefüge als Darstellungsformen d. Autobio-
graph. – 1. Aufl. – Stuttgart: Metzler, 1976.
ISBN 3-476-00337-X

ISBN 3 476 00337 X

© (auch für die Bildbeigaben) J. B. Metzlersche Verlagsbuchhandlung
und Carl Ernst Poeschel Verlag GmbH in Stuttgart 1976.
Satz und Druck: Gulde-Druck, Tübingen. Printed in Germany.

Inhaltsverzeichnis

Vorbemerkung XII

Einleitung XIII
Die Forschungslage zum *Schloß* — Ansatz und Ergebnis der vorliegenden Romandeutung — Gestik und Mimik bei Kafka — seitherige Beschäftigung mit den Lebenszeugnissen — besondere Probleme in diesem Bereich

Erster Teil:
DIE LEBENSZEUGNISSE

1. Kapitel: Die Briefe

a) Bau und Stil 3
Ansichtspostkarten — Briefeingang und -ausgang — Metaphern als Anschauungsbegriffe — das Lehrer-Schüler-Bild — Kafkas besondere Denkform — Absolutsetzung des Einzelphänomens — Einschränkung des Wahrnehmungshorizontes aufs Existentielle — Einbeziehung der Schreibsituation in die Briefmitteilungen — Fragmentcharakter der Briefäußerungen — fingiertes Rollenspiel des Schreibenden — Stilfiguren (Wiederholung und Parallelismus)

b) Erkenntniswert 25
Situationsbedingtheit der Briefe Kafkas — Schwierigkeiten bei der Selbstdarstellung — Rücksichtnahme auf den Briefpartner — Ursachen der Briefflut im Verkehr mit Felice Bauer — die Korrespondenz mit den Freunden — Bedeutung des Briefverkehrs für Kafka

2. Kapitel: Die Tagebücher

a) Anfänge
Mit besonderer Berücksichtigung der Reisetagebücher 34
Der zeitliche Einsatz der Quarthefte — Eugenie Eduardowa und das russische Ballettkorps — frühe Eintragungen im 1. Quartheft — die Notizhefte des Heranwachsenden und ihr entwicklungspsychologischer Hintergrund — das Laurenziberg-Erlebnis — Pubertät — Identitäts-Diffusion — der Beginn der für Kafka typischen Tagebücher — Ursachen für die Neuorientierung — die Intimitätskrise — das Tagebuch der ersten Friedländer Reise — das Schloß — Menschenbeobachtung — Wahrnehmungsweise — Eßszenen — der Ausflug zur »Villa Carlotta« — Der Vierwaldstättersee — Brods Paralleltagebuch — Kafkas Selbstaussagen über sein Naturverständnis — Brods Essay *Der Wert der Reiseeindrücke* — Naturbilder in der *Ersten langen Eisenbahnfahrt* und im *Verschollenen*

b) Entfaltung und Modifikation
   Die Quart- und Oktavhefte   76

Max Brods These über das Tagebuchschreiben und ihre Voraussetzungen —
Kafkas Beurteilung gleicher Sachverhalte in Briefen und Tagebüchern — die
Paralleleintragungen im 12. Quartheft und im 3. Oktavheft — Einfluß Th.
Taggers auf die neue Darstellungsweise (Anm. 202) — Form und Tendenz der
Zürauer lebensgeschichtlichen Notizen — Reduktion des Biographischen in den
Oktavheften — Im-Bett-Liegen — die Aphorismen — sind die Tagebücher voll-
ständig überliefert? — die Eintragungen in den Jahren 1919 und 1920 — die Er-
Reihe — Überlieferungsprobleme beim 12. Quartheft — die Notizen vom Sep-
tember 1920 — Fixierung des Beginns der neueinsetzenden Schaffensphase im
Sommer 1920 — Kafkas Aufenthalt in Ellis Wohnung — das 13. Quartheft —
Gründe für die Wiederaufnahme des Tagebuchs in der Spätzeit — die letzten
Notizen — Milena und Kafkas Persönlichkeitskrise

c) Typische Formen des Kafkaschen Tagebuchs
   November 1910 bis November 1917   98

Vermeidung von Stichwörtern — Autonomie des Details — Aufzählung —
bloßes Nennen einer Beobachtung — Substantivierungen — Bevorzugung
wörtlicher Aussagen und deren Bedeutung — Kafkas Beschreibung von Felice
Bauer — Beliebtheit mimisch-gestischer Details bei der Personendarstellung —
Leitvorstellungen (der Begriff der Reinheit und die Kreismetaphorik) — der
berühmte Eintrag vom 6. August 1914 — Tagebuch und Lebensproblematik —
Kafkas Aussagen über seine Tagebücher — die zeitliche Erstreckung des in den
Eintragungen jeweils reflektierten Beobachtungsrahmens — bevorzugte Beob-
achtungsobjekte (Bemerkungen zum verflossenen Tag und Darstellung augen-
blicklicher seelischer Gegebenheiten)

Zweiter Teil:

MIMIK UND GESTIK

1. Kapitel: Lebenszeugnis und Literatur:

Darbietungsweisen. Vorstellungsinhalte. Wahrnehmungskategorien . .   117

Stilentsprechungen zwischen lebenskundlichem und dichterischem Zeugnis —
Metaphorik (Sich-Einbohren, der Babylonische Turm) — der Prager Christmarkt, der *Verschollene* und das *Schloß* — Bildlichkeit im literarischen Werk
als immanenter Verweisungszusammenhang und Ausfluß biographischer Gegebenheiten — die Waage als Anschauungsbegriff, auch im mündlichen Gebrauch — Gestik, Mimik und sprachliche Äußerung als bevorzugte Komponenten der Figurenbeschreibung und Menschenbeobachtung — Klara Thein

2. Kapitel: Grundsätzliches zu den Ausdrucksbewegungen   128

Kafkas Beschreibung von Gertrud Kanitz — Augen-Nase-Mund — Gesichtsum-
riß — offene und geschlossene Augen — Blinzeln und Aufreißen der Augen
— Gründe für die Bevorzugung des mimisch-gestischen Bereichs durch Kafka
(Kafka im Urteil seiner Freunde, seine Typologie, sein besonderer Ent-

wicklungsgang, Intuition, Vorliebe für die Ausdrucksmöglichkeiten des Schauspielers, Kleist und Dickens als Vorbilder, Bevorzugung des Sichtbaren) –
auf die Augen bezügliche Floskeln und ihr Verständnis bei Kafka – der Blick
ins Weite als Metapher – das Motiv des Fensters und sein lebensgeschichtlicher und literarischer Hintergrund – Modifikation abgeblaßter Bilder – die
erste Begegnung mit Felice Bauer im Wahrnehmungshorizont des Dichters –
die Augen in Kafkas Werk – Augen und Blicke auf verschiedenen Abstraktionsstufen – Ausdrucksbewegungen als Teil einer allgemeinen Veranschau-
lichungstendenz – Mimik und Gestik als Spiegel für die Beziehungen verschiedener Personen untereinander – das Händefassen

3. Kapitel: Die *Verwandlung* und die Frauenszenen im *Prozeß* als
mimisch-gestische Gestaltungseinheiten 149

Die Raumzuordnung der Figuren in der *Verwandlung* – das Beschatten der
Augen als Motiv – das mimisch-gestische Arsenal zur Darstellung erotischer
Beziehungen in den Lebenszeugnissen (den Partner an den Füßen fassen, Hän-
dehalten, Sich-Anblicken, Nebeneinander-Sitzen, eine Haltung einnehmen, die
einer Mutter-Kind-Beziehung entspricht und Arm-in-Arm-Gehen) – die Begegnung zwischen Josef K. und Fräulein Bürstner als mimisch-gestisches Ausdrucksgefüge – die Frau des Gerichtsdieners und Leni im *Prozeß*

4. Kapitel: Augen und Blicke 163

Konzentration der Blicke auf eine Erzählfigur – Angeblicktwerden des Perspektivträgers – Dialog der Blicke – flüchtiger und verweilender Blick –
der an jemand auf und ab gehende Blick – das Hin und Her der Blicke – jemandem mit den Augen folgen (Klamms Dienerschaft) – Formen der Blickabwendung – Augen und Blicke auf Photographien in den *Briefen an Felice*
und im *Verschollenen* – die Parallelität der Szenen zwischen Karl Roßmann
und Johanna Brummer, Klara Pollunder und Therese Berchtold – Photographien
als Verweisungszusammenhang im *Verschollenen* – Thereses Erzählung im
Romankontext – Seitenblicke – umherirrende Blicke – deziertes Wegsehen – das Herumblicken – Blickrichtung als genauer Ausdruck der Raumverhältnisse – Augensenken – emporgerichtete Augen – auf Dinge der
Umgebung gerichtete Augen – Kopfgestik – der »Kopfhänger« und der Vor-
sich-Hinsehende – An-sich-Hinuntersehen – das Sich-Vorneigen – Kopfhe-
ben – zusammengezogene Augenbrauen – Augenfarbe – strahlende Augen
(*Eine kleine Frau*) – aufgestülpte Lippen und Lippenbeißen – Unterschied
von mimischer und physiognomischer Betrachtung – leere Augen – nähere
Kennzeichnungen des Augenausdrucks – Form der Augen – das Weinen

5. Kapitel: Die Als-ob-Sätze 194

Dickens als Vorbild – Wirklichkeitsgrad der Form – Verteilung von Konjunktiv I und II in der Gegenwartssprache – der Gebrauch von Konjunktiv I
und II in der oratio obliqua – die Funktion des Konjunktivs im Als-ob-Satz
– »so tun, als ob« und die unpersönliche Konstruktion des verbum substantivum mit »als ob« – Ersetzung von Konjunktiv II durch Konjunktiv I beim
schwachen Verb – die These von J. Kobs über Ausdrucksbewegungen – gehobene Augenbrauen – den Kopf in die Hände legen – Bewegung des Halses –
die Wendung: »als sei das der Höhepunkt seines Lebens« – Realitätskontrolle

für Als-ob-Sätze – die Form in Selbstaussagen der Figuren – der Befund in *Beschreibung eines Kampfes* – auf Perspektivträger bezügliche Vergleichssätze – Gründe für diese Verfahrensweise (Vorspiegelung falscher Tatsachen, unwillkürliche Bewegungen, Hauptpersonen im Blick der Gegenfiguren, die Innenwelt der Perspektivträger, *In der Strafkolonie*) – Ursachen für die Bevorzugung der Form bei Kafka (Als-ob-Sätze als syntaktisches Phänomen, ihre Verbindung mit inquit-Formeln, die im *David Copperfield* vorgebildet ist, die Dreiheit von Rede, Begleitgeste und erläuterndem Als-ob-Satz, Verhältnis der Als-ob-Sätze zu den Wie-Vergleichen, Geschmeidigkeit, Möglichkeit, durch die verwendeten Bildvorstellungen Verweisungszusammenhänge herzustellen, und Deutungsbedürftigkeit der Gesten überhaupt)

6. Kapitel: Hände 240

Hände als Ausdrucksträger – die geballte Faust – sich greifende Hände – der Handgruß – eine neue Art des Einhängens – Ergreifen der eigenen Hand – Handmetaphorik – die Fingerspitzen – Kafkas Typologie als Hintergrund für die Beliebtheit der Vorstellung »Hand« – Hände in den Hosentaschen – die Hände in den Schoß legen – die Bitthaltung – ausgestreckte Arme – in Erregung erhobene Hände – Händereiben – Finger – Gestik als Verweisungszusammenhang – Gefühlsdarstellung bei Kafka – Gruppierung von Personen durch Gestik – die Verhörsszene im 6. Kapitel des *Verschollenen* als mimisch-gestisches Ausdrucksgefüge (Verweisungszusammenhänge und Verbindung zum *Heizer*)

Dritter Teil:
DAS SCHLOSS

1. Kapitel: Kafkas Lebensproblematik und die Gestalt des Romans . . 265

Forschungslage – Kafkas Deutung seiner Lage als Problematik extremen Westjudentums – Entwicklungslosigkeit – Unbedarftheit – Handlungsführung und Kapiteleinteilung – Junggesellenexistenz – der Kampf um die Schlafstelle – Bekleidung – Wanderschaft – Kälte und Schnee – der entscheidende Augenblick der Unachtsamkeit – dauernde Anspannung als Lebensmuster (die Szene mit Schwarzer) – Müdigkeit und Zerstreutheit K.s in den Kernszenen des Romans – K.s Chancen als durch Zufälle konstelliert – Beziehungen zwischen den Kernszenen – der »Herrenhof« als vorstellbarer und funktional eingesetzter Gebäudekomplex – Rekonstruktion der fehlenden Romanteile (Gerstäcker, K. als Pferdeknecht, das von Max Brod tradierte Ende des Romans, Kafkas Wunsch, sich zu »verkriechen«, Bürgels Versprechen, geschlossene Form, *Ein Landarzt* als Parallele, Krankheit und Reinheit)

2. Kapitel: Frieda und Milena 306

Felice und Milena – Friedas und Pepis Augen – Aufnahme der Beziehung durch die weiblichen Partner (Anm. 97: eine neue Reihenfolge der ersten an Milena gerichteten Briefe Kafkas) – Friedas Karriere – der »Herrenhof« und sein Vorbild – Kleidung – Klamm und Ernst Polak – Kafkas Stellung zu Milenas Mann – die Bilder vom Löwen und der Löwin und vom

Adler und der Blindschleiche — Darstellung Klamms im 3. Kapitel des Romans — seine Knechte — Friedas Vereinigung mit K. im Ausschank (Metaphorik, Mimik und Gestik) — Gardena und Hans als Bild für Kafkas Sicht seiner geplanten Ehe — Gardena und Staša Jílovská — der weitere Verlauf der Beziehung zwischen K. und Frieda — Frau Brunswick — die Affäre um Jarmila und Willy Haas — Jarmila, Frau Kohler und Jolan Forberger als Vorbilder Gardenas — Vlasta — Gisa und Schwarzer — G. W. (die Schweizerin) und das Mädchen aus der Tatra — Julie Wohryzek und Milena — Max Brods Rolle und Erinnerungen — Frieda und Amalia — Frieda am Fenster des Schulhauses — Frieda und K. (mimisch-gestisch)

3. Kapitel: Die Genese des Romans 346

Umdatierung zweier Briefe Kafkas an Robert Klopstock — Stellen in den Lebenszeugnissen im Herbst und Winter 1921/22, die vom Schreiben handeln — allgemeine schaffenspsychologische Erwägungen zur Entstehung der Romane — Fixierung des Beginns der Produktion im Winter 1921/22 — die Entstehungszeit des *Hungerkünstlers* — Kafkas Aufenthalt in Spindlermühle — Beschreibung und Deutung des sogenannten braunen Quarthefts — die *Forschungen eines Hundes* — die ersten Fragmente im braunen Quartheft — der Beginn der Arbeit am *Schloß* — Festlegung der Entstehungszeit der einzelnen Romanteile — Spindlermühle als Voraussetzung für die Konzeption dieses Werks — äußere Gegebenheiten (Schneekoppe, Glockenmotiv und Schlittenfahrt) — innere Lage des Autors in Spindlermühle — Konfrontation der erstellten Chronologie mit biographischen Fakten, die in das *Schloß* Eingang fanden

4. Kapitel: Die Darstellung der Geschlechtlichkeit und ihr zeitgeschichtlicher Hintergrund 374

Die Rolle der Sexualität in Kafkas Umgebung — Dreiecksverhältnisse — Ehen im *Schloß* — der Lehrer und Gerstäcker als Junggesellen — Hans Blühers *Secessio judaica* — ein Prager Sittenskandal und seine Bedeutung für Kafkas Verständnis jüdischer Erotik — A. Zweigs *Ritualmord in Ungarn* und der Polnaer Prozeß — Raubtiermetaphorik im *Schloß* und ihr sozialer Kontext — Otto Weiningers Auffassung vom jüdischen Mann — Kafkas persönliche Beziehungen zu Otto Groß — Auswirkungen seiner Lehre auf den Roman — Kafkas Verhältnis zu Anton Kuh — Kuhs *Juden und Deutsche* — Knabenhaftigkeit — die Turmbau-Sage — Erotik und Essen — *Zur Charakteristik der österreichischen Familie*

5. Kapitel: Kafka und der behördliche Apparat 396

Schloß-Metaphorik in den Lebenszeugnissen Kafkas — die Schloßinstanzen als Funktionen K.s — die beiden Beschreibungen des Schloßkomplexes (der Aufenthalt in Zürau, das Moment des Irrsinnigen, die Krähen, zeichnendes Kind und sitzender Mann als Bilder für die Gebäude) — die Menschenscheu der Beamten — ihre Müdigkeit — Gespenster und praktische Arbeit — Kindlichkeit — Zuständigkeiten — Empfindlichkeit Klamms und der Sekretäre — Einschätzung bürokratischer Vorgänge durch Kafka — auf dem Paßamt — soziale Schichtungen im Roman und ihre Bedeutung — K.s Gespräch mit dem Vorsteher — Kafkas Kampf um Felice — Milena als Parallele?

6. Kapitel: Barnabas und seine Familie

a) Amalia 420

Beziehungen dieser Figur zu Julie Wohryzek – die wirkliche Verfasserin der *Kleinen Erinnerungen an Franz Kafka* – die Familie Wohryzek – die Eltern – das *Großmütterchen* der Božena Němcová als literarische Vorlage der Briefepisode – Amalia und Sortini als Spiegelung von Kafkas letztem Heiratsversuch – der Begriff »herausarbeiten« – Amalia als Verhaltensideal Kafkas – Amalias Augen

b) Barnabas 437

Kindlichkeit und Überalterung des Boten – Kafkas und Max Brods Lebensziele im Vergleich – Max Brods Roman *Tycho Brahes Weg zu Gott* als Quelle für das *Schloß* – lebensgeschichtliche Grundlagen der Kind-Metaphorik, Hermann Kafkas Jugend als Hintergrund (Anm. 359) – Franz Werfel – Barnabas und Robert Klopstock (Mimik und Gestik, Selbstquälerei und berufliche Schwierigkeiten)

c) Olga 448

Olga als Bild Ottlas – Olga und Kafkas eigene Lebensprobleme – Olgas Stellung zur »Briefgeschichte« – ihr Handeln als Ausdruck von Kindheitserfahrungen Kafkas – ihre Unterordnung unter Amalia

7. Kapitel: Pepi und ihre biographisch-literarischen Vorbilder 457

Gemeinsamkeiten zwischen Pepi und Frieda – Pepi als Verkörperung erotischer Erfahrungen Kafkas in Meran – Darstellung seiner Erlebnisse in Matliary – Pepis Abhängigkeit von Lebensproblemen Max Brods und deren literarische Darstellung (*Franzi, Mira, Leben mit einer Göttin*, Pepis Name, Kafka als Figur in *Mira* [Anm. 393], Pepis Haar, Gestalt, Kleidung und Lebensweise, ihre männlichen Partner, ihre Erzählung, ihr Charakter und Verhältnis zu K., mögliche Fortsetzung der Pepi-Handlung, Parallelen zur Frieda-Handlung, Bratmeier und seine Vorbilder, Kafkas Stellung zu den autobiographischen Romanen seines Freundes, Max Brods literarische Lösung seines Lebenskonflikts, das Märchen *Jorinde und Joringel* als Vorlage fürs *Schloß*, Kafkas Interpretation von Brods Figur Jorinde, Kafkas Stellung zum Dreiecksverhältnis seines Freundes, Pepi und Amalia, die böhmischen Granaten und ihre literarische Herkunft, *Franzi* und die »Briefgeschichte«) – Pepis Durchbruch – Pepi als Verkörperung der Jugend schlechthin – Fräulein Irene – Amalias Alter – Gründe für Amalias Verhalten (Überforderung) – W. Kudszus über Pepi

8. Kapitel: Personifizierungen:

Momus. Lehrer. Gehilfen. Herrenhofwirtin 486

Der Dorfsekretär als Bild für Kafkas literarische Tätigkeit (Charakterisierung des Protokolls, Hermann Kafkas Rezeption der Werke seines Sohnes – K.s Einschätzung des Protokolls und Kafkas Selbstdeutung seiner Schreibversuche – K.s Beurteilung durch Momus – Stellung zur Welt – K.s Kampf um Einsichtnahme in die Akte) – der Lehrer als erzählerische Entfaltung der Lehrer-Schüler-Metapher in Kafkas Lebenszeugnissen – die Gehilfen als Grundmotiv des Kafkaschen Schaffens – Parallelen zum *Verschollenen* und *Prozeß* – die Gehilfen als Darstellung von Kafkas Ekel vor dem unbedeckten menschlichen Körper – Artur und Jeremias als Manifestationen sexueller Kräfte – ihr Komödiantentum als Ausdruck der Tatsache, daß Kafka in einer menschenfernen, nicht durch Geschlechtlichkeit gekennzeichneten Eigenwelt lebte – Frieda und Jeremias – Milenas Einschätzung Kafkas als Voraussetzung dieses Handlungsteils – mögliche Ergänzung des über die Herrenhofwirtin Gesagten (Gardena und die Herrenhofwirtin, Vergleichbarkeit beider Wirte, Pepi, Frieda und die Herrenhofwirtin, das Motiv der Kleidung, Milenas Modeartikel, Frau Galgon) – methodologische Absicherung der vorgelegten *Schloß*-Interpretation (Motivvergleiche zwischen Roman und Biographie – die Auffassung von Literatur im Prager Dichterkreis – Kafkas eigene literarische Analysen als Beleg für diese Kunstauffassung – alle wesentlichen Momente in den Lebenszeugnissen der Spätzeit sind Elemente des Romans)

ANHANG

1. Exkurs: »Als ob« in der literarischen Umwelt Kafkas 507

Begründung der vorgenommenen Auswahl der Autoren – Friedrich Adlers Roman *Die Zauberflöte* – Hugo Salus (Konj. I bei starken und schwachen Verben und seine Ursachen) – Paul Leppin – Rainer Maria Rilkes Roman *Die Aufzeichnungen des Malte Laurids Brigge* (Verwendung des Konj. I, formale Besonderheiten der Als-ob-Sätze, Verlagerung des Interesses von Haltungen zu Handlungen fiktiver Personen, Vernachlässigung der Ausdrucksbewegungen und Bevorzugung des dinglichen Bereichs) – Alfred Döblin als Vertreter des norddeutschen Raums und als Exponent geraffter Erzählweise – F. M. Dostojewskis *Rodion Raskolnikoff* (Dominanz des Gesprächs, Darstellung des seelischen Hintergrundes im Redeverhalten und Ersetzung von Konj. II durch Konj. I) – Max Brod als Vorbild Kafkas – der Konjunktiv bei den starken Verben – »haben« und »sein« – schwache und modale Verben bei Brod, Hermann Hesse und Kafka – zusammenfassende Darstellung der Entwicklung des Konjunktivgebrauchs – Verwendungsarten der Vergleichssätze bei Max Brod und Kafka (Vorliebe für mehrgliedrige Als-ob-Sätze, differenzierte Darstellung des Äußeren einer Erzählfigur und Artikulierung der Sprechweise fiktiver Gestalten)

2. Anmerkungsteil

a) Belege und Erläuterungen zur Einleitung 527
b) Belege und Erläuterungen zum ersten Teil 529
c) Belege und Erläuterungen zum zweiten Teil 552
d) Belege und Erläuterungen zum dritten Teil 582
e) Verzeichnis der Abkürzungen 648
f) Verzeichnis der Abbildungen 649

3. Literaturverzeichnis

a) Quellen 651
b) Untersuchungen 655

4. Gesamtregister 661

Vorbemerkung

Folgenden Personen und Institutionen, die durch Hinweise und Bereitstellung von Materialien am Zustandekommen dieser Untersuchung mitgeholfen haben, möchte ich meinen herzlichen Dank aussprechen: Herta Haas (Hamburg), Alice Mašata (Prag), Eva Schloffer (Zürich), Klara Thein (New York), Jaroslava Vondráčková (Prag); Rolf Albrecht (Stuttgart), Hugo Bergmann (†) (Jerusalem), Max Brod (†) (Tel-Aviv), J. D. Lewitan (New York), Malcolm Pasley (Oxford), Klaus Wagenbach (Berlin); dem Deutschen Literaturarchiv in Marbach/N., der Deutschen Staatsbibliothek in Berlin, dem Landesarchiv Berlin, der Österreichischen Nationalbibliothek in Wien, der Stadt- und Bezirksbibliothek Magdeburg und der Staats- und Universitätsbibliothek in Prag.

Besonders verpflichtet bin ich Ilse Ester Hoffe (Tel-Aviv), die die Auswertung der in ihrem Besitz befindlichen Reisetagebücher Max Brods gestattete, sowie Marianne Steiner (London) und den Verlagen Schocken Books Inc. (New York) und S. Fischer (Frankfurt/M.), die die Zitierung ungedruckter Kafka-Texte erlaubten.

Das Buch erscheint ohne meine Schuld ein Jahr später und in einem anderen Verlag, als ich das in meinem *Kafka-Kommentar zu sämtlichen Erzählungen* (München [1975]) angekündigt hatte. Dies bedingte auch, daß ein ursprünglich vorgesehenes Kapitel über den *Prozeß*, auf das ich dort im einzelnen ebenfalls verwiesen hatte, herausgenommen und in meinen *Kafka-Kommentar zu den Romanen, Rezensionen, Aphorismen und zum Brief an den Vater* (München [1976]) eingearbeitet wurde.

Ditzingen, im Mai 1976   H. B.

Einleitung

Ein Teil der Forschungsliteratur, die sich mit Kafkas *Schloß* beschäftigt, geht bis heute Bahnen, die Max Brod im *Nachwort zur ersten Ausgabe* (1926) vorgezeichnet hat. Der Landvermesser K. als ein Faust des 20. Jahrhunderts, das Schloß als Inkarnation des Absoluten, wie immer man es auch verstehe, oder die Negation dieser These, das ist die Formel, die den Ansatz von W. Emrich [1], K.-P. Philippi [2], R. Sheppard [3] und W. Binder [4] bestimmt.

Einen andern Weg geht M. Robert. Sie sieht im *Schloß* die Problematik des literarischen Epigonentums und den aus ihr folgenden Versuch dargestellt, sich von überlieferten Vorstellungen und kollektiven Bildern zu befreien, die individuelle Wahrheiten verstellen, so daß der einzelne außerstande sei, die Neuartigkeit und Aktualität seines eigenen Lebens zu begreifen. [5] Aber der Parallelfall des Cervantes und der Existentialismus beweisen noch lange nicht, daß K. ein Vermesser der Bücher und im Sinne herkömmlicher Romantypen Emporkömmling, Retter, Märchenheld und Ritter zugleich ist, das Schloß aber Universalbibliothek, deren Hort die Botschaft der Jahrhunderte aufbewahren soll.

Wo ist der geringste Anhalt in den Quellen, daß derartige Zusammenhänge bestehen? Daß Kafka, humanistisch erzogen, die griechische Antike gelegentlich bildhaft zur Darstellung der eigenen Lebensproblematik heranzieht und sich in gewisser Beziehung in der sinnlosen, zwangsläufigen Existenzform des Don Quichote und seines Begleiters wiederfand, genügt nicht für eine solide Argumentationsbasis, zumal sich zeigen läßt, daß seine Lage überhaupt nicht durch eine Übermacht der Tradition gekennzeichnet war, nach der er sich zeitlebens sehnte, sondern daß der Mangel an verbindlichen, überkommenen Ordnungen die Ursachen seiner Schwierigkeiten, auch als Schriftsteller, ausmachten.

Man kann den genannten Untersuchungen eine Gruppe von Arbeiten gegenüberstellen, die, mehr oder weniger ausgeprägt, Formproblemen in Kafkas letztem Romanfragment gewidmet sind. M. Walser war der erste, der, angeregt von den Thesen F. Beißners über Kafkas Erzählhaltung, die drei großen Romane einer phänomenologischen Betrachtung unterzog. Neben der epischen Großform als solcher und den Modi ihrer erzählerischen Realisation beachtete er vor allem das Figurenarsenal in seinen Bezügen zur Perspektivgestalt. [6]

Diese Aspekte wurden ergänzt einmal durch W. H. Sokels Gesamtdarstellung, in der gezeigt wird, daß das Grundmuster des Generationen- oder Autoritätskonflikts, das spätestens seit dem *Urteil* Kafkas Werk beherrscht, auch K.s Kampf mit den Schloßinstanzen zugrunde liegt. [7] Dann durch die

Beiträge von J. Rolleston und W. Kudszus, die, ausgehend von der Art und Weise, wie K. seinem Schicksal gegenübertritt, das *Schloß* nach Szenenverlauf und Schluß als offene Romanform bestimmen. [8] Schließlich durch R. Sheppards Erwägungen zur Perspektivgestaltung, die das Ergebnis zeitigten, daß der Leser, anders als man in folgerichtiger Weiterführung des Beißnerschen Ansatzes zu glauben geneigt war [9], gehalten und auch fähig sei, sich von der Betrachtungsweise des Landvermessers zu lösen und dessen Verhältnisse aus kritischer Distanz auch aus anderer Optik zu betrachten. [10]

Bedeutende Erkenntnisse also, wenn man die Schwierigkeiten, vor allem auch psychologischer Natur, bedenkt, denen sich derjenige ausgesetzt sieht, der Kafkas *Schloß* als Erzählform zu beschreiben sucht, zu wenig aber, um die eingangs angedeutete Frage nach der Sinnmitte des Werks entscheidend zu fördern. Dazu nämlich wäre eine Formanalyse vonnöten, die alle Motive und Personengruppierungen gegeneinander abwägt und in hierarchischer Abstufung einander zuordnet, ein Verfahren, dessen Vorzüge durch die Untersuchungen von H. Politzer und W. Jahn zum *Verschollenen* [11] offen zutage liegen, ermöglicht es doch, interpretatorische Aussagen auf die gesamte Textur, bis in ihre feinsten Verästelungen hinein, zu beziehen und zu verifizieren.

Die Erkenntnisse, die er bei seinen Vorstudien zum *Kafka-Kommentar zu den Romanen, Rezensionen, Aphorismen und zum Brief an den Vater* hinsichtlich der epischen Integration, des Szenenarrangements, der Motivverkettung, Personenbeschreibung und Requisitenverwendung gewann [12], ermutigten den Verfasser, die Dinge speziell beim *Schloß* in dieser Richtung voranzutreiben, d. h. vor allem die Beziehungen der Figuren und die Bedeutung der Erzählelemente, und seien sie scheinbar noch so belanglos, darzustellen, und zwar aufgrund ihrer Form und Struktur.

Schwerpunktmäßig soll jedoch im dritten Teil dieser Arbeit eine Linie verfolgt werden, die interessanterweise gleichfalls schon von Max Brod angedeutet wurde, bisher aber kaum Nachahmer gefunden hat, nämlich die historisch-biographische Betrachtung. Brod erkannte richtig, daß Kafkas Verlobung mit Julie Wohryzek und seine Beziehung zu der tschechischen Journalistin Milena Jesenská wesentliche Partien des *Schloß*-Romans prägen. [13] Und W. H. Sokel ist es gelungen, diese Zusammenhänge noch wesentlich zu vertiefen.

Leider hat die soziologisch orientierte Kafka-Deutung diesbezügliche Erwartungen nur teilweise erfüllt. Die Ergebnisse erschöpfen sich meist in der These, Kafka, unmenschlichen Arbeitsbedingungen im Beruf ausgesetzt, habe den undurchsichtigen Bürokratismus der Donaumonarchie in den Schloßinstanzen abgebildet [14], und das, obwohl schon eine oberflächliche Überprüfung der Lebenszeugnisse Kafkas zu einer ganz andern Auffassung führen muß.

Erst neue, das geistige Umfeld Kafkas sorgfältig rekonstruierende Dokumentationen zeigen die Fruchtbarkeit dieser Methode. Ohne wissen zu können, daß Kafka in lebensgeschichtlichen Zusammenhängen, die den Hintergrund des *Schloß*-Romans bilden, sich antisemitischer Argumentationsmuster bedient, die er in Kenntnis und aufgrund der Ereignisse internalisiert hatte, die der sogenannte Polnaer Ritualmordprozeß nach sich zog, haben R.-M. Ferenczi und C. Stölzl unabhängig voneinander herausgestellt, welch bewußtseinsbildende Kraft für das Böhmen Kafkas jenen skandalösen Vorgängen zukam. [15]

Daß, abgesehen von diesen Ansätzen, zum *Schloß*, anders als zum *Verschollenen* und zum *Prozeß*, historisch orientierte Analysen fehlen, hat vor allem darin seinen Grund, daß es erhebliche Schwierigkeiten macht, sich genaue Kenntnisse über Kafkas Lebensumstände in seiner Spätzeit zu verschaffen. Um zu beweisen, daß Kafka seine gesamte aus den erhaltenen Zeugnissen eruierbare Erlebniswelt und die ihr zugrunde liegenden Problemstellungen in seinem letzten Roman dargestellt hat, daß die einzelnen Figuren und ihre Beziehungen untereinander sowohl reale Personen verkörpern als auch Momente der Innenwelt Kafkas widerspiegeln, war ein ausgedehntes Quellenstudium nötig.

Dem Verfasser standen nicht nur die bislang unpublizierten Passagen der an Milena gerichteten Briefe Kafkas zur Verfügung, ohne die ein Verständnis sowohl der Korrespondenz selber als auch der ihr parallellaufenden Liebesbeziehung überhaupt nicht möglich ist, sondern er konnte auch zahlreiche Zeitungsfeuilletons Milenas auswerten, die das Wissen um ihre Person, aber auch um ihr Verhältnis zu Kafka bereichern. Diese Beiträge sind nicht nur wegen ihres Erscheinungsortes schwer aufzufinden, man muß auch wissen, daß sie, die sich vielfach auf den Schriftverkehr mit Kafka beziehen, der ein begeisterter Leser dieser Artikel war, teilweise unter Pseudonymen veröffentlicht wurden.

Entscheidend für das Verständnis des Romans waren weiterhin besonders die Lebensumstände Max Brods, die direkt oder in literarischer Gestalt in das Werk Eingang fanden. Da die in diesem Zusammenhang interessierenden Gegebenheiten aus begreiflichen Gründen in Brods Autobiographie *Streitbares Leben* nicht beschrieben sind [16] – der Verheiratete war ein außereheliches Liebesverhältnis eingegangen –, mußten diese, da auch Brods Tagebücher während des Zweiten Weltkriegs verloren gegangen sind, mithilfe anderer Dokumente rekonstruiert werden. Max Brod selber gab dem Verfasser noch auf diesbezügliche Fragen Auskunft, bat aber darum, die Dinge zu seinen Lebzeiten nicht allzu direkt auszubreiten.

Als Ursache für die Tatsache, daß es bisher so wenig gelang, das *Schloß* im Zusammenhang mit den Problemen zu sehen, mit denen sich Kafka selbst auseinanderzusetzen hatte, läßt sich schließlich anführen, daß der übliche Grobvergleich zwischen dem Lebensgang und Textverlauf in diesem Fall kaum zum Ziel führt. Die Fäden zwischen beiden Bereichen sind viel feiner gesponnen. Sie werden sichtbar nur auf der Ebene kleinster Details, und das ist auch einer der Gründe, warum den Ausdrucksbewegungen in dieser Untersuchung so viel Raum gegeben wird.

An sich ist schon früh beachtet worden, daß Kafka in besonderer Weise dem Gebrauch von Mimik und Gestik verpflichtet ist. W. Benjamin, F. Martini und Th. W. Adorno waren die ersten, die auf diesen Sachverhalt hinwiesen. [17] W. Jahn konnte dann in seiner Arbeit über den *Verschollenen* die hervorragende Stellung dieses Aussagemoments unter den epischen Bedeutungsträgern dartun. [18] Und H. Hillmann gelangen wichtige Einsichten zur Funktion dieses Erzählelements bei Kafka: Es findet einmal wegen seines fast theatralischen Demonstrationscharakters Verwendung, wenn szenische und gestische Kulminationen der Großartigkeit erstrebt sind, zweitens als Möglichkeit, »Charakterzüge oder seelische Vorgänge in knappster Form sinnfällig werden zu lassen«, und schließlich, um dem Perspektivträger für den Handlungsfortschritt notwendige Informationen über das Innere der Gegenfiguren auf einfache Weise vermitteln zu können. [19]

Gerade diese Forschungsergebnisse sind nun aber mit der Behauptung angezweifelt worden, auch die Momente des Mienenspiels und der Gestik seien subjektiv vermittelt, also den Deutungen der Zentralfiguren unterworfen, und damit den Verzerrungen, die für ihr Wahrnehmungsvermögen kennzeichnend seien. [20] Allen Ausdrucksbewegungen und überhaupt allen Handlungen etwa der Romanfiguren eignet dann ein Moment des Irrtums, das es verbietet, derartige Äußerungen direkt als Ausdruck ihres psychischen Hintergrundes zu verstehen. [21]

Der Mittelteil dieser Untersuchung will hier Klarheit schaffen, und dies geschieht durch eine Gesamtdarstellung dieses Bereichs, also unter Einbeziehung aller Einzelstellen des literarischen Werks und der Lebenszeugnisse, denn nur dann kann der Einfluß, der möglicherweise der Erzählhaltung zukommt, klar erkannt werden. Auch die Ursachen für die Bevorzugung derartiger Wahrnehmungs- und Darstellungselemente dürfen bei dieser Fragestellung nicht übergangen werden, zumal in der Sekundärliteratur, die den Bereich des Gestischen sowieso noch nie systematisch untersuchte, nichts Brauchbares darüber zu finden ist. Die nicht weniger wichtige Kategorie des Mimischen — sie tritt bei Kafka vor allem als Akzentuierung von Auge und Blick in Erscheinung — wurde sogar bisher überhaupt nicht beachtet.

Kafkas Darstellungsweise, die zusammenhängend in der *Verwandlung* und im *Verschollenen* analysiert wird, erscheint dabei in neuer Beleuchtung und entspricht den aus den Lebenszeugnissen ablesbaren Wahrnehmungsrastern. Sie zeichnet sich nicht nur durch eine Funktionalität aller mimisch-gestischen Details aus, die vorbehaltlos deutbar sind und auf die geistige Verfassung der betreffenden Figuren verweisen, sondern auch durch die auffällige Tendenz, Erzählpersonen durch solche Ausdrucksbewegungen entsprechend ihren inneren Bezügen auf der Darstellungsbühne zu gruppieren.

Besonders beliebt ist in diesem Zusammenhang die Als-ob-Form, die von Kafka, unerkannt bis jetzt, weit über ihre herkömmliche Verwendungsart hinaus zu einem hochdifferenzierten Darstellungsmittel für seelische Vorgänge entwickelt wurde, das trotz der Fixierung des Erzählerstandorts im Protagonisten eine Innenschau der Gegenfiguren ermöglicht.

Die Betrachtung dieser Vergleichssätze dürfte auch unter rein sprachlichen Gesichtspunkten interessieren, weil Kafka hier den Konjunktivgebrauch in einer Weise regelt, auf die sich der gegenwärtige umgangssprachliche Zustand langsam zubewegt.

Die Bedeutung, die Kafkas Lebenszeugnissen für die richtige Einschätzung der Ausdrucksbewegungen, aber auch für die Erkenntnis seiner Existenzprobleme und für das Verständnis seiner Dichtung zukommt, ist so wenig zu leugnen wie die Tatsache, daß diese Dokumente auch als eigenständige Ausdrucksformen literarischen Schaffens wert sind, erforscht zu werden.

Bei dieser allgemein anerkannten Sachlage ist es jedoch verwunderlich, daß der Zeugniswert und die spezifische Seinsweise der Briefe noch nie Gegenstand einläßlicher Würdigung gewesen sind. Die Aufmerksamkeit, die die Briefe an Felice seit ihrem Erscheinen erfahren haben, galt mehr oder weniger der Darstellung der in ihnen enthaltenen biographischen Zusammenhänge oder gab zu geistesgeschichtlichen Spekulationen Anlaß, während die Beschaffenheit der Zeugnisse selbst vernachlässigt wurde. [22]

In bezug auf die Tagebücher liegen die Verhältnisse nur scheinbar günstiger. Zwar hat schon drei Jahre nach dem Erscheinen der deutschen Gesamtausgabe der dreizehn Quarthefte und Reiseberichte W. Giesekus monographisch darüber gehandelt, doch erschöpfen sich ihre Darlegungen meist in inhaltlichen Paraphrasen, in Systematisierungen häufiger vorkommender Motive und Gedanken und in allgemeinen, unbewiesenen Hypothesen über Kafkas Schaffen. Die unfruchtbare Immanenz der Untersuchung wird noch dadurch verstärkt, daß der Verfasserin natürlich weder der Band *Briefe 1902–1924* noch die *Briefe an Felice* zur Verfügung standen, die bestimmte Kontrollen und Korrekturen ermöglicht hätten. [23]

Ein Jahr später hat dann A. Gräser in seiner Studie *Das literarische Tagebuch. Studien über Elemente des Tagebuchs als Kunstform* Kafka ein Kapitel gewidmet. Seine wenig differenzierten Ergebnisse, die überdies die gewählte Themenstellung zum größten Teil verleugnen, halten aber einer Nachprüfung nicht stand. Gräser vertritt die Auffassung, das große Thema in Kafkas Tagebücher sei die Einsamkeit, gegen die er sich durch seine Notizen zu wehren und zu erhalten suche. In der Konsequenz eines solchen Ansatzes behauptet der Verfasser dann, die empirische Welt bleibe in diesen Aufzeichnungen durchgängig ausgeklammert. [24]

Die zweite These ist zumindest mißverständlich, und zwar nicht nur angesichts der Reisetagebücher, die eine Fülle konkreter Informationen bieten, sondern vor allem auch im Hinblick auf die Tatsache, daß die Quarthefte in einem weit höheren Maße als etwa die Tagebücher Goethes oder Hebbels, wo das eigene Handeln bzw. die theoretische Reflexion im Mittelpunkt steht, auf die Beobachtung äußerer Gegebenheiten ausgerichtet sind.

Die erste Beobachtung aber ist in sich widersprüchlich, denn wer sich durch Schreiben aus einer Lage zu befreien sucht, kann dies nicht dadurch erreichen, daß er diese expliziert. Tatsächlich ist dies auch bei Kafka keineswegs der Fall. Die Tagebuchaufzeichnungen sind, will man überhaupt derartige begriffliche Verkürzungen gebrauchen, Ausdruck seines Kampfes um ein Leben in der Gemeinschaft. Die in seinem Lebensgang auftretenden Phasen der Isolation bejahte er, weil ihm die Reduktion auf das zweifellos ihm Zuhandene, der Rückzug auf sich selbst, die einzige Möglichkeit schien, um überleben zu können. Tagebücher im herkömmlichen Sinn hat er in solchen Zeiten gerade nicht geführt!

Ein vollständiges Mißverständnis der Gegebenheiten liegt auch vor, wenn Gräser, eine Formbeschreibung der Tagebücher Kafkas wenigstens versuchend, davon spricht, der Dichter liebe in seinen Aufzeichnungen die harte Fügung — Belege werden für diese Behauptung nicht gegeben —, und die zwischen den einzelnen Gedanken und Bildern obwaltenden Beziehungen seien weder logischer noch kausaler Natur. [25]

Kafkas Ästhetik und Wahrnehmungsweise kann nicht durch einen an Hölderlins späten Hymnen abgelesenen Begriff und eine Beschreibung via negationis abgedeckt werden: Kafka haßte nämlich abrupte Übergänge. [26] Wo man solche in den Lebenszeugnissen zu bemerken glaubt, handelt es sich in Wirklichkeit um Lücken, die einzelne, autonome Beobachtungen, zu denen Kafka aus bestimmten, noch zu würdigenden Gründen neigte, gänzlich voneinander trennen. Die Verknüpfung der Vorstellungen aber wird assoziativ und intuitiv durch bestimmte Bildbegriffe geregelt, eine Verfahrensweise, die im ersten Kapitel dieser Studie dargestellt wird.

Der nächste, auf die Tagebücher sich beziehende Aufsatz stammt von M. Blanchot und ist in dem Sammelband *Franz Kafka Today* erschienen. Er trägt den Titel: *The Diaries: The Exigency of the Work of Art.* Blanchot ist also nicht an Gestalt, Tendenz und Zeugniswert der Tagebücher interessiert, sondern er untersucht eine Spezialfrage, das Problem nämlich, auf welche Weise sich Kafkas Verhältnis zu seinem Schaffen in den Heften niedergeschlagen hat. [27]

Auch W. Grenzmanns Essays *Das Tagebuch als literarische Form*, in dem Kafka nur gestreift wird, enttäuscht im Hinblick auf die Fragestellung. Der Verfasser verwechselt nämlich diese mit dem Problem, warum Kafka Tagebücher geführt habe, und kommt dabei zu der völlig falschen Behauptung, Kafkas qualvollste Augenblicke seien jene gewesen, wo er statt einer erlösenden Eintragung nur ein »Nichts, nichts« habe niederschreiben können. [28]

Erstens beziehen sich derartige Urteile gar nicht auf das Tagebuchführen, sondern entweder nur auf das dichterische Schaffen oder, was man gern übersieht, auf die Lebensführung des Dichters überhaupt. [29] Und selbst wenn die angenommene Beziehung richtig wäre, könnte sie nur für ganz bestimmte Zeiten in Kafkas Leben gelten.

Zu erwähnen ist weiterhin F. Beißners Vortrag *Der Schacht von Babel,* der

Kafkas Tagebüchern gewidmet ist. Es ist Beißners weite Definition der Tagebücher und sein Interesse, »gewisse Interpretationen aus dem Tagebuch zu korrigieren«, die seine Ergebnisse für eine Formbeschreibung der Quarthefte unbrauchbar machen. Denn er zählt dieser Art der Lebensäußerung auch die Fragmente aus den *Hochzeitsvorbereitungen auf dem Lande* bei und sieht sie bei Kafka vornehmlich durch die theoretischen Betrachtungen, Aphorismen und Erzählansätze repräsentiert, während er die »kalendermäßige Dokumentation von Erlebnissen und Begegnungen, von Gespräch und Korrespondenz, oder persönliche Rechenschaft und verschwiegene Beichte« vollständig übergeht. Nicht günstiger ist die Arbeit von J. Demmer zu beurteilen, in der unter dem Titel *Franz Kafka der Dichter der Selbstreflexion* systematisch Aussagen über das Schreiben untersucht werden, wobei Demmer zu der Meinung gelangt, daß Kafka »aufgrund seiner Selbstreflexion zu nichts stehen kann und daher nur etwas sagen kann, wenn er zugleich dessen Gegenteil mitsagt, d. h. sein Sagen sagt eigentlich nichts, ist sinnlos. Dies ist gemeint, wenn hier von Unwahrhaftigkeit geredet wird ... Der Mechanismus von Selbstanklage und Selbstrechtfertigung wird angetrieben von einer Angst, die im Ausweichen vor der Sinnfrage ihren Grund hat«. Letzteres ist auch der Grund dafür, daß für Kafka das Schreiben das wichtigste auf Erden sei, das erwähnte Schwanken aber bewirke, daß er beschreibe, »was er in seiner Phantasie sich vor sich selbst vorstellt«.

Die Fragwürdigkeit derartiger Aussagen ist offensichtlich, zumal sie auf methodologisch sehr anfechtbare Weise zustande kommen: In einer falschverstandenen Durchführung seines Postulats, der hermeneutische Zirkel W. Diltheys müsse ernst genommen und deswegen interpretatorische Verallgemeinerung vermieden werden, isoliert Demmer die zu untersuchenden Stellen der Lebenszeugnisse unzulässig, weil er auf grobe Weise ihren Stellenwert im Denksystem dieses Autors und situationsbedingte Akzentuierungen mißachtet.

Für die Zeit zwischen September 1917 und Juli 1920 trifft es beispielsweise keineswegs zu, daß Kafka sich in der angeführten Weise als dem Schreiben fanatisch ergebener Autor fühlte, und die Behauptung etwa, die Überlegungen, ob eine Briefverbindung mit Felice Bauer angeknüpft werden solle, seien von der Frage bestimmt gewesen, ob ein derartiges Verhältnis sein Schreiben gefährde oder nicht, hat höchstens den Charakter eines Indizienschlusses, muß aber durch Kafkas ausdrücklichen Hinweis relativiert werden, gelingende Produktion sei gerade die Voraussetzung dafür gewesen, daß er sich überhaupt an Felice habe wenden können.

Vor allem aber überdenkt Demmer nicht die Konsequenzen, die bei diesem überempfindlichen Schriftsteller von der Adressatenbezogenheit jeder Lebensäußerung — Demmer erkennt diesen Punkt hinsichtlich der literarischen Produktion im engeren Sinn recht deutlich — auf die Tendenz der Aussage einwirkt.

Kafka schrieb am 17. April 1920 aus Meran an seine Schwester Ottla auf
deren Mitteilung hin, der Vater habe briefliche Äußerungen von ihm sehr
kritisch aufgenommen: »Wenn man sich nur immer der Verantwortung bewußt bliebe, wenn man schreibt.« Bei seinen Tagebüchern und Briefen muß
also immer damit gerechnet werden, daß Verformungen der Aussagen mit
Rücksicht auf den Empfänger stattfinden, der natürlich auch mit dem Schreiber selbst als Person identisch sein kann.

Von Unkenntnis zeugt es, wenn einer bestimmten Aussageweise, die durch
Persönlichkeitskomponenten wie Ambivalenz oder Eindrucksverhaftetheit bedingt ist, Sinnhaftigkeit ab- und Nichtigkeit zugesprochen wird, nur weil
sie nicht ganz bestimmten im herkömmlichen Wissenschaftsbetrieb bevorzugten Denkmustern folgt, und wenn dann diese Ausdeutung wieder, jetzt
auf bemerkenswerte Weise jeder Begriffskonvention zuwider, als Unwahrhaftigkeit aufgefaßt wird. Denn dieser zuletzt genannte Begriff ist doch dadurch gekennzeichnet, daß der Unwahrhaftige sich selbst und andern gegenüber den Schein der Wahrheit aufrecht zu erhalten sucht und in ein schwe-
bend-unbestimmtes Verhältnis zu sich selbst tritt. Davon aber kann bei Kafka keine Rede sein, zeichnet ihn doch gerade im ethischen Bereich eine übersteigerte Pedanterie und Gewissenhaftigkeit aus. Seine Braut Felice Bauer
fand, daß sich Kafka über sich selber so vollkommen klar sei, wie sie das
von keinem andern Menschen kenne. Demmer verwechselt in diesem Zusammenhang offenbar Unentschlossenheit und Unbestimmtheit. Und was
schließlich Demmers Thesen über den Schaffensprozeß angeht, so läßt sich
an Kafkas Aussagen, gerade auch über das Verhältnis des Schriftstellers zu
seinem Werk, und der Analyse seiner Arbeitsweise belegen, daß diese Her-
vorbringungen keineswegs im Goethischen Sinne eine befreiende Funktion
haben, da Kafka gerade an dem im Werk objektivierten, und das heißt überschaubar gemachten Produkt das darin dargestellte Lebensproblem neu
durchdenken wollte. H. Hillmann hat überzeugend nachgewiesen, wie Kafka
dabei klar wird, daß verschiedene, hypothetisch vorgestellte Lebensmöglichkeiten sich als unbrauchbar erweisen. Auch kann gerade eine Betrachtung
der Genese des *Urteils*, dem Demmer die Hälfte seines Buches widmet, bündig zu dem Ergebnis führen, daß hier keineswegs schon vorhandene Phantasien gestaltet wurden, sondern daß sich diese erst während des Schreibvorgangs bildeten und dem Autor recht selbständig gegenübertraten.

Endlich führt auch der von J. Morand unternommene Versuch nicht weiter, die Besonderheit der Tagebücher genauer zu bestimmen. Wenn der Verfasser hier zwei Grundthemen dargestellt sieht, nämlich das banale Leben eines Angestellten und gleichzeitig die hintergründigsten und drückendsten
Bewußtseinsprobleme des Schreibenden, so liegt hier — ganz abgesehen von
der Tatsache, daß für Kafka das Alltägliche, Leibliche und Faßliche nie vom
Geistigen isoliert, sondern als dessen Manifestation begriffen wird — insofern ein Fehlansatz vor, als eben gerade der Brotberuf nur am Rande, und
auch dies nur in den ersten Quartheften, Gegenstand der Notizen Kafkas

wird, während andererseits wiederum die These, Kafkas Tagebücher seien weder biographisches Dokument noch reine Kunstübung, denn das Leben des Dichters sei selber zum Bild geworden, nur den Blick auf die Nüchternheit und Konkretheit der hauptsächlich auf den Tagesablauf zielenden Eintragungen verstellt. [30]

Der Kern der Tagebücher, die direkten lebensgeschichtlichen Aussagen, sind also bislang so wenig wie die Briefe adäquat beschrieben worden. Aber nicht nur dieser, im Blick auf den Rang des Autors bedauernswerte Mangel ist der Grund dafür, daß die Lebenszeugnisse im ersten Teil der vorliegenden Arbeit betrachtet werden. Das Unternehmen rechtfertigt sich nämlich auch von der Tatsache her, daß Briefe und Tagebücher regelmäßig auf einer sehr fragwürdigen methodischen Grundlage zur Erhellung des Phänomens Kafka ausgewertet werden.

Durch das übliche eklektisch-atomistische Beiziehen derartiger Passagen ohne Rücksicht auf ihren Stellenwert im Vorstellungsgefüge des Künstlers und auf ihren lebensgeschichtlichen Kontext mißachtet man die psychischen Voraussetzungen, die, jedenfalls bei Kafka, Konzeption und Aussagewert entscheidend mitformen. Auch ist die Würdigung solcher Lebenskundgaben mit Hilfe der Verfahrensweise der textimmanenten Interpretation verfehlt. Denn wer aufgrund bestimmter biographischer Phänomene und durchaus vorhandener literarischer Selbststilisierungen alle Lebensäußerungen gleichsam als Ausdruck der dichterischen produktiven Einbildungskraft auffaßt, sie, überspitzt formuliert, als Fiktionen ansieht, schließt den hermeneutischen Zirkel kurz, und zwar deshalb, weil er bei der vorliegenden Art der Überlieferung gezwungen ist, biographische Sachverhalte weitgehend eben den Selbstaussagen Kafkas zu entnehmen, deren Modalität erst auf der Folie davon unabhängiger lebenskundlicher Fakten sichtbar werden könnte, dann auch, und vor allem, weil er der Einzelstelle ein Gewicht beimißt, das ihr nicht zukommt; denn eine Selbstäußerung des Dichters spiegelt niemals in gleicher Weise seine Lebensproblematik wie ein dichterischer Einzelbeleg die Intention des doch immer überschaubaren, weil nur in der Begrenzung der Sprache existierenden Gesamttextes.

Tritt dieses bei den Tagebüchern mehr hervor, so jenes bei den Briefen, beides ist aber jeder Gattung eigen: In den Tagebüchern ist der Dichter selber sein Gegenüber, selbstquälerisch und darauf bedacht, nur Endgültiges zu formulieren, weil das Fixierte in seinem nebelhaften Bewußtsein den ursprünglichen Eindruck zu ersetzen und so die erstrebte Erkenntnis zu verfälschen drohte, andererseits gehen in die Briefe durchaus Augenblicksbefunde ein, denn Kafka distanziert sich zuweilen, vor sich selbst oder vor dem Briefpartner, von seinem Erzeugnis mit dem Hinweis auf seine Verfassung im Augenblick des Schreibens, die seine wahren Intentionen verdunkelt habe. [31]

Nebenbei sei bemerkt, daß, freilich nur in sehr indirekter Weise, diese beiden Kriterien auch Kafkas Dichtungen kennzeichnen: Nicht nur im *Brief an*

den Vater, sondern auch in einem Schreiben an Max Brod, in dem Kafka die
deutsch-jüdische Literatur seiner Zeit kennzeichnet, erscheint das eigene
Werk als Exponent der Auseinandersetzung mit dem Vater, und die autobiographische Erzählung *Das Urteil* bezeichnet er seiner Braut Felice gegenüber
als »Rundgang um Vater und Sohn«. [32] Nimmt man hinzu, daß er seine
Schöpfungen dem Vater vorzulesen trachtete, ihm die publizierten Bücher
vorlegte und, ganz entgegen sonstiger diesbezüglicher Gewohnheit, die Veröffentlichung des *Landarzt*-Bandes zu forcieren begann, nachdem er beschlossen hatte, ihn dem Vater zu widmen, weil er durch dieses Buch Hermann Kafka gegenüber innerlich selbständiger zu werden hoffte, und daß er
überhaupt als Vorteil jeder literarischen Arbeit die »Veredlung und Bespre-
chungsmöglichkeiten des Gegensatzes zwischen Vätern und Söhnen« ansah
[33], so wird die These, Kafkas Dichtung sei durch den Vater als vorgestellten Gesprächspartner, wenigstens zum Teil, konstelliert worden, nicht von
der Hand zu weisen sein, besonders wenn man weiß, daß eine außerordentlich intensive Gefühlsbindung, eine Haßliebe, zum Vater bestand, daß
Kafka in der Spätzeit zuweilen das »Dasein der Kunst« darauf zurückführen
wollte, daß sie allein, im Gegensatz zu Gespräch und Brief, ein wahres Wort
von Mensch zu Mensch ermögliche, und daß er schließlich Kierkegaards für
Regine Olsen bestimmte Buchveröffentlichungen verteidigte, obwohl er den
tendenziösen Charakter dieser »Briefe« an die Braut zu erkennen glaubte. [34]
    Auch der Aspekt der Situationsbezogenheit darf für Kafkas Schaffen nicht
außer acht gelassen werden, zeigt sich doch, daß der späte Kafka die Intentionen früherer Werke mißbilligte, daß seine veränderten Lebensumstände in
der Zeit der Krankheit nicht mehr den im *Urteil* und der *Verwandlung* herausgestellten Lebensmustern entsprachen, sondern neue, andersartige Erzählansätze erforderten, oder daß doch gleichbleibende Verhältnisse, wie z. B.
der Konflikt mit dem Vater, in der Sammlung *Ein Landarzt* und in *Forschungen eines Hundes* eine andere Interpretation erfahren als die psychologische
in den viel früher entstandenen Familiengeschichten der geplanten Novellen-
sammlung *Söhne,* nämlich eine soziologisch-anthropologisch bestimmte.
    Auch kann bei der Entstehung einzelner Werke beobachtet werden, wie
die Intention des entstehenden Textes mit seismographischer Genauigkeit
den jeweiligen Erlebnissen des Dichters folgt. Schließlich kann man als Indiz
für die vorgetragene Vermutung anführen, daß Kafka in seinen Lebenszeugnissen zuweilen eigene Werke behandelt, als ob es sich um direkte Lebenszeugnisse handele. [35] Die Geltung der dichterischen Aussage ist also abhängig von der jeweiligen Lebensphase des Autors.
    Zu den Besonderheiten der Lebenszeugnisse Kafkas gehört aber auch ihre
Sprachgestalt, deren Beschreibung schon durch die Einsicht herausgefordert
wird, daß hier Beziehungen zu den Dichtungen bestehen: Die Bilderwelt in
beiden Bereichen ist vielfach identisch, gleiche Stilzüge, rhetorische Kategori-
en und Elemente der Personengestaltung sind hier und dort nachweisbar;
und vor allem gehen schon in den Lebenszeugnissen gestaltete Erlebnisein-

heiten in das Werk ein. [36] Hier eröffnen sich Möglichkeiten, die oft behauptete Einheitlichkeit von Kafkas gesamtem Schaffen an klar abgrenzbaren Elementen zu überprüfen und Dichtung und Lebenszeugnis wechselseitig zu erhellen.

Eine ganz gesonderte Beachtung verdienen auch die Reisetagebücher Kafkas, deren Eigenart von keinem der angeführten Forscher einer Klärung für wert gehalten wurde. Freilich ermöglicht erst die Konfrontation der Notizen Kafkas mit der realen Beobachtungsszenerie und mit Max Brods ungedruckten Paralleltagebüchern eine Herausarbeitung der Spezifika von Kafkas Wahrnehmungshorizont. Wenigstens für die Eintragungen, die Kafka 1911 in Italien vornahm, wird im Folgenden ein solcher Versuch unternommen. [37]

Schließlich stellt die Überlieferung der Lebenszeugnisse Kafkas ganz spezielle Fragen, ohne deren Beantwortung die Bedeutung nicht ausgemacht werden kann, die der Autor seinem umfangreichen Brief- und Tagebuchwerk beimaß: Wie kommt es denn, daß ein Schriftsteller, dessen Inspiration außerordentlich unregelmäßig wirksam war und der zudem sehr langsam produzierte, der das so Geschaffene kaum seinen Freunden vorlas (von der zweischneidigen Haltung gegenüber jeder Veröffentlichung ganz zu schweigen) und der schließlich, zunächst freiwillig, dann durch die Krankheit gezwungen, sich immer mehr von der menschlichen Gemeinschaft absonderte, – wie geschieht es also, daß Kafka zu Zeiten an Felice und Milena täglich lange Briefe schrieb, das Ausbleiben der Antworten nicht ertragen konnte und, was offenbar damit zusammenhängt, selber eine außerordentliche Vorliebe für das autobiographische Schrifttum (nicht nur von Schriftstellern) zeigte, die sich im Laufe seines Lebens eher noch verstärkte? [38]

Hinsichtlich der Tagebücher aber stellt sich das Problem, inwieweit sie Kafkas Bewußtseinszustände überhaupt richtig spiegeln, zumal unklar ist, ob Überlieferungslücken vorliegen. Wie wenig man sich bisher um derartige, für das Verständnis der Zeugnisse unerläßliche Zusammenhänge kümmerte, läßt sich daran veranschaulichen, daß einer irrtümlichen Fixierung des Zeitpunkts, an dem die erhaltenen Niederschriften einsetzen, durch den Herausgeber der Tagebücher bisher nicht widersprochen wurde, daß dieses Datum fälschlicherweise und unreflektiert mit dem Beginn des Tagebuchführens selbst identifiziert und überdies nicht erkannt wurde, daß die Hefte in verschiedenen Lebensphasen verschiedene Formen der Selbstreflexion artikulieren, eine Tatsache, die es nicht erlaubt, den Beginn des 1. Quartheftes mit dem Beginn der für Kafka typischen Tagebücher in eins zu setzen.

Erster Teil

Die Lebenszeugnisse

1. Kapitel
Die Briefe

a) Bau und Stil

Kafkas Originalität, seine Fähigkeit, konventionelle Formen mit individuellem Leben zu erfüllen, zeigt sich, wie schon seine Freunde erkannten [1], noch im Alltäglichsten. Was seine Korrespondenz betrifft, so gab es für ihn keine Routine, keine nur äußerlichen Höflichkeitsrücksichten und unreflektierten Schreibgewohnheiten, auch dann nicht, wenn es nur darum ging, durch kurze Grüße auf Ansichtspostkarten die Daheimgebliebenen wissen zu lassen, daß man an sie denke. Wird der geringe zur Verfügung stehende Raum herkömmlicherweise mit festliegender Anrede, Grußformeln und Wetterberichten weitgehend gefüllt, so ist auf Kafkas Karten, besonders der Frühzeit, Derartiges zugunsten ungewohnter Formulierungen zurückgedrängt oder gar nicht vorhanden: »Dir bringe ich wieder etwas mit. Franz« lautet der Text einer Postkarte, die er 1909 an die Lieblingsschwester Ottla schrieb. [2] Reizvoll abgewandelt erscheint dieser Gedanke auf einer andern Karte, wo der Schreiber, gleichsam ins Selbstgespräch vertieft, der Schwester Einblick in den für sie entscheidenden Augenblick der Reise gibt und dabei gleichzeitig seinen Geiz ironisiert: »Ich überlege gerade und rechne: Soll ich ihr etwas mitbringen?« [3]

Der Wunsch, das Übersandte als persönliche Anrede erscheinen zu lassen, zeigt sich wohl auch darin, daß Kafka gerne das auf der Ansichtspostkarte Dargestellte in den Text einbezieht. [4]

Sogar bei an sich nichtssagenden Inhalten besticht die Originalität der Aussage. So schrieb Kafka zu Beginn seines Studiums einmal an seinen Klassenkameraden Hugo Bergmann: »Lieber Hugo, es ist mir, als müßte ich Dich grüßen. Dein Franz.« [5]

Der Leser wird durch derartige Formulierungen gleichsam in die Lage des Schreibers versetzt, erhält einen unvermittelten Ausschnitt des gerade Geschehenden und blendet sich in einen scheinbar dauernd stattfindenden Dialog des Absenders mit ihm selber ein: »Und so geht die kleine Reise fröhlich weiter. Beste Grüße.« So der Text einer Karte an Felice aus Kratzau, der schon zwei andere vorhergegangen waren. [6] An Max Brod schreibt Kafka im August 1910: »Es ist doch trotz allem nicht schlecht, schon einem Garbenhaufen ein Weilchen an der Brust zu liegen und das Gesicht dort zu verstecken!« [7]

Geradezu unerschöpflich scheint die Fähigkeit des Dichters, durch lustige Einfälle seine Korrespondenzpartner zu unterhalten: Er zeichnet, teilt skurrile Reisebeobachtungen mit [8] oder malt detailreich genüßliche Situationen aus. [9] Gewiß war er also im persönlichen Umgang nicht der depressive Sauertopf, den man sich aufgrund der Tagebücher vorstellt. Nicht weniger eigenartig sind die Briefe gestaltet. Sie zeichnen sich durch eine erstaunliche Frische und Originalität, aber auch durch ästhetische Geschlossenheit und kompositorische Gefügtheit aus. Es sind viele Gründe, die dieses Erscheinungsbild bewirken. Auffällig ist zunächst die Gestaltung der Briefeingänge und -ausgänge, die mit den üblichen konventionellen Formeln und Höflichkeitsvorschriften häufig nichts mehr gemein haben: Die Briefe an Felice, besonders die früheren, und Milena beginnen oft nicht mit der Anrede. Diese wird dann entweder parenthetisch nachgeholt –».»Spät, Liebste, spät« – oder sie fehlt ganz – »Kein Brief gestern, keiner heute.« [10] Der erste Briefsatz besteht vielfach in einer Frage – »Wo ist der Arzt?« –, einem Ausruf – »Zwei Briefe! Zwei Briefe!« –, einer unvermittelten Bezugnahme auf Aussagen des Gegenbriefes – »Du hast recht, Felice« –, einem abrupten Einsatz eigener Gedanken – »Auf unserem Balkon ist es am Abend schön« – oder in Formulierungen, die das Folgende unter einen einheitlichen Gesichtspunkt stellen – »Damit also gar kein Zweifel ist, Milena:« [11]

Alle diese Brieferöffnungen rufen den Eindruck der unmittelbaren Gegenwart des Schreibers hervor. Es handelt sich aber weniger um Stilmittel, die eine Gesprächssituation fingieren sollen, als vielmehr um die Folge eines tatsächlich fortwährend sich vollziehenden inneren Gesprächs mit einem Partner. Wenn eine solche unendliche geistige Auseinandersetzung sich in der begrenzten Form eines Briefes objektivieren soll, so erscheint sie fast zwangsläufig in der Gestalt eines Gesprächsfragments, eines Ausschnitts, dessen offene Grenzen auf die Fortsetzung in Vergangenheit und Zukunft verweisen.

Die Briefschlüsse stützen eine solche Auffassung: In Kafkas Korrespondenz mit den Freunden, mit Ottla, der Lieblingsschwester, mit ihm Fernerstehenden und in offenen Postkarten an Felice finden sich zwar Grußformeln, teils aus Rücksicht auf die Konvention, teils auch als Ausdruck der empfundenen Distanz, die durch diese Art der Zuwendung überbrückt werden soll, sie fehlen aber fast vollständig in eigentlichen Briefen an die Verlobte und an Milena, weil dort dem Briefschluß die Aufgabe zufällt, das drohende Abreißen der durch das Schreiben erzeugten Verbindung zur Geliebten zu verhindern oder doch zu mildern. Kafka schreibt: »Der Briefverkehr wäre ganz hübsch, hätte man nur nicht am Ende eines Briefes, ebenso wie am Ende einer Unterredung das natürliche Bedürfnis, dem anderen ordentlich in die Augen zu sehn.« [12] Deshalb schließt Kafka mit dem Wunsch, von der Geliebten angesehen zu werden – »Sieh mir in die Augen!« –, sie berühren zu können – »Deine Hand, Felice!« –, oder er betrachtet ihr Bild. [13]

Auch durch eine abschließende Frage, Anrede, einen Befehl oder Hinweis auf das Schicksal des eben geschriebenen oder eines erwarteten Briefes versucht er, in der eben intensivierten Gefühlsbindung zur Partnerin zu verharren. Wo er den Topos des Küsseschenkens und -forderns aufnimmt, zeigt sich seine Sprachkraft darin, wie er durch immer neue Vorstellungen und sprachliche Einkleidungen jede Formelhaftigkeit und Wiederholung vermeidet. [14]

Die Unterschrift ist nicht selten abgekürzt, was teilweise durch äußere Gründe – z. B. Nachahmung der Praxis Goethes, bei Postkarten an Felice und Milena Schutz vor unbefugten Mitlesern – veranlaßt sein mag. Es ist jedoch bekannt, daß Kafka, auch wo er in amtlicher Eigenschaft unterzeichnete, den Namen abkürzte, was gegen die Vorschriften verstieß. Der Hauptgrund dürfte jedoch sein, daß er sich scheute, die Verantwortung für den Inhalt der Briefe durch Unterschreiben zu übernehmen und, gemäß dem Beamtenbrauch, unbewußt den nicht rechtswirksamen Konzeptcharakter seiner Ausführungen durch die Namensabbreviatur betonen wollte. [15] Entsprechend erklärt er Felice gegenüber das fast regelmäßige Fehlen des innige Zugehörigkeit aussprechenden »Dein« mit seiner Unfähigkeit, sich an die Partnerin zu binden.

Zu Anfang des Briefwechsels mit Milena wird es einige Male als alleinige Briefunterschrift ohne Vorname oder Initiale verwendet, während die späteren Briefe dann weder Pronomen noch Unterschrift aufweisen. Beide Möglichkeiten sind von Kafka selber begründet worden. Der erste Brief, der nur mit »Dein« schließt, hat folgende Nachschrift: »(nun verliere ich auch noch den Namen« immerfort ist er kürzer geworden und jetzt heißt er: Dein)«. Die vorhergehenden Briefe enden zunächst mit »Ihr (F.) Kafka« oder »Ihr Franz K«, später mit »Ihr F« oder »F« und dann mit »Dein F«. Die Unterschrift wird also tatsächlich kürzer, bis sie schließlich, zum erstenmal in dem eben zitierten Schreiben, ganz verschwindet.

Obwohl der Spielcharakter des Vorgangs offen zutage liegt – aber allein schon die damit verbundene Bewußtheit und dadurch bewirkte ironische Distanzierung von der vollen, naiven Wortbedeutung zeigt, daß für Kafka die Unterschrift ein Problem war –, hat die Sache noch einen ernsten Hintergrund. Kafka bringt nämlich immer wieder zum Ausdruck, daß Milena unerschöpflichen Lebensreichtum repräsentiere – Sicherheit, Glück, Fülle –, dem gegenüber der Briefschreiber nicht bestehen könne; deshalb widerte ihn wohl auch der Anfangsbuchstabe seines Namens an. [16]

Wegen seiner Schwäche, Isoliertheit und menschlichen Fragwürdigkeit kann ihm Milena gegenüber keine Selbständigkeit zukommen; er versteht sich als ein im Menschlichen ganz von ihr Gehaltener, als bloßes Attribut Milenas. Im allmählichen Verschwinden der Unterschrift und ihrer Ersetzung durch das Possessivpronomen spiegelt sich dieses Selbstverständnis. Und wenn er später außer »Franz« und »F« auch »Dein« als falsche Unterschrift ablehnt und statt dessen »nichts mehr, Stille, tiefer Wald« setzt, Vorstellungen also, mit denen er sonst seinen Zustand der Nichtigkeit, Weltferne und Eingeschränktheit aufs zweifellos-augenblicklich Vorhandene beschreibt, so meint das, daß er seine Lebensgrundlagen so ausschließlich von Milena geschenkt bekommt, daß jegliches von Milena unterschiedenes Hervortreten, und sei es in der Form besitzhafter Zuordnung, als ungenügender Ausdruck der wahren Kräfteverhältnisse erscheint. Seitdem diese Einsicht klar ausgesprochen war, die das Scheitern der Beziehung zu Milena in sich schloß, wird der ungezeichnete Brief zur Regel.

Daß Kafka den Briefrahmen ganz bewußt in der angegebenen Weise gestaltete, geht zweifelsfrei aus solchen Briefstellen hervor, wo dieser ausdrücklich problematisiert wird. Als ihn Felice durch ihr Schweigen an den Rand des Wahnsinns gebracht hatte, teilt er ihr mit: »...ich bitte nur um einen kleinen, ganz mühelosen, ganz unverbindlichen Brief. Nenne mich darin nicht lieb, wenn ich es Dir nicht bin, schicke mir keine herzlichen Grüße, wenn Du es nicht so meinst.« Wenigstens zum Teil befolgte Felice wohl diesen Rat, denn auf einer Karte, die sie ihm in der Folgezeit sandte, gebraucht sie nur die Anrede »Franz«.

Wie fein er selber die genannte Grußformel benützt, geht aus dem allerletzten Brief an Milena hervor, den er ihr schon aus Steglitz schrieb. Es heißt da: »wenn ich niederschreibe ›Herzliche Grüße‹, haben dann diese Grüße wirklich die Kraft, in die lärmende, wilde, graue städtische L.straße zu kommen, wo ich und das meine gar nicht atmen könnte. So schreibe ich dann gar nicht, warte auf bessere oder noch schlechtere Zeiten... Und nun doch die ›besten Grüße‹, was tut es, wenn sie schon bei der Gartentür niederfallen, vielleicht ist Ihre Kraft desto größer. Ihr K.« Bewundernswert wie Kafka, gezwungen zur Förmlichkeit, weil bei diesem an Milenas Wohnung adressierten Brief die Gefahr bestand, daß Ernst Polak das Schreiben las, gleichwohl hier seine Beziehung zur Korrespondenzpartnerin unverfänglich zu thematisieren weiß, ohne der Konvention zu verfallen. Er hatte, noch in Meran, von einem Ausflug aus Milena eine offene Karte schreiben wollen, diese aber nicht förmlich unterschreiben und wegschicken können, weil er der geliebten Frau nicht mehr wie einer Fremden schreiben mochte. Folgerichtig also, daß er sich auch in der Parallelsituation während der Jahreswende 1923/24 nicht dazu entschließen konnte. Indem er auf seine Kraftlosigkeit hinweist, die ihm die Aufrechterhaltung einer starken Gefühlsbeziehung unmöglich macht und andeutungsweise auf seine Bindung an Dora Diamant eingeht, motiviert er, warum es bei bloß freundschaftlichen »besten Grüßen« bleiben muß, die also in voller Ehrlichkeit gerade noch gesandt werden können.

Die üblichen Höflichkeitsformeln und überkommenen Aufbauschemata werden auch in den Fällen durchbrochen, wo Kafka scheinbar dem Brauch folgt: So findet sich beispielsweise in den Briefen an Grete Bloch sehr häufig und fast regelmäßig als Briefschluß die Formel »Herzliche Grüße!« Aber Kafka war sich des erstarrten Charakters der Wendung durchaus bewußt und suchte ihn wenigstens dadurch zu mildern, daß er ihn als solchen kenntlich machte. Der Schluß eines am 21. April 1914 verfaßten Briefes lautet: »Herzlichste Grüße (die Adjektiva müssen hinreichen, man schickt sie doch nicht ins Blaue, nicht die Adjektiva müssen richtig sein, sondern der Mensch muß es sein, dem man sie schickt) Ihres Franz K.« Auf höchst originelle Weise wird hier die mit dem Eigenschaftswort gesetzte Gefühlsregung der Adressatin zugeeignet; dies geschieht ja dadurch, daß ihr der Gruß als Wesensmerkmal zugeschrieben wird, eine Maßnahme, die Kafka auch in der Weise entlastet, daß sein Verhältnis zu Grete Bloch von dieser nicht in naheliegender Weise mißverstanden werden konnte.

Nur scheinbar ist auch das Herkommen gewahrt, wenn Kafka Milena einen Geburtstagsbrief schreibt, denn die hier zwingend vorgeschriebenen Wünsche werden von ihm eben gerade nicht vorgebracht, und dazuhin rechtfertigt er diesen Befund. Der Brief beginnt mit folgenden Worten: »Also sehr gut bin ich für den Geburtstag nicht vorbereitet, noch schlechter als sonst geschlafen, Kopf warm, Augen ausgebrannt, quälende Schläfen, auch Husten. Ich glaube, ich könnte einen längeren Wunsch nicht ohne Husten aufsagen. Glücklicherweise ist kein Wunsch nötig, nur ein Dank, daß Du da bist auf dieser Welt.« Raster für die Aussagen ist nicht ein Briefmuster, sondern die Art der Partnerbindung: Wenn Milena die Lebensfülle verkörpert, Kafka aber das Nichts, das durch Liebe etwas wurde, so ist eben nur zu danken! [17]

Was das Briefkorpus selbst betrifft, so fällt zunächst der Bildgebrauch auf: Kafkas literarische Arbeit ist seine »Nachtschicht«, ihr mögliches Ergebnis die »Beute«, ein Brief an Felice ein »Seufzer« [18]; seine Krankheit hat er nicht »erjagt«, dagegen einen destruktive Elemente enthaltenden Brief »erbrochen« und Milena, indem er an sie dachte, statt zu schlafen, »umflogen« [19]; und sein Inneres bezeichnet er als sumpfig oder bis auf den Grund zerkratzt. [20]

Kaum weniger bedeutsam als diese substantivischen, verbalen und adjektivischen Metaphern sind die Vergleiche. Dafür ein typisches Beispiel. Er habe, schreibt Kafka im Januar 1904 an Oskar Pollak, Hebbels Tagebücher in einem Zuge gelesen, ganz spielerisch zunächst, bis ihm »aber endlich so zu Mute wurde wie einem Höhlenmenschen, der zuerst im Scherz und in langer Weile einen Block vor den Eingang seiner Höhle wälzt, dann aber, als der Block die Höhle dunkel macht und von der Luft absperrt, dumpf erschrickt und mit merkwürdigem Eifer den Stein wegzuschieben sucht. Der aber ist jetzt zehnmal schwerer geworden und der Mensch muß in Angst alle Kräfte spannen, ehe wieder Licht und Luft kommt.« [21] Es ist deutlich, wie sich hier die Vergleichsebene zu einem Handlungszusammenhang erweitert, weil diese auf Kafkas Vorstellungsvermögen offenbar eine solche Suggestionskraft ausübt, daß er die gesamte Argumentation ins Bild verlegt.

In anderen Fällen wird dagegen jeder einzelne Teilvorgang des zu veranschaulichenden Gesamtzusammenhangs durch einen eigenen Bildbereich repräsentiert. Im folgenden Beispiel geht es um die Wirkung, die bestimmte Briefe Milenas auf ihn ausüben: »... dann, Milena, fange ich tatsächlich zu zittern an wie unter der Sturmglocke, ich kann das nicht lesen und lese es natürlich doch, so wie ein verdurstendes Tier trinkt, dabei Angst und Angst, ich suche ein Möbel, unter dem ich mich verkriechen könnte ...« [22] Ist es hier ein zeitliches Nacheinander, nämlich die geistige Verfassung Kafkas vor, während und nach der Lektüre, das Gegenstand der Verbildlichung wurde, so sind es an anderen Stellen mehrere Aspekte eines Vorstellungszusammenhangs, die durch verschiedene Bilder realisiert werden. So schreibt Kafka über sein vielschichtiges Verhältnis zu Felice: »Ich umlaufe und umbelle sie, wie ein nervöser Hund eine Statue oder, um das ebenso wahre Gegenbild zu zeigen: ich sehe sie an wie ein ausgestopftes Tier den ruhig in seinem Zimmer lebenden Menschen ansieht.« [23]

Der Schritt zur selbständigen Beispielerzählung ist nicht groß, und Kafka tut ihn öfters. So erzählt er von einem Relief auf der Karlsbrücke in Prag, auf dem ein Heiliger den Teufel zum Pflügen eingespannt hat, was dem Zustand der jetzt noch heimatlosen und desorientierten Briefpartnerin entspräche, wenn sie landwirtschaftliche Arbeit annähme; oder er schildert die Gefangenschaft Casanovas in den Bleikammern von Venedig, weil dessen innere Verfassung mit der Kafkas vergleichbar ist, wenn er von Milena Mitteilungen über jüdische Dinge hinnehmen muß. [24]

Da sich die verwendeten Metaphern und Vergleiche nicht an die vorgeprägte Bildhaftigkeit der Alltagssprache oder der literarischen Tradition anlehnen, entsteht bei der Lektüre der Lebenszeugnisse Kafkas der Eindruck ungewöhnlicher Plastizität und Dynamik. Das ist aber nicht der Grund, warum Kafka solche Bildvorstellungen so sehr bevorzugt: In einem Brief an Felice vom Februar 1913 berichtet er über Verständnisschwierigkeiten, die sich beim Studium des streng philosophischen Buches *Anschauung und Begriff* einstellten, obwohl er mit seinen Gedankengängen – die Verfasser waren seine intimen Freunde Felix Weltsch und Max Brod – schon vertraut sein mußte: »Ich muß mich zum Lesen und Verstehen zwingen; wo nicht etwas dasteht, auf das man die Hand auflegen kann, verfliegt meine Aufmerksamkeit zu leicht«. [25]

Berücksichtigt man noch sein Eingeständnis, eine Gedankenreihe nicht diskursiv entwickeln zu können, und Max Brods Aussage, Kafka sei zur Abstraktion unfähig gewesen, so läßt sich aus diesen Belegen ein Beharren seines Denkens auf greifbar-anschaulichen Phänomenen eruieren. [26]

Die Vermutung liegt nahe, daß in seinen Lebenszeugnissen den Bildvorstellungen die Bedeutung zukommt, die sonst den Allgemeinbegriffen und den logischen Operationen zufällt; an die Stelle abstrakter Argumentation treten also sinnliche Erscheinungen, Bilder und deren Verknüpfung, Erscheinungen, die freilich, wie sich noch zeigen wird, durch Satzreihungen und Wiederholungen ergänzt werden, die durch Modifizierung, Komplettierung oder Radikalismus der Denkeinheiten das Fortschreiten der Gedanken bestimmen. Die Briefe selbst bestätigen diese Auffassung.

Zunächst ist darauf hinzuweisen, daß Metaphern und Bilder nicht zur bloßen Illustration, Veranschaulichung oder Ausschmückung einer gemachten Aussage dienen, sondern *anstelle* des gemeinten Sachverhalts stehen, der also nur im Bilde sichtbar wird. Vielfach geschieht dies auch in der Form, daß Bilder einen Denkzusammenhang abschließen, in dem Kafka in begrifflichen

Formulierungen einen Gedanken aus dem andern hervorgehen zu lassen versucht. Es hat dann den Anschein, als ob Kafka ins Ereignishaft-Bildliche übergehen müsse, um das Gemeinte einigermaßen vollwertig aussprechen zu können. So schließt z. B. eine längere Passage, in der er sich über die Bedeutung seiner literarischen Arbeit äußert, mit folgendem Doppelbild, das allein die Erklärung dafür enthält, warum seine »Schriftstellereigenschaft« keine rechtmäßige Naturgegebenheit sei: »Ich bin von zuhause fort und muß immerfort nachhause schreiben, auch wenn alles Zuhause längst fortgeschwommen sein sollte in die Ewigkeit. Dieses ganze Schreiben ist nichts als die Fahne des Robinson auf dem höchsten Punkt der Insel.« [27] Und ein Abschnitt in einem Brief an Felice, in dem erklärt werden soll, warum für Kafka eine Trennung nicht in Frage kam, obwohl man sich in fast 2½jähriger Beziehung nicht näher gekommen war, schließt mit den Worten: »Der Wegzeiger zeigt nur die eine Richtung.« [28] In der Forschung ist dieser wichtige Sachverhalt andeutungsweise richtig nur von A. P. Foulkes erkannt worden, wenigstens in Hinsicht auf die Erzählungen auch von M. Marache: »il s'agit en effet à la fois de représenter métaphoriquement un processus spirituel et de transporter la conscience tout entière dans l'image.« Dagegen ist es eine Verkennung des bei Kafka vorliegenden Befundes, wenn W. Emrich hier »eine Zerstörung der Grundlagen und Voraussetzungen« bemerkt, »unter denen sich bisher dichterische Bildersprache entfaltet hatte«, eine Auflösung des Wechselverhältnisses zwischen Psyche und Gegenstandswelt, unternommen zu dem Zweck, »unsere eigene menschliche Vorstellungswelt zu durchbrechen und die wahre Struktur der Dinge selbst ins Bild zu zwingen«. Denn durch die Nichtbeachtung der Lebenszeugnisse Kafkas und durch die Ausrichtung des Verhältnisses zwischen Empirie und ihrer Repräsentation im Bild an herkömmlichen Normen (Goethe) mußte Emrich entgehen, daß sich Kafkas Realismus nur der Form, nicht aber dem Intensitätsgrad nach von vergleichbaren Autoren unterscheidet.

Eine entsprechende Schwäche weist auch die dem Bildgebrauch bei Kafka gewidmete Untersuchung von B. Beutner auf. Da sie nicht von Bildstrukturen, sondern von Gegenstandsbereichen ausgeht, die bei Kafka vielfach nicht konform gehen, und da sie weiterhin den Bedeutungsgehalt der comparata nicht mit Hilfe entsprechender Vorstellungen in den Lebenszeugnissen verifiziert, wo sich sowohl viele Gegenstandsbereiche als auch metaphorische Formschemata in größere Denkzusammenhänge eingebettet finden (die comparanda sind in der Regel genannt!), sondern heute landläufige Konventionen an die Stelle der Kafkaschen Denotationen und Konnotationen setzt, müssen ihr Sinn und Zusammenhang seiner Bilderwelt auch in den literarischen Werken weitgehend verborgen bleiben.

Ein weiteres Indiz dafür, daß bildhafte Vorstellungen und konkrete Einzelfakten in Kafkas Denken Begriffe ersetzen, ist die Tatsache, daß viele metaphorische Wendungen keine Augenblicksprägungen darstellen, sondern feste Verbindungen mit bestimmten Denkinhalten eingegangen und demnach wie die von jeder konkreten Situation losgelösten Allgemeinbegriffe übertragbar, d. h. bei Bedarf in neue Vorstellungszusammenhänge einfügbar sind. Ein schönes Beispiel dafür ist ein Brief an Ottla vom August 1917, in dem Kafka die beginnende Lungentuberkulose als den alles entscheidenden Exponenten innerer Kräfte versteht, die seiner Verbindung mit Felice hindernd im Wege standen. Er schreibt über die Auseinandersetzung mit sich selbst in den Jahren 1912 bis 1917: »Es ist der größte Kampf, der mir auferlegt oder besser anvertraut worden ist und ein Sieg (der sich z. B. in einer Heirat darstellen könnte, F. ist vielleicht nur Repräsentantin des wahrscheinlich guten Princips in diesem Kampf) ich meine, ein Sieg mit halbwegs erträglichem Blutverlust hätte in meiner privaten Weltgeschichte etwas Napoleonisches gehabt.« [29]

Das Ringen um Felice wird in den Briefen an die Braut an vielen Stellen in immer neuen Variationen als Zweikampf dargestellt. Die auf dem Kampfplatz anwesenden beiden Kämpfer tragen z. B. Masken, stechen, stoßen, schlagen mit den Händen und knien nieder. [30] Was das Napoleonische betrifft, so ergibt sich aus anderen Briefstellen, daß Kafka die Laufbahn des Korsen, besonders den Rußlandfeldzug, als Mustervorstellung für eine Verwirklichung des Menschlichen angesehen hat, deren Entsprechung im eigenen Leben die Ehe mit Felice, Milena und Dora gewesen wäre. [31] Die Weltgeschichte endlich erscheint an vielen Stellen als sinnbildliche Abbreviatur der beziehungsreichen und undurchsichtigen Kräfteverhältnisse und Komponenten des eigenen Innern, wobei kriegsentscheidende Schlachten und ihre Ursachen meist mitgedacht werden. [32]

Alle drei Bildbereiche repräsentieren also für sich genommen und unabhängig von der zitierten Briefstelle Zentralvorstellungen des Dichters. Und wie Begriffe, die einem bestimmten Sachbereich zugeordnet sind, sich im hierarchischen Verband befinden, inhaltliche Berührungspunkte aufweisen oder adversativer Zuordnung fähig sind, im gleichen Denkzusammenhang auftauchen können, so ist es hier beim intuitiven Denken eine Bildstruktur, nämlich der für Kafkas Stellung zu Felice charakteristische Vorstellungsinhalt Zweikampf, der assoziativ in der Gestalt ähnliche und dem Gegenstandsbereich schon zugeordnete oder benachbarte Bilder beizieht.

Dieser Analogie zum rationalen Denken entspricht es vollkommen, daß einerseits solche Anschauungsmuster strukturell verändert werden; denn auch Begriffe modifizieren sich, gemäß dem Zusammenhang, den sie repräsentieren sollen, nach Umfang und Inhalt, wenngleich dies in ihrer Sprachform kaum je direkt in Erscheinung tritt. Andererseits ändert sich bei Kafka auch der Zuordnungsbereich der Metaphern, so wie eine abstrahierte Gedankeneinheit ebenfalls ganz heterogene Gebiete begrifflich zu vertreten vermag.

Als Beispiel für diese Vorgänge sei das Lehrer-Schüler-Bild angeführt. Kafka hat es aus eigenem Erleben entwickelt: In jedem Schuljahr hatte er Angst, wegen seiner Unfähigkeit und Unwissenheit nicht versetzt zu werden: »Oft sah ich im Geist die schreckliche Versammlung der Professoren . . .

wie sie, wenn ich die Prima überstanden hatte, also in der Sekunda, wenn ich diese überstanden hatte, also in der Tertia und so weiter zusammenkommen würden, um diesen einzigartigen, himmelschreienden Fall zu untersuchen«. [33] In einem Brief Kafkas vom Januar 1918 heißt es nun, Unglücksfälle hätten seine innere Verwirrung so sehr vergrößert, als wäre er »z. B. aus der letzten Gymnasialklasse durch einen in seiner Begründung . . . unzugänglichen Lehrbeschluß in die erste Volksschulklasse degradiert worden«. [34] Der als Erlebnismuster in Kafkas Denken schon vorhandene Mechanismus des Nicht-versetzt-Werdens wurde also, durch einen im äußeren Leben nicht vorhandenen Grad der Zurückstufung und weil dem Betroffenen die Ursachen des Vorgangs verborgen bleiben, verschärft und in die Vergleichsebene erhoben.

Sowohl ein Erinnerungsvorgang als auch ein spontaner Einfall kann die Ursache einer solchen Übertragung sein: Kafka zieht einmal Milena gegenüber, deren Briefe, wie sich zeigen wird, mitverantwortlich für die Entfaltung dieser Zusammenhänge in Kafkas Spätzeit sind, Gegebenheiten seiner Schulzeit heran, um gegenwärtige Zustände zu verdeutlichen [35], und das Tagebuch belegt zufällig, wie sich Kafka angesichts der sinnlosen Gleichförmigkeit der täglichen Berufsarbeit der Vergleich mit Strafarbeiten aufdrängt, »bei denen der Schüler je nach seiner Schuld zehnmal, hundertmal oder noch öfter den gleichen, zumindest in der Wiederholung sinnlosen Satz aufzuschreiben hat«. Aufgrund der so gewonnenen Anschaulichkeit und Begrenztheit des Bildes ist dann eine genaue Analyse der eigenen Situation möglich, die den Vergleichspunkt zwischen Sachebene und ihrer sinnlichen Konkretisierung verschiebt. So wird eine Korrektur in der Vergleichsebene notwendig, die im genannten Beispiel so aussieht: ». . . nur daß es sich aber bei mir um eine Strafe handelt, bei der es heißt: ›so oft, als du es aushältst‹.« [36]

Dieser Prozeß erklärt weitgehend, warum Kafkas Bilder so häufig die ihnen zugrunde liegenden historischen, literarischen und empirischen Gegebenheiten verfälschen: Weiterführende Überlegung ist nur am vorhandenen Bildmaterial zu vollziehen, dessen Elemente bei diesem Vorgang also zwangsläufig und ohne Rücksicht auf ihre ursprüngliche Verbindung entsprechend dem Erkenntnisfortschritt umgebaut oder – dies die Erklärung für additive Metaphernhäufungen – durch ein neues comparatum intuitiv ersetzt werden.

Der Vergleich mit dem übermäßig zurückgestuften Schüler findet sich wieder in einem Brief Kafkas vom Januar 1921, wo er erklärt, er verhalte sich zu der Möglichkeit, vollgültige Liebesbeziehungen zu erreichen, im Vergleich zu Brod »wie ein Primaner, der achtmal durchgefallen ist, zu einem Oktavaner, der vor dem Unmöglichen, der Matura steht«. Die Degradierung wird damit gerechtfertigt, daß der Zurückgesetzte trotz achtjährigen Studiums aus Angst unfähig ist, eine kleine Multiplikationsaufgabe zu lösen [37], so wie Kafka selbst zum Zeitpunkt der Niederschrift in drei Heiratsversuchen versagt hatte und auf den acht Jahre zuvor bestehenden Ausgangspunkt zurückgeworfen worden war.

Soll dieser Gedanke verallgemeinert werden – schon im *Brief an den Vater* wird angedeutet, daß die Angst vor der Schule ein bloß zufälliges Beispiel für einen alle Lebensbereiche umgreifenden Sachverhalt darstellt –, so wird das Bild, indem es vom comparandum gelöst wird, verabsolutiert: »Du bist die Aufgabe. Kein Schüler weit und breit.« [38] Wenn Kafkas Neigung zur Selbstzerstörung hervortritt, dann erscheint auch die Lebensweise des in menschlichen Bindungen Gescheiterten unter dieser Kategorie: »Mir geht es wie im Gymnasium, der Lehrer geht auf und ab, die ganze Klasse ist mit der Schularbeit fertig und schon nachhause gegangen, nur ich mühe mich noch damit ab, die Grundfehler meiner mathematischen Schularbeit weiter auszubauen und lasse den guten Lehrer warten.« [39]

Andererseits konnte Kafka in dem Wunsch, das glückhafte Verhältnis zu Milena fortzusetzen und zu intensivieren, schreiben: »ich wollte Ihr Schüler sein und immerfort Fehler machen, um nur immerfort von Ihnen ausgezankt werden zu dürfen« [40], denn die Briefpartnerin verstieß ihn nicht wegen seiner Unfähigkeit, den Anforderungen der Gemeinschaft zu genügen, sondern stand zu ihm, ohne ihn ändern zu wollen. Eine einheitliche Leitvorstellung, nämlich das Gefühl, versagt zu haben, liegt also allen Beispielen zugrunde, wird jedoch unterschiedlich begründet und zur Erklärung verschiedenartiger Lebenssituationen herangezogen.

Daß Bilder in Kafkas Denken die Stellung von Begriffen einnehmen, wird schließlich auch dadurch bestätigt, daß die Einsicht, Sachverhalte anderen nicht adäquat vermitteln zu können, in den Lebenszeugnissen als Kritik an Vergleich und Metapher formuliert wird: Nachdem Kafka beispielsweise Milena gegenüber seinen inneren Zustand mehrmals durch das Wort »schwer« charakterisiert hatte, schrieb er ihr: ». . . verstehst Du es eigentlich? Es ist etwa die ›Schwere‹ eines Schiffes, das das Steuer verloren hat und das zu den Wellen sagt: ›Für mich bin ich zu schwer, für Euch zu leicht.‹ Aber auch so ist es nicht ganz, Vergleiche können es nicht ausdrücken.« [41]

Sprechen schon die in Frage stehende, formelhaft einen ganzen Denkzusammenhang in sich bildhaft komprimierende Vorstellung – Kafka wählt ja eine Metapher als passenden Ausdruck seines seelischen Grundverhaltens – und ihre Erklärung – das Bild wird durch ein Bild erläutert – für die Dominanz des Anschaulich-Konkreten in seinem Denken, so noch viel mehr die erstaunliche Tatsache, daß die Darstellungsmittel offenbar erschöpft sind, wenn die Metapher versagt, denn auch an anderen Stellen, wo die Mangelhaftigkeit derartiger Interpretationen erkannt wird, schließt sich kein spezifizierender Deutungsversuch auf einer anderen Verständnisebene an. [42]

Kafka hat die Kritik an der Metaphorik seiner Briefe [43] auch in grundsätzlicher Form ausgesprochen: In der schwerverständlichen, weil selber bildhaft formulierten und assoziativ die Gedanken reihenden Passage wird das metaphorische Sprechen als Exponent der uneigentlichen Beschäftigung des

Schreibens selbständigen und eigengesetzlichen Verrichtungen entgegengestellt, äußeren Vorgängen der greifbaren, sinnlichen Welt, die ihr Genügen in sich selbst haben und auf nichts anderes verweisen: So wie Kafka im Äußeren des Schreibvorgangs von den materiellen Bedingungen seiner Umgebung abhängig ist, so muß er beim Schreiben auf die anderen Gesetzen gehorchende Sprache zurückgreifen, deren Vorstellungsgefüge auf die äußere Welt und auf Relationen ihrer Attribute begrenzt ist. Die auszudrückende Unendlichkeit des Gefühls, die sich diesen einfachen Zuordnungsbeziehungen nicht fügende innere Vorstellungswelt kann also sprachlich höchstens »andeutungsweise« repräsentiert werden. Dieses Sprachverständnis ist eine Folge von Kafkas Denkweise, denn nur wenn Abstraktion und Begriff, die zur Beschreibung geistiger Strukturen dienen, in der Reflexion keine Rolle spielen und sogar als Erkenntnismittel, die Einzelsituationen übergreifen, verworfen werden, kann die Sprache als ein von Hause aus ganz der Außenwelt verhaftetes System erscheinen, das nur Dingbezüge ordnet. [44]

Beim Gebrauch der Metapher, da wo unabgegrenzte, zeitenthobene und eigentlich gar nicht zu isolierende innere Gegebenheiten mit den Anschauungsformen und Konturen der äußeren Welt sichtbar gemacht werden sollen, wird die Inkommensurabilität der Bereiche besonders fühlbar. [45]

Es sei noch bemerkt, daß eine Kafka ganz eigentümliche Art des Wortspiels mit seiner Affinität zu bildhafter Gestaltung zusammenhängt. Es handelt sich dabei nicht um das sprachliche Spiel mit dem Wortkörper, das freilich auch nachzuweisen ist (meist als polyptoton) [46], sondern um eine scherzhaft gemeinte Interpretation einzelner Wortteile im Sinne einer von Personalbezügen bestimmten anschaulichen Situation, die offensichtlich unmittelbar durch Lautliches evoziert wird. [47] Als Beleg sei angeführt, was Kafka über die tschechische Wendung »nechápu« (verstehe ich nicht) sagt, die in einem Brief Milenas vorkam: »... es ist so streng, teilnahmslos, kaltäugig, sparsam und vor allem nußknackerhaft, dreimal krachen im Wort die Kiefer aufeinander oder richtiger: die erste Silbe macht den Versuch, die Nuß zu fassen, es geht nicht, dann reißt die zweite Silbe den Mund ganz groß auf, nun paßt schon die Nuß hinein und die dritte Silbe endlich knackt, hören Sie die Zähne?« [48]

Die dargestellte Besonderheit der Lebenszeugnisse Kafkas ist aber nicht so zu verstehen, als ob Vergleich und Metapher bloß eine Umschreibung des Begriffs und an sich mit diesem funktionsgleich seien. Einem hinsichtlich Begrifflichkeit und Gedankenführung durchweg rational bestimmten Denken ist es eigentümlich, daß seine Resultate allgemeine Gültigkeit beanspruchen, auch wenn es sich mit ganz individuellen Gegebenheiten beschäftigt. Denn die einem solchen Gedankenablauf zugrunde liegende Methode ist ein Ausdruck allgemeiner Verbindlichkeiten, in deren Horizont sich zwangsläufig jeder diesem Erkenntnisweg verpflichtete geistige Prozeß bewegen muß. Das Persönliche ist dann ein Spezialfall übergreifender Gesetzmäßigkeiten und kann einzig von diesen Normen her gerechtfertigt oder verurteilt werden. Bei

Kafkas Persönlichkeit überwiegt aber das irrationale Moment so sehr, daß ganz andere Strukturen den Erkenntnisverlauf bestimmen.

Natürlich können auch die Ergebnisse dieser Denkform in rationale Sprache übertragen werden, dabei wird jedoch sichtbar, daß die Originalität und Einmaligkeit der Bilder mit der Tatsache korrespondiert, daß ein über den konkreten Einzelfall hinausgehendes Bezugssystem nicht vorhanden ist. Das Ausgesagte wird nicht übergeordneten Zusammenhängen subsumiert oder mit anderen Verhältnissen verbunden und beansprucht deshalb keine Allgemeingültigkeit: »wenn ich gesund bin, so werde ich gesund werden« [49], schreibt Kafka, um sein Verhältnis zur Lungenkrankheit zu bestimmen; und die Begründung für sein Schreiben während der letzten Lebensjahre besteht darin, daß im inneren Kampf nur dadurch eine, wenn auch notdürftige, Deckung vor dem angreifenden Feind geschaffen werden könne. [50]

Vereinzelt gibt es aber Ausführungen Kafkas, deren Sentenzcharakter einen dahinterstehenden Anspruch auf allgemeine Anerkennung vorauszusetzen scheinen. Der Satz »daß um die ›Lügen‹ der Schein der tiefern Wahrheit zu sehn ist, kann den Lügner nicht trösten« will jedoch nicht die Wirkungen gesetzmäßig formulieren, die von der Unwahrheit auf denjenigen zurückstrahlen, der sie äußert, sondern Kafkas eigenes Verhalten in der konkreten Lage beschreiben, als er in einem Schreiben seines Freundes Weltsch auf den Wahrheitsgehalt seines eigenen Briefes hingewiesen wurde. [51] Die Form der Aussage widerspricht also ihrem begrenzten Geltungsbereich, ein stilistischer Effekt, der das Behauptete durch ironische Verfremdung abschwächen soll – Kafka fühlte sich gewiß durch die Anteilnahme getröstet – und sich dafür der Denkform des Briefpartners bedient, denn Felix Weltsch war Philosoph.

Eine andere, in diesen Zusammenhang gehörende Stelle lautet: »wer seinem Urteil traut, muß nicht immer recht haben, wer aber seinem Urteil nicht traut, hat wohl immer recht. Und außerdem ist die Ehe, meistens wenigstens, ein verhältnismäßiges Glück, nur den Brautstand muß man überstehn.« [52] Auch diese, immer noch sehr vorsichtig ausgesprochenen Postulate sind aus dem Kontext relativierbar: Es folgt mit innerer Notwendigkeit aus seiner aufs Einzelne eingeschränkten Betrachtungsweise, daß Kafka verbindliche Ratschläge für andere nicht geben konnte, und er sagt das auch in den Briefen ganz deutlich. [53] Im vorliegenden Falle war er aber gezwungen, einer Bekannten seines Freundes Robert Klopstock zu raten, ob sie sich dem väterlichen Wunsch beugen und heiraten solle; Kafka bejahte das im Sinne der zitierten Worte. Die Form seiner Ausführungen ist also durch einen Zweck bedingt, den er eigentlich gar nicht billigte.

Wenn aber sonst einmal wirklich ein Sachverhalt in einer abstrakt anmutenden Argumentationsweise vorgestellt wird, so handelt es sich um eine Verallgemeinerung persönlicher Verhältnisse. Kafka schreibt in einem ganz späten Brief an Milena über Ehen, die aus Verzweiflung geschlossen werden: »Wenn man Verlassenheit in Verlassenheit legt, entsteht daraus niemals eine

Heimat . . . wenn man eine Verlassenheit zu einer Sicherheit legt, wird es für die Verlassenheit noch viel schlimmer . . .« [54] Die erste Erkenntnis las er an den Ehen seiner Freunde ab, die zweite entsprach seinem Verhältnis zu Felice. Überdies ist zu vermuten, daß sich der Dichter hier bloß einer indirekten Darstellungsform für emotional aufgeladene Inhalte bedient. Die Absicht der Ausführungen wäre es dann gewesen, Milena auf die Unmöglichkeit einer Verbindung mit ihm in vorsichtiger Form hinzuweisen.

Sieht man gar auf den Inhalt der drei angeführten Stellen, so erweisen sie sich sofort als Ausdruck von Kafkas einzigartiger Selbstkritik und damit als unbrauchbar für allgemeine Verwendung. Er benützt bei seinen Analysen keine der üblichen, allgemein bekannten und anerkannten psychischen Mechanismen, Konstellationen und Verhaltensweisen, die allein – auch wenn es die Form der Aussage nicht nahelegt – seine Erkenntnisse als Spezialfall oder individuelle Ausprägung allgemeiner geistiger Bezüge erweisen könnten. So bedeutet für Kafka beispielsweise Milenas Zuwendung weder, daß er sie mehr als ihr Mann beeindruckt, noch daß ihr Ernst Polak gleichgültig ist; aber auch nicht, daß sie beiden Männern gleichermaßen verbunden ist, sondern ihre Liebe zu Kafka besteht vielmehr darin, daß sie, die »mit allen Sinnen« ihrem Mann angehört, ihre innere Heimat, die Lebensfülle, verläßt und sich dem Lebensgesetz Kafkas verschreibt, einem Leben voller Angst also, dessen Nichtigkeit darin besteht, die für seinen Fortbestand notwendigen Voraussetzungen dauernd neu erlangen zu müssen, obwohl dazu die Kräfte fehlen. [55] Genauso wenig stimmt es zu den herkömmlichen geistigen Normen, wenn es Kafka als sein Endziel bezeichnet, den Menschen so wohlgefällig sein zu wollen, daß er, ohne die allgemeine Liebe zu verlieren, die ihm innewohnenden Gemeinheiten vor aller Augen offen ausführen könne, oder wenn er eine tiefere Beziehung zu Robert Klopstock mit der Begründung ablehnt, die mit einer solchen Freundschaft verbundene Untrennbarkeit der Beziehung übersteige seine Möglichkeiten, und die sich zufällig ergebenden Möglichkeiten der Kommunikation genügten, um die Gemeinsamkeit des Schicksals fühlbar zu machen. [56] Alle diese Ausführungen, deren Zahl sich beliebig vermehren ließe, erschließen sich dem Verständnis nicht von allgemeinen Denkkategorien her; sie werden nur faßbar, wenn man sie auf die Ordnungslinien der geistigen Individualität Kafkas bezieht.

In innerem Zusammenhang mit dieser Absolutsetzung des Einzelphänomens steht Kafkas Desinteresse an allgemeinen Problemen des Geistes und der Zeit. Wenn sich auch hie und da in den Briefen kurze diesbezügliche Bemerkungen finden – aber nur dann, wenn Kafka ganz existentiell von einer Sache betroffen war –, so ist das Thema der Korrespondenz doch ganz überwiegend auf die Lebensprobleme des Schreibers selbst und, als Vergleich und Kontrast, Max Brods konzentriert und reduziert.

Die Gründe dafür liegen auf der Hand: Da sind einmal, neben der starken Introversion, Kafkas Lebensschwierigkeiten zu nennen, die seine Kräfte immer mehr absorbierten und ihn, besonders seit dem Ausbruch der Tuberkulose, mehr und mehr von der menschlichen Gemeinschaft und ihren Problemen isolierten. Auch sein Grundgefühl, in jeder Hinsicht anderen unterlegen zu sein, lähmte natürlich die Auseinandersetzung mit fremden geistigen Systemen. [57] Zum andern ist nicht zu leugnen, daß Kafka »weder für Gelerntes noch für Gelesenes, weder für Erlebtes noch für Gehörtes, weder für Menschen noch für Vorgänge« ein Gedächtnis hatte, weshalb sein Wissen äußerst gering war und, wegen der beschriebenen Besonderheit seines Denkens, gar nicht zusammenhängend hätte reproduziert werden können. [58]

Das hat auch Konsequenzen für das Gebiet der Literatur: Zu Recht berichtet Kafka, die Polemik sei nicht seine Stärke und er sei zur Kritik unfähig, weil er weder ein Werk analysieren noch das Wesentliche herauslösen und überhaupt nur ihm Wesensgleiches verstehen könne. [59]

Seine Urteile über andere Schriftsteller sind ein genaues Spiegelbild dieser Selbstbewertung. Es sind in der Form ganz persönliche Stellungnahmen (über die Lasker-Schüler: »Ich kann ihre Gedichte nicht leiden, ich fühle bei ihnen nichts als Langeweile ...«), die in der Regel den Sinneseindruck zur Grundlage der Aussage machen (über Schnitzler: »Die Stücke, die ich von ihm gesehen habe ... sind mir noch vor dem zuschauenden Blick vergangen, und während ich zuhörte, habe ich sie vergessen«). [60] Wenn überhaupt eine gehaltliche Deutung vorgenommen wird, so ist die Beurteilungsgrundlage weder die Ästhetik noch sonst ein objektiver Gesichtspunkt, sondern die eigene Lebensproblematik, so wenn er Dehmels Briefe als »halbmenschliche, ehemännische« Dokumente bezeichnet, weil, wie aus einem späteren erklärenden Brief hervorgeht, es ihm ein derart unmögliches Glück war, eine Frau als Ehefrau zu lieben und der Angst gewachsen zu sein, daß er es hassen mußte. [61]

Nicht anders verhält es sich mit nichtliterarischen Gegenständen. Denn wenn Kafka z. B. in Briefen an seine älteste Schwester Elli ausführlich Erziehungsprobleme abhandelt, so ist nicht nur bezeichnend, daß dieses Thema als Kommentar zu einer Swift-Stelle durchgeführt wird – die anschaubare Realität, an die sich Kafka immer anlehnen muß, ist also in diesem Falle ein vorliegender Text –, sondern vor allem, daß in die Ausdeutung sämtliche eigenen negativen Lebenserfahrungen eingetragen wurden. [62]

Zur Bekräftigung des Gesagten sei noch angeführt, wie Karl Kraus beurteilt wird: Die Kriterien, unter denen die Produktion des von Kafka sehr geschätzten Autors begriffen wird, sind bis in die Bildlichkeit hinein die gleichen, die auch für Kafkas eigene literarische Arbeit maßgebend waren. [63] Der erstaunliche Befund, daß in Kafkas Briefen allgemeine Phrasen, vulgärphilosophisches und -psychologisches Bildungsgut der Zeit, gesellschaftliche Vorurteile und Schlagworte aus Kunst und Wissenschaft praktisch nicht vorkommen, dürfte dadurch veranlaßt sein, daß er alles Überkommene, sofern es ihm überhaupt zugänglich war, sofort und ganz den Kategorien seines subjektiven Denkens assimilierte. [64]

Das Kafka in einer bestimmten Lebenssituation unmittelbar Betreffende geht nun aber nicht unbedingt auch in seine Briefe ein. Hebbels Aussage: »sich bei Briefen irgend eine Art von Zwang anthun, heißt in das Herz Methode bringen und Händedruck und Umarmung nach Regeln betreiben«, bewunderte er zwar, aber die sich für Hebbel daraus ergebenden Konsequenzen hätte er nicht nachvollziehen können: »Ich spreche gegen die mir Nächsten und Liebsten jede Blase, die in meinem Hirn aufsteigt, aus und verlasse mich darauf, daß sie das, was mir der Unmuth oder die Verwirrung des Augenblicks eingiebt, von dem Bleibenden und in mir Feststehenden unterscheiden werden . . .« [65]

Kafka ist nämlich, wenigstens an den Briefen an Felice und Milena, sorgfältig bemüht, alles vom Briefwechsel fernzuhalten, was nicht unmittelbar die Problematik seiner Beziehung zu der Briefpartnerin berührte. Die Ursache kommt in einem an Felice gerichteten Schreiben vom April 1913 sehr deutlich zum Ausdruck. Kafka war der Meinung, daß der Liebende sich in seinem Denken und damit auch in der Briefäußerung ganz auf seinen Partner konzentriere: »Fällt Dir, Felice, nicht auf, daß ich Dich in meinen Briefen nicht eigentlich liebe, denn dann müßte ich doch nur an Dich denken und von Dir schreiben, sondern daß ich Dich eigentlich anbete und irgendwie Hilfe und Segen in den unsinnigsten Dingen von Dir erwarte. Was könnte es sonst für einen Grund haben, daß ich von der Aussiger Reise z. B. schreibe.«

Die mangelnde Ausrichtung auf die Partnerin kommt auch in einem Brief vom Februar 1913 zum Ausdruck, in dem Kafka sich vorhält, »seit einiger Zeit« überhaupt keine Fragen der Partnerin mehr beantwortet zu haben, ein Sachverhalt, den er, nur scheinbar paradox, als Selbstbezogenheit deutet. Es ist die mangelnde Fähigkeit, sich Felice gegenüber zu öffnen, sich in den Briefen der Wirklichkeit in der geforderten Weise zu stellen.

Nicht immer hatte er solchen Anlaß zur Skepsis, wie folgender, an Milena gerichteter Passus zeigt: »Und eigentlich schreiben wir immerfort das Gleiche. Einmal frage ich, ob Du krank bist, und dann schreibst Du davon, einmal will ich sterben und dann Du, einmal will ich vor Dir weinen wie ein kleiner Junge und dann Du vor mir wie ein kleines Mädchen. Und einmal und zehnmal und tausendmal und immerfort will ich bei Dir sein und Du sagst es auch.« [66]

Briefe, wie sie z. B. Fontane an Mathilde v. Rohr geschrieben hat, in denen nur von komischen gesellschaftlichen Erlebnissen berichtet wird [67], sind bei Kafka vollkommen undenkbar: An mehreren Stellen beanstandet er, daß sich im Brief fremde Zusammenhänge zwischen ihn und die Partnerin geschoben hätten, oder er bricht die Darstellung ab, wenn er bemerkt, daß er sich zu weit vom inneren Zentrum des Briefwechsels entfernt. In einem an Milena gerichteten Brief diskutiert Kafka diesen Sachverhalt selbst ausdrücklich, indem er die Konzentration der Aussagen auf die Partnerin als innerlich notwendig begreift, als eine Art Absetzung des Vertrauten von der Vielheit der Phänomene, die der Geliebten gegenüber jegliche Bedeutung verloren hat: »Ich kann Dir irgendwie nichts mehr schreiben, als das was nur uns,

uns im Gedränge der Welt, nur uns betrifft. Alles Fremde ist fremd, Unrecht! Unrecht! Aber die Lippen lallen und das Gesicht liegt in Deinem Schooß.« [68]

Es findet also innerhalb der durch Kafkas geistige Verfassung gegebenen Einschränkung des Wahrnehmungsbereichs noch einmal eine Reduktion auf die im Zusammenhang der Liebesbeziehungen interessierenden Fragen statt. Die ästhetische Geschlossenheit der Briefe wird dadurch natürlich befördert. Denn nicht nur die Sachverhalte, sondern auch gewisse sie repräsentierende Leitvorstellungen wiederholen sich und bewirken eine bessere Verklammerung des an sich heterogenen Briefkorpus: Für die Briefe an Milena sei beispielhaft auf die Zentralbilder »Meer«, »Schrank« und »Trotzdem« verwiesen. [69]

Andererseits sind alle berichteten Einzelheiten sprachlich und gedanklich an die in den Briefen behandelten Fragenkomplexe angeschlossen. Der Bereich der Natur z. B. wird entweder in kurzen, syntaktisch unselbständigen Andeutungen sichtbar, die gleichsam als Farbreiz wirken und den gegebenen Rahmen nicht sprengen, oder der Vorgang in der Natur dient als Gleichnis für Kafkas seelische Lage: »... auf dem Balkon ist ein Spatz und erwartet, daß ich ihm vom Tisch aus Brot auf den Balkon werfe, statt dessen werfe ich das Brot neben mich mitten im Zimmer auf den Boden. Er steht draußen und sieht dort in dem Halbdunkel die Speise seines Lebens, es lockt maßlos, er schüttelt sich, er ist mehr hier als dort, aber hier ist das Dunkel und neben dem Brot ich, die geheime Macht ... in einem plötzlichen Schrecken fliegt er fort ... nach einem Weilchen ist er wieder hier ... und – wenn ich ihn nicht absichtlich-unabsichtlich ... durch eine kleine Bewegung vertrieben hätte, er hätte sich das Brot geholt.« [70]

Die kleine Szene soll Kafkas geistige Situation veranschaulichen: Trotz seiner Jämmerlichkeit versucht er, der Verlockung, die von Milena ausgeht, nachzugeben, obwohl die Gegenkräfte fast gleich stark sind – Milena hatte vorgeschlagen, er solle von Meran über Wien zurückkehren und sich dort mit ihr treffen –, aber seine »Geisteskrankheit« läßt nicht zu, daß er »die Speise seines Lebens« erhält. Die endgültige Vertreibung des Vogels, die Verwendung des Irrealis und die Parodie des Märchenstils im Schlußsatz veranschaulichen der Briefpartnerin, daß Kafka über München direkt nach Prag zurückfahren wird.

Als einzige Ausnahme von dieser Gesetzmäßigkeit kann gelten – dies ein weiteres Formkriterium in Kafkas Briefen –, daß gelegentlich äußere, sich während der Niederschrift abspielende Geschehnisse mitgeteilt werden. Das Bemerkenswerte daran ist, daß diese Vorgänge gewöhnlich nicht als punktuelle Digression, sondern als mehrphasige, geschlossene Abfolge dargestellt werden oder daß in den Brief eingeht, was sich in einer längeren Schreibunterbrechung ereignet hat. Anschaulich wird dieser Kontrast zwischen dem Schreiben und der darauf eindrängenden Umwelt (oder Vorstellung) dadurch, daß die berichteten Störungen – denn um solche handelt es sich zumeist – die Gedankenführung oder gar den syntaktischen Zusammenhang abrupt unterbrechen, trotzdem jedoch nicht als impressionistische Einzelmomente empfunden werden, sondern entweder als den Schreibvorgang begleitender Handlungsstrang oder, sofern sie den Fluß der Vorstellungen wirklich hemmen, zusammen mit den eigentlichen Briefmitteilungen als zeitliches Kontinuum und Erlebniseinheit aufgefaßt werden:

Und wenn alle drei Direktoren seinen Tisch umstünden und ihm in die Feder schauten, müsse er gleich antworten, beginnt ein Brief an Felice. Drei Zeilen später heißt es: »Gerade hat sich der Wunsch betreffend meinen unmittelbaren Chef erfüllt«, kurz darauf, mitten in einem Gedankengang, in dem Kafka Felice von drei nicht abgeschickten Briefen berichtet: »gerade werde ich zwischendurch über Versicherung der Sträflinge ausgefragt, mein lieber Gott! Und in den nächsten Satz, wo Kafka eine Bemerkung Felicens aufnimmt, ist eingefügt: »von einem Ministerialrekurs Josef Wagner in Katharinaberg weiß ich nichts, habe ich eben erklären müssen«. [71]

Es ist offensichtlich, daß die lebendige und unmittelbare Schreibart, die bei der Lektüre der Korrespondenz Kafkas auffällt, durch eine solche Verfahrensweise bedeutend verstärkt wird; zwei weitere Formmerkmale, Fragmentcharakter und Rollenspiel, sind jedoch ebenfalls wesentlich für diesen Eindruck mitverantwortlich: Es kommt vor, besonders wenn er sich an die Freunde wendet, daß Kafka einen Brief mitten im Satz abbricht, daß er Angekündigtes nicht ausführt, daß er das Gemeinte nur stichwortartig andeutet und daß er, wie es in den Briefen an Milena die Regel ist, gar keinen durchgehenden Gedankenzusammenhang darstellt, sondern, durch Querstriche voneinander getrennt, nur einzelne Einsichten mitteilt. [72]

Es handelt sich dabei keineswegs um ein autonomes, frei verfügbares Stilmittel, das um einer bestimmten künstlerischen Wirkung willen angewandt würde. Die Erklärung für diesen Sachverhalt ist in einem Brief an die junge Minze E. vom Februar 1920 ausgesprochen: »... gewiß darf man solche Briefe schicken und ganz besonders solche. Andere, zusammenhängendere, weniger zerstreute Briefe können oft wider Willen eine Hauptsache verdecken, ein solcher brüchiger, aus paar Stücken bestehender Brief verdeckt nichts, es liegt dann wirklich nur an der Blickkraft, wie viel man sieht ...« [73] Hinter dieser Aussage stehen natürlich sowohl die schlechten Erfahrungen, die Kafka mit systematischen Darstellungen seiner Verhältnisse in Briefen an Felice gemacht hatte, als auch die oft zusammenhanglosen Schreiben an Max Brod seit Ende 1917, die beim Empfänger nur Einzelmißverständnisse auslösten.

Das Rollenspiel in Kafkas Briefen hat seine Ursache in seiner stark ausgeprägten Fähigkeit, sich »in jeden mit Lust« hineindenken und die »Zustände eines andern« bis an die »Grenzen menschlicher Kraft« miterleben zu können. [74] So wird es ihm möglich, von den Voraussetzungen des Briefpartners her die eigenen Ausführungen kritisch zu durchdenken und die sich dadurch ergebenden Erkenntnisse noch in den Brief einzubeziehen, und zwar formal als Rede oder Gedanke des Briefpartners stilisiert.

Das markanteste Beispiel ist der Schluß des *Briefs an den Vater*, wo Kafka auf über zwei Druckseiten eine mögliche Antwort seines Vaters auf seinen Lebensbericht vorwegnimmt. Zitiert sei eine Stelle, in der Kafka die Wirkung seiner Briefe auf Felice darstellt und sie sagen läßt:»Ja, er liebt mich, aber es ist ein großes Unglück für mich. Denn er glaubt, weil er mich liebt, dürfe er mich plagen und dieses eingebildete Recht nützt er bis zum Äußersten aus.« [75] Die Absicht Kafkas ist in diesem und manchem anderen Fall, gegen Kritik unangreifbar zu werden: Indem er dem Gesprächspartner die aus einem Brief zu ziehenden Folgerungen vorwegnimmt, sie ihm aber dadurch gleichzeitig zuschiebt, ist der andere, psychologisch gesehen, gezwungen, sich von ihnen als Gedanken Kafkas zu distanzieren und sie als grobe, übersteigerte Selbstverurteilung des Dichters zu dementieren, auch wenn er ihre Tendenz vielleicht gebilligt hätte.

Etwas anders sind die Stellen zu beurteilen, wo Kafka Felice gegenüber von sich selbst in der dritten Person spricht. Sie stammen vornehmlich aus dem Jahr 1915, als nach dem Scheitern der zweiten Verlobung die Verbindung jeden Augenblick abreißen konnte.

Durch die einer derartigen Gestaltungsweise eigenen Distanzierung des Schreibers von sich selbst entsteht eine indirekte Form der Mitteilung, die es Kafka ermöglichte, Felice bestimmte Aussagen gleichsam hypothetisch anzubieten. [76] Damit verwandt sind die erfundenen Gesprächssituationen, die sich im Briefwechsel nachweisen lassen. Ein schönes Beispiel dafür bietet ein Brief an Milena, wo Kafka die Unmöglichkeit begründet, während der Arbeitszeit unter einem Vorwand das Büro zu verlassen und Milena, wie sie erbeten hatte, in Wien zu besuchen:»...ich sitze hier vor der Direktoratstür, der Direktor ist nicht da, aber ich würde nicht staunen, wenn er herauskäme und sagte: ›Mir gefallen Sie auch nicht, deshalb kündige ich Ihnen.‹ ›Danke‹, würde ich sagen, ›ich brauche das dringend für eine Wiener Reise.‹ ›So‹, würde er sagen, ›jetzt gefallen Sie mir wieder und ich ziehe die Kündigung zurück.‹ ›Ach‹, würde ich sagen, ›nun kann ich also wieder nicht fahren.‹ ›O ja‹, würde er sagen, ›denn jetzt gefallen Sie mir wieder nicht und ich kündige.‹ Und so wäre das eine endlose Geschichte.« [77]

Die anschaulich-dramatische Wirkung einer solchen Darstellungsweise mochte Kafkas ästhetischem Empfinden ebenso entgegenkommen wie die Möglichkeit, seine ambivalente Haltung oder – wenn es sich um fingierte Selbstgespräche oder Monologe dritter Personen handelt – eine Mannigfaltigkeit von Gesichtspunkten hinsichtlich eines Sachverhalts als gefühlsmäßige Einheit einer Redesituation vorzuführen, und zwar, um den ungünstigen Eindruck auf den Briefempfänger abzuschwächen und die Möglichkeit des Widerrufs zu haben, in der nicht ganz ernst zu nehmenden Form eines makabren Humors. Überhaupt darf der komische Bestandteil in Kafkas Briefen nicht unterschlagen werden. [78]

Besonders in der Korrespondenz mit den Freunden sind witzige Formulierungen nicht selten. Sie bilden ein leichtes Gegengewicht zum selbstquälerischen Gesamttenor der Aussagen: »Und da ihm das Leid der Welt so klar ist, hat er entsprechend in einem kleinen Ledertäschchen ... immer auch das Heil der Welt bei sich und spritzt es ihr, wenn sie will, für zwölf Kronen ins Blut«, schreibt Kafka über einen ihn in Matliary behandelnden Arzt; an anderer Stelle heißt es über ein ihm bekanntes Mädchen: »Sonst habe ich aber Gutes von ihr gehört, das heißt Verwandte haben sie hinter ihrem Rücken beschimpft.« Natürlich geht eine solche ironische Aggressivität auch in direkte, dann merkwürdig wirkende Selbstdistanzierung über, so wenn Kafka, nachdem er seine Unfähigkeit zu reisen mit Geldmangel, schlechter Gesundheit, Schlaflosigkeit und Angst begründet hatte, fortfährt: »Abgesehn davon steht mir die Welt offen.« [79]

Eine Formbeschreibung der Briefe Kafkas wäre einseitig, wenn sie die rhetorische Komponente, meist Figuren der Wiederholung und des Parallelismus, überginge, die das Erscheinungsbild vieler Passagen bestimmt. Nachweisbar ist die wörtliche Sofortwiederholung einer Wendung (geminatio) – »Müde, müde bist Du wohl« –, auch als Schluß und Anfang zweier aufeinanderfolgender Sätze (anadiplosis): »und ich ... erlaubte es, erlaubte es, trotzdem ich wußte, daß ...« [80]

Er verwendet sogar die gradatio: »ich kann es nämlich nicht glauben, und wenn ich es glaube, kann ich es mir nicht vorstellen, und wenn ich es mir nicht vorstellen kann ...« Während die geminatio emotional intensivieren soll, sind die beiden anderen Formen eher ein Ausdruck eines dauernden skrupulösen Korrigierens, das in den Briefen allenthalben spürbar ist.

Nicht weniger ausgeprägt sind die Wiederholungen auf Abstand. Kommen Kyklos-Bildungen nur gelegentlich vor – »es hört nicht auf und es ist doch ein dummer Scherz zu sagen, daß es nicht aufhört« –, so sind Anaphern außerordentlich häufig: »Liebe wäre wenig, Liebe fängt an, Liebe kommt«; eine solche repetitio kann den Aufbau einer Textstelle vollkommen bestimmen: »Ich habe natürlich gar keine Pläne, gar keine Aussichten, in die Zukunft gehen kann ich nicht, in die Zukunft stürzen, in die Zukunft mich wälzen, in die Zukunft stolpern, das kann ich und am besten kann ich liegen bleiben.« [81]

Schließlich noch ein Beleg für die Epipher: »der erste [sc. Brief] war Klage Ihretwegen, der zweite Unruhe Ihretwegen, der dritte Dank Ihretwegen.« Diese Figur kommt auch als syntaktisch selbständige Parenthese oder Satzwiederholung und als Verbindung mit der Anapher vor (complexio): »hört es [sc. das unterirdische Drohen] auf, höre ich auch auf ... hört es auf, gebe ich das Leben auf«. [82]

Dieser Befund mag überraschen, ist aber nur die stilistische Konsequenz der geistigen Verfassung Kafkas: Wer nicht kontinuierlich einen Gedanken aus dem anderen hervorgehen lassen kann, ist auf die Mittel der Addition und Wiederholung angewiesen (sofern er nicht bildhaft assoziiert), auf leicht zu erzeugende Satzmuster, die die komplizierten Bezüge zwischen den Gedanken nicht verfälschen, weil sie diese gar nicht darstellen, und den intuitiv reihenden Gang des Denkens nicht hemmen, sondern im Gegenteil dessen disparate Einzelmomente ordnen, besonders wenn die Differenziertheit und Dialektik des Darzustellenden zu einer Entfaltung des Vorstellungszusammenhangs in mehrere Aspekte zwingt.

Demgemäß finden sich in Kafkas Briefen auch kaum hypotaktische Perioden (wie etwa bei Kleist), in denen die Verhältnisse zwischen den Partialgehalten durch ein System von Konjunktionen geregelt wären. Statt der Verschlingung von Haupt- und Nebensätzen herrscht einmal die parataktische Satzwiederholung (expolitio). Liegt, entsprechend der geminatio, Kontaktstellung vor, verändert Kafka gern Sinn oder Formulierung etwas: »es ist nicht so einfach, nichts ist so einfach«, um syntaktisch weiterführen, der Forderung der variatio genügen und den Denkinhalt, im Sinne einer Sofortkorrektur, erweitern oder verschärfen zu können. Daneben kommt die sprachliche Paraphrase vor – »Sie stehn fest bei einem Baum, jung, schön, Ihre Augen strahlen das Leid der Welt nieder« – sowie die gedankliche Umschreibung: der Hauptgedanke wird dabei in koordinierte Teilvorstellungen zerlegt: »mit der Milch, die ich trinke, gleichzeitig Sie füttere, mit der Luft, die ich atme . . . gleichzeitig Sie kräftige«. [83]

Davon zu unterscheiden sind die Wiederholungen auf Abstand: Einmal die syntaktische Wiederanknüpfung, die notwendig wird, wenn die wuchernden Assoziationen das Gefüge aufgesprengt haben. [84] Bestimmt diese Verwendungsart mehr den großräumigen Satzzusammenhang, so ist andererseits die repetierende Weiterführung eines Gedankens ein Hauptmittel des Argumentationsfortschritts im Kleinen: Es finden sich die, (fast) wörtliche, einmalige Wiederholung, die in bestimmten Fällen sozusagen zur Wiederverwendung eines einzelnen Wortes zusammenschrumpfen kann, und die leichte syntaktische Umstellung bei zweimaliger, ja dreimaliger Wiederaufnahme zur Einführung eines neuen Aspekts oder zur Modifizierung der in Frage stehenden Vorstellung. Eine dritte Möglichkeit besteht darin, daß eine Formulierung oder ein Gedanke immer wieder beharrlich aufgegriffen wird und im Sprachbestand einer Passage so dominiert, daß der ganze Textzusammenhang darum kreist. [85]

Die andere Hauptfigur in Kafkas Briefen ist die Isokolie. Sie kommt vor als asyndetische oder polysyndetische enumeratio — »man schweigt, duldet, zahlt, wartet« (auch homoioteleuton), »viel und klug und bitter und süß« — und sogar in der besonders nachdrücklichen Form der distributio, des epitheton und, wovon gleich noch zu sprechen sein wird, als Ordnungsschema für chronologische Abfolgen und bringt durch die pointierte Wiederholung eines meist nebensächlichen Einzelwortes fast die Wirkung eines Wortspiels hervor, für das Kafka auch sonst eine Schwäche hat: »Ein Jude und überdies deutsch und überdies krank und überdies unter verschärften persönlichen Umständen«. [86]

Belegen läßt sich die Form auch als similitudo (Sinnähnlichkeit der parallelen Glieder) – »etwas Plötzliches oder Allmähliches, etwas Grundsätzliches oder Gelegentliches, etwas klar oder nur halb Bewußtes« – und als antithetische Isokolie: »Wenn Du keine roten Wangen hast, wie soll ich sie bleich machen . . . Wenn Du nicht frisch bist, wie soll ich Dich müde machen, wenn Du nicht lustig bist, wie soll ich Dich betrüben« – auch in Verbindung mit Synonymie: »in hocherhabener Klugheit, in tierischer . . . Stumpfheit, in teuflischer Güte, in menschenmörderischer Liebe . . .« [87]

Zwar unterstützen auch die sehr umfangreichen polysyndetischen Satzreihungen [88] und der Chiasmus als eine Form, die den symmetrischen Ablauf der Gedanken zwar vermeidet, aber deren Gleichläufigkeit nicht grundsätzlich in Frage stellt, den Parallelismus: »Ich habe ja gewußt, was in dem Brief stehen wird . . . es stand in Deinen Augen . . . es stand in den Falten auf Deiner Stirn, das habe ich ja gewußt.« [89] Aber diese in Kafkas Briefen dominierende Darstellungsform gewinnt ihre auffälligste Gestalt doch in der satzbestimmenden isokolischen Häufung, wo, vor allem mit Hilfe der Anapher, gleichläufige Satzgefüge konstituiert werden.

Genauer analysiert sei hier der Schluß eines Briefes, den Kafka im November 1912 an Felice geschickt hat: »Aber jetzt kein Wort mehr, nur noch Küsse und besonders viel aus tausend Gründen, weil Sonntag ist, weil das Fest vorüber ist, weil schönes Wetter ist, oder weil vielleicht schlechtes Wetter ist, weil ich schlecht schreibe und weil ich hoffentlich besser schreiben werde und weil ich so wenig von Dir weiß und nur durch Küsse etwas Ernstliches sich erfahren läßt und weil Du schließlich ganz verschlafen bist und Dich gar nicht wehren kannst.« [90]

Der gleiche Bau der Glieder kommt zustande durch das anaphorisch verwendete »weil«, das epipherisch wirkende und zweimal durch das Wort »Wetter« verstärkte verbum substantivum, polyptoton (schreibe – schreiben werde), disiunctio (wissen – erfahren), Chiasmus (schön – schlecht, schlecht – besser) und durch die antinomische Struktur der Aussagen.

Die spaßige Wirkung der Passage hat einmal darin ihre Ursache, daß die sechs Weil-Sätze nicht Gründe, sondern Voraussetzungen zu solchen enthalten, und zum andern das sich Ausschließende in Wirklichkeit teils nur formal entgegengesetzt, teils Ausdruck sich daraus ergebender antithetischer seelischer Verfassungen, teils auch Grund und Folge eines einzigen Gedankens ist: Der bei Felice wieder eingekehrte Alltag (sie hatte für das Jubiläumsfest ihrer Firma eine Theaterrolle übernommen) und Kafkas dienstfreier Sonntag ermöglichen es beiden gleichermaßen, sich intensiver mit dem Partner zu beschäftigen; bei schönem Wetter und hoffnungsvoller Beurteilung seines Schreibens ist die Zuwendung Kafkas Ausdruck der Freude, bei schlechtem Wetter und unzureichender Produktion sucht er im Kuß Trost bei Felice; und die scheinbar inhaltliche Gegensätzlichkeit zwischen Wissen und Nichtwissen – der Form nach handelt es sich um eine zeugmatische Zweigliedrigkeit – ist logisch gesehen eine Beziehung von Ursache und Wirkung. Die

Zergliederung zeigt, wie Kafka bemüht war, durch das Prinzip der Variation im Einzelaufbau – zu erwähnen wäre noch die unterschiedliche grammatische Realisierung des Zeugmas in den beiden letzten Weil-Sätzen – Monotonie im Parallelismus zu vermeiden. Es ist der Zweck der Passage, das »aus tausend Gründen« zu illustrieren, d. h. die Totalität der Zuneigung, wenn auch spaßhaft, zu veranschaulichen. Im Tagebuch spricht Kafka einmal von seinem Widerwillen gegen Antithesen, die »Gründlichkeit, Fülle, Lückenlosigkeit« bloß vorspiegeln [91]; hier bedient er sich ihrer in uneigentlicher Weise, um eben die genannten Wirkungen hervorzubringen, die sich freilich dazuhin in der Aufhäufung heterogenster Elemente manifestieren.

Es ist der Bewunderung wert, wie es Kafka überdies noch fertigbringt, dem von der Rhetorik geforderten Gesetz der wachsenden Glieder zu genügen, dessen Befolgung im vorliegenden Fall besonders deswegen notwendig erscheint, weil der Oberbegriff vorweggenommen ist und dadurch eine Schwerpunktsverlagerung nach vorne erfolgt, der durch ein gewichtigeres Satzende entgegengewirkt werden muß.

Kafka erreicht das auf dreierlei Weise: Erstens wird die begriffliche Detaillierung der Leitvorstellung in einer aufsteigenden Linie vorgenommen: Von den äußeren Gegebenheiten geht Kafka zur dichterischen Produktion und von da zur, schon aus Gründen der Höflichkeit, höher zu bewertenden Geliebten über. Zweitens wird eine semantische Intensivierung des Schlußsatzes erreicht, und zwar dadurch, daß eine Verfremdung, d. h. eine Abweichung vom Erwarteten eintritt: Der letzte Satz ist einerseits weder nach Form und Inhalt antithetisch, zum andern aber liegt das die Klimax krönende Schlußargument (leichte Ausführbarkeit als Handlungsmotiv) auf einer ganz anderen Ebene als das Vorhergehende und hat damit den Charakter· einer Pointe. Drittens endlich wird durch die ungewöhnliche Länge des vorletzten Weil-Satzes, seine Einführung durch eine Konjunktion und die durch »und schließlich« erreichte enge Verbindung mit dem Schlußsatz ein Schwerpunkt gesetzt, und die beiden ja auch formal andersartigen letzten Sätze sind als Schlußglied der Reihe ausgewiesen.

Die Aufgabe der anaphorischen Nebensatzhäufung ist nicht nur die Entfaltung eines Sachverhalts in seinen Einzelaspekten, sondern auch seine Erläuterung und emotionale Steigerung durch die synonymische Beschreibung: »... immer wieder mußte ich mir sagen, daß es mir vielleicht immer in gleicher Weise schlecht gegangen ist, daß immer die gleichen Gespenster an der Arbeit waren, daß aber meine Widerstandskraft viel größer war und immer, immer kleiner wird, daß es bald nur ein formaler Widerstand wird und endlich auch das aufhören muß.« [92] Stellen die beiden ersten und die beiden letzten Sätze zusammen je einen Aspekt der inneren Verfassung Kafkas dar, so muß der zweite und vierte Daß-Satz jeweils als umschreibende Wiederholung des im vorausgehenden Satz dargestellten Gedankens angesehen werden, der dadurch schärfer konturiert wird.

Daneben kommt in Kafkas Briefen noch eine dritte, recht eigentümliche Verwendungsart des anapherartigen Satzparallelismus vor; es sind Briefstellen, in denen die eine Sache begründenden gleichartigen Satzglieder sich als chronologisch angelegte kleine Erzählung entpuppen. Dadurch entsteht eine Spannung zwischen einer epischen, finalgerichteten Aussageweise, deren Einzelmomente im zeitlichen Verhältnis der Sukzessivität zueinander stehen, und einer Satzform, die darauf ausgerichtet ist, gleichartige und gleichzeitig geltende begriffliche Zusammenhänge zu repräsentieren: »Weil ich vom Diktieren in mein Zimmer gelaufen kam, weil dort überraschend Dein Brief lag, weil ich ihn glücklich und gierig überflog, weil dort nicht gerade in Fettdruck etwas gegen mich Gerichtetes stand ... – aus allen diesen Gründen ...« [93]

Der Sachverhalt ist deutlich eine Folgeerscheinung der Denkform Kafkas: Sie ermöglicht es ihm, in der Darstellung die ihm allein richtig faßbare Erlebnis- und Gefühlseinheit nicht aufgeben zu müssen, und dennoch gleichzeitig – indem er statt rationaler Gründe ihre lebensmäßigen Voraussetzungen nennt – Argumente zu einem Sachverhalt vorzutragen, wenn auch in logisch anfechtbarer Form.

Es ergibt sich also der auffällige Befund, daß das Briefwerk des Dichters, der wie kein anderer jeglicher Künstlichkeit des Ausdrucks und stilistischer Finesse abgeneigt war, die mannigfaltigsten Belege für colores rhetorici bietet. Ihre Funktion ist jedoch keineswegs, die Aussage zu schmücken oder aufzuputzen – mit Ausnahme vielleicht gewisser Briefe an Milena –, sondern sie repräsentieren sprachlich eine Verfahrensweise, die Vorstellungen nur mit Hilfe der Kategorien Ähnlichkeit und Antithese aufeinander beziehen kann, deren weitverzweigtes, auseinanderfallendes Material eine syntaktische Ordnung braucht, die freie Zuordnungen der Einzelgedanken zuläßt, ohne jedoch Relation und Rangordnung der Elemente genau festzulegen, und die jederzeit Modifikationen der Denkinhalte nicht nur leicht ermöglicht, sondern den Vorgang der Veränderung selbst auch darstellbar macht. Zusammen mit den Bildern sind diese Formen mithin ein Ausdruck der irrationalen Denkweise Kafkas, die sich im Wechselspiel der beiden ihr eigentümlichen Komponenten verwirklicht.

b) Erkenntniswert

Die Ausführungen, die Kafka in seinen Briefen macht, dürfen nicht von der Situation, der sie entstammen, gelöst und verallgemeinert werden: Im Dezember 1920, vor seiner Abreise nach Matliary, schrieb er z. B. an Milena: »Manchmal verstehe ich nicht, wie die Menschen den Begriff ›Lustigkeit‹ gefunden haben, wahrscheinlich hat man ihn als Gegensatz der Traurigkeit nur errechnet.« Im März 1919 meldete er jedoch aus Schelesen dem Freunde Max Brod: »ich verbringe meine Zeit lustig (grob gerechnet habe ich in den letzten fünf Jahren nicht so viel gelacht wie in den letzten Wochen)«. [94]

Beide Aussagen sind wahr, wenn man davon ausgeht, daß Perioden relativer Zufriedenheit (Schelesen, Meran und Matliary waren klimatisch günstig und gaben das Gefühl verhältnismäßiger Autonomie gegenüber Prag) von einer Prager Verzweiflungszeit im Spätherbst 1920 zu differenzieren sind – bezeichnenderweise begann Kafka damals wieder mit literarischer Arbeit –, die ihre Ursachen in der verhaßten Bürotätigkeit, dem in dieser Jahreszeit für Lungenkranke ungünstigen Wetter und, vor allem, in der Notwendigkeit hatte, sich hinsichtlich des geplanten Sanatoriumsaufenthaltes für oder gegen eine Reiseroute über Wien entscheiden zu müssen. Als der Konflikt gegen Milena entschieden war, ging es Kafka wieder erträglich. [95]

Ein anderes Beispiel aus den Briefen an Felice sei noch angeführt. Er sei nicht der Meinung, heißt es da an einer Stelle, »daß einem jemals die Kraft fehlen kann, das, was man sagen oder schreiben will, auch vollkommen auszudrücken.« Das wurde geschrieben, weil Kafka einerseits »im vollen Schreiben und Leben« war und weil er zum andern nicht wollte, daß Felice die ihm unterlaufenden widerlichen und verantwortungslosen Aussagen auf darstellerisches Unvermögen zurückführte, sondern diese als adäquaten Ausdruck seiner selbst angesehen wissen wollte: »Das was im Innern klar ist, wird es auch unweigerlich in Worten.« Schon am Ende des Briefes räumt er aber ein: »dabei ist das, was ich da sage, nicht einmal ganz genau meine augenblickliche Meinung.« Und als gar vier Wochen später andere Voraussetzungen herrschten, die Produktion erlahmt war und Kafka das Gefühl hatte, Felice durch Briefe über sein wahres Wesen irregeführt zu haben, so daß er dieses durch eine persönliche Vorstellung in Berlin – »Die Gegenwart ist unwiderleglich« – bekanntmachen wollte, da mußte er auch die Behauptungen des früheren Briefes abschwächen. Aber sogar diese Position wird wieder teilweise aufgehoben, wenn er ein Jahr später ausdrücklich wünscht, von Felice nach den Briefen und nicht nach dem unmittelbaren Augenschein beurteilt zu werden, denn »unmittelbare Erfahrung nimmt die Übersicht«. [96]

Die Situationsbedingtheit der Briefzeugnisse wird aber nicht nur darin sichtbar, daß Geltungseinschränkungen indirekt durch Gegenaussagen vorgenommen werden, sondern der Dichter nimmt häufig selbst zu seinen Ausführungen Stellung: Er will sie nur unter bestimmten Vorbehalten gelten lassen, weist, aber durchaus nicht immer sofort, auf ihre Fragwürdigkeit hin oder erklärt sie gar, was der Partner jedoch nicht immer erfährt, für ungültig. [97]

An vielen Stellen geschieht es, daß Formulierungen noch während der Niederschrift selbst korrigiert werden. Die den Schreibvorgang begleitenden Überlegungen erzwingen eine Änderung des zu voreilig Fixierten: »Ich sehe ihn [sc. den Ausweg] nur, ich glaube ihn nur zu sehn, ich gehe ihn noch nicht. Er besteht darin, er würde darin bestehn ...« [98] Wenn sehr oft diese Rektifizierung und Ergänzung einer Aussage durch eine gegensätzliche Vorstellung, ja direkt durch die gleichzeitige Setzung des Gegenteils erfolgt, so ist das ein Ausdruck für die geistige Ambivalenz, die Kafka vielen Gegebenheiten gegenüber einnahm:»nun aber warst Du plötzlich nicht mehr da, vielmehr Du warst da« oder »es ist die Lunge, aber es ist auch wieder die Lunge nicht«. [99]

Die Analyse solcher Paradoxa und Wendungen, wo durch die sprachliche Form die gleichzeitige Gültigkeit gegensätzlicher Begriffspaare behauptet wird, zeigt, daß an solchen Stellen die zuerst genannte Vorstellung infolge des widersprüchlichen Zusatzes nicht aufgegeben, sondern dialektisch in einer höheren Einheit aufgehoben werden soll: Er fühle sich neben Milena »höchst ruhig und höchst unruhig, höchst gezwungen und höchst frei«, erklärt Kafka.

Einerseits »lockte« ihn die Briefpartnerin nicht, weil sie, selbstgenügsam, nichts forderte und, ganz auf seiner Seite stehend, ihm die Identifikation mit dieser Beziehung ermöglichte, andererseits hatte er jedoch Angst, körperlich, vor allem sexuell, die Last eines fremden, d. h. auch Dinge verschweigenden Menschen nicht ertragen zu können. [100]

Formulierungen der genannten Art sind also als Abbreviaturen für weitläufige Sachzusammenhänge anzusehen, deren gegensätzliche Seiten für Kafka gleichermaßen verbindlich waren. Das mag ihm nicht selten – wenn man glauben darf, was er über den Vorgang des Briefeschreibens zu sagen weiß – erst bei der Konkretisierung der Probleme in der Darstellung klar geworden sein: »auf dem im geheimen sich vollziehenden Weg, auf dem die Worte aus uns hervorgetrieben werden, wird die Selbsterkenntnis an den Tag gebracht, und wenn sie auch noch immer verhüllt ist, so ist sie doch vor uns und ein herrlicher oder schrecklicher Anblick.«

Die assoziative Form der Gedankenführung – Kafka spricht im gleichen Zusammenhang von sich als einer unzusammenhängenden Konstruktion, in der zuviel Undeutliches durcheinandergehe – ist damit ebenso angedeutet wie Unvorhersehbarkeit und Vorläufigkeit der Ergebnisse eines solchen Denkens [101]: »Unser Briefwechsel kann sehr einfach sein; ich schreibe Meines, Du Deines, und das ist schon Antwort, Urteil, Trost...«, heißt es im zweiten Brief, den Kafka an Max Brod aus Zürau richtete. Aber gleich schlägt dieser Gedanke in sein Gegenteil um: »...Trost, Trostlosigkeit, wie man will.« Und das wird damit begründet, daß die gleichartigen unüberwindlichen Lebensschwierigkeiten der Freunde in den Briefen beider Ausdruck finden. Die besondere Grausamkeit dieser Verhältnisse liegt nun aber, wie der nächste Satz spezifiziert, darin, daß das Dasein nur noch als qualvoll in die Länge gezogenes Sterben erscheint. Kafka fährt dann fort: »Das Moralische ist hiebei vielleicht das Letzte, oder vielmehr nicht einmal das Letzte...« Ethische Verantwortlichkeit wird also als Triebfeder des leidenschaffenden Verhaltens – eine erneute Korrektur des Vorigen – eingeführt und, wie der Kontext zeigt, sofort wieder verworfen und durch beharrliche Selbstzerstörung ersetzt. [102]

Welche der vier gegebenen Analysen der inneren Lage gilt also? Keine, denn der Briefzusammenhang erweist sie als den gemeinschaftsbezogenen Aspekt einer viel umgreifenderen Problemstellung, dessen Gegenmöglichkeit ein von allen menschlichen Bindungen befreites Landleben wäre, in dem Kafka über das ihm zweifellos Gegebene nicht hinausstrebte.

Auch der Briefwechsel mit Brod läßt sich nicht zureichend unter der Antithese Trost – Trostlosigkeit begreifen, denn aus anderen Stellen geht hervor, daß Kafka sich unfähig fühlt, seine Probleme brieflich mitzuteilen – »was ich sage, ist fast gegen meinen Willen« –, »weil es keinen Überblick gibt, so verwühlt und immer in Bewegung ist die riesige, im Wachstum nicht aufhörende Masse«, d. h. weil jede objektivierende Stellungnahme eine Verfälschung der inneren Welt darstellt, die sich nur leben lasse. [103]

.Dieses innere Widerstreben Kafkas gegenüber Selbstdeutungen kann an der Form vieler Briefe beobachtet werden: »ich war jetzt fast 4 Tage in Prag und bin wieder hierher in den verhältnismäßigen Frieden zurückgekommen« – so beginnt ein Brief Kafkas an Max Brod aus Planá. Länger könne er die Stadt im Sommer nicht ertragen; es folgt eine zwei Druckseiten lange Gegenüberstellung der »halbnackten« Frauen Prags, gegen die man sich kaum wehren kann, und der Menschen in Planá, die davon positiv abgehoben werden. Dieser Sachverhalt muß für den Leser der Grund für das Mißbehagen in Prag und für das augenblickliche Wohlbefinden sein.

Im zweiten Teil seines Schreibens gibt Kafka jedoch zu, daß er nur belanglose Geschichten erzählt habe und »sehr trübsinnig, lustlos« aus Prag zurückgekehrt sei. Vier Zeilen weiter erwähnt er diese Rückkehr erneut (also zum drittenmal) und schließt eine sehr differenzierte Einzelbegründung seiner Trauer an (der leidende Vater, die sich in Pflege aufopfernde Mutter, Selbstzerstörung), die bezeichnenderweise die im ersten Briefteil gegebene Erklärung nicht mit einschließt. Darauf nun, vier Zeilen später, bei der syntaktischen Wiederaufnahme des Hauptgedankengangs, der erklären soll, warum er, der ursprünglich nicht schreiben wollte, nach seiner Rückkehr aus Prag anderen Sinnes geworden war, macht er (zum viertenmal im Brief) eine weitere Aussage über seinen inneren Zustand: er sei durch das »widernatürliche« Leben der letzten Tage aus dem verhältnismäßigen Gleichmaß gerüttelt worden und sehe »sofort den Weg, wenn es bisher einer war, knapp vor [s]einen Füßen abbrechen«.

Indem das alles noch niedergeschrieben wird, verändert sich schon seine Bedeutung. Die angegebenen Gründe für das Schreiben werden – dadurch wird das grammatische Gefüge des Satzes logisch unrichtig – zu die briefliche Äußerung hemmenden Schwierigkeiten, die jetzt plötzlich mit der Sorge um das Schicksal des Freundes, die sich in einem Traum über Brod aktualisiert hatte, motiviert wird. Und dementsprechend beschäftigt sich der Schluß des Briefs mit der augenblicklichen Verfassung des Briefempfängers. [104]

Wie ist dieser Befund zu erklären? Er zeigt, wie das Eigentliche fast verschwiegen wird und wie fragwürdig es demgemäß ist, dem Tenor eines Briefes unbesehen zu folgen.

Folgendes läßt sich rekonstruieren: Kafka kam verzweifelt und geistig desorientiert aus Prag zurück und suchte deswegen in der menschlichen Verbindung mit dem ähnlich leidenden Freunde Trost. Weil er jedoch seine Problematik nicht für darstellbar hielt und Brods Erholungsurlaub nicht stören wollte, verschwieg er seinen Zustand und wich auf die Beschreibung peripherer Phänomene aus. Davon unbefriedigt, in Skrupel wegen der Wirkung auf den Freund und um das Ausgeführte zu rechtfertigen, erwähnt er die Ursache seines Schreibens, begründet es aber unzureichend mit Lustlosigkeit, deren angegebenen Ursachen – die wichtigsten werden jedoch erklärtermaßen übergangen – aber eigentlich viel eher Voraussetzungen seiner Konzeptionslosigkeit sind, die mitzuteilen er, einmal zur Selbstdarstellung verführt, nun doch nicht ganz unterlassen kann. Als hätte er zuviel verraten, widerruft er sozusagen den angegebenen Zweck seiner Mitteilungen und macht diesen zu einem Nebengesichtspunkt, der die Hauptsache, nämlich das Bedenken von Brods Zustand, erschwere. Der ganze dreiseitige Brief ist ein einziges Ausweichmanöver, dessen Gedankengang kein direkter Spiegel der vorliegenden Sachverhalte darstellt.

Die Verhältnisse können aber auch gerade umgekehrt liegen. Kafka will dann eine bestimmte Aussage unbedingt zur Sprache bringen, während seelische Gegenkräfte dies zu verhindern suchen. In einem Brief an Milena heißt es, nachdem er festgestellt hatte, daß eine Vereinigung unmöglich sei, weil die Briefpartnerin unlöslich an ihren Mann und entsprechend fest Kafka an seine Angst gebunden sei: »... und doch gestehe ich, daß im Gefühl (nur im Gefühl, die Wahrheit aber bleibt, bleibt unbedingt. Weißt Du, wenn ich so etwas hinschreiben will wie das folgende, nähern sich schon die Schwerter, deren Spitzen im Kranz mich umgeben, langsam dem Körper, es ist die vollkommenste Folter; wenn sie mich zu ritzen anfangen, ich rede nicht vom einschneiden, wenn sie mich also nur zu ritzen anfangen, ist es schon so schrecklich, daß ich sofort, im ersten Schrei, alles verrate, Dich, mich, alles), gestehe ich also nur unter dieser Voraussetzung, daß ein solcher Briefwechsel über diese Dinge mir im Gefühl (ich wiederhole um meines Lebens willen: nur im Gefühl) so vorkommt, wie wenn ich irgendwo in Centralafrika leben würde und mein ganzes Leben lang dort gelebt hätte und Dir, die Du in Europa lebst, mitten in Europa, meine unerschütterliche Meinungen über die nächste politische Gestaltung mitteilen würde. Aber nur ein Vergleich ist es, ein dummer, ungeschickter, falscher, sentimentaler, kläglicher, absichtlich blinder Vergleich ist es, nichts anderes, bitte, ihr Schwerter!« [105]

Der innere Kampf Kafkas zwischen aussagewilligen und -hindernden Kräften wird anschaulich in den gefühlsintensivierenden Wiederholungen von Einzelwörtern, Wendungen und ganzen Sätzen, in modifizierenden oder paraphrasierenden Verbreiterungen von schon Gesagtem, den Parenthesen in Klammern und den umständlichen Wiederaufnahmen und schließlich auch in dem sofortigen Widerrufen des Ausgesprochenen. Möglichst lange wird die Erkenntnis hinausgezögert, daß die eben gegebene unbedingte und unerschütterliche Bewertung seiner Beziehung zu Milena seinem Gefühl nach ein unsachverständiges Urteil sei, weil Angst, das Gefühl der Eingeschränktheit auf sich selbst und das Versagen in allen Lebensbindungen nicht die Tragfähigkeit von Verhältnissen beurteilen könnten, die ihnen unzugänglich sind.

Schon die damit verbundene Möglichkeit, das Scheitern der Beziehung zu Milena könne nicht endgültig sein, beschwört die qualvollen, vergeblichen früheren Versuche Kafkas herauf, sich an Felice zu binden, Erfahrungen, die Kafka so zermürbten, daß selbst der bescheidenste Ansatz in dieser Richtung sofort unterbunden wird. Es darf angenommen werden, daß in vielen anderen Fällen die sprachliche Realisierung solcher Gegenbekundungen Kafkas aus ganz ähnlichen Gründen und auch wegen der Gefahr, darauf festgelegt werden zu können, unterblieben ist, so daß das überkommene autobiographische Material zu einem Problem oft einseitig sein kann. [106]

Läßt sich das bisher Gesagte unter dem Gesichtspunkt der Situationsbezogenheit zusammenfassen, so steht das Folgende unter der Kategorie der Rücksichtnahme auf den Briefpartner, die den Zeugniswert der Briefe in einer bestimmten Weise ebenfalls einschränkt. Von der Reduzierung der in den Briefen an Felice und Milena zur Sprache kommenden Themen war schon die Rede; nimmt man Kafkas sich schon im Rollenspiel zeigende Fähigkeit hinzu, sich speziell auf den Empfänger der Briefe einzustellen – der gleiche Sachverhalt kann je nach Partner in ganz anderer Beleuchtung erscheinen, und auch das geistige Niveau der Ausführungen ist auf den Leser abgestimmt [107] –, so hat man ein Recht, vom Rollencharakter der Briefe zu sprechen, d. h. einen Schreiber anzusetzen, der von der Person des Schreibenden grundsätzlich unterschieden ist [108] und dem auf der Ebene der Dichtung die von Kafka eingenommene Erzählerhaltung entspricht, die ja ebenfalls eine bestimmte eingeschränkte Sehweise des Erzählten bewirkt.

Wie empfindlich Kafka in dieser Hinsicht war, läßt sich an seiner Besprechung des Briefromans *Die Geschichte des jungen Oswald* ablesen. Zu den Dingen, die ihm bei der Lektüre auffallen, gehört auch dieses: »Es werden zwei Briefe hintereinander an verschiedene Adressaten geschrieben und der zweite mit einem Kopf, der nur an den ersten denkt.« Eine Überprüfung ergibt, daß Kafka nur die beiden auf »Lausanne, am 18. April« datierten Briefe meinen kann, die mit »Lieber Herbert« und »Lieber Kurt« überschrieben sind. Im ersten Text berichtet der fiktive Ich-Erzähler des Werks von der Wirkung, die Herberts überraschendes Schreiben in ihm auslöste, wobei, mit Rücksicht auf den Romanleser, mehr vom Inhalt der Mitteilungen Herberts erwähnt wird, als für den Adressaten Herbert notwendig gewesen wäre; im zweiten Teil des Briefes wird dann an frühere Vorgänge in der Beziehung der beiden Freunde erinnert.

Der unmittelbar sich anschließende und an Kurt gerichtete Brief nun besteht eigentlich nur aus einem Referat der dem Leser eben bekanntgewordenen Vorgänge hinsichtlich Herberts. Kafka beanstandet nun bezeichnenderweise nicht die ästhetische Schwäche, die in dieser Erzähldublette zweifellos liegt, sondern moniert – bei seiner am Gegenständlichen klebenden Argumentationsweise ist davon auszugehen, daß die zitierte Feststellung ein kritisches Urteil vertritt –, daß der Schreiber seinem Briefpartner nicht individuelle Zuwendung entgegenbrachte, also gegen ein Grundgesetz des zwischenmenschlichen Verkehrs verstößt und statt dessen Kurt nur Informationen über sich selber und dritte Personen zukommen läßt.

Dies ist eine vollkommene Parallele zu seinen Briefen an Felice, wo er nicht nur, wie schon erwähnt, sich anklagt, weil seine Korrespondenz zu ichbezogen sei, sondern sich auch darüber aufhält, daß dritte Personen eine zu große Rolle darin spielen. So schreibt er etwa im Anschluß an eine längere Auslassung über Else Lasker-Schüler: »Weißt Du, Liebste, daß ich mich hüten muß, von fremden, besonders von mir unangenehmen Personen in den Briefen an Dich zu reden. Wie um sich für meine Beurteilung zu rächen, machen sie sich, nachdem sie sich still haben beschreiben lassen plötzlich, als sie nun nicht mehr zu entfernen sind, über alle Maßen breit und wollen Dich, Liebste, mit ihrer widerlichen oder gleichgültigen Erscheinung mir verdecken ... Niemand sei zwischen uns, niemand um uns.« Daß eine solche Ausrichtung eine Blickpunktsverengung zur Folge haben muß, leuchtet ein. [109]

Ein Beispiel aus der Korrespondenz mit Milena: Die kritischen Bemerkungen, die er der Geliebten über den *Brief an den Vater* macht, lassen keineswegs den Schluß zu, daß er den Aussagen dieses Schreibens an sich mit Vorbehalten gegenüberstand, sie werden vielmehr unter der Voraussetzung gemacht, daß Milena den *Brief an den Vater* lesen werde. Indem er vom Brief abrückt, will Kafka einer möglichen Verurteilung seines Wesens durch Milena die Grundlage entziehen und ihr nicht eine sie beleidigende Selbstdeutung anbieten (sie war ebenfalls mit ihrem Vater zerstritten). [110]

Statt des versprochenen *Briefs an den Vater* – und das ist ein weiteres Beispiel für eine durch den Gesprächspartner bedingte Verfälschung – schickte Kafka Milena Grillparzers *Armen Spielmann*, »nicht weil er eine große Bedeutung für mich hat, einmal hatte er sie vor Jahren«. Welche Gründe gäbe es, diese Bemerkung anzuzweifeln, besonders da aus Jahre älteren Tagebucheintragungen tatsächlich die behauptete Relevanz Grillparzers ablesbar ist? Hätte Milena die Erzählung abgelehnt, so wüßten wir nicht, daß der erste Teil der angeführten Aussage falsch ist. Eine Woche später nämlich korrigiert sich Kafka: »Was Du über den ›armen Spielmann‹ sagst, ist alles richtig. Sagte ich, daß er mir nichts bedeutet, so war es nur aus Vorsicht, weil ich nicht wußte, wie Du damit auskommen würdest, dann auch deshalb, weil ich mich der Geschichte schäme, so wie wenn ich sie selbst geschrieben hätte ...« [111]

Kafka faßte die Erzählung autobiographisch auf; in ihrer Figurenkonstellation fand er – fast folgerichtig unter der Voraussetzung, daß er sein Lebensschicksal mit dem Grillparzers parallelisierte – zudem eigene Verhältnisse wieder: Der den Sohn aus dem Leben drängende Vater, die wertlose und brotlose Kunst als Ausweg, der Bürokratismus des Spielmannes, seine vergebliche Liebe zur geschäftstüchtigen, innerlich selbständigen Grießlerstochter, die in gespanntem Verhältnis zu ihrem Vater lebt und schließlich einen ungeliebten Mann heiratet, – das entsprach einigermaßen genau den Vorwürfen, die Kafka gegen seinen Vater erhob, der Einschätzung, die er der eigenen Arbeit (Literatur und Bürotätigkeit) zuteil werden ließ, entsprach auch seiner problematischen Liebe zu Milena, ihrem Vaterproblem und ihrer Ehe. [112]

Man versteht, warum Kafka zur Erklärung seiner Lage statt des *Briefs an den Vater* den *Armen Spielmann* schicken konnte, begreift aber auch, warum die scheinbare Distanzierung von dieser Lebensdarstellung auch den Ersatztext treffen mußte: Ist es nicht der Spielmann, der sich der Liebe zur Grießlerstochter als nicht würdig erweist? Zu groß war die Gefahr, daß Milena unter Haftbarmachung des Dichters aus dem Text ein Scheitern ihrer Beziehung herauslesen oder sich wegen der ihr in der Erzählung zugewiesenen Rolle verärgert zeigen würde.

Das waren nur zwei Belege, die aber repräsentativ für jede Existenzdeutung in den Briefen sind. Würde man Kafkas Aussagen über das Judentum und besonders über sein Schreiben in der hier vorgeschlagenen kritischen Weise in die Forschung einbeziehen, dann verschwände das Bild vom traditionslosen, assimilierten deutschen Juden und vom Künstler, der sein Leben der Literatur opfert, wie ein Phantom.

In welchem Verhältnis steht, muß man fragen, das umfangreiche Briefwerk zur vielfach bezeugten Kommunikationsscheu Kafkas? Die Briefe selbst geben einigermaßen über diese »Geschwätzigkeit« Auskunft. Am 15. August 1913 schrieb Kafka an Felice: »Ein großer Briefverkehr ist ein Zeichen dafür, daß etwas nicht in Ordnung ist. Der Frieden braucht keine Briefe.« Das bezieht sich auf die Korrespondenz seit Juni dieses Jahres, als Kafka Felice um ihre Hand gebeten hatte. Aus Angst und Sorge, die Braut könne ihn verlassen, versuchte er durch immer neue »Briefe . . . die von nichts anderem handeln als vom Schreiben, leere, zeitverschwenderische Briefe«, Felice zu einem eindeutigen Votum für sich zu veranlassen. [113]

Freilich kann das nicht die Erklärung für den noch viel umfangreicheren Schriftverkehr im Winter 1912/13 sein. Aus einem Brief an Robert Klopstock vom Januar 1922 geht hervor, daß das Korrespondieren für Kafka zunächst eine wesentliche Lebensform darstellte, weil er, fälschlicherweise, wie sich dann zeigte, glaubte, durch Briefverkehr menschliche Vertrautheit herstellen zu können.

Die Reflexionen über das Briefeschreiben in den an die Braut gerichteten Ausführungen weisen in die gleiche Richtung: Kafka schreibt, um mit Felice in Berührung zu kommen, um ihre Gegenwart greifbar zu fühlen und um diese Verbindung zu intensivieren; es war eine »erdachte, erschriebene, mit allen Kräften der Seele erkämpfte Nähe«, die dann ihrerseits natürlich wieder Briefe veranlassen konnte.

1   Eugenie Eduardowa (1882–1960) im Jahr 1913

2　Friedland in Böhmen: Schloß Albrechts von Wallenstein

Dieser Erkenntnis kommt wohl allgemeinere Bedeutung zu. In einem an Oskar Baum gerichteten Brief vom Frühjahr 1921 wird das Briefeschreiben innerhalb der damals bestehenden allgemeinen Untätigkeit als Geborenwerden, als »neues Herumarbeiten in der Welt« verstanden und demnach als wichtige Verbindung mit der menschlichen Gemeinschaft gewertet.

In die gleiche Richtung weist die Tatsache, daß Kafka in seinen letzten Lebensjahren gern seinen Freunden schrieb, wenn ein Wiedersehen unmittelbar bevorstand, was eigentlich bei herkömmlicher Auffassung des Briefverkehrs als notdürftiger Ersatz für direkte persönliche Beziehungen widersinnig anmuten würde. Man kann sein Verhalten nur dahingehend verstehen, daß ihm zu diesem Zeitpunkt das Schreiben ein Mittel war, um für sich selber das seither fast ruhende Verhältnis zum andern etwas zu reaktivieren und so das wirkliche Zusammentreffen vorzubereiten. [114]

Der Briefverkehr nimmt bei Kafka demnach eine Stellung ein, die herkömmlicherweise der persönlichen Begegnung zukommt, und zwar deswegen, weil er den Eindruck hatte, daß seine mündliche Rede durch »Äußerlichkeiten« und »Nötigungen« ungünstig beeinflußt wurde: Er konnte das Gemeinte freier und unabhängiger ausdrücken, wenn er nicht unmittelbar mit jemandem konfrontiert war, und seine außerordentliche Suggestibilität und seelische Empfindlichkeit konnten schon bei der Aufnahme äußerer Eindrücke bewirken, daß die Gedankenführung mehr der so hervorgerufenen affektiven Erregung als sachlichen Zusammenhängen folgte. [115]

Das alles gilt natürlich nicht für den Briefwechsel mit den Freunden während der Zürauer Zeit, der als vergleichsweise unproblematische Fortsetzung des mündlichen Erfahrungsaustauschs – Kafka lehnt die Bezeichnung »Gespräch« ab – gemeint war. Die nächsten Jahre – tatsächlich gibt es aus dieser Periode kaum Briefe und Tagebücher – waren gekennzeichnet durch »ein Fehlen jeden Mitteilungsbedürfnisses«, verursacht durch Denkschwäche und Faszination durch die Krankheit, deren Fortschreiten Kafka offenbar geistig lähmte. [116] Das Milena-Erlebnis ist eine Episode in dieser Zeitspanne, die die innere Erstarrung löst; und natürlich gelten jetzt auch die partnerbedingten Bedenklichkeiten des Verkehrs mit Felice nicht mehr, denn Kafka konnte der unkonventionellen Milena gegenüber so frei sprechen wie vor niemandem. [117]

Aber gerade weil sein Blick nicht durch Nebensächlichkeiten abgelenkt war, tritt die grundsätzliche Verständigungsschwierigkeit nur umso deutlicher in Erscheinung. Kafka hatte den Eindruck, »Unerklärliches zu erklären«, eine Grundbefindlichkeit darstellen zu wollen, die, weil er sich mit ihr identisch fühlte, nicht von ihm ablösbar und sprachlich definierbar war. Um der damit verbundenen Qual zu entgehen, blieb nur das Schweigen, denn das unpräzis Ausgesagte kehrte sich gegen den Schreiber und verstrickte ihn in das ausgebreitete Gewebe von Unwahrheiten – die Briefe an Milena sind »immer noch viel zu wenig Wahrheit, immer noch allermeistens Lüge«.

Dabei ist es dann geblieben: Sieht man von dem Briefwechsel mit Robert

Klopstock ab, der von Kafkas Seite aus mit einer gewissen pädagogischen Zielsetzung und vom Partner her aus Freundschaft und medizinischer Verantwortlichkeit geführt wurde, so beschränkt sich die Korrespondenz mit den Freunden in der allerletzten Zeit auf die gelegentliche Besprechung praktisch-organisatorischer Angelegenheiten und auf ein minimales, niemand verletzendes Aufrechterhalten oder Wiederanknüpfen des Kontakts. Kafka verstummte, auch vor sich selbst, in den Tagebüchern. Das Ergebnis, zu dem der Briefschreiber im Lauf seines Lebens gelangt war, hat in einem Aphorismus bündigen Ausdruck gefunden: »Stummheit gehört zu den Attributen der Vollkommenheit.« [118]

2. Kapitel

Die Tagebücher

a) *Anfänge*
Mit besonderer Berücksichtigung der Reisetagebücher

Max Brod hat behauptet, Kafkas Tagebücher – dreizehn Quarthefte – seien aus kleinen Reisenotizen herausgewachsen, die er veranlaßt habe, um Kafkas immer wieder stagnierendes Schaffen in Bewegung zu bringen: »eine in Kafka bereits vorgebildete und wache Tendenz, sich über seine Erlebnisse Rechenschaft zu geben, empfing aus den gemeinsam betriebenen Reise-Reportagen frische Nahrung und wurde nun systematisch ausgebaut.« F. Middelhauve hat diesen Zusammenhang angezweifelt. Sofern sich Brod auf nicht mehr erhaltene Reisenotizen der Fahrten nach Riva (September 1909) und Paris (Oktober 1910) beziehe, ergäben sich chronologische Schwierigkeiten, denn die Aufzeichnungen setzten fast ein Jahr nach der zuerst genannten Reise und ein Vierteljahr vor dem Paris-Aufenthalt ein. [119]

Abgesehen davon, daß Middelhauve von falschen zeitlichen Fixierungen ausgeht, hat seine Argumentationsweise den auch in Brods Aussage etwas spürbaren Nachteil, daß er das Problem nicht genügend differenziert, denn man hat drei Dinge voneinander zu unterscheiden: Erstens ist zu fragen, wann Kafka mit tagebuchähnlichen Aufzeichnungen begann und wie diese aussahen, zweitens, wann die Überlieferung einsetzt – die ersten Eintragungen im 1. Quartheft sind undatiert –, und drittens, wann die Tagebücher Kafkas die für ihn repräsentative Gestalt fanden bzw. ob es eine solche überhaupt gibt.

Was die zweite Frage angeht, so scheint der Sachverhalt klar zu sein: Die erste datierbare Eintragung stammt vom 17./18. Mai; da sie sich auf den Halleyschen Kometen bezieht, kann hier nur das Jahr 1910 gemeint sein. Die ihr unmittelbar vorhergehende, sehr ausführliche Passage kann höchstens ein paar Tage älter sein, und zwar nicht deswegen, weil dort davon die Rede ist, daß man »die Fernrohre jetzt gegen den Kometen richtet« – dies tat man schon seit Monaten –, sondern weil hier von fünf Monaten die Rede ist, in denen der Dichter zum Schreiben unfähig war; denn in einer späteren, aber auf die gleiche Sache bezüglichen Notiz, die auf 15. Dezember 1910 zu datieren ist, heißt es, der gegenwärtige unangenehme Zustand dauere nun schon fast ein Jahr; wenn diese Verfassung im Dezember 1909 begann, um die Weihnachtszeit herum, waren erst Ende Mai 1910 fünf Monate davon verstrichen.

Es ist daher verständlich, daß Max Brod auch die nur drei Druckseiten umfassenden Formulierungen, die den Beginn des 1. Quarthefts bilden, auf das Jahr 1910 datiert. Dies scheint um so unanfechtbarer, als der sechste, siebte und achte Eintrag – diese vergleichsweise umfangreichen Notizen befassen sich mit der russischen Tänzerin Eugenie Eduardowa, die Kafka in einem Gastspiel des kaiserlich-russischen Balletts sah – vom Dichter selbst auf dieses Jahr datiert wird. In einem Brief vom 17./18. Januar 1913 schrieb er an Felice: »Ich war wohl schon ein Jahr lang nicht im Theater und werde wieder ein Jahr lang nicht gehn, aber morgen ist das russische Ballett zu sehn. Ich habe es schon vor 2 Jahren einmal gesehn und Monate davon geträumt, besonders von einer ganz wilden Tänzerin Eduardowa.«

Nun gastierten aber die Russen 1910 gar nicht in Prag, wohl aber 1908 und 1909, und zwar in beiden Fällen mit der genannten Tänzerin (vgl. Abb. 1). Der erste Aufenthalt kann nicht gemeint sein, denn die Eduardowa tanzte damals eine Mazurka in M. Glinkas *Ein Leben für den Zaren* und spanische Tänze in A. Glasunows *Panaderos*, aus Kafkas Aufzeichnungen geht aber hervor, daß sie in einem Csárdás zu sehen war. Dies traf aber im folgenden Jahr zu, wo die Truppe wieder bei den Prager Maifestspielen auftrat. In der Aufführung vom 24. Mai war zunächst Tschaikowskys *Schwanensee* (Text von M. Petipa) auf dem Programm, ein Stück, das die Prager Kritik nicht überzeugte. In der *Deutschen Zeitung Bohemia* steht zu lesen: »Ganz warm aber wurde die Stimmung erst während des folgenden Divertissements. Man weiß, daß in diesen geschickt zusammengestellten Serien von Charakter- und seriösen Tänzen die Russen ihre ganze Kunst entfalten.« Man habe ein Wiedersehen mit der »hinreißend rassigen« Eduardowa gefeiert, »die ihren Zigeunertanz ... da capo tanzen mußte«. Im *Prager Tagblatt* wird erwähnt, sie haben ihren Csárdás »mit hinreißendem Feuer« zum besten gegeben und einen »wahren Sturm von Beifall« entfacht. [120] Damit ist bewiesen, daß die Überlieferung der Tagebücher Kafkas ein Jahr früher beginnt als seither angenommen, nämlich im Frühjahr 1909. Daß in den darauffolgenden 12 Monaten nur vier wenig umfangreiche Eintragungen vorgenommen wurden, ist durchaus möglich, da beispielsweise die auf die Niederschrift über die Kometennacht folgenden beiden Notizen fast zwei Monate auseinander liegen.

Die für Kafka typische Form des Tagebuchführens ist aber mit diesen Notizen noch keineswegs erreicht. In den Aufzeichnungen bis Mai 1910 fehlt die Datumsangabe, die später ausnahmslos jede lebensgeschichtliche Fixierung einleitet. Auch handelt es sich nicht um konkrete Referate äußerer Ereignisse, um genau lokalisierbare Beobachtungen, pointierte Urteile oder wenigstens Reflexionen über die eigenen inneren Zustände. Überdies beginnt das Heft nicht, wie später üblich, mit der Darstellung einer biographischen Gegebenheit, sondern mit einer Art Impression, deren Eigenart schon durch das Fehlen von Orts- und Zeitbestimmungen markiert wird: »Die Zuschauer erstarren, wenn der Zug vorbeifährt.« Es ist die bemerkenswerte, isolierte Einzelwahrnehmung, die dem Dichter bewahrenswert erscheint.

Die vier folgenden, wie das Faksimile der ersten Manuskriptseite zeigt, voneinander durch Querstriche abgetrennten Eintragungen [121] versteht

Max Brod nicht ohne Grund als »Ansätze zu einer Erzählung«. Sie setzen alle voraus, daß zwei Partner, einer davon ein Ich, in einer bestimmten Situation aufeinander bezogen sind, etwa in der Art der Rahmenhandlung in *Beschreibung eines Kampfes* oder der im 1. Quartheft überlieferten Fragmente einer Dialogerzählung. Gemeinsam ist den beiden letzten Notizen auch das Element Wald und die Verwendung des Präteritums, das ebenfalls auf eine Erzählung verweist. In diesem Sinne könnte man auch die Tatsache deuten, daß der Partner nicht namentlich genannt wird; zwischen der zweiten und vierten Notiz bestehen ebenfalls Motivbeziehungen.

Nicht weniger merkwürdig berühren die nächsten, auf die Eduardowa bezüglichen Passagen. Wie groß der Eindruck war, den sie auf den Dichter machte, geht schon aus seiner Erinnerung hervor, er habe monatelang von ihr geträumt. Offensichtlich war es hier, wie so oft bei Kafka, die zwingende, urtümliche Vitalität, die ihn, den Lebensschwachen, hinriß.

Die Eduarddowa war die »feurige« Tänzerin des Ballettcorps, der als ausschließliche Domäne die »Charakteristik und Erotik« vorbehalten war, während die Pawlowa die eigentliche Vertreterin der Tanzpoesie war, denn sie bestrickte »durch den seltenen Charme, der von ihr ausgeht, durch die unnachahmliche Grazie und Anmut der Bewegung und durch die Durchgeistigung jeder einzelnen von ihr ausgeführten Tanzfigur«. Dies also war nicht Kafkas Fall, eher vielleicht schon die »Plastik des mimischen Ausdrucks und die präzise Deutlichkeit der Gebärde«, die von der Kritik hervorgehoben wurden, denn hier waren seine, wie sich zeigen wird, auf Ausdrucksbewegungen fixierten Wahrnehmungskategorien ansprechbar.

Daß er neben dem Sonderfall der Eduardowa gerade auf diese Dinge achtete, zeigt seine nachträgliche Bemerkung, er habe selten einen schönern Tanz gesehen als in »einzelnen Bewegungen einzelner Tänzerinnen«. Man muß sogar annehmen, daß Kafka während des Gastspiels der Russen im Januar 1913 nur noch von diesen Dingen fasziniert war und für die wilde Orgiastik der Szenen weniger Sinn hatte als vor viereinhalb Jahren. Denn im Jahr 1913 war das russische Ballett schon in viel stärkerem Maße als 1909 von den von Frankreich und Deutschland ausgehenden Reformbestrebungen ergriffen, Ballettschuhe, Korsett und Trikot waren jetzt verpönt, die klassischen Bewegungsgesetze wurden elementarer Ausdruckskraft geopfert.

In N. Rimsky-Korssakows *Scheherazade* z. B. entfesselten die Russen eine Orgie des sinnlichen Rausches, erotischer Leidenschaft, wirbelnder Gewänder und hinreißender Massenszenen. Kafka aber urteilt: »Die Russen ... waren prachtvoll. Der Nijinski und die Kyast sind zwei fehlerlose Menschen, im Innersten ihrer Kunst, und es geht von ihnen die Beherrschung aus wie von allen solchen Menschen.«

Tatsächlich entsprach dieses Urteil einem Aspekt der Veranstaltung. Die *Deutsche Zeitung Bohemia* schrieb: »Lydia Kyast ... verfügt auch über das unentbehrliche Requisit höher geordneter Tanzkunst: über Geist ... Nijinsky ... ist ... ein Künstler, der durch Persönlichkeit fasziniert, Mensch gewordener Rhythmus, der jede Phase der Musik in Gebärde, Tanz und Sprung auszudrücken vermag.« [122] Die willensmäßige Durchgestaltung der künstlerischen Aussage, die schauspielerische Komponente und die Gezügeltheit waren Kafka jetzt also das wichtigste.

Wie aber spricht Kafka von der Eduardowa im Tagebuch? Gewiß nicht so, wie etwa von den ostjüdischen Schauspielern, die ihn im Jahr 1911 faszinierten. Dort versuchte er in minutiösen Beobachtungen seine Eindrücke zu präzisieren, hier besteht die erste Eintragung aus einem Traum. Aber es ist auffällig, wie schon auf dieser Ebene künstlerische Gestaltungstendenzen einsetzen. Der Schluß der Passage lautete zunächst im Manuskript: »Oh nein, sagte ich und schloß den Traum.« Kafka änderte das dann in: »Oh nein sagte ich das nicht und wandte mich in eine beliebige Richtung zum gehn.« [123] Durch den Vergleich mit dem Stück *Gib's Auf!*, das einen ähnlich strukturierten Schluß aufweist, wird deutlich, daß das Ende des Traumes einer vorgängigen ästhetischen Kategorie angepaßt wurde.

Die beiden folgenden Eintragungen über die Eduardowa sind Erzählansätze, denn es ist empirisch unmöglich, daß die Tänzerin in Prag in Begleitung zweier spielender Violinisten in der Straßenbahn fuhr und daß der Dichter sie überhaupt im Freien und zusammen mit gewandten, korrekten Herren sah. Auch fällt eine Systematik der Darstellung auf – es werden Gesicht, Körper, Beine und Wirkung der Gesamtpersönlichkeit auf andere beschrieben –, die in dieser Folgerichtigkeit bei direkt lebensgeschichtlichen Notizen einzigartig wäre.

Die nächste Passage bezieht sich auf den Dichter selbst: »Meine Ohrmuschel fühlte sich frisch, rauh, kühl, saftig an wie ein Blatt.« Auch dies ohne Datum und im Präteritum, was darauf hinweist, daß hier eine frühere Beobachtung, weniger ein Zustand zu einer bestimmten Zeit, festgehalten werden sollte. Man kann dafür zwei Indizien anführen. Einmal vergleichbare spätere Aussagen. So heißt es 1911 unter dem Datum »14. November. Dienstag«: »Nachmittag beim Einschlafen. Als hätte sich die feste Schädeldecke, die den schmerzlosen Schädel umfaßt, tiefer ins Innere gezogen und einen Teil des Gehirns draußen gelassen im freien Spiel der Lichter und Muskeln.« Die Beobachtung selbst ist von gleicher Differenziertheit, aber situationsgebunden und präsentisch, wodurch sie sich als echte, lebensgeschichtlich relevante Notiz erweist.

Zum andern muß noch die auf diese Stelle bezügliche interpretatorische, sich im Text anschließende Reflexion berücksichtigt werden: »Ich schreibe das ganz bestimmt aus Verzweiflung über meinen Körper und über die Zukunft mit diesem Körper.« Diese Aussage läßt den Schluß zu, daß Kafka zur Zeit der Niederschrift weit entfernt von kontinuierlicher Selbstbeobachtung und bewußter Auseinandersetzung mit seinem physischen Zustand war, denn er findet es ja bemerkenswert, daß eine Aufzeichnung um dieser Gegebenheiten willen erfolgt ist, woraus sich wieder erschließen läßt, daß derartige

Eintragungen oder Beobachtungen in jener Zeit aus andern Gründen vorgenommen wurden.

Auffällig ist auch, daß der Dichter in der im Folgenden versuchten Näherbestimmung seines Zustandes sich sofort wieder vom Persönlichen entfernt, ohne aber in Erzählung überzugehen, eine Darstellungsweise, die für die späteren Eintragungen ganz uncharakteristisch ist: Kafka versucht hier nämlich allgemeingültige Aussagen über die Verzweiflung zu machen, verfremdet ihren Sinn spielerisch und versucht sogar eine Art Poetisierung seines Zustandes; vielleicht sind also die ungewohnten Verzweiflungszustände vom Ende des Jahres 1909 gemeint.

Im Manuskript folgt nun eine vom Herausgeber unterdrückte Äußerung: »Ich ging an dem Bordell vorüber wie an dem Haus einer Geliebten.« Es handelt sich also um eine zeitlich nicht näher bestimmte Einzelbeobachtung des eigenen äußeren Verhaltens im Präteritum. Die überschwängliche Bildlichkeit steht in starkem Gegensatz zu Kafkas späteren Ausführungen zu diesem Komplex.

Die im Tagebuch folgende Formulierung bestätigt das Gesagte; sie lautet: »Schriftsteller reden Gestank.« Ein Vergleich mit der berühmten späteren Formulierung »Schreiben als Form des Gebetes« macht den Unterschied deutlich. Dort durch Kollektivplural und Verb eine allgemein verbindliche Aussage, hier durch das fehlende Verbum eine viel vorsichtigere Formulierung, weil offen bleibt, ob das Gesagte als Wunsch oder Tatsache zu verstehen ist. Der Kontext, der Selbstreflexionen enthält, macht zudem deutlich, daß Kafka dabei nur an sich selber denkt, während er sich in der frühen Tagebuchstelle implizit einer übergeordneten Gesetzmäßigkeit unterstellt.

Nicht weniger lapidar gibt sich die nächste Notiz: »Die Weißnäherinnen in den Regengüssen.« Zufällig hat sich unter dem Datum des 16. Dezember eine ausführliche Stellungnahme erhalten, aus der erhellt, daß Kafka an G. Hauptmanns Stück *Die Jungfern vom Bischofsberg* denkt, an dem ihm mißfiel, daß zwei Figuren, eben die Näherinnen, zwar erwähnt, aber nicht zum szenischen Leben erweckt werden. [124] Im Frühjahr dieses Jahres aber wird dieser Sachverhalt in einer auffälligen Zuspitzung formuliert, die jeden realen Kontext vermissen läßt, so als seien der Vorgang und das Material, die zu dieser Erkenntnis führten, keiner Erwähnung wert.

In der Handschrift heißt es anschließend: »Aus dem Coupeefenster.« Vielleicht bezieht sich das auf einen Ausflug, den Kafka am 13. März 1910 mit Max Brod unternahm, aber bezeichnenderweise ist dies der Phrase nicht zu entnehmen. Denn es ist nur die absolute Situation an sich, die bemerkenswert erscheint, nicht ihre biographische Einordnung oder ihre konkreten Inhalte, die in späteren Aussagen das Zentrum der Formulierung gebildet hätten. Außerdem ist der Blick aus dem Fenster gerade in der Frühzeit ein in Briefen und literarischen Arbeiten vorkommendes Motiv, das mit der Passivität des von anderen Menschen abgetrennten Beobachters korrespondiert.

Auch diese Beobachtung fügt sich also vorzüglich in den erschlossenen Rahmen der Notizhefte ein.

Daran schließt sich die schon erwähnte, über zwei Druckseiten lange Analyse der vergangenen fünf Monate. Wie wenig selbstverständlich eine solche Blickrichtung war, zeigt der Eingangssatz, wo Kafka schreibt, seit Weihnachten sei es das erstemal, daß er auf den »Einfall« komme, sich wieder einmal anzusprechen. Weiter fällt auf, daß – und das paßt zu der Art der vorhergehenden Einträge – die Vorgänge des Tages, an dem die Niederschrift erfolgte, die von Kafka am Schluß seiner Betrachtung beigezogen werden, dem heutigen Leser fast ganz verborgen bleiben, weil der Dichter nur darauf anspielt und die Folgerungen niederschreibt, die er daraus ziehen will.

Drittens wäre die Art der hier gebrauchten Bildlichkeit hervorzuheben. Zwar sind die Bildvorstellungen hinsichtlich ihrer Gegenständlichkeit typisch für Kafka und kehren noch sehr viel später wieder, aber die Art ihrer Verwendung unterscheidet sie doch von jüngeren Stellen. Sie wuchern nämlich, verselbständigen sich so sehr, daß die Sachebene dahinter verschwindet; Kafka hat sogar das Bild des japanischen Gauklers im Anschluß an seine sprachliche Formulierung zusätzlich noch in eine kleine Federzeichnung übertragen. Außerdem wirkt die Art der Metaphernbildung spielerisch und forciert und ist etwas ganz anderes als die Metaphorik der späteren Tagebücher, die sich nicht in dieser Weise szenisch-situativ entfaltet und immer auf die zugrunde liegende Sachebene rückführbar ist.

Nun die drei einzigen datierten Niederschriften in diesem Heft vor dem 19. Februar 1911, die ihre Entstehung besondern Umständen verdanken. Einmal natürlich dem außerordentlichen Ereignis, das das Erscheinen des Halleyschen Kometen darstellte, und zum andern Kafkas in der eben besprochenen Selbstanalyse ausgesprochenen Forderung, er wolle jeden Tag zumindest eine Zeile gegen sich richten. Da er nicht demgemäß handelte, hatte er Anlaß, entsprechende Klagen vorzubringen: »Wieviel Tage sind wieder stumm vorüber; heute ist der 28. Mai.« Und: »Sonntag, den 19. Juli 1910, geschlafen, aufgewacht, geschlafen, aufgewacht, elendes Leben.« Diese beiden Aussagen entsprechen schon voll der späteren Praxis, denn die letzte bietet eine regestenartige Zusammenfassung des laufenden Tages, worauf es Kafka dann in der Regel ankam, die ihr vorhergehende aber wird von summarischen Aussagen über Kafkas Lebensführung und Körperzustand seit der letzten Eintragung gefolgt, und dies geschieht in den späteren Quartheften immer dann, wenn er nach längerer Pause wieder zum Tagebuch greift und die fehlende Kontinuität der Selbstdarstellung herstellen will. Davon abgesehen waren ihm aber derartige Zusammenfassungen nicht wesensgemäß. [125]

Im Text folgen nun Fragmente einer autobiographischen Erzählung, der Kafka vielleicht den Titel *Der kleine Ruinenbewohner* geben wollte. Insgesamt haben sich sechs verschiedene Ansätze erhalten, die vollständig nur in der englischen Fassung der Tagebücher publiziert sind. [126] Eigenartig ist die Form dieser Texte. Sie beginnen alle ähnlich und suggerieren, daß ein direkter biographischer Rückblick erwartet werden dürfe:»Wenn ich es bedenke, so muß ich sagen, daß mir meine Erziehung in mancher Richtung sehr geschadet hat.« Dieser Verdacht scheint sich auch insofern zu bestätigen, als der Vorwurf des Erzählers sich gegen Personen richtet, die in der Mehrzahl aus den Lebenszeugnissen des Dichters verifiziert werden können, nämlich die Eltern, einige Verwandte, eine ganz bestimmte Köchin, Lehrer und eine Bettlerin. [127] Da aber andere Erzählzüge wie beispielsweise Alter und Aussehen des berichtenden Ichs überhaupt nicht zu Kafka passen, muß angenommen werden, daß er die Auseinandersetzung mit seiner eigenen Vergangenheit, die später die Lebenszeugnisse zeitweilig prägt, zunächst nur auf diese indirekt-spielerische Art zu führen vermochte.

Die nächste Eintragung ist eine etwa zwölf Druckzeilen lange Passage, die als Literatur in der Art einiger in die *Betrachtung* eingegangener Stücke angesehen werden muß. Darauf fing Kafka ein neues Quartheft an und eröffnete es mit der Niederschrift der Erzählung *Unglücklichsein*, obwohl das 1. Quartheft noch leere Blätter aufwies. Wahrscheinlich wollte er dort Raum lassen für weitere Versuche und die endgültige Ausarbeitung des *Kleinen Ruinenbewohners*. [128]

Zusammenfassend kann man über die erwähnten Niederschriften sagen, daß sie nicht den Charakter des echten Tagebuchs haben, auch wenn man davon ausgeht, daß bei Kafka die dichterische Produktion aus der Arbeit am Tagebuch herauswachsen kann. Es fehlen in der Regel nicht nur die Zeitangaben, sondern überhaupt konkrete Hinweise auf äußere und innere Erlebnisse. Das Biographische ist gleichsam nicht autonom, erscheint in literarischer, traumhafter oder impressionistisch-bildhafter Verbrämung, als allgemeine Sentenz oder summarischer Bericht; die beiden Aussagen über die Physis mögen zudem durch die Tatsache veranlaßt sein, daß Kafka in dieser Zeit anfing, nach dem System des Dänen J. P. Müller Gymnastik zu betreiben. [129]

Niemand wird glauben wollen, daß Zeugnisse dieses Charakters erst mit dem Jahr 1909 einsetzen, denn es ist bekannt, daß Kafka vieles aus der Frühzeit vernichtete; er führt beispielsweise Ende Dezember 1910 im Tagebuch Stellen aus eigenen Werken an, die sich nicht erhalten haben, und dasselbe gilt für Zitate aus Briefen kurz nach der Jahrhundertwende.

Vor allem aber interessant in diesem Zusammenhang ist eine Tagebucheintragung vom 16. November 1911:»Aus einem alten Notizbuch: ›Jetzt abend, nachdem ich von sechs Uhr früh an gelernt habe, bemerkte ich, wie meine linke Hand die rechte schon ein Weilchen lang aus Mitleid bei den Fingern umfaßt hielt.‹« Glücklicherweise ist diese Aussage einigermaßen zu datieren. Sie wird spätestens im Frühjahr 1906 formuliert worden sein, als Kafka außerordentlich viel für die juristische Abschlußprüfung zu lernen hatte; wenn sie sich auf eine der Vorprüfungen beziehen, könnte sie auch aus einem der vorausliegenden Studienjahre stammen.

Die Art der Niederschrift ähnelt nun auffällig den auf den Dichter selbst bezüglichen Formulierungen im 1. Quartheft. Sie bezieht sich auf Kafkas Körper und verdankt ihre Entstehung einem besonderen Anlaß, der über den alltäglichen Erlebnisfluß weit hinausgeht. Die Aussage beschränkt sich auf das sich gleichsam aufdrängende äußere Detail, ohne die Situation einzubeziehen, denn die Zeitangabe »von sechs Uhr früh an« soll begründen, warum das Phänomen, das aus sich selbst nicht genügend Interesse zu erwecken vermöchte, Profil gewinnt. Schließlich ist bezeichnend, daß Kafka selber von einem »Notizbuch« spricht, während er sonst, etwa wenn er in alten Quartheften las, von »Tagebüchern« redet, obwohl der Eintrag von 1906 in einem Punkt über die Notizen von 1909 und der ersten Hälfte des Jahres 1910 hinausgeht; es wird – und das ist ein entscheidender Schritt auf die echte Tagebucheintragung zu – der Zeitpunkt der Beobachtung mitgeteilt.

Vergleichbar sind etwa folgende, viel jüngere Aussagen: »Jetzt abends vor Langeweile dreimal im Badezimmer hintereinander mir die Hände gewaschen«, oder: »Vor dem Einschlafen das Gewicht der Fäuste an den leichten Armen auf meinem Leib gespürt.« Zu solchen Eintragungen besteht eigentlich nur noch ein stilistischer Unterschied (Tempuswechsel – doch findet sich auch später noch gelegentlich in Quartheften das Präteritum – und Auslassen des Hilfsverbs).

In diesem Zusammenhang interessiert noch ein Brief Kafkas aus dem Jahr 1903, in dem es heißt: »Irgendwo hab ich einmal die Frechheit aufgeschrieben, daß ich rasch lebe, mit diesem Beweis: ›Ich sehe einem Mädchen in die Augen und es war eine sehr lange Liebesgeschichte mit Donner und Küssen und Blitz‹, dann war ich eitel genug, aufzuschreiben: ›Ich lebe rasch‹. So wie ein Kind mit Bilderbüchern hinter einem verhängten Fenster. Manchmal erhascht es etwas von der Gasse durch eine Ritze und schon ist es wieder in seinen kostbaren Bilderbüchern.« Der ganze Kontext stellt zweifelsfrei sicher, daß Kafka eine auf sich selbst gemünzte Notiz zitiert, was das Vorhandensein eines Notizhefts voraussetzt. Das erste Wort des Angeführten spricht nicht gegen eine solche Auffassung, es setzt entweder voraus, daß mehrere Skizzenbücher bestanden, oder ist geographisch zu nehmen und läßt die Möglichkeit offen, daß die Aussage auf einer Reise fixiert wurde. Sie muß jedenfalls einige Zeit zurückliegen und beweist so, daß ungefähr mit dem Studienbeginn Kafkas schon tagebuchartige Eintragungen vorgenommen worden sein müssen.

In der Tendenz paßt das Zitierte zu dem für die Frühzeit des Dichters Feststellbaren, denn es thematisiert, auch im Kommentar des späteren Briefschreibers, den Gegensatz zwischen traumhafter Verinnerlichung und tätiger Weltzugewandtheit, der auch in dem gleich zu besprechenden Laurenziberg-Erlebnis im Mittelpunkt steht. Und indem die Form darauf hinzielt, den Handlungsablauf in die Bildebene zu verlagern, wird man an die Stilgebung der frühen Briefe erinnert. Man muß aus den beiden Selbstzitaten Kafkas den Schluß ziehen, daß Hefte von der Art des beginnenden 1. Quarthefts von dem Zeitpunkt an bestanden haben müssen, wo Kafka ernsthaft und bewußt zu schreiben begann. Angesichts der spärlichen Zeugnisse kann dieser zwar nicht genau, aber doch ungefähr auf das Jahr 1898 festgelegt werden. Man kann ausgehen von einer auf den 15. Februar 1920 datierten Eintragung der Reihe *Er:* »Es handelt sich um folgendes: Ich saß einmal vor vielen Jahren ... auf der Lehne des Laurenziberges. Ich prüfte die Wünsche, die ich für das Leben hatte. Als wichtigster oder als reizvollster ergab sich der Wunsch, eine Ansicht des Lebens zu gewinnen (und – das war allerdings notwendig verbunden – schriftlich die andern von ihr überzeugen zu können), in der das Leben zwar sein natürliches schweres Fallen und Steigen bewahre, aber gleichzeitig mit nicht minderer Deutlichkeit als ein Nichts, als ein Traum, als ein Schweben erkannt werde ... Aber er konnte gar nicht so wünschen, denn sein Wunsch war kein Wunsch, er war nur eine Verteidigung, eine Verbürgerlichung des Nichts, ein Hauch von Munterkeit, den er dem Nichts geben wollte, in das er zwar damals kaum die ersten bewußten Schritte tat, das er aber schon als sein Element fühlte. Es war damals eine Art Abschied, den er von der Scheinwelt der Jugend nahm, sie hatte ihn übrigens niemals unmittelbar getäuscht, sondern nur durch die Reden aller Autoritäten ringsherum täuschen lassen. So hatte sich die Notwendigkeit des ›Wunsches‹ ergeben.« [130]

Kafka beschreibt hier den Vorgang, wo er sich seiner selbst bewußt wurde; obwohl es sich dabei um einen längeren Prozeß handelt, pflegt dieser sich in der Erinnerung des Alternden in einer einmaligen Situation zu konkretisieren. Da Kafka einmal davon spricht, noch ungefähr bis 1911 ein unwissendes Kind gewesen zu sein, das in passiver Eintracht mit seiner Umgebung gelebt habe, und da in diesem Jahr erstmalig der bewußte, offene Konflikt mit der Umwelt einsetzt, könnte man versucht sein, den beschriebenen Abschied von der Jugend entsprechend zu datieren. Dabei würde jedoch übersehen, daß in der Passage der Wunsch zu schreiben und der Wunsch, eine Ansicht des Lebens zu gewinnen, gleichzeitig auftauchen, Kafkas erste Schreibversuche jedoch viel weiter zurückliegen.

Am 1. Januar 1911 notiert er sich, er werde mit der bisher mißlingenden Produktion »von vorn als kleines Kind anfangen müssen«, wobei er es äußerlich leichter haben werde als damals, denn »in jenen Zeiten« habe er »noch kaum mit matter Ahnung« zu der ihm gemäßen Darstellungsform gestrebt. Als Parallelstelle kann herangezogen werden, was der Dichter im *Brief an den Vater* über seine Entwicklung als Schriftsteller sagt. Das Schreiben habe »in der Kindheit als Ahnung, später als Hoffnung, noch später oft als Verzweiflung« sein Leben beherrscht. Es ist also ein früherer Beginn des Schaffens anzusetzen.

Das geht auch aus der im Tagebuch folgenden Erinnerung hervor. Kafka berichtet, er habe an einem Sonntagnachmittag, als er bei seinen Prager Großeltern zu Besuch war, an einem Roman geschrieben und durch auffälliges Verhalten darauf aufmerksam machen wollen; er konnte nicht vergessen, daß er jung und zu Großem berufen war. Eine solche Bewußtseinslage paßt besonders gut zu der Entwicklungsphase eines Jungen, wo die Pubertät und die damit verbundene Verschlossenheit anderen gegenüber noch nicht voll eingesetzt hat, was um die Jahrhundertwende herum allgemein später geschah, besonders bei dem sehr langsam reifenden Kafka.

Eine zeitliche Fixierung in diesem Sinne wird auch durch die Tatsache nahegelegt, daß Kafka handlungsmäßig in diesem Roman den Konflikt zweier Brüder darstellen wollte, von denen der eine nach Amerika fährt, der andere aber in einem europäischen Gefängnis zurückbleibt. Denn an andern Tagebuchstellen wird eine solche Thematik und die schon langsam sich ausbildende literarische Produktion mit diesem Zeitabschnitt und der Hochpubertät in Verbindung gebracht. So notiert sich Kafka anläßlich eines jiddischen Theaterstücks, das er am 18. Dezember 1911 gesehen hatte: »Der verstoßene Bruder, ein künstlerischer Geiger kommt, wie in den Träumen meiner ersten Gymnasialzeit, reichgeworden zurück, versucht aber zuerst im Bettlerkleid . . . seine niemals aus der Heimat gekommenen Verwandten.«

Diese Aussage wird ergänzt durch eine Eintragung vom 2. Januar 1912. Als Wegzeiger für die Zukunft, so heißt es dort, habe er nur selten seine »schwache literarische Arbeit« angesehen; gewöhnlich habe ihn die Überzeugung geleitet, nicht in die nächste Gymnasialklasse versetzt zu werden. Abgesehen davon habe er sich, »wahrscheinlich nur von einer schon ungesunden Sexualität« genährt, lange Zeit vor dem abendlichen Einschlafen damit abgeben können, daß er »einmal als reicher Mann in vierspännigem Wagen in der Judenstadt einfahren, ein mit Unrecht geprügeltes schönes Mädchen mit einem Machtwort befreien« und in seinem Wagen »fortführen« werde. Da derartige, übrigens typische, Phantasien schon bei Elfjährigen auftreten können, der Autor dieses Lebensalter auch schon durch das Wissen um Sexuelles gekennzeichnet sieht und da seine Angst, nicht versetzt zu werden, sich gleich beim Eintritt ins Gymnasium bemerkbar machte, kann die Entstehung des geplanten Amerika-Romans, wo, wie die Tagebuchstelle vom Dezember 1911 nahelegt, die Trennung der beiden feindlichen Brüder in der Rückkehr des Amerikafahrers eine Fortsetzung haben sollte, tatsächlich in die ersten Gymnasialjahre fallen.

Zu der vorgeschlagenen zeitlichen Einordnung paßt eine Erinnerung von Kafkas Klassenkameraden Hugo Bergmann, nach der Kafka in den ersten Gymnasialjahren davon gesprochen hat, Schriftsteller zu werden. Dem entspricht auch, daß Kafka schon während der ersten Gymnasialzeit für seine Schwestern kleine Theaterszenen verfaßte, die im häuslichen Kreis aufgeführt wurden. Daß hier eine für Kafka klar abgegrenzte erste Phase seiner literarischen Arbeit vorlag, geht zudem aus einem wahrscheinlich aus dem Jahr 1903 stammenden Brief an seinen Jugendfreund Oskar Pollak hervor, in dem Kafka ausführt, er wolle für seinen Briefpartner ein Bündel vorbereiten, das alles bisher Geschriebene enthalte, in dem unter anderem die »Kindersachen« fehlen würden. Inzwischen war diese Periode durch die des ernsthaften

Schreibens abgelöst worden, die Zeit, wo das literarische Schaffen ihn als »Hoffnung« begleitete.

Ihr Beginn kann mit Hilfe eines Briefes festgestellt werden, den Kafka in der Nacht vom 2./3. März 1913 an Felice richtete. Die Fortsetzung eines Erzählansatzes, meint er, sei ihm vollständig mißlungen: »Das was mich in der letzten Zeit ergriffen hatte, ist kein Ausnahmezustand, ich kenne ihn 15 Jahre lang, ich war mit Hilfe des Schreibens für längere Zeit aus ihm herausgekommen.« Die hier beschriebenen ungünstigen Gemütszustände traten also erstmalig im Jahr 1898 auf, als Kafka fünfzehn Jahre alt war. Es handelt sich, wie der Kontext sicherstellt, um ein Gefühl der Nichtigkeit, das durch gelingendes Schreiben in einen Zustand verwandelt wurde, der es erlaubte, in der menschlichen Gemeinschaft bestehen zu können. Daß er dieses Nichts damals auf dem Laurenziberg erstmalig als sein Wesen ahnte und gleichzeitig durch sein Schaffen andere von sich überzeugen wollte, legt den Schluß nahe, daß dieses Schlüsselerlebnis ins Jahr 1898 fiel, denn es zeigt sich genau die gleiche Problematik wie in der fünfzehn Jahre jüngeren Briefstelle. Auch sonst in der Korrespondenz tritt eine ähnliche Auffassung hervor: »Ich ... fühle mich vom Schreiben ein wenig losgelöst, d. h. im Nichts.«

Es ist also die Krisensituation der Hochpubertät, die sich damals kristallisierte. Sie geht gewöhnlich mit der Einsicht einher, daß man dem Kindesalter entwachsen ist und daß eine neue Zielbestimmung des Lebens notwendig ist. Kafka nimmt diese vor im Rückgriff auf sein schon ein paar Jahre lang praktiziertes Schreiben. Wenig später muß eine neue Art der Selbstbetrachtung und der kunstmäßigen Äußerung eingesetzt haben; die Briefe vom Anfang der Studienzeit gehen davon aus, daß umfangreiche Texte vorliegen, obwohl Kafka keineswegs regelmäßig literarisch arbeitete.

Wie sehr Kafka zumindest die Zeit vom Ende des Studiums an bis zum Beginn seiner Beziehung zu Felice als durch eine einheitliche Problemlage gekennzeichnet ansah, verdeutlicht folgende Briefpassage, die im Mai 1913 geschrieben wurde: »Geliebt, daß es mich im Innersten geschüttelt hat, habe ich vielleicht nur eine Frau, das ist jetzt sieben oder acht Jahre her. Von da an, ohne daß dazwischen Beziehungen beständen, war ich fast vollständig von allem losgelöst, immer mehr und mehr auf mich beschränkt, mein elender körperlicher Zustand, der in meiner ... Auflösung voranging oder folgte, half mit, mich weiter versinken zu lassen, und jetzt, wo ich fast am Ende war, traf ich Dich.«

Nur mit andern Worten, aber in der Sache sehr ähnlich der Aussage über das Laurenziberg-Erlebnis, wird Kafkas Verfassung an dieser Stelle ebenfalls mit dem Begriff des Nichtigen, Gemeinschaftsfernen gedeutet. Daß dieses mit der Beziehung zum andern Geschlecht verdeutlicht wird und daß erotische Vertrautheit erstmals in den Jahren 1905 und 1906 auftrat, zeigt, daß die Intimitätskrise der Jahre 1911 und 1912, von der gleich die Rede sein wird, eine längere Vorgeschichte hat, in einem Alter einsetzt, wo dies allgemein zu erwarten ist, und unmittelbar aus der vorhergehenden Identitätskrise herauswächst oder an sie anschließt, was für pathologische Verläufe derartiger Entwicklungsschritte charakteristisch ist. [131]

Es handelt sich bei dem fraglichen Vorgang um eine psychosoziale Krise in der Adoleszenz, die, wie Erik H. Erikson gezeigt hat, insofern eine notwendige Entwicklungsphase jedes Menschen darstellt, als die Kindheitsidentifikationen in einer neuen Konfiguration absorbiert und zu einem Identitätsgefühl umgebaut werden müssen; es tritt also eine Identitätskrise ein. Vorläufer der Identität im kindlichen Ich und die Art, wie die vorhergehenden psychosozialen Krisen überstanden wurden, bestimmen den Verlauf der Identitätsbildung in der Adoleszenz und führen bei entsprechender ungünstiger Ausgangslage, die bei Kafka vorauszusetzen ist, zu einer sogenannten Identitätsdiffusion.

Es läßt sich nämlich zeigen, daß die Krisensituationen der Kindheit bei ihm nicht zu positiven Grundhaltungen führten, die Erikson mit Urvertrauen, Autonomie, Initiative und Werksinn bezeichnet, sondern zu Mißtrauen, Scham, Schuldempfinden und Minderwertigkeitsgefühl, so daß die Integration des Identitätsproblems als verhältnismäßig konfliktfreier psychosozialer Kompromiß nicht gelingt. [132]

Da Kafkas Mutter, ganztägig im Geschäft tätig, sich nicht um ihren Sohn kümmern konnte, wurde seine Bindung zu ihr gestört; Isolation und Unzufriedenheit mit sich und andern, die in den Lebenszeugnissen deutlich hervortreten, sind die Folgen. Der *Brief an den Vater* macht deutlich, daß der Dichter ein zur Autonomie nötiges Selbstgefühl nie besaß, so daß sich Scham und in ihrer Folge übermäßige Selbstkritik breitmachten.

Auch die dritte Krise wurde nicht positiv überwunden, da Kafka sich nicht mit seinem andersartigen Vater zu identifizieren vermochte; das in diesem Stadium sich ausbildende Gewissen wird zum Indikator der Schuldgefühle. Erikson schreibt: »Einer der schwersten Lebenskonflikte ist der Haß auf die Eltern, wenn sie, die Vorbilder und Vollstrecker des Gewissens, bei dem Versuch beobachtet werden, sich gerade diejenigen Gebotsüberschreitungen zu erlauben, die das Kind an sich selbst nicht länger dulden kann. Diese Überschreitungen sind oft natürliches Ergebnis der Ungleichheit zwischen Eltern und Kind. Oft jedoch sind sie auch eine gedankenlose Ausbeutung dieser Kräfteungleichheit; mit dem Resultat, daß das Kind das Gefühl bekommt, es gehe in der Welt nicht um Gut und Richtig, sondern um Willkür und Macht.« Die Passage wirkt wie eine Zusammenfassung bestimmter Teile des *Briefs an den Vater*, wo Kafka sein kindliches Verhältnis zum Vater genau in diesen Vorstellungen beschreibt. [133]

Der Werksinn, das Gefühl nämlich, etwas machen zu können und es sogar gut zu machen, manifestiert sich besonders deutlich in der schulischen Leistung. Das Gefühl der Unzulänglichkeit auf diesem Gebiet ist von Kafka, wie auch die Zitate im vorigen Kapitel belegen, klar ausgesprochen worden. [134]

Was die Vorformen der Identität im Kindesalter betrifft, so sei nur auf zwei

Punkte hingewiesen. Einmal auf den offensichtlichen Autismus Kafkas, also das Zurückschrecken vor Objekt-Bindungen [135], was das Experimentieren mit realen Partnern weitgehend unterbindet, und auf die mangelnden Identifikationen während der ersten Schuljahre (die letzten drei Gymnasialklassen, Kafkas sechzehntes bis achtzehntes Lebensjahr, sind davon auszunehmen). Beides sind ungünstige Prämissen für die in der Identitätskrise zu vollziehende Aufgabe, Entscheidungen zu treffen und durch immer endgültigere Selbstdefinitionen zu irreversiblen Rollen und Festlegungen für die eigene Zukunft zu gelangen.

Die Erinnerung an das Laurenziberg-Erlebnis stellt gerade diesen Aspekt in den Mittelpunkt, was ein weiteres Indiz für die Behauptung ist, daß der seelisch frühreife Dichter damals die psychosoziale Krise der Adoleszenzperiode durchmachte. Daß sie nur mit einer Identitäts-Diffusion enden konnte, die sich über viele Jahre hinzog, ist nach dem Gesagten klar, denn die Studienjahre und die Einsicht, daß der gewählte Beruf als bloße Broterwerbsquelle noch nicht das eigentliche Lebensziel darstellte, ermöglichten Kafka, das sogenannte psychosoziale Moratorium, eine Phase, in der das fertige Individuum in seiner Fähigkeit zur Partner- und Elternschaft retardiert wird, so lange auszudehnen, bis die nächste Lebenskrise im frühen Erwachsenenalter eintrat, in der das Problem der Intimität mit dem anderen Geschlecht gelöst werden, das Verhältnis zur Gemeinschaft bestimmt werden mußte.

Dies geschah im Leben des Dichters seit 1911, wo das Erlebnis der jiddischen Schauspieltruppe eine Lebenswende herbeiführte, die sich dann in seinem jahrelangen Kampf um die Ehe deutlicher artikulierte. Es ist ganz klar zu beobachten, wie während der Jahre bis 1911 immer wieder Versuche der Selbstdefinierung unternommen werden. Unter solchen Aspekten muß man nämlich Kafkas Interesse für den Sozialismus in den letzten Jahren des Gymnasiums sehen und ebenso seine Versuche, einen praktischen, handwerklichen Beruf zu ergreifen, Germanistik und Chemie zu studieren, sich erotisch zu binden (an Hedwig W.), als »Bummler« zu leben und sich in den Anarchismus einzuarbeiten. [136]

Gleichzeitig läßt sich beobachten, wie Symptome der Identitäts-Diffusion das psychische System Kafkas bestimmen. Da ist zunächst die Vorstellung, fertig und zur Arbeit unfähig zu sein; weiterhin besteht der Wunsch, wiedergeboren zu werden, beziehungsweise sterben zu können und noch einmal von vorn anfangen zu dürfen; auch fühlt man sich als Kind und zur selben Zeit uralt. Endlich wird die eigene Abstammung verachtet und eine Identität gewählt, die im größten Gegensatz zu den Vorstellungen der Eltern steht, und man sieht sich nicht in der Lage, aus irgendeiner Tätigkeit Befriedigung zu schöpfen.

Das alles läßt sich auch bei Kafka belegen: Er ist »von Grund aus fertig«, immer wieder arbeitsunfähig, hegt Selbstmordgedanken und will als kleines Kind den Neubeginn; er hält sich gleichzeitig für infantil und greisenhaft überaltert; außerdem verwirft er das Judentum und die väterliche Geschäftswelt, fühlt sich zum Schriftsteller berufen, ohne aber durch diese Tätigkeit glücklich zu werden. [137] Wenn diese Deutung des Laurenziberg-Erlebnisses richtig ist, versteht man einen recht seltsamen Erzählzug besser, der im *Prozeß*, den *Forschungen eines Hundes* und in *Josefine* auftaucht. Von den Hauptfiguren oder Erzählern wird berichtet, sie hätten eine sehr kurze Jugend gehabt, was ungünstige Folgen für die weitere Entwicklung hatte. Auch im *Kleinen Ruinenbewohner* taucht das Motiv auf, allerdings mit anderer Bewertung. [138] Hier ist also die Tatsache reflektiert, daß der negative Ausgang der Identitätskrise Kafkas soziale Rolle nicht festlegen konnte, so daß er sich von den Anforderungen der Gemeinschaft dauernd erdrückt fühlen mußte. Als überspitzter Aphorismus taucht der Gedanke dann auch in einer späten Tagebuchnotiz auf: »Noch nicht geboren und schon gezwungen zu sein, auf den Gassen herumzugehn und mit Menschen zu sprechen.«

Die Zeit zwischen ungefähr 1898 und 1910 ist also durch eine einheitliche Konfliktlage gekennzeichnet, die sich allerdings gegen Ende zu, als Kafka einerseits schon berufstätig war und andererseits Werke verfaßt hatte, die ihn einigermaßen befriedigten, verschärft haben mag. Es ist die Zeit, wo ihn das Schreiben als Ahnung begleitete; die Phase der Hoffnung würde dann mit der Niederschrift des *Urteils* beginnen, wobei nicht auszuschließen ist, daß sich dieses Gefühl manchmal auch schon früher, etwa bei der Abfassung der *Beschreibung eines Kampfes* oder der *Aeroplane in Brescia* eingestellt haben könnte. Die Verzweiflung kennzeichnet dann die Jahre 1913 bis 1917, wo er meinte, die Qualität der Produktion des Jahres 1912 nicht mehr erreichen zu können und als Schriftsteller, und damit überhaupt, zu versagen.

Es besteht also eine gewisse Wahrscheinlichkeit dafür, daß die Hefte, in die der angehende Dichter schrieb, schon um die Jahrhundertwende ähnlich aussahen wie der Beginn des 1. Quartheftes. Für diese Vermutung gibt es nicht nur das Indiz, daß der seelische Hintergrund Kafkas sich in dieser Zeit nicht grundsätzlich veränderte. Erstens nämlich besteht zwischen der Art der Metaphorik in den frühen Aufzeichnungen des 1. Quartheftes und den Bildvorstellungen der mehrere Jahre älteren Jugendbriefe ein deutlicher Zusammenhang.

Biographische Sachverhalte werden hier durch wuchernde Bilder umschrieben, die sich zu selbständigen Handlungssträngen auswachsen; auch ein gewisser unernster Manierismus ist wahrzunehmen. Sogar die Sujets späterer Metaphern kommen vor: »Alle Worte sind mir ... wild zerstreut und ich kann sie nicht in Sätze einfangen«, heißt es Ende 1903; »Kein Wort fast ... paßt zum andern, ich höre, wie sich die Konsonanten blechern aneinanderreiben, und die Vokale singen dazu wie Ausstellungsneger« Ende 1910 im Tagebuch. Im Sommer 1907 konnte er einen Brief Max Brods »vor Schrecken wie bei einem Schlachtbericht nicht gleich weiterlesen«, etwa zwei Jahre später notiert er ins Tagebuch, die eigene Verzweiflung sei an ihren Gegenstand

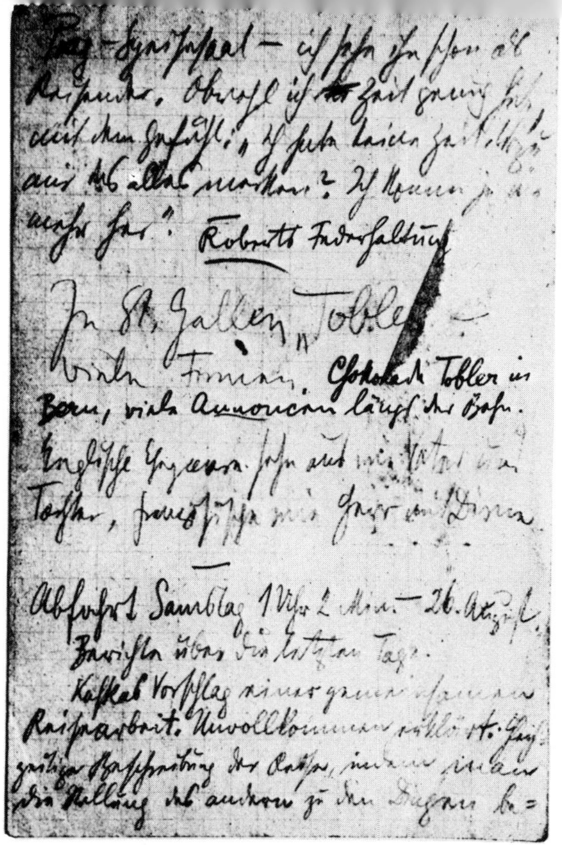 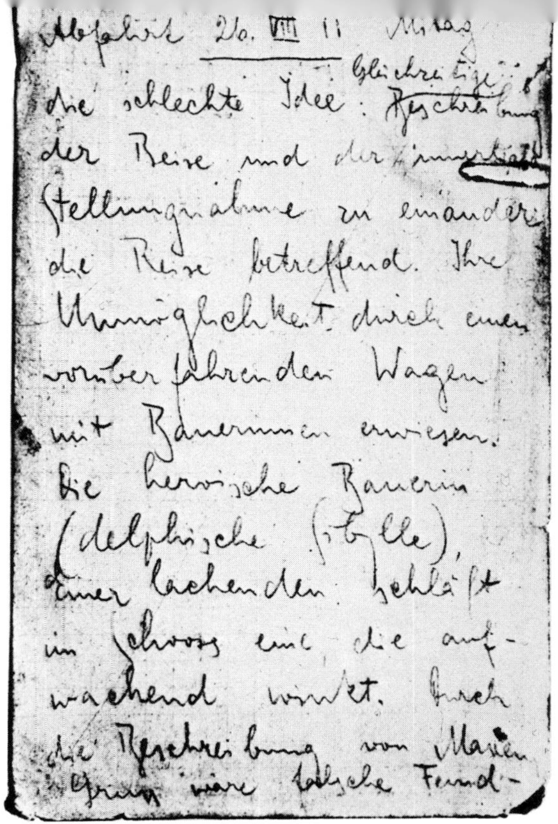

3a Erste Seite der Paralleltagebücher, die Max Brod (links) und Kafka auf einer gemeinsam unternommenen Urlaubsreise im Sommer 1911 führten

3b Zweite Seite der Reisetagebücher Brods und Kafkas vom Sommer 1911 gebunden, »so zurückgehalten wie von einem Soldaten, der den Rückzug deckt und sich dafür zerreißen läßt«.

Auch die Vorstellung erstarrender Menschen und die Beachtung des Waldes, die den Beginn der Tagebücher auszeichnen, ist schon in ganz frühen Briefen nachweisbar. Dort werden zudem scharfe Einzelimpressionen mitgeteilt, Träume beachtet und Erlebtes im literarischen Schaffen verwertet. Auch die Charakterisierung des Geschriebenen mit dem Begriff der Kälte und der Gedanke, er müsse als Stroh- oder auf einem Scheiterhaufen verbrannt werden, sind in beiden Textgruppen belegt. [139]

Daß sich nun solche Komplexe sehr früh als Aufzeichnungen in Schreibheften niedergeschlagen haben, ist schließlich auch deshalb wahrscheinlich, weil Kafka schon 1904 die Tagebücher Hebbels, Byrons und anderer Autoren las. [140]

Ein letztes Indiz für die Vermutung, frühere Arbeitshefte hätten ähnlich ausgesehen wie die auf die erste Hälfte des Jahres 1910 und die vorausgehenden Monate sich beziehenden Eintragungen, ist endlich die Tatsache, daß die Charakterisierung, die Kafka in der *Er*-Betrachtung von sich selbst in jener Zeit gibt, genau mit dem Befund dieser frühen Niederschriften im 1. Quartheft übereinstimmt, denn das Schweben zwischen Traum und Realität entspricht ja gerade der merkwürdig indirekten, verfremdeten Form, in der sich die eigene Erfahrungswelt in diesen Notizen spiegelt, sie ist, verglichen mit den Berichten der späteren Zeit, tatsächlich ein »Nichts« und als halbbewußtes Tasten richtig interpretiert. Auch ist auffällig, daß die Täuschung »durch die Reden aller Autoritäten«, deren Erkenntnis zum Abschied von der jugendlichen Scheinwelt führte, noch im Sommer 1910 Thema des Kafkaschens Schaffens ist, denn im *Kleinen Ruinenbewohner* behauptet der Ich-Erzähler, daß seine Erziehung, die ausdrücklich nicht auf die Eltern, sondern auf eine Vielzahl von Respektspersonen ausgedehnt wird, einen anderen Menschen aus ihm habe machen wollen als den, der er geworden sei. [141]

Wann beginnen nun aber die als eigentliche Tagebücher anzusprechenden Lebenszeugnisse Kafkas? Die Antwort muß lauten: Im November 1910. Jetzt erscheinen nach einigen anfänglichen, rein dichterischen Passagen unvermittelt Notizen, die grundsätzlich datiert sind, oft sogar die Tageszeit des Eintrags vermerken und direkt von Veranstaltungen berichten, die Kafka besuchte, Gelesenes rekapitulieren, regestenartig das Entscheidende des Tagesablaufs festhalten und Analysen nüchtern-deskriptiven Charakters von inneren Zuständen geben.

Schon Mitte Dezember bestätigt sich Kafka die neue Darstellungsform: »Ich werde das Tagebuch nicht mehr verlassen. Hier muß ich mich festhalten, denn nur hier kann ich es.« [142] Im Gegensatz zu früheren auf sich selber bezüglichen Aufzeichnungen wird außerdem die neue Art, sich zu äußern, als Tagebuch bezeichnet, obwohl dieses auch in der Folgezeit in großem Maße zur Niederschrift literarischer Skizzen und Erzählungen benutzt wird. Man könnte fragen, warum dann überhaupt das erste Heft mit den noch uncharakteristischen Eintragungen erhalten blieb und nicht das Schicksal anderer, Kafka widerlicher Papiere aus der Frühzeit teilte und, wie schon früh erwogen, verbrannt wurde. Die Erklärung ist einfach. Als Kafka am 19. Februar 1911, nachdem er schon vier Wochen nichts ins 2. Quartheft eingetragen hatte, vor Überanstrengung zusammenbrach und ein Entschuldigungsschreiben fürs Büro konzipieren mußte, fand er, der Unordentliche [143], offenbar das Heft nicht, wohl aber das 1. Quartheft, in dem auch in der auf diesen Tag folgenden Nacht weitere Notizen vorgenommen wurden. Am 20. des Monats und in den sich ihm anschließenden Wochen füllt sich das 2. Heft vollends, aber so, daß noch zweimal Eintragungen zwischendurch im 1. Quartheft erfolgen. Im einen Fall hatte Kafka eine Kritik an Brods Roman *Jüdinnen* nicht beenden können und wollte sich durch den Übergang ins andere Heft – es handelt sich um die Eintragung vom 28. März – die Möglichkeit einer·kontinuierlichen Fortsetzung verschaffen. Da er sich aber entschloß, die ganze Kritik neu zu konzipieren [144], fuhr er in dieser, wieder steckenbleibenden Arbeit im gleichen Heft fort. Als er dann, ungefähr im Abstand von zwei beziehungsweise drei Monaten wieder Eintragungen vornehmen wollte, wußte er gewiß nicht mehr, welches Heft er zuletzt benützt hatte; so schrieb er die Notiz vom 27. Mai – sie ist im Manuskript undatiert – ins 2., die gegen Ende August folgenden Eintragungen ins 1. Quartheft.

Nach der Rückkehr aus Paris versuchte Kafka einen Ansatz zu *Richard und Samuel*, wo es auf Datierung sowieso nicht ankam, und wählte dazu den noch verbleibenden Raum des 2. Quarthefts. In der Zeit vom 26. September bis zum 24. November wird dann folgerichtig der noch freie Platz im 1. Quartheft verbraucht. Dieser jüngeren Eintragungen wegen wurde also der andersartige Anfang des Heftes von der Vernichtung verschont, dessen zeitliche Fixierung aber andererseits für den Dichter der Anlaß war, das Heft mit einer römischen Eins zu versehen – er hat fünf Hefte auf diese Weise numeriert – und auch so den Neuansatz und die innere Zusammengehörigkeit der Hefte zu markieren. [145]

Für das Eintreten dieser neuen Form, sich zu äußern, sei wenigstens eine Erklärung versucht. Gewiß kommt den Reisen, die Kafka damals machte, eine gewisse Bedeutung zu. Immerhin verbrachte Kafka vom 8.–17. Oktober 1910, also unmittelbar vor dem Einsetzen der Tagebücher, mit seinem Freund einen Urlaub in Paris, der zumindest sein Selbstverständnis profilieren half. Wenn es dabei nicht zu systematischen Reiseberichten kam, so vielleicht deswegen, weil der Dichter wegen einer Erkrankung seinen Aufenthalt in Paris vorzeitig abbrechen mußte und die Hoffnung hatte, Frankreich bald wiederzusehen.

Da er die ihm zur Verfügung stehende Urlaubszeit noch nicht beansprucht hatte, fuhr er vom 3. bis 10. Dezember nach Berlin, sah noch am Ankunftstag in den Kammerspielen *Heirat wider Willen* und Shakespeares *Komödie der Irrungen*, am darauffolgenden Sonntag im Lessingtheater *Anatol* von

Schnitzler, was ihm nicht gefiel, am 6. im Deutschen Theater eine *Hamlet*-Aufführung, an die er sich noch Jahre später mit Begeisterung erinnerte, und an einem der ihm verbleibenden Abende zwei Unterhaltungsstücke im Metropoltheater. Anschließend hatte er noch in Prag eine freie Woche, in der er äußerlich besonders günstige Arbeitsbedingungen vorfand. In dieser Zeit suchte er sich auch über sich selbst klar zu werden, ablesbar an den ausführlichen Tagebuchniederschriften seit dem 15. Dezember. Als weiterer äußerer Anlaß dürfte auch von Bedeutung gewesen sein, daß Kafka damals Hebbels und Goethes Tagebücher las. [146]

Wichtiger sind aber wohl innere Gründe. Ganz offensichtlich zeigte sich in dieser Zeit ein verstärktes Interesse des langsam aus seiner Erstarrung heraustretenden Dichters am Handeln und an zwischenmenschlichen Beziehungen, das sich zunächst nur kontemplativ äußern konnte. Es ist sehr auffällig, wie Kafka, der doch später monate-, ja jahrelang keine Veranstaltungen besuchen mochte, sich auf den Reisen nach Paris, Berlin und Reichenberg (im Februar 1911) Theateraufführungen ansah, in der folgenden Lebensphase sich auch am Film, Kabarett und an Vorträgen begeisterte. Von hier aus führt eine direkte Linie zu seiner exzessiven, von seinen Freunden keineswegs geteilten Leidenschaft für das jiddische Theater im Winter 1911/1912, die in keiner Weise ästhetisch motiviert war. Der seit Ende 1909 beklagte Zustand der Unproduktivität und seine Unzufriedenheit mit der Qualität des Geschaffenen dauerten zwar noch bis Mitte Januar fort, aber andererseits kündigt sich schon gleichzeitig mit dem Neueinsatz des Tagebuchs ein bemerkenswerter Umschwung an. Kafka nimmt ein Glücksgefühl wahr, das ihm Fähigkeiten einredet, und sein Inneres ist bereit, »Tieferes hervorzulassen«. Auch will er in seine literarische Arbeit »hineinspringen«, und wenn es ihm das Gesicht zerschneiden sollte.

Greifbar wird dieser schöpferische Impetus zunächst in den Aufzeichnungen, die Max Brod mit *Tagebuch einer Reise nach Friedland und Reichenberg* überschrieben hat. Tatsächlich handelt es sich aber hier um zwei verschiedene Reisen. Die erste begann am 30. Januar und führte nach Friedland. Da Kafka 1918 Ottla gegenüber brieflich erwähnt, er sei dort vierzehn Tage gewesen, könnte er etwa Mitte Februar nach Prag zurückgekehrt sein; dazu stimmt, daß er am 19., 20. und 21. dieses Monats Eintragungen vornimmt, die aus Prag stammen. Nun schreibt er in einem auf den 25. Februar datierten Brief an Ottla, er habe Grillparzers *Des Meeres und der Liebe Wellen* besucht, was auch in der die Reisenotizen abschließenden, mit »Reichenberg« überschriebenen Passage erwähnt wird. Es muß sich also bei diesem Aufenthalt um eine andere Reise handeln, bei der allerdings Friedland ebenfalls berührt wurde. Weil Kafka dort dreimal im Theater war, dürfte sie mindestens eine Woche gedauert haben. Zu dieser Datierung stimmt auch Kafkas Aussage in einem Brief an Felice, er sei damals längere Zeit in Nordböhmen gewesen. Aber nur diese eine Aufzeichnung betrifft die zweite Reise, denn in der ihr

vorhergehenden ist vom Monatsanfang die Rede, was sich nur auf den Beginn des Februar beziehen kann. [147]

Es waren dies die ersten Reisen, auf denen der Dichter aus eigener Initiative Notizen machte. Der Beginn der Aufzeichnungen lautet:»Ich müßte
die Nacht durchschreiben, so viel kommt über mich, aber es ist nur Unreines.
Was für eine Macht dieses über mich bekommen hat, während ich ihm früher, soviel ich mich erinnere, mit einer Wendung, einer kleinen Wendung,
die mich an und für sich noch glücklich machte, auszuweichen imstande
war!«

Die nächsten drei Passagen beziehen sich auf die Eisenbahnfahrt nach
Friedland und sind im Präsens gehalten. Offenbar ist also all das in der
Nacht vom 30. auf den 31. Januar 1911 niedergeschrieben worden – die
folgenden Einträge, durch das dort verwendete Präteritum und andere Indizien deutlich als länger zurückliegende Erinnerungen ausgewiesen, sind möglicherweise erst in Prag konzipiert worden, ein später bei Kafka übliches
Verfahren –, die vier ersten Notizen verraten also, daß Kafka einem un-
gestümen Schaffensimpetus unterlag, der ihm die Eindrücke so aufdrängte,
daß er sich im Gegensatz zu früheren Reisen jetzt nicht mehr davon befreien
konnte, wenn sie nicht niederschrieb. Als Indiz darf auch gelten, daß er
während der Niederschrift der Eindrücke Lust zu literarischer Gestaltung
hatte. [148]

Nach der Rückkehr dann arbeitete er in der dritten Februarwoche bis spät
in die Nacht, wahrscheinlich an einer Dialogerzählung. Es kommt zu ausführlichen Tagebuchniederschriften, von denen besonders die folgende, hier in
ihrer ursprünglichen Fassung zitierte, interessant ist:»Die besondere Art
meiner Inspiration, in der ich Glücklichster und Unglücklichster jetzt um
zwei Uhr nachts schlafen gehe (sie wird vielleicht, wenn ich nur den Gedanken daran ertrage, bleiben, denn sie ist höher als alle früheren ... Mittellos bin ich jetzt im Geistigen der Mittelpunkt von Prag), ist die, daß ich
alles kann, nicht nur auf eine bestimmte Arbeit hin.« Im Zusammenhang
damit reaktivieren sich auch die Pariser Erinnerungen, dreimal trägt Kafka
Diesbezügliches ein, und im März dann konzipiert er Die städtische Welt,
die er später selbst als Vorform des Urteils ansah. [149]

Ganz offensichtlich hat man in dieser Zeit eine Vorphase des großen
Durchbruchs anzusetzen, der dann im Herbst 1911 eintrat, denn in beiden
Fällen gehen Selbstbesinnung (ausführliche Tagebuchnotizen), Intensivierung der Wahrnehmung, besonders künstlerisch gestalteter Vorgänge (Theaterbesuche) und starke Schaffensimpulse miteinander einher: Die Hinwendung Kafkas zum jiddischen Theater verursachte eine grundsätzliche Neu-
besinnung, die einer Lebenswende gleichkam, sein Interesse am Judentum
reaktivierte und noch im Winter 1911/12 zur Niederschrift einer ersten Fassung des Verschollenen führte.

Der Umschwung fällt nun zusammen mit einer Intensivierung seiner Beziehungen zum anderen Geschlecht, die sich damals in seinem erotisch be-

stimmten Verhältnis zu einzelnen ostjüdischen Schauspielerinnen, in seiner Neigung zu einem Weimarer Mädchen im Sommer 1912 und in der Aufnahme des Briefwechsels mit Felice äußert.

Er erweist sich als Ausdruck einer Persönlichkeitskrise, die durch das gegensätzliche Begriffspaar Intimität und Isolierung gekennzeichnet werden kann, also durch die Auseinandersetzung mit Beruf und Ehe, die bei Kafka, nachdem er sich einmal dieser Lebensaufgaben bewußt geworden war, sogar mit besonderer Heftigkeit aufbrach, weil sie an sein problematisches Verhältnis zum Vater geknüpft war.

Wenn im Verlauf der Persönlichkeitsentwicklung in der vorhergehenden Phase eine echte und wechselseitige psychosoziale Intimitätsbildung möglich war – dieser Zustand trat bei Kafka nur kurzfristig während der gemeinsam mit Max Brod unternommenen Reise im Sommer 1911 ein –, entsteht infolge davon ein Bedürfnis nach sexueller Intimität, das andererseits mit der Bereitschaft einhergeht, sich von Kräften und Menschen, die dem eigenen Wesen gefährlich sind, zu distanzieren. Bei pathologischem Verlauf dieser Wachstumsphase jedoch scheut sich der ihr Unterliegende vor der Vereinigung mit dem andern, und es tritt eine Angst vor den Folgen solcher Geschlechtsgemeinschaft auf, also etwa vor möglichen Nachkommen. Ursache ist die Unfähigkeit, mit der eigenen, ungefestigten Identität ein Risiko einzugehen, wodurch dann die notwendige Abhebung des Eigenen vom Fremden zur Isolierung wird, die einen Zusammenbruch jeglicher Fähigkeit zur Gemeinschaft im Gefolge hat.

Alles dies läßt sich bei Kafka mit lehrbuchhafter Klarheit verfolgen. Dazu gehört zunächst sein Schwanken hinsichtlich des auszuübenden Berufs, das seit 1912 zu der Absicht sich verdichtet, entweder Journalist oder Soldat zu werden. Gleichzeitig problematisiert sich sein Verhältnis zur Frau in der angegebenen Weise. Sein nicht zu beschwichtigender Schrecken war die »*Angst vor der Verbindung* selbst mit dem geliebtesten Menschen, und gerade mit ihm«, heißt es in einem an Felice gerichteten Brief. Noch deutlicher sogar wird der Sachverhalt in einem wenige Tage jüngeren Tagebucheintrag formuliert, der in einer Zusammenstellung steht, in der Kafka das Für und Wider einer Heirat abzuwägen sucht: »Die Angst vor der Verbindung, dem Hinüberfließen. Dann bin ich nie mehr allein.« Da wundert es dann nicht, daß ihm der Gedanke an Nachkommen noch entsetzlicher sein mußte: »... dem Wagnis, Vater zu sein, würde ich mich niemals aussetzen dürfen.«

In dieser Zeit erfolgt nun auch die Abwendung Kafkas von seinen Freunden. Max Brod notierte sich am 23. 8. 1913: »Nachmittag mit Kafka. Baden, Rudern. Gespräch über Gemeinschaftsgefühle. Kafka sagt, er habe keines, weil seine Kraft nur eben für ihn hinreiche. Debatte im Boot. Meine Wandlung in diesem Punkt. Er zeigt mir Kierkegaard, Beethovens Briefe.« Es trat eine kurzfristige Entfremdung zwischen den beiden Freunden ein. Kafka zog sich dann zurück, las seinen Freunden nichts mehr vor und traf Max

Brod nur noch kurz auf dem Nachhauseweg vom Büro. Auch von seiner Familie entfernte er sich innerlich, so gut er konnte. Es trat, zum erstenmal in seinem Leben, eine fast vollständige Isolation von der Umwelt ein. Schon am 31. Oktober 1911 notiert sich Kafka hinsichtlich dieses Problems:»Noch gibt es ein, zwei Häuser, in denen ich etwas zu tun habe.«

Dieser über Jahre andauernde, nicht zu einer natürlichen Lösung führende Krisenzustand mußte das Schreiben artikulieren und akzentuieren, und damit auch die Selbstreflexion in den Tagebüchern. Einer Briefstelle läßt sich dies mit großer Klarheit entnehmen:»Schreiben heißt ja sich öffnen bis zum Übermaß; die äußerste Offenherzigkeit und Hingabe, in der sich ein Mensch im menschlichen Verkehr schon zu verlieren glaubt und vor der er also, solange er bei Sinnen ist, immer zurückscheuen wird – denn leben will jeder, solange er lebt – diese Offenherzigkeit und Hingabe genügt zum Schreiben bei weitem nicht . . . «

Eben das, was Kafka im menschlichen Verkehr nicht möglich war, weil es einem völligen Identitätsverlust gleichkäme – er habe Furcht nicht so sehr vor den Menschen an sich, sondern vor ihrem »Eindringen« in seine schwache Natur, erklärt er einmal Felice –, verlagert er, der sich doch sozial binden möchte, in die Literatur. Dort kennt er den Mechanismus des Hinüberfließens, das Vertrautsein mit inneren und fiktiven Gestalten. Erst von dieser Prämisse her erklärt sich seine Aussage, die Befriedigung seiner Liebe zu Frau Tschissik, der Schauspielerin, sei nur »durch Literatur oder durch den Beischlaf möglich«. Beide Bereiche unterliegen dem gleichen psychischen Gesetz, eine Tatsache, die erst vollgültig erklärt, warum Schreiben und Heiraten als Alternativlösungen bei seinen Versuchen, selbständig zu werden, auftauchen können.

Nicht anders als die literarische Produktion ist das Briefeschreiben zu bewerten. Kafka betont ja ausdrücklich, daß er mit Felice nur in Briefen innig vertraut gewesen sei und daß er zur Feder griff, um ihr nahe zu sein, ihre Gegenwart gleichsam zu beschwören. Die Tagebücher nun, und damit schließt sich der Kreis, ordnen sich diesem Zusammenhang insofern ein, als die darin niedergelegten Notizen als Versuche aufgefaßt werden können, sich über das Eigene klar zu werden, über die »Organisation« seines Lebens, und zwar in einer Lebensphase, wo als Diskussionspartner nicht mehr andere, sondern nur der Schreiber selber in Frage kommt, der also ein ganz anderes Gewicht auf diese Dokumentation legen muß als vorher.

Es besteht hier eine genaue Parallele zum literarischen Frühwerk. Bis zur Niederschrift des *Urteils* finden sich in den Tagebüchern dauernd Klagen über mangelnde Schreibfähigkeit, Aussagen, die deutlich machen, daß der Dichter nicht von einer Inspiration fortgerissen wurde, daß er sich also dem Fremdartigen nicht voll hingeben konnte. Er war, mit Integrationsproblemen voll beschäftigt, zur rückhaltlosen Äußerung noch nicht fähig und findet deswegen auch im Lebenszeugnis noch nicht die wahre, aufs Äußere und den anderen direkt zielende Form, die erst Selbstabgrenzung, Sicherheit und

Identität erlaubt. Die neue Lebensperiode bringt, indem sie Kafka zum andern hin öffnet, auch die Möglichkeit, sich, ersatzweise, im Wort zu ergießen. Letztlich ist es also die sich ankündigende Intimitätskrise, das erste Stadium kritischer Lebensphasen im Erwachsenenleben, das die bündige Form des Kafkaschen Tagebuchs hervorbringt und seine Auseinandersetzung mit Felice begleitet. Als 1917 die Tuberkulose sich bemerkbar macht und der Dichter das Verlöbnis endgültig lösen muß, verschwinden folgerichtig diese Art von Aufzeichnungen für immer aus Kafkas Lebenszeugnissen. [150]

Das erwähnte erste Reisetagebuch verlohnt genauere Betrachtung. Zunächst ist auffällig, wie Kafka Impressionen über Schloß und Park in Friedland, dieser von ihm in dem schon erwähnten Schreiben an Ottla als schön und traurig bezeichneten Stadt, zusammenhanglos aneinander reiht. Verschiedene Möglichkeiten, das Schloß zu betrachten, werden zwar genannt, aber nicht durchgeführt. Die Beschreibung, auch des Parks, lebt teils von Augenblicksbeobachtungen wie z. B. dem weißen Schnee, dem treppensteigenden Kastellan, den Schwänen, den spazierengehenden Mädchen, teils aber von Nebensächlichkeiten wie der Treppe an der Mauer oder den Ketten der Zugbrücke. Die Hervorhebung solcher Einzelheiten, die durch Lagebestimmung einander nicht näher zugeordnet werden, sind keineswegs durch ihre Auffälligkeit im Panorama veranlaßt, sondern typologischer Natur. [151]

Die Eintragungen zeigen aber weitere Charakteristika, für die weniger typologische Determinanten maßgeblich sind als vielmehr die individuelle Organisation des Kafkaschen Wahrnehmungsvermögens; gemeint sind die Rolle, die der Mensch in der Naturbeschreibung spielt, und die Art und Weise, wie Ruhe und Bewegung verteilt werden.

Im Jahr 1838 eröffnete Daguerre in Paris sein Panorama: »Seitdem sind diese klaren, schimmernden Kassetten, die Aquarien der Ferne und Vergangenheit«, schreibt W. Benjamin in einer kleinen, diesem Phänomen gewidmeten Studie, »auf allen modischen Korsos und Promenaden heimisch«. Und weiter: »Es war der große Reiz der Reisebilder, die man im Kaiserpanorama fand, daß gleichviel galt, bei welchem man die Runde anfing. Denn weil die Schauwand mit den Sitzgelegenheiten davor im Kreis verlief, passierte jeder sämtliche Stationen, von denen man durch je ein Fensterpaar in seine schwachgetönten Fernen sah.« [152]

Kafka bezeichnet das Kaiserpanorama als das einzige Vergnügen in Friedland. Offenbar hatte er sehr lange ein derartiges Schauspiel nicht gesehen, denn er hatte seine Funktionsweise vergessen und »fürchtete einen Augenblick lang, von einem Sessel zum andern gehen zu müssen«, während doch hinter jedem Rahmen miteinander zusammenhängende Bilderserien gezeigt wurden – Kafka sah Brescia, Cremona und Verona –, wobei ein Klingeln jeweils einige Sekunden, bevor das Bild »ruckweise abzog«, ertönte.

Er knüpft an diese Art der Bilddarbietung grundsätzliche Überlegungen: »Die Bilder lebendiger als im Kino, weil sie dem Blick die Ruhe der Wirklichkeit lassen. Das Kino gibt dem Angeschauten die Unruhe seiner Bewegung, die Ruhe des Blickes scheint wichtiger. Glatter Boden der Kathedralen vor unserer Zunge. Warum gibt es keine Vereinigung von Kinema und Stereoskop in dieser Weise?« [153] Kafka war zuzeiten eine begeisterter Kinogänger, weil er als Erzähler niemals statische Gegebenheiten darstellen will, sondern Bewegungsabläufe und Requisiten nur funktional einsetzt, so daß die Dynamik des bewegten Bildes ihm wie eine Verwirklichung eigener Anschauungselemente vorkommen mußte, besonders auch dann, wenn durch eine besondere Schnittechnik verschiedene Handlungstränge gleichzeitig in ihren Abläufen erfaßt werden konnten [154], denn diese Verfahrensweise wandte er selbst bei Nebenhandlungen an.

Andererseits war seine ·optische Prägung mehr auf Malerei und Skulptur ausgerichtet [155], d. h. auf das unbewegte Bild, das die Beobachtung konstituierender Einzelheiten ermöglicht. Sein Ideal war also offensichtlich nicht der Stereofilm, sondern eine Vorrichtung, wo räumliche Bilder ruhig anschaubar waren, gleichzeitig aber Teilaspekte eines einheitlichen Bewegungsablaufs darstellen. Tatsächlich zeigen Kafkas eigene Beschreibungen, daß er tableauartige Statik und klar gegliederte Proportionen mit der Dynamisierung von Details zu verbinden suchte: »Das Schloß in Friedland. Die vielen Möglichkeiten, es zu sehn: aus der Ebene, von einer Brücke aus, aus dem Park, zwischen entlaubten Bäumen, aus dem Wald zwischen· großen Tannen durch. Das überraschend übereinander gebaute Schloß, das sich, wenn man in den Hof tritt, lange nicht ordnet, da der dunkle Efeu, die grauschwarze Mauer, der weiße Schnee, das schieferfarbene, Abhänge überziehende Eis die Mannigfaltigkeit vergrößert ... die Ketten der Zugbrücke hängen vernachlässigt an den Haken herab.«

Auffällig ist nicht, daß hier gar keine Beschreibung des Schlosses selbst erfolgt, denn das war in einer Aufzeichnung, die· der Gedächtnisstütze des Verfassers dienen soll, nicht notwendig. Daß in diesem Sinne eine Tagebuchnotiz nur eine Minimalinformation enthält, hinter der sich viel weitgehendere Assoziationsketten des Autors verbergen können, zeigt eine Ansichtskarte Kafkas vom 1. Februar 1911, die an Max Brod gerichtet ist: »Das Schloß ist mit Epheu vollgestopft, in den Loggien reicht er bis zu halber Höhe. Nur die Zugbrücke gleicht jenen Nippsachen, um deren Ketten und Drähte man sich nicht kümmern will, weil es eben Nippsachen sind und trotzdem man sich in allem sonst Mühe gegeben hat.« Während also die sich hinter dem Wort »vollgestopft« verbergenden Anschauungszusammenhänge nur im Tagebuch deutlich werden, erklärt andererseits nur die Karte, warum Kafka die Zugbrücke überhaupt erwähnenswert fand. Offenbar war sein Sinn, organische Ganzheit aufzunehmen, so sehr entwickelt, daß er dieses nicht zum Gesamtbild passende Detail als störend empfand. [156]

Bemerkenswert ist vielmehr, daß das Schloß gleichsam daraufhin abgetastet wird, unter welchen verschiedenen Perspektiven es als wirkungsvolles kompositorisches Bild beschrieben werden kann. Kafka hat dann unter mehreren Photographien offenbar auswählend [157], an Brod eine An-

sichtskarte gesandt, die das Bauwerk »zwischen großen Tannen durch« zeigt,
während er für seine älteste Schwester Elli eine Reproduktion auswählte, die
es aus der Nähe, vom Hof aus, zeigt, ganz aus der Optik, die in der eben
erwähnten Karte vom 1. Februar 1911 so deutlich zur Geltung kommt
(vgl. Abb. 2). [158] Außerdem wird die sich nicht ordnende Mannigfaltigkeit betont, also eine für Kafkas Auge fehlende Koordination der Teile, und
überhaupt auch das unterschiedliche Aussehen bei verschiedener Entfernung.

Daß dies kein Zufall ist, zeigt der Vergleich mit der Wahrnehmung, die
K. vom Schloß im gleichnamigen Roman hat und die gewiß durch Friedländer Eindrücke mitbestimmt ist. Denn in der ersten näheren Beschreibung
wird dort die Statik des als Gesamtbild vorgestellten Monuments betont:
»Nun sah er oben das Schloß deutlich umrissen in der klaren Luft und noch
verdeutlicht durch den alle Formen nachbildenden, in dünner Schicht überall
liegenden Schnee.« [159]

Man muß an dieser Stelle darauf hinweisen, daß Kafka, wahrscheinlich
während des Studiums, sich zum Zeichner mehr als zum Schriftsteller berufen fühlte und daß die erhaltenen Zeichnungen (er war geschult an östlicher
Kunst) vor allem Umriß und Bewegung betonen.

Indem K. näherkommt, verändert sich das Aussehen des Schlosses, außerdem gerät es durch dynamisierende Elemente in Bewegung, die Mauerzinnen
des Turmes zacken sich beispielsweise »unsicher, unregelmäßig, brüchig, wie
von ängstlicher oder nachlässiger Kinderhand gezeichnet« in den blauen
Himmel.

Auf Friedland weisen einige Details: die Tatsache, daß dieses Schloß auf
einem Berg steht, daß es aus mehreren Perspektiven betrachtet wird und aus
der Nähe anders erscheint, daß es sich zunächst als ungegliedertes Konglome-
rat darbietet (es ist ja eine ausgedehnte Anlage, die man für ein Städtchen
hätte halten können), daß es zum Teil verwahrlost ist und daß diese Ver-
wahrlosung durch ein Bild, das verkleinert, ausgedrückt wird, daß Schnee
liegt, daß K. von der am Dorfeingang liegenden Brücke aus den Schloßberg
zuerst wahrnimmt und schließlich, daß der Efeu hoch hinauswuchert. [160]

Das zweite wichtige Moment in den Reisenotizen betrifft die Stellung, die
der Beobachtung des Menschen zukommt. Instruktiv ist in diesem Zusammenhang wieder eine Postkarte an Max Brod, die am 1. oder 2. Februar 1911
geschrieben worden sein muß, jedenfalls nach dem Besuch des Kaiserpanora-
mas: »Kannst Du Dir auch, wie ich, eine fremde Gegend dann am besten
vorstellen, wenn Du von einer ruhigen, sonst in der ganzen Welt möglichen
Beschäftigung hörst, mit der jemand in jener Gegend seine Zeit zugebracht
hat? Ich erkläre es mir damit, daß hierbei einerseits die Gegend nicht verlassen, andererseits aber auch kein einzelnes Charakteristisches herausgerissen wird und daher das Ganze bestehen bleibt.« Da der Tagebucheintragung
über das Kaiserpanorama eine den schönen Park betreffende vorausgeht,
kann man annehmen, daß die grundsätzliche Reflexion des Dichters auf seinen Friedländer Eindrücken, und dabei dann auch dieser Anlage, beruht. Sie

akzentuiert ja die Schwierigkeiten, die ihm entstehen, wenn ein Gesamtbild erstellt werden soll, was Kafka offenbar am besten gelang, wenn er es mit einer menschlichen Tätigkeit verknüpfte, die also das Bindemittel darstellte, vielleicht sogar teilweise ein vorgängiges Kategorienmuster, das zusammenhängende Betrachtung ermöglichte.

In diesem Zusammenhang darf auch die Tatsache erwähnt werden, daß Kafka der Auffassung war, »daß man von einer Landschaft nicht Besitz ergriffen habe, solange nicht durch Baden in ihren lebendig strömenden Gewässern die Verbindung geradezu physisch vollzogen worden sei«. Dies war der Grund, daß er und sein Freund Brod während der Sommerreise im Jahr 1911 in jedem erreichbaren See der Schweiz und in Italien ihre Schwimmkünste übten. Auch hier ist es das Menschliche, eine körperliche Betätigung nämlich, die erst eine Besitzergreifung eines unbekannten Landstrichs ermöglicht.

Kafka ist sich dieser seiner besonderen Beobachtungsweise noch einmal ganz stark auf der Reise des Jahres 1912 bewußt geworden, die ihn, zusammen mit Max Brod, unter anderem nach Weimar führte. Der Freund formulierte seine auf diesen Vorgang bezüglichen Erinnerungen in dem autobiographischen Roman *Zauberreich der Liebe*, in dem Kafka Garta heißt: »Gartas Erlebnisse sind immer lückenhaft, es wird immer nur das einzelne erfaßt, das allerdings mit liebevoller Eindringlichkeit bis in die Tiefe; aber von Vollständigkeit ist nie die Rede. Leicht könnte auch dies in schablonenhaftes Lob gedreht werden: ein intensives, nicht registriersüchtiges Leben. Aber Garta empfindet es nicht als Vorzug, nur als persönliche Schwäche, als Mangel, daß er nicht auch für das vollständige Erfassen ausreicht.« [161]

Dementsprechend fällt die Eintragung über Friedland aus: »Schöner Park. Weil er terrassenförmig am Abhang, aber auch teilweise unten um einen Teich herum mit verschiedenartiger Baumgruppierung liegt, kann man sich sein Sommeraussehn gar nicht vorstellen. Im eiskalten Teichwasser sitzen zwei Schwäne, einer steckt Hals und Kopf ins Wasser. Ich folge zwei Mädchen, die sich immerfort unruhig und neugierig auf mich Unruhigen und Neugierigen, überdies aber Unentschlossenen umsehn, lasse mich von ihnen den Berg entlang über eine Brücke, eine Wiese, unter einem Eisenbahndamm durch in eine überraschende, vom Waldabhang und Eisenbahndamm gebildete Rotunde weiter hoch hinauf in einen scheinbar nicht so bald endenden Wald führen. Die Mädchen gehn zuerst langsam, als ich mich über die Größe des Waldes zu wundern anfange, gehn sie rascher, da sind wir auch schon auf einer Hochebene mit starkem Wind ein paar Schritte vom Ort.« [162]

Zunächst fällt ein typologisches Moment auf, das der bei Kafka vorauszusetzenden intuitiven Betrachtungsweise eignet. Das Bewußtsein bleibt nicht auf den gegenwärtigen Zustand des Beobachteten fixiert, sondern versucht, sich vergangene und künftige Zustände vorzustellen; gerade bei Parks, die Kafka in Prag in ihrem jahreszeitlichen Wechsel erlebte [163], lag dies nahe, aber der Dichter verfuhr so auch bei Menschen, die ihm begegneten, und bei dichterischer Gestaltung. [164]

Zweitens muß man sagen, daß noch andere Elemente durch die Prager Perspektive bestimmt sind, nämlich der Teich – der Prager Stadtpark besaß einen solchen, der in Kafkas Leben und Werk eine Rolle spielt [165] – und die Baumgruppierungen, die nicht nur für den botanischen Garten Prags, den sogenannten Baumgarten, charakteristisch sind, sondern auch für die Chotekschen Anlagen, die damals schon sein Lieblingsort waren, und den Garten von Troja. [166] Auf diesen Punkt wird noch zurückzukommen sein. Vor allem aber findet sich in Übereinstimmung mit der Ansichtskarte vom 2. Februar eine auffällige Betonung des Belebten, Menschlichen, zu dem in gewisser Weise auch das Tier zu rechnen ist, das in Kafkas Werk als Metapher oder Erzählfigur vielfach menschliche Funktionen verkörpert. [167]

In diesem Sinne sind die beiden Schwäne bemerkenswert, zumal Kafka auch sonst auf seinen Reisen gerade Tiere auffällig hervorhebt. Manchmal werden sogar Pflanzen in diesen Prozeß, Natur zu vermenschlichen, einbezogen: Über leicht beschneite Bäume sagte er zu Max Brod anläßlich eines Winterspaziergangs: »Sie haben noch nicht so lange Kopfschmerzen wie ich«, und noch auf dem Totenbett schreibt er von durstigen, trinkenden und gebrechlichen Blumen.

Interessant in diesem Zusammenhang ist auch die Art der Metaphernbildung bei der Beschreibung des berühmten Parks der »Villa Carlotta« am Comer See. Bei der Steineiche fühlt er sich an die »abgezogene Haut von kleinen Tieren« erinnert, beim Bambus an mit »Greisenskalps umwickelte Palmenstämme«, beim Eukalyptus an einen entblößten Muskelstamm, und bei der Jubäa an einen Nashornstamm.

Das sind eigentlich alles unangenehme Vorstellungen, besonders da man davon auszugehen hat, daß sich Kafka diese Bilder auch wirklich veranschaulichte. Genausowenig wie die im gleichen Zusammenhang noch gebrauchten Metaphern, die dem Bereich der Technik entstammen – Aloë sind »Doppelsägen«, der Rhododendron kuppelförmig und die Passiflora ein »physikalisches Balancier-Kunststück« –, entsprechen sie dem wirklichen Eindruck südlicher Pracht und betörender Farb- und Formüppigkeit. [168] Pflanzen können offenbar nur rezipiert werden, indem sie auf andere, Kafka näherliegende Lebensbereiche – er hatte erklärtermaßen kein inneres Verhältnis zu Blumen [169] – übertragen werden.

Außerdem muß man bei der Beschreibung Friedlands deutlich den Eindruck haben, als sei das Landschaftliche nur Kulisse für Kafkas Gang hinter den Mädchen, deren Verhalten ja das überhaupt einheitschaffende Moment dieser Eintragung darstellt, denn alle Gegebenheiten sind nur Funktionen des zwischen dem Dichter und den ihm Vorausgehenden herrschenden Spannungsverhältnisses.

Die herausgestellte Dominanz des Menschen bestätigt sich in anderen Texten, die Reiseerlebnisse reflektieren. Im Rückblick heißt es von den 1911 in den Pariser Anlagen unternommenen Spaziergängen: »Meine stärkste Erinnerung vom ersten Anblick dieses Sees ist der gebeugte Rücken des Mannes, der, zu uns ins Boot, unter das gespannte Tuchdach geneigt, uns die Fahrkarten reichte.« Der Zeugniswert dieser Stelle ist insofern besonders hoch, als hier kein Augenblickseindruck vorliegt, dem viele gleichwertige, aber andersartige entsprächen, sondern ein wohlabgewogenes Urteil aus größerer zeitlicher Distanz, in dem also die Stellung eines menschlichen Körpers den Reiz der ganzen Anlage in den Hintergrund drängt. [170]

Die übrigen Aufzeichnungen der ersten Friedländer Reise stimmen zu diesem Befund. Außer dem Bericht über den Besuch einer Buchhandlung, der teils des Dichters innere Lage, teils auch sein sonst mehrfach belegtes Interesse an Buchhandlungen spiegelt, handelt eine weitere Notiz von Kafkas Hotel, vier andere beschreiben flüchtige Reisebekanntschaften. Hier sei nur darauf hingewiesen, daß das ihm Begegnende keineswegs in seiner ganzen empirischen Fülle in seinem Wahrnehmungshorizont erscheint, sondern daß in stärkerem Maße als vielleicht sonst üblich schon vorhandene Kategorien nur ganz bestimmte Dinge bewußt machen.

Schon Ende 1908 heißt es auf einer Ansichtskarte, er habe Hotelzimmer gern, weil er dort wirklich »gleich zu Hause, mehr als zu Hause« sei. In einem Brief an Felice vom Anfang Dezember 1912 erklärt Kafka den Sachverhalt ausführlicher und unter ausdrücklicher Bezugnahme auf die Reisen des Jahres 1911 nach Nordböhmen: »Diesen Raum eines Hotelzimmers mit übersichtlichen vier Wänden, absperrbar für sich zu haben, sein aus bestimmten Stücken bestehendes Eigentum an bestimmten Stellen der Schränke, Tische und Kleiderrechen untergebracht zu wissen, gibt mir immer wieder wenigstens den Hauch eines Gefühls einer neuen, unverbrauchten, zu Besserem bestimmten, möglichst sich anspannenden Existenz, was ja allerdings vielleicht nichts anderes als eine über sich hinausgetriebene Verzweiflung ist, die sich in diesem kalten Grab eines Hotelzimmers am rechten Platze findet. Jedenfalls habe ich mich dort immer sehr wohl gefühlt und ich kann fast von jedem Hotelzimmer, in dem ich gelebt habe, nur das Beste erzählen.« In diesem Sinne erscheint der entsprechende Tagebucheintrag als eminent persönliches Dokument, das darüber Auskunft geben soll, inwieweit sich unter solchen günstigen Bedingungen vitale, gemeinschaftsfreundliche Kräfte zeigen, die Voraussetzung des besseren Lebens sind.

Tatsächlich berichtet Kafka im Anschluß an die Hotelbeschreibung von seinem Verhalten gegenüber einem Stubenmädchen, in dem sich Gelingen und Versagen im zwischenmenschlichen Verkehr nach seiner Ansicht die Waage halten. [171]

Läßt sich aber ein vorgängiges Raster auch für derartig lebensnahe, scheinbar prall realistische Schilderungen ansetzen, wie sie gleich der erste Eindruck auf der Bahnfahrt nach Friedland darstellt? Es heißt da: »Unterdessen ißt ein magerer Reisender ... mit raschem Schlucken Schinken, Brot und zwei Würste, deren Haut er mit einem Messer durchsichtig kratzt ...

Während des Essens hat er in dieser unnötigen, mir so sympathischen, aber erfolglos nachgeahmten Hitze und Eile zwei Abendblätter . . . ausgelesen.« Beobachtungen an Mitreisenden finden sich bei späteren Reisen Kafkas regelmäßig und sind wohl immer schon vorgenommen worden; sie spielen nämlich auch in den *Hochzeitsvorbereitungen auf dem Lande*, wo bezeichnenderweise ebenfalls das Motiv des Zeitungslesens belegt ist, und in *Richard und Samuel* eine Rolle.

Vor allem aber ist nachzuweisen, daß es Kafka, der schon damals kaum und später gar nicht in Anwesenheit Fremder essen konnte, fasziniert haben muß, andere kräftig essen zu sehen, und auch hinsichtlich seiner eigenen Person in dieser Hinsicht eine rege Phantasie hatte. So schreibt er zum Beispiel 1913 über einen Mitreisenden: »Von der Freß- und Trinksucht besessen. Das Einschlucken der heißen Suppe, das Hineinbeißen und gleichzeitige Ablecken des nicht abgeschälten Salamistumpfes, das schluckweise ernste Trinken des schon warmen Bieres, das Ausbrechen des Schweißes um die Nase herum. Eine Widerlichkeit, die durch gierigstes Anschauen und Beriechen nicht auszukosten ist.« Und Felice gegenüber äußert er, er sehe überhaupt gern Menschen essen. [172]

Derartige Beobachtungen müssen es wohl gewesen sein, die dazu führten, daß im *Verschollenen* Eßszenen von der Art der Angeführten eine ziemliche Rolle spielen. Erinnert sei an Greens Eßgebaren und Robinsons Schmaus auf dem Balkon. Karl, eßunlustig und angewidert, schaut in beiden Fällen zu.

Man muß fragen, wie sich eine derartige Optik herausgebildet haben kann. Einmal sei dabei auf Kafkas karge und jedem Fleischgenuß abholde Lebensweise verwiesen, die, wie die Unterdrückung jedes Triebes, kompensatorische Visionen hervorzurufen pflegt. Zweitens muß an den *Brief an den Vater* erinnert werden, wo der Dichter über die unordentlichen Tischsitten des außerhalb der allgemeinen Norm stehenden, vitalen Vaters berichtet, die ihn gleichzeitig faszinierten und abstießen. Er wurde in früher Kindheit auf diese Dinge gestoßen und suchte wahrscheinlich seit dieser Zeit Bestätigung seiner Erfahrungen mit der Familie in seinem weiteren Lebensumkreis. Letztlich ist also das in den Tagebüchern so vielfach belegte Motiv des Essens autobiographisch determiniert, und es zeigt sich somit auch für diesen Bereich, daß es in Kafkas Aussagen kein adiaphoron gibt, daß noch das unbedeutendste Detail geprägt ist von Vorstellungszusammenhängen, die seine Lebensproblematik ausmachten. [173]

Noch eine ganz wichtige Frage erhebt sich anläßlich der Betrachtung der Reisetagebücher: Wie verhielt sich Kafka zur Natur, wenn er diese in seinem ersten Reisetagebuch so schwach akzentuiert? Sehr pointiert ist von P. Demetz behauptet worden: »Der Prager deutschen Dichtung, jener Stadt-Literatur par excellence, der Rilke, Kafka und Werfel entstammten, mangelte jede Kommunikation mit der Natur . . . in der Prosa Franz Kafkas hatte die feindliche Stadt mit ihren schmutzigen Hinterhöfen, übelriechenden Durchgängen und verwinkelten Häusern die Natur der Blumen und Wolken völlig aufgezehrt.«

Brod, der allerdings in einem autobiographischen Roman von seinen Hauptfiguren sagt, sie seien großstädtische Menschen »ohne viel Naturkenntnis« gewesen, bestritt diese These unter anderem mit dem Hinweis auf die in Kafkas Lebenszeugnissen gelegentlich vorkommenden Naturschilderungen, und Ch. Bezzel schließlich gibt zu, daß Naturbilder im Vergleich zur traditionellen Dichtung bei Kafka zwar selten seien, spricht aber von einer »neuartigen epischen Naturbehandlung in Richtung auf eine entsubstanzialisierte Zeichensetzung«. [174]

Die Antwort sei durch die Analyse dreier Komplexe versucht, nämlich der Aussagen in den Reiseberichten, insofern sie Landschaft und ihre Attribute akzentuieren, durch den Hinweis auf direkte, also theoretische Ausführungen des Dichters über sein Naturverhältnis und schließlich durch eine Betrachtung einiger Stellen im *Kleinen Ruinenbewohner*, in *Richard und Samuel* und im *Verschollenen*.

Zunächst ist es, wie schon angedeutet, offensichtlich, daß Beobachtungen auf Reisen (nicht bloß speziell Landschaften) nur im Wahrnehmungshorizont des Städters Kafka erscheinen. Er sucht in fremden Orten zuerst den Ringplatz, weil der »Altstädter Ring« in Prag sein natürlicher Stadtmittelpunkt war, er beachtet Statuen, weil die Skulptur das Stadtbild Prags beherrscht, wie das sonst kaum einmal geschieht, und der »Eindruck aufrechter, selbständiger Häuser in St. Gallen ohne Gassenbildung« ist überhaupt erst deswegen merkwürdig, weil er aus Prag und Böhmen vor allem zusammenhängende Häuserfronten gewohnt war. [175]

Ebenso deutlich läßt sich die Abhängigkeit von Prager Kategorien bei der Konfrontation mit der ganz andersartigen südlichen Landschaft zeigen. Herausgegriffen seien die Eintragungen vom 1. und 2. September 1911. Sie beziehen sich auf einen Tagesausflug, den Kafka und Brod zu Schiff und mit der Eisenbahn von Lugano aus unternahmen. Die Fahrt führte über verschiedene Zwischenstationen am Südufer und Nordufer des Ostteils des Luganer Sees, die das Linienboot anzulaufen hatte, nach Porlezza und von dort nach Menaggio am Comer See. Ziel war die nahe gelegene »Villa Carlotta« bei Cadenabbia. Die Eintragungen des Reisetags selbst beziehen sich auf die Hinfahrt, die des folgenden 2. September auf die Rückfahrt, die auf gleiche Weise vor sich ging.

Zunächst ist hervorzuheben, daß Kafka Dinge erwähnt, die auch in den zeitgenössischen Reiseführern propagiert werden, also die Bogengänge und Rebenterrassen in Gandria – »ein Haus hinter dem andern aufgesteckt, Loggien mit farbigen Tüchern« –, dann das ehemalige Sommerhaus des italienischen Dichters Antonio Fogazzaro (1842–1911), die malerisch gelegene Kirche von Albogasio Superiore – »mittelalterlicher Zauberhut auf einem Glockenturm« – und endlich in der »Villa Carlotta« die berühmte, von dem Bildhauer Antonio Canova (1757–1822) geschaffene Skulptur »Amor und Psyche« sowie den schon erwähnten Park.

Das ist insofern auffällig, als die Freunde zwar vor Reisebeginn beschlossen hatten, systematisch Tagebuch zu führen, aber zu diesem Zeitpunkt, soweit ersichtlich, der Plan zu *Richard und Samuel*, der genaue Registrierung der bereisten Gebiete verlangte, noch nicht bestand und Kafka sonst bei Wahrnehmungen jeglicher Art seine eigenen Wege ging und ohne jede Rücksicht auf übliche Anschauungen seine Eindrücke akzentuierte. Man könnte also die Abhängigkeit vom Reiseführer – in Brods Paralleltagebuch ist ausdrücklich erwähnt, daß sich die beiden Freunde in Zürich mit derartigen Werken versahen –, der in diesem Fall die allgemeine Meinung verkörpert, als Unsicherheit deuten, eine eigene Perspektive zu entwickeln.

Der zweite am 1. September eingetragene Satz lautet: »Schablonenhafte Analogie des Rücksitzes im Wagen und im Schiff. Gerüst für Tuchbespannung auf den Booten wie bei Milchwagen. – Jede Schiffslandung ein Angriff.« Sofern das comparandum wirklich erklärt werden soll, ist es wohl einleuchtend, daß das comparatum aus vertrauten Lebensbereichen gewählt wird. Jedenfalls läßt sich diese Verfahrensweise in anderen Fällen bei Kafka eindeutig nachweisen, auch spricht dafür der vom Dichter geäußerte Widerwille gegen Vergleiche mit noch nicht gesehenen Ländern, weil dies mit einer Ablehnung bloß äußerlich rezipierter Vergleichsebenen identisch ist. Demnach wird das Fremdartige mit den aus dem Stadtleben bekannten Attributen wie Milchwagen und Eisenbahnwagen verdeutlicht. Der Terminus Angriff entstammt einer schon bei Kafka sehr früh nachweisbaren Kernmetapher. [176]

Ganz auffällig ist, daß die landschaftlichen Schönheiten des Sees und seiner bergigen Ufer bei Kafka vollständig ausgespart sind. Er beachtet Menschen und Monumente. Also Geistliche in Damengesellschaft, ein Kind und eine Näherin im Fenster, Soldaten auf Rädern, als Matrosen verkleidete Hoteldiener, dann natürlich ausführlich die Mitreisenden und Tiere (Esel, Eidechsen, Bienen).

Auch die ausgewählten Monumente verraten städtische Vorprägung. Kafka beachtet einen Springbrunnen, weil er von Prag her solche Monumente schätzte (»Chotek-Park«), den schon erwähnten Glockenturm, dessen Dach mit eher nordischen Gegebenheiten veranschaulicht wird (»mittelalterlicher Zauberhut«; vgl. Abb. 4), ein mit Efeu überwachsenes Haus, wie es doch für Kafkas Heimat, wie die beigezogenen Schloßbeschreibungen zeigten, kennzeichnend war, dann wieder die Gassen, die er manchmal nicht als solche ansehen wollte oder als Kellertreppen und Kellerkorridore bezeichnete, ein kleines Denkmal, den Prager Statuen verwandt, und natürlich Canovas Gruppe, an der ihm ein technisch allerdings auffälliges Merkmal fesselte: »Fallendes Haar der Psyche.« (Vgl. Abb. 5) [177]

Interessant ist auch die Notiz über Fogazzaros Domizil: »Villa mit zwölf Zypressen bei Oria. Man kann und wagt sich in Oria ein Haus nicht vorzustellen, dessen Front eine Terrasse mit griechischen Säulen hat.« (Vgl. Abb. 6) Zunächst ist diese Passage wieder ein Beleg für die schon erwähnte Eigenart des Introvertierten, den vorliegenden Sinneseindruck zu verändern. Freilich muß man auch wissen, daß die Eintragungen dieser Reise nicht unabhängig von seinem Reisebegleiter zustande kamen, mit dem er dauernd seine Eindrücke besprach. Am Vortag nun hatte sich Brod in seinem Reisetagebuch notiert, der Neubau eines Hotels füge sich mit seinen Arkaden genau in die ihn umgebende Häuserzeile ein: »Dies scheint *schweizerisch:* Bewahrung des Alten, Bewährten mit altem Gefühl, nicht als Reconstruktion.« Der Gesichtspunkt, wie sich ein Gebäude in seine Umgebung einordnet, daß Säulen es kennzeichnen und der Vergleich mit vergangenen Zeiten und deren Bauweise kehren in Kafkas Eintrag wieder. Brod fährt fort: »Es gibt hier und in Italien keinen wechselnden Stil der Wohnhäuser. Neues Material ändert sie nicht.« [178] Offensichtlich überlegte sich Kafka am folgenden Tag bei der Dampferfahrt – »Die schönen Wohnsitze nur sichtbar von einer Seefahrt aus, man fährt auch auf ihrem Niveau«, heißt es schon am 28. August –, bis zu welchem Maße eine Integration des Alten in die Berglandschaft des Seeufers möglich war. Anlaß mochte einerseits die im neugotischen Stil gehaltene Terrasse der Villa Fogazzaros sein, andererseits die reihenartig angeordneten Zypressen, die er, vielleicht durch die Bilder van Goghs und Böcklins beeinflußt, als typischen Ausdruck südlicher Landschaft empfinden mochte. Er hätte dann zwischen dieser Bepflanzung und der Bauweise des Hauses eine Diskrepanz empfunden, die er durch die genannte Annahme aufzulösen suchte.

Die Bevorzugung menschlicher Gegebenheiten in diesen Eintragungen geht noch aus einer anderen, in sich selber sehr mißverständlichen Stelle hervor. Gemeint ist die Beschreibung einer Dampferfahrt auf dem Vierwaldstätter See: »Fahrt Vitznau-Flüelen, Gersau, Beckenried, Brunnen (lauter Hotels), Schillerstein, Tellplatte, ausgelassenes Rütli, zwei Loggien in der Axenstraße ... Urner Becken, Flüelen.«

Zunächst könnte man annehmen, daß Kafka sagen wollte, er habe das Rütli nicht besucht. Bei näherer Betrachtung erweist sich dies aber als recht unsinnige Annahme. Erstens handelte es sich doch um eine Bootsfahrt, die an dieser Stelle kaum mit längeren Landaufenthalten verbunden gewesen sein dürfte, denn es bestand, da die unbewaldete, dem Ufer nahe gelegene, aber nicht direkt zugängliche Lichtung vom Boot aus gut zu sehen ist und der Schillerstein frei im Wasser steht, kein Anlaß zu einläßlicherer Betrachtung, zumal Kafka von Vitznau aus mit der Rigibahn in die Berge gefahren war und sich so einen Überblick über die Gegend verschafft hatte; zweitens ist es auch gar nicht einzusehen, warum in einer Aufzählung ein Glied von etwas handeln sollte, das nicht besucht wurde. Dies wäre ein sonst in den Lebenszeugnissen nicht belegter Pleonasmus. Vor allem aber handelt es sich doch um eine streng chronologische Aufzählung, in der das Rütli unmittelbar vor oder hinter der Erwähnung des Schillersteins stehen müßte. Überdies würde

4 Die Kirche von Albogasio Superiore bei S. Mamette am Nordufer des Luganer Sees

5 Antonio Canova (1757–1822): »Amor und Psyche«, Neapel,

6 Sommerhaus des Schriftstellers Antonio Fogazzaro (1842–1911) bei Oria am Nordufer des Luganer Sees

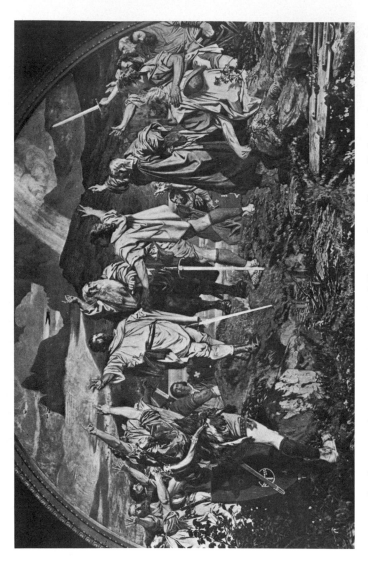

7 Der Rütli-Schwur: Fresko (1879–1882) von E. Stückelberg in der Tells-Kapelle bei Sisikon am Vierwaldstättersee

8   Vierwaldstättersee: Axenstraße mit Blick auf den Bristenstock

9   Stresa am Lago Maggiore

man in einem solchen Fall erwarten, daß das Adjektiv als Prädikatsnomen erscheint (also etwa: Rütli ausgelassen). Man muß deswegen annehmen, daß sich die fragliche Wendung auf das Gemälde in der Tellskapelle bezieht, das den Rütlischwur darstellt. (Vgl. Abb. 7)

Zwar trifft die Charakterisierung das Wesen des Bildes nicht eigentlich genau, doch mochte Kafka die begeisterte Bewegtheit der von einem Willen durchseelten Menschengruppe, die für ihn ein hohes Ideal im Gemeinschaftsleben darstellte und die er sich aufgrund des Schillerschen Stücks vielleicht ernster vorgestellt haben mochte in Anbetracht der ihm schwerfällig erscheinenden Schweizer, mit deren Eigenart sich ja einige andere Einträge, auch Max Brods, auseinandersetzen, als verhältnismäßig übermütig erscheinen.

See und Berge kommen an diesem Tag eigentlich nur einmal richtig ins Bild, nämlich während des Aufenthalts auf dem Rigi. Die Passage ist deswegen besonders instruktiv, weil Kafkas Freund sich im Paralleltagebuch sehr ähnlich äußert. Brod: »Sehr schnell erscheint der Seespiegel tief unten ... Überraschung der Ebene ... Rigi-Kulm. Man sucht den besten Aussichtspunkt. – Weiße Schirme über den Armhaken. – Eine Gesellschaft reisender Engländer mit ihrem Führer. – Durch ein Fernrohr (ein Auge schließen) sieht man acht Punkte um 50 ct. Wir aber lassen das Fernrohr sich bewegen und sehn so unzählige Punkte. Die Bilder bewegen sich, infolge der heißen Luft. Schwer ist es, das im Fernrohr Gesehene in den unmittelbaren Anblick zu lokalisieren. – Die Glocke läutet oben auf dem Dach, zum Zweck, wie sonst zur Kirche. – Jungfrau, Mönch, Titlis, Urirotstock. Die Ebene. – Seen, über die kaum man sich streitet. – Falscher Anblick der Berge von oben, sie scheinen flach in die Ebene gedrückt. – Es ist wie im Flug. – Die Landzunge des Zugersees scheint mit der Hand abzubrechen ... «

Kafka: »See durch Blätter gesehen, südlicher Eindruck. Überraschung durch die plötzliche Ebene des Zuger Sees. Heimatliche Wälder. Bahn fünfundsiebzig erbaut, nachschauen im alten ›Über Land und Meer‹. Historischer englischer Boden, hier gingen sie noch kariert und mit Favoris. Fernrohr. Jungfrau weit, Rotunde des Mönches, schwankende heiße Luft bewegt das Bild. Hingelegte Handfläche des Titlis. Durchschnittener Brotlaib eines Schneefeldes. Von oben wie von unten falsche Beurteilung der Höhen. Unentschiedener Streit über die schräge oder ebene Lage des Bahnhofs von Arth-Goldau.« [179]

Die Übereinstimmungen im Gesamtablauf und in der Formulierung einzelner Beobachtungen sind beträchtlich. Bezeichnenderweise gibt auch Brod kein zusammenhängendes Landschaftsbild; ausführlich wird er bei dem relativ belanglosen Hantieren mit dem Fernrohr. Nimmt man noch andere Notizen hinzu, so sieht man, daß auch er mit seiner vertrauten Prager Umgebung, aber vor allem auch mit Riva, wo Kafka und Brod 1909 weilten, Vergleiche zieht. Die Betonung der jeweiligen Perspektive ist ebenfalls beiden gemeinsam. Eine wechselseitige Beeinflussung ist anzusetzen. Das Bild vom Brotlaib kehrt einige Tage später in einer Notiz Brods wieder: »Kopfkissen wie flache lange Brotlaibe«, andererseits scheint Kafkas Bemerkung über die jeweiligen Landungen des Bootes in folgender Bemerkung Brods vom 29. August vorgebildet: »Schön, auf einen Ort loszufahren, wenn der Wind entgegen kommt.«

Gerade im Vergleich mit dem nach Herkunft, Erlebnis und Vorbildung ähnlichen Freund – beide schätzten damals Flaubert als Lehrmeister in der exakten Erfassung alltäglicher Einzelwahrnehmungen und stellten vor dieser Fahrt grundsätzliche Überlegungen hinsichtlich des Werts von Reiseeindrükken an – ergibt sich, wie sehr Kafka selbst innerhalb einer derartigen Beobachtungsweise wieder eine Art Extremfall in der Vernachlässigung des Landschaftlichen darstellt.

Zunächst kann man darauf hinweisen, daß in der zitierten Passage sich .Historisches eindrängt, das vom unmittelbaren Eindruck wegführt. Dann zeigt sich, daß hier die Berge, das Anorganische, behandelt werden wie die Pflanzen, d. h. sie sind in den Kategorien des Städters gedeutet, der Mönch etwa als Rundbau mit Kuppel (eine Vorstellung, die schon in der Eintragung über Friedland benützt wurde) und der Titlis als gleichsam gestisches Phänomen, eine Gegebenheit, die bei Kafka, wie sich zeigen wird, eine eminente Rolle spielt.

Sonst erscheinen die Berge in diesem Reisetagebuch nur noch als summarischer (»Wechselnde Gestalt der Berge«) oder negativer Eindruck (»Zu sehr eingesperrt von Bergen«), und die Seen bloß dann, wenn ihre Ufer, wie in Böhmen, niedrig waren. So beachtete Kafka die flachen, waldigen Ränder des in einer Ebene sich hinziehenden Zuger Sees, die ihn an seine Heimat und an ihm durch Abbildungen bekannte Panoramen Amerikas erinnerten, und den Zürcher See, der in ihm bei der Einbildung, hier Bewohner zu sein, ein starkes Sonntagsgefühl hervorruft. Der sich anschließende Hinweis auf die Nichtbebaubarkeit der Seefläche zeigt, daß Kafka unter der Optik des Monuments und des von ihm geliebten weiten, freien Blicks wahrnahm, den er seit der Übersiedlung der Familie in die Niklasstraße 36 im Sommer 1907 gewohnt war.

So war Kafka zu einem befriedigenden Eindruck der Steilufer des Luganer Sees nicht fähig, auch konnte er sich offenbar mit der durch das Schiff gegebenen Perspektive nicht abfinden. Über den Ausflug nach Cadenabbia heißt es: »Schlechte Fahrt im kleinen Dampfer, Mitbeteiligung an der Bewegung zu groß. Zu wenig hoch, um die frische Luft zu spüren und die Gegend frei zu überblicken, der Lage der Heizer angenähert.« [180]

Max Brod jedoch teilt sehr viel mehr über die natürlichen Gegebenheiten mit: »Der See ist grün«, heißt es gleich nach der Ankunft in Lugano. Dann notiert er sich am 28. August: »Das Erweitern des Sees stellt man sich ganz anders vor, viel unmittelbarer, als es wirklich ist. In Wirklichkeit reißen sich Buchten langsam auf, weil entfernte Riesenstrecken klein dem Auge sind. Die Bucht erweitert sich immer langsamer ... Das Seekreuz ... « Gerade für solche Perspektiven hatte Brod, wie etwa auch vergleichbare Eindrücke von einer Dampferfahrt zeigen, die er zwei Jahre früher auf dem Gardasee unternahm, einen wachen Sinn. Besonders instruktiv ist in diesem Zusammenhang eine Eintragung, die er während der beiden in Stresa verbrachten Tage (6. und 7. September 1911) vornahm, an denen sich Kafka kaum Notizen machte, wahrscheinlich, weil die Freunde, wie Brod bemerkt, in dieser Zeit »nicht anderes sehn« als ihr Hotel und den Weg zum Bad. Und doch: Dieser Weg »führt über den blauen See hin, zu den fernen Gebirgen der Nordrichtung (Hauptrichtung des Sees). Man sieht den Fuß dieser grauen Berge, die Küste, nicht, nur weißliche Streifen undeutlich, so daß die Abhänge der Berge, gegen oben deutlicher, nicht vom See wegzustreben, sondern überzuhangen scheinen in sanfter Auskehlung«. Immerhin, wahrgenommen haben muß auch Kafka den Lago Maggiore, schickte er doch Ottla von Stresa aus eine Ansichtspostkarte, die etwa das von Brod beachtete Panorama zeigt. (Vgl. Abb. 9) [181]

Es ist also verständlich, daß auch die Gestalt der Berge selbst in Brods Tagebuch viel differenzierter erscheint: »Der Wald gegenüber am Felsen sieht wie Moos aus«, heißt es anläßlich eines Bades im Vierwaldstätter See, bei dem Brod noch ein auf ihn unerotisch wirkendes Ehepaar in den Nachbarkabinen und die Beschaffenheit des Badeplatzes selber auffallen: »Rettungsring als Schlingpflanze, sagt Kafka. Plakate in der Kabine, so daß man die Seen, in denen man nicht badet, wenigstens sieht. Steine am Rand des Bades, das uns außerordentlich gefällt, ähnlich Riva ... Fischerinnen fangen Spaziergänger mit ihrem Hintern.« Die entsprechende Eintragung bei Kafka lautet: »Seebad im Vierwaldstätter See. Ehepaar. Rettungsring. Spaziergänger auf der Axenstraße. Schönstes Bad, weil man sich selbständig einrichten konnte. Fischerinnen in weißgelbem Kleid.«

Kafkas Notizen sind hier kürzer, stenogrammartig und als bloße Erinnerungsstütze gedacht, abgesehen vom Weil-Satz. Man hat also bei ähnlich knappen Stellen sonst in den Tagebüchern immer davon auszugehen, daß sie einen situativen Kontext um sich hatten, der heute nur in dem besonderen Glücksfall, wo Parallelstellen irgendwelcher Art existieren, rekonstruiert werden kann.

Sieht man von der Art der Eintragung ab, so stellt man fest, daß Brods Beobachtungen einen Überstand hinsichtlich des Topographischen aufweisen (Wald und Seebilder), an dem Kafka hier also weniger interessiert gewesen sein muß. Denn an sich war er ein Liebhaber der Geographie, und zufällig läßt sich auch beweisen, daß gerade an dem fraglichen Tag Kafka und Brod sich detailliert über ihre gegenseitigen Eindrücke unterhalten haben müssen. Denn nicht nur, daß der Kafka auffallende Rettungsring als Schlingpflanze in Brods Tagebuch zitiert wird, sondern auch eine auf die anschließende Fahrt mit der Gotthardbahn bezügliche Eintragung Kafkas wird bei Brod als Aussage des Freundes angeführt. Kafka schrieb: »Die ungarische Blume. Die dicken Lippen. Exotische Linie vom Rücken zum Hintern.« Anschließend folgen noch dreieinhalb Zeilen über zwei Männer. Brod erwähnt, daß Kafka eine ihn faszinierende Mitreisende mit wulstigen Lippen »Die ungarische Blume« genannt habe. Diese gegenseitige Abhängigkeit wird noch unterstützt durch fast gleichlautende Formulierungen über die Reuß und die Tessiner Wasserfälle. [182]

Um so bemerkenswerter sind die in dieser Passage besonders zahlreichen Abweichungen. Brod, der ja auch Musiker war und ein feines Gehör besaß, registriert zum Teil akustische Eindrücke – »Geschrei als gewöhnliche Rede« und die Tatsache, daß ein Kind Dolores heißt – und interessiert sich für den Streckenverlauf der Bahn im Gebirge und für dieses selbst: »Der Gletscher des Spannörter ganz nahe, wie Brandung am Felsen.« Kafka dagegen – und damit bestätigt sich das aus anderen Textstellen Eruierte – übergeht die doch gerade auf der Gotthardstrecke so eindrucksvollen Bergformationen ganz und bemerkt dagegen den neuartigen Charakter der vom Waggonfenster aus sichtbar werdenden Ortschaften mit ihren Menschen. Die sich darin wieder äußernde extreme Bevorzugung von Menschen und Bauwerken wurde ihm durch die erhöhte Position im Wagen erleichtert, die einer Panorama-Perspektive gleichkommt.

Wie sehr Kafka durch diesen Beobachtungspunkt fasziniert wurde, zeigt einmal die schon zitierte ganz frühe Tagebuchnotiz (»Aus dem Coupeefenster«), und dann ein an die Stücke der *Betrachtung* gemahnender Eintrag vom 31. Juli 1917, in dem unter den Freuden des Eisenbahnreisenden auch genannt ist: »unter der fortwährenden Anziehungskraft des Fensters stehn«.

Man muß es also auch von dieser etwas unterschiedlichen Betrachtungsweise der Freunde her verstehen, daß Brod mit einem gewissen subjektiven Recht gegen die einleitend zitierte Behauptung von P. Demetz Stellung nehmen konnte.

Für Kafka sieht die Sache etwas anders aus, wie er selbst wohl wußte. Im Sommer 1916 – und damit vollzieht sich der Übergang zum zweiten Aspekt des Problems, nämlich den direkten Selbstaussagen Kafkas über sein Naturverständnis – schrieb er an Felice, er sei im Laufe der Jahre aus einem Stadtmenschen zu einem Landmenschen geworden, wie man hinzufügen darf unter anderem durch den Einfluß Ottlas. [183]

Die sonstigen Zeugnisse stimmen darin überein, denn erst seit 1915 gibt es Stellen über Landschaften, die er bevorzugt. So heißt es etwa in einem Brief an Felice vom August 1916: »Es gibt hier in der Nähe hinterm Baumgarten auf einer hohen Straßenböschung einen kleinen Wald, an dessen Rand ich gern liege. Links sieht man den Fluß und jenseits schwach bewaldete Höhen, mir gegenüber ein vereinzelter Hügel mit einem mir schon seit der Kindheit rätselhaften, weich in die Gegend eingefügtem alten Haus und rings herum friedliches, welliges Land.« Der Text enthüllt die typischen Attribute der von Kafka bevorzugten Landschaft, nämlich sanfte Bewegtheit ohne schroffe Gegensätze und abrupte Übergänge, eine erhöhte Beobachterposition, die weite Sicht über gestaffelte Tiefen ermöglicht, mit waldigen Hügeln, ausgewogenen Flußtälern und größeren Flächen. Literarisch könnte man sagen, es ist eine romantische, etwa von Eichendorff bestimmte Naturschau [184], doch muß man gleich zufügen, daß wahrscheinlich der unmittelbare Eindruck der Prager Umgebung, die er, wie nicht nur dem eben zitierten Beleg zu entnehmen ist, schon sehr früh kennen lernte, sowie überhaupt die weitgehend den genannten Kategorien folgende Landschaft Nordböhmens seine Vorliebe bestimmten.

Als Beleg für die letzte Behauptung mag eine Ansichtskarte vom Juli 1915 dienen, die Kafka aus einem bei Rumburg in Nordböhmen gelegenen Sanatorium an Felice richtete: »Schon ein wenig eingewöhnt. Große, schöne Wälder. Ein einfaches, hügeliges aber noch nicht bergiges Land, so ist es für meinen augenblicklichen Zustand gerade recht.« Die Einschränkung, die in dieser Aussage liegt, war nicht wirklich vorhanden, sondern wurde mit Rücksicht auf die Briefpartnerin formuliert, mit der gemeinsame Ferienpläne bestanden, die offenbar nicht durch schroffe Einengung der Voraussetzungen in Frage gestellt werden sollten.

Daß das beschriebene Land über diese Situation hinaus von Kafka bevorzugt wurde, zeigt eine grundsätzliche Stellungnahme in einem Brief an Milena vom Frühjahr 1920. Es heißt dort: »Sie werden auf dem Lande leben, das Sie lieben. (Darin sind wir ähnlich, wenig bewegtes Land, noch nicht ganz Mittelgebirge ist mir das liebste und Wald und See darin.)« Ebenfalls aus Meran stammt eine Aussage des Dichters, in der die in dem bisher Zitierten zutage tretende Ablehnung landschaftlicher Extreme explizit formuliert wird: »Ich lebe nicht sehr gern weder im Gebirge noch am Meer, es ist mir zu heroisch.«

Weite, leere Täler, die sich wechselvoll biegen, bewaldete Hügel und Hochflächen mit weiter Fernsicht werden auch sonst als typische Ausflugsziele der Prager Umgebung erwähnt. Eine Metapher in einem Erzählfragment zeigt, daß den Dichter ein plötzlicher Übergang von ebenem Land zum Vorgebirge stark beschäftigt hatte. Unterscheiden muß man von der genannten Vorliebe die Sehnsucht Kafkas nach abgelegenen, rundum geschlossenen Plätzen, an denen er gerne in der Sonne lag.

Aber wie gesagt, dies alles gilt erst im Lauf der Jahre. Noch im April 1914 schrieb er an Grete Bloch: »Sie waren traurig oben bei der Ruine im Gras? Nichts scheint mir natürlicher. Ich war immer auf dem Land traurig. Was für eine Kraft gehört dazu, ein solches weites Land im Umblick sich anzupassen. Vor einer Berliner Straße gelingt mir das im Handumdrehen.« [185]

Das alles ist der Grund dafür, daß die Berglandschaft der oberitalienischen Seen so wenig ins Blickfeld des Dichters tritt, doch ist freilich damit noch nicht vollständig erklärt, warum er von fremden Städten, also hier Berlin oder den Schweizer oder italienischen Orten, so fasziniert war, denn vergleichbar mit Prag waren höchstens Dresden oder böhmische Kleinstädte hinsichtlich des Arrangements und Gebäudeschmucks, die die Anwendung vorgängiger Wahrnehmungskategorien erlaubten.

Die Antwort ergibt sich aus einer längeren Tagebucheintragung vom 18. November 1911, die nur wenige Wochen jünger ist als das Reisetagebuch. Anlaß war ein Besuch Kafkas in einer Asbestfabrik, an der er stiller Teilhaber war. Sie lag außerhalb des eigentlichen Stadtkerns: »Menschen draußen gesehn ... immer wieder Rücken und Gesichter, aus der Geschäftsstraße der Vorstadt hinausführend eine Landstraße mit nichts Menschlichem als nach Hause gehenden Menschen ... ein Plakat über das Gastspiel einer Sängerin de Treville, das sich an den Wänden hintastet bis in eine Gasse in der Nähe der Friedhöfe, von wo es dann wieder mit mir aus der Kälte der Felder in die wohnungsmäßige Wärme der Stadt zurückgekehrt ist. Fremde Städte nimmt man als Tatsache hin, die Bewohner dort leben, ohne unsere Lebensweise zu durchdringen, so wie wir ihre nicht durchdringen können, vergleichen muß man, man kann sich nicht wehren, aber man weiß gut, daß das keinen moralischen und nicht einmal psychologischen Wert hat, schließlich kann man oft auch auf das Vergleichen verzichten, da die allzu große Verschiedenheit der Lebensbedingungen uns dessen enthebt.« Es zeigt sich hier, wie Kafka die Stadt gar nicht isoliert in ihren Monumenten zu betrachten vermag. Straßen begreift er als Verbindungswege, sie sind ihm wegen der sie Betretenden wichtig, die Erstreckung von Mauern wird bewußt, wenn sie direkt auf Menschliches verweisen, der Zusammenhang einer Stadt wird als ihr Wohncharakter erfühlt und, wie in dem Brief an Grete Bloch, in Gegensatz zum Land gestellt.

Die Rezeption der Monumente erfolgt demnach zum kleinen Teil über Vorprägung durch Prager oder sonstwie bekannte Vorbilder, sondern vor allem über die Menschen, denen Kafkas Hauptinteresse galt. Wenn er also zu Beginn der Reise von 1911 zu Max Brod sagte: »Wir lernen das Land sehr systematisch kennen, zuerst die Häuser und die Natur, dann erst die Menschen«, so liegt in dieser Bemerkung gewiß auch ein gutes Teil Ironie über die ihm nicht entsprechende Trennung der Beobachtungsbereiche der Schweiz.

Was nun die Bemerkung über fremde Städte angeht, so ähnelt sie überraschend Ausführungen über den *Wert der Reiseeindrücke*, die Max Brod als Essay im März 1911 veröffentlichte. Da überdies hier als Illustrationsmaterial die erste Paris-Reise Kafkas und Brods herangezogen wird und Gegebenheiten erwähnt sind, die bis ins kleinste Detail mit den Reminiszenzen übereinstimmen, die hinsichtlich dieses Aufenthalts in Kafkas Lebenszeugnissen erscheinen, kann man davon ausgehen, daß Kafka diesen Beitrag nicht nur gekannt, sondern mit seinem Freund auch über dieses Thema diskutiert hat.

Brod unterscheidet zwei Gruppen von Reisenden; die einen wollen schnell zu allgemeinverbindlichen Urteilen über die bereisten Gebiete gelangen und gehen überhaupt auf Gründlichkeit aus. Die anderen, zu denen sich natürlich Brod selber rechnet, wollen nur starke Eindrücke haben und sind zu bescheiden, »um gleich Erkenntnisse zu wünschen, und zu vorsichtig, um sie sich einreden zu lassen«. So entsteht ein »zufälliges, vorübergehendes Bild«, in dem Nebensächlichkeiten eine große Rolle spielen. Solche Beobachtungen sind also bewußt subjektiv. Dadurch gewinnen solche Betrachter den Mut, »ihre zufälligen Erfahrungen ungeziert, gleichsam ohne Verantwortung vorzubringen und, wo sie Gesetze aufzustellen scheinen, hört man leicht den skeptischen, fast ironischen Unterton«. Der ganze zweite Teil von Brods Ausführungen ist der besonderen Leichtigkeit und Willkürlichkeit gewidmet, der er in fremden Ländern unterlag: »Kommt man über die Grenze, so scheinen einem die fremden Soldaten und Beamten in ihren Uniformen wie in Maskenkostümen zu schlottern, man denkt eher an Operetten, als an einen ernsten Drill.« [186]

Kafkas und Brods theoretische Aussagen über das Reisen haben also gemeinsam, daß beide glauben, eine objektive Sehweise nicht erzielen zu können und Verallgemeinerungen ablehnen, denn Kafkas Polemik gegen das Vergleichen bezieht sich natürlich nicht auf die sprachliche Formulierung seiner Aussagen hinsichtlich ihrer Bildhaftigkeit, sondern auf die Beziehung des Gesehenen auf die heimatliche Umwelt, die ja immer Abstraktion zum Allgemeinurteil voraussetzt.

Man kann also sagen, daß das Reisetagebuch vom August und September 1911 nicht nur durch gleichsam naturgegebene Prämissen wie Typologie, gleichen Lebenskreis und gemeinsame Schulung seine Ausprägung erhält, sondern auch durch vorhergehende bewußte Reflexion über die Erkenntnismöglichkeiten, die durch Aufzeichnungen überhaupt möglich sind, Überlegungen, die dazu führten, daß die Kafka und Brod sichtbar werdenden Besonderheiten ihres Wahrnehmungshorizontes nicht getilgt, sondern sogar jetzt bewußt noch mehr profiliert werden.

Dies lehrt schon ein oberflächlicher Blick auf die Notizen der Reise vom Sommer 1911. Wenn es da unter der Überschrift »Zürich« heißt: »Historischer Eindruck fremden Militärs. Fehlen dieses Eindrucks beim eigenen« und »Briefträger als erste Kuttenträger des herankommenden Südens und Westens schauen wie in Nachthemden aus«, so war die hier vorausgesetzte Kategorie durch Brods Aufsatz vorgegeben. Auch ist es so, daß Verallgemeinerungen sehr spärlich vorkommen und nicht ohne Ironie sind: »Schweizerisch: Mit Blei ausgegossenes Deutsch.«

Vor allem aber besteht die Übereinstimmung zwischen Brods Theorie und den Eintragungen darin, daß Brod und Kafka dem gleichsam untypischen, schnell vergehenden und sich nicht leicht wiederholenden Nebeneindruck ein so großes Gewicht beimessen; etwa: »Lump auf dem Bahnhof in Winterthur mit Stöckchen, Gesang und einer Hand in der Hosentasche«, oder: »Schienen, die sich zum Kreis schließen und nirgends hinführen, ist und bleibt der stärkste Eindruck von Mailand.« [187]

Um irreführenden Schlußfolgerungen vorzubeugen, sei aber ausdrücklich darauf hingewiesen, daß der soziale Kontext keineswegs allein für die besondere Sehweise Kafkas in seinen Reisetagebüchern verantwortlich gemacht werden kann, eine bestimmte ererbte Konstitution ist daran wohl genau so

stark beteiligt. Sie liegt, was die Betonung flüchtiger Einzelimpressionen angeht, im Typologischen, das von Geburt an festliegt, hinsichtlich der von
ihm in späteren Jahren bevorzugten Landschaften nicht nur, wie herausgestellt, im Vorbild der näheren Heimat, sondern auch in seiner individuell
bestimmten Ästhetik, die überhaupt erst zuließ, daß diese Umwelt positiv
rezipiert werden konnte.

Kafka nämlich geht davon aus, daß das Schöne sich durch kontinuierliche
Übergänge auszeichne, jedes Auffällige und Überzogene etwa der Stilgebung
vermeide – deswegen die Liebe zu Stifter und Hebel – und überhaupt durch
eine Schmucklosigkeit sich profiliere, die jedes nicht streng funktionale Detail
verbannt. Wird die Natur als Kunstwerk genommen, so entspricht die sanft
gewellte Hügelkette, das nicht zu schmale, leere Tal, die bewaldete Kuppe
und die weite Hochfläche am besten dieser literarischen Position. [188]

Als letztes nun noch drei literarische Gestaltungen von Landschaften. Im
Kleinen Ruinenbewohner heißt es: »Ich hätte der kleine Ruinenbewohner sein
sollen, horchend ins Geschrei der Dohlen, von ihren Schatten überflogen,
auskühlend unter dem Mond ... abgebrannt von der Sonne, die zwischen
den Trümmern hindurch auf mein Efeulager von allen Seiten mir geschienen
hätte.« Dies ist ein ganz aus städtischer Perspektive erstelltes Bild. Kafka
ließ sich im Bad oder bei sonntäglichen Ausflügen von der Sonne bräunen,
beobachtete bei seinen nächtlichen Spaziergängen den Mond, empfand die
Dohlen als persönliche Attribute, weil sein Name im Tschechischen diesen
Vogel meint und sein Vater ihn als Geschäftsemblem führte, beachtete mehr
als die Farben Hell-Dunkel-Wirkungen und Schattenwurf und sah bei Landaufenthalten gewiß efeubewachsene Ruinen, die für den Städter einen romantischen Stimmungswert besitzen.

Etwas anders liegen die Dinge in folgender Stelle aus der *Ersten langen
Eisenbahnfahrt:* »Immer das Gefühl, daß wir, in diesen Zug gesperrt, die
einzige schlechte Luft weit und breit atmen, während das Land draußen in
natürlicher Weise, die man nur aus einem Nachtzug heraus, unter einer wei-
terbrennenden Lampe, richtig beobachten kann, sich entschleiert. Es ist zuerst
von den dunklen Bergen als besonders schmales Tal zwischen ihnen und unserem Zug hergeschoben, dann durch den Morgendunst wie durch Oberlicht-
fenster weißlich aufgehellt, die Matten erscheinen allmählich frisch, wie nie
zuvor berührt, saftig grün, was mich in diesem trockenen Jahr sehr in Erstaunen setzt, endlich erbleicht das Gras bei steigender Sonne in langsamer
Verwandlung. – Bäume mit schweren, großen Nadelästen, die längs des ganzen Stammes bis zum Fuße niederwallen.«

Da Kafka und Brod den Text gemeinsam verfaßten, muß zuerst geprüft
werden, ob diese Passage überhaupt auf Kafka zurückgeht, genauer, ob die
ihr zugrunde liegenden Beobachtungen von ihm gemacht wurden. Dies ist der
Fall. Schon der erste Satz verrät eine starke Prägung durch seine Vorstellungen. Aus Tagebuchstellen geht hervor, daß er von seinem Zimmer aus die
Lichtwirkungen draußen beobachtete. Durch die weiterbrennende Lampe

.ergibt sich ein nicht so auffälliger Helligkeitskontrast zwischen drinnen und draußen, was sowohl seinen empfindlichen Augen als auch seiner schon erwähnten Tendenz, Übergänge kontinuierlich wahrzunehmen, gut entspricht. Außerdem geht die Betonung der schlechten Luft seiner von der Naturheilkunde bestimmten Lebensweise konform und die als positiv empfundene Optik von dem begrenzenden und erhöhten Waggonfenster aus – schon im Vorjahr erscheint dieser Sachverhalt in einer Tagebuchnotiz, die oben angeführt wurde – der herausgestellten Tendenz der Perspektivierung und der Neigung, von einer erhöhten Position aus Zusammenhänge zu überblicken, die sich sonst schlecht zur Einheit fügten.

Zur Beobachtung selbst ist einmal zu sagen, daß Max Brod während dieser Zeit schlief, also gar nichts beobachtet haben konnte, und zum andern, daß die Überlieferung deutlich erkennen läßt, daß ihr Wahrnehmungen Kafkas zugrunde liegen. Kafka äußerte dem Freund gegenüber hinsichtlich der Schweiz: »Ein gesundes Land für Tannen.« Damit wäre der Schlußsatz abgedeckt, wo eben dieser Sachverhalt konkretisiert ist. An sich ist er auch für Kafkas Wahrnehmungsweise typisch, weil er – gerade auf dieser Reise – einen sehr wachen Sinn für jede Unvollkommenheit äußerer Form zeigte, unter die auch Baumstämme ohne Äste fallen würde. [189]

Der Hauptteil der Beschreibung aber deckt sich mit folgender Eintragung im Reisetagebuch: »Erbleichen der Matten bei steigender Sonne.« Die dichterische Darstellung entfaltet nur die einzelnen Phasen, die zwar in Kafkas Wahrnehmung, nicht aber in die verkürzte Tagebuchnotiz eingegangen waren. Kafka stellt aber nun eigentlich nicht ein Naturbild dar, sondern bezeichnenderweise eine Lichtwandlung; eine vergleichbare Szene ist im *Prozeß* belegt. In beiden Fällen stehen die Erfahrungen dahinter, die Kafka mit Lichtwirkungen in seiner städtischen Umgebung machte. Wie zu erwarten war, bleibt auch in diesem Werk die Natur als Landschaft ausgespart. [190]

Wie aber verfährt er im *Verschollenen*? Herausgegriffen sei das vierte, *Weg nach Ramses* überschriebene Kapitel. Wesentlich ist hier zunächst die Einsicht, daß auch die Naturdarstellung dem allgemeinen ästhetischen Gesetz unterliegt, das die Einzelimpression verwirft und die Integration der Wahrnehmungselemente der Perspektivfigur in eine Art Handlungsstrang fordert. In diesem Punkt konnte Kleist mit dem *Michael Kohlhaas* – Kafka schätzte diese Novelle über alles und las sie immer wieder, einmal sogar in einer öffentlichen Veranstaltung [191] – ein gewisses formales Vorbild sein. Gleich zu Beginn der Erzählung, im zweiten Abschnitt, wird die Wetterlage genau beachtet: Als der Roßhändler auf der Tronkenburg eintrifft, hält er »in einem Augenblick, da eben der Regen heftig stürmte, mit den Pferden still« und ruft den Schlagwärter. Als sich dann beim Bezahlen der Zollgebühr der Burgvogt einmischt, vergißt Kleist nicht zu erwähnen, daß dieser »schief gegen die Witterung gestellt« nach dem Paßschein fragt. In der nächsten Handlungsphase, als der Junker und die Ritter die Pferde betrachten, hört der Regen auf, wie ausdrücklich vermerkt wird. Als Kohlhaas bei dieser Gelegenheit vorschlägt, den verlangten Paß in Dresden nachzulösen, antwortet der Junker, während eben das Wetter wieder zu stürmen anfängt und seine dürren Glieder durchfährt. Entsprechend verfährt Kafka in seinem Roman. Karl und seine beiden Begleiter verlassen frühmorgens die Herberge. Nach einiger Zeit wird berichtet: »Aller Nebel war schon verschwunden, in der Ferne erglänzte ein hohes Gebirge, das mit welligem Kamm in noch ferneren Sonnendunst führte. An der Seite der Straße lagen schlecht bebaute Felder, die sich um große Fabriken hinzogen, die dunkel angeraucht im freien Lande standen. In den wahllos hingestellten einzelnen Mietskasernen zitterten die vielen Fenster in der mannigfaltigsten Bewegung und Beleuchtung, und auf all den kleinen, schwachen Balkonen hatten Frauen und Kinder vielerlei zu tun, während um sie herum, sie verdeckend und enthüllend, aufgehängte und hingelegte Tücher und Wäschestücke im Morgenwind flatterten und mächtig sich bauschten. Glitten die Blicke von den Häusern ab, dann sah man Lerchen hoch am Himmel fliegen und unten wieder die Schwalben, nicht allzuweit über den Köpfen der Fahrenden.«

Wenn W. Jahn davon spricht, in solchen von ihm »Zwischenbilder« genannten Passagen seien impressionistische Züge wirksam, so ist das so falsch, wie seine weitergehende Bemerkung ungenügend ist, der »in jedem dinglichen Detail wirksame subjektive Erlebnisgehalt« sei das Wesentliche. Denn in Kafkas Intention ist das einzelne Element Glied eines übergreifenden Zusammenhangs, der beim Ausmarsch der kleinen Gesellschaft beginnt und erst spät am Abend endet: »Sie verließen«, heißt es einige Seiten vorher, »das Haus und traten in den dichten, gelblichen Morgennebel ... hie und da schoß ein Automobil aus dem Nebel, und die drei drehten die Köpfe nach den meist riesenhaften Wagen ...« Daran schließt sich die zuerst zitierte Stelle wettermäßig nahtlos an. Inzwischen hat sich der Nebel gelichtet, und ein Panorama ist sichtbar geworden.

Später heißt es dann im Text: »Gegen Abend kamen sie in eine mehr ländliche, fruchtbare Gegend. Ringsherum sah man ungeteilte Felder, die sich in ihrem ersten Grün über sanfte Hügel legten, reiche Landsitze umgrenzten die Straße, und stundenlang ging man zwischen den vergoldeten Gittern der Gärten, mehrmals kreuzten sie den gleichen langsam fließenden Strom und vielemal hörten sie über sich die Eisenbahnzüge auf den hoch sich schwingenden Viadukten donnern. Eben ging die Sonne an dem geraden Rande ferner Wälder nieder, als sie sich auf einer Anhöhe inmitten einer kleinen Baumgruppe ins Gras hinwarfen ...« Als dann Karl vom »Hotel Occidental« zurückkehrt, bemerkt er: »Noch immer fuhren draußen, wenn auch schon in unterbrochener Folge, Automobile«; beachtet wird hier die abnehmende Frequenz des Verkehrs aber nur deshalb, weil Karl gleich bei der Ankunft an diesem Ort beobachtet hatte, daß auf der ein paar Meter tiefer liegenden Straße »immer wieder Automobile, wie schon während des ganzen Tages, leicht aneinander vorbeieilten ...« [192]

Die Verfugung der eben zitierten Textteile mit den beiden vorher angeführten ist offensichtlich. Die Fabriklandschaft mit unbedeutender landwirt-
schaftlicher Umgebung verwandelt sich in éin Bild, das ganz von der Agrar-
struktur beherrscht wird. Dabei wird jedes Bauelement der von Industrie bestimmten Szene durch ein entsprechendes anderes ersetzt: Die schlecht be-
bauten Äcker, die sich um die Fabrik, also wenig anziehendes Gelände, lagern, werden zu ungeteilten, also großen, Wohlstand verratenden Feldern, die
sich anmutig über Hügel hinziehen und durch ihr Grün die Güte der Bebau-
ung verraten, die schwarzen Mietskasernen mit den kleinen, schwachen Balkonen werden zu Landsitzen mit vergoldeten Gartengittern; jene sind wahllos in die Gegend gestellt, diese umgrenzen ordentlich die Straße.

Erhebt sich der Blick, so bemerkt der Betrachter im Fabrikbild über sich
Vögel, also die Komponente, die dann das Gegenbild beherrscht, derjenige im
landwirtschaftlichen Bild sieht über sich fahrende Züge, also einen Bestand-
teil, der im vorhergehenden Panorama dominiert. In beiden Fällen gibt es im
Hintergrund eine besonnte Horizontlinie. Das Verhältnis von Technik und
Landwirtschaft hat sich also in der zweiten Passage ins Gegenteil verkehrt,
wobei das Arsenal in seinem Arrangement, auch hinsichtlich der Tiefe und
Höhenschichtung des Bildes, identisch bleibt.

Eine zweite Handlungslinie geht von der aufgehenden Sonne, die hinter
dem gelblichen Nebel zu ahnen ist, über den Sonnendunst des vollen Tages
zum Untergang am Abend, eine dritte von den vereinzelten Automobilen des
Morgens zur ununterbrochenen Folge des Tages und Abends zum nachlas-
senden Verkehr der Nacht, wo Autoscheinwerfer und die Hotelbeleuchtung
das trübe Morgenlicht gleichsam in einer gewissen Entsprechung ersetzen.

Diesen ganzen Komplex hinwiederum kann man als Teil eines den Roman
durchziehenden Verweisungszusammenhangs ansehen, indem ja Karl, angefangen bei der Szene auf dem Schiff, seine jeweilige Umgebung, im *Heizer*
sogar ebenfalls in Phasen gegliedert, zusammenhängend wahrnimmt. War
dieses Moment einmal eingeführt, mußte es bei jeder neuen Stufe in Karls
Leben wieder in Erscheinung treten.

Und auch insofern passen diese Naturbilder zu dem sonst bei Kafka Üblichen, als die Darstellung dynamisiert wird. Die Fenster der Mietskasernen
sind in verschiedenartigster Beleuchtung und Bewegung, die sich in dem ge-
schäftigen Treiben der Balkone wiederholt. Im zweiten Fall, und auch darin
liegt in gewisser Weise eine mechanische Umkehrung, ist die Bewegung
Kennzeichen der Wandernden, sie gehen stundenlang zwischen den Gärten
und überqueren mehrmals den Fluß. Darüber sozusagen ein Bewegungsband
in Höhe und Breite, das im einen Fall durch Viadukte, im andern Fall durch
verschieden hoch und in verschiedenem Abstand zum Beobachter fliegende
Vögel artikuliert wird.

Betrachtet man die Elemente der Bilder, so findet man bezeichnenderweise
nicht die leeren, dunklen, hügeligen und waldigen Ufer eines Sees, wie sie
Kafka für Amerika typisch fand, sondern Requisiten einer Landschaft, die

ihm später als anziehend bewußt wurde, nämlich sanft gewellte Hügel und Bergkämme, ein breites Flußtal, eine Tiefenstaffelung mit einer Horizontlinie und die Sonne, die der Dichter mehrfach im Zusammenhang mit seiner Lieblingslandschaft erwähnt. Sogar das Eisenbahnviadukt könnte man hier anführen, da zu Kafkas vertrauter Umwelt auch ein solches gehörte, das in die *Hochzeitsvorbereitungen auf dem Lande* einging. [193]

Zusammenfassend kann man sagen, daß Kafka mit Bausteinen der ihm vertrauten Umgebung Landschaftsbilder konstruiert, die ganz von seinen Erzählgesetzen bestimmt und somit völlig funktionalisiert sind. Sie sollen den Tageslauf Karls in seiner Abfolge deutlich machen, einen Raum erstellen, in dem er sich bewegt, und die sich verändernde Szenerie veranschaulichen, die, wie auch die Schilderung des Speisesaals im »Hotel Occidental« zeigt, mehr ins Ländliche führt. Eine selbständige Bedeutung als Erlebniseindruck Karls kommt ihnen nicht zu, man könnte höchstens sagen, daß Kafkas spätere Beachtung bestimmter topographischer Formen im intuitiven Schaffensprozeß antizipiert wurde.

b) Entfaltung und Modifikation
Die Quart- und Oktavhefte

»Die falsche Perspektive, die jedes Tagebuch unwillkürlich mit sich bringt«, schreibt Max Brod im Nachwort seiner Edition, »muß überhaupt beachtet werden. Man schreibt, wenn man ein Tagebuch führt, meist nur das auf, was einen bedrückt oder irritiert. Durch solches Schreiben befreit man sich von schmerzlichen negativen Eindrücken. Positive Eindrücke brauchen meist nicht wegreagiert zu werden, man notiert sie ... nur in Ausnahmefällen. Dieses Gesetz macht sich auch in den dreizehn Quartheften Kafkas geltend, die sein eigentliches Tagebuch darstellen«. Die Nachprüfung einer solchen Hypothese ist schwierig, muß aber vorgenommen werden, damit der Zeugniswert der Aussagen richtig eingeschätzt werden kann.

Es ist leicht zu erkennen, wie Brod, abgesehen von eigener Erfahrung, zu seiner These kam. Er hatte den Freund, von gelegentlichen Depressionen in unproduktiven Phasen und von gewissen Zeiten abgesehen, in denen sich die Lungenkrankheit auffällig bemerkbar machte, als humorvollen, oft heiteren und zu kindlichem Mutwillen aufgelegten Charakter in Erinnerung und muß sehr überrascht gewesen sein, als ihm aus den Tagebüchern massierte Verzweiflung entgegenschlug.

Teilweise, aber nicht vollständig, läßt sich diese Diskrepanz durch folgende drei Momente erklären. Einmal gibt es deutliche Hinweise für die Tatsache, daß in gewisser Beziehung ein Schwerpunkt dieser Freundschaft in den Jahren bis 1912 lag: das gemeinsame Studium, die Reisen und die Tatsache, daß für diese Zeit Brods Erinnerungen am deutlichsten und zahlreichsten sind (bezeichnenderweise wird in seiner Kafka-Biographie der Zeitraum zwischen dem Ausbrechen der Lungenkrankheit und der Beziehung zu Milena durch ein Kapitel überbrückt, das Kafkas religiöser Entwicklung gewidmet ist), sprechen dafür genauso wie der Umstand, daß Kafka während der Auseinandersetzung mit Felice kaum mit den Freunden zusammenkam, ihnen anderthalb Jahre lang nichts vorlas und überhaupt in der Spätzeit (auch durch seine lange Abwesenheit von Prag, und weil Brod ganz durch einen noch zu würdigenden Lebenskonflikt absorbiert wurde) nur mehr in einer vergleichsweise lockeren Beziehung zu seinem Freunde stand, wenngleich die gegenseitige Liebe und Wertschätzung davon unberührt blieb. Auch seine Aussage, er habe seit der Reise von 1911 sich mit Brod nie wieder gleichermaßen vertraut gefühlt, ist hier anzuführen. [194]

Brod hat also gewiß, im Gegensatz zu den sonst bei langen und langsam sich entwickelnden Freundschaften beobachtbaren Erinnerungstäuschungen, nicht spätere Zustände in die Vergangenheit rückprojiziert, sondern den vor dem Felice-Erlebnis und noch mehr vor den ersten Berufserfahrungen natürlich noch vergleichsweise unbeschwerten jungen Kafka länger auch in späteren Lebensabschnitten gesehen, als sich das Bild schon sehr zu einer pessimistischen Lebenseinschätzung verändert hatte.

Andererseits war Max Brod von Natur aus optimistisch und immer geneigt, das Positive am andern zu sehen und zu betonen, so daß er Kafkas selbstquälerische Ader, seine »Lust, Schmerzliches möglichst zu verstärken«, nicht voll würdigen konnte. Kafka vermochte ihm gegenüber seine wirklichen Verzweiflungszustände nicht immer zu äußern. Als er Ende Januar 1912 bei einem Zusammentreffen mit dem Freund gleichgültig und schlecht gestimmt war, notiert er sich: »Zugeben konnte ich meinen Zustand nicht, da Max das niemals richtig anerkennt. Ich mußte daher unaufrichtig sein, was mir schließlich alles verleidete.«

Schließlich muß man auch wissen, daß Kafka je nach Partner den gleichen Sachverhalt einmal humoristisch, dann auch wieder in skrupulöser Ernsthaftigkeit darstellen konnte, so daß, da er ja auch im Tagebuch ein Gegenüber hat, nämlich sich selbst, eine bestimmte Haltung oder Tendenz einer Aussage noch nicht die ganze Wahrheit darzustellen braucht. [195]

Natürlich wird durch diese Gegebenheiten der Widerspruch zwischen Brods Erinnerung und dem Befund der Tagebücher nicht beseitigt, wohl aber etwas gemildert. Die Aufgabe, mögliche Perspektivverzerrungen zu korrigieren, bleibt davon unberührt.

Ein erster Ansatzpunkt zur Lösung des Problems bietet der Vergleich von Tagebuchstellen mit zeitgleichen Briefen. So wird am 3. Mai 1913 eingetragen: »Die schreckliche Unsicherheit meiner innern Existenz.« Am gleichen Tag schrieb er an Felice: ». . . immer wieder mußte ich mir sagen, daß es mir vielleicht immer in gleicher Weise schlecht gegangen ist . . . daß aber meine Widerstandskraft . . . immer, immer kleiner wird, daß es bald nur ein formaler Widerstand wird und endlich auch das aufhören muß . . . Ich saß jetzt

1 Stunde mit meiner Familie zusammen, absichtlich um mich aus dem Alleinsein ein wenig zurückzufinden, aber ich fand mich nicht zurück.«

Die negative Tendenz in beiden Stellen entspricht sich, ohne daß doch formal das eine Zeugnis vom andern abhängig wäre, so daß man nicht sagen kann, im Tagebuch sei einfach eine schon bereitliegende Formulierung ohne großes Neubedenken aufgegriffen worden. Wenn freilich solche selbstquälerischen Notizen ausdrücklich und wörtlich später in Briefen zitiert werden, was gelegentlich geschieht, so kann daraus geschlossen werden, daß der Dichter an solcher Sehweise über längere Zeit hin festhielt. Die Notiz war dann keineswegs Ausfluß einer bloß augenblicklichen Verzweiflung. [196]

Natürlich soll nicht geleugnet werden, daß negative Überstände in den nur für ihn selbst bestimmten Niederschriften vorkommen. So melden beispielsweise Tagebuch und Briefe vom 14. und 15. August 1913 übereinstimmend, daß Kafka durch einen Brief Felicens in seinem schwankenden Entschluß, sie zu heiraten, bestätigt und zu bisher nicht gekannter Sicherheit geführt wurde: »Jedenfalls wird zwischen uns nicht mehr von Angst und Sorgen gesprochen werden, was davon noch übrig ist, muß zwischen den Zähnen zerbissen werden.« Entsprechend vermerkt er, daß in seiner »immer größer werdenden innern Bestimmtheit und Überzeugtheit Möglichkeiten liegen, in einer Ehe trotz allem bestehen zu können«; solche lebensbejahenden Passagen sind übrigens im Tagebuch gar nicht so selten. [197]

Gleichzeitig heißt es aber dort auch über Felice: »Ich habe sie lieb, soweit ich dessen fähig bin, aber die Liebe liegt zum Ersticken begraben unter Angst und Selbstvorwürfen.« Wären die Partner gleichberechtigt, würde er nicht heiraten; dies zu tun, sei aber jetzt seine Pflicht, weil er ihr Schicksal in eine Sackgasse geschoben habe. Man wird solche Aussagen nicht mit der Erklärung deuten können, die Tagebücher entsprächen einer lückenhaften Barometerkurve, die nur die Stellen stärksten Drucks registriere [198]; hier wird doch einfach Felice gegenüber, sogar erklärtermaßen, denn der Hinweis auf die zu zerbeißenden Sorgen zeigt doch, daß diese noch vorhanden sind, aber nur nicht mehr Gegenstand des Briefwechsels sein sollen, Felice also wird nur einseitig über die Problematik des gegenseitigen Verhältnisses informiert, um dieses nicht weiter zu belasten.

Die ungünstigere Tendenz des Tagebuchs ist also nicht durch eine besonders intensive Depressionsphase bedingt, sondern durch die Notwendigkeit, Informationen aus Rücksicht auf andere zurückzuhalten, die Kafka aber für die sachgemäße Reflexion der anstehenden Lebensfragen unbedingt mitberücksichtigen mußte.

Andererseits gibt es auch durchaus Verzweiflungszeiten, die sich im Tagebuch gar nicht niedergeschlagen haben. So läßt sich aus einem Brief Kafkas an Felice vom 23. Mai 1913 entnehmen, daß er seit Tagen in einem hoffnungslosen Zustand war, weil er ohne Postverbindung mit der Geliebten war und sich mit der Abfassung eines Briefes an die Familie Bauer abquälte, in dem er die Hindernisse darstellen wollte, die einer Verbindung mit Felice im Wege standen. Am 27. des Monats heißt es dann: »So kann ich nicht länger leben.« Während dieser Zeit findet sich nur eine einzige Eintragung, in der von einem Spaziergang mit Otto Pick und einer Vorlesung des *Heizers* vor den Eltern die Rede ist, die in ihm das Gefühl des »Übermut[s]« hervorrief. [199]

Eine gute Möglichkeit, die Befunde der Tagebücher zur inneren Gesamtlage des Dichters in Beziehung zu setzen, bietet die Zürauer Zeit, die nach seiner Erinnerung sein glücklichster Lebensabschnitt war, weil er, ohne quälenden Briefverkehr mit Berlin und ohne Bedürfnis zu schreiben, sich darauf beschränken konnte, die ihm gegebenen Möglichkeiten in Freiheit zu leben.

Die Zürauer Tagebücher – das 12. Quartheft und das 3., 4. und 5. Oktavheft – entsprechen dieser späteren Selbsteinschätzung. Natürlich gab es auch dort problematische Perioden: Zu Anfang der noch bestehende Kontakt zu Felice, dann Appetitlosigkeit und Verwirrung, weil er wegen Max Brod den Termin einer geplanten Pragreise ändern mußte und Angst vor der Stadt hatte, Aufregungen während der Lektüre von H. Blühers *Secessio judaica*, dann einen seelischen Tiefpunkt am 13. und 14. Dezember 1917 und wenig später die Aktivierung alten Leides durch den Besuch seines Freundes Oskar Baum.

In allen diesen Fällen geht jedoch das wahre Ausmaß der Erregung aus den Tagebüchern nicht hervor, und eine der ganz großen Aufregungen – sie läßt sich als solche sogar objektiv, also unabhängig von Kafkas eigenen Lebenszeugnissen durch einen Brief Ottlas an ihren Verlobten erhärten –, nämlich die Mäuse, die Kafka seit dem 15. 11. nachts heimsuchten und ihm schwere Phobien verursachten, ist im Tagebuch überhaupt nicht erwähnt. [200]

Die genannten Vorgänge sind aber alle ausführlich in Briefen an die Freunde dokumentiert, so daß man für diese Zeit überhaupt nicht sagen kann, das Tagebuch habe die Aufgabe, schreibend das Leid zu objektivieren; seine bei ihm in Zürau lebende Vertraute Ottla wäre für diese Aufgabe auch viel geeigneter gewesen.

Gleichgültig, wo man überprüft, das Ergebnis ist immer, daß die Tagebücher keineswegs tendenziös Depressionen übertreiben, auch nicht etwa dadurch, daß man davon ausgehen könnte, die Lebenszeiten, in denen der Dichter Tagebücher nicht geführt hat, seien für ihn glücklicher gewesen: Denn während der Italienreise im Jahr 1913 und der auf sie folgenden Zeit gibt es keine derartigen Niederschriften, obwohl Kafka verzweifelt wie nie sonst war, in der glücklichen Zürauer Zeit dagegen sind sie vorhanden.

Allerdings sind diese Eintragungen formal und in ihrer Tendenz von denen der vorhergehenden Jahre so stark unterschieden wie diese von den Notizheften der Zeit vor November 1910. Sie stellen eine neue Stufe der Auseinandersetzung des Dichters mit sich selbst dar. Alle sind sie von außerordentlicher Knappheit. Meist sind es nur einzelne Wörter oder Wendungen, die hinter den regelmäßig gesetzten Datumsangaben stehen. Hinsichtlich des Blüherschen Buches zum Beispiel heißt es nur »Aufregungen« und am übernächsten Tag »Abwehr«, während er an. Max Brod eine viel ausführlichere Beurteilung schickt, in der es dann heißt: »Es hat mich aufgeregt, zwei Tage lang mußte ich deshalb das Lesen unterbrechen.«

Sieht man von diesen Anlässen der Beunruhigung ab, so bestätigen die übrigen Notizen das über diese Zeit abgegebene Urteil vollkommen und beweisen so, daß ruhige und verhältnismäßig glückliche Zeitläufe sich auch angemessen in den Tagebüchern niederschlugen, sofern welche geführt wurden. Nicht als ob in diesen Aufzeichnungen daseinsfreudige Passagen wucherten, obwohl es auch an solchen nicht ganz fehlt: Gleich am ersten Eintragungstag, dem 15. September – Kafka war am 12. in Zürau angekommen – heißt es: »Du biegst aus dem Haus und auf dem Gartenweg treibt dir entgegen die Göttin des Glücks.« Später ist dann von »Selbstgefälligkeitsausbrüchen« die Rede, von einem »Sonnenstreifen Glückseligkeit« und »Morgenklarheit«. Wichtiger scheint vielmehr, daß die selbstquälerischen Bilder, die das seitherige Tagebuch kennzeichneten, völlig verschwunden sind.

Offensichtlich empfand der Dichter selber sehr stark, daß eine neue Phase seines Lebens begann. Die erste Eintragung im 12. Quartheft am 15. September lautet: »Du hast, soweit diese Möglichkeit überhaupt besteht, die Möglichkeit, einen Anfang zu machen. Verschwende sie nicht. Du wirst den Schmutz, der aus dir aufschwemmt, nicht vermeiden können, wenn du eindringen willst. Wälze dich aber nicht darin.« [201] Das Bestehende soll also hingenommen, nur registriert werden, endlose Reflexionen, in denen Entscheidungen zwischen den verschiedenen Kräften intendiert sind, sollen nicht mehr geduldet werden.

Das wird im 12. Quartheft, das formal ganz den vorhergehenden entspricht, noch nicht realisiert, sondern erst in dem mit dem 18. Oktober einsetzenden 3. Oktavheft. Interessant dabei ist der Übergang. Kafka hat nämlich am 21. Oktober, 6. und 10. November noch ins Quartheft eingetragen, obwohl er an eben diesen Tagen auch ins Oktavheft schrieb. Zum erstgenannten Datum heißt es im Quartheft: »Schöner Tag, sonnig, warm, windstill.« Dann folgt eine Beobachtung über das Verhalten von Hunden. Im Oktavheft: »Im Sonnenschein« und, durch einen Zwischenraum davon getrennt: »Das Stillewerden und Wenigerwerden der Stimmen der Welt.« Am 6. November im Quartheft: »Glattes Unvermögen.« Im Oktavheft: »Wie ein Weg im Herbst: Kaum ist er rein gekehrt, bedeckt er sich wieder mit den trockenen Blättern.« Und: »Ein Käfig ging einen Vogel suchen.« Am 10. November im Quartheft: »Das Entscheidende habe ich bisher nicht eingeschrieben, ich fließe noch in zwei Armen. Die wartende Arbeit ist ungeheuerlich.« Dann folgt ein sehr umfangreicher Traum. Im Oktavheft: »Bett.« Anschließend zwei Aphorismen und die Bemerkung: »Aufregungen (Blüher, Tagger).« Das letzte Wort bezieht sich auf eine ausführliche Notiz im Oktavheft über Theodor Taggers Schrift *Das neue Geschlecht*, die am 25. September niedergeschrieben wurde. [202]

Man muß hier in ganz anderer Weise als beim Verhältnis der ersten beiden

10   Klara Thein (geb. 1884), etwa 1910/11

11   Gertrud Kanitz (1895–1946)

Quarthefte zueinander davon sprechen, daß Kafka zwei Hefte nebeneinander benützt habe, denn hier greift er ja nicht an einem Tag zu diesem, an einem anderen zu jenem, sondern gleichzeitig, dazuhin tauchen zweimal Komplexe der Quarthefte auch in den Oktavheften auf. Man kann das nur so erklären, daß er zunächst noch nicht in der Weise, wie er es wünschte, von sich absehen konnte. Er schrieb dann, gleichsam Unreines, ins Quartheft ein. Was ihm davon wichtig schien – der sonnige Tag und die Beschäftigung mit Theodor Tagger –, übernahm er als Minimalinformation ins Oktavheft, belanglose Impressionen (Verhalten der Hunde) oder zu sehr gegen sich selbst gerichtete Aussagen (»Glattes Unvermögen«) strich er dagegen vor sich selber aus oder ersetzte es, wie in den Bildern vom Herbst und Vogel, durch allgemeine Formulierungen, die Distanzierung erlaubten, Selbstanklagen neutralisierten und das Bestehende nur korrekt und leidenschaftslos zu fassen suchen. Dazu paßt auch exakt die Eintragung über die Abnahme der äußeren Einflüsse, die am 21. Oktober als endgültige Erkenntnis, also im Oktavheft, formuliert wird.

Gemeint ist damit vor allem Felice, die ihm Repräsentant des Lebens war, und dann überhaupt die mit seinem Prager Leben (Beruf, Familie, Schreiben) zusammenhängenden Probleme, die innere Kämpfe hervorriefen. Es ist der neue Lösungsweg, die vorhandenen Umrißlinien seines Wesens einfach nachzuziehen und nicht über sie hinauszustreben, der den Ausgangspunkt der nun vor allem in den Aphorismen der Oktavhefte stattfindenden Auseinandersetzung mit sich selbst bildet und am 10. November als ungeheure, noch zu leistende Arbeit apostrophiert wird.

Im Sinne dieses Übergangs zu einer anderen Form der Selbstdarstellung – denn Kafka wollte auch nicht mehr literarisch tätig sein – ist auch die Metapher von den beiden Armen zu verstehen, in denen er »noch« fließe. Denn damit sind die beiden Arten von Niederschriften gemeint, die bis zu diesem Zeitpunkt in Quart- und Oktavheften nebeneinander herliefen, also die Beobachtungen und Wahrnehmung des eigenen Innern kritisch reflektierende Analyse der jeweiligen Situation, die an gewissen, zu erreichenden Zielen gemessen wird einerseits und die sich in unexplizierte Einzelstichworte zur Lebenssituation konzentrierende Eintragung andererseits, die dann durch theoretische Deutungen des Lebens und seiner Probleme ergänzt wird.

Der Begriff der »Einschränkung«, den Kafka selber am 17. Januar 1918 gebraucht, charakterisiert gut die seit dem 10. November herrschende Reduktion des im engen Sinne Biographischen. Registriert wird vielfach nur der körperliche Befund mit einem Substantiv oder einer Einzelwendung (»Lange im Bett«, »Hexenschuß«, »Verstopfung«), herausragende Ereignisse der Umgebung (»Schweineschlachten«, »Kirchweihtanz«), unternommene Spaziergänge (»in Flöhau gewesen«, »nach Oberklee«), die empfangene oder erhaltene Korrespondenz(»Briefe an Körner, Pfohl, Přibram, Kaiser, Eltern«) und die Wetterlage (»Morgendämmerung«); manchmal erscheint sogar nur die reine Datumsangabe. Aussagen über die innere Verfassung sind ebenfalls

ganz knapp und rein konstativ: »Nervös«, »anstrengender Tag«, »nicht wesentlich enttäuscht« oder: »ungeduldig«. [203]

Sehr deutlich zeigt sich Kafkas veränderte Einstellung zu sich selbst, wenn
tatsächlich einmal sich selbstquälerische Gedanken breitmachten oder er nach
Art der vorhergehenden Jahre das Gefühl hatte, die Gründe für ein Versagen
herausstellen zu sollen. Hieß es zum Beispiel am 4. Mai 1913: »Immerfort
die Vorstellung eines breiten Selchermessers, das eiligst und mit mechanischer Regelmäßigkeit von der Seite her in mich hineinfährt, so lautet eine
Notiz vom 7. November 1917: »Darauf kommt es an, wenn einem ein
Schwert in die Seele schneidet: ruhig blicken, kein Blut verlieren, die Kälte
des Schwertes mit der Kälte des Steines aufnehmen. Durch den Stich, nach
dem Stich unverwundbar werden.« Kafka will also gegen das Gegebene nicht
mehr ankämpfen, sondern sich ihm mit Festigkeit und ohne gefühlsmäßiges
Engagement anpassen; so will er gegen den Schmerz unangreifbar werden.

Eine solche Haltung bedingt natürlich auch, daß weitläufige Fragen nach
den Motiven eines Zustandes unterbleiben sollen. Am 9. Februar 1918 wird
notiert: »Warum ist das Leichte so schwer? An Verführungen hatte ich –.
Laß die Aufzählung. Das Leichte ist schwer. Es ist so leicht und so schwer.
Wie ein Jagdspiel, bei dem der einzige Ruheplatz ein Baum jenseits des Welt-
meeres ist. Aber warum sind sie von dort ausgewandert? – An der Küste ist
die Brandung am stärksten, so eng ist ihr Gebiet und so unüberwindlich.
Nichtfragen hätte dich zurückgebracht, Fragen treibt dich noch ein Weltmeer
weiter. – Nicht sie sind ausgewandert, sondern du. Immer wieder wird mich
die Enge bedrücken.« [204]

Es handelt sich um einen paradigmatischen Text, der am Beispiel die Gedanken analysiert, die Kafka kamen, wenn sich ihm Situationsanalysen aufdrängten. Die eine innere Lage veranlassenden Gründe sollen gar nicht angegeben werden (»Laß die Aufzählung«) und die Angelegenheit in der Bekräftigung der Problemstellung ihr Bewenden haben (»Das Leichte ist
schwer«). Das genügt aber noch nicht, denn eine bloß phänomenologische
Erfassung des Problems führt zur Einsicht in seine Unlösbarkeit (das unmöglich auszuführende Jagdspiel) und über dieses Moment doch wieder zu der
Frage nach Ursachen (»Aber warum sind sie von dort ausgewandert?«), die
aber als unsachgemäß zurückgewiesen wird (Auswanderung ist unmöglich).
Das Leichte zu tun, ist schwer, weil die genannte Frage, das Erforschen der
Motivationen, in unlösbare Situationen führt, aus denen es kein Zurück
gibt, es ist leicht, wenn man diese Analysen läßt (»Nichtfragen hätte dich
zurückgebracht«).

In völliger Übereinstimmung mit dieser Tendenz formuliert der Dichter
schon am 24. November: »Früher begriff ich nicht, warum ich auf meine
Fragen keine Antwort bekam, heute begreife ich nicht, wie ich glauben konnte,
fragen zu können. Aber ich glaubte ja gar nicht, ich fragte nur.«

Weitere Erkenntnisse über die Art dieser stichwortartigen Gedächtnisstüt-
zen vermittelt folgende Zusammenstellung:

20. Oktober 1917: »Im Bett«
22. Oktober 1917: »Vormittag im Bett«
23. Oktober 1917: »Früh im Bett«
25. Oktober 1917: »im Bett«
7. November 1917: »Früh im Bett«
10. November 1917: »Bett«
12. November 1917: »Lange im Bett«
8. Dezember 1917: »Bett«
4. Februar 1918: »Langes Liegen«
25. Januar 1918: »Morgendämmerung«
5. Februar 1918: »Guter Morgen«
8. Februar 1918: »Bald aufgestanden«
25. Februar 1918: »Morgenklarheit«
26. Februar 1918: »Sonniger Morgen«

Angesichts der Spärlichkeit von lebensgeschichtlichen Notizen in dieser Zeit überhaupt fällt sofort auf, wie sehr Kafkas Aufmerksamkeit auf den Morgen und den Aufenthalt im Bett während des Tages gerichtet ist. Das erstere Moment bedeutet ohne Zweifel eine Blickpunktsverlagerung gegenüber den vorhergehenden Jahren, wo der Dichter nur selten über seine vormittägliche Tätigkeit im Büro berichtet und sein ganzes Interesse auf den Abend gerichtet war. Jetzt, wo er beurlaubt war, gehörte der ganze Tag zu der existentiell beobachtungswerten Zeit.

Daß die wenig sagenden Stichworte in den Oktavheften für den Schreiber einen weiten Bedeutungsrahmen hatten, zeigt gerade die auffällige Betonung des Im-Bett-Liegens, das natürlich weder mit Kafkas körperlicher Schwäche noch auch damit zusammenhängt, daß er in Zürau im Bett zu frühstücken pflegte. Schon der Kontext der angeführten Wendungen liefert Indizien für die Annahme, daß die neun ersten Aussagen Ausdruck einer ungünstigen seelischen Verfassung sind, in der sich Kafka jeweils befand. Die Stichworte der Umgebung nämlich zeigen öfters Depression oder Unlustgefühle an, während sich die fünf letzten Notizen, und auch die nicht mitzitierten Formulierungen, mit denen sie zusammenstehen, wie Verkörperungen von Glücksgefühlen Kafkas ausnehmen.

Eine solche Auffassung bestätigt sich, wenn man Parallelstellen heranzieht, wo Kafka spätes Aufstehen reflektiert. So heißt es etwa am 14. März 1915, einem Sonntag, wo der Dichter nicht ins Bureau mußte: »Ein Vormittag: bis halb zwölf im Bett. Durcheinander von Gedanken, das sich langsam bildet und in unglaubwürdiger Weise festigt.« Bemerkenswert war hier also, daß ein sich mit dem Liegen einstellender Verwirrungszustand in geordnete Denkbahnen überging.

Daß die negative Ausgangslage nicht nur hier an die Tatsache des Im-Bett-Bleibens gekoppelt war, erhellt aus einem Brief an Felice, wo Kafka, ebenfalls an einem Sonntag, über den Verlauf des Tages schreibt: »ich war...

entschlossen, nicht früher aus dem Bett zu gehn ehe der Brief kam und zu diesem Entschluß gehörte keine besondere Kraft, ich konnte einfach vor Traurigkeit nicht aufstehn.«

Es war dies der Tag, an dem er die *Verwandlung* begann, eine Geschichte, die ihm eben während des genannten Aufenthalts im Bett eingefallen war. Wie ungewöhnlich und krankhaft Kafka dies eigentlich empfand, illustriert ein Schreiben vom April 1913, in dem er sein Verhalten beurteilt: »Den größten Teil des Sonntags habe ich fast ohne zu schlafen im Bett verbracht, was allerhöchstens und ganz ausnahmsweise einem 17jährigen Jungen als Protest gegen die Welt erlaubt werden könnte. Und wie man bei diesem Liegen das Hirn in jeder Pore mit Ekel durchtränkt!« Schon vorher hatte er geurteilt, das Bett sei der beste Ort für »Trauer und Nachdenklichkeit«, so habe er dort in entsprechender Stimmung den halben Tag gelegen.

Unter solcher Perspektive ist vielleicht auch darauf hinzuweisen, welche Rolle dieses Motiv in Kafkas Werk spielt. Gregor Samsa will möglichst schnell seine Schlafstelle verlassen, der Aufenthalt dort ist »unnütz«. Elsa und der Advokat im *Prozeß* empfangen ihre Besucher, während sie sich im Bett aufhalten, ähnlich Bürgel und der Vorsteher im *Schloß*. [205]

Hinter den Lakonismen der Oktavhefte verbergen sich also offenbar, wie sich an diesem Beispiel zeigt, ganz differenzierte Zusammenhänge, die Kafka natürlich bei der Niederschrift bewußt waren. Nur wollte er sich über seine Zustände nicht mehr verbreitern, wählt dafür also jetzt eine gleichsam unverfängliche Chiffre, die ihm aber gleichwohl die Kontrolle darüber ermöglicht, an wievielen Tagen seines knapp acht Monate dauernden Aufenthalts in Zürau er den genannten Regressionen und Steigerungen seiner Introversion unterlag.

Was die aphorismenartigen Eintragungen betrifft, in denen oft die Rolle des Bösen in der Welt und Erkenntnisprobleme artikuliert sind, so könnte man vielleicht fragen, ob man derartige Texte überhaupt zu den Tagebüchern rechnen soll, zumal ja der Dichter eine Zusammenstellung von Aphorismen vornahm, die offenbar Grundlage einer Publikation sein sollte. Zwei wichtige Indizien sprechen dafür, daß man darauf eine positive Antwort geben muß.

Einmal finden sich solche Aussagen an einigen Stellen unmittelbar hinter Datumsangaben, was bei Erzählansätzen kaum belegt ist. Zweitens aber kann man feststellen, daß sich viele derartige Formulierungen unmittelbar auf die innere Situation Kafkas zum Zeitpunkt der Niederschrift beziehen.

So schlägt sich zum Beispiel die Erkenntnis, daß die gemeinsam mit dem Freund Oskar Baum verbrachten Tage ungünstige Rückwirkungen auf ihn hatten, weil Oskars »Denkrichtung, das prinzipiell Verzweifelte seines Zustands« besonders im Hinblick auf dessen Ehe in Kafka die eigene, jahrelang ihn beherrschende Lebensproblematik reaktivierte, in dem noch während der Anwesenheit des Freundes konzipierten Aphorismus nieder: »Verkehr mit Menschen verführt zur Selbstbeobachtung.« Der lebensgeschichtliche Sachverhalt ist in scheinbar paradoxer Zuspitzung künstlerisch durchformt, läßt aber gleichzeitig erkennen, daß der Dichter nur in vorgängiger Einsamkeit imstande war, sich von diesen ihn schädigenden Zusammenhängen zu distanzieren.

Um den 1. Dezember herum machte sich Kafka Sorgen darüber, ob er bald wieder arbeiten mußte, denn sein ganzes Sehnen ging in dieser Zeit darauf aus, möglichst lange noch in Zürau bleiben zu können. Entsprechend wird am 30. November eingetragen: »Müßiggang ist aller Laster Anfang, aller Tugenden Krönung.« [206] In beiden Fällen objektiviert der Aphorismus nur Kafkas auf konkrete Situationen bezügliche Gedanken, aber bezeichnenderweise so, daß keine unerreichbaren Wunschbilder entstehen, die Kampf und Verzweiflung mobilisieren, sondern positive Bewertungen der tatsächlich bestehenden Lebensverhältnisse, die nicht verändert werden sollen. Die theoretischen Aussagen sind also, im Sinne des beschriebenen Neuansatzes, wie die reduzierten Direktaussagen zum Tagesablauf, Lebenszeugnisse im engeren Sinn; sie folgen nur andern formalen Kriterien.

Was angesichts der beschriebenen Entwicklung erstaunt, ist die Tatsache, daß, beginnend mit dem 27. Juni 1919, wieder Tagebuchnotizen im Stil der Quarthefte belegt sind. Dieser Sachverhalt ist aber nur dann bündig zu erklären, wenn die Frage beantwortet werden kann, ob die Tagebücher vollständig tradiert sind, mit andern Worten, ob während der ungefähr den Zeitraum eines Jahres umfassenden Periode zwischen dem Ende der Zürauer Zeit und dem Frühsommer 1919 Tagebücher geführt wurden, die dann verloren wären, oder ob erst Ende Juni 1919 die Wiederanknüpfung erfolgt, denn es ist klar, daß im zweiten Fall andere Gründe namhaft zu machen wären, als wenn zwei derart verschiedene Darstellungsweisen zeitlich unmittelbar aneinanderstießen.

Es gibt Indizien für die Annahme, daß Kafkas Tagebücher, jedenfalls bis zum Juni 1923, vollständig erhalten sind. Die Eintragung vom 27. Juni 1919 schließt sich im 12. Quartheft unmittelbar an die vom 10. November 1917 an, Tagebuchaufzeichnungen in der Art der ersten zwölf Quarthefte kann es also zwischen dem Frühsommer 1917 und 1918 nicht geben. Außerdem übergab Kafka Anfang Oktober 1921 die zwölf Quarthefte Milena, die sie bis zu seinem Tod behielt. [207]

Es ist also nicht einzusehen, warum davon ein Teil verloren gegangen sein sollte. Hätte Kafka die Hefte während seines letzten Pragaufenthalts im März 1924 zur Hand gehabt, hätte er sie, wie die in seinem Besitz befindlichen Briefe anderer (ausgenommen die der engen Freunde) vielleicht allesamt vernichtet; hätte er sie im Sommer 1923 nach Berlin mitgenommen, wären sie wie die übrigen dort verbliebenen Manuskripte durch die Zeitumstände verloren.

Andererseits ist auch nicht anzunehmen, daß Kafka in diesem Jahr in der Art der Oktavhefte weitergeschrieben hat. Dann wäre sehr merkwürdig, warum sich gerade aus dieser Zeit überhaupt nichts erhalten hat, während von den acht Oktavheften des vorhergehenden Lebensabschnitts keines verloren ist. Außerdem spricht die Lage, in der sich Kafka in dieser Zeit befand, ebenfalls dafür, daß jegliche Produktion aufhörte: Teilweise war Kafka zur Erholung in Pensionen und Sanatorien, und in solchen Phasen pflegte er keine Tagebücher zu führen. Sein Interesse war damals vor allem, hebräisch zu lernen; und schließlich wurde er im November 1918 von der gefährlichen Grippewelle erfaßt, die in ganz Europa wütete und viele Todesopfer forderte. Anfang 1919 lernte er Julie Wohryzek kennen, die dann sein ganzes Interesse beanspruchte. [208]

Bis zum 10. Januar 1920 trug Kafka an zehn Tagen Notizen ins 12. Quartheft ein. Daran schließt sich nun das 13. Quartheft, dessen erste Eintragung auf 15. Oktober 1921 datiert ist. Da der Dichter aus dem 12. Quartheft sehr viele Blätter herausriß, ist vermutet worden, es seien Tagebucheintragungen des Jahres 1920 verloren gegangen. [209] Dies ist aber schon deshalb nicht wahrscheinlich, weil ein Teil der herausgerissenen Heftseiten sich erhalten hat. Sie enthalten die *Er*-Reihe, die Kafka zwischen dem 6. Januar und 29. Februar 1920 konzipierte. [210]

Wenn Kafka im Juni 1919 zu der früher praktizierten Form des Tagebuchs zurückkehrt, so muß es Gründe dafür geben, die in ihm die Vorstellung erweckten, in einer mit jener Zeit vergleichbaren Lage zu sein. Einen kleinen Hinweis in dieser Richtung enthält die Eintragung vom 27. Juni 1919: »Neues Tagebuch, eigentlich nur, weil ich im alten gelesen habe. Einige Gründe und Absichten, jetzt, dreiviertel zwölf, nicht mehr festzustellen.« Während er in der Zürauer Zeit versuchte, sich möglichst von der durch die Quarthefte repräsentierten Lebensphase zu distanzieren und auch sonst der Meinung war, die Lektüre alter Tagebücher schade seiner inneren Verfassung, führt jetzt das Lesen der zurückliegenden Notizen zu einem Neuansatz jener Schreibweise. Man kann das nur so erklären, daß Kafka sein Verhältnis zu Julie Wohryzek, das im Sommer 1919 in eine entscheidende Phase trat, der Beziehung zu Felice so ähnlich fand, daß er sich auch zu einer dieser entsprechenden Dokumentation im Tagebuch aufgerufen fühlte.

Tatsächlich handeln ja auch die nicht aphoristischen Formulierungen alle mehr oder weniger direkt von der neuen Braut, und im *Brief an den Vater* werden beide Verlobungen unter der gleichen Optik betrachtet. Allerdings, und darin zeigt sich eben, daß die Verhältnisse doch nicht mehr mit früheren vergleichbar waren, blieb es bei einem bescheidenen Versuch, denn bis zum Scheitern des Heiratsversuchs im November 1919 finden sich ganze zwei Eintragungen, und schon Mitte Januar 1920 geht der Dichter wieder den in Zürau praktizierten Weg, d. h. nach der Trennung von Julie versucht er, das ihm jetzt endgültige Mißlingen der Gemeinschaftsbeziehung durch distanzierte theoretische Betrachtung, durch Aphorismen, für die die Er-Form charakteristisch ist, zu bewältigen.

Und auch darin ist dieser Ansatz dem Jahr 1917 vergleichbar, daß sich dieser Übergang kontinuierlich vollzieht. So wie im Oktober und November

jenes Jahres herkömmliche Tagebuchaufzeichnungen und die in den Oktavheften dann bevorzugten Aussageformen noch eine Zeitlang nebeneinander
herliefen, sind unter dem Datum des 6. und 10. Januar 1920 schon zur *Er*-
Reihe gehörige Aphorismen überliefert, obwohl noch am 9. und 10. dieses
Monats direkte lebensgeschichtliche Aussagen formuliert wurden.

Innerhalb der Reihe *Er* finden sich einmal durchgehend Datumsangaben,
zum andern sind die Eintragungen eindeutig Ausdruck biographischer Sachverhalte. So heißt es etwa: »Alles, selbst das Gewöhnlichste, etwa das Be-
dientwerden in einem Restaurant, muß er sich erst mit Hilfe der Polizei
erzwingen. Das nimmt dem Leben alle Behaglichkeit.« Das bezieht sich auf
die antisemitischen Demonstrationen im Prag jener Tage, derer man durch
Polizeiaufgebot Herr zu werden suchte. Kafka berichtet später in einem Brief
an Milena, wie er sich als Jude durch diesen Schutz beschämt und gedemütigt fühlte. An anderer Stelle werden »Schwere« und »Unruhe« als menschliche Grundbefindlichkeiten einander gegenüber gestellt und als »Auf und
Ab« des Lebens, als Erkenntnis ausgegeben, daß »der Mensch sich aufhebt,
zurückfällt«. [211] Eben diese Begriffe verwendet Kafka auch sonst in der
Spätzeit, wenn er seine Lage, gerade im Blick auf die problematische Beziehung zur Gemeinschaft, darstellen will. [212]

Selbst scheinbar ganz fernliegende Bilder lassen sich auf diesen konkreten
biographischen Hintergrund zurückführen: »Er war früher Teil einer monu-
mentalen Gruppe. Um irgendeine erhöhte Mitte standen in durchdachter Anordnung Sinnbilder des Soldatenstandes, der Künste, der Wissenschaften,
der Handwerke. Einer von diesen Vielen war er. Nun ist die Gruppe längst
aufgelöst oder wenigstens er hat sie verlassen und bringt sich allein durchs
Leben. Nicht einmal seinen alten Beruf hat er mehr, ja er hat sogar vergessen, was er damals darstellte.«

Hier muß man sich daran erinnern, daß Kafkas sehnlichster Wunsch wäh-
rend des Ersten Weltkriegs war, Soldat zu werden, daß er sich bis 1917 als
Schriftsteller fühlte, Jura studiert hatte und, besonders seit der Zürauer Zeit,
ein Handwerk erlernen wollte. Die vier Sinnbilder repräsentieren also eigene
Lebensmöglichkeiten. Sie gruppieren sich um eine Lebensmitte, die durch
Frau und Ehe repräsentiert zu denken ist. Wie nach der Lösung der Beziehung
zu Felice entstand jetzt in Kafka ein Gefühl der Isolation, wie überhaupt die
Er-Aphorismen in einigen Punkten (Vorstellung der Erbsünde, der beiden
Kämpfer und das Bild der Aufgabe) an die Vergleichssituation von 1917
erinnern.

Wenn sich der Berichtende jetzt allein fühlt und sein eigenes Sinnbild
vergessen hat, so verweist dies auf eine völlige Verwirrung der Lebensmöglichkeiten des Dichters in jener Zeit, auf das Fehlen gangbarer Wege, was
auch in andern Aphorismen zum Ausdruck kommt. Kafka schrieb nicht mehr
und wollte einen längeren Erholungsurlaub antreten, der ihn vom Büro entfernte. Zu handwerklicher Betätigung fühlte er sich zu schwach, innerlich

und äußerlich, und eine mögliche Zuordnung zur Lebensmitte hatte sich eben durch den mißlungenen Heiratsversuch zerschlagen.

Neben dem äußeren Grund, daß Kafka nach Meran fuhr, geben die Eintragungen zudem aus der inneren Situation des Dichters heraus eine Erklärung für die Tatsache, daß die Niederschriften im Februar versiegen und auch nicht etwa in der Form direkter literarischer Arbeit weitergeführt werden. Es heißt da:

»Er sieht zweierlei: das Erste ist die ruhige, mit Leben erfüllte, ohne ein gewisses Behagen unmögliche Betrachtung, Erwägung, Untersuchung, Ergießung. Deren Zahl und Möglichkeit ist endlos, selbst eine Mauerassel braucht eine verhältnismäßig große Ritze, um unterzukommen, für jene Arbeiten aber ist überhaupt kein Platz nötig, selbst dort, wo nicht die geringste Ritze ist, können sie, einander durchdringend, noch zu Tausenden und Abertausenden leben. Das ist das Erste. Das Zweite aber ist der Augenblick, in dem man vorgerufen Rechenschaft geben soll, keinen Laut hervorbringt, zurückgeworfen wird in die Betrachtungen usw., jetzt aber mit der Aussichtslosigkeit vor sich unmöglich mehr darin plätschern kann, sich schwer macht und mit einem Fluch versinkt.« [213]

Aus Parallelstellen ist zu entnehmen, daß Kafka bei der mit Leben erfüllten Ergießung an literarisches Schaffen denkt; die andern drei Begriffe stehen sicher für Notizen in Tagebüchern, Aphorismen und die diesen zugrunde liegenden Überlegungen. Kafka unterstellt allen diesen Lebensäußerungen eine grundlegende Unverbindlichkeit, die darin begründet ist, daß ihr Autor nicht dafür zur Rechenschaft gezogen wird und daß es sich um Abstraktionen handelt, die nicht gelebt werden, also nicht im wirklichen Leben verankert sind.

Diese Reflexionen müssen aber in dem Augenblick wie ein Spuk verschwinden, wo Kafka durch innere und äußere Instanzen zur Verantwortung gezogen wird, denn dann zeigt sich deren Unfruchtbarkeit. Die ausführlichen Rechtfertigungsschreiben vom November 1919, die Kafka an seinen Vater und an die Schwester Julie Wohryzeks richtete, verdeutlichen, was damit gemeint ist. Man kann also annehmen, daß Kafka im Lauf der folgenden Monate erkannte, daß die selbstquälerische Wellenbewegung des eigenen und fremden Lebens, die »unaufhörlichen Zwang des Denkens mit sich« brachte und so diese Briefe und die Aphorismen hervortrieb, das Sichvergessen zunächst nicht ermöglichte, ihm keine innere Erleichterung brachte, so daß er schließlich durch Reduzierung aller Lebenskontakte eine Beruhigung seines Innern herbeizuführen suchte.

Wie sich Kafka nach seiner Rückkehr aus Meran zum Tagebuchschreiben stellte, ist deswegen so schwer auszumachen, weil die Überlieferung des 12. Quarthefts einige Rätsel aufgibt. Fest steht, daß er das Heft selber aufgelöst hat. Brod fand unter den ihm von Milena übergebenen Manuskripten bloß einen Heftumschlag vor, in dem einige beschriebene Blätter lagen. Aus den Papierverhältnissen ist erschließbar, daß Kafka, fortlaufend bis zum

29. Februar 1920 datierend, elf Blätter vollschrieb und seine Eintragungen auf der Rückseite des nächsten, also zwölften mit den Worten ».. . kann er nicht trinken« abbrach; es sind die Schlußworte eines heute in *Beschreibung eines Kampfes* gedruckten Aphorismus; der Rest dieser Seite blieb unbeschrieben. Ob Brod wirklich alle zwölf Blätter zusammen in Kafkas Nachlaß vorfand, ist nicht ganz sicher; zwar spricht die Tatsache, daß die Er-Reihe nicht in dem Band *Tagebücher 1910–1923*, sondern in zwei andern Bänden der *Gesammelten Werke* veröffentlicht wurde, nicht unbedingt dagegen, weil Brod bei der Herausgabe der Werke Kafkas verständlicherweise entstehungsgeschichtliche Zusammenhänge nicht in den Vordergrund stellte, wohl aber wäre denkbar, daß Kafka die Aphorismen zurückbehielt, als er die Tagebücher weggab, weil er ungefähr zu dieser Zeit mit der Zusammenstellung einer Aphorismensammlung beschäftigt war.

Dies wäre immerhin dann ein Motiv für die Auflösung des Heftes, denn die scheinbar naheliegendere Möglichkeit, daß der Dichter auf Milena bezügliche Teile aus dem 12. Quartheft entfernt hätte, ist ganz unhaltbar. Abgesehen von den schon erwähnten Gründen wäre der ganze Sinn der Unternehmung in Frage gestellt worden: Kafka überließ doch die Hefte Milena, damit diese seine Lebensprobleme beurteile, und wie sollte dies geschehen, wenn gerade das Entscheidende, das solche Fragestellungen auslöste, nicht mehr vorhanden war? Und wie hätte Kafka dies der Geliebten gegenüber, der doch die losen Blätter auffallen mußten, rechtfertigen oder erklären wollen?

Genau so abwegig ist die Vermutung, Milena könne eine Verstümmelung des Hefts vorgenommen haben. Die Erzählung *Erstes Leid* ist auf einem Blatt überliefert, das offensichtlich einmal diesem Heft angehörte; aus der Art der Zackung ist erschließbar, daß es das 15. war. Die unbeschriebenen Seiten waren also in Kafkas Besitz.

Geht man aber davon aus, daß Milena auch die Er-Reihe erhielt, was insofern wahrscheinlich ist, als diese ja Existentielles spiegelt, muß man annehmen, daß Kafka, der oft in Papiernot war, vor der Übergabe, die wegen der von ihm häufig beklagten postalischen Unzuverlässigkeit nur persönlich erfolgt sein kann, die 32 noch leeren Blätter guten, holzfreien Vorkriegspapiers herauslöste. Auch in diesem Fall muß man vermuten, daß das 12. Quartheft bis Oktober 1921 noch existierte. Man könnte sich vorstellen, daß Kafka zu Beginn des Folgejahres, als sich seine Inspiration zu regen begann und die Erzählung *Erstes Leid* zur Niederschrift drängte, aber noch kein neues Arbeitsheft angelegt war, auf der Suche nach Papier noch auf ein Blatt aus dem 12. Quartheft stieß und es, besorgt, ob der zur Verfügung stehende Raum ausreichen würde, mit kleiner, engzeiliger Schrift und unter Ausnutzung der Ränder mit dem Text des Stücks beschrieb.

Wichtig für die Beurteilung des Tagebuchführens im Jahr 1920 ist nun die Frage, zu welchem Zeitpunkt Kafka die Produktion wieder aufnahm. Zu Beginn eines ungefähr 50 Blätter umfassenden Konvoluts haben sich nämlich 4 datierte Eintragungen erhalten (15., 16., 17. u. 21. September 1920), die in der Ich-, Du- und Wir-Form gehalten sind, aber in der Thematik und aphorismusartigen Zuspitzung eine formale und gehaltliche Fortsetzung – die Themenkomplexe gehören zu den am Anfang des Jahres verhandelten – der *Er*-Reihe darstellen. Stehen also diese vier Notizen am Beginn der neuen Schaffensphase?

In einem Brief an Milena spricht Kafka davon, er habe »seit paar Tagen« seine literarische Arbeit und die damit zusammenhängende Tageseinteilung nach jahrelanger Unterbrechung wieder aufgenommen, was aber weiters keine Ergebnisse haben werde: »... ich brauche ein halbes solches Jahr, um mir erst ›die Zunge zu lösen‹ und dann einzusehn, daß es zuende ist«. Der Brief ist datierbar, obgleich nur »Donnerstag« darüber steht. Eingangs spricht nämlich Kafka von der ihn beglückenden Möglichkeit, jeden Tag ein Feuilleton Milenas in der *Tribuna* zu finden. Der Abschnitt schließt mit den Worten: »... und wenn ich zum Beispiel von einem Hasen im Schnee lese, sehe ich fast mich selbst dort laufen.« Dieser Hase nun wird in einem *Schaufenster* überschriebenen Artikel Milenas erwähnt, der am 21. August, einem Samstag, in der genannten Zeitung erschien. So wurde Kafkas Brief wahrscheinlich am 26. dieses Monats konzipiert. Das nur wenige Tage zurückliegende Einsetzen der literarischen Arbeit läßt sich also auf den 10. bis 15. August festlegen.

In den folgenden vier Wochen beschrieb Kafka vermutlich das sogenannte blaue Quartheft, dessen Textbestand, außer dem in dem Band *Beschreibung eines Kampfes* gedruckten Stück *Heimkehr*, in *Hochzeitsvorbereitungen auf dem Lande* veröffentlicht ist.

Dieses Heft entspricht am ehesten einem tastenden Neubeginn, der, wie Kafka meint, die Zunge lösen, die Schreibfähigkeit also lockern sollte. Es handelt sich durchweg um sehr kurze, vielfach nur wenige Zeilen umfassende Fragmente mit manchmal deutlich feststellbaren autobiographischen Anklängen, auch an frühere Schreibversuche und an Reisen, um Texte also, wie sie auch für die Quarthefte typisch sind. Man könnte sagen, es sind Tagebücher ohne reale lebensgeschichtliche Eintragungen und Datierungen.

Das erwähnte Konvolut, das Mitte September einsetzt, schließt sich also zeitlich an dieses blaue Quartheft an. Damit ist bewiesen, daß der jetzt beginnende Schaffensstoß zunächst rein literarischer Art war, anders als früher und im folgenden Winter, wo, wie sich zeigen wird, das Tagebuch der eigentlich künstlerischen Produktion vorhergeht. Es drängt sich der Schluß auf, Kafka habe lebensgeschichtliche Eintragungen zunächst bewußt vermieden.

Dafür spricht auch, daß er die vier erwähnten datierten Notizen nicht ins 12. Quartheft eintrug, wo doch noch Platz war, so wie er 1919 wie selbstverständlich an die letzte Notiz des Jahres 1917 angeschlossen hatte. Nun aber, so scheint es, wollte er die Selbstreflexion beschränken, eingrenzen, das Neue nicht in eine Reihe mit den alten Geschehnissen stellen – so schreibt er direkt einmal in einem Brief an Milena –, was aber nicht möglich gewesen wäre, wenn die Niederschriften vom September in äußerer Nachbarschaft zu früheren gestanden hätten. Schon beim Blättern wäre ein Studium des Vergangenen fast unvermeidlich gewesen, das, wie Kafka schon früher erkannte, nur schädliche Folgen haben konnte.

Freilich, dies alles gilt eigentlich nur, wenn das 12. Quartheft damals greifbar war. Nun ist aber aus den Briefen an Milena bekannt, daß Kafka im Sommer 1920 einige Zeit in der leerstehenden Wohnung seiner Schwester Elli verbrachte. Wäre dies im September der Fall gewesen, ist denkbar, daß ihm zum Zeitpunkt der Abfassung eben nur das neue, für literarische Arbeit bestimmte, nicht aber das alte, viele Monate nicht benützte Tagebuch zuhanden war.

Glücklicherweise läßt sich der fragliche Aufenthalt Kafkas zeitlich fixieren. Er bezog am Mittwoch, dem 7. Juli die genannte Wohnung, denn der Brief, in dem er dieses Faktum Milena mitteilt, ist von ihm als Nr. 9 einer Folge bezeichnet worden, die unmittelbar nach seiner Rückkehr aus Meran beginnt und deswegen aufgrund der genannten Wochentage und bestimmter Anspielungen datierbar ist. Außerdem ist einem an Ottla gerichteten Brief Kafkas zu entnehmen, daß die Eltern des Dichters in der 2. Juniwoche nach Franzensbad zur Sommerkur fahren wollten, die sich üblicherweise über vier Wochen hinzog. In dem zeitlich auf 7. Juli festgelegten Schreiben teilt Kafka nun mit, daß seine Eltern an diesem Abend aus Franzensbad zurückkehrten.

In einem jüngeren, auf »Dienstag« datierten Brief schreibt Kafka: »Auch habe ich das Glück der leeren Wohnung seit drei Tagen nicht mehr, ich wohne zuhause«. Auch für diesen Brief läßt sich, wenigstens ungefähr, eine absolute chronologische Einordnung geben. Er enthält nämlich folgende Passage: »Merkwürdig, das Grab. An der Stelle, habe ich es ja eigentlich (vlastně) gesucht, aber nur schüchtern, dagegen sehr sicher größere und größere und endlich ungeheuere Kreise darum gezogen und schließlich eine ganz andere Kapelle für die richtige gehalten.« Diese Bemerkung setzt eine briefliche Information Milenas voraus, die sich wiederum auf einen vom Herausgeber Willy Haas sicher falsch eingeordneten Brief Kafkas bezieht, in dem dieser von seinem vergeblichen Versuch berichtet, das Grab von Milenas Familienangehörigen zu finden. Dieser Brief ist auf »Montag« datiert und damit, weil Milenas Antwort doch nicht allzulange nach Erhalt von Kafkas Schreiben abgegangen sein wird, acht Tge älter als der eben erwähnte. In diesem zeitlich früheren Brief erwähnt Kafka, Max Brods Buch *Heidentum, Christentum, Judentum* sei ihm als Manuskript zugegangen, und obwohl der Freund dränge, habe er noch kaum begonnen, es zu lesen.

In einem am Freitag, dem 6. August 1920 verfaßten Brief an Max Brod heißt es: »Das ›Heidentum‹ habe ich gleich Montag in einem Zug gelesen, das ›Lied der Lieder‹ noch nicht, denn seitdem war Schwimmschulwetter.« Da die genannten Titel Teile von Brods Buch *Heidentum, Christentum, Judentum* sind, ist es wahrscheinlich, daß der hier genannte Montag mit dem als Briefdatum erscheinenden Wochentag in dem Brief an Milena identisch ist. Das wäre also dann der 2. August, der folgende Dienstag, an dem das eigentlich in Frage stehende Schreiben an Milena verfaßt wurde, der 10. dieses Monats, von dem man, um das Ende des Aufenthalts in der Wohnung der Schwester zu bestimmen, drei Tage zurückzurechnen hat. Demnach wäre der Dichter vom 7. Juli bis 7. August in diesem Domizil geblieben, was auch deshalb wahrscheinlich ist, weil diese Zeitspanne der üblichen Dauer eines Badeurlaubs entspricht. Das bedeutet aber, daß die produktive Schaffensphase in der elterlichen Wohnung beginnt, und zwar unmittelbar, nachdem Kafka dorthin rückübersiedelt war. Kann man in diesem Vorgang sogar direkt einen äußeren Anlaß zur Wiederaufnahme des Schreibens sehen, so ist das innere Movens gewiß die Krise, in die das Verhältnis zur Geliebten eben in dieser Zeit schon zu treten begann.

Das 12. Quartheft lag also zu diesem Zeitpunkt in Griffnähe vor Kafka. Als sich der Konflikt nach einigen Wochen noch intensivierte, die Bewältigung biographische Notizen erforderlich zu machen schien, legte er ein neues Heft an, doch gelang es ihm dann nach einigen Tagen wieder, die Auseinandersetzung ausschließlich auf die Ebene fiktiver Gestaltung zu verlagern. [214]

Um so dringlicher stellt sich natürlich die Frage, warum es im Oktober 1921 doch wieder zur Anlage eines Tagebuchs kam – es handelt sich um das 13. und letzte Quartheft –, das immerhin einigermaßen regelmäßig bis Ende 1922 geführt wurde. Einige Hinweise gibt die einleitende Bemerkung vom 15. Oktober: »Alle Tagebücher, vor einer Woche etwa, M. gegeben. Ein wenig freier? Nein. Ob ich noch fähig bin, eine Art Tagebuch zu führen? Es wird jedenfalls anders sein, vielmehr es wird sich verkriechen, es wird gar nicht sein, über Hardt z. B., der mich doch verhältnismäßig sehr beschäftigt hat, wäre ich nur mit größter Mühe etwas zu notieren fähig. Es ist so, als hätte ich schon alles längst über ihn geschrieben oder, was das gleiche ist, als wäre ich nicht mehr am Leben. Über M. könnte ich wohl schreiben, aber auch nicht aus freiem Entschluß, auch wäre es zu sehr gegen mich gerichtet, ich brauche mir solche Dinge nicht mehr umständlich bewußt zu machen, wie früher einmal, ich bin in dieser Hinsicht nicht so vergeßlich wie früher, ich bin ein lebendig gewordenes Gedächtnis, daher auch die Schlaflosigkeit.«

Die zunächst merkwürdig anmutende Begründung der Unfähigkeit, über den Rezitator Ludwig Hardt Aussagen machen zu können, mit dem er, nach Ausweis der Briefe, nach seiner Rückkehr aus Matliary einige Tage lang zusammen war [215], erklärt sich aus seiner im Lauf der Jahre so weit fortgeschrittenen Isolierung von andern Menschen, die dazu führte, daß er sich nicht mehr der Gemeinschaft zugehörig fühlte.

Schon in einer Eintragung vom 28. Juli 1914 heißt es über eine Vorlesung von Ernst Weiß: »... meine Unfähigkeit zuzuhören, mitzugenießen, zu urteilen. Die Rede-Improvisationen des W. für mich Unerreichbares ... Ich verkrieche mich vor Menschen nicht deshalb, weil ich ruhig leben, sondern weil ich ruhig zugrundegehen will.« Und dies, obwohl Kafka ein begeisterter Vorleser und eifriger Besucher von Rezitationsabenden war! [216]

Kafka spricht in den späten Aufzeichnungen vom Leben in einer andersartigen Welt; er sei fern der Gemeinschaft, unfähig eine Bekanntschaft zu ertragen, »ausgewiesen« aus dem menschlichen Bereich und ohne jeden Zusammenhang mit diesem. Der Befund des 13. Quarthefts stimmt damit überein, insofern dort im Gegensatz zu den Tagebüchern der früheren Jahre Beobachtungen anderer, Erlebnisse des Tages und Darstellungen von Zusammenkünften oder besuchten Veranstaltungen nur sehr selten und in einer den Oktavheften vergleichbaren Reduktion vorkommen: »Gestern Ehrenstein« oder »Nachmittag Langer, dann Max«. [217]

In der Art der früheren Quarthefte über den Rezitator zu schreiben, dem er sich offenbar seelisch verwandt fühlte, hieße für Kafka also nur, vergangene Lebensformen zu reaktivieren und der gegenwärtigen inneren Lage Berechtigung und Anerkennung zu verweigern. So wird im 13. Quartheft auf diese Bekanntschaft auch nur einmal Bezug genommen, und zwar in einer bislang ungedruckten Notiz vom 9. März 1922: »Der innere Feind (Hardt)«. Man darf diese Andeutung wohl so verstehen, daß Kafka in diesen Wochen doch wieder den Kampf mit sich selber führte und dabei an die vergleichbare Problemlage bei Hardt erinnert wurde. Zu einem expliziten Vergleich ist es aber bezeichnenderweise nicht mehr gekommen.

Was Milena betrifft, so zeigen die an sie gerichteten Briefe, daß sie für Kafka die Fülle des Lebens repräsentierte, der er selbst als Nichts gegenübertritt, das kein ernstzunehmender Partner sein könne. Die Selbstquälerei nahm in dieser Beziehung Formen an – der Jude schrieb an eine Tschechin, was seine Schuldgefühle ins Unermeßliche steigerte –, wie sie vorher nicht zu belegen sind, aber doch als gleichartiger Mechanismus vorkommen. Dies meint der Dichter, wenn er davon spricht, auf Milena bezügliche Tagebuchnotizen seien zu sehr gegen ihn gerichtet. Außerdem machen andere Aussagen deutlich, daß in jener Zeit schon der leiseste Ansatzpunkt, die Exposition einer Lebenssituation genügte, um ihm die ganze aus ihr folgende Reihe möglicher negativer Entwicklungen plastisch hervorzurufen – die Strukturen glichen ja genau früheren Kämpfen –, so daß in dieser Hinsicht ein Tagebuch tatsächlich »gar nicht« in Frage kam. [218]

Wozu aber dann? Unter den hier anzuführenden Gründen läßt sich einer dadurch evozieren, daß die Art der nun tatsächlich vorliegenden Notizen bestimmt und mit früheren Fixierungen verglichen wird. Die Aufzeichnungen im 13. Quartheft haben einen ausgesprochen retrospektiven Zug. Kafka überschaut sein bisheriges Leben, versucht es zu deuten und unter Gesetzmäßigkeiten zu bringen, oder er hebt entscheidende Momente seiner Entwicklung hervor. Besonders geschieht dies auch in Beziehung zu Ehe und Kindern.

Ein zweiter Zusammenhang betrifft seine inneren Zustände, die er möglichst genau zu dokumentieren sucht. So heißt es zum Beispiel im Blick auf eine ausführliche, zusammenhängende Analyse seiner Schwierigkeiten am

16. Januar 1922 am nächsten Tag: »Kaum anders« und am 18. Januar: »Jenes etwas stiller...« Am 20. Januar kommt er wieder auf diesen Komplex zurück:»Ein wenig stiller. Wie notwendig war es. Kaum ist es ein wenig stiller, ist es fast zu still. Als bekäme ich das wahre Gefühl meiner selbst nur, wenn ich unerträglich unglücklich bin. Das ist wohl auch richtig.« In einer weiteren Eintragung noch am gleichen Tag wird aus dieser Formulierung zitiert und der Gedankengang weiter entwickelt; einen Tag später wird alles wieder in Frage gestellt:»Es ist noch nicht zu still.« [219]

Derartige Zusammenhänge finden sich immer wieder. In einer Bemerkung vom 21. Januar fühlt sich Kafka »unruhig«, und zwei Tage später heißt es: »Wieder kam Unruhe«, und am gleichen Tag, später, noch einmal:»Herzunruhe.« Am 25. Januar endlich:»Trotz allem also doch nicht Ruhe«. [220]

Es handelt sich also bei diesen Charakterisierungen um Bruchstücke eines einheitlichen Problemzusammenhangs, der für den außenstehenden Leser notwendig unvollständig bleiben muß, denn die Metaphern verlieren ihre Bezugspunkte infolge des unzureichend explizierten Kontextes, werden also zu unauflösbaren Chiffren. Sachverhalte werden inhaltlich nicht mehr dargestellt, sondern wie manche Reisenotizen und die biographischen Aussagen der Zürauer Zeit nur noch benannt:»Nächtlicher Entschluß« wird am 22. Januar 1922 formuliert, und darauf bezugnehmend äußert der Dichter drei Tage später:»Auch im Sinne des ›Entschlusses‹ habe ich das Recht, über meine Lage grenzenlos verzweifelt zu sein.«

Es gelangen also nur gewisse Endergebnisse, bildliche Fixierungen und Begriffe zur Niederschrift – z.B. Jagd, Kampf, Geister –, denen aber viel kompliziertere Denkbewegungen entsprechen. Kafkas Bemerkung, das Tagebuch werde sich verkriechen, besteht also in gewisser Beleuchtung durchaus zu Recht. Zwar erfolgen Niederschriften, weil der Dichter, wie ausdrücklich vermerkt wird, von der Selbstbeobachtung nicht loskommt, aber die Zusammenhänge sind ihm so lebendig und präsent, daß er sie selber gar nicht zu fixieren braucht – dies war nach seiner Auffassung auch insofern gefährlich, als eine ungenaue Deskription den ursprünglichen Eindruck eines Sachverhalts ersetzen und so zu falscher Erkenntnis führen könnte [221] –, sondern daß es genügt, den Intensitätsgrad und die Modifikationen eines derart bekannten Phänomens schriftlich zu dokumentieren.

Bevor man aus diesem Befund Schlüsse zieht, die die Existenz dieser Tagebücher überhaupt erklären, muß man zu erhellen suchen, warum sie, abgesehen von wenigen Notizen vom Juni und Sommer 1923, im Dezember 1922 enden. Es gibt dafür innere und äußere Gründe. Eine Notiz vom 12. Juni 1923 lautet in ungekürzter Form:»Die schrecklichen letzten Zeiten, unaufzählbar, fast ununterbrochen. Bergmann, Dobrichovitz, M. P., Spaziergänge, Nächte, Tage, für alles unfähig, außer für Schmerzen.« Kafka war seit dem Spätherbst 1922 schwer krank und sehr lange bettlägrig, er hatte Fieber und Magen- und Darmkrämpfe, lebte auch in diesen Monaten ganz zurückgezogen von seinen Freunden. Dazu kommt die im Zitat angesprochene innere

Lage. Diese besserte sich erst etwas im Frühjahr, als sein Klassenkamerad Hugo Bergmann aus Palästina kam und über sein dortiges Leben berichtete (was Kafka zu dem Entschluß führte, im Herbst dieses Jahres nach Palästina zu reisen), und ein Aufenthalt in Dobřichovice im Mai ihm etwas Linderung verschaffte. Das M. P. ist wohl in Milena Polak aufzulösen, von der er damals Post bekam, die ihn so erregte, daß er sie bat, ihm nicht mehr zu schreiben. P. könnte auch Puah bedeuten; dies war ein junges Mädchen, das ihn im Winter regelmäßig im Hebräischen unterrichtet hatte. [222] Die schwere Krankheit, das geradezu fanatische Erlernen des Neuhebräischen und der Wunsch, Palästina zu sehen, führten zu Verhältnissen, in denen die Selbstbeobachtung zurücktrat.

Hinsichtlich der inneren Lage gibt der dritte Eintrag vom 12. Juni 1923 Auskunft: »Immer ängstlicher im Niederschreiben. Es ist begreiflich. Jedes Wort, gewendet in der Hand der Geister . . . wird zum Spieß, gekehrt gegen den Sprecher.« Selbst die im 13. Oktavheft schon sehr eingeschränkte Selbstbeobachtung, die sich auf kurze Deskriptionen beschränkt, war zu belastend geworden, wahrscheinlich auch wegen des zunehmenden physischen Verfalls, der keine Kräfte für seelische Kämpfe mehr übrigließ.

Zufällig sind noch ein paar winzige, als tagebuchartige Eintragungen zu verstehende Notizen erhalten, die frühestens auf Ende Juni zu datieren sind und auf der Schlußseite eines hebräischen Vokabelhefts überkommen sind: »Waldschatten noch in reiner Luft hinauf Šuhaj/sich sammeln, um sich werfen zu können/es bricht auf, schwache Erdplatte/Engel vor dem Paradies/ Wecken aus dem zweiten Traum/in der Bewegung der Hüften steckt ein Geheimnis«. Auf diesen letzten Satz bezieht sich vielleicht eine Zeichnung, die Kafka auf die gegenüberliegende Innenseite des Heftumschlags gemacht hat. Sie stellt eine schlangen- oder gespensterartige weibliche Figur ohne Arme dar. Hals, Taille und Beine sind nur dadurch markiert, daß die figurbildenden Umrißlinien sich an diesen Stellen einander übermäßig nähern. Eigentlich ist nur wegen der übergroßen, dreieckartigen Augen und eines kleinen Strichs, der die Nase andeuten soll, erkennbar, was gemeint ist.

Möglicherweise stammen diese Beobachtungen von Kafkas Reise nach Müritz, setzen sie doch eine ländliche Gegend als Beobachtungsraum voraus. Dort gab es auch Wald, und Kafka war in dieser Zeit schlaflos, worauf die vorletzte Aussage anspielen könnte. Die zweite Eintragung meint – das Wort ist slowakischen Ursprungs – eine bestimmte Art zu tanzen. Kafka könnte in der jüdischen Ferienkolonie auch Veranstaltungen besucht haben, wo für die Kinder getanzt wurde, lernte er doch dort ein junges Mädchen kennen, das später Choreographin wurde, auch der Engel vor dem Paradies mag sich auf ein derartiges Spiel beziehen; vielleicht aber auch auf Bibellektüre, zu der Kafka durch den Besuch von Sabbatfeiern der Ferienkolonie angeregt worden sein könnte.

Die Wendung »sich sammeln, um sich werfen zu können« soll sicher eine Selbstaufforderung vorstellen. Als Parallele könnte eine Passage aus dem dritten Oktavheft herangezogen werden: »Wie willst du an die größte Aufgabe auch nur rühren . . . wenn du dich nicht so zusammenfassen kannst, daß du, wenn es zur Entscheidung kommt, dein Ganzes in einer Hand so zusammenhältst wie einen Stein zum Werfen . . .« [223]

Es wäre also denkbar, daß Kafka, der vor der Entscheidung stand, ob er mit Dora Diamant zusammen in Berlin leben wollte, sich auffordert, alle noch vorhandenen Kräfte zu vereinen, um der herankommenden Entscheidung gewachsen zu sein. Sollte diese zeitliche Lokalisierung der Eintragungen richtig sein, hätte man anzunehmen, daß Kafka, der gewöhnlich auf seine Reisen keine Tagebuchhefte, an die Ostsee aber, wie sich beweisen läßt, hebräische Vokabelhefte mitnahm und seine diesbezüglichen Sprachkenntnisse weiter zu vertiefen suchte [224], die noch freie Schlußseite eines gerade bereitliegenden Heftes zu biographischen Niederschriften benützte, nachdem er durch die Bekanntschaft mit Dora entsprechend sensibilisiert worden war. In äußerster Verknappung und fast Verrätselung enthalten sie alles, was sonst für entsprechende Notizen bemerkenswert ist: Darstellung der Umwelt, Beobachtung anderer, besonders in Veranstaltungen Mitwirkender und die Beschreibung innerer Zustände. Ob in der Berliner Zeit Tagebücher geführt wurden, ist nicht sicher auszumachen, erhalten hat sich, wie schon erwähnt, nichts.

Wenn Kafka sich im Herbst 1921 zur Retrospektive und Selbstbeobachtung gedrängt fühlte, so ist dies ganz gewiß ein Ergebnis der Tatsache, daß seine Beziehung zu Milena damals endgültig scheiterte. Nimmt man hinzu, daß sein Gesundheitszustand, den er ja auf seelische Gegebenheiten zurückführte, sich so rapide verschlechterte, daß die Pensionierung bevorstand, so war zu diesem Termin ein Punkt erreicht, wo sich Kafka sagen mußte, daß das endgültige Scheitern aller Gemeinschaftsbeziehungen erreicht war.

Gerade dieser Komplex ist aber Gegenstand einer Persönlichkeitskrise, die gesetzmäßig im Verlauf des Erwachsenenalters jedes Menschen eintritt. Sie kann durch das Begriffspaar Generativität und Selbstabsorption gekennzeichnet werden und folgt zeitlich auf die Intimität und Isolierung problematisierende Lebensphase, die sich mit Kafkas Kampf um Felice und den ihn einleitenden Vorgängen seit Herbst 1911 deckt. Da diese zu einem ungünstigen Abschluß kam, konnte auch jene nicht glücklich enden. Selbstabsorption bedeutet dann, daß eine Regression auf ein zwanghaftes Bedürfnis nach Pseudointimität stattfindet, das mit einem durchdringenden Gefühl der Stagnation und zwischenmenschlichen Verarmung gepaart ist. Wo die Bedingungen es begünstigen, wird eine frühe körperliche oder psychische Invalidität zum Vehikel des Interesses an sich selbst. Im andern Fall müßte in dieser Lebensphase ein Bedürfnis entstehen, die nächste Generation zu begründen und zu führen. Freilich kann sich diese Fähigkeit zu erzeugen und hervorzubringen ganz auf den künstlerischen Bereich verlagern, wo sie als schöpferische Begabung hervortritt. [225]

Es ist erstaunlich, wie sehr Kafkas Verhalten während seiner letzten Jahre diesen Kriterien entspricht. Obwohl die jahrelangen negativen Erfahrungen mit Felice nicht gerade eine Wiederholung des Heiratsversuchs nahelegten, wollte er Julie zu seiner Frau machen und mit Milena zusammenleben. Die mit dem Scheitern jedesmal verbundene Krisensituation mußte zu Selbstreflexionen führen, die sich beide Male in Tagebüchern niederschlugen. Es lag nahe, die Ursachen für das Mißlingen in der Entwicklung der eigenen Persönlichkeit seit der Kindheit zu suchen, eine endgültige Lebensbilanz zu ziehen; das waren neue Umstände, eine andere Situation als der Kampf um Felice.

Der Wunsch nach Pseudointimität ist schon in der Beziehung zu Milena selber spürbar, wo sich Kafka vor einer eindeutigen geschlechtlichen Vereinigung mit der Geliebten drückte. Später gesteht er, er fühle sich in Wohnungen wohl, in denen noch die Spuren der ehemaligen Bewohner sichtbar seien, auch brauchte er Ottla in seiner Zurückgezogenheit als Vertraute.

Die Verarmung im zwischenmenschlichen Bereich: Kafka erkennt sie selber, wenn er dem ihn umwerbenden jungen Robert Klopstock schreibt, er habe Angst vor einer für den Augenblick »untrennbaren, betont, ausgesprochen ... mit allen Sakramenten der Untrennbarkeit versehenen, vor dem Himmel sich großartig hinpflanzenden Verbindung. Sie ist mir unmöglich mit Männern wie mit Frauen ... fühlt man etwas wie eine Gemeinsamkeit des Wegs, ist darin Verbindung genug, das andere überlasse man den Sternen«. Entsprechend zog er sich auch von seinen alten Prager Freunden immer mehr zurück.

Die Tendenz der Tagebücher seit 1921 ist überdies eindeutig: Kafka zeigt sich vom Gemeinschaftsleben angezogen, glaubt aber dort nicht leben zu können und fühlt sich in eine andere, eigenen Gesetzen folgende Welt versetzt. Stagnation ist nicht nur an seinem gleichförmigen, ohne Akzente verfließenden Leben sichtbar, in dem sich Arbeitswochen mit Monaten der Erholung in Kurorten abwechselten, wo er die Tage auf dem Liegestuhl verdöste, sondern auch in der von ihm vorgenommenen Selbstdeutung seiner Situation; kennzeichnet er doch seine Entwicklung als stehendes Marschieren, als immer wieder aufgenommene gleichförmige Versuche, ein Lebensziel zu erreichen.

Das Zurückgeworfensein auf sich selbst zeigt sich in der Sorgfalt, mit der im 13. Quartheft innere Zustände registriert werden, nachdem doch in den drei vorhergehenden Jahren daran keinerlei Interesse bestand, und in einer von Kafka selbst erkannten ungeheuren Hypochondrie in den letzten Jahren seines Lebens. [226]

Schließlich ist zu erwähnen, daß nach mehrjähriger Pause – läßt man den Schaffensstoß Ende 1920 beiseite, der durch die sich abzeichnende ungünstige Entwicklung der Beziehung zu Milena ausgelöst wurde – Anfang 1922 die schriftstellerische Produktion mächtig einsetzt und zur Niederschrift des *Schlosses* und der großen Erzählungen der Spätzeit führt, in denen der mangelnde Gemeinschaftsbezug durchweg thematisiert wird. Dies ist um so bemerkenswerter, als man weiß, daß Kafka seit der Zürauer Zeit sich gar nicht mehr als Schriftsteller fühlte; er wollte Bauer werden, Kartoffeln anpflanzen und war der Meinung, der *Landarzt* sei sein letztes Buch. Auch läßt sich aus der Überlieferung eindeutig erkennen, daß er zwischen Herbst 1917 und Herbst 1920 bzw. 1921 nichts Nennenswertes hervorbrachte und sich dabei glücklich fühlte, dann aber durch »Wahnsinnszeiten« gepeitscht wurde, so daß er, obwohl von der Wertlosigkeit des Geschriebenen überzeugt, die literarische Arbeit wieder aufnahm. [227] Mit andern Worten: Die psychosoziale Krise forderte von ihm Generativität, und er konnte dem schließlich nicht durch menschliche Bindungen, sondern durch Werke genügen.

Damit dürfte deutlich geworden sein, inwiefern die Ende 1921 entstehende Lage mit früheren unvergleichlich war und zu einem Neueinsatz der Tagebücher führen mußte, aber auch inwiefern sie Momente enthielt, die wie im Jahr 1910 und 1911 eine Entfaltung des Biographischen begünstigten: Kafka suchte einerseits einen neuen Standort im Leben, kämpfte um seine Stellung in der Gemeinschaft und fühlte sich schriftstellerisch inspiriert, sah sich aber andererseits auch neuartigen Umständen gegenüber, wo die Lösungen der Vergangenheit versagten und weitere Selbstbeobachtungen notwendig machten.

Insgesamt hat man also fünf Phasen autobiographischer Niederschriften zu unterscheiden: die Zeit der Notizhefte bis 1910, die Quarthefte bis zum Herbst 1917, die Zürauer Zeit mit ihrer Distanzierung von Selbstquälerei und innerem Kampf durch Reduktion und Verallgemeinerung, das kurze Zwischenspiel um den Jahreswechsel 1919/1920 mit einem Nachklang im folgenden Herbst, wo beide Möglichkeiten vereint scheinen, und das 13. Quartheft, in dem chiffrenhaft mögliche Befunde und ihre Veränderung nur angedeutet sind und im übrigen die auf die eigene Vergangenheit gerichtete Optik vorherrscht.

Die entscheidenden Einsätze sind jeweils mit Persönlichkeitskrisen gekoppelt, wobei die Phase der Intimitätsbildung und die Profilierung der Generativität zu sehr direkter Selbstauseinandersetzung führen, während in den Zwischenzeiten das biographische Zeugnis vermittelt erscheint: Es ist ins Literarische gewendet in den frühen Notizheften, ins Philosophisch-Erkenntnistheoretische in den Oktavheften und *Er*-Aphorismen. Man kann also nur mit großem Vorbehalt summarisch Aussagen über Kafkas Tagebücher machen.

c) Typische Formen des Kafkaschen Tagebuchs
November 1910 bis November 1917

Im Folgenden soll nun der Versuch gemacht werden, einige Hauptcharakteristika der zwölf ersten Quarthefte herauszustellen, deren Eigenart im Gegensatz zu derjenigen der andern Phasen noch gar nicht näher beleuchtet wurde.

Zu dem einheitlichen Eindruck, den die Hefte auf den Betrachter machen, trägt wesentlich bei, daß Kafka ganz bestimmte sprachliche Gegebenheiten bevorzugt. So vermeidet er stichwortartige Passagen. Wenn Einzelwörter vorkommen, handelt es sich oft um eine Art Überschrift oder Oberbegriff, einen übergreifenden Gesichtspunkt also, der im Kontext erklärt wird: »Mit Ottla. Sie von der Englischlehrerin abgeholt. Über den Quai, steinerne Brücke, kurzes Stück Kleinseite, neue Brücke, nach Hause.«

Eine andere Möglichkeit ist, daß Kafka einleitend den Wochentag vermerkt, der dann gleichsam den formalen Rahmen der folgenden Erläuterung bildet: »Karsamstag. Vollständiges Erkennen seiner selbst. Den Umfang seiner Fähigkeiten umfassen können wie einen kleinen Ball. Den größten Niedergang als etwas Bekanntes hinnehmen und so darin noch elastisch bleiben.« Hier wird noch ein anderes, nicht selten vorkommendes Mittel sichtbar, die Infinitivkonstruktion nämlich, die offen läßt, ob das Ausgesagte als vorhandener Befund, Wunsch oder Schreckbild verstanden wird. [228]

Eine andere beliebte Art, syntaktische Abläufe zu ordnen, ist der Wie-Satz: »Wie ich die Weste aufknöpfe, um dem Herrn B. meinen Ausschlag zu zeigen. Wie ich ihn in ein Nebenzimmer winke.« [229] In einer Art Abbreviatur können so auffällige äußere und innere Eindrücke verzeichnet werden, ohne daß sie doch beschrieben werden müßten.

Überhaupt ist es sehr selten, daß Wahrnehmungen in die Form vollständiger Satzgefüge gekleidet sind, die nicht nur das beobachtende Subjekt, sondern auch verba finita, besonders solche des Wahrnehmens, und Zeitbestimmungen enthalten. Als Beispiel dieses Typs könnte etwa gelten: »Als ich gestern mittag zu W. kam, hörte ich die Stimme seiner Schwester, die mich begrüßte, sie selbst aber sah ich nicht, erst bis sich ihre schwache Gestalt vom Schaukelstuhl ablöste, der vor mir stand.« Kafka wählt in der Regel eine weniger aufwendige Darstellungsart, in der Beobachter und Wahrnehmungsverb fehlen. Jeder einzelne Eindruck kann dann selbständig hervortreten, bei komplexen Zusammenhängen werden die einzelnen Impressionen nicht syntaktisch abhängig, was ihre differenzierte sprachliche Ausformung erschwert und genaue Relationsbestimmungen erforderlich macht, an denen Kafka weniger lag und die offenbar gegebenenfalls auch so erinnert werden konnten.

Zustände oder Vorgänge werden in Nominalphrasen umgewandelt. Sie beginnen mit dem Objekt der Betrachtung, dem durch Adjektiv oder Relativsatz Qualitäten zugeordnet werden: »Die Flammen, die auf der Gasse um einen Tiegel vor einem Neubau in den Formen von Farrenkräutern ringsherum aufwärts trieben.« Bei mehrgliedrigen Eindrücken werden solche Formulierungen, durch Punkte getrennt, einfach aneinandergereiht: »Die Artillerie, die über den Graben zog. Blumen, Heil- und Nazdarrufe. Das krampfhaft stille, erstaunte, aufmerksame schwarze und schwarzäugige Gesicht.« [230]

Natürlich kann diese Form auch mit dem Prinzip der Aufzählung verbunden werden: »Das Kind mit den zwei kleinen Zöpfchen, bloßem Kopf, losem weißpunktiertem rotem Kleidchen, bloßen Beinen und Füßen, das mit einem Körbchen in der einen, mit einem Kistchen in der andern Hand zögernd den Fahrdamm beim Landestheater überschritt.«

Häufig wird sogar der Eindruck wie bei den Wie-Sätzen gar nicht beschrieben, sondern es genügt als Erinnerungsstütze seine bloße Nennung; dadurch entstehen häufig Genetivverbindungen, die natürlich ebenfalls jeder verbalen Fessel oder syntaktischen Bezogenheit enthoben sind: »Der Rücken des Herrn Weltsch und die Stille des ganzen Saales beim Anhören der schlechten Gedichte.« Auch bei solcher Reduzierung können die Teilaspekte autonom nebeneinander gestellt sein: »Der Onkel aus Spanien. Der Schnitt seines Rockes. Die Wirkung seiner Nähe. Die Detaillierung seines Wesens.« [231]

Dazu kommt noch eine Neigung Kafkas zu Substantivierungen, die die Zahl der Genetivverbindungen noch beträchtlich erhöht; wie alle andern Stilzüge gilt auch dieser sowohl für die Beobachtung der inneren wie der äußeren Welt: »Das Wachsen der Kräfte durch umfangreiche schlagkräftige Erinnerungen«. Und: »Abends das Wimmern meiner armen Mutter wegen meines Nichtessens.« [232]

Natürlich verwendet Kafka auch gern die reihende Aufzählung, die seiner Typologie insofern besonders gemäß ist, weil sie erlaubt, die sich verselbständigenden Aspekte des Beobachteten als solche zu fixieren: »Das Mädchen im Kaffeehaus. Der schmale Rock, die weiße, lose, fellbesetzte Seidenbluse, der freie Hals, der knapp sitzende, graue Hut aus gleichem Stoff. Ihr volles, lachendes, ewig atmendes Gesicht, freundliche Augen, allerdings ein wenig geziert.«

Trotzdem ist diese ungegliederte, rein additiv verfahrende Reihung außerhalb der Reisetagebücher selten. Sie erscheint nämlich gewöhnlich als Teil einer höheren syntaktischen Ordnung, die freilich lange nicht immer ein Satzgefüge zu sein braucht; und zwar vor allem als Attributhäufung in der Substantivklammer, als wucherndes Objekt oder Adverb und vielgliedrige Umstandsbestimmung: »Mühsal des Zusammenlebens. Erzwungen von Fremdheit, Mitleid, Wollust, Feigheit, Eitelkeit und nur im tiefen Grunde vielleicht ein dünnes Bächlein, würdig, Liebe genannt zu werden, unzugänglich dem Suchen, aufblitzend einmal im Augenblick eines Augenblicks.«

Diese Form dient zur Erfassung eines vielschichtigen abstrakten Sachverhalts oder zur Darstellung einer mehrgliedrigen zeitlichen Abfolge. Eine Ganzheit soll in all ihren Nuancen erfaßt werden. Die einzelnen Komponenten sind also keine selbständigen Eindrücke oder Erkenntnisse, die an sich reizvoll sind, sondern nur von Bedeutung in ihrem Stellenwert innerhalb einer Ganzheit, die als solche diskutiert oder dargestellt werden soll. Kafka zwingt sie deshalb in die grammatische Ordnung. [233]

Daß Kafka sowohl das Extrem des blassen, letztlich unverständlichen Stichworts als auch das ihm polar entgegengesetzte des korrekt ausgeformten, vollständigen Satzes meidet, verleiht den Tagebüchern die Wirkung unmittelbarer Frische, weil sich Entwurfscharakter und Anschaulichkeit in den von ihm bevorzugten Wortverbindungen vereinen. Vermutlich sind die beschriebenen Eigentümlichkeiten auch durch ganz praktische Erwägungen mitbestimmt. Max Brod nämlich überliefert folgenden Ausspruch Kafkas: »Durch allzu fleißiges Notizenmachen kommt man um viele Notizen. Es ist ein Augenschließen. Man muß das Sehn immer wieder von vorn anfangen. – Wenn man sich aber dessen bewußt bleibt, kann vielleicht das Notizenschreiben nicht so stark schaden.« Die hier geforderte Reflexion des Schreibvorgangs konnte zur Abbreviatur führen, die besonders in den Reisetagebüchern vorkommt, wo wegen der Fülle äußerer Eindrücke der Schreibende vielfach in Zeitnot war (bezeichnenderweise sind Brods Paralleleintragungen viel umfangreicher), dann aber auch zu Feststellungen, die dem nachträglich Überlesenden alle Möglichkeiten der plastischen Vorstellung, Ergänzung und Deutung läßt.

Natürlich sind an diesem Eindruck auf gleiche Weise auch die Inhalte der Aussagen beteiligt, die jetzt betrachtet werden sollen. Kafka beschreibt oft Gesprächssituationen und zitiert außerdem häufig eigene und fremde Formulierungen wörtlich. Dabei handelt es sich um Redeanfänge, ganze Gesprächspartien und besonders gelungene Einzelaussagen. Angesichts der bei Kafka zu beobachtenden Anthropozentrik – gewiß gleichermaßen eine Frucht seiner Erziehung und der Fähigkeit, Psychisches zu erfassen – und seiner Schriftstellerei an sich kein überraschender Befund. Tatsächlich läßt sich auch nachweisen, daß die eigene Lebensproblematik und ästhetische Kriterien die Ursachen dieser betonten Fixierung des menschlichen Worts sind. Einmal nämlich scheinen viele Einzelaussagen, auch aus Büchern, nur um ihrer schlagenden Bildlichkeit willen aufgeführt worden zu sein. [234]

Andererseits betreffen viele Zitate Familienangehörige oder ganz persönliche Nöte, und zwar auch dann, wenn kein ausdrücklicher Bezug zu diesen Komplexen vorhanden zu sein scheint. Dafür zwei Beispiele. Am 30. August 1914 notiert sich der Dichter: »Dreiviertel zwei nachts. Gegenüber weint ein Kind. Plötzlich spricht ein Mann im gleichen Zimmer, so nah, als wäre er vor meinem Fenster. ›Ich will lieber aus dem Fenster fliegen, als das noch länger anhören.‹« Dies war für Kafka ein Aspekt des dauernd von ihm beobachteten Familienlebens, das ihn erwartet hätte, wenn einige Wochen zuvor die Verlobung nicht aufgelöst worden wäre. Und Lärm konnte er, der fürs Schreiben absolute Ruhe brauchte, am wenigsten ertragen.

Über einen Oberleutnant, bei dem Kafka auf seiner Ungarnreise vorsprach, heißt es: »Mit den Worten: ›Man muß doch den Gehalt verdienen‹ unterbricht er die Jause und kommt zu mir.« Eine derartige Beobachtung steht natürlich in innerem Zusammenhang mit Kafkas Selbstdeutung. Er glaubte, als Beamter so unfähig zu sein, daß er sein Geld ohne entsprechende Arbeitsleistung verdiene; er hatte also Sinn für eine derartige Bemerkung. [235]

Lohnend ist ein Blick auf die Darbietungsweise solcher Aussagen. Kafka bevorzugt nämlich die direkte Rede, auch wenn sie nicht als genaues Zitat erscheint, und meidet die indirekte in der herkömmlichen Form. Wo er sich letzterer bedient, weist sie als einziges Formmerkmal nur noch die Änderung des Personenbezugssystems auf; wenn Verwechslungen mit besprochenen Personen möglich ist, wird der Sprecher nicht durch ein Personalpronomen der dritten Person, sondern durch den Eigennamen vertreten. Offensichtlich soll die ursprüngliche Gestalt der Aussage, der unmittelbare Sinneneindruck, möglichst in der schriftlichen Fixierung erhalten bleiben, was schon durch übergeordnete verba dicendi nicht mehr richtig der Fall wäre.

Hier ist also eine deutliche Parallele zur beschriebenen Darstellung der optischen Sinneswahrnehmungen. Allerdings darf man nicht vergessen, daß Kafka diese Form der oratio obliqua in seinen Werken zur dominierenden Form einer sehr auffällig verwendeten indirekten Redeform ausgebaut hat; hier sind also gewiß noch andere, nicht nur aufs Tagebuchführen bezügliche Kriterien wirksam. [236]

Neben der Sprache und zahlreichen Beobachtungen über die Sprechweise sind es vor allem gestische und mimische Details, die bei Personenbeobachtungen hervorgehoben werden, die wie in den Reisetagebüchern dominieren. Im Gesicht werden besonders Augen und Nase, Haut und Knochen, aber auch die Umrißlinie hervorgehoben. Eine Notiz lautet: »Der Mann mit den dunklen, streng blickenden Augen, der den Haufen alter Mäntel auf der Achsel trug.« Über Tilly Wedekinds Auftreten im *Erdgeist* wird bemerkt: »Schmales mondsichelförmiges Gesicht.« Besonders auffällig ist die Bemerkung über die erste Begegnung mit Felice Bauer: »Knochiges leeres Gesicht, das seine Leere offen trug. Fast zerbrochene Nase. Blondes, etwas steifes reizloses Haar, starkes Kinn.« Man muß in solcher Beschreibung nichts Ungewöhnliches oder gar eine besondere Bosheit erblicken wollen, es war, wie viele Parallelstellen zeigen, eine der Möglichkeiten Kafkas, ein Gesicht zu sehen. [237]

Der Dichter hebt hier die Modelliertheit des Gesichts hervor, die sich eben in Nase, Kinn und Backenknochen sowie in dem es umrahmenden Haar zeigt. Dann natürlich stellt man wie erwartet fest, daß sich die Darstellung auf einige hervorstechende Einzelheiten konzentriert. Daraus ist nicht zu schließen, als ob Kafka dies Gesicht nur als Leerform wahrgenommen hätte, auf die dann ihm wichtige seelische Gehalte hätten projiziert werden können [238], oder als ob er zu einer integrierenden Gesamtdarstellung des Gesichts bzw. einer dieser zugrunde liegenden geschlossenen Wahrnehmung überhaupt nicht fähig gewesen wäre, ganz im Gegenteil.

Gerade die Betonung der auffälligsten Einzelheiten ermöglichte ihm offenbar im Sinne einer nur das Wesentliche heraushebenden, also abstrahierenden Umrißzeichnung den dauerhaften Gesichtseindruck. Daß es sich so mit Felice verhielt, zeigt zunächst eine Tagebuchstelle vom 5. Dezember 1913. Man muß dabei bedenken, daß Kafka die Braut inzwischen dreimal gesehen hatte (zuletzt ungefähr vier Wochen vor Niederschrift der Notiz) und daß er sich ihr Bild durch ihm überlassene Photographien dauernd einzuprägen suchte: »An F. sehe ich äußerlich, wenigstens manchmal, nur einige zählbare kleine Einzelheiten. Dadurch wird ihr Bild so klar, rein, ursprünglich, umrissen und luftig zugleich.«

Briefstellen weisen in eine ähnliche Richtung. Er habe sich, schreibt er der Geliebten, ihr vom ersten Abend an »verbunden« gefühlt, und an anderer Stelle äußert er: »Du sahst doch an jenem Abend so frisch, rotbäckig gar und unzerstörbar aus. Ob ich Dich gleich lieb hatte, damals? Schrieb ich es Dir nicht schon? Du warst mir im ersten Augenblick ganz auffällig und unbegreiflich gleichgültig und wohl deshalb vertraut. Ich nahm es wie etwas Selbstverständliches auf.« [239] Wenn also Kafka an der Tagebuchstelle bemerkt, er habe sich gleich mit Felice abgefunden und ein unerschütterliches Urteil über sie, so darf man das keineswegs im Sinne der späteren Lösung von ihr verstehen, es ist vielmehr Ausdruck der Tatsache, daß er in ihr das Leben verkörpert sah und deswegen um sie kämpfen wollte.

Vielleicht noch häufiger finden sich gestische Details, besonders der Hände und Arme, sofern jedoch Künstler Gegenstand der Betrachtung sind, die Körperbewegungen überhaupt. So fällt Kafka etwa an einer Kabaretteuse auf: »Schlechtes Mieder, sehr altes Kleid, aber sehr hübsch mit tragischen Bewegungen, Anstrengungen der Augenlider, Ausfällen der langen Beine, gut verstandenem Strecken der Arme den Leib entlang, Bedeutung des steifen Halses bei zweideutigen Stellen.« Da im zweiten Teil dieser Arbeit ausführlicher von diesem Komplex die Rede sein wird, sei in diesem Zusammenhang nur auf zweierlei hingewiesen. Erstens beobachtete sich Kafka selbst auch in dieser Hinsicht, woraus man schließen muß, daß ihm derartige Ausdrucksbewegungen neben der direkten Introspektion eine wichtige Quelle zur Erforschung eigener innerer Zustände waren. [240]

Zweitens jedoch läßt sich feststellen, daß bestimmte Beobachtungen der Tagebücher in literarischen Arbeiten wiederkehren: Das Spielen mit den Fingern einer Frau und das Fassen des Kinns bei einem Partner, im Werk Ausdruck starker gefühlsmäßiger Bindung und erotischer Beziehung, beobachtete Kafka und berichtet es von sich selber; der Eindruck behäbiger Unerschütterlichkeit, den eine fest aufs Knie gelegte Hand vermittelt, soll auch entstehen, wenn eine solche Gebärde in Romanen erscheint; wenn Kafka die Hände ineinander verflochten hatte, weil er nicht fähig war, seinem Gesprächspartner das längst Notwendige zu sagen, so erinnert das an Romanfiguren, die ihre Hände auf dem Rücken verschlungen haben, wenn sie mit sich selbst hinsichtlich einer Sache im Streit liegen. Heißt es von der jüdischen Schauspielerin Frau Tschissik, die von Kafka verehrt wurde: »Sie hat gern zwei Finger am rechten Mundwinkel«, so kehrt dieses Motiv im *Schloß* wieder, wo der Sekretär Bürgel mit zwei Fingern an der Unterlippe spielt und der Schreiber Bratmeier eine Hand an den Mund legt. [241]

Ähnlich verhält es sich, wenn eine Frau mit der Hand durch die Haare fährt. Kafka beobachtete dergleichen an Felice. Die Geste kommt demgemäß nicht nur mehrmals im *Verschollenen* vor, wo sie eine der Tendenz der Tagebuchstellen vergleichbare Selbstvergessenheit und Nervosität meint, sondern auch in den beiden späteren Romanen, wo auf diese Weise unbewußte Erregung und geistige Abwesenheit ausgedrückt sind. [242]

Neben der Bevorzugung von Reden (und Sprechweisen), Mimik und Gestik, die natürlich als immer wieder die Wahrnehmungen konstituierende Sehweisen einheitsschaffende Wirkung haben, gibt es, und zwar auf verschiedenen Ebenen, weitere Elemente, die als sich wiederholende Leitvorstellungen den Eindruck zufälliger Heterogenität nicht aufkommen lassen. Auf der Begriffsebene beispielsweise kann die Vorstellung der Reinheit namhaft gemacht werden, die als eine Lieblingsbewertung des Dichters in der Bedeutung von klar, sauber und ungetrübt eine Rolle spielt und Personen, Straßen, Dingen, Stimmungen und Eindrücken attribuiert wird. [243]

An diesem Beispiel läßt sich wiederum veranschaulichen, daß Kafkas Tagebücher nicht wie etwa diejenigen Goethes sachliche Diarien sind, die bloß das Gedächtnis entlasten sollen und zum Nachschlagen dienen, weil sämtliche Arbeiten, die vorgenommene Lektüre und die Korrespondenz verzeichnet wären. Sondern die Beobachtungen und ihre Bewertung sind zentriert auf die jeweils anstehenden Lebensprobleme, die sie lösen helfen sollen.

Hinsichtlich des fraglichen Begriffs legt schon eine Stelle wie die folgende eine solche Auslegung nahe, weil die Beziehung zur eigenen Biographie hergestellt wird: »Die jungen, reinen, gut gekleideten Jungen neben mir im Promenoir erinnerten mich an meine Jugend und machten daher einen unappetitlichen Eindruck auf mich.« Das scheinbare Paradox ist nur aufzulösen, wenn man davon ausgeht, daß Kafka sich für unrein hielt, und in der Tat gehört der Begriff des Schmutzes zu den Zentralmetaphern, die seiner Selbstdeutung zugrunde lagen.

Direkt thematisiert werden diese Zusammenhänge in einer Eintragung vom 1. Februar 1922: »Nichts, nur müde. Glück des Fuhrmanns, der jeden Abend so, wie ich heute meinen, und noch viel schöner erlebt. Abends etwa auf dem Ofen. Der Mensch reiner als am Morgen, die Zeit vor dem müden Einschlafen ist die eigentliche Zeit der Reinheit von Gespenstern, alle sind vertrieben . . . « Seine Ängste und selbstquälerischen Vorstellungen umschrieb der Dichter mit dem Bild der Gespenster; erscheint der Zustand, wo sie abwesend sind, durch den genannten Begriff richtig gekennzeichnet, so ist verständlich, daß dieser hohe Wert auf allen Vorstellungsebenen besonders beachtet wird.

Dazu kommt noch ein zweites, in der Art von Kafkas Beobachtungsgabe liegendes Moment, das er selber so beschreibt: »Es ist meine alte Gewohnheit, reine Eindrücke, ob sie schmerzlich oder freudig sind, wenn sie nur ihre höchste Reinheit erreicht haben, nicht sich wohltätig in mein ganzes Wesen verlaufen zu lassen, sondern sie durch neue, unvorhergesehene, schwache Eindrücke zu trüben und zu verjagen. Es ist . . . Schwäche im Ertragen der

Reinheit jenes Eindrucks, die aber nicht eingestanden wird ... « [244] Tatsache ist also, daß er klare Eindrücke nicht lange festhalten konnte, mithin auch deswegen ihre dauerhafte Fixierung durch einen Tagebucheintrag erwünscht war.

Auf der Ebene der Metaphorik sei als besonders markante Leitvorstellung das Kreisbild herausgegriffen, weil es selbst wieder auf die Tatsache hinweist, daß alle Tagebuchaussagen konvergieren, daß hier also eine geschlossene Welt vorliegt, in der jedes Element mit jedem verbunden ist.

Der früheste Beleg steht am Ende einer längeren Aufzeichnung vom Mai 1910, in der die Entwicklung der letzten Monate skizziert ist. Der Bericht bezieht den Tag der Niederschrift mit ein. Er sei, schreibt Kafka, gegen einen Kondukteur und einen Vorgesetzten frech gewesen, was aber nichts bedeute: »Du kannst nichts erreichen, wenn du dich verläßt, aber was versäumst du überdies in deinem Kreis. Auf diese Ansprache antworte ich nur: auch ich ließe mich lieber im Kreis prügeln, als außerhalb selbst zu prügeln, aber wo zum Teufel ist dieser Kreis? Eine Zeitlang sah ich ihn ja auf der Erde liegen, wie mit Kalk ausgespritzt, jetzt aber schwebt er mir nur so herum, ja schwebt nicht einmal.« [245]

Der Bereich des Eigenen wird hier definiert als die Verwiesenheit auf sich selbst, die mit anderen Menschen nicht in Verbindung tritt, weil das Agieren in der Gemeinschaft als Heraustreten aus dem eigenen Lebenskreis angesehen wird. Allerdings wird diese Verteilung auch wieder in Frage gestellt. Kafka ist sich nicht klar darüber, wo die Grenze seines Wesens verläuft. Das dabei verwendete Bild legt nahe, daß ein Ausgangspunkt der Kreismetapher eines der Kinderspiele war, in denen mit Kreide runde und eckige Felder auf das Straßenpflaster gemalt werden. Bezeichnend ist auch die in der Stelle zum Ausdruck kommende Bereitschaft, sich zu quälen, und die für das Jahr 1910 typische Unsicherheit von Kafkas Stellung zu anderen Menschen.

Am 24. November 1914 heißt es dann über ostjüdische Flüchtlinge aus Galizien: »Menschen, die ihren Kreis so vollständig ausfüllen, daß man meint, ihnen müßte alles im ganzen Kreis der Welt gelingen, aber es gehört eben auch zu ihrer Vollkommenheit, daß sie über ihren Kreis nicht hinausgreifen.« Die Ostjuden, für Kafka in jeder Hinsicht Ideal und Vorbild, kennen also genau ihren Lebenskreis, mit dem sie in völliger Übereinstimmung leben.

Kafka faßte dies Bild nicht nur als Ausdruck innerer Verhältnisse, sondern er verband damit auch konkrete räumliche Vorstellungen. »Als wir einmal vom Fenster auf den Ringplatz hinunterschauten«, berichtet Kafkas Hebräischlehrer Friedrich Thieberger von einem Besuch bei Kafka in der elterlichen Wohnung am »Altstädter Ring«, »sagte er, auf die Gebäude hinweisend: ›Hier war mein Gymnasium, dort in dem Gebäude, das herübersieht, die Universität und ein Stückchen weiter links hin, mein Büro. In diesem kleinen Kreis‹ – und mit seinem Finger zog er ein paar kleine Kreise – ›ist mein ganzes Leben eingeschlossen.‹ An diese mit verzichtendem Lächeln

gesprochenen Worte mußte ich denken, als mir nach Kafkas Tod seine Braut
von einer vernichteten Tiergeschichte erzählte, deren Inhalt das Leben einer
gefangenen Schlange war; sie wandert unablässig um den Rand des Behält-
nisses, das sie einschloß, aber fand niemals den Weg über den Rand hinaus.« [246] Der von Thieberger hergestellte Zusammenhang ist so wenig
zu bezweifeln wie die Authentizität des von ihm Tradierten, gibt es doch
weitere Aussagen Kafkas, in denen Gegebenheiten der städtischen Welt als
geschlossene Kreise aufgefaßt werden, so die Telegraphenleitungen um Warschau herum, die im Sinne des *Talmud* aus der Stadt ein abgegrenztes Gebiet,
einen »vollkommenen Kreis« machen, und die sich zum Kreis schließenden
Straßenbahnschienen auf dem Mailänder Domplatz, die nirgends hinzuführen
schienen und Kafka den stärksten Eindruck von dieser Stadt machten.

Sein optischer Sinn muß von derartigen, um einen Mittelpunkt kreisenden
Gegebenheiten aufs höchste fasziniert worden sein. Nicht nur eine sehr ausgedehnte, mit der Vorstellung des Umkreisens, Umlaufens oder Umfliegens
arbeitende Metaphorik legt eine solche Deutung nahe, sondern auch die
Tatsache, daß der Dichter die das Reiterstandbild Viktor Emanuels II. um-
fahrenden Straßenbahnen offenbar aus verschiedenen Perspektiven bewußt
beobachtete. Sein Reisetagebuch vermerkt zwar nur, daß er vom Domdach
aus verzerrendem Blickwinkel die rollenden Elektrischen betrachtete, aber
ein Zeitungsfeuilleton seines Reisebegleiters Max Brod ergänzt diese einsei-
tige Information durch die Erkenntnis, daß die beiden Freunde auch aus der
Galerie heraus den vor ihnen liegenden Abschnitt des Domplatzes unter diesem Gesichtspunkt würdigten: »Verstimmt saßen wir an den kleinen Tischen . . . sahen auf den Platz hinaus, wo vor dem Dom die gelben Elektrischen beständig um das große Denkmal mit seinen Beeten kreisen wie ein
Karussel . . .«

Von da aus ergibt sich das Bild einer aus Kreisen bestehenden
Stadt und die Vorstellung eines Menschenkreises. Auf einer mehr abstrakten Ebene kann von einem Kreis gemeinsamer Interessen gesprochen
werden, die den Bewohnern Prags eigne, und von den Grenzen des »jüdischen Kreises«, von einer Einschränkung der Aufmerksamkeit der Nation
auf ihren engen Kreis. Kategorien der eigenen Lebensführung werden also
auf das Volksganze projiziert.

Stehen mehr Form, Bestandteile und Funktion des Kreises in Kafkas Bewußtsein im Vordergrund, werden mannigfache Kreismetaphern möglich,
die natürlich auch wieder für literarische Gegebenheiten stehen können. [247]
Die wichtigste Verwendungsart bleibt aber doch die Deutung eigener Verhältnisse. Kafka fühlt sich im Kreis seiner Familie festgehalten wie Felice
in ihrem. Überhaupt können als Beziehungsmöglichkeiten mit dem Kreisbild angedeutet werden: das Verharren in menschenfeindlicher Isolation bei
gleichzeitiger Verpflichtung zu schreiben, das Einbezogensein in den »Blut-
kreis« Felicens, ohne sich mit ihr in regelrechtem Eheleben zu durchdringen,
das Verständnis des Lebensumkreises der Verlobten, in den er sich ein-

geschlichen zu haben glaubte, die Auffassung, es sei in seinem »Umkreis« unmöglich, menschlich zu leben, die Erkenntnis, daß alle im Lauf seines Lebens unternommenen Versuche, über das zweifellos in ihm Vorhandene hinauszukommen und sich im äußeren Leben zu verwurzeln, fehlgeschlagen waren, und schließlich die daraus gezogene Folgerung, nur noch das sicher Verfügbare ruhig hinzunehmen.

In diesem Sinne formuliert er am 1. Februar 1918 in Zürau: »Zwei Aufgaben des Lebensanfangs: Deinen Kreis immer mehr einschränken und immer wieder nachprüfen, ob du dich nicht irgendwo außerhalb deines Kreises versteckt hältst.« Als Feststellung, nicht als Programm, war dieser Gedanke unter Verwendung des gleichen Vorstellungszusammenhangs schon am 30. August 1913 formuliert worden, also in einer der Zürauer Lebenssituation vergleichbaren Lage, nämlich unmittelbar vor der Abreise nach Wien, Venedig und Riva, was mit einem langen, vollständigen Aufhören der Beziehung zu Felice einherging: »Wo finde ich Rettung? Wieviel Unwahrheiten, von denen ich gar nicht mehr wußte, werden mit heraufgeschwemmt. Wenn die wirkliche Verbindung von ihnen ebenso durchzogen wurde wie der wirkliche Abschied, dann habe ich sicher recht getan. In mir selbst gibt es ohne menschliche Beziehung keine sichtbaren Lügen. Der begrenzte Kreis ist rein.« [248]

Der Passus gibt zu grundsätzlichen Überlegungen Anlaß, die Verständnis und Auswertung der Tagebücher betreffen. Zunächst zeigt sich, daß die Stelle ohne Kenntnis des angedeuteten reichen Hintergrundes, der aus dem Kontext dieser Zeugnisse selbst nicht vollständig zu entnehmen ist, nur sehr unvollständig erfaßt werden kann. Hier wird deutlich, wie viele häufig nicht recht eingrenzbare Unsicherheitsfaktoren in Kauf zu nehmen hat, wer Tagebuchaufzeichnungen, die keineswegs für andere Leser bestimmt waren, zum Verständnis Kafkas und seiner Werke heranzieht. Denn dies letztere steht zweifelsfrei fest, nicht nur wegen der besonderen Art der Eintragungen, die vielfach voraussetzen, was kein Außenstehender wissen kann, sondern auch aufgrund direkter Hinweise.

In einem auf 13./14. März 1913 datierten Brief an Felice erwägt nämlich Kafka, der Freundin statt Briefe Tagebuchblätter zu schicken: » ... die Veränderungen und Auslassungen, die ein für Dich bestimmtes Tagebuch haben müßte, wären für mich gewiß nur heilsam und erzieherisch.« Als er dann später im September diesen Plan in die Tat umsetzte, schrieb er: »Ich bin sehr unruhig und infolgedessen auch ein wenig unwahr, und das, weil ich dieses nicht für mich allein schreibe.«

Abgesehen von Teilen der Reisetagebücher der Jahre 1911 und 1912, die von vornherein auch Max Brod lesen sollte, und den wenigen Wiener Notizen von 1913, vielleicht auch mit Ausnahme des 13. Quarthefts, das Milena als Mitleserin voraussetzt, waren die Tagebücher gewiß nur für Kafka selber bestimmt und bei dem Skrupulösen, wie man sieht, nur unter dieser Voraussetzung einigermaßen, durchaus nicht vollständig, aufrichtig zu führen. Die dadurch gegebene Einschränkung der vorgestellten Gegebenheiten war Kafka selbstverständlich bekannt. Er schrieb deswegen, als er, gleich am Anfang der Beziehung, Felice um ein »kleines Tagebuch« bat, weil dies »weniger verlangt und mehr gegeben« sei als ein Brief: »Natürlich müssen Sie mehr hineinschreiben, als für Sie allein nötig wäre, denn ich kenne Sie doch gar nicht.« [249]

Was nun die zitierte Bemerkung vom 30. August 1913 betrifft, so erhebt sich die Frage, für welche zeitliche Erstreckung die im dritten Satz ausgesprochene Behauptung gilt. Wahrscheinlich in den folgenden Jahren, wo Kafka wieder in Verbindung zu Felice stand, und während des Kampfes um Julie und Milena, nicht aber in der Zürauer Zeit, bis Ende 1918 und in der durch das 13. Quartheft repräsentierten Lebensphase. Denn diese Lebensabschnitte sind doch durch außerordentliche Isolation von der empirischen Welt gekennzeichnet. Wie kommt es aber dann, daß in der schon zitierten Tagebuchnotiz vom 1. Februar 1922 Reinheit als Postulat auftritt, sich Kafka von unsauberen Geistern verfolgt sieht? Offenbar war also das Reinheitsgefühl von kurzer Dauer, zumal Kafka auch in der Zürauer Zeit damit rechnet, von Schmutz durchdrungen zu sein.

Man kann also nur davor warnen, Tagebuchstellen isoliert heranzuziehen, wie es immer wieder geschieht. Dafür noch ein Beispiel, in dem bloß der Kontext, nicht aber Leitbegriffe der beschriebenen Art, eine Rolle spielt. Am 6. August 1914 notierte sich Kafka die berühmt gewordene Passage: »Von der Literatur aus gesehen ist mein Schicksal sehr einfach. Der Sinn für die Darstellung meines traumhaften innern Lebens hat alles andere ins Nebensächliche gerückt und es ist in einer schrecklichen Weise verkümmert und hört nicht auf zu verkümmern. Nichts anderes kann mich jemals zufriedenstellen.« Aus dieser Stelle glaubte man ein unbedingtes und jederzeit gültiges Bekenntnis zum Schreiben herauslesen zu können. Dabei übersah man aber nicht nur die Zürauer Zeit und die darauf folgenden Jahre, wo Kafka alles mögliche, nur nicht die Schriftstellerei, zufriedenstellen konnte, sondern auch den näheren Kontext und die sich aus dem Eingangssatz ergebende Einschränkung, die doch suggeriert, daß noch andere Betrachtungsweisen möglich sind und vorgenommen werden.

Die Stelle ist eingebettet in Aussagen, die sich mit Ereignissen beschäftigen, die durch den Ausbruch des Ersten Weltkriegs bedingt waren. Man darf sich nun nicht durch die im Text unmittelbar sich anschließende Bemerkung zu einem falschen Urteil verlocken lassen, wo Kafka über einen beobachteten patriotischen Umzug meint, Derartiges gehöre zu den widerlichsten Begleiterscheinungen des Krieges. In Wirklichkeit nämlich hatte er den glühendsten Wunsch, sich als Kriegsfreiwilliger zu melden, denn der Militärdienst war für ihn nicht nur eine gegenüber der Literaturbetätigung vorrangige Alternative zu Ehe oder selbständiger beruflicher Tätigkeit außerhalb Prags, sondern auch ein Garant für ein nützliches, gemeinschaftsdienliches Leben, von dem er sich Besserung seiner inneren Leiden versprach.

Der böse Blick, mit dem er das Geschehen beobachtete, verweist auf seine Entschlußunfähigkeit, dieser Intention zu folgen, so daß er infolgedessen, wie der Fuchs die zu hoch hängenden Trauben in der bekannten Fabel, das Gesehene negativ bewertete.

Er war sich dieses Zusammenhangs durchaus auch selber bewußt, denn unmittelbar vor der auf die Literatur bezüglichen Notiz heißt es: »Ich entdecke in mir nichts als Kleinlichkeit, Entschlußunfähigkeit, Neid und Haß gegen die Kämpfenden, denen ich mit Leidenschaft alles Böse wünsche.« So empfand er, dessen Verlöbnis eben in die Brüche gegangen war, doppelt seine »Unfähigkeit, Dummheit, Begriffsstützigkeit«, sich in der Sozietät zu betätigen. Sein Alleinsein fühlte er als Strafe, sein aus ihm sich entwickelndes Schreiben war ihm Kampf um die Selbsterhaltung. Die fragliche Aussage zeigt also gerade das Gegenteil von dem, was man ihr gewöhnlich unterstellt. Es handelt sich hier um eine Überlegung, in der Kafka versuchsweise eine Position einnimmt, die ihm in schwieriger Lage das Überleben gestattete, nachdem alle anderen, von ihm als vorrangig betrachteten Lebensformen nicht realisiert werden konnten. [250]

Das Kreisbild zeigt beispielhaft für alle anderen Vorstellungseinheiten, die gleichen Gesetzmäßigkeiten folgen, wie trotz äußerlicher Verschiedenartigkeit der vielen und abrupten Eintragungen letztlich doch für den Leser eine einheitliche Optik entsteht, weil die diversen Bildbegriffe Verweisungzusammenhänge bilden, die ein einheitliches Gefüge konstituieren, auch mit den Briefen.

Die Kreismetaphorik enthält aber noch eine andere Komponente, die vielleicht im Vergleich mit einer motivähnlichen Stelle aus Goethes Tagebüchern etwas deutlicher wird: »Wundersam! ich habe so manches gethan was ich iezt nicht möchte gethan haben, und doch wenns nicht geschehen wäre, würde unentbehrliches Gute nicht entstanden seyn ... Ich muss den Cirkel der sich in mir umdreht, von guten und bößen Tagen näher bemercken, Leidenschafften, Anhänglichkeit Trieb dies oder iens zu thun. Erfindung, Ausführung Ordnung alles wechselt, und hält einen regelmäsigen Kreis. Heiterkeit, Trübe, Stärcke, Elastizität, Schwäche, Gelassenheit, Begier eben so. Da ich sehr diät lebe wird der Gang nicht gestört und ich muss noch heraus kriegen in welcher Zeit und Ordnung ich mich um mich selbst bewege.« [251]

Die ganze Fülle menschlicher Verhaltensweisen und Tätigkeiten wird hier als eine Art Palette betrachtet, die sich um den Dichter dreht. Obwohl Goethe wie Kafka Elemente erkennen, die nicht mit ihren Intentionen übereinstimmen, bestehen doch zwei bedeutende Unterschiede zwischen den beiden. Erstens verläuft bei Goethe die Grenze zwischen der eigenen Persönlichkeit und dem Fremden nicht innerhalb des Begriffspaars Isolation und Interaktion, sondern zwischen gutem und bösem Handeln, wobei sogar das letztere als persönlichkeitszugehörig betrachtet wird. Da nun gar nichts abgestoßen werden soll, entsteht auch nicht das Problem Kafkas, was getan und was unterlassen werden soll. Sondern, und dies ist der zweite Unterschied, die Aufgabe besteht nur darin, den gegensätzlichen Wechsel der Strebungen zu erforschen und in Übereinstimmung mit diesem Kreis zu leben.

Bei Kafka jedoch findet eine im Lauf der Jahre immer deutlicher werdende und bewußt vollzogene Einschränkung der Lebensmöglichkeiten statt, eine Reduktion auf einen innersten Kern, die sich auf der Ebene der Lebenszeugnisse eben darin äußert, daß nur Gegebenheiten ins Gesichtsfeld geraten, die ihm vertraut und zugehörig waren. Schon einer der frühen Betrachter seiner Tagebücher, sein Bekannter Ernst Weiß, empfand dies deutlich, wenn er die Frage, was Kafka letztlich gesehen habe, so beantwortet: »Doch nur sich. Die Zeit ging an ihm vorbei. Wenigstens findet sich in der Summa dieser gewaltigen Selbstbekenntnisse nicht einmal eine Andeutung, daß er einmal durch die Zeitereignisse zum Zweifeln, durch seine Freunde oder die Geliebte von seinem Wege abgekommen wäre, daß er sich verirrt, wiedergefunden hätte.« [252]

Eine solche Zentrierung auf den engsten Lebensumkreis müßte sich nun auch in den Aussagen zeigen, die der Dichter über das Tagebuchschreiben fixierte; außerdem kann sie nicht ohne Folge für die Art des gesamten Eintrags an einem Tag sein; bisher wurde ja nur Form und Tendenz der Einzelbeobachtung erläutert. Abschließend sollen also diese beiden Punkte kurz dargestellt werden.

Trotz der vielen literarischen Skizzen und Versuche, die sich in den Quartheften erhalten haben, und ungeachtet der Tatsache, daß viele Beobachtungen und Kriterien sich auch in dichterischen Texten nachweisen lassen, wäre es doch verkehrt, die Hefte als Skizzenbücher anzusehen, die nur oder vorwiegend Material zu späterer Verwendung enthielten. Wenn Kafka davon spricht, er werde das Tagebuchführen nicht mehr aufgeben, weil es ihm inneren Halt in seinem Unglück gebe, wenn er vom Lesen alter Eintragungen ergriffen wird, weil er dadurch in Zeiten, in denen ihm klare Beurteilungskategorien fehlten, Sicherheit gewann oder eine »Art Ahnung der Organisation eines solchen Lebens« bekam, als er seine Lage hinsichtlich Felicens unter veränderten Umständen neu zu durchdenken suchte, während andererseits die Lektüre alter literarischer Versuche eher negative Empfindungen in ihm auslöste, so geht daraus deutlich hervor, daß diese Art des Sich-Äußerns für ihn ein Mittel der Selbstbewältigung war. [253]

Gerade auch während der Auseinandersetzungen mit Felice ist dies deutlich zu beobachten. So ist es doch auffällig, daß in Zeiten der endgültigen Trennungen, also jeweils nach den Entlobungen, Aufzeichnungen gemacht wurden, weil Kafka ja innerlich damit fertig werden mußte, ein Lebensideal nicht verwirklichen zu können, nicht aber in den Phasen, wo die Beziehung nur unterbrochen war, also im Herbst 1913 und im Winter 1916/17.

Unter solcher Optik ist es auch ganz folgerichtig, daß vom Ende September 1912 bis zum April 1913 keine Eintragungen erfolgt sind, abgesehen von zwei auf das *Urteil* bezüglichen Passagen, die zu Beginn des 8. Quarthefts

eingetragen wurden, und einer poetologischen Äußerung des Wiener Schriftstellers Otto Stoeßl, der Kafka im Oktober besucht hatte. Denn diese Zeit
war durch einen großen Produktionsstoß ausgezeichnet, der Kafka innere
Sicherheit verlieh und zur Aufnahme der Beziehung zu Felice ermutigte.
Diese war, abgesehen von einigen kurzfristigen Rückschlägen, für den Dichter so glückhaft, daß er ganz in ihr aufgehen konnte.

Er lebte so ausschließlich in den Briefen an Felice – es waren bis zu drei
am Tag –, daß eine separate Dokumentation des Lebensverlaufs daneben
weder sinnvoll noch notwendig und sogar unerwünscht war. Kafka schrieb
im März 1913 über diesen Punkt: »Ich entbehre es, daß ich kein Tagebuch
führe, so wenig und so nichtiges auch geschieht und so nichtig ich alles auch
hinnehme. Aber ein Tagebuch, das Du nicht kennen würdest, wäre keines
für mich.«

Als das Verhältnis wirklich in eine kritische Phase trat, die Schaffenslust
nachließ und das nächtliche Schreiben gesundheitliche Schäden hervorgerufen hatte, eröffnete Kafka wieder ein Tagebuch. Am 2. Mai 1913, zu Beginn des 7. Quarthefts, heißt es: »Es ist sehr notwendig geworden, wieder
ein Tagebuch zu führen. Mein unsicherer Kopf, F., der Verfall im Bureau,
die körperliche Unmöglichkeit zu schreiben und das innere Bedürfnis danach.« Daß Felice die primäre Ursache war, und nicht nur nach Kafkas au-
genblicklicher Verfassung, geht aus der letzten Eintragung dieses Quarthefts
hervor, die lautet: »Das Heft fängt mit F. an, die mir am 2. Mai 1913 den
Kopf unsicher machte, ich kann mit diesem Anfang das Heft auch schließen,
wenn ich statt ›unsicher‹ ein schlimmeres Wort nehme.« [254] Die Lage
hatte sich also im Lauf der Monate eher noch verschlechtert, und die Notizen
mußten fortgeführt werden.

Diese Koppelung zwischen Tagebuch und Kafkas sich in Felice verdichten-
der Lebensproblematik besteht auch in der folgenden Zeit: Die letzte Passage
des 10. Quarthefts stammt vom 27. Mai 1915, in den vorhergehenden Wochen und Monaten trug der Dichter einigermaßen regelmäßig ein. Dem entspricht genau, daß bis zu diesem Datum sich ein zwar lockerer, aber doch
auch geregelter Briefverkehr mit Felice nachweisen läßt. Sieht man von einigen Ansichtskarten vom Sommer dieses Jahres und einem vom 9. August
datierten Brief ab, in dem Kafka, von sich in der dritten Person redend,
sehr ruhig die gegenwärtige Art des Verhältnisses bedenkt, läßt sich engerer
Briefkontakt nur für Dezember 1915 und Januar 1916 belegen, aus dem
hervorgeht, daß er in diesem Winter bewußt schwieg, weil er kein anderes
Mittel wußte, die gegenseitige Qual zu verringern.

Zu dieser Entspannung paßt es nun, daß das 11. Quartheft erst am 13.
September 1915 eröffnet und mit diesen Worten eingeleitet wird: »Vorabend
von Vaters Geburtstag, neues Tagebuch. Es ist nicht so notwendig wie
sonst . . . « Am 25. Dezember, unmittelbar nach Erhalt eines Briefes von Felice, in dem sie ihn nach seinen Zukunftsplänen gefragt und eine Zusammenkunft vorgeschlagen hatte, notiert er sich: »Eröffnung des Tagebuchs

zu dem besonderen Zweck, mir Schlaf zu ermöglichen.« Der nächste Eintragungstag aber ist erst der 19. April 1916! Die Intensität des Tagebuchs schwankt also entsprechend den Veränderungen, denen sein Verhältnis zu Berlin unterworfen war.

Der Zweck der Tagebücher führt nun aber auch fast zwangsläufig zu einer bevorzugten Form der Darstellung und zur besonderen Beachtung ganz bestimmter Gegebenheiten. Schon Ende 1911 erkennt er: »Ein Vorteil des Tagebuchführens besteht darin, daß man sich mit beruhigender Klarheit der Wandlungen bewußt wird, denen man unaufhörlich unterliegt, die man auch im allgemeinen natürlich glaubt, ahnt und zugesteht, die man aber unbewußt immer dann leugnet, wenn es darauf ankommt, sich aus einem solchen Zugeständnis Hoffnung oder Ruhe zu holen.« Für beide hier angesprochenen Verhaltensweisen bieten die Eintragungen selbst Belege: Kurz vorher nämlich hatte Kafka »nach dem Tagebuch« berechnet, wieviele Tage er schon an einem bestimmten schlechten Zustand leide. Und in der schon teilweise zitierten Notiz vom 25. Dezember 1915 leugnet er die postulierten Wandlungen: »Sehe aber gerade die zufällige letzte Eintragung und könnte tausend Eintragungen gleichen Inhalts aus den letzten drei bis vier Jahren mir vorstellen. Ich verbrauche mich sinnlos, wäre glückselig, schreiben zu dürfen, schreibe nicht. Werde die Kopfschmerzen nicht mehr los. Ich habe wirklich mit mir gewüstet.«

Die Formulierung, die er im Auge hat, stellt tatsächlich einen Prototyp dar und lautet: »21. November. Vollständige Nutzlosigkeit. Sonntag. In der Nacht besondere Schlaflosigkeit. Bis viertel zwölf im Bett bei Sonnenschein. Spaziergang. Mittagessen. Zeitung gelesen, in alten Katalogen geblättert. Spaziergang Hybernergasse, Stadtpark, Wenzelsplatz, Ferdinandstraße, dann gegen Podol zu. Mühselig auf zwei Stunden ausgedehnt. Hie und da starke, einmal geradezu brennende Kopfschmerzen gefühlt. Genachtmahlt. Jetzt zu Hause. Wer kann das von oben vom Anfang bis zum Ende mit offenen Augen überblicken.« [255]

Kafka kehrte, ausgenommen sonntags, gegen 1/2 3 Uhr vom Büro zurück. Wenn er, ungefähr nach einer Stunde, gegessen hatte, legte er sich bis gegen 1/2 8 Uhr nieder und unternahm anschließend einen längeren Spaziergang durch Prag, sofern er nicht eine Veranstaltung besuchte oder sich, in der Regel samstags, mit seinen Freunden traf. Nach dem Abendessen, wenn die Eltern schon schliefen, die Wohnung also ruhig war, schrieb er.

Seit Herbst 1914, als er außerhalb der elterlichen Wohnung lebte, befolgte er eine andere Zeiteinteilung. Er schrieb nachmittags Briefe, erledigte Büroarbeiten oder las, bei schönem Wetter im Freien, kehrte gegen 1/2 6 Uhr in das eigene Domizil zurück, um zu schlafen, verband den abendlichen Spaziergang, der jetzt gegen 9 Uhr begann, mit dem Gang zum Nachtessen bei den Eltern und fuhr oder ging dann zum Schreiben nach Hause.

Diese Lebensweise hatte erhebliche Konsequenzen für das Tagebuchführen. Man kann davon ausgehen, daß Kafka erst in der Nacht beim Beginn des Schreibens oder nach seiner Beendigung seine Eintragungen vornahm (auch die an Felice gerichteten Briefe sind in der Regel nach der Arbeit an den Texten entstanden); die Träume scheinen ebenfalls nicht gleich am Morgen fixiert worden zu sein.

Wenn sich Kafka nun Ende 1915 fast täglich Notizen von der Art der zitierten vorstellen kann, so muß daraus nicht nur geschlossen werden, daß er diesen geregelten Tageslauf einhielt, sondern auch, daß er am Ende des Tages eine Art Resümee versuchte, was bei seiner Unfähigkeit zur Abstraktion einer Nennung der für ihn hervorstechenden Begebenheiten gleichkam. Da die gleichförmige und ungeliebte Büroarbeit je länger je mehr immer weniger als wesentlicher Lebensbestandteil angesehen wurde, bedeutet das für die Zeit bis zum Ausbruch des Ersten Weltkriegs, daß wochentags an äußeren Ereignissen nur die abendlichen Veranstaltungen, Zusammenkünfte und Spaziergänge, eventuell auch Familiäres Gegenstand der Betrachtung sind. Der Nachmittag kam nur in den Blick, wenn sich der Schlaf nicht einstellen wollte: »Gar nicht geschlafen. Nachmittag drei Stunden schlaflos und dumpf auf dem Kanapee gelegen, in der Nacht ähnlich«, oder wenn er vom vorgeschriebenen Ablauf abwich: »Verlorener Tag. Besuch der Ringhofferschen Fabrik, Seminar Ehrenfels, bei Weltsch, Nachtmahl, Spaziergang, jetzt zehn Uhr hier.« [256]

Aber auch seit Herbst 1914 sind Eintragungen über die Nachmittage selten. Kafka erwähnt, wenn er Besuche macht, Ausflüge unternimmt oder liest; an den Sonntagen werden in der Regel auch die Vormittage berücksichtigt. Es dominiert also der Rückblick über den begrenzten Zeitraum eines Tages. Längere Lebensphasen werden nur dann summarisch betrachtet, wenn Kafka erklären will, warum er nichts eingetragen hat; es lag ihm selbstverständlich daran, daß seine Zustände ohne größere Lücken dokumentiert wurden: Unter den Gründen, die ihm Ende Oktober 1913 das Tagebuchführen verleideten, wird auch angeführt, daß schon zuviel darin fehle, denn zwischen dem 30. August und 15. Oktober wurde wegen der Italienreise nichts notiert, obwohl der innere Kampf um Felice, wie die Briefe zeigen, damals weiterging. [257]

Deshalb sind auch, abgesehen von den Fällen, wo Kafka zusammenhängend seine innere Entwicklung bedenkt, also vor allem in den beiden ersten Heften und im 13. Quartheft, isolierte Erinnerungen aus länger zurückliegender Zeit ausgesprochen selten. Die konkreten Beobachtungen, den Zeitpunkt der Niederschrift betreffend, sind oft reine Fixpunkte und fast nichtssagend: »Dreiviertel zwei nachts«, heißt es da oder: »Elf Uhr nach einem Spaziergang.«

So wenig wie die unmittelbare Gegenwart ist auch die Zukunft betont. Abgesehen von vereinzelten Entschlüssen – »Dich schwinge also auf« – und kurzen, wie Fremdkörper wirkenden Hinweisen auf die allernächste Zukunft – »Morgen keine Zeit« –, finden sich keine diesbezüglichen Angaben. [258] Das alles ist gewiß kein Zufall, denn Kafka bringt es mehrfach zum Ausdruck, daß er nur der Gegenwart verhaftet sei, keine Pläne für die Zukunft habe und sich wegen innerer Desorientiertheit auf den kleinen, unmittelbar überblickbaren Erlebnishorizont beschränken müsse: »Zwischen Freiheit und Sklaverei kreuzen sich die wirklichen schrecklichen Wege ohne Führung für die kommende Strecke und unter sofortigem Verlöschen der schon zurückgelegten. Solche Wege gibt es unzählige oder nur einen, man kann das nicht feststellen, denn es gibt keine Übersicht. Dort bin ich. Ich kann nicht weg.«

Der begrenzte Blickpunkt der Tagebücher ist also auch Ausdruck einer bestimmten erkenntnistheoretischen Position. Gewiß versuchte Kafka – sein Dasein wäre sonst kein menschliches gewesen –, durch Zielbestimmungen eine über den Augenblick hinausgehende Sinngebung seines Lebens zu erreichen, erwähnt er doch schon im Februar 1912 seine »niemals aus den Augen gelassene Aussicht in die Zukunft«, ein Zustand, der sich natürlich zur Zeit der Beziehung zu Felice übermäßig verstärkte. Aber er hat gerade diese Betrachtungsweise der Dinge an sich als unsachgemäße Schwäche getadelt: Er wolle nicht einmal die Zukunft wagen, ohne sie vorher erklärt zu haben. Er hielt das für lächerliche Konstruktion und beamtenmäßige Berechnung, die als Erkenntnisunterlage nicht brauchbar war und deswegen in der Regel auch im Tagebuch nicht erscheint. [259]

Die Darstellung seelischer Gegebenheiten, die neben den Beobachtungen des verflossenen Tages die zweite Hauptgruppe der Aussagen bildet, fügt sich ebenfalls diesem Gesetz der Konzentration auf das Augenblickliche, nur daß die dominierende Stimmung des Tages summarisch vorgestellt wird: »Besseres Selbstbewußtsein« oder: »Kalt und leer«. Weitere Differenzierungen waren bei einem Temperament, das so zur Perseveration neigte, wenig sinnvoll. [260] Alles dies mußte genau vermerkt werden, denn im Gegensatz zum Jahr 1921 gilt für die ersten 12 Quarthefte der Satz, den Kafka im Hinblick auf sein Verhältnis zu Max Brod formulierte: »Was nicht aufgeschrieben ist, flimmert einem vor den Augen und optische Zufälle bestimmen das Gesamturteil.«

Unabhängig von diesen regestenartigen Tagesübersichten gibt es freilich auch Aussagen über Charakterzüge des Dichters wie seine Unpünktlichkeit, seinen Geiz, seine Gier nach Büchern, seinen Widerwillen gegen Antithesen, seine Eitelkeit beim Vorlesen und vor allem seine Schreibfähigkeit, die natürlich nur als situationsübergreifende Erkenntnisse formuliert werden können. [261] Doch gehen auch solche Urteile gewöhnlich von konkreten Lebenslagen aus und sind anläßlich solcher gewonnen worden. Es sind erste Ansätze von Ergebnissen, die mit den Tagebuchniederschriften überhaupt intendiert waren.

Zweiter Teil
Mimik und Gestik

1. Kapitel:
Lebenszeugnis und Literatur: Darbietungsweisen.
Vorstellungsinhalte. Wahrnehmungskategorien

Die folgende Untersuchung der Gestik und Mimik im Werk Franz Kafkas verfolgt mehrere Ziele. Einmal eignet sich dieser Problemkreis vorzüglich dazu, die oft behauptete, aber nur unzureichend untersuchte Einheit von Kafkas Dichtungen und Lebenszeugnissen wenigstens auf einem Teilgebiet zu veranschaulichen. Zweitens ermöglicht nur eine synoptische Erfassung des gesamten hierher gehörigen Materials und der ihm zugrunde liegenden Gegebenheiten ein angemessenes Verständnis vieler Tagebuchnotizen und Briefstellen, deren Eigenart sich einer Auswertung entzieht, die auf einer isolierten Betrachtung der Einzelpassage selbst beruht. Hinsichtlich des durch das Thema begrenzten Bereichs ein Bild von Kafkas geistiger Physiognomie zu entwerfen, seiner »Denk- und Ausdruckskraft« [1], ist ebenfalls Gegenstand der Darstellung und erlaubt grundlegende Einsichten in den Schaffensprozeß des Dichters und wichtige Erkenntnisse für die Interpretation zahlreicher Textstellen in den Romanen und Erzählungen.

Die Analyse einer Tagebuchstelle soll die Art des gewählten Ansatzes verdeutlichen. Am 13. Februar 1914 notierte sich Kafka: »Gestern bei Frau X. Ruhig und energisch, eine fehlerlos sich durchsetzende, sich einbohrende, mit Blicken, Händen und Füßen sich einarbeitende Energie. Offenheit, offener Blick ... Wie der Muff, wenn sie zu einem Ziel der Erzählung eilt, an den Leib gedrückt wird und doch zuckt.« [2] Eine Betrachtung, die Vergleichspunkte zwischen epischer Darstellung und der sich doch vielfach nach ganz anderen Gesetzmäßigkeiten formenden lebenskundlichen Notiz sucht, findet hier mehrere Ansatzpunkte. Einmal fällt die syntaktische Gestaltung auf: Die Attributhäufung in der Subjektklammer, die den Begriff energisch erklärt, ist eine Darstellungsform, die Kafka häufiger anwendet, wenn er Sachverhalte erfassen will, deren zahlreiche Aspekte begrifflich eng beieinander liegen und bisweilen dazuhin bildlich-szenischer Veranschaulichung bedürfen.

Hierbei kann es sich um Gegenstände handeln – »Sieh nur die kleine, harthäutige, aderndurchzogene, faltenzerrissene, hochädrige, fünffingrige Hand« – oder um Abstrakta: »Hier mache ich eine dumme, aber für mich sehr charakteristische, kriecherische, listige, nebenseitige, unpersönliche, teilnahmslose, unwahre, von weit her, aus irgendeiner letzten krankhaften Veranlagung geholte, überdies durch die Strindbergaufführung vom Abend vorher beeinflußte Bemerkung darüber, daß es Frauen wohltun muß, Männer so behandeln zu dürfen.« [3]

Neben dem Wunsch, durch verschiedenartige Beleuchtung eines Phänomens Totalität zu erreichen, verrät die Passage eine ungewöhnliche Gefühlsgespanntheit, die wohl der Hauptgrund dafür ist, daß die Einzelelemente nicht in syntaktisch selbständige Parallelglieder zerfallen. Dazu kommt, daß die Satzform bei assoziativem Denken eine allmähliche Entfaltung der Gedanken ohne Änderung in Gedankenführung und syntaktischer Abfolge erlaubt. Jedenfalls hat sich Kafka der dieser Konstruktion innewohnenden Ausdrucksmöglichkeiten gerne auch in seiner Dichtung bedient. [4]

Eine entsprechende Übereinstimmung zwischen dichterischem Werk und Lebenszeugnis ließe sich auch für andere Satzabläufe nachweisen, z. B. für Infinitivkonstruktionen [5], und aus solchen Koinzidenzen könnten dann Aussagen über die bei Kafka hervorstechenden und seine gesamte schriftliche Hinterlassenschaft übergreifenden Formtendenzen gewonnen werden.

Die einleitend angeführte Musterstelle ermöglicht aber noch andere Einstiegsmöglichkeiten; eine davon wäre die Untersuchung der Metaphorik Kafkas. Dazu wenigstens einige Hinweise. Die Vorstellung des Sich-Einbohrens ist etwa noch in einem Brief belegt, wo sich der Dichter mit den Worten »in die Schläfen bohrt sich jedes Wort ein« über störenden Lärm beklagt, dann in einem kleinen Fragment, wo der Hauptfigur ein »scharfer prüfender, sich einbohrender Blick, wie man ihn vielleicht auf einen Einzelnen richten kann«, abgesprochen wird, und in dem Stück *Die Brücke*, wo der Erzähler einleitend von sich sagt: »Diesseits waren die Fußspitzen, jenseits die Hände eingebohrt, in bröckelndem Lehm habe ich mich festgebissen.« [6]

Da die Metapher in allen diesen Fällen mit dem menschlichen Körper assoziiert ist und für eine kontinuierlich und kraftvoll sich durchsetzende Gegebenheit und andernorts für quälende Gefühlsintensität steht, muß dahinter eine feste Denkvorstellung Kafkas liegen, die einen herkömmlichen Allgemeinbegriff vertritt.

Noch deutlicher zeigt das Bild des Babylonischen Turms, wie ein solcher Gedankenbaustein auf allen denkbaren Textebenen realisiert werden kann. So erscheint in der frühen Erzählung *Beschreibung eines Kampfes* das Bauwerk, dem Charakter der *Belustigungen* entsprechend, hinsichtlich seiner äußeren Form als poetisches comparatum für eine Pappel. Möglicherweise ist die Art der vorgenommenen Zuordnung durch Kafkas Kenntnis von O. Mirbeaus Werk *Le Jardin des Supplices* veranlaßt, das dann die Konzeption der Erzählung *In der Strafkolonie* entscheidend beeinflußte, denn dort wird der europäische Brauch, Pflanzen zu benennen, mit den entsprechenden chinesischen Gepflogenheiten konfrontiert, wo gerne blumige, poetische und pretiöse Vorgänge als Bezeichnungen gewählt werden. [7]

In einem Brief bezeichnet Kafka dann ein bestimmtes eigenes Verhalten als »Vorgang in einem Stockwerk des innern babylonischen Turmes, und was oben und unten ist, weiß man in Babel gar nicht«; in einer vielleicht ungefähr gleichzeitigen Reisenotiz wird dieser Komplex als Wunsch, »einige Stockwerke tiefer in der Erde zu liegen«, auf ein wirkliches Gebäude übertragen und an anderer Stelle, gleichsam als Resümee einer Analyse der eigenen Lage, als allgemein verbindliche Sentenz formuliert: »das menschliche Leben hat viele Stockwerke«.

Als er im Winter 1916/17 – die Verbindung zu Felice Bauer war abgeris-

sen – eine produktive Phase erlebte, nahm er die schon im Briefverkehr erprobte und durch die Lektüre der *Sagen der Juden* als Bedeutungsträger gewichtiger gewordene [8] Vorstellung wieder auf und verwendete sie als
Metapher in dichterischen Texten; zunächst in dem Anfang Dezember entstandenen dramatischen Fragment *Der Gruftwächter*, wo der Obersthofmeister vorwurfsvoll dem regierenden Fürsten sagt, dieser verwende alle Kräfte
unnötigerweise für die Verstärkung seines Fundaments, »das etwa für den
Babylonischen Turm ausreichen soll«. Hier ist also neben der äußeren Form
und inneren Gliederung als dritter Vergleichspunkt die Fundierung eingeführt, aus dem sich dann wenige Monate später, im März 1917, eine längere
Reflexion des Ich-Erzählers in dem Stück *Beim Bau der Chinesischen Mauer*
teilweise herleitet: Es wird die Behauptung eines Gelehrten referiert, der
Turmbau sei keineswegs aus den allgemein behaupteten Ursachen nicht erfolgreich gewesen, sondern er sei »an der Schwäche des Fundamentes« gescheitert. [9]

Das neue tertium mag ein Reflex der Lektüre der genannten Sagensammlung sein, wo im Gegensatz zur biblischen Tradition das Mißlingen des Projekts damit begründet wird, daß einige am Bau beteiligte Gruppen in den
Himmel steigen wollten, während die Intention des Baus ursprünglich für
positiv gehalten wird. [10] Jedenfalls hat sich ungefähr acht Monate später, am 9. November 1917, aus diesem Material ein Aphorismus gebildet:
»Wenn es möglich gewesen wäre, den Turm von Babel zu erbauen, ohne ihn
zu erklettern, es wäre erlaubt worden.« Und in der im September 1920 entstandenen Erzählung *Das Stadtwappen* ist dann die Frage nach den Gründen,
die den Bau scheitern ließen, zur Thematik des Textes geworden.

Da im *Stadtwappen* das von Babylon entworfene Bild die Verhältnisse des
Stadtbewohners überhaupt reflektieren soll – auch auf Prag wird angespielt [11] –, kann die fragliche Briefstelle insofern als Konsequenz und
Ausfluß dieser Erzählung angesehen werden, als dort die Verlassenheit, der
der moderne Jude in der Stadt unterliegt, mit dem Hinweis auf das urzeitliche Beispiel begründet wird. [12]

Vom Sommer 1922 schließlich hat sich ein schwarzes Quartheft erhalten,
das den Aphorismus »Wir graben den Schacht von Babel« enthält, eine Formulierung, die auf die Ununterscheidbarkeit von oben und unten, also auf
die moderne Orientierungslosigkeit beim Aufbau theologischer Daseinsgründungen, in der zitierten Briefstelle zurückweist. Im gleichen genetischen Zusammenhang ist eine der eigentlichen Erzählung vorausgehende Variante des
Beginns der *Forschungen eines Hundes* überliefert, wo die Thematik des
Stadtwappens mit etwas geänderten Bildvorstellungen wieder aufgegriffen
wird, die aber ausschließlich auf erzähltechnische Gegebenheiten zurückgehen: Eine Hundegesellschaft kann natürlich keinen Himmelsbau erstellen,
wohl aber von einem Kreuzweg abirren. [13]

Gerade die genaue Beachtung der Chronologie macht deutlich – unter der
Voraussetzung freilich, daß die Überlieferung den Motivkreis adäquat wieder

gibt –, daß es sich um eine Zentralvorstellung Kafkas handelt, an der Dichtung, theoretische Besinnung und direktes Lebenszeugnis gleichermaßen beteiligt sind, so daß legitimerweise die Frage nach der Priorität dieser Bereiche gar nicht aufkommen kann: Nachdem Kafka durch seine Bildungsvoraussetzungen und später durch sein Interesse für die Traditionen seines Volkes einmal mit dem Gedankengut der *Genesis* vertraut gemacht worden war, geschieht es, daß diese Anstöße teils direkt zur dichterischen Gestaltung führen, teils aber auch zum Aphorismus, der seinerseits wieder auf einem Kunstgebilde oder einer biographischen Selbstauslegung gründet oder diese hervorruft.

Eine Untersuchung der wichtigsten Leitbilder Kafkas und deren Koordinierung würde zu einem einigermaßen objektiven Inventar der hauptsächlichsten Vorstellungsinhalte des Kafkaschen Denkens führen. Innerhalb des gegebenen Themas muß auf eine solche Darstellung verzichtet werden, doch soll das Problem der Bildlichkeit bei Kafka noch nach drei weiteren Gesichtspunkten behandelt werden.

Es stellt sich einmal die Frage, woher Kafka die comparata zu seinen Vergleichen und Metaphern bezieht, sofern es sich nicht um landläufige Bildungsvoraussetzungen, Lektürespuren oder um den allgemeinen Erfahrungsschatz an Bildern handelt, den jede Sprachebene reichlich bereitstellt. Eine mögliche, durch die Analyse der Reisetagebücher nahegelegte Antwort wäre: aus persönlichen Beobachtungen.

Dafür ein Beispiel, wo sich dieser Weg von der Wahrnehmung zur Metapher, der in der Regel verborgen bleibt, durch die Gunst der Überlieferung rekonstruieren läßt. In der Weihnachtszeit gab es in Prag einen Christmarkt. Zwischen dem Altstädter Rathaus und der Teinkirche standen Bretterbuden, in denen Nikolasse, Krampusse, rote Teufel, Schlüssel usw. baumelten. An der Rathausuhr belagerten Kinder Stände mit Zuckersachen. [14] Kafka hat das bis in die Mannesjahre hinein aufmerksam beobachtet. Am 16. 12. 1911 notiert er sich ins Tagebuch: »Die alten Künste auf dem Christmarkt. Zwei Kakadus auf einer Querstange ziehn Planeten.« Nach Max Brods Erklärung handelt es sich dabei um kleine Kuverts, aus deren Menge ein abgerichteter Papagei das Schicksalslos hervorzieht. [15] Am 27. August desselben Jahres heißt es im Reisetagebuch über die Züricher Briefträger: »Kästchen vor sich hergetragen, Briefe geordnet wie die ›Planeten‹ auf dem Weihnachtsmarkt, hoch gehäuft darüber.«

Noch innerhalb der Sphäre der Lebenszeugnisse ist hier das Beobachtete zum comparatum geworden, dessen Fremdartigkeit so auf die heimische Erfahrungswelt bezogen, eingeordnet und rezipiert wird.

Es ist erstaunlich, wie dauerhaft sich eine solche, freilich sich wiederholende Wahrnehmung – es handelt sich um »alte«, d. h. altbekannte Künste, auch ist aus der Chronologie der Stellen erschließbar, daß der Dichter mindestens schon im Jahr 1910 dieses Ziehen der Zukunftslose beobachtet haben muß – in das Bewußtsein des Künstlers eingegraben haben muß, denn noch volle elf Jahre später, im *Schloß*, benützt er sie metaphorisch, um die Art und Bedeutung der K. von Klamm zugegangenen Botschaften zu verdeutlichen. Die Hauptfigur sagt zu Olga:»Mögen es auch alte, wertlose Briefe sein, die wahllos aus einem Haufen genauso wertloser Briefe hervorgezogen wurden, wahllos und mit nicht mehr Verstand, als die Kanarienvögel auf den Jahrmärkten aufwenden, um das Lebenslos eines Beliebigen aus einem Haufen herauszupicken . . . « [16]

Die Faszination des Nicolo-Marktes auf Kafka ist damit aber keineswegs erschöpft. Im zweiten Kapitel des *Verschollenen*, das Anfang Oktober 1912 entstand, wird ein neuer amerikanischer Schreibtisch beschrieben, an dem besonders ein Aufsatz hervorsticht, der Karl lebhaft an Krippenspiele erinnert, die in Prag auf dem Christmarkt den staunenden Kindern gezeigt wurden:»Karl war oft . . . davor gestanden und hatte ununterbrochen die Kurbeldrehung, die ein alter Mann ausführte, mit den Wirkungen im Krippenspiel verglichen, mit dem stockenden Vorwärtskommen der Heiligen Drei Könige . . . « Daß es sich auch hier um eine Reminiszenz des Dichters handelt, macht folgende Tagebucheintragung vom 1. Oktober 1911 wahrscheinlich, wo es über Dirnen heißt:»Einige hier angezogen wie die Marionetten für Kindertheater, wie man sie auf dem Christmarkt verkauft, das heißt mit Rüschen und Gold beklebt und lose benäht.« [17] Beide Male tritt das Mechanische des Puppenspiels als comparatum deutlich hervor, wenn auch der Bezugspunkt im zweiten Fall ein anderer ist.

Natürlich ist es nicht notwendig, daß die Erfahrung erst die Zwischenstufe der Lebenszeugnisse durchläuft und dort als Metapher gleichsam literarisiert wird. Dieser Vorgang mag sich in der Regel im Wahrnehmungshorizont des Dichters bei der Beobachtung neuer Gegebenheiten vollzogen haben, so daß im Schaffensprozeß darauf zurückgegriffen werden konnte; möglich ist auch, daß die Verbildlichung des Erfahrenen sogar erst während des Schreibens einsetzte. [18]

Dabei entsteht jedoch die Gefahr – und das ist ein weiterer Gesichtspunkt, der Betrachtung lohnt –, daß zahlreiche und allzu disparate Vergleichspunkte entstehen, die die intendierte Geschlossenheit der Erzählwelt aufzubrechen drohen, indem sie auf die Mannigfaltigkeit des produktiven Erlebnishorizontes verweisen und als Bildebene dem jeweiligen Kontext nicht mehr voll funktional zuordbar sind. Kafka hat aber diese Schwierigkeiten geschickt vermieden. Karl Roßmann ist technischer Oberschüler und wollte früher Ingenieur werden, die Art seines Vergleichens ist also wie seine sonstigen Beobachtungen technischer Art ein natürlicher Ausdruck seines Bewußtseins.

Auch im *Schloß* sind die comparata Ausdruck der Erzählwelt: Sie lassen sich gleichsam wieder an der Handlungsführung veranschaulichen, auch entsteht durch mehrfache Setzung des gleichen Bildbereichs eine homogene Schicht aufeinander verweisender Erzählelemente. Der Dorfvorsteher sagt zu K. über das Telephon:»In Wirtsstuben und dergleichen, da mag es gute Dienste leisten, so etwa wie ein Musikautomat, mehr ist es auch nicht. Haben

Sie schon einmal hier telephoniert, ja? Nun also, dann werden Sie mich vielleicht verstehen.« Hier ist nicht nur die Abneigung gegen das Telephon ein getreues Spiegelbild des Unbehagens, das der Dichter im Umgang mit diesem Apparat empfand, sondern auch Kenntnis und Bewertung des Musikautomaten entsprechen derjenigen Kafkas. [19] Gleichzeitig handelt es sich aber auch um eine Illustrierung der Erfahrungen K.s, denn bei dem Telephongespräch, das dieser mit dem Schloß geführt hatte und auf das hier angespielt ist, antwortet sein Gesprächspartner tatsächlich ganz mechanisch und reproduziert nur das, was K. ihm in den Mund legt. [20]

Ähnlich verhält es sich mit Pepis Aussage, ihr »Auserwählter« sei, wer den ganzen »Herrenhof« anzünde und vollständig verbrenne »wie ein Papier im Ofen«. Einerseits ist bekannt, wie Kafka dem Feueranzünden Interesse entgegenbrachte – er war übrigens selber unfähig dazu –, andererseits hat der Leser des Romans noch die lange Szene in Erinnerung, wie K. als Schuldiener beim Heizen des Zimmers den Unwillen des Lehrers hervorruft. [21] Und wenn in der Bürgel-Episode der Beamte darüber meditiert, was für ein kleines und geschicktes Körnlein eine Partei sein müsse, um durch das unübertreffliche Sieb bürokratischer Zuständigkeiten durchzugleiten, so entspricht dieses Bild sowohl der bäuerlich-dörflichen Welt des Romans als auch Kafkas diesbezüglichen Zürauer Erfahrungen, die noch in anderen Punkten den Roman mitgeformt haben.

So ist es wohl kein Zufall, daß Kafka, der in Zürau das Gefühl hatte, »in einem nach neueren Prinzipien eingerichteten Tiergarten zu wohnen, in welchem den Tieren volle Freiheit gegeben ist«, und sich in diese »Vorherrschaft der Tiere« schickt, im *Schloß*, wo die Bilder nicht eben zahlreich sind, den Tiervergleich ausgesprochen liebt. [22] Es kommt zu Mehrfachverwendungen des gleichen Vorstellungskreises, wo die Einzelstellen leitmotivisch aufeinander verweisen [23], und zu Veranschaulichungen von Personenkonstellationen auf der Bildebene: Klamm verhält sich zu K. wie ein Adler zu einer Blindschleiche [24], und der K. feindliche Bereich wird mit Raubkatzen verglichen, seine Helfer und er selbst mit Lämmern bzw. Weidetieren.

Dabei entsteht nicht nur durch die Gleichheit oder Ähnlichkeit der Vergleichsebene eine Motivkette, sondern die einzelne Bildvorstellung selber ist offenbar durch in ihr liegende Konnotationen zusätzlich mit dem Romankorpus verbunden: Wenn Barnabas zur Zeit des Feuerwehrfestes noch »jung wie ein Lämmchen« ist, so ist dieser Ausdruck weitgehend synonym mit der Wendung »unschuldig fast wie ein Lämmchen«, den Kafka einmal in einem Brief gebraucht. Eben dieser Begriff eignet nun aber dem Schloßboten in besonderer Weise. Olga erzählt nämlich K.: »wenn man von uns sprechen mußte, nannte man uns nach Barnabas, dem Unschuldigsten von uns«. [25]

Wenn in einem Fragment, in dem die Bürgel-Episode aus anderer Perspektive nacherzählt wird, davon die Rede ist, K. umschleiche der »Herrenhof« »wie die Füchse den Hühnerstall«, und K. selbst am Morgen nach den beiden Verhören das Stimmengewirr der erwachenden Schloßbeamten »wie der Aufbruch im Hühnerstall« vorkommt, ein Vorstellungsbereich, auf den noch mehrfach im Roman angespielt wird, so könnte man fast zu der Auffassung gelangen, das Bild sei bei der Genese dieser Szene das Primäre gewesen, wofür nicht nur sonstige Praxis sprechen könnte, wo sich belegen läßt, wie sich aus einer Metapher ein Erzählkern entwickelt [26], sondern auch die Kind-Metaphorik, die sich im *Schloß* als wichtiger Vorstellungsbereich den Tierbildern zugesellt und interessante Hinweise auf den autobiographischen Hintergrund des Romanfragments liefert.

Hatte sich Kafka schon zu Zeiten des Briefwechsels mit Felice gelegentlich als »kindlich, aber im schlimmsten Sinne« bezeichnet, so wird diese Vorstellung 1921 zum festen Anschauungsbild für seine innere Lage. Er irre, heißt es da im April dieses Jahres, »wie ein Kind in den Wäldern des Mannesalters« umher, und wenige Wochen später meint er, er habe sich »ja zurückentwickelt zu einem Kind«. [27] Dem entspricht, daß er Ottla und Milena als Mutter bezeichnet. [28] Beigetragen haben zu dieser Selbstdeutung Kafkas ephebenhaftes Aussehen, sein Bewußtsein, in extremer Weise Jude zu sein, sein Scheitern in den vom Erwachsenen üblicherweise geforderten menschlichen Beziehungen, seine Krankheit, die ihn wieder abhängig von äußerer Pflege machte, und eine besondere Art des Denkens – »kalt und langsam« heißt es in einem Brief an Milena –, die ihm das Schulleben verleidete und in seinen Lebenszeugnissen, wie gezeigt, zu einer ausgeprägten Lehrer-Schüler-Metaphorik führte. [29]

Wenn in dem 1922 entstandenen *Schloß*-Fragment K.s Wesen »durch kindlich langsames und kindlich scheues Denken« gekennzeichnet wird, wenn er im Roman dauernd mit einem Kinde verglichen wird und wenn schließlich in einer Variante Erlanger den Helden ein wenig an den Dorflehrer erinnert, »und er selbst saß hier auf dem Sessel wie ein Schüler, dessen sämtliche Mitschüler rechts und links heute ausgeblieben waren« [30], so zeigt die Häufung des gesamten diesbezüglichen biographischen Materials auf K., daß diese Figur wichtige Züge mit Kafka gemein hat.

Obwohl also auch in diesem Falle wieder die Bildlichkeit der Lebenszeugnisse verwendet wird, hat es Kafka verstanden, sie in den Romankontext zu integrieren. Zweimal nämlich wird die äußere Situation K.s im Sinne der Metapher gedeutet: So sieht es für K. während des Gesprächs mit dem etwa zehnjährigen Sohn Brunswicks so aus – Hans sitzt in der Schulbank, K. auf dem Katheder –, »als sei Hans der Lehrer, als prüfe er und beurteile die Antworten«, und ebenso verfährt er ja während des Verhörs durch Erlanger, wo durch den Hinweis auf den Lehrer, mit dem K. als Schuldiener und schon vorher zweimal zusammengetroffen war, Bild und Szenendeutung auf die dörfliche Wirklichkeit und K.s Umwelt bezogen wird. [31]

Schließlich interessiert natürlich – und das ist der dritte Gesichtspunkt, der im Zusammenhang mit Kafkas Metaphorik verfolgt werden soll –, ob diese Ausdrucksweise für ihn nur ein künstlerisches Gestaltungsmittel war, eine Attitüde gleichsam, die Originalität des Formulierten mitgarantieren sollte, oder ob sie für den mündlichen Ausdruck des Dichters gleichermaßen kennzeichnend war, wie das ja ihre Interpretation als Denkform voraussetzt. Tatsächlich zeigen die Aussprüche Kafkas, die Max Brod überliefert hat, in diesem Punkt eine völlige Übereinstimmung mit den schriftlichen Lebenszeugnissen, die die Deutung zuläßt, daß Kafka auch im Gespräch Bildvorstellungen benütze, wenn er begrifflich argumentieren wollte.

Als er seine letzte Erzählung, die am 20. April 1924 in der *Prager Presse* unter dem Titel *Josefine, die Sängerin* erschienen war [32], für den geplanten Druck im *Hungerkünstler*-Band redigierte, sagte er zu Max Brod: »Die Geschichte bekommt einen neuen Titel. ›Josefine, die Sängerin – oder – Das Volk der Mäuse‹. Solche Oder-Titel sind zwar nicht sehr hübsch, aber hier hat es vielleicht besonderen Sinn. Es hat etwas von einer Waage.« [33]

Das Bild, das Kafka hier in der Konversation gebrauchte – freilich schrieb er vielleicht, da er wegen der Kehlkopftuberkulose nicht sprechen sollte, seinen Gesprächsbeitrag auf einen Zettel –, gehört zu einem verzweigten Begriffsgefüge: Schon 1907 erscheint das »äußere Gleichgewicht einer Waage« zur Veranschaulichung übertriebenen Gerechtigkeitssinns in einem Brief. [34] Wohl weniger Literaturkenntnis – in Kleists *Michael Kohlhaas* heißt es, das Rechtsgefühl der Titelfigur habe einer Goldwaage geglichen [35] – als vielmehr praktische Anschauung im elterlichen Geschäft mochte den Anlaß zu solcher Verwendung bilden; dabei benützt Kafka als Bezugspunkte auch die Zwangsläufigkeit des Mechanismus, der die geringste Ungleichgewichtigkeit sofort sichtbar werden läßt, und den Schwebezustand, der qualvolle Entscheidungslosigkeit vertritt. [36]

Weitere Impulse gingen dann von einem Brief Felicens vom Dezember 1913 aus, in dem es über die geplante Heirat heißt: »wir wollen es nicht gegenseitig abwägen, wo ein Mehrgewicht entstehen würde.« Es ist deswegen nicht verwunderlich, daß dieses Bild auch im *Prozeß* verwendet wird, wo Kafkas Auseinandersetzung mit Felice reflektiert wird: Die Waage der Gerechtigkeitsgöttin auf einem Bild Titorellis wird ausdrücklich hervorgehoben, und Block sagt böse über K.s Verhalten ihm und dem Advokaten gegenüber: »für den Verdächtigen ist Bewegung besser als Ruhe, denn der, welcher ruht, kann immer, ohne es zu wissen, auf einer Waagschale sein und mit seinen Sünden gewogen werden.« Die Bedeutung der Aussage ist dadurch gesichert, daß sie als alter Rechtsspruch bezeichnet wird. [37]

Dann später mochte die Lungenkrankheit anregen, wo die Lebenschancen vom Ergebnis der regelmäßigen Wiegungen abhingen. Unter den »Ansichten aus meinem Leben«, lustigen Zeichnungen auf einer an Ottla gerichteten Postkarte aus dem Jahr 1918, findet sich auch dieser Vorgang abgebildet. [38] Dazu werden die hinsichtlich des Gesundheitszustandes abzuwägenden Lebensentscheidungen durch das Bild der Waage dargestellt. [39]

Wie sehr dabei das anschauliche Moment noch jeweils mitgesetzt ist, zeigen die Briefe an Milena. Sprach die Freundin von der »Waage der Welt«,

so meint er, diese setze sich bei seinem geringen Körpergewicht überhaupt nicht in Bewegung, was heißen soll, daß er Milenas sich in Briefen
äußernde Zuwendung, die ihm die Fülle der Welt repräsentierte, keine *merk-
bare* Gegenleistung zuordnen könne. Als ihm Milena dann eine Zeitlang
nicht schrieb, war er jedoch nicht traurig, weil – und nun wird die Vorstellung genau auf den Kopf gestellt, um eben die gleiche, von ihm immer behauptete Ungleichgewichtigkeit der Partner herausstellen zu können – »es
wahrscheinlich in der ganzen Welt nicht genug Gewichte gibt, um mein armes kleines Gewicht hochzuheben«; d. h. selbst die Geliebte vermag es nicht,
seine kommunikationsfeindliche Position zu erschüttern. [40]

Fast folgerichtig erscheint dann an anderen Stellen die Ambivalenz seiner
Bestrebungen unter dem Bild der Waage, deren belastete Schalen Welt-
bezug und Selbstverpflichtung darstellen. [41] Erstrebt wird dann ein
»Gleichgewicht des Lebens«, das Kafka im Lauf seiner Entwicklung selber
zerstörte, eine Tendenz, die dem Fürsten im *Gruftwächter* ebenfalls vorgewor-
fen wird. In analogem Sinn bildet der Kaiser in der Erzählung *Beim Bau der
Chinesischen Mauer* ein »Gegengewicht« zum Hofstaat, der immer bemüht
ist, diesen »von seiner Waagschale abzuschießen«. [42]

Auf diesem Hintergrund wird die neue Titelgebung der *Josefine*-Geschichte
verständlicher, ist dort doch die Wechselseitigkeit der Beziehung von ein-
zelnem und Gemeinschaft thematisiert, deren Funktionsweise für den Dichter
mit Hilfe des Waage-Modells überschaubar geworden war, so daß er nun einen
Titel wählte, wo beide Waagschalen repräsentiert waren. Das Beispiel zeigt
also, wie das gleiche Bild als Gesprächsvorstellung, Leitbegriff schriftlicher
Selbstdeutung, Erzählmotiv und ästhetische Kategorie benützt wird, und dies
über einen Zeitraum von siebzehn Jahren hinweg.

Die Untersuchung der Metaphorik Kafkas kann an dieser Stelle abgebrochen werden. Anders als die Analyse syntaktischer Gegebenheiten, die bevorzugte *Darbietungsweisen* der Aussagen Kafkas zu enthüllen vermag,
brachte sie wichtige *Vorstellungsinhalte* ans Licht, die sich in Dichtung und
Denken Kafkas wechselseitig erhellen, verdeutlichte die Herkunft dieser
Komplexe, die Gesetzmäßigkeiten ihrer Verwendung und ihre Verbreitung
innerhalb der verschiedenen Lebensäußerungen Kafkas.

Die zitierte Tagebuchstelle vom 13. Februar 1914 zeigt noch eine weitere
Möglichkeit, Wechselbeziehungen zwischen Tagebüchern, Briefen und Erzähltexten zu studieren, insofern dort auch Gestisches und Mimisches akzentuiert wird. Es sind *Wahrnehmungskategorien*, die jetzt Gegenstand der Betrachtung werden sollen.

Wenn Bürgel meint, durch ein Wort, einen Blick oder durch ein Zeichen
des Vertrauens könne man im Schloß mehr erreichen als durch lebenslange
Bemühungen, wenn Pepi durch ein Wort, einen Blick oder ein Achselzucken
die Schloßherren förmlich zu verwandeln glaubt und wenn auch K. selber
meint, es bedürfe nur eines kleinen Zugriffs, eines Wortes, eines Blickes, um
seine nahe Beziehung zu Klamm diesem und allen zu offenbaren [43], so

entspricht diese Dreiheit von Augen (Blicken bzw. den in Texten Kafkas in sehr vermindertem Maß an der Mimik beteiligten anderen Gesichtsteilen), Händen (zu denen sich auch Kopf- und Körperbewegungen, seltener Beine und Füße gesellen) und Worten explizit und dem Befund nach der Aussage der Lebenszeugnisse: Kafka will Milena umfassen »mit Worten, Augen, Händen und dem armen Herzen« (d. h. dem Oberkörper), und fünf, sechs Stunden Zusammensein mit ihr sind »zum Schweigen, zum Bei-der-Hand-halten, zum In-die-Augen-sehn genug«.

Kafka beschreibt, wie geäußerte Meinungen »durch den Blick der Augen, einen Griff an die Tischkante oder indem man vom Sessel sprang« bewiesen werden, und meint, man hätte ihm als Kind durch »ein freundliches Wort, ein stilles Bei-der-Hand-Nehmen, ein[en] gute[n] Blick« alles abfordern können, was man wollte. In diesen Belegen sind Mimik, Gestik und das gesprochene Wort die Dominanten menschlicher Beziehungen.

Tatsächlich beschränkt sich Kafkas Figurenbeschreibung und Menschenbeobachtung – sieht man von einer gewissen Bedeutung ab, die der Kleidung besonders in *Beschreibung eines Kampfes*, im *Schloß* und in manchen Tagebuchstellen zukommt – in der Regel auf diese drei Komponenten, wobei zu beachten ist, daß Eindrücke und Gedanken im literarischen Werk nur in sprachlicher Gestaltung, als eine Art Selbstgespräch, gegeben werden können. Die sonstigen Verhältnisse der beschriebenen oder dargestellten Personen wie zum Beispiel berufliche Fähigkeiten, Begabungen oder Neigungen, Herkunft, Bildungsstand, wirtschaftliche Verhältnisse und überhaupt die Lebensweise treten dahinter vollständig zurück.

So auch in der eingangs angeführten Tagebuchstelle. Zwar werden die »häßlichen ungeheuren feierlichen Renaissancestraußfederhüte« und der Muff erwähnt, auch die bescheidene Kleidung der Gesprächspartnerin, doch liegt das Gewicht eindeutig auf der einheitlichen Art des Schauens und der Körperbewegung, die Kafka unter dem Stichwort der »gänzlichen Beteiligung« zusammenfaßt, während der Bereich des Sprechens im nicht zitierten zweiten Abschnitt der Beschreibung akzentuiert wird, wo von der »Selbstvergessenheit der Erzählung«, der »harten dumpfen Stimme« und vom Gespräch über schöne Kleider und Hüte die Rede ist. [44]

Angesichts der Tatsache, daß sich Kafka seiner großen Menschenkenntnis rühmt, wovon noch zu reden sein wird, und weil andererseits etwa Willy Haas behauptet, Kafkas Charakterisierungen der Freundinnen Milenas seien literarische Porträts, Karikaturen eines Eifersüchtigen [45], legt sich die Frage nahe, ob die Personenbeschreibungen der Tagebücher – es sind dort ausnahmslos nur flüchtige Bekanntschaften des Dichters festgehalten – einigermaßen der Wirklichkeit entsprechen.

Für das vorliegende Beispiel läßt sich die Frage bejahen. Kafkas Eintragung bezieht sich auf Klara Thein (geb. 1884), die damals verheiratet und Mutter zweier Kinder war. Kafka wird die schöne, intelligente und religiöse Frau – sie besuchte im September 1913 den XI. Zionisten-Kongreß in Wien, wo

Kafka sie bemerkte [46] – bei zionistischen Veranstaltungen oder bei den von ihm besuchten Abenden des Fanta-Kreises kennengelernt haben; auch waren etwa Else Bergmann und Lise Weltsch gemeinsame Bekannte. Kafka begleitete sie einmal nach Hause, wobei er, der sich lebhaft für die Indianer interessierte, ihr spontan das Büchlein *Die Indianer am Schingu* schenkte, das er gerade bei sich hatte und las. [47] Abbildung 10 zeigt eine Photographie Klara Theins, die gut mit Kafkas Eindruck harmoniert. Nicht nur die im Tagebuch erwähnte Tochter, sondern auch der riesige, überladene Hut und der an den Körper gepreßte Muff finden sich wieder, und auch der klare, bestimmte Blick ist aus dem Bild, das ungefähr aus dem Jahr 1911 stammt, deutlich ablesbar. Bedeutsam ist auch, wie Details von Kafka betont werden, für die ein vorgängiges Interesse nachweisbar ist: »Pelzmuff« und »Straußfeder« der Bedienerin, über die sich der alte Samsa dauernd ärgert – Klara Thein trug bezeichnenderweise nie Straußfederhüte –, sind ja Requisiten der Ende 1912 entstandenen *Verwandlung.* [48]

Kafkas anfänglicher Widerwille ist wahrscheinlich teilweise in der überladenen Kleidung und in seiner Abneigung gegen Pelze [49] begründet. Das lebhafte, ungeduldige und leidenschaftliche Wesen Frau Theins, von dem eine belebende Wirkung auf Kafka ausgegangen sein muß – als er von ihr eingeladen wurde, fühlte er sich, wozu freilich noch anderes beitrug, »frischer als sonst« [50] –, hat er gut beobachtet. Das unmotivierte Zucken des Muffs deutet entweder auf Nervosität, die beim Zusammentreffen der beiden tatsächlich vorhanden war, weil Klara Thein sich Kafkas starker, aber undurchschaubarer Persönlichkeit gegenüber unsicher fühlte, so daß die Konversation zusehends verflachte, oder auf eine innere Unruhe der Gesprächspartnerin, die in ihrem engen Wirkungskreis kein ihren Fähigkeiten entsprechendes Tätigkeitsfeld fand. Ihre Gespanntheit während des Gesprächs (»wie sie aufhorcht«) ist also auf die Faszination durch Physiognomie und Haltung Kafkas zurückzuführen, die beobachtete Ruhe und Selbstvergessenheit auf ein ausgeprägt kontemplatives Element und eine Unabhängigkeit von anderen Menschen, deren Belange das eigene seelische Gefüge dann wenig tangieren.

2. Kapitel:
Grundsätzliches zu den Ausdrucksbewegungen

Als Ausgangspunkt der Betrachtung diene eine Tagebuchstelle vom 30. Juli 1917: »Fräulein K. Verlockungen, mit denen das Wesen nicht mitgeht. Das Auf und Zu, das Dehnen, Spitzen, Aufblühn der Lippen, als modellierten dort unsichtbar die Finger. Die plötzlich, wohl nervöse, aber diszipliniert angewandte, immer überraschende Bewegung, zum Beispiel Ordnen des Rockes auf den Knien, Änderung des Sitzes. Die Konversation mit wenig Worten, wenig Gedanken, ohne jede Unterstützung durch die andern, in der Hauptsache durch Kopfwendungen, Händespiel, verschiedenartige Pausen, Lebendigkeit des Blickes, im Notfall durch Ballen der kleinen Fäuste erzeugt.« [51]

Auch diese Beschreibung soll zunächst empirisch überprüft werden. Es handelt sich dabei um die damals 22jährige, aus Wien stammende Schauspielerin Gertrud Kanitz (gest. 1946), die, in der Schauspielschule Max Reinhardts ausgebildet, im Winter 1916/17 in Hamburg in Märchenvorstellungen als Schneewittchen sehr erfolgreich debütierte. Kafka muß sie, als sie aus Familiengründen in Prag weilte, in einer Gesellschaft kennengelernt haben (»die andern«), vielleicht bei Max Brod oder im Café Arco.

Die gegebene Charakterisierung ist treffend. (Vgl. Abb. 11) Die Schauspielerin hatte tatsächlich schöne, kleine Hände, große, graublaue, lebhafte Augen, auch sprach sie wenig. Die disziplinierten Bewegungen, die ökonomische, bewußt eingesetzte Gestik verraten deutlich die ausgebildete Bühnenkraft. Besonders bezeichnend ist auch der erste Satz. Gertrud Kanitz muß damals in ihrem hellen Sommerkleid mit den dunklen Locken recht verführerisch ausgesehen haben. Sie hätte eine Carmen sein können – ein Typ also, den Kafka schätzte –, doch war sie bescheiden, zurückhaltend und beinahe schüchtern; nie machte sie von ihrer erotischen Ausstrahlung im Privatleben Gebrauch. Dies die Verlockungen, mit denen ihr Wesen nicht mitging, zum Teil gewiß auch, weil ihr Vater eben gestorben war. [52]

Kafkas Sensibilität und Beobachtungsgabe kann in diesem Fall auch an der Tatsache abgelesen werden, daß die Theaterkritiken die Persönlichkeit der Schauspielerin ähnlich wie Kafka einschätzten. Hervorgehoben wurden einmal ihr Temperament (»Lebendigkeit des Blicks«) und innere Beseeltheit, die gleichwohl ihren Reizen nicht abträglich war, sie gab sich, wie es in einer Besprechung heißt, »kultiviert und doch naturnah«.

Dann wurde auch die feine, schwebende und rührende Stimme beachtet und überhaupt die Fähigkeit, durch Verlangsamung des Sprechtempos Wirkungen zu erzielen; dazu paßt die Bedeutung, die Kafka den Lippenbewegungen der Kanitz beimaß; man kann das ja nur genau beobachten, wenn sie langsam und artikuliert vor sich gehen.

Vor allem jedoch werden Mimik und Gestik, positiv und negativ, in Anschlag gebracht: Kennzeichnend seien ein flackerndes Gesicht, leidenschaftliche Gebärden und schöne, langgestreckte Bewegungen. Doch wird andererseits einschränkend bemerkt, die Darstellerin müsse sich noch von gewissen Posen und Tönen freimachen, die zu sehr an Spiegel und Sprechunterricht erinnerten. Hier wird also einmal faßbar, wie sehr Kafkas Beurteilungen ins Zentrum führen und wie wenig sie mit beiläufigen Augenblicksimpressionen verwechselt werden dürfen. [53]

Die in der Tagebucheintragung sichtbar werdende Koppelung von Auge und Mund ist typisch für Kafka und findet sich auch sonst häufig, auf der biographischen Ebene etwa bei der Betrachtung von Photographien; so schrieb er beispielsweise über ein Bild, das den kleinen Neffen Minze E.s zeigte: »das Gesicht so schön menschlich, übrigens eher mädchenhaft, der Ausdruck der Augen, die Fülle des Mundes«, und über ein ihm überlassenes Porträt der Briefpartnerin selbst wird bemerkt: »Die nachdenklichen... Augen, der nachdenkliche Mund, die nachdenklichen Wangen, alles denkt nach...« [54]

Auch in dichterischen Texten wird diese enge Koppelung beibehalten: Um Macks »Lippen und Augen« spielt »ein unaufhörliches Lächeln des Glückes«, und über Josefine wird gesagt: »aus ihren Augen blitzt es, von ihrem geschlossenen Mund... ist es abzulesen.« [55]

Sogar wenn gar kein beobachtbarer Gesamteindruck mehr zugrunde liegt, bleibt die Zuordnung erhalten: »... wenn sich deine Lippen öffneten, das tote Auge sich belebte und das Wort... erklänge!« Oder: »... die verkniffenen Augen, die schon nach dem Raub zu schielen scheinen, den das Maul zermalmen und zerreißen wird.« [56]

Handelt es sich hierbei nun gleichsam um eine naturgegebene Verbindung, weil Auge und Mund als auffällig bewegliche Gesichtsteile, die sich etwa öffnen und schließen können, in der Regel sich zusammen verändern und auch die hervorstechendsten Merkmale des Gesichtseindrucks bilden, so trifft dies auf die von Kafka gleichfalls bevorzugte Augen-Nase-Relation (bisweilen unter Einbeziehung des Mundes) nicht zu, die er vor allem bei Frauen bemerkenswert fand.

Eine mögliche Erklärung liefert eine Briefstelle, in der Kafka über Felicens Schwester Erna schreibt: »Der Ausdruck ihrer Augen und deren Verhältnis zur Nase gehört einem Typus jüdischer Mädchen an, der mir immer naheging. Um den Mund ist dann eine besondere Zartheit.« Aus andern Formulierungen kann geschlossen werden, daß für ihn Lise Weltsch, die Kusine seines Freundes Felix Weltsch, der Prototyp für solche Beobachtungen war. Denn er, der diese Bekannte als das ihm sympathischste Mädchen in Prag bezeichnete, führte seine Affinität zu dieser Menschengruppe überhaupt versuchsweise darauf zurück, daß ihr eine »Umwandlung zur Frau« bevorstehe, die er mitfühlen konnte. So ist anzunehmen, daß sein Mitleid mit Erna — »das einzige unbestreitbare sociale Gefühl, das ich habe« — derselben

Motivation entsprang, die jedoch erst durch einen ihm bekannten physiognomischen Typ evoziert worden wäre. [57] Unter solchen Voraussetzungen ist der beschriebene Sachverhalt ein deutliches Beispiel dafür, wie der Lebensumkreis Kafkas und der Bezug des Künstlers zu diesem die Art seiner mimischen Wahrnehmungen konstellierten.

Von den genannten beiden Verbindungen von Gesichtspartien abgesehen, gibt es jedoch bei Kafka kein organisches Aufeinander-Bezogensein der einzelnen am mimischen Gesamtbild beteiligten Elemente. Außer Einzelheiten, wie etwa Nase oder Faltenbildung, die aber häufig sogar ins Konturlose zerfließen, ist es, neben den im Zentrum der Beobachtung stehenden Augen, vor allem der Gesichtsumriß, zu dem bei Frauen auch die Frisur gehört, der registriert wird [58], was offensichtlich mit Kafkas Typologie zusammenhängt, die nur die Erfassung autonomer Details oder undifferenzierte Gesamteindrücke zuläßt. [59]

In diesem Zusammenhang müssen auch seine eigene Zeichnungen erwähnt werden, die er zu Zeiten für wichtiger als sein literarisches Schaffen hielt und die, wie teilweise die von ihm sehr bewunderten japanischen Holzschnitte, die Umrißlinien auffällig betonen. Wie eine diesbezügliche Wahrnehmungsform auf die Seelisches einschließende Gesamterscheinung einer Person zielt, zeigt folgendes Beispiel, in dem Kafka seine Achtung vor einem Hofrat damit begründet, daß dieser »zum Unterschied von den andern, die immer mit dem ganzen Gewicht ihrer Umständlichkeit auf dem Podium standen, nur eine mit fünf Strichen zu umreißende, reinliche Figur hingestellt hat, also seine wesentlichen Absichten zurückgehalten haben muß, vor denen man sich irgendwie beugte.« [60]

Man muß natürlich fragen, warum Augen und Hände, auch in übertragener Bedeutung, in Kafkas Texten eine so wichtige Rolle spielen. Man darf sich, wenn man unter einem solchen Blickwinkel das sehr umfangreiche Belegmaterial mustert, nicht durch vereinzelte Stellen ablenken lassen, wo etwa die Augen als minder wichtig mit geistigen Gegebenheiten kontrastiert sind, wo in philosophischer Problemstellung die Fragwürdigkeit des menschlichen Erkenntnisvermögens durch die Metapher vom »irdisch befleckten Auge« begriffen ist oder wo seelische Verhältnisse durch die Augen sozusagen illustriert werden; so wenn es z. B. heißt: »wir ... müssen also einer mit dem andern Geduld haben, müssen den ... Blick für des andern Notwendigkeit, Wahrheit und endlich Zugehörigkeit haben«, oder wenn das Kafka auszeichnende Gegensatzpaar gelangweilt/zerstreut und überempfindlich/überwach an anderer Stelle der Korrespondenz durch den Hinweis auf seine »gleichzeitig blöden und überwachen Augen« verbildlicht wird.

Auch für den Bereich der Gestik gibt es natürlich entsprechende Fälle: »es waren ja nicht Vorwürfe, es war ein Streicheln mit dem Handrücken«. [61]

Die zuletzt genannten Beispiele haben die stillschweigende Voraussetzung, daß sich die psychische Innenwelt in Gesicht und Gebärde manifestiere, und diese Vorstellung ist nun auch explizit an zahlreichen Stellen zu belegen, wo Kafka oder seine Figuren Gemütsbewegungen von Augen oder Händen des jeweiligen Gegenüber ablesen. In den Augen des Kapitäns sieht Karl Roßmann »die Entschlossenheit, den Heizer diesmal bis zu Ende anzuhören«, aus denen Theresens strahlt »die reinste Freude«, und Kafka selbst meint, nicht er, sondern sein Anblick klage, und er glaubt, jemanden mit einem Gesicht erschreckt zu haben, das die Meinung ausdrückte, alle Menschen seien gut. [62]

Wenn sich für ihn Seelisches äußert, dann vorzugsweise in den Augen, die offensichtlich einen Menschen deutlicher zeigen als etwa seine wissenschaftliche Produktion und weniger zur Lüge fähig sind als seine Gesprächsäußerungen: K. stellt Frieda, nachdem er von ihrer Untreue erfahren hat, »einige belanglose Fragen und suchte dabei prüfend in ihren Augen«. [63]

Innere Vorgänge werden aber nicht nur in starkem Maße am Spiel der Augen und Hände abgelesen, sondern Kafkas Beschreibungen bleiben auch sehr häufig bei diesen greifbaren Phänomenen stehen, die ihm als solche Geistiges hinreichend repräsentieren, d. h. er ersetzt in der Regel den Sinneseindruck nicht durch psychologische Begriffssprache, sondern begnügt sich damit – doch geschieht dies lange nicht in allen Fällen –, ihn durch erläuternde Zusätze, Verwendung der Als-ob-Form und Kontextdeterminanten zu interpretieren, so daß oft die seelische Bewegung in Verbindung mit körperlichen Reaktionen auftritt oder – dies die andere, damit vollständig harmonierende Möglichkeit, die hier gänzlich außer acht gelassen werden darf – als erlebte Rede [64] eine Funktion der Erzählsituation darstellt, in der sprachlichen Gestaltung ohne begriffliche Vermittlung die Denkreaktionen der Figuren repräsentiert und mithin ebenfalls an Anschauungskategorien gebunden ist.

Zur Demonstration des Gesagten eignen sich Stellen, wo Kafka von offenen und geschlossenen Augen spricht. Wenn Furchtlosigkeit als »ruhende, offen blickende, alles ertragende« bestimmt wird, wenn Treue und Unveränderlichkeit durch das »immer offene Auge« veranschaulicht werden, wenn der Obersthofmeister im *Gruftwächter* sagt: »Wer die Augen offen hält, sieht in der ersten Stunde wie nach hundert Jahren das ewig Klare«, wenn offene Augen den Ausdruck des Lebens haben und als Bekräftigung für die Wahrheit des Beobachteten dienen, und wenn es heißt: »Hat man die Kraft, die Dinge unaufhörlich, gewissermaßen ohne Augenschließen, anzusehen, sieht man vieles, läßt man aber nur einmal nach und schließt die Augen, verläuft sich alles gleich ins Dunkel« (denn die Blickkraft bestimmt, wieviel man wahrnimmt), so läßt sich aus diesen Belegen ein fest umrissenes Bedeutungsfeld nachweisen, das auch in folgendem Aphorismus mitgesetzt ist: »Mit stärkstem Licht kann man die Welt auflösen. Vor schwachen Augen wird sie fest, vor noch schwächeren bekommt sie Fäuste, vor noch schwächeren wird sie schamhaft und zerschmettert den, der sie anzuschauen wagt.« [65]

Die Früherzählung *Beschreibung eines Kampfes* veranschaulicht diesen Gedankengang, insofern dort ein Ich-Erzähler dargestellt ist, der von der

»Angst« geplagt wird, weil die Dinge zudringlich und rachsüchtig sind und sich empören. Der Dicke, eine Hauptfigur der *Belustigungen*, in denen durch Introversion eine Landschaft aufgebaut wird, die, als Werk des Ich, nicht in Gegensatz zu diesem steht, schließt deshalb mehrfach die Augen, um von der ihn umgebenden Natur nicht zu sehr bedrängt zu werden. [66]

Zur Erklärung dieses Phänomens bieten sich zwei Sachverhalte an. Einmal Kafkas grenzenlose Unkenntnis der Dinge, von denen er sich durch einen »hohlen Raum« getrennt fühlte; dies spiegelt sich in der *Beschreibung eines Kampfes* in der Aussage des Beters, er erfasse die Dinge um sich nur in hinfälligen Vorstellungen, so daß er glaube, »die Dinge hätten einmal gelebt, jetzt aber seien sie versinkend«; denn dieser Zustand der »Seekrankheit auf festem Lande« entspricht genau dem Staunen des jungen Kafka über die Festigkeit, mit der die Menschen seiner Umgebung das Leben zu nehmen wußten. Wenn Kafka Janouch auf dessen Absicht, nachts schöpferisch tätig zu sein, mit den Worten antwortete: »in einigen Jahren werden Sie vor der eigenen Leere die Augen schließen, Sie werden die Kraft des Blickes verlieren, und die Umwelt wird Sie überschwemmen«, so wird hier die Aggressivität der Dingwelt, die das Schließen der Augen notwendig macht, mit der Entfremdung des Schaffens vom Alltagsleben motiviert.

Ein zweiter Grund liegt wohl in Kafkas zur Abstraktion unfähigem Denken. In einem Brief, wo er betont, zu kausaler Schlußkette und aufbauender Argumentation unfähig zu sein, meint er: »Es ist, als fiele ich auf diese Dinge herab und erblickte sie nur in der Verwirrung des Falls.« [67] Hier wird der gleiche Vorstellungshorizont angesprochen wie in der auf den Beter bezüglichen Stelle in der *Beschreibung eines Kampfes*, denn es ist bei der Diskussion der Subjekt-Objekt-Relation nur eine Frage der Übereinkunft, ob man den Beschauer fixiert und die Gegenstände in Bewegung bringt oder umgekehrt – jedesmal fehlt die ruhige, Erkenntnis ermöglichende Überschau.

Dazu paßt, daß der Vorgang des Augenschließens, abgesehen von Stellen, wo er wirkliches Schaffen voraussetzt oder Müdigkeit ausdrückt, die allerdings im metaphorischen Gebrauch den Körperzustand transzendiert [68] – dabei wird sogar der Halbschlaf noch eigens hervorgehoben [69] –, für Passivität und Schwächezustände der Welt gegenüber steht [70]: »Geschlossenheit ist der natürliche Zustand meiner Augen«, sagte Kafka z. B. von sich kurz vor seinem Tode, ein Sachverhalt, der im *Bau* erzählerisch ausgefaltet ist, insofern dort betont ist, daß das Tier mit geschlossenen Augen seinen Aufgaben nachzukommen sucht. [71]

Die Augenbewegung tritt öfters auf, wenn jemand Schwierigkeiten mit seiner Umgebung hat – »nur ein zeitweises, länger dauerndes Schließen der Augen zeigte, daß er unter dem Lärm litt«, heißt es im *Schloß* von einem Diener – [72], und besonders auch, wenn eine Figur mit ihrem Gesprächspartner unzufrieden ist. [73]

Wenn schließlich Kafka in einem Brief an Milena deren Zorn bei der Übersetzung eines Aufsatzes ins Tschechische wie folgt kommentiert: »wenn es auch vielleicht keinen Schritt tiefer dringt, so schließt es doch wenigstens die Augen, um diesen Schritt zu tun«, so verweist dieses Bild auf die herkömmliche, durch die Mystik verbreitete Bedeutung des Augenschließens, das dann als bewußte Konzentration auf oder Ergebung in eine innere Wahrnehmung aufgefaßt werden muß, von deren Erfassung alle andern, störenden Eindrücke fernzuhalten sind. [74]

Eine logische Folgerung aus dem Dargestellten wäre, daß das Augenblinzeln, das Kafka an sich und andern beobachtet, gleichsam als Schwanken zwischen offenen und geschlossenen Augen, also zwischen Festigkeit und Schwäche, interpretiert wird und Unentschiedenheit meint. Das trifft auch zu, denn es gibt Aussagen, wo von einem »lauwarmen, blinzelnden Geist« oder von vor Nachdenken zwinkernden Augen die Rede ist, so daß man diese Bedeutung auch dort voraussetzen darf, wo das bloße Phänomen genannt ist.

Wenn Kafka, »ohne mit den Augen zu zwinkern«, dem Ostjuden den Vorrang vor andern Daseinsformen einräumt, so heißt das, dies bedenkenlos und ohne von Zweifeln geplagt zu sein zu entscheiden; wenn der Offizier in der *Strafkolonie*, weil ihm der Reisende nicht helfen will, mehrmals mit den Augen blinzelt, so soll gesagt werden, daß er noch mit sich kämpft, innerlich unruhig ist und nicht weiß, welche Folgerungen aus dieser Wendung der Dinge zu ziehen sind; und wenn »ein Augenzwinkern« Robinsons einzige Bewegung ist, während der Polizist mit Karl Roßmann und Delamarche verhandelt, so verrät sich darin das Hin und Her seiner Gedanken, die einen Ausweg aus der verfahrenen Situation suchen. [75] Man kann also mit dem Obersthofmeister im *Gruftwächter* resümieren: »Wer blinzelt, sieht nur Komplikationen.« [76]

In diesen Anschauungszusammenhang gehören nun auch die sich polar zugeordneten zusammengekniffenen Augen, die innere Anstrengung ausdrücken [77], und die erweiterten oder aufgerissenen Augen, die nicht mit den durch Müdigkeit vergrößerten zu verwechseln sind und teils Angst und Schrecken [78], teils innere Erregung und Ergriffenheit meinen, die Kafka besonders an Schauspielern beobachtet hatte. [79]

Im *Verschollenen* bittet Robinson Karl im »Hotel Occidental« um Geld, und Karl antwortet mit dem Hinweis auf dessen Trunksucht, die er nicht mehr bessern wolle (denn Robinson hatte sich mit einer Ausrede entschuldigt). Wenn es dann heißt: »›Aber das Geld!‹ sagte Robinson mit aufgerissenen Augen«, so soll hier gewiß sein angstvoll erregter Seelenzustand gezeigt werden. [80]

Es dürfte deutlich geworden sein, wie Kafka psychische Zustände durchweg als Ausdrucksbewegungen des Körpers darstellt, die in festen Relationen der Innenwelt zugeordnet sind. Die Beispiele zeigen nicht nur, daß bei metaphorischer Verwendung einer physiognomischen Konstellation dieselben Vorstellungen zugrunde gelegt werden wie bei der Deutung wirklicher Mimik, was sich im Verlauf der Untersuchung immer wieder bestätigen wird, sondern auch, daß diese Interpretationen keine Augenblickseingebungen sind, sondern auf festen Kategorien ruhen und ein zusammenhängendes Ganzes, ein System bilden.

Natürlich gibt es einige Gründe, die Kafkas starke Bindung an mimische und gestische Details erklären helfen. Soweit es die Lebenszeugnisse betrifft, liegt selbstverständlich der Hinweis auf sein eigenes Verhalten nahe. Dora Diamant äußerte sich darüber so: »Diese Finger belebten sich, wenn er eine Geschichte erzählte, und begleiteten gleichsam sprechend seine Worte, er redete nicht so sehr mit den Händen als mit den Fingern.« Entsprechendes weiß Max Brod aus dem mimischen Bereich zu berichten: Kafka habe sein Mißbehagen an Gelesenem nur durch Mundbewegungen zum Ausdruck gebracht. [81]

Besonders wichtig ist in diesem Zusammenhang das Zeugnis Janouchs, der in seinen *Gesprächen mit Kafka* diesen mit gesprächsbegleitenden Mienen und Gesten darstellt, die übrigens in Niederschriften des Dichters als Eigen- oder Fremdbeobachtungen und als Kennzeichen literarischer Figuren wieder- kehren.

Janouch bemerkt einleitend zu diesem Komplex: »Wo er das Wort durch eine Bewegung der Gesichtsmuskeln ersetzen kann, tut er es ... Franz Kafka liebt Gesten, und darum geht er mit ihnen sparsam um. Seine Geste ist keine das Gespräch begleitende Verdoppelung des Wortes, sondern Wort einer gleichsam selbständigen Bewegungssprache selbst, ein Verständigungs- mittel, also keineswegs passiver Reflex, sondern zweckmäßiger Willensaus- druck.« [82]

Oskar Baum, der blinde Freund Kafkas, meinte, die »Einordnung jeder unwillkürlichen Bewegung, jedes alltäglichen Wortes in seine ganz persön- liche Weltauffassung« habe sein »Auftreten, seine äußere Erscheinung« so gestaltet, daß noch die »geringste Reflexbewegung« etwas von der persön- lichsten Eigenart gehabt habe, die darin bestand, mit einer nicht überbiet- baren Schärfe und Klarheit des Blicks »das Echte des äußeren und inneren Lebens bei sich und anderen« zu entschälen.

Damit kommt überein, was Kafka nach einer Tagebucheintragung vom Jahr 1915 früher über die Art seiner Ausdrucksbewegungen dachte: »niemals wirst du unbewußt oder im Schmerz die Augen zusammenziehn, die Stirn falten, mit den Händen zucken, wirst es immer nur darstellen können.« Der Bewußtseinsanteil am Zustandekommen einer Geste oder Miene wird hier, wie bei Janouch und Baum, sehr stark betont. [83]

Diese Aussagen beweisen also, daß die Kongruenz zwischen Lebenszeugnis und Werk auch noch das äußere Erscheinungsbild mitumfaßte und daß dieser Habitus einer Ausprägung des mimischen und gestischen Bereichs im Werk gewiß günstig war. Man darf sich jedoch keine falsche Vorstellung von Kaf- kas Mienen- und Händespiel machen: Er gehörte typologisch, nach der Ter- minologie C. G. Jungs, zu den Intuitiv-Introvertierten, was im Kretschmer-

schen System einer Zuordnung zu einer Untergruppe des schizoid-schizo-
thymen Kreises entspricht. [84]

Mimik und Gestik sind hier viel stärker differenziert als bei den Cyklo-
thymikern, d. h. die einzelnen physiognomischen und bewegungsmäßigen
Elemente sind stark ausgeprägt und verhältnismäßig autonom, während an
sich die Gesamtausdrucksbreite, etwa des Gesichts, verhältnismäßig gering
ist. [85]

Entsprechendes gilt für die Hände. Empirische Untersuchungen haben
ergeben, daß etwa Schizophreniker sich durch eine selbständige Innervation
der kleinsten Muskelgruppen der Hand auszeichnen, während bei Zirkulären
die Handbewegungen zwar weniger ausgeprägt, dafür aber zusammenhängend sind und sogar in der Regel nur in Verbindung mit sonstigen Ausdrucksbewegungen vorkommen. [86]

Dieser Befund stimmt völlig zu dem bei Kafka Beobachtbaren, und zwar
nicht nur zu Dora Diamants Erklärung, er habe mit den Fingerspitzen argu-
mentiert, was in der gut belegten Finger-Metaphorik eine erwünschte Entsprechung hat [87], sondern auch zu einer Selbstaussage im Tagebuch, die
von der Art seines Imitationstalentes handelt. Es heißt da: »Mein Nach-
ahmungstrieb hat nichts Schauspielerisches, es fehlt ihm vor allem die Einheitlichkeit. Das Grobe, auffallend Charakteristische in seinem ganzen Um-
fange kann ich gar nicht nachahmen ... Zur Nachahmung von Details des
Groben habe ich dagegen einen entschiedenen Trieb, die Manipulation gewisser Menschen mit Spazierstöcken, ihre Haltung der Hände, ihre Bewegung
der Finger nachzuahmen drängt es mich und ich kann es ohne Mühe.« [88]

Der vom Nachahmenden beklagte Mangel an Koordination hinsichtlich
gestischer Details – auch hier wieder, gewiß nicht zufällig, die Hervorhebung
der Finger – deckt sich also genau mit den angeführten, auf die Ausdrucksbewegungen überhaupt bezüglichen wissenschaftlichen Erkenntnissen.

Allerdings stimmt die Akzentuierung bestimmter mimischer Phänomene
nicht mit der eigenen Ausrichtung überein. Denn bei den Schizothymikern
ist die Stirnmimik am besten ausgebildet, etwas schlechter die Mund- und
Wangenmimik, während die Mimik der Augen und des Blickes nur schwach
differenziert ist. [89] (Janouchs und Brods Erinnerungen sowie die eben
zitierte kritische Erinnerung Kafkas an früheres Verhalten stimmen zu diesem Befund, auch dürfte die Spärlichkeit der Ausdrucksbewegungen mit die
Ursache dafür sein, daß Kafka bei Personen, die ihn nicht sehr gut kannten,
als manierierter oder fremdartiger, undurchschaubarer Charakter wirkte.) [90]

In Kafkas Werk ist diese Rangordnung, wie gezeigt, umgekehrt, so daß
man anzunehmen hat, daß der Dichter das Andersartige, für ihn selber
Untypische beobachtens- und darstellenswert fand, wobei freilich noch zu
berücksichtigen ist, daß für die literarische Produktion aus noch zu würdigenden darstellungstechnischen Gründen die Bevorzugung der Augen nahe-
liegt.

Ein weiterer Grund für das starke Hervortreten von Mimik und Gestik bei

Kafka liegt gewiß auch in seiner ungünstigen Lebensentwicklung, seiner Angst vor der Umwelt, die ihn andere Menschen schon von Kindheit an überscharf und fixatorisch beobachten ließen. So spricht er einmal von seinem »Mikroskop-Auge«, das ihm die Übersicht unmöglich mache, und glaubt, daß sein »ängstliches und besonders nahe gebrachtes Auge« Dinge wahrnehme, die sonst verborgen blieben. Daß es sich hierbei um eine feste und wichtige Vorstellung handelt, mag aus der Tatsache geschlossen werden, daß Kafka die Metapher in der *Kleinen Frau* zum Erzählelement umgeschaffen hat. Um sich gegen die Anwürfe der Titelfigur zu verteidigen, äußert der Ich-Erzähler: »... die Öffentlichkeit wird niemals so unendlich viel an mir auszusetzen haben, auch wenn sie mich unter ihre stärkste Lupe nimmt.« [91] Solche Unsicherheit sieht sich natürlich zunächst immer auf das Äußere der als feindlich empfundenen Gegenfiguren verwiesen, so daß sich die diesbezügliche Sehschärfe des zeitlebens ängstlichen Dichters im Lauf der Jahre verbessert haben mag.

Als wichtigeres Moment ist aber wohl Kafkas Intuition anzuführen, also seine ungewöhnliche Fähigkeit, sich in andere einzufühlen. Obwohl er sich in der Nähe von Menschen meist unbehaglich fühlte und zur Herstellung vertraulicher, tragfähiger Beziehungen unfähig war, hebt er hervor, daß er andere gut beurteilen und ihre Zustände miterleben könne: »ich getraue mich zu behaupten, daß selten jemand so fähig ist wie ich, schweigend in halber· Nähe, ohne unmittelbar dazu gezwun ... gen zu sein, Menschen vollständig mit einer mich selbst erschreckenden Kraft zu fassen. Das kann ich, dieses Können ist aber, wenn ich nicht schreibe, allerdings fast eine Gefahr für mich.« Das Problematische seiner Fähigkeit lag für ihn wohl teils darin, daß er sich mit den Augen anderer anzusehen vermochte und solche fremden Blicke dann ungünstig auf ihn zurückwirkten, teils auch in der Tatsache, daß die Identifikation mit anderen das eigene, sowieso gebrochene Identitätsgefühl weiter schwächte.

Kafka hat diesen Zusammenhang in einem Aphorismus hypostasiert: »Der Betrachtende ist in gewissem Sinne der Mitlebende, er hängt sich an das Lebende, er sucht mit dem Wind Schritt zu halten. Das will ich nicht sein.«

Einfühlung als Mitleiden bessert den Menschen, weil sie den Blick für des andern Notwendigkeit, Wahrheit und Gemeinschaftsgefühl hervorbringt, und, wenn man heiraten will, das Zusammenleben erleichtert oder die notwendige Lebensfülle der fiktiven Welt erzeugt; will man sich aber vom Leben isolieren, nicht dem allgemeinen Trend folgen – Felice, an die er glaubte, sich gehängt zu haben, war für ihn sein Repräsentant –, zerreißt einem dieses Miterleben die geschlossene Homogenität des eigenen Bewußtseinsraums, ein Zusammenhang, der, unter anderen, Kafkas Einsamkeitsbedürfnis und Menschenscheu erklären hilft.

Das, was er Mitleiden nennt, wird von ihm scharf vom gewöhnlichen Mitleid unterschieden, das doch darauf beruht, daß fremde Schmerzen wie eigene erduldet werden; der Mitleidende bleibt dabei auf sich selber bezogen, er sieht den andern mit seinen eigenen Augen an. Kafka meint aber gerade, daß sich der Perspektivpunkt im Mitmenschen befindet, was nur dem Intuitiven gelingt. Die deutlichste Stelle in dieser Hinsicht ist eine Briefpassage, wo Kafka von seiner Beziehung zum Vater spricht: »Das Merkwürdigste in meinem Verhältnis zu ihm ist aber vielleicht, daß ich es bis aufs äußerste verstehe, nicht mit ihm, aber in ihm zu fühlen und zu leiden.« [92]

Da seine Intuition wirksam war, ohne daß er verbal mit seinen Beobachtungsobjekten kommunizierte, konnte sie sich in erster Linie nur an Ausdrucksbewegungen halten, wenn ein Gegenüber erfaßt werden sollte.

Man kann fragen, ob es nicht auch äußere Einflüsse gibt, die Kafka ermutigt haben könnten, diese Seite seiner Persönlichkeit auszubilden. Dazu gehört gewiß nicht die in Prag herrschende, ihm wohlbekannte Philosophie Franz Brentanos, in der immerhin die Frage aufgeworfen wird, wie sich psychische Zustände auch ohne sprachliche Mitteilung kundgeben können. Nach Brentano sind es aber vor allem die Handlungen und das willkürliche Tun, wo das der Fall ist, in geringerem Maße kommen dann auch unwillkürliche physische Veränderungen in Frage, die gewisse innere Zustände begleiten oder ihnen nachfolgen. Da jedoch diese Zeichen nicht das Bezeichnete selbst sind, folgt für Brentano daraus, daß diese äußere Beobachtung psychischer Zustände nicht losgelöst von den subjektiven inneren eine Quelle psychologischer Erkenntnis werden kann, eine Vorstellung also, die Mimik und Gestik als möglichen selbständigen Beobachtungsgegenstand in denkbar stärkster Weise entwertet und Kafka keinerlei Hilfe sein konnte. [93]

Anders steht es mit seiner Vorliebe für Schauspieler – dem Theater selbst stand er im allgemeinen recht ablehnend gegenüber [94] –, deren Ausdrucksbewegungen ihm bestätigen konnten, inwieweit Seelisches tatsächlich physisch objektivierbar war. So schrieb er Felice beispielsweise über Gertrud Eysoldt vom Reinhardt-Ensemble in Berlin, die er als Ophelia und Glaube im *Jedermann* gesehen hatte: »Ihr Wesen und ihre Stimme beherrschen mich geradezu.«

Vor allem aber ist es die im Winter 1911/12 in Prag gastierende jiddische Schauspieltruppe, die eine Vertiefung seiner diesbezüglichen Wahrnehmungskategorien herbeiführen mochte, zumal den Ostjuden eine besondere Ausdruckskraft im mimisch-gestischen Bereich nachgesagt wird. [95]

Tagebuchaufzeichnungen bestätigen, daß Kafkas Beobachtungen in die genannte Richtung gingen. Da heißt es z. B.: »Der junge Pipes beim Gesang. Als einziges Gebärdenspiel wird der rechte Unterarm im Gelenk hin und her gekegelt, die halbgeöffnete Hand öffnete sich noch etwas weiter und zieht sich dann wieder zusammen.« An einer andern Stelle charakterisiert er die von ihm geliebte Frau Tschissik: »Ihr Spiel ist nicht mannigfaltig: das erschreckte Blicken auf ihren Gegenspieler, das Suchen eines Auswegs auf der kleinen Bühne, die sanfte Stimme, die in geradezu kurzem Aufsteigen nur mit Hilfe größeren innerlichen Widerhalls ohne Verstärkung helden-

mäßig wird, die Freude, die durch ihr sich öffnendes, über die hohe Stirn
bis zu den Haaren sich ausbreitendes Gesicht in sie dringt, das Sichselbst-
genügen beim Einzelgesang ohne Hinzunahme neuer Mittel, das Sichaufrich-
ten beim Widerstand, das den Zuschauer zwingt, sich um ihren ganzen Körper zu kümmern; und nicht viel mehr.« [96] Gerade solche für Kafkas situa-
tives Denken seltenen Allgemeinurteile zeigen, wie genau er die Kunstmittel
der jiddischen Truppe beobachtet haben muß.

Dazu kommt nun noch, was das Literarische betrifft, daß er in Kleist und
Dickens Vorbilder fand, die Ausdrucksbewegungen in einer ihm vergleich-
baren Weise in ihren Werken verwenden. Schon früh wurde von der For-
schung herausgestellt, daß Kleists Einbildungskraft entscheidend durch die
Wahrnehmung gestischer Vorgänge angeregt wurde. [97] Man erkannte die
Gebärde als das eigentlich konstituierende Element der Szenen in seinen
Novellen, weil sie höchste innere Lebendigkeit und Bewegtheit mit stärkster
Ausdruckskraft verbindet. Fast niemals sitzen oder stehen seine Figuren in
einer ruhigen Unterhaltung beieinander, sondern wenden sich in leidenschaftlich erregten Gesten gegen oder voneinander und bilden dadurch Gruppen,
die die bildhafte Einheit der Handlungsmomente sichern. [98] Man könnte
auch sagen, daß Kleist die Regieanweisungen zu den Personen und die
mimisch-gestischen Figurationen, die sich aus bestimmten Handlungskonstellationen auf der Bühne mehr oder weniger zwangsläufig ergeben, in seiner
Prosa miterzählt.

Dafür ein Beispiel aus Kafkas Lieblingserzählung *Michael Kohlhaas,* das
die Augen und ihr Spiel betrifft: In dem Gespräch zwischen der Titelfigur
und dem Reformator ist die Augenstellung Luthers ein direkter Spiegel seiner Stellung zu Kohlhaas und der eigentlich szenenbildende Faktor. Nachdem Luther den Bittsteller zunächst widerwillig angehört hatte – die Wendung »indem er sich niedersetzte« hat man, aufgrund des folgenden Textes,
durch die Wendung »und vor sich hinsah« stillschweigend zu ergänzen –,
heißt es an der Stelle, wo der Roßhändler von seinem negativen Verhältnis
zur menschlichen Gemeinschaft spricht: »Verstoßen! rief Luther, indem er
ihn ansah«; und während des folgenden Gesprächsteils wird dann gesagt:
»Luther, mit einem verdrießlichen Gesicht, warf die Papiere, die auf seinem
Tisch lagen, übereinander, und schwieg.« Dies ein Zeichen des Unmuts, das
später an ganz anderer Stelle der Novelle wiederkehrt und das eine Abwendung der Augen von seinem Besucher impliziert.

Eine Änderung in diesem Verhalten tritt erst ein, als Kohlhaas durch die
Aufzählung seiner Friedensbedingungen Luthers Unmut auf die Spitze getrieben hat: »rasender, unbegreiflicher und entsetzlicher Mensch! und sah ihn
an.« Man hat anzunehmen, daß diese Haltung im folgenden Gesprächsteil
bestehen bleibt, wo Luther die Forderungen des Roßhändlers als im Grunde
gerecht ansieht. Erst als er äußert, mit dem Kurfürsten in Unterhandlung
wegen des Falls treten zu wollen, greift er »unter mancherlei Gedanken«
wieder zu seinen Papieren, als sei die Unterredung jetzt beendet und das

Zugestandene eine eigentlich rechtlich nicht vertretbare Gunstbezeigung, deren Charakter man am besten dadurch zum Ausdruck bringe, daß man sie keinesfalls durch eine Konfrontation Auge in Auge mit dem Partner befestige.

Als Kohlhaas dann die Bitte vorbringt, beichten zu dürfen, sieht ihn Luther wieder scharf an, während ihn sein Gesprächspartner »betreten« anblickt, als er von den Vorbedingungen erfährt. Da der Roßhändler darauf nicht einzugehen vermag, dreht ihm Luther »mit einem mißvergnügten Blick« den Rücken zu – dies tat vorher Kohlhaas seinem Gesprächspartner gegenüber, der ihn gefragt hatte, ob sich seine Händel überhaupt gelohnt hätten –, setzt sich nun endgültig wieder zu seinen Papieren, von denen er nur beim Erscheinen des Famulus, der Kohlhaas hinausbegleiten soll, mit einem kurzen Seitenblick auf seinen Besucher, noch einmal aufsieht. Die ganze Szene konstituiert sich also spannungsmäßig in einem Wechsel von Ablehnung und Zuwendung, die Luther Kohlhaas entgegenbringt; und diese Ambivalenz wird durch die Hinwendung zum Schreibtisch und durch Anschauen des Gesprächspartners sinnfällig gemacht. Die im Beispiel vorgeführte Bezogenheit der Erzählpersonen eignet Kleists Prosa – den Bühnenwerken sowieso – durchaus und findet sich regelmäßig auch bei Kafka. Diese Übereinstimmungen sind so gewichtig, daß demgegenüber möglicherweise vorhandene Unterschiede kaum ins Gewicht fallen. [99]

Viel wichtiger in diesem Zusammenhang ist aber Dickens, dessen *David Copperfield* Kafka nach eigener Aussage in vielen Handlungsmomenten und darstellungstechnischen Gegebenheiten im *Verschollenen* kopiert hat. Es läßt sich zeigen, daß Kafka Mimik und Gestik in einer Weise verwendet, die bis in stoffliche Einzelheiten hinein so sehr an das englische Vorbild erinnert, und zwar nicht nur im *Amerika*-Roman, sondern überhaupt, daß anzunehmen ist, er meine auch diesen Bereich, wenn er von einer Abhängigkeit von Dickens in der »Methode« spricht. [100]

Einmal ist für den *David Copperfield* kennzeichnend, welchen Nachdruck der Autor auf die Augenstellungen seiner Gestalten legt. Dabei läßt er es nicht bei einmaligen, isolierten Impressionen bewenden, sondern er kommt im Verlauf der Szene immer wieder darauf zurück, um noch bestehende Gleichheit oder mögliche Veränderungen zu notieren: Im fünften Kapitel, als der junge Copperfield auf der Fahrt nach Salemhaus von einem geschickten Kellner übertölpelt wird, heißt es von letzterem nicht weniger als dreimal in kurzen Abständen, daß er ein Glas Bier gegen das Licht gehalten und durchgeschaut habe. Und im achten Kapitel, wo der Titelheld von Mr. Barkis von der Poststation abgeholt und nach Hause gefahren wird, sind die Blicke des Fuhrmanns mit äußerster Genauigkeit registriert. Während des Gesprächs der beiden, das sich um einen Auftrag des Fuhrmanns dreht, den Copperfield hatte ausrichten sollen, schaut Mr. Barkis seinen Ärmel an, wirft dann einen Seitenblick auf seinen Passagier, richtet dann langsam die Augen voll auf diesen, um schließlich den Blick auf die Ohren des Pferdes zu wen-

den. Der Vorgang spiegelt deutlich die Schwerfälligkeit, Gesprächsscheu und
Insichgekehrtheit des Fuhrmanns. Sehr bezeichnend ist auch (und bei Kafka
dann die Regel), wie bei Dickens Gesprächsäußerungen mit damit gleichzeitigen Ausdrucksbewegungen verknüpft werden (nämlich durch »und«):

> Mr. Creakle krähte: »He? was ist das?« und sah mich mit seinen Augen so scharf
> an, als ob er mich damit durchbohren wollte

> »Ich, Ma'am«, erwiderte Peggotty und sah sie mit großen Augen an

> »Und was gedenkst du nun zu tun, Peggotty?« sagte ich und sah sie forschend an

Schließlich verraten die Augen dem aufmerksamen Beobachter viel von der
inneren Verfassung des Schauenden:

> ihr Blick bat mich so innig, selbst in meinen innersten Gedanken nicht unsanft mit
> ihm umzugehen . . .

> Als sie . . . ihr Laternchen in die Höhe hielt, um mir zurückzuleuchten, glaubte
> ich wieder jenen besorgten Blick in ihrem Auge zu erkennen

> Eines so konzentrierten Ausdrucks von Wut und Verachtung, wie er ihr Gesicht
> verdunkelte und in ihren schwarzen Augen flammte, hätte ich sie nicht für fähig
> gehalten [101]

Das starke Hervortreten des mimischen (und gestischen) Bereichs in der beschriebenen Weise ist Dickens durchaus eigentümlich und keineswegs Gemeingut der Erzählkunst des 19. Jahrhunderts. Unter den Kafka bekannten
Autoren gab es keinen (außer, mit Vorbehalten, Kleist), der solche Erzähl-
muster (und in solcher Häufung) auch nur ansatzweise aufwiese.

Endlich kann Kafkas Denkweise als Ursache für die vielen mimischen
und gestischen Details angesehen werden, die seine Prosa bisweilen geradezu
bestimmen. Seine schon dargestellte Unfähigkeit zu abstrahieren – er
brauchte etwas, »auf das man die Hand legen kann«, und glaubte, zum
Sinn »nur durch seine Sinne« kommen zu können – verhinderte, daß er sich
vom Greifbaren entfernte – Johannes Urzidil spricht von Kafkas Besonderheit, im Gespräch »immer vom gegebenen Gegenständlichen auszugehen« –,
zumal seine Empfänglichkeit für Optisches außerordentlich stark ausgeprägt
war.

Dafür gibt es viele Belege: Ist schon bezeichnend, wie akustische Eindrücke ins Optische verwandelt werden, politische Abstrakta zu Gebilden
werden, »die man nur mit dem Auge genießen, niemals aber mit dem Finger
ertasten kann«, und daß Wendungen wie die vom »Augenglück des Menschen« oder dem in allen Hundefreuden schwelgenden Auge nachweisbar
sind [102], so zeigt sich diese Grundtendenz Kafkas noch deutlicher in
seinem offensichtlichen Interesse für optische Geräte [103] und in der Verwendung der Augen als comparata: Er bezeichnet ein Wort als »kaltäugig«,
spricht von augenblitzenden Körpern, hellsichtiger Klugheit und meint, das
Böse umgebe jemanden wie die Braue das Auge.

Die Bildebenen entstammen bei Alltagsgegenständen, wie gezeigt, bevorzugten Beobachtungskreisen: Wenn der Dichter sich als Strohhaufen fühlt, der verbrennen soll, »rascher, als der Zuschauer mit dem Auge blinzelt«, so ist dieser Zusammenhang wegen der erwiesenen Bedeutung des Augenblinzelns selbst genau so evident, wie wenn der Dichter über ihn störende Kinder bemerkt: »wenn ich ... feststelle, daß sie da sind, ist mir, als hebe ich einen Stein und sehe dort das Selbstverständliche, Erwartete und doch Gefürchtete, die Asseln und das ganze Volk der Nacht, es ist aber sichtlich eine Übertragung, nicht die Kinder sind die Nächtlichen, vielmehr heben sie in ihrem Spiel den Stein von meinem Kopf und ›gönnen‹ auch mir einen Blick hinein.« [104]

Es ist die anschaubare Szene, das Gesehene eben, das dem Dichter zur Kennzeichnung seiner inneren Verfassung dient. Die Wirkung der Wahrnehmung auf den Dichter wird dadurch beschrieben, daß der Sinnenreiz selbst in zwei Denkschritten zu einer entsprechenden Metapher umgeformt wird. Verständlich, daß Kafka, auch aufgrund seiner Erfahrungen mit dem blinden Oskar Baum, Blindheit als Bild für Erkenntnisschwäche nahm und überhaupt der physiologischen Beschaffenheit des Auges unerwartete Aufmerksamkeit zollt.

Natürlich gilt unabhängig von diesen Besonderheiten Kafkas, daß dem Sehen gegenüber den anderen Sinneswahrnehmungen eine Sonderstellung zukommt. Ph. Lersch schreibt in diesem Zusammenhang: »Das Auge ist dasjenige Organ, durch das wir in erster Linie die Welt in unser Bewußtsein aufnehmen und durch das wir uns im Kampfe um unsere Lebenserhaltung und Lebensgestaltung orientieren. Es besteht also natürlicherweise zwischen jedem Menschen und seiner Umwelt eine Beziehung, die man als optisch-apperzeptiven Kontakt benennen kann«. [105]

Diese Bevorzugung des Sichtbaren ist wohl auch der Grund dafür, daß häufig die Augen pleonastisch verwendet werden: Während des Gesprächs mit Therese schwebt Karl Roßmann immer »der Gedanke vor Augen«, er könne schließlich wie Robinson und Delamarche werden, das Tier im *Bau* hat seinen »eiligst auszuführenden Plan vor Augen«, während Kafka selbst in einer Briefstelle die übliche Formulierung verwendet: »immer schwebte mir die Vorstellung der Länge des Weges vor«. Ebenso überflüssig sind die Augen in Wendungen wie: das Gesehene unserer Augen, die Schrift mit den Augen entziffern, die nötigen Tasten mit den Augen zusammensuchen, den Blicken der Leute zu zeigen keine Bedenken haben und den Augen entgehen. [106]

Von daher wird auch verständlich, daß Kafka sprachübliche, die Augen betreffende Floskeln schätzt wie zum Beispiel: einen Wunsch von den Augen ablesen, jemanden um seiner schönen Augen willen ansprechen, etwas oder jemanden im Auge behalten, mit jemandem unter vier Augen sprechen, den Blick oder Augen für etwas haben, etwas auf den ersten Blick bemerken oder die Vorstellung, daß jemandem die Augen übergehen. [107]

Es muß jedoch sogleich betont werden, daß Kafka solche Wendungen, sei es im Lebenszeugnis, sei es im Erzählwerk, nicht als blasse Formeln gebraucht, sondern daß er sich ihren ursprünglichen Bildgehalt bei jeder Verwendung aufs neue vor Augen hält und sich so dessen Frische bewahrt. Dafür sprechen folgende Tatsachen: Einmal gibt es zwar einen konventionellen Gebrauch der Wendung »mit eigenen Augen sehen« (oder erkennen), doch meint die Formulierung »in meinen Augen« oder »mit meinen Augen« (bzw. deinen oder seinen) ganz konkret den jeweilig auf einen Menschen erkenntnistheoretisch eingeschränkten Blickpunkt, unter dem eine Angelegenheit betrachtet werden muß. [108]

Daß Kafka die Bildhaftigkeit derartiger Wendungen voll realisiert, geht weiterhin daraus hervor, daß er solche Vorstellungen teils in ihrer ursprünglichen, realoptischen Bedeutung gebraucht, teils aber auch, und zwar höchst bewußt, als Metapher. In den *Forschungen eines Hundes* meint der Ich-Erzähler, er müsse sich in der Musikwissenschaft zu den Halbgebildeten rechnen: »Dies muß mir immer gegenwärtig bleiben.« In unmittelbarer Fortsetzung des Zitats ist davon die Rede, daß der Hund in der leichtesten wissenschaftlichen Prüfung versagen würde (das ist also der gleiche Gedanke, aber am Beispiel veranschaulicht), was vor allem in der Unfähigkeit seinen Grund habe, sich das wissenschaftliche Ziel »immer vor Augen zu halten«. Im ersten Fall hat Kafka die Floskel, die ihm auch sonst geläufig ist, und zwar in einer Verwendungsart, wo der situative Ausgangspunkt noch spürbar ist, bewußt vermieden. [109] Die Phrase von der versagenden Sehkraft erscheint so in der *Verwandlung* als Kennzeichnung realer Wahrnehmung, an einer Briefstelle aber zur Bezeichnung des schwachen Eindrucks, den A. Schnitzlers Stücke auf Kafka machten – sie sind ihm »noch vor dem zuschauenden Blick vergangen« –, schließlich noch, um auszudrükken, wie die Gegenwart einer Person auf ihn wirkte. [110]

Erhellend ist auch eine Stelle in einem an Ottla gerichteten Brief, wo Kafka schreibt, wenn man nebenan in der elterlichen Wohnung die Augen aufschlage, wecke ihn der Lärm. Er fährt fort: »Den Ausdruck ›Augenaufschlagen‹ muß auch ein empfindlicher alter Deutscher erfunden haben«. Desgleichen eine Tagebuchnotiz, wo es heißt, die Nähe des Erwerbslebens benehme jeden Überblick, »so als wäre ich in einem Hohlweg, in dem ich überdies noch den Kopf senke«. [111]

Beide Texte verraten, wie wenig für Kafka die abgeblaßten Alltagsmetaphern ihres Bildgehalts entkleidet sind, denn nur wer sich das gleichsam lärmverursachende Aufschlagen der Lider plastisch vorstellt (dem Öffnen der Fensterläden vergleichbar), kann die genannte Vermutung hinsichtlich des Ursprungs der Wendung vortragen, und nur wer den Begriff Überblick noch als erhöhte Beobachtungsposition versteht, die einen weiten Gesichtskreis ermöglicht, kann seine Negation mit der Lage im Hohlweg, verschärft durch Augensenken, vergleichen.

Gerade der Vorstellungszusammenhang des zweiten Belegs ist bei Kafka keineswegs singulär. Denn wenn er an Max Brod schreibt, er könne mit seinem »bis zur vollständigen Öde vereinfachendem Auge den Begriff der Willensfreiheit niemals so geistesgegenwärtig an einem ganz bestimmten Punkte des Horizonts fassen« wie der Briefpartner, so ist als Vergleichspunkt wieder das weit in die Landschaft schweifende Auge vorausgesetzt, das sich so schnell nicht am gleichförmigen Horizont fixieren kann; ebenso in der Erzählung *Beim Bau der Chinesischen Mauer,* wo von den Dorfbewohnern bezweifelt wird, daß es eine Ansiedlung gebe, wo »Haus an Haus steht, Felder bedeckend, weiter als der Blick von unserem Hügel reicht«. [112]

Ein erlebnismäßiges Substrat liegt solchen Verknüpfungen zugrunde: Wenn von Marc Aurel gesagt ist, daß er mit »weitem Ausblick sich zu einem beherrschten, ehernen, aufrichtigen Menschen machen möchte«, also positive Wertungen mit ungehindertem Schweifen des Auges zusammengebunden werden, und wenn in einem Erzählzusammenhang von »offenen, den Blick und uns selbst ins Weite tragenden Fenstern« die Rede ist, so gründet eine derartige Auffassung in der schon erwähnten ganz persönlichen Vorliebe Kafkas für weite Ausblicke, die er seit 1907 in der elterlichen Wohnung Niklasstraße 36 schätzen gelernt hatte. Der Blick aus dem Fenster zum Zweck der Sammlung oder inneren Befreiung, der schon bei Kleist vorgebildet ist, erscheint deshalb auch im literarischen Werk als Erzählelement. [113]

Das Gesagte bestätigt Max Brods Aussage, für Kafka habe es keinen sprachlichen Alltag gegeben, er habe sich »immer und überall mit der ihm eigenen Gabe prägnanter Beobachtung und Vergleichung« ausgedrückt.

Daher kommt es auch, daß Kafka herkömmliche Floskeln leicht verändert, etwa von einem Gespräch meint, es müsse »zwischen« vier Augen geführt werden, wodurch das Räumlich-Situative deutlicher hervortritt, oder Klischees korrigiert: So bewirkt der Griff des Oberportiers nicht, daß es Karl schwarz vor den Augen wird, sondern er verursacht »ein Dunkel« vor ihnen, und Hermann Kafkas brutale Belehrungen bewirken bei dem Sohn, daß es ihm »ein wenig nebelhaft vor den Augen« wurde – dies eine Modifikation in Richtung auf eine für den Dichter typische Denksituation, die er mit dem Begriff des nebelhaften Bewußtseins umschreibt. [114]

Im dichterischen Werk erfolgt diese Angleichung bisweilen an den Kontext: Der an einer Stelle berichtete sieghafte Blick Friedas im *Schloß* korrespondiert mit dem Sieg, den K. bei seinem Warten auf Klamm im Hof errungen zu haben glaubt. [115]

Aus dem Gesagten folgt auch, daß der gleiche Sachverhalt variabler gestaltet werden kann: Beispielsweise sind außer den schon angeführten sprachlichen Möglichkeiten noch zahlreiche Alternativen belegt, mit deren Hilfe der immer schlafbedürftige Dichter müde Augen beschreibt. [116]

Für die optische Empfänglichkeit Kafkas gibt es noch einen einzigartigen Beleg, der verdeutlicht, wie sehr seine Sehweise durch die Wahrnehmung von Auge und Hand des Beobachtungsobjektes bestimmt war, nämlich seine erste Begegnung mit Felice Bauer. Er dokumentiert übrigens beispielhaft, wie bruchstückhaft im Grunde die Tagebücher Kafkas diesbezüglich außerordentlich feines Sensorium spiegeln, denn hier – in einer freilich abgebrochenen Eintragung – ist über das genannte Zusammentreffen nur vermerkt, was schon im ersten Teil dieser Arbeit angeführt wurde. [117]

In dem Briefwechsel mit Felice in den auf dieses Zusammentreffen folgenden Monaten kommt Kafka jedoch mehrfach auf das Ereignis zurück, so daß sich ausnahmsweise einmal ein einigermaßen vollständiges Bild davon gewinnen läßt, wie er andere erfaßte: »Jede Einzelheit weiß ich«, schreibt er noch vier Jahre später. Vergleicht man den viereinhalb Druckseiten langen detaillierten Bericht – eine Seite Einleitung nicht mitgerechnet –, den er zehn Wochen nachher Felice gegeben hat, mit den späteren Erwähnungen des Abends und klammert man die Erzählung des Handlungsablaufs und der Gespräche aus, so fand Kafka neben dem Gesichtsausdruck Felicens hervorhebenswert, daß er dreimal ihre Hände gehalten habe (Begrüßung, Versprechen, mit ihm eine Palästina-Reise zu unternehmen, und Abschied), daß sie in Erinnerung an frühere daran befindliche blaue Flecken mit der Hand am linken Arm hinunterfuhr, daß sie beim Klavierspiel die Beine übereinander geschlagen hatte und mehrfach an ihrer Frisur zupfte, eine Bewegung, die, wie er meinte, auch sonst für Felice typisch sei und sich ihm so einprägte, daß er sie manchmal so sah, diese Armhaltung bei späteren Begegnungen ausdrücklich notierte und bei der Gestaltung der Frauenfiguren im *Verschollenen* ebenfalls verwendete. [118] Und etwa fünf Monate nach dem ersten Zusammentreffen fällt ihm bei der Betrachtung einer Photographie Felicens eine charakteristische »Handhaltung« wieder ein, die ihm aus der auf diese erste Begegnung bezüglichen Erinnerung geschwunden war. [119]

Neben der Handgestik sind es vor allem die Augen der späteren Braut, die ihn faszinieren: Wenn er meint, die gegenseitigen Beziehungen seien vielleicht seit jenem ersten Blick in Felicens Augen gelöst und er habe alles, was er an Klarheit besitze, bei jener Zusammenkunft aus ihren Augen gelernt, so reflektiert eine solche Auffassung die Erinnerung an den Blick Felicens an diesem gemeinsamen Abend, der »so ruhig von einem zum andern ging«, wobei er sich freilich »viel zu wenig« zu Kafka erhob. Ein Vierteljahr nach dem Vorgang hat er den Eindruck noch genauer beschrieben: »Du hieltest eine der Thaliaphotographien in der Hand, sahst zuerst mich an ... und ließest den Blick in einem Viertelkreis den Tisch umwandern und machtest erst wieder beim Otto Brod Halt ... Diese langsame Kopfwendung und den hiebei natürlich verschiedenartigen Anblick Deines Gesichtes habe ich unvergänglich behalten.« [120] Es waren also besonders Augen, Blicke und Hände Felicens, von denen sich der Dichter am 13. August 1912 ergriffen fühlte, weil sie ihm in hervorragendem Maß ihr Wesen erschlossen. So ist es nicht verwunderlich, daß diese Phänomene in der schriftlichen Hinterlassenschaft Kafkas auf allen Stufen der Argumentation und Abstraktion ein wichtiges Mittel sind, Charaktere, menschliche Beziehungen und geistige Sachverhalte darzustellen.

Schon in den allerfrühesten Briefen gibt es eine sehr ausgeprägte Metaphorik der Hände und Augen, in den Stücken *Ein Besuch im Bergwerk* und *Elf Söhne,* die beide fast ausschließlich aus Personenbeschreibungen bestehen, werden bei der überwiegenden Mehrzahl der Figuren Augen oder Blicke hervorgehoben, in szenischen Tagebuchfragmenten und im *Gruftwächter* ist in den Regieanweisungen deutlich betont, wie sich die Unterredenden anschauen sollen, und das *Schloß* endlich kann geradezu als ein Roman der Augen und Blicke verstanden werden, denn es finden sich dort nicht nur zum Teil sehr ausführliche Beschreibungen der Augen aller Hauptfiguren, sondern das problematische Verhältnis, das K.s Stellung zum Schloß bestimmt, und überhaupt die Gegebenheiten des Schlosses sind auch durchweg in Augen-Metaphern veranschaulicht. [121]

Interessant ist in diesem Zusammenhang noch ein kurzer Überblick über die vorkommenden Abstraktionsstufen. Da werden zunächst Blicke der Perspektivträger, die übrigens gar nicht so selten auch aus der eigenen Optik dieser Figuren heraus mitgeteilt werden, von Gegenpersonen bemerkt – »Sie sehen mich so bestürzt an« – oder nicht beobachtbare Blicke in Erzähltexten als Mutmaßungen ergänzt: Die Brücke glaubt in der gleichnamigen Erzählung zum Beispiel, daß der Wanderer auf ihrem Rücken »wahrscheinlich wild umherblickend« mit seinem Stock in ihr buschiges Haar fährt. [122]

Auch wenn die Erzählebene oder biographische Erinnerung in der Vergangenheit liegt, bleibt der Eindruck einer Person häufig noch in der Konkretheit des Auges bestehn, sei es, daß man sich eigener, sei es daß man sich fremder Blicke, auch auf dritte Personen, erinnert: »So sehe ich förmlich noch heute, wie der Fremde den Petenten mit scharfem Blicke maß.« [123]

Manchmal werden dadurch Erzähl- und Erinnerungsebene miteinander verbunden, so wenn sich Karl Roßmann, der sich in der Entlaßszene dauernd von den bösen Blicken des Oberportiers beobachtet fühlt, erinnert, von diesem »während der ganzen Zeit seines hiesigen Aufenthaltes immer streng und vorwurfsvoll angeschaut worden« zu sein, wenn auf die ängstlichen Blicke Bürgels beim Eintritt K.s in das Zimmer des Beamten von diesem selbst später gesprächsweise angespielt wird oder wenn Karl in seine Überlegungen Bruneldas Aussage einbezieht, daß seine Augen sie erschreckt hätten. Entsprechend werden bloß vorgestellte, noch in der Zukunft liegende Situationen als durch Blicke ausgezeichnete imaginiert. [124]

Ein noch stärkerer Abstraktionsgrad liegt vor, wenn Situationen als optische Beobachtung gegeben werden, d. h. wenn unter Beibehaltung einer realen, aber metaphorisch gemeinten Szene abstrakte Beziehungen dargestellt werden: »Du gehst mir vor den Augen im Wiener Meer unter«, klagt Kafka der in Wien lebenden Milena gegenüber. [125]

Die äußerste Verflüchtigung des Situativen ist erreicht, wenn Abstrakta wie Dummheit, menschliche Natur, Leben, Möglichkeiten oder Gegenwart vor Augen liegen oder vor sie gehalten werden oder wenn sogar Anorganisches durch Augen oder Blicke belebt scheint. [126] Durchgehend in seinen Rezensionen und literarischen Kritiken in den Lebenszeugnissen werden geistige Sachverhalte mit dem Begriff des Sehens hilfsweise dargestellt. [127] Wer Mimik und Gestik in Kafkas Lebenszeugnissen würdigen und ihr Vorkommen in seinen Werken richtig interpretieren will, muß drei Gesichtspunkte beachten. Einmal werden natürlich innere Vorgänge in den Texten Kafkas nicht ganz ausschließlich durch Mimik, Gestik und Worte dargestellt, wohl aber immer bildhaft-veräußerlicht: So zeigt sich z. B. Sortinis innere Erregung beim Anblick Amalias darin, daß er über die Deichsel des Feuerwehrwagens springt, also durch eine Bewegung des ganzen Körpers; und daß K. lügt, wenn er Pepi erklärt, er komme in den »Herrenhof« zurück, um eine von Frieda vergessene Tischdecke zu holen, wird nicht gesagt, sondern muß vom Leser aus der Handlungsführung selbst geschlossen werden, also aus der Tatsache, daß Frieda sie als Tischschmuck in dem ihr und K. gemeinsamen Zimmer schon gebraucht hatte. [128]

Ähnlich verhält es sich mit K.s Müdigkeit während der beiden entscheidenden Verhöre mit Bürgel und Erlanger, die man durch überreichlichen Alkoholgenuß teilweise zu erklären hat. Die Richtigkeit dieser Deutung beweist eine Variante, wo dieser Zusammenhang direkt ausgesprochen ist. [129] Die Argumentation mit Auge und Hand – selten ist auch der Fall, daß nicht an der Bedeutung der Worte selbst, sondern an deren Arrangement, also am Sprachduktus, Seelisches sichtbar werden soll [130] – ist also nur ein Spezialfall einer allgemeinen Gesetzlichkeit.

Zweitens muß man davon ausgehen, daß Gestik und Mimik für Kafka nicht nur die innere Verfassung an sich spiegeln, sondern auch ein Ausdruck für die Beziehungen zwischen verschiedenen Partnern sind. In einem Brief an Felice vom 29./30. Januar 1913 hat er ausgeführt, wie er sich nach und nach aus der menschlichen Gemeinschaft löse: »wenn ich mit jemandem über das Gleichgültigste redete, und er sah nur ein wenig zur Seite, fühlte ich mich schon verstoßen und sah kein Mittel, das Gesicht des andern zu mir hinüberzuziehn und so festzuhalten. Einmal gelang es mir, Max ... fast vollständig zu überzeugen, daß es mit mir immerfort ärger werde, und daß niemand, selbst wenn er mich noch so lieb habe, sich ganz nah zu mir setze, mir in die Augen schaue, um mich aufzumuntern, mich gar umfasse (dies schon mehr aus Verzweiflung als aus Liebe)«.

Die Passage zeigt zunächst, wie Kafka menschliche Nähe als ein Phänomen begreift, das sich unter anderem in einem Sich-liebevoll-in-die-Augen-Schauen manifestiert. Daß diese Sehweise keine Augenblickseingebung ist, lehren die Stellen, wo er davon spricht, man sehe einander in die Augen »wie treue Menschen, die einander lieben und einander lieben dürfen«, und daß alles, was ein Mensch für andere tun könne, in seinem Blick vereint sei. Auch werden eigene Lebenserfahrungen und -erfüllungen als Sich-Begegnen der Blicke vorgestellt. [131]

Es leuchtet ein, daß auch dieses Motiv einem Abstraktionsprozeß in der Art unterliegt, daß die Partnerbindung an sich ohne das reale Korrelat der

Begegnung mittels des Begriffs des Sich-Ansehens beschrieben wird: »jeder Blick den Du mit meinen Verwandten tauschen wirst, wird mich kränken«, schrieb Kafka an Felice, weil er glaubte, daß dadurch eine neue, unerwünschte Verbindung zwischen ihm und seiner von ihm abgeschlossenen Familie entstehen könnte. Das Entsprechende gilt auch im umgekehrten Fall: »Der erste Blick, mit dem ich Deine Eltern ansehn würde, wäre Lüge.« [132]

Drittens: Die Eigenart derartiger Aussagen liegt wohl darin, daß die in ihnen enthaltene Metaphorik die Bildebene nicht entwertet und aushöhlt. Denn wenn freilich auch klar ist, daß der Blick in den angeführten Beispielen für menschliche Verbindung schlechthin steht, die von Kafka sozusagen am sanftesten, indirektesten Kommunikationsmedium erläutert wird, so bleibt daneben doch bestehen, daß schon dem konkreten Befund zukommt, was für die Sachebene behauptet wird. Dies gilt auch noch in den Fällen, die man für Überschwangsformeln der Verliebtensprache zu halten geneigt ist. Wenn Kafka schreibt, er hätte gern ein paar Augen gesehen, die Felice wochenlang angeschaut haben – aus dem gestischen Bereich gibt es passende Analoga [133] –, so ist das wörtlich zu nehmen, denn es ist bekannt, daß er gern mit Personen sprach, die vorher mit den von ihm geliebten Frauen zusammengetroffen waren. [134]

Unter solchen Voraussetzungen wird deutlich, daß etwa die Wendung »Aug in Aug«, die gewöhnlich für die Konfrontation zweier Kontrahenten steht, in ihrer ganzen Anschaulichkeit als Blickemessen aufgefaßt werden muß. [135] Auch der »erste Blick« ist deutlich von eindringlicher Beobachtung abgehoben. [136]

Genau so verhält es sich mit dem Händefassen. Die Hervorhebung dieser Verbindung schaffenden Handlung in Kafkas Erwähnungen des ersten Zusammentreffens mit Felice, seine diesbezüglichen Aussagen in seinem Brief vom 29./30. 1. 1913, die zu einer Stelle passen, wo er meint, wenn Felice ihm die Hand reiche, werde alles gut, wird auch durch andere Zeugnisse bestätigt: Er bekennt, daß er sich gerne in ihm sympathische Menschen einhänge – »An Berührungen kann ich mir nicht genug tun« –, während er in einer früheren Briefaussage vom 10. Januar 1904 ausführt, es tue ihm gut, wenn ihm jemand eine kühle Hand reiche, »aber wenn er sich einhängt, ist es mir schon peinlich und unverständlich«; er begründet das mit seiner eigenen Nichtigkeit, die solche Zuwendung nicht verdiene. [137]

Diese Position des nur auf sich selbst bezogenen und Elemente der Pubertät übermäßig lange bewahrenden jungen Kafka ist in die *Beschreibung eines Kampfes* eingegangen, wo der Ich-Erzähler an einer Stelle sagt: »Trotzdem mir die Berührung mit einem menschlichen Körper immer peinlich ist, mußte ich ihn umarmen.« Die Stellen zeigen, daß Kafka das Umfassen schon sehr früh reflektiert und als Kategorie verwendet hat, die Innigkeit und Festigkeit einer Bindung verbürgt. [138]

Auch in diesem Bereich kommt es, besonders deutlich in den Briefen an

Milena faßbar, zu einer das wirkliche Händefassen übergreifenden Terminologie, in der Kafka die Beziehung zur Geliebten beschreibt. Er fühlt sich von ihr gerettet, wenn sie ihn »bei der Hand« hält, versichert, ihre Hand sei in seiner, solange sie diese dort lasse, weil er überhaupt in ihrer Hand sei, wodurch dann wieder umgekehrt etwas in seine Hand gegeben sei, und führt sie, wenn sie den *Heizer* übersetzt, an der glückbringenden, zauberhaften Hand, die es gilt, beim Briefschluß wieder freizugeben.

Schon dem äußeren Beieinandersein kommt eine einheitsstiftende Wirkung zu. Gewiß ist es kein Zufall, wenn Kafka über die Möglichkeiten des zwischenmenschlichen Verkehrs schreibt, man könne entweder »an einen fernen Menschen denken« oder »einen nahen Menschen fassen«, und wenn ihm als Erzähler des *Schloß*-Romans selbstverständlich ist, daß die körperliche Nähe zwischen Hans und K. ein Einvernehmen herstellt. [139]

Die eben dargelegten Zusammenhänge haben offensichtlich Folgen für das künstlerische Schaffen Kafkas. Man hat davon auszugehen, daß den inneren Beziehungen der Erzählfiguren immer äußere Korrelate entsprechen – gewöhnlich Blicke und Körperbewegungen –, denn diese sind, einmal ganz abgesehen von der Bedeutung, die sie als Wahrnehmungskategorien des Beobachters Kafka haben, die einfachsten Mittel, Personen szenisch einander zuzuordnen. Unter diesem Gesichtspunkt sollen im Folgenden die *Verwandlung*, die Fräulein-Bürstner-Episode im ersten Kapitel des *Prozeß*-Romans und die Szenen mit Leni und der Frau des Gerichtsdieners untersucht werden.

3. Kapitel:
Die *Verwandlung* und die Frauenszenen im *Prozeß* als mimisch-gestische Gestaltungseinheiten

Als heuristischer Grundsatz für die Untersuchung kann gelten, daß jedes Erzählmoment auslegbar und ins Erzählgewebe – insofern der Text als solches verstanden werden will – integrierbar sein muß, also in gewisser Weise eine Funktion übernommen hat, weil es sonst, wie häufig in der Unterhaltungsliteratur, überflüssig, bloße stoffliche Anhäufung oder Handlungsbrücke beziehungsweise Element der Klitterung wäre, mithin einen Text minderer Qualität voraussetzte.

Warum wird also in der Eingangsszene der *Verwandlung* berichtet, daß die Mutter an die Tür am Kopfende des Bettes Gregors klopft, um ihn zu wecken, während, dadurch aufmerksam geworden, daß Gregor noch schläft, Vater und Schwester je an eine Seitentür pochen, obwohl für den Fortgang der Handlung eine einzige Tür ausgereicht hätte?

Der Hinweis auf autobiographische Gegebenheiten – Kafkas Zimmer, in dem er die Erzählung schrieb, war ein Durchgangszimmer zwischen Wohnzimmer und elterlichem Schlafzimmer, und sein Bett stand mit dem Kopfende zum Flur [140] – hilft nicht viel weiter, weil er beispielsweise die in Wirklichkeit bestehende Aussicht aus seinem Fenster zugunsten bestimmter Erzählnotwendigkeiten verändert hat [141]; wenn er hier Realitätssplitter übernahm, mußte das seinen künstlerischen Intentionen entsprechen, sofern man annimmt, daß er fähig war, sie zu realisieren.

Offenbar soll ausgesagt werden, daß Gregor zwar einerseits der Mittelpunkt der Familie ist (dies ist auch aufgrund seiner ökonomischen Lage berechtigt), daß die einzelnen Familienmitglieder aber andererseits räumlich und damit innerlich voneinander getrennt sind.

Dem entspricht auch die Verfassung der Familie, soweit sie aus der Vorgeschichte erschließbar ist: Gregor, zusammen mit Vater und Mutter am oberen Ende des Tisches, bildet mit den Eltern eine gewisse Einheit, während die Schwester in diesem Zusammenhang nicht erwähnt ist; doch ist andererseits aus der Aussage der Mutter gegenüber dem Prokuristen bekannt, daß Gregor, wenn er gemeinsam mit der Familie abends am Tisch sitzt, »still« die Zeitung liest oder Fahrpläne studiert, sich also weder durch Wort noch Blick an der Abendunterhaltung der übrigen Familie beteiligt – er selbst beklagt später mangelnde Herzlichkeit zwischen sich und der Familie –, die immerhin dadurch, daß der Vater »seine nachmittags erscheinende Zeitung der Mutter und manchmal auch der Schwester mit erhobener Stimme vorzulesen pflegte«, zu einer Art einheitlicher Gruppe zusammengeschlossen scheint, was übrigens genau den wirklichen Gegebenheiten der Kafkas entspricht. [142]

Dabei bildet die Schwester, die in genauer Korrespondenz zu der berich-

teten Sitzordnung beim Essen – diese spiegelt die hierarchischen Verhältnisse
der Samsas – den Eltern seither als ein etwas nutzloses Mädchen erschienen
war, eine lockerere Gemeinschaft mit dem Vater als mit der Mutter, deren
gemeinsame Linie mit der Schwester sich auch dadurch dokumentiert, daß sie
beide Gregor zunächst wohlgesonnen sind und sich um sein leibliches Wohl
kümmern (sie veranlassen, daß ein Arzt geholt wird), während der Vater sich
an das Dienstmädchen wendet und einen Schlosser verlangt; schon sein
Klopfen an Gregors Tür war, verglichen mit dem der Frauen, die er auch als
Gruppe zusammenfaßt, verhältnismäßig unfreundlich.

Ebenfalls ausdeutbar sind die »seltenen gemeinsamen« Spaziergänge an
ein paar Sonntagen im Jahr und an den höchsten Feiertagen, wo der Vater
»zwischen Gregor und der Mutter, die schon an und für sich langsam gingen,
immer noch ein wenig langsamer, in seinen alten Mantel eingepackt« einher-
schreitet, und »wenn er etwas sagen wollte, fast immer stillstand und seine
Begleitung um sich versammelte«. [143]

Die unterschiedliche Gehgeschwindigkeit zwischen Vater und Mutter, die
kein Einhängen ermöglicht, verweist darauf, daß die beiden nicht völlig harmonieren, während der Gleichklang von Mutter und Sohn die Liebe der beiden zueinander spiegelt, die besonders auch im zweiten Kapitel der Erzählung
deutlich wird; Grete wird bezeichnenderweise gar nicht erwähnt.

Aufgrund äußerer Personenzuordnung kann zusammenfassend über die
Ausgangslage der Erzählung gesagt werden, daß die Schwester, was das
offizielle Familienleben angeht, außerhalb steht, aber doch Gefühlsbindungen
zu den Eltern unterhält und in diesem Bereich durch Gregor verdrängt ist,
der besonders der Mutter verbunden ist.

Als Gregor die Seitentür ins Wohnzimmer öffnet – das Motiv des Ein-
gesperrtseins bringt ein Grundproblem Kafkas zur Darstellung, das auch im
Verschollenen thematisiert ist [144] –, trifft er dort auf die Mutter, die bei
seinem Anblick zunächst den Vater ansieht, dem sie später, wobei er ihr
entgegeneilt, in die Arme fällt. Man könnte sagen, daß die Verwandlung des
Sohnes die Eltern etwas näher bringt, denn sie werden in engerem räumlichem
Kontakt gezeigt als in der Vorgeschichte. Eine gemeinsame Aktion kommt
gleichwohl noch nicht zustande, denn während der Vater Gregor ins Zimmer
zurücktreibt, lehnt die Mutter mit Atembeschwerden weit aus dem Fenster.
Die Schwester ist abwesend. Die räumlichen und damit inneren Zuordnungen der Personen ändern sich in der Szene, wo die Frauen Gregors Zimmer aus-
zuräumen suchen. Einerseits kommt es zu einer feindlichen Konfrontation
zwischen Gregor und Grete: »›Du Gregor!‹ rief die Schwester mit erhobener
Faust und eindringlichen Blicken.« Wort, Hand und Auge sind daran in einheitlicher Weise beteiligt. Andererseits erfolgt eine Annäherung von Mutter
und Tochter. Frau Bendemann wird von Grete an der Hand geführt – wie
mehrfach Karl Roßmann von Romanfiguren, deren Intentionen er mehr oder
weniger widerwillig folgt [145] – und, weil sie mit dem Arm umfaßt wird,
fast getragen.

Meint die erste Geste mehr eine Verbindung des Willens – eine vorgängige Übereinstimmung der so verbundenen Partner fehlt noch –, so veranschaulicht die zweite, wie aus anderen Zeugnissen hervorgeht, mehr hilfreiche Liebe. [146] Gleichzeitig nähert sich auch Grete dem Vater an, denn sie drückt bei seiner Ankunft ihr Gesicht an seine Brust, wie die Mutter beim erstmaligen Ansichtigwerden des verwandelten Gregor. So erscheint im Fortgang der Erzählung die restliche Familie als abendliche Dreiergruppe, in der die Schwester Gregors Stelle einnimmt, während dieser, von ihr abgeschnitten, im dunklen Nebenzimmer liegt, eine Situation, die Kafka selbst als Illustrationsvorschlag seinem Verleger vortrug und die ihm als biographische Konstellation bewußt war. [147]

Besonders bezeichnend ist, wie Kafka das Zubettgehen des Vaters beschreibt: Nach langem Zureden und Schmeicheln von seiten der Frauen ist der aus dem Schlummer Erwachende, der jetzt abwechselnd Mutter und Tochter ansieht, endlich bereit, sich von den beiden unter die Achseln fassen und zur nahen Tür begleiten zu lassen. Die Szene ist spiegelbildlich auf die Vorgeschichte bezogen: Der Vater wird jetzt von den Frauen geführt, die mit ihm eine viel einheitlichere Gruppe bilden als Gregor und die Mutter während der Spaziergänge.

Es leuchtet ein, daß diese Konstellation die Einführung der alten Bedienerin fast zwangsläufig nach sich zieht, denn die Schwester soll nun nicht mehr in häufiger äußerer Nähe zu Gregor gezeigt werden. Insofern man Gregors Verwandlung als Regression auf eine infantile Entwicklungsstufe auffaßt, kann man diese Figur auch noch durch biographische Daten konstelliert sehen; Kafkas frühkindliche Entwicklung vollzog sich fern von der Familie unter der Aufsicht von Ammen und Gouvernanten. [148]

Die dritte Hauptszene der Erzählung – das Violinspiel der Schwester vor den Zimmerherrn – macht deutlich, daß die endgültige Vereinigung der Familie unmöglich ist, solange Gregor lebt: Wenn diese Mieter den Platz der Familie oben am Tisch einnehmen, während die Samsas in der Küche essen müssen, wenn sie den Sessel des Vaters in Beschlag nehmen, so daß dieser gezwungen ist zu stehen, und wenn sie in Gretes Zimmer untergebracht werden, der dann als Schlafplatz nur das Wohnzimmer bleibt, so stellen sie eine Veräußerlichung Gregors selbst dar, und zwar seiner Wirkung auf die Familie. [149]

Andererseits sind sie, wie auch Gregor erkennt, der sie beim Essen beobachtet, ein Gegenbild der Hauptfigur, das funktional auf die Schlußszene des ersten Kapitels zugeordnet ist, insofern diese vom Besuch des Prokuristen handelt. In beiden Fällen wollen ja die Besucher bei Gregors Anblick die Wohnung verlassen. In ihrer wählerischen Art, die aufgetragenen Speisen zu betrachten, auffällig zu kauen, und überhaupt in ihrer Ordnungs- und Sauberkeitsliebe, sind sie das Gegenteil des eßunlustigen, zahnlosen und schmutzigen Gregor, dessen Zimmer zur Rumpelkammer geworden ist.

Ihre Zahl mag einmal durch die Anzahl der Familienmitglieder bedingt sein, die sie verdrängen, dann auch durch die Tatsache, daß archaische und dissoziierte Bewußtseinszustände, wie sie Gregor jetzt kennzeichnen, nach psychologischer Anschauung sich bildlich gern in einer mehrere Teilpsychen repräsentierenden Vielheit ausdrücken. Analog ist die Zuordnung im ersten Kapitel: Dort ist der geschäftlich und bei Damen erfolgreiche Prokurist als Berufstätiger dem faulen und erfolglos werbenden Gregor gegenübergestellt. [150]

Die Störung durch die drei anwesenden fremden Männer zeigt sich nun auch in einer starken räumlichen Trennung der Familienmitglieder, die an die Eingangsszene der Erzählung erinnert. Während die Schwester in der Mitte des Zimmers Gregor gegenüber plaziert ist, lehnt der Vater an einem Pfosten der zum Vorzimmer führenden Tür; die Mutter sitzt auf der andern Seite der Schwester in einer gegenüberliegenden Ecke des Raums. Wenn dabei von Gregor gesagt wird, er habe den Kopf eng an den Boden gehalten, um möglicherweise den Blicken Gretes begegnen zu können, so heißt das, wie aus vergleichbaren Stellen geschlossen werden kann, daß er die Zuneigung der Schwester gewinnen will: »sie liebten die Frau wohl sehr, immerfort suchten sie ihr in die Augen zu sehn«, wird in der *Verlockung im Dorf* formuliert. [151]

Schon während des Rückzugs Gregors in sein Zimmer wird die endgültige Vereinigung der Familie Samsa, die in der im Gespräch zwischen Vater und Tochter sichtbar werdenden gemeinsamen Überzeugung, Gregor müsse verschwinden, schon teilweise verbalisiert worden war, dadurch augenfällig, daß die Schwester erst zu der Mutter hineilt und mit ihr eine Gruppe bildet und dann zum Vater hinübergeht.

Nach dem Tod Gregors wird die nunmehr hergestellte Einheit der Familie in einer bis dahin in der Erzählung nicht gezeigten Gruppierung anschaulich, die kontrapunktisch auf die Spaziergangsszene und das Zubettgehen des Vaters verweist: Die Tochter geht, von der Mutter aufgefordert, ins elterliche Schlafzimmer, das Eltern und Grete kurz darauf, alle ein wenig verweint, verlassen. Schon dies ist ein Indiz, denn in einer früheren, vergleichbaren Situation war die Trauer der Familie keineswegs so einheitlich. [152] Herr Samsa führt an einem Arm seine Frau, am andern seine Tochter; »in einer Linie mit seinen zwei Begleiterinnen« geht er auf die Zimmerherrn zu und drängt sie in dieser Haltung aus der Wohnung hinaus.

Und als man beschließt, den Tag zum Ausruhen zu verwenden und Entschuldigungsbriefe an die jeweiligen Dienstherren schreibt – auch dieses Moment ist mit dem Anfang der Geschichte verfugt, wo Gregor unentschuldigt seiner Arbeit fernbleibt und deswegen gerügt wird –, bittet Herr Samsa um Rücksicht, als Mutter und Tochter ans Fenster treten und dort »sich umschlungen haltend« verweilen: »Gleich folgten ihm die Frauen, eilten zu ihm, liebkosten ihn«. [153]

Dergleichen ist kein Zufall, sondern folgerichtige Veranschaulichung des Erzählergebnisses. Während die Liebkosungen in der Zu-Bett-geh-Szene noch auf den leichten Widerstand des Vaters stoßen und seine Entfernung aus dem Wohnzimmer bewirken, ruft er sie jetzt selber hervor, weil er von einer vollendeten Familienharmonie ausgehen kann. Diese zeigt sich besonders in der engen Verklammerung durch Einhängen, die einen absoluten Gleichschritt der Gruppe bewirkt und die unterschiedlichen Gehgeschwindigkeiten früherer Spaziergänge aufhebt.

Was R. Baumann über H. v. Kleist schreibt – und das zeigt, daß die innere Verwandtschaft der beiden sich nicht auf ein vergleichbares Lebensschicksal beschränkte, sondern Gestaltungselemente einschloß –, stimmt genau zu Kafkas Darstellungstechnik, die eben an einem größeren Beispiel erläutert wurde: »Kleist sieht und schildert den Raum in seinen Erzählungen nie außerhalb der Szene, d. h. er erfaßt ihn nicht als werthaft in sich selbst, sondern stets in engem Zusammenhang mit dem inneren Erleben der Menschen.« [154] Das bedeutet auch, daß man an Äußerlichkeiten die Erzählmitte fassen kann, daß der Handlungsgang nicht bloßer Putz ist, hinter dem ein Gemeintes erst ermittelt werden müßte, und daß jedes Darstellungselement Bedeutungsträger wird.

Damit diese Veranschaulichungen aber richtig gedeutet werden können, muß das gesamte Parallelmaterial zu Rate gezogen werden; subjektives Gutdünken genügt keineswegs. Dafür ein Beispiel. K. H. Ruhleder hat behauptet, die Verwandlung Gregors in einen Mistkäfer meine symbolisch die Transformation des Mannes Gregor in einen hermaphroditischen Skarabäus, der für die Bereiche des Weiterlebens nach dem Tode, einer neuen Geburt, des ewigen Lebens und des Wunders der Urzeugung stehe.

Als Beweis wird unter anderem die Reaktion der Eltern auf Gregors erstes Erscheinen angeführt: »Der Vater ballte ... die Faust ..., sah dann unsicher im Wohnzimmer herum, beschattete dann mit den Händen die Augen und weinte«. Das wird so erklärt: »Das Wort ›beschatten‹ deutet unmittelbar auf eine Lichtquelle hin, eine überwältigende Lichtquelle übrigens, die sogar sein ausweichender Blick nicht ertragen konnte«; außerdem werde Gregor von der Mutter in der Position christlicher Andacht verehrt, weil sie »mit gefalteten Händen« den Vater ansieht und dann, sich Gregor nähernd, auf den Boden fällt, »das Gesicht ganz unauffindbar zu ihrer Brust gesenkt«. [155]

Gewiß ist diese Interpretation unsinnig. Aufgrund zahlreicher Parallelstellen ist klar, daß die Mutter händeringend den alten Samsa bittet, etwas angesichts des Ungeheuerlichen zu unternehmen, dies dann, ihre Kräfte überschätzend, selbst zu tun versucht und endlich in einer Haltung zusammenbricht, die man mit christlicher Devotion gewiß nicht verwechseln kann. [156]

Die Reaktion des Vaters zitiert Ruhleder unvollständig, denn die Faust wird »mit feindseligem Ausdruck« geballt, »als wolle er Gregor in sein Zimmer zurückstoßen«, was schlecht zur Verehrung des Transzendenten, aber außerordentlich gut zu der in der Erzählung sich dauernd verstärkenden

Feindschaft des Vaters gegen Gregor paßt. Trotzdem ist die innere Bewegung Samsas, weil sie komplex ist und in mehreren Phasen abläuft, nicht leicht zu deuten. Andern Formulierungen, wo Kafka das Motiv der geballten Faust ebenfalls verwendet, kann entnommen werden, daß die latente Feindseligkeit des Vaters sich deshalb auf die genannte Weise manifestiert, weil dieser sich einer Anspannung ausgesetzt sieht, der gegenüber er machtlos ist. [157]

Wie ist aber dann das Verb »beschatten« zu deuten? Es gibt tatsächlich Belege, wo die Hand an oder über die Augen geführt wird, um eine bei der Objektbeobachtung unerwünschte Lichtwirkung zu vermeiden; so heißt es zum Beispiel einmal im *Prozeß* von K.: »er beschattete die Augen, um hinsehen zu können, denn das trübe Tageslicht machte den Dunst weißlich und blendete«. [158] Wenn aber Lichtquelle und Objektfixierung nicht genannt sind, hat man die Geste entweder als Absicht zu interpretieren, sich jetzt nicht mehr mit seiner Umgebung beschäftigen zu wollen [159], was nicht zum Kontext in der *Verwandlung* paßt, oder man hat metaphorische Bedeutung anzunehmen.

Der Kaufmann Block sieht nicht mehr auf das Bett des Advokaten hin, sondern in eine Ecke, »als sei der Anblick des Sprechers zu blendend, als daß er ihn ertragen könnte«, der Patient im *Landarzt* wird geblendet durch das Leben in seiner Wunde, der Schauspieler Löwy fühlte sich beim Anblick des Warschauer Theaters förmlich geblendet, und den Dichter selbst blendet das Lebendige in einem Roman und seine Angst vor menschlicher Verbindung, so daß er die Augen verdecken möchte. In einem Brief an Milena schließlich spricht er vergleichsweise von Casanovas Gefangenschaft in den Bleikammern von Venedig, wo einen die Angst überfällt, wo man nichts anderes zu tun hat als die großen dunklen Ratten anzusehen, die einen mitten in der Nacht blenden. Die deutlichste Parallele ist aber eine vom Autor gestrichene Passage im *Schloß*: Als Pepi bei der Beschreibung ihrer Wirkung auf die Gäste auch den anwesenden Schreiber Bratmeier erwähnt, verdeckt dieser schnell, »als blende ihn ein Licht, mit der Hand seine Augen; es konnte ein ungeschickter Scherz, aber auch wirkliche Scham sein«. [160] Die zeitlich weit auseinanderliegenden Belege zeigen, daß hier ein klar umgrenzter Anschauungsbegriff vorliegt.

Es ist also naheliegend, an der fraglichen Stelle der *Verwandlung* eine Blendung im übertragenen Sinn anzunehmen, das Beschatten der Augen also als Nicht-ertragen-Können der ungeheuerlichen Erscheinung aufzufassen, dem hilfesuchende Blicke vorausgehen und fassungslose Erschütterung folgt, eine gestaffelte Dreiheit, die die anfängliche spontan-undifferenzierte ohnmächtige Aggressivität ablöst.

Im Folgenden soll das Repertoir beschrieben werden, das der Dichter zur Kennzeichnung erotischer Beziehungen benützt. Dabei wird sich ergeben, daß die mimisch-gestischen Elemente, die in dieser Beziehung in den Lebenszeugnissen verwendet werden, so eng mit den entsprechenden Gestaltungseinheiten des *Prozeß*-Romans verbunden sind, daß man von einer genetischen Abhängigkeit des Romantextes von der Dichterbiographie sprechen muß.

In einem Brief an die Berlinerin befürchtet Kafka, die Briefpartnerin könnte ihm, wie er es verdiene, untreu geworden sein, »da ich Dich nicht bei den Händen gehalten hatte, wie man die Geliebte hält, sondern mich an Deine Füße geklammert und das Gehn Dir unmöglich gemacht hatte«. Gemeint ist, daß er sich Felice nicht ebenbürtig fühlte, daß er sich an sie hängte, ihren Bewegungsspielraum einengte, auch indem er sich vor sie hinwarf. An anderer Stelle heißt es, er habe sich ihr förmlich von der Seite genähert und es sei längere Zeit verstrichen, ehe sie sich einander »Gesicht zu Gesicht zudrehten«.

Es dauert aber ziemlich lange, bis dieses Eingeständnis aufgrund der fortschreitenden inneren Annäherung möglich ist. Das gleiche gilt von seinem Wunsch, einmal in Felicens Augen schauen zu dürfen; häufiger werden derartige mimische Aussagen überhaupt erst nach dem offenen Eingeständnis seiner Liebe und dem Übergang zum vertraulichen Du (und freundliche Blicke, die Felice ihm schenke, korrelieren dann damit [161]). In den ersten Briefen jedoch bedient sich der Dichter nur der Handgestik, die keine größere Selbstentblößung voraussetzt. Der Vertraulichkeitsgrad des Elements wird dabei von Brief zu Brief gesteigert: Kafka spricht von seiner Hand, die beim ersten Zusammentreffen Felicens Hand hielt (1. Brief), legt seine Hand auf Felicens Brief, »um seinen Besitz zu fühlen« (2. Brief), möchte als Briefträger sein Schreiben in die Hand der Partnerin legen (3. Brief) und küßt ihr in Gedanken die Hand (4. Brief); später schließt er den Text mit einem langen Handkuß und hat das Verlangen, Felicens Hand einen Augenblick festzuhalten. [162]

Zweckbewegung (Begrüßung und Abschied durch Handschlag), Anfassen eines von der Geliebten kommenden Gegenstandes, die Vorstellung, mit dieser zusammenzutreffen, und schließlich die Absicht, durch längeren Kontakt sich ihrer Zuneigung zu versichern, dokumentieren eine kontinuierliche Steigerung des Wunsches, ihr nahe zu sein. Die Intensivierung des Verhältnisses zu ihr entfaltet sich, wenn man die durch Rücksicht auf die Geliebte bedingte Reihenfolge der Ausdrucksmomente außer acht läßt, auf drei Stufen, nämlich als Umklammern der Beine, Händefassen und gegenseitiges Anblicken.

In diesem Zusammenhang ist die Frage von Interesse, warum Kafka gerade im Händefassen die der Geliebten gegenüber adäquate Haltung sieht. Eine einleuchtende Antwort ist durchaus möglich. Als biographische Komponente des vielschichtigen Zeichens ist namhaft zu machen, daß sich für Kafka mit dem An-der-Hand-Gehaltenwerden positive Kindheitserinnerungen verbanden, die ihm Ersatz für die vergeblich erwartete hilfreiche Führung durch den Vater sein mußten. [163]

Dazu kommt der allgemeine Symbolwert, der miteinander verbundenen Händen innewohnt: einmal als Zeichen der Eheschließung, die für Kafka ja das Ziel seiner Beziehung zu Felice war; zweitens als stillschweigender Ausdruck freundlicher Übereinstimmung bei der Begrüßung und als Bild für

innige Verbundenheit und gegenseitige Hilfe in Gefahr, die, um in dieser
Vorstellungsebene zu bleiben, das Fallen eines Partners verhindern soll. [164]

Auf vertraulichere Arten der Körperberührung wollte Kafka nicht zurückgreifen, weil er sich vom Sexuellen angewidert fühlte und eine sozusagen
asketische Ehe mit Felice führen wollte: Jedes Hochzeitspaar war ihm ein
äußerst unangenehmer Anblick, und wenn er sich Ekel erregen wollte,
brauchte er sich nur vorzustellen, daß er einer Frau den Arm um die Hüfte
lege. [165]

Deswegen ist ein erotisches, besitzergreifendes Umfassen des weiblichen
Partners, das Kafka streng von wahrer Liebe unterschied, nur an drei eindeutig sexuell gemeinten Stellen in den Romanen nachweisbar. Im *Verschollenen* beobachtet Karl vom Balkon aus ein Paar: »der junge Mann hatte seinen Arm um das Mädchen gelegt und drückte mit der Hand ihre Brust.«
Dazu gibt es im ersten Kapitel des Romans eine Motiv-Parallele: »Der Heizer
rief eine gewisse Line zu sich, legte den Arm um ihre Hüfte und führte sie,
die sich immerzu kokett gegen seinen Arm drückte, ein Stückchen mit.« Und
im *Prozeß* beobachtet Josef K. den Studenten und die Frau des Gerichtsdieners
am Fenster des leeren Sitzungssaales; er »drückte sich sogar eng an die Frau
und umfaßte sie . . . er küßte sie laut auf den Hals.«

Sonst aber spricht Kafka höchstens einmal vom Umfangen der Schultern,
vom Gehen in der Umschlingung, liebevollem Streicheln des Rückens oder
vom Verbergen des Gesichts an der Schulter des Geliebten, außer es handle
sich um gleichgeschlechtliche Partner, wo das Fassen um die Taille seiner
sinnlichen Komponente entkleidet ist. [166]

Neben der Handverbindung bevorzugt Kafka bei der äußeren Darstellung
von Liebespaaren vor allem das Arm-in-Arm-Gehen, dann eine Gruppenbildung, wo der männliche Teil sein Gesicht im Schoß der Frau verbirgt, und
das Nebeneinandersitzen. Weil die zuletzt genannte Art, Körper einander
zuzuordnen, recht unauffällig ist und in literarischen Texten gern als unum-
gängliches Szenenrequisit ohne besonderen Ausdruckswert angesehen wird,
lohnt genauere Betrachtung hier.

Am 15. November 1912 heißt es in einem Brief an Felice: »heute schreibe
ich Dir vor meinem Schreiben, damit ich nicht das Gefühl habe, Dich warten
zu lassen, damit Du nicht mir gegenüber bist, sondern an meiner Seite«; und
dazu stimmt nicht nur die Bildlichkeit des schon zitierten Briefes vom 29./30.
Januar 1913, in dem körperliches Beieinandersitzen Vertrautheit bezeichnet,
sondern auch ein Schreiben vom 1. April 1913, wo der Dichter, wenn er
Hand in Hand neben Felice sitzt, sich mit ihr innerlich verbunden glaubt und
»Atem und Leben« ihres Leibes an seiner Seite fühlt, während er das mit
der Felice-Beziehung teilweise gleichzeitige Verhältnis zu Grete Bloch – die
Anrede bleibt in den Briefen Kafkas immer förmlich – durch die Aussage
kennzeichnet, es gehöre zu seinem Glück, Grete gegenübersitzen zu dürfen.
Es handelt sich also bei dieser Vorstellung um einen bewußt verwendeten,
abgestuften Bildkomplex. [167]

Die von Kafka verwendeten Körperstellungen haben gemeinsam, daß sie ihres eindeutig erotischen Gehalts entkleidet sind, weil sie auch für alte Paare, für bloß freundschaftliche Beziehungen zwischen verschiedengeschlechtlichen Partnern und für Vater-Tochter- bzw. Mutter-Sohn-Beziehungen stehen können und in solcher Funktion auch bei Kafka gebraucht werden. [168] Um das auffälligste Beispiel anzuführen: Wenn Kafka in seinen Briefen an Milena gern sein Gesicht im Schoß der Freundin verbirgt, so suggeriert dergleichen eine Mutter-Kind-Konstellation, die ihm auch in diesem Fall ausdrücklich vorgeschwebt hat. [169]

Die Beliebtheit des Bildes hat aber noch einen andern Grund. Während Kafka den Briefwechsel mit Felice in einer Phase relativ großen Selbstwertgefühls aufnahm, das durch einen schriftstellerischen Durchbruch bedingt war, ist die Lage im Jahr 1920 nicht nur durch ein schon jahrelanges Ausbleiben seiner Inspiration gekennzeichnet, sondern es lagen drei vergebliche Heiratsversuche und die Gewißheit hinter ihm, sich im Leben nicht bewährt zu haben und nicht bewähren zu können, so daß er sich der emanzipierten Ehefrau Milena gegenüber als Nichts vorkam, das der Lebensfülle gegenübertritt.

Dieser Unterschied verdeutlicht sich nun auch in der Bildlichkeit: Er sehe, heißt es in einem relativ frühen Brief, ein Stück des für ihn möglichen Wegs vor sich und wisse, in welcher ungeheueren, wohl unerreichbaren Entfernung von seinem jetzigen Ort er erst eines »gelegentlichen Blickes« wert sein werde; trotzdem sei er als übergroße Gnade mit Milenas liebevollen Briefen konfrontiert worden: »Wie soll ich den Unterschied ausdrücken? Einer liegt im Schmutz und Gestank seines Sterbebettes und es kommt der Todesengel . . . und blickt ihn an. Darf der Mann überhaupt zu sterben wagen? Er dreht sich um, vergräbt sich nun erst recht in sein Bett, es ist ihm unmöglich zu sterben.« [170]

Kafka kann also nicht wagen, Milena anzusehen, weil er ihrer Blicke nicht würdig ist und von ihr nur unverdienterweise angenommen werden kann; und diesem Hintergrund nun wird das Bild des sich in Milenas Schoß versenkenden Dichters gerecht: Man erwartet von einem, der sich so nähert, keine Taten und Verdienste und keine Konfrontation der Blicke.

Sonst aber gilt von der Korrespondenz mit Milena das über die Briefe an Felice Gesagte: Der Intensivierung des brieflichen Verhältnisses – auch hier gab es eine einmalige Begegnung zu Beginn der Beziehung, der ein monatelanger Briefwechsel folgte – entspricht die Bildlichkeit: Zunächst will Kafka nur die Hand Milenas küssen, dann, nachdem persönliche Probleme angeschnitten worden sind, möchte er ihre Füße streicheln oder fühlt sich so weit unter ihr liegend, daß er sie aus der Perspektive eines kleinen Tiers wahrnimmt.

Blickzuwendung wird in dieser Zeit nur auf die eben zitierte distanzierte Weise, ferner als bloße Möglichkeit, als unerträgliche Gefahr und im Traum akzentuiert [171], während er erst nach der Wiener Begegnung von zwei

»aus unbegreiflicher Gnade« lebendigen Augen spricht, in denen er geruht habe, und überhaupt das Kennenlernen Milenas und das In-ihre-Augen-Sehen als identisch bezeichnet. Erst jetzt ist die Gleichwertigkeit für kurze Zeit erreicht, sind die Liebenden Körper an Körper, Gesicht an Gesicht oder Schläfe an Schläfe vorgestellt. [172]

Schon weil Kafka davon spricht, seine Geschichten sähen ihm so ähnlich, daß er mit ihnen geradezu identisch sei, liegt es nahe, das dichterische Werk auf die gefundenen Kategorien hin zu durchmustern. Wenn es in der *Verwandlung* heißt, Gregor habe sich am liebsten der Schwester vor die Füße werfen wollen, um etwas Gutes zum Essen zu erhalten, wenn er ihren Blicken zu begegnen sucht, sich wünscht, sie solle dauernd »neben ihm auf dem Kanapee sitzen«, so ist die erotische Komponente in der Beziehung Gregors zur Schwester [173] ebenso angedeutet wie durch seine Absicht, ihr vertrauliche Dinge ins Ohr zu sagen und sie auf den Hals zu küssen, den sie, seitdem sie ins Geschäft geht, »frei ohne Band und Kragen« trägt; denn die eben genannten Gegebenheiten trafen mutatis mutandis auch auf Felice zu, deren Schweigen Ende November 1912 Verzweiflungszustände Kafkas hervorriefen, die zur Konzeption der Erzählung führten. Hier ist also mindestens der gleiche Gestaltungswille in Dichtung und Lebenszeugnis wirksam. Viel deutlicher lassen sich aber die Verbindungslinien ziehen, wenn man die erste Begegnung zwischen Josef K. und Fräulein Bürstner im *Prozeß* zum Vergleich heranzieht.

Das Entscheidende der Szene läßt sich an Blicken und Gesten ablesen. Das Fräulein, dessen Sicherheit und Lebensbejahung dadurch dokumentiert wird, daß zweimal erwähnt wird, es habe die Hand an die Hüfte gelegt [174], reicht K. kontaktfreudig die Hand zur Begrüßung, ist also zu so später Stunde noch zu einer Zusammenkunft bereit.

Die nächste Phase der Annäherung erfolgt in Fräulein Bürstners Zimmer – K. sitzt auf der Ottomane, sie steht ihm gegenüber am Bettpfosten –, als beide einander zum erstenmal in die Augen sehen; sie wird aber kurz durch eine kleine Meinungsverschiedenheit gestört, die sich auch äußerlich dadurch dokumentiert, daß Fräulein Bürstner durchs Zimmer geht, sich also von ihrem Gesprächspartner abwendet. Die Beziehung wird aber gleich auf einer höheren Ebene wieder hergestellt, wenn die beiden zusammen vor den durcheinandergeworfenen Photographien stehen. Daß dies kein funktionsloser Erzählzug ist – es wird ja hier nur gesagt, K. sei auch zu den Photographien gegangen –, geht aus einer späteren Stelle hervor, wo es heißt, das Fräulein, enttäuscht, weil es glaubt, K. habe sich einen Spaß mit ihm erlaubt, sei von den Photographien weggegangen, »wo sie so lange vereinigt gestanden hatten«, und habe sich, während K. steht – jetzt tritt eine Umkehrung der Anfangskonstellation ein – auf die Ottomane gesetzt. [175]

Nun wird das Verhältnis einseitig intensiviert: K. wird ganz vom Anblick des sitzenden Fräuleins ergriffen – und auch dieser Erzählzug wird versinnlicht, indem K. zunächst eine Aussage der Gesprächspartnerin nicht versteht und sich erst langsam daran erinnert –, nimmt ihre Hand, küßt die Stirn der Widerstrebenden, führt sie an der Hand in eine Zimmerecke, faßt sie zweimal beim Handgelenk, das ihm jedesmal entzogen wird, umgreift die ihn Verabschiedende unter der Tür und küßt dann Hals und Mund der schon halb Abgewandten, die ihm, »als wisse sie nichts davon«, eine Hand zum Küssen überlassen hat.

Während dieser Zeit hat das Fräulein, an dessen Aussehen sich K. vor der Begegnung gar nicht genau erinnern kann, ihn offensichtlich nicht angeblickt, und während des Gesprächs in der Zimmerecke steht es »still und ein wenig zusammengesunken« vor ihm und sieht ohne K., der dies erwartet, den Blick zuzuwenden, vor sich auf den Boden, so daß er nur ihr Haar vor sich hat. [176]

Diese Kopfhaltung hat bei Kafka einen differenzierten, fest umrissenen Aussagewert: Er umfaßt einmal Gedankenverlorenheit und traurige Hilflosigkeit, zum andern Abgeschlossenheit gegen die Außenwelt, die natürlich leicht den Charakter der Kommunikationsverweigerung annimmt. Als K. im *Schloß*, unzufrieden mit dem Boten Barnabas, diesen anfährt, wird er von ihm mit Worten beruhigt. Außerdem aber wird gesagt: »wie wenn er unbewußt K. strafen wollte, entzog er ihm seinen Blick und senkte die Augen, aber es war wohl Bestürzung wegen K.s Schreien.« [177] Ähnliches liegt an der Stelle im *Prozeß* zugrunde, wo das Fräulein, durch Josef K.s lautes Reden und das Klopfen des Neffen der Frau Grubach erschreckt, die Augenverbindung mit K. abbricht; da sie nicht wieder aufgenommen wird, sind aber auch Vorbehalte gegen K. anzusetzen.

Man kann dieses Teilkapitel als ein in Szene gesetztes Abbild der gesamten Beziehungen Kafkas zu Felice verstehen; aufgrund der Tatsache, daß im Manuskript der Name des Fräuleins nicht ausgeschrieben ist – es erscheinen dort regelmäßig die Initialen F. B., die mit denen der Berlinerin identisch sind [178] –, ist ja schon gelegentlich darauf hingewiesen worden, daß dieses Verhältnis Spuren im Roman hinterlassen habe. [179] Unter analytischer Fragestellung, die nur entstehungsgeschichtliche Zusammenhänge im Auge hat, kann man fast sagen, daß der Text unter Verwendung von Elementen der ersten Begegnung mit Felice und einigen anderen Leitvorstellungen des Dichters zusammengesetzt wurde:

K. wartet seit neun Uhr auf F. B., die sich im Theater befindet, und Kafka besuchte am Abend der ersten Begegnung die Familie Brod gegen neun Uhr, wo Felice, die gern ins Theater ging, ausführlich von einem Operettenbesuch erzählte. [180] Weiterhin sind der Händedruck, das Sich-Ansehen, die gekreuzte Beinstellung, das gemeinsame Betrachten von Photographien und die Tatsache, daß der männliche Partner auf das Haar des Mädchens niederschaut, jenem Abend und der Romanpassage gemeinsam.

K.s Aktivität und der anfängliche Einklang der Dialogpartner, der zweimal durch Meinungsverschiedenheiten unterbrochen wird, entspricht Kafkas Rolle in seinem Verhältnis zu Felice und seiner Erkenntnis, daß man sich zu

Anfang mit Riesenschritten nähergekommen sei, während dann die Beziehung stagniert habe; auch gab es hier zweimal Störungen in der Kontinuität des Verkehrs, einmal gleich zu Beginn eine vierwöchige Wartezeit und dann einen richtigen, tiefgreifenden Abbruch der Korrespondenz während Kafkas zweiter Italienreise im September 1913. [181]

In der Darstellung der Verhaftungsszene durch K. erfolgt im Romantext die Wende der Beziehung. Sie wird durch den im Kontext fast isoliert stehenden Satz eingeleitet: »Er wollte Bewegung machen und doch nicht weggehen«, obwohl F. B. zum Umfallen müde ist. [182] Gerade wenn man weiß, daß ein solches Verhalten für Kafka selbst unüblich ist und daß er Erzählbrüche vermeidet, wo er nur kann [183], wird man hier ein autobiographisches Substrat vermuten, denn in dem schon mehrfach beigezogenen Bericht von der ersten Zusammenkunft mit Felice erwähnt der Dichter auch, er habe sich damals bei seinen häufigen Besuchen öfters den Spaß gemacht, Otto, den Bruder von Max Brod, der auf pünktliches Schlafengehen hielt, »durch besondere Lebhaftigkeit, die mit dem Vorrücken der Uhr sich vergrößerte, so lange vom Schlafen abzuhalten«, bis ihn die ganze Familie liebevoll aus der Wohnung hinauskomplimentiert habe. Ebenso drängt die übermüdete F. B., die »niemals und niemandem böse« ist, K. schließlich hinaus. [184] Wenn sich K. in dieser Szene zum Aufseher macht und sich, die wichtigste Person, vergißt, so spiegelt sich wohl darin Kafkas Auffassung, er habe während des Verhörs im »Askanischen Hof«, wo die erste Verlobung mit Felice in die Brüche ging, selbst anstelle von Felice über sich zu Gericht gesessen. [185]

Der Widerstand des Fräuleins nach dieser Veranschaulichung gleicht aufs Haar dem von Kafka an Felice beobachteten Verhalten, besonders seit seiner ersten Berliner Reise: Felice tanzt mit gesenktem Blick, sieht vor sich auf den Boden oder stumpf seitwärts, was Kafka Grete Bloch gegenüber direkt als »Verschlossenheit und Unfreundlichkeit« interpretierte, zieht angewidert ihre Hand zurück, als Kafka diese küssen will, und bei der Betrachtung einer Photographie Felicens heißt es in Analogie zu dem von K. erwarteten Aufblicken des Fräuleins: »Du wendest Dich mir nicht zu, trotzdem ich es erwartet habe.« [186] Im gleichen Zusammenhang heißt es über die Haltung, die Felice im Bild einnimmt: »Die Hand an der Hüfte, die Hand an der Schläfe, das ist Leben, und da es das Leben ist, dem ich gehöre, ist es durch Anschauen gar nicht zu erschöpfen.«

Einen besseren Kommentar zu dem verlorenen Blick K.s auf F. B., »die das Gesicht auf eine Hand stützte ... während die andere Hand langsam die Hüfte strich« [187], kann es nicht geben. Erwähnt sei noch, daß das Entziehen von Blicken und Händen auch als Begriff, der nicht zugleich eine konkrete Situation mitmeint, in den Briefen an Felice belegt ist. [188]

Wie sehr in der Begegnung mit Fräulein Bürstner Kafkas Verhältnis zu Felice gestaltet ist, veranschaulicht auch ein Blick auf die Passagen des Romans, wo K. mit Leni und der Frau des Gerichtsdieners zusammentrifft, denn dort werden zwar zum Teil die gleichen, zum Teil auch verwandte Bausteine verwendet, aber doch so vollständig anders arrangiert, daß eine Deutung in dem gegebenen Sinne unmöglich wäre.

Die erotische Verlockung geht in diesen Fällen nicht von K., sondern von seinen Partnerinnen aus: Die Frau des Gerichtsdieners faßt seine Hand, worauf dieser lächelt und sie »ein wenig in ihren weichen Händen« dreht. Das ist keine Andeutung eines Sich-Entziehens, sondern eine schwächere Form der Liebkosung, die sonst durch Streicheln der Hände des Partners oder, wie im Falle Lenis, durch Spielen mit den Fingern ausgedrückt wird, ein Tatbestand, der auch für den Dichter selber Ausdruck liebevoller Zuwendung war. [189]

In der Anfangsphase des Gesprächs mit der Frau des Gerichtsdieners stimmt K. mit Einschränkungen den Absichten seiner Partnerin zu, die, indem sie ihn eiligst hinter sich herzieht und sich mit K. zusammen auf die Stufe eines Podiums setzt, ihre Führungsrolle unterstreicht und zu erotischer Gemeinschaft einlädt.

Wenn es nun heißt, sie habe K. »von unten« ins Gesicht gesehen, so muß man das so deuten, daß sie ihr Gesicht in die Blickrichtung des neben ihr Sitzenden zu bringen sucht, der ihr also seine Augen nicht zugewendet hat. Als K. das in dieser Miene liegende Angebot erkennt, steht er auf, hebt damit und durch entsprechende Worte die vorher gegebene Übereinstimmung auf und entzieht ihr seine Hand. Erst als sich die Frau, die K.s Hand nochmals streichelt, dem Studenten zuwenden muß, wird er verlockt, hascht nach ihrer Hand und streckt verlangend den Arm nach ihr aus. [190]

Wieder etwas anders läuft die Begegnung mit Leni ab: Nachdem durch gegenseitige Blicke schon ein Einverständnis erzielt ist, geht die weitere Aktivität von der Partnerin K.s aus, die ihn in das Arbeitszimmer des Advokaten lockt und veranlaßt, daß sie sich zusammen auf eine Truhe setzen. Dort kommen sie sich räumlich immer näher, bis Leni, auf K.s Schoß sitzend, ihn mit beiden Armen umschlingt. [191]

Die beiden Szenen unterscheiden sich von der Begegnung K.s mit Fräulein Bürstner aber auch noch dadurch, daß hier nur ein Zusammenstehen der beiden beschrieben wird, dort aber jedesmal das erotisch viel intensivere Zusammensitzen. Dem entspricht auf der biographischen Ebene nicht nur, daß Kafka bis zum Zeitpunkt der Niederschrift des Romans mit Felice offenbar nur gemeinsam gegangen ist und nie mit ihr in vertraulicher Pose allein war, sondern auch, daß diese sich nach Kafkas Auffassung ihm dauernd entzog. Dagegen hat man davon auszugehen, daß die beiden zuletzt beschriebenen Romanszenen Kafkas sexuelle Verlockungen durch in dieser Hinsicht willige Mädchen spiegeln sollen, von denen er gelegentlich berichtet. Dafür spricht überdies, daß er seine eigene Schüchternheit und Befangenheit, die ihm solche Kontakte erschwerten, K. in der Unterredung mit Leni ausdrücklich zuerteilt. [192]

Auch K.s Beziehung zu Elsa, einer Kellnerin in einer Weinstube, ist biographisch noch verifizierbar, denn es ist überliefert, daß er in seinen ersten Berufsjahren amouröse Bekanntschaften zu solchen Bedienungen unterhielt. [193]

4. Kapitel:
Augen und Blicke

Die Bedeutung, die Kafka fremden Blicken beimaß, läßt es verständlich erscheinen, daß er auch Zweckbewegungen der Augen, die nicht im engeren Sinne als Mienen oder Ausdrucksbewegungen zu bezeichnen sind, stark beachtete und ihnen als Gestaltungselement in seinen Texten eine wichtige Rolle beimaß. Deswegen, dann aber auch, weil die Trennung zwischen rein zweckhaften und ausdruckshaften Mienen und Gesten gar nicht möglich ist, sofern das Untersuchungsmaterial nur aus Texten besteht, und weil besonders die moderne Verhaltensforschung viele Ausdrucksbewegungen stammesgeschichtlich auf Zweckhandlungen zurückführt, werden in dieser Untersuchung beide Bewegungsgruppen gleichrangig betrachtet und vereinfachend unter dem Oberbegriff Mimik und Gestik vereint.

Bei den Blicken hat man, nimmt man ihre Richtung zum Gliederungmaß, vier Fälle zu unterscheiden, nämlich den Dialog der Blicke, den einseitigen Blick des Beobachters oder eines Perspektivträgers auf Personen oder Dinge und das Angeblicktwerden solcher Gestalten durch andere und, viertens, das Ruhen vieler Blicke auf einer einzigen Figur.

Wenn die soziale Verantwortung sich für den Dichter im Blick Dritter manifestieren konnte, dem er gelegentlich, wenn er nicht auf sich bezogen war, durchaus eine positive Wirkung zuzuerkennen vermochte, so versteht sich, daß er bestimmte Probleme gleichsam unter der Optik von ihn Beobachtenden reflektierte und daß diese Perspektive auch in Erzähltexten eine Rolle spielt: Im *Heizer* wird nach Karls Identifizierung durch den Onkel berichtet, wie alle Anwesenden die Augen auf ihn gerichtet haben, und diese seine Position als Mittelpunktsfigur korrespondiert mit seinem Bewußtsein, denn er glaubt zu bemerken, daß New York ihn »mit hunderttausend Fenstern seiner Wolkenkratzer« ansehe.

Vergleichbar ist der Beginn des *Schloß*-Romans, wo ja gleichfalls der Versuch des Helden beschrieben ist, sich in eine neue Gemeinschaft einzugliedern, und wo alle Augen auf ihn starren, ein Sachverhalt, dem, besonders angesichts der Tatsache, daß Klamm K. dauernd im Auge behalten will und die Gehilfen ihn immer beobachten, ein gewisser Zeichenwert nicht abgestritten werden kann. Auch Verhaftung und erste Vernehmung Josef K.s, die in den beiden Eingangskapiteln des *Prozeß*-Romans beschrieben sind, vollziehen sich ja unter den Blicken neugieriger Zuschauer, die auf das Grundproblem des Romans, K.s Stellung zur Gemeinschaft, verweisen. [194]

Viel zahlreicher sind naturgemäß die Fälle, wo einzelne Personen den Blick auf die Hauptfigur richten. Wird dabei in einigen Passagen deutlich, wie solche Blicke eine unangenehme Wirkung auf die Angeschauten haben und sein Verhalten verändern [195], so gibt es andererseits doch auch viele

Belege, aus denen hervorgeht, daß Kafka daran liegt, gleich beim Zusammentreffen zweier Erzählfiguren durch die Art der Blickzuwendung deren Beziehung zu beschreiben. Der Blick ist deshalb in der Regel näher bestimmt. [196] In weiteren Beispielen verzichtet Kafka zugunsten anderer
Darstellungsmittel auf die Erwähnung des Initialblicks, weil die Dramatik der
Situation oder die Notwendigkeit, weitere Zusammenhänge zu artikulieren,
keinen erzählerischen Raum dafür läßt. Die Blickzuwendung erfolgt dann im
Verlauf der Szene und zwar, Kleist vergleichbar, auf deren Höhepunkten und
als Ausdruck gesteigerter Beziehungsintensität – auch im Verhältnis zwischen den Partnern darf es keine Statik geben –, so daß bei längeren oder
emotional aufgeladenen Erzähleinheiten durch mehrmalige Darstellung der
Blicke eine größere Differenzierung erreicht werden kann. [197] Auch
erfolgt dann häufig eine bewußte Auseinandersetzung mit dem Blick des
Partners. [198]

Schließlich liebt es Kafka, die Zuwendung zum Perspektivträger erst dann
erfolgen zu lassen, nachdem vorher ausdrücklich das Nichtbestehen einer
Augenverbindung betont wurde; die Figuren schauen dann vor sich auf den
Boden, auf einen Gegenstand vor sich oder an die Zimmerdecke.

So hat zum Beispiel Pepi, obwohl sie doch K. liebt, während ihrer ausführlichen Erzählung, in der sie die Verknüpfung ihres Schicksals mit K. bedenkt,
»den Blick starr in K.s Kaffeetopf gerichtet, als brauche sie eine Ablenkung,
selbst während sie erzählte, als könne sie, selbst wenn sie sich mit ihrem
Leid beschäftigte, sich ihm nicht ganz hingeben, denn das ginge über ihre
Kräfte«; erst nachdem sie geendet hat, sieht sie »K. kopfschüttelnd an, so, als
wolle sie sagen, im Grunde handle es sich gar nicht um ihr Unglück, sie
werde es tragen und brauche hierzu weder Hilfe noch Trost irgend jemandes
und K.s am wenigsten, sie kenne trotz ihrer Jugend das Leben, und ihr
Unglück sei nur eine Bestätigung ihrer Kenntnisse, aber um K. handle es
sich, ihm habe sie ein Bild vorhalten wollen, noch nach dem Zusammenbrechen aller ihrer Hoffnungen habe sie das zu tun für nötig gehalten«. Die
beiden deutlich aufeinander zugeordneten Passagen verraten, wofür auch die
Zahl solcher Gruppierungen spricht, daß hier Erzählabsicht waltet. [199]

Man kann direkt von einer Lieblingsvorstellung Kafkas sprechen, wobei
die anfängliche Blickabwendung nicht nur Selbstbezogenheit und Verlegenheit bedeuten muß, sondern auch Rücksichtnahme, Förmlichkeit, komödien-
hafte Unhöflichkeit oder Selbstsicherheit meinen kann. Insofern ein Partner
sitzt und der andere bei ihm steht, ist der genannte Ablauf – es handelt sich
dann (denn Kafka ist exakt in räumlichen Zuordnungen) um ein Aufblicken – fast die Regel. [200]

Diese Bewegung ist nicht einfach selbstverständlich, denn zweckvoll zugewendet ist das Gesicht einem Partner nur, wenn man ihm frontal auf gleicher
Höhe gegenübersitzt oder -steht. Besteht diese Zuordnung nicht, so genügt es,
die Augen zu bewegen. Dies letztere geschieht vor allem dann, wenn unter
halb geschlossenen Lidern vorsichtig beobachtet werden soll [201], während

das Mitführen des Gesichts mit den Augen in der Regel als freundliche Zuwendung verstanden werden muß, die in den Beteiligten die Vorstellung entstehen läßt, man nehme und dulde gegenseitig Einblick in die innersten seelischen Vorgänge. [202]

Daß sich die zahlreichen Belege unter die Gesichtspunkte eines den Angeschauten deformierenden Blicks, des Initialblicks bei Dialogen, der Blickzuwendung in der Peripetie des Gesprächs und des Gegensatzpaars Introversion-Extraversion subsumieren lassen, verstärkt den Eindruck, daß funktional gemeinte Setzungen von Kafka vorgenommen wurden.

Es versteht sich, daß auch das wechselseitige Anschauen und der Dialog der Blicke bei Kafka eine Rolle spielen. Die Lebenszeugnisse zeigen, wie aufmerksam der Dichter gegenüber dem Phänomen der sich begegnenden Augen war. [203] Auch in der Dichtung erscheint das Motiv häufig. [204] Wichtiger sind aber die sprechenden Blicke, die Kafka aus seiner Lebenserfahrung bekannt waren und die er zur Gestaltung fiktiver Situationen benützt. Wenn er zum Beispiel auf der »Čechbrücke« ein ihn beglückendes Telegramm Milenas liest, sieht er sich um und ist versucht zu denken, »man werde böse Mienen sehn, nicht gerade Neid, aber doch Blicke, in denen steht: ›Wie? Gerade Du hast dieses Telegramm bekommen? Das werden wir nun aber gleich oben anzeigen. Zumindest werden sofort Blumen (ein Arm voll) nach Wien geschickt. Jedenfalls sind wir entschlossen, das Telegramm nicht einfach hinzunehmen.‹ Aber statt dessen, alles ruhig . . .« [205] Dies nebenbei auch ein Beleg dafür (freilich mehr spielerischer Natur), wie Kafka sein Geschick unter sozialer Perspektive durchdachte, die sich für ihn, wie eben gezeigt, als Blickzuwendung der Gemeinschaft veranschaulichen konnte.

Selbstverständlich trifft man derartige stille Dialoge auch in literarischen Texten. Abgesehen von Fällen, wo sich eine solche Verständigung wegen anwesenden dritten Personen nahelegt, die davon ausgeschlossen werden sollen, oder wo über eine größere räumliche Distanz hinweg kommuniziert wird, handelt es sich entweder darum, daß zu Beginn eines Zusammentreffens mit gleichsam feineren Mitteln als dem groben Wort der Versuch einer Aussprache unternommen wird oder daß das ganze problematische Verhältnis der Dialogpartner zueinander, das schicklicherweise nicht in Worte gefaßt werden kann, in solchem Blickwechsel zum Ausdruck kommt, so wie sich etwa Kafkas Liebesverhältnis zu den Schauspielerinnen Tschissik und Klug vor allem im sprechenden Spiel der Blicke darstellte. [206]

Das schönste Beispiel ist eine gestrichene Stelle im *Hungerkünstler*, in der das Verhältnis der Titelfigur zum Publikum gezeigt wird: Auf die Aussage, daß nur er selbst der von seinem Hungern vollständig befriedigte Zuschauer habe sein können, folgte zunächst im Manuskript:

»Das gab ihm selbst denjenigen gegenüber, welche ihm völlig vertrauten, eine eigentümlich überlegene Stellung; es bildete sogar für manche den Hauptreiz der Vorführung. Es lockte sie, nahe zum Gitter sich zu drängen und in die trüben, förmlich mit baldiger Verlöschung drohenden Augen des

Hungerkünstlers zu sehen, deren Anblick er niemandem entzog, der sich sichtlich darum bewarb; ja er suchte selbst unter der bunten Zuschauermenge Blicke, die sich in die seinen zu versenken Lust hatten. Dann begab sich ein Frage- und Antwortspiel der Augen. Der Zuschauer fragte: ›Hast Du wirklich schon so lange gehungert?‹ Der Hungerkünstler antwortete: ›Allerdings, genau so lange habe ich gehungert und werde noch lange hungern. Daß Du es nicht begreifen kannst, verstehe ich; es ist unbegreiflich.‹ Der Zuschauer: ›Und Du solltest das Unbegreifliche ausführen können?‹ Der Hungerkünstler: ›Ja, ich.‹ Der Zuschauer: ›Nun, es wäre ja nicht weniger unbegreiflich, wenn Du etwa einmal in einer der vielen Nächte eine Kleinigkeit gegessen hättest. Dein Hungern wäre noch genau so unbegreiflich. Diese Kleinigkeit also hast Du doch vielleicht gegessen.‹ Der Hungerkünstler: ›Nein, auch diese Kleinigkeit nicht.‹« [207]

Man sieht, wie Kafka darauf aus ist, die vorliegende Problemstellung völlig in eine geschlossene Situation hinein zu übertragen und sie so jeder Abstraktion zu entkleiden (auch das Zitat aus den Briefen an Milena hat diesen Aspekt), was beim gegebenen Erzählgegenstand, sofern die Hauptfigur beteiligt sein sollte, nur durch Dialog möglich ist (anders als durch Sprechen könnte der Hungerkünstler nicht mit seinem Publikum in Verbindung treten), der aber eben dieses Sujets wegen gleichzeitig auch vermieden werden muß (weil die Passivität und Abgeschlossenheit des Künstlers betont werden soll).

So legte sich ein stilles Gespräch nahe, das dann vielleicht wegen seiner durch den Umfang bedingten Künstlichkeit, und weil es gegenüber dem vorhergehenden Kontext keinen Gedankenfortschritt bringt, wieder gestrichen wurde.

Von einer außerordentlichen Vielfalt sind die Aussagen, wo Figuren den Blick auf andere richten, ihnen den Blick verweigern oder ihn auf den Raum und seine Gegenstände fixieren. Steht der flüchtige Blick für ein eiliges, vorsichtiges oder schwach interessiertes Betrachten verhältnismäßig unbedeutender Objekte [208], so der lange auf dem Beobachtungsgegenstand ruhende für Nachdenklichkeit [209], insofern hier nicht Mißachtung des Partners oder gespannte Wachsamkeit intendiert sind. [210]

Schließlich kann das Verweilen des Blicks darin seine Ursache haben, daß der Beobachtende von seinem Gegenüber innerlich affiziert ist. [211] Wenn dies durch Blicke des andern geschieht, spricht Kafka in den Lebenszeugnissen davon, man sei von ihnen gehalten oder festgehalten. [212] Es ist also keine Zufallsformulierung, wenn es von der Herrenhofwirtin im *Schloß* heißt, K. sei durch ihren träumerischen Blick länger »festgehalten« worden, als er wollte. [213] Dieser Blick, der sich von dem aller anderen Gestalten im Roman unterscheidet, deren jeweilige Wesensart sich ebenfalls in ihren Augen spiegelt, dokumentiert genau die Überlegenheit der Wirtin über den sich ihr willig fügenden K.

Wenn ein Perspektivträger während eines Dialogs plötzlich seinen Partner ansieht, so deshalb, weil er wegen einer Gesprächswendung erstaunt ist oder vom eben eintretenden Handlungsablauf überrascht wird, der für ihn zum Gesagten im Widerspruch steht, so daß er durch Beobachtung der Wahrheit auf die Spur kommen will. [214]

Kafkas Wahrnehmungsfähigkeit zeigt sich auch darin, wie er den auf einem andern auf- und abgehenden Blick verwendet. Er bemerkte einmal, wie er in einem aufregenden, quälenden Gespräch »aufgescheucht« mit den Augen auf dem Gesicht und Hals seines Gesprächspartners hin und her lief, und in einem Erzählfragment wird die verwirrte Miene der Desorientiertheit einer Figur wie folgt präzisiert: »Auch lief er uns immerfort mit den Augen ab, als bemerke er zwar unsere Anwesenheit, könne uns aber nicht so genau erkennen, wie er wollte.«

Ist schon die Übereinstimmung hinsichtlich des Ausdruckswerts der Miene in diesen zeitlich weit auseinanderliegenden und wesensmäßig unterschiedenen Stellen beachtlich, so überrascht noch mehr ihre diesbezügliche Verwendung in den Romanen: Während der ersten Untersuchung reflektiert Josef K. die mögliche Bedeutung der Zuschauer: »Waren vielleicht sie die Entscheidenden, die die ganze Versammlung beeinflussen konnten, welche auch durch die Demütigung des Untersuchungsrichters sich nicht aus der Regungslosigkeit bringen ließ, in welche sie seit K.s Rede verfallen war?« Diese Unsicherheit K.s und seine aus anderen Anzeichen erschließbare Unangepaßtheit an die Situation wird veräußerlicht, wenn es gleich in der Fortsetzung heißt, daß er während seiner folgenden Rede »immer wieder die Gesichter der ersten Reihe« abgesucht habe.

Entsprechend heißt es während K.s zweitem Gespräch mit der Brückenhofwirtin im *Schloß* dort, wo Gardenas innere Erregung durchbricht: »Die Wirtin schwieg und ließ nur ihren Blick beobachtend an K. auf und ab gehen.« Ebenso geht Friedas Blick »über K. hin«, als sie sich über seine Absichten Klarheit zu verschaffen und ihre diesbezüglichen Erkenntnisse mit ihrer Haltung als Geliebte K.s zu vereinigen sucht. K. Leonhard definiert diese Miene als Frage, die seelischer Bewegtheit entspringt und mit Wendungen wie: »Was fällt Ihnen eigentlich ein?« oder: »Was haben Sie eigentlich vor?« umschrieben werden könnte. [215] Diese Paraphrasen könnte man ohne weiteres in die Romantexte einfügen, ohne daß eine Sinnveränderung entstünde.

Da es Kafka liebt, die auf der Szene anwesenden Figuren als Bezugseinheit zu zeigen, liegt es nahe, daß er bei Dreiergruppen, in denen ein Teilnehmer passiv das Geschehen verfolgt, diese Veranschaulichung durch das empirisch beobachtete [216] Hin und Her der Blicke zwischen den beiden aktiven Partnern vornimmt. Dabei können strukturbildende Personenzuordnungen entstehen. Am Beginn des *Prozeß*-Romans, als K. mit den beiden Wächtern konfrontiert wird, versucht er, die unklare Lage dadurch etwas aufzuhellen, daß er »von der neuen Bekanntschaft zu dem mit Franz Benannten ... und dann wieder zurück« schaut; im neunten Kapitel folgt er nur »mechanisch mit den Blicken dem Hin und Her der Reden« zwischen Direktor und Italiener. Dadurch wird nicht nur die jeweils dritte auf der Erzählszene anwesende Figur darstellungsmäßig den andern zugeordnet, sondern, wenn der Leser die beiden Stellen in Beziehung bringt, verdeutlicht – unterstützt durch andere Szenen, in denen K. hilflos zwischen zwei Personen sich befindet, die sich über seinen Kopf hinweg verständigen [217] –, daß er nun im Verlauf des Prozesses immer mehr vom menschlichen Verkehr ausgeschlossen ist und in die Position eines die Gegebenheiten immer weniger verstehenden Beobachters zurückgedrängt wird. [218]

In ähnlicher Weise hat Kafka die bekannte Beobachtung, daß »man doch schon unwillkürlich sich den Blicken seines Gegenüber anzuschließen pflegt«, seinen Erzählintentionen dienstbar gemacht. Indem Green im dritten Kapitel des *Verschollenen* sich Pollunders freundlich auf Karl gerichtetem Blick nicht anschließt, bringt Kafka, gleichsam als erzählerische Vorausdeutung (denn er liebte die überraschende, abrupt einsetzende Erzählwendung nicht) zum Ausdruck, daß das Verhältnis zwischen Karl Roßmann und Green sich letztlich als feindlich entpuppen wird. [219]

Auch der Blick, der jemanden verfolgt, ist vom Dichter beobachtet und im Werk verwendet worden. [220] Das Motiv ist geeignet, den Grad der inneren Abhängigkeit einer Figur von einer andern zu zeigen. [221] Im *Schloß* dient es als Zuordnungscharakteristikum. Während die Bauern des Gasthofs »Zur Brücke« als aktiv und neugierig beschrieben werden – sie drehen dem Ankömmling ihre Stühle zu, nähern sich ihm und umschleichen seinen Tisch –, heißt es von Klamms Dienerschaft: »Alle waren ruhig und bewegten sich kaum, nur mit den Blicken verfolgten sie die Eintretenden, aber langsam und gleichgültig.«

Auch Olga beschreibt sie als »schwerfällig«, fügt aber hinzu, daß die Schloßgesetze für sie im Dorf nicht gelten, daß sie im Schloß viel zurückhaltender, fast die eigentlichen Herren sein sollen. Ihre Passivität korrespondiert mit der ihres Herren Klamm, der stundenlang schweigt und Tage braucht, bis er im Schloß einen Blick auf Barnabas wirft, der aber vielleicht sogar nur ein geistesabwesendes Aufschauen darstellt. [222]

Immerhin ist eine Intentionalität der Blicke in Klamms Bereich vorhanden – er behält K. im Auge, und Olga fühlt sich von der Vertretung der Dienerschaft im Schloß beobachtet –, die sich nun in den Blicken der Diener K. gegenüber spiegelt. Daß hier kein Zufall waltet, zeigt sich an der Stelle, wo K. einem dieser Bauern später wieder als Kutscher begegnet, denn dieser, im Pelz versunken, läßt ihn »teilnahmslos« herankommen, »so wie man etwa den Weg einer Katze verfolgt«, eine Aussage, die nur die frühere Kennzeichnung metaphorisch aufnimmt und dadurch die Zusammengehörigkeit der Welt Klamms akzentuiert. [223] Man könnte von daher eine Deutung Klamms aufbauen, in der Trägheit, Selbstgenügsamkeit und Introversion wichtige Gesichtspunkte sein müßten.

Eine sehr abgestufte Terminologie findet sich in Formulierungen, die aussagen, daß Blicke einen andern nicht mehr oder nicht voll treffen. Blickabwendung beziehungsweise Nichtzuwendung ist vom Seitenblick, streifenden, überschauenden und irrenden Blick zu unterscheiden.

Die größte Rolle spielt der ausweichende, zur Seite gehende Blick. Kafka deutet ihn an einer Briefstelle als »Verschlossensein, Unfreundlichsein«, andernorts als Zurückstoßen des Partners. Die Begleitung der Erntewagen, die Barnabas und seiner Familie während ihres Umzugs in die kleine Hütte begegnen, wendet die Blicke von den Verachteten, und die abbröckelnde Stellung Josef K.s in der Bank wird darin sichtbar, daß einer seiner Mitarbeiter »die Aufträge mit seitwärts gewendetem Gesicht entgegennahm, als wisse er ganz genau, was er zu tun habe und erdulde diese Auftragserteilung nur als Zeremonie«. [224]

Wie überlegt Kafka in der Darstellung der Blickrichtung verfährt, zeigt die kleine Szene, wo K. Leni Elsas Photographie zeigt. Elsa, heißt es da, »sah mit straffem Hals lachend zur Seite; wem ihr Lachen galt, konnte man aus dem Bild nicht erkennen«. Damit ist dokumentiert, daß die Bardame ihre Gunst gewiß nicht nur K. schenkt, der auch gar nicht sehr an ihr hängt.

Überhaupt verdienen die in den Briefen an Felice – »Bilder sind schön«, heißt es da an einer Stelle – und im *Verschollenen* vorkommenden Photographien unter dem Gesichtspunkt der Augen Beachtung. Denn Kafka – er kommt, wenn er Felice »ordentlich« ansieht, nicht mit den Blicken von ihr los – deutet die Blicke der Freundin auf den Bildern gemäß seinem Verhältnis zu ihr: Vorsichtig und mißtrauisch sieht sie ihn an; ist der Blick freundlich, gilt er nicht speziell ihm, sondern der Welt im allgemeinen, und einmal heißt es sogar: »Dein Blick will mich nicht treffen, immer geht er über mich hinweg, ich drehe das Bild nach allen Seiten, immer aber findest Du eine Möglichkeit wegzusehn und ruhig und wie mit durchdachter Absicht wegzusehn.« [225]

Die Art der Blickzuwendung und Betrachtungsweise des Beschauers entspricht einer kleinen Szene im vierten Kapitel des *Amerika*-Romans, wo Karl nachts im Wirtshaus eine Photographie der Eltern zur Hand nimmt, »auf welcher der kleine Vater hoch aufgerichtet stand, während die Mutter in dem Fauteuil vor ihm, ein wenig eingesunken, dasaß. Die eine Hand hielt der Vater auf der Rückenlehne des Fauteuils, die andere, zur Faust geballt, auf einem illustrierten Buch, das aufgeschlagen auf einem schwachen Schmucktischchen ihm zur Seite lag.« Karl sucht »von verschiedenen Seiten den Blick des Vaters aufzufangen. Aber der Vater wollte, wie er auch den Anblick durch verschiedene Kerzenstellungen änderte, nicht lebendig werden ... Die Mutter dagegen war schon besser abgebildet, ihr Mund war so verzogen, als sei ihr ein Leid angetan worden und als zwinge sie sich zu lächeln ... Wie könne man von einem Bild so sehr die unumstößliche Überzeugung eines verborgenen Gefühls des Abgebildeten erhalten ... lächelnd prüfte er die Gesichter der Eltern, als könne man aus ihnen erkennen, ob sie noch immer das Verlangen hatten, eine Nachricht von ihrem Sohn zu bekommen.«

Der Text zeigt zunächst, wie sehr die Sehweise der Erzählfiguren durch Kafkas Wahrnehmungsart bestimmt ist. Denn hier wird ja nicht nur durch ein dem zitierten Verhalten Kafkas gleichartiges Hin- und Herbewegen des Bildes versucht, die Blickrichtung des Abgebildeten auf den Beobachter zu lenken, sondern der auf die Seite gehende Blick der Bildobjekte ist auch im Roman ein Zeichen der Entfremdung zwischen diesen und dem Betrachter, der von seinen Eltern nach Amerika abgeschoben wurde: »Würden sie ihre Meinung über ihn revidieren und ihm einmal, einmal in die ihnen so ergebenen Augen sehn?« wünscht sich Karl, während er dem Heizer zu seinem Recht zu verhelfen sucht.

Genauso wichtig wie dieser entstehungsgeschichtliche Aspekt ist aber der ästhetisch-finale. Die angeführte Szene fügt sich organisch in die Erzählzusammenhänge ein, mit denen sie durch Verweisungen verknüpft ist. Denn Kafka macht sich auch die Blicke zunutze, wenn er zum Ausdruck bringen will, wie bestimmte Grundkonstellationen sich verschärfend auf verschiedenen gesellschaftlichen Ebenen und zu verschiedenen Zeitpunkten in Karls Leben wiederholen. Frieda Brummer – »Sie sah ihn an, wenn er hin und wieder in die Küche kam« – spricht mit ihm, »als sähe sie ihn« und bestätige sich seinen Besitz, während sie Karl in ihrem Bett verführt. Sie streichelt ihn dabei und würgt ihm den Hals.

Klara Pollunder führt ihn zu einem Kanapee, auf das sie ihn mit Gewalt hinwirft; sie läßt dabei »die eine Hand zu seinem Halse gleiten, den sie so stark zu würgen anfing, daß Karl ganz unfähig war, etwas anderes zu tun als Luft zu schnappen«, während sie mit der andern seine Wange streichelt; sie bezeichnet ihn als hübschen Jungen und bringt sich in die Richtung seiner Blicke, er aber starrt an die Decke, um sie nicht ansehen zu müssen.

Therese Berchtold läßt Karl gleich, als sie ihn zum erstenmal sieht, nicht aus den Augen, klopft nachts an Karls Tür, setzt sich so nahe an sein Bett, daß er an die Wand rücken muß, um zu ihr aufschauen zu können, und fährt zum Abschied sanft mit der Hand über seine Decke hin; flüchtig greift sie nach Karls Schulter; während sie sich vorstellt, sieht sie ihn voll, nachher dankbar an. [226]

Die drei Szenen sind aus dem gleichen Material aufgebaut. Karl liegt jeweils im Bett, wohin er durch die Initiative seiner Partnerinnen in allen drei Fällen gelangt (Therese schlägt Karl vor, der kein Nachthemd besitzt und sich zu ihrem Empfang anziehen will, sie werde mit dem Eintreten warten, bis er nach dem Aufschließen der Tür wieder zugedeckt daliege), wird durch ein sehr nahe bei ihm befindliches Mädchen als Liebhaber oder Freund gestreichelt und an Schulter oder Hals mehr oder weniger beengt.

Dabei hat Kafka die Beziehungsintensität sehr sorgfältig abgestuft: Frieda liegt auf ihm, Klara beugt sich über ihn, Therese sitzt bei ihm; dasselbe gilt für die Gestik und Mimik: Die Köchin würgt durch beidhändige Umarmung, Fräulein Pollunder nur mit einer Hand, und die Sekretärin berührt nur seine Schulter, während er durch Blickwinkel und Bettdecke eingeengt wird.

Die jeweils von den Mädchen ausgehende Zuwendung wird durch ihre Blicke eingeleitet, deren verschiedene Stärke dadurch Anschaulichkeit erreicht, daß im ersten Fall Friedas Vorstellung so intensiv ist, daß sie Karl wirklich vor sich sieht, obwohl die Raumverhältnisse das nicht zulassen, daß die zweite Partnerin sich um Karls Blick bemühen muß und daß Theresens Auge erst mitten in der Szene richtig auf Karl fällt, eine Gegebenheit, die Kafka durch den Zusatz »als sei er ihr durch die Namensnennung ein wenig fremder geworden« als recht distanzierte Beziehungsäußerung vorstellt.

Und was Karl betrifft: In der Prager Kammer sieht er gar nichts, im Landhaus bei New York eine Fliege an der Decke und im Hotelzimmer mit einiger Mühe das Gesicht seiner Besucherin. Entwicklungen werden also im *Verschollenen* — es handelt sich um ein durchgehend angewandtes Prinzip — nicht erzählt, d. h. direkt in zusammenhängenden Formulierungen begrifflich vorgestellt, sondern durch Modifikationen innerhalb von aufeinander bezogenen Szenen in ihrem optischen Resultat gezeigt. Überdies illustrieren die Elemente, die zur Darstellung erotischer Beziehungen verwandt werden, auf überraschende Weise Kafkas Widerwillen vor der aggressiven Komponente des Geschlechtlichen und besonders der dabei möglichen weiblichen Aktivität. [227]

Es ist noch darauf hinzuweisen, daß auch das Motiv der Photographie selber einen Verweisungszusammenhang bildet, der verschiedene Etappen in Karls Laufbahn negativ akzentuiert: Denn markieren die Szenen, in denen er das Bild der Eltern betrachtet und seinen feinen Anzug verkauft, den Beginn des selbständigen, von der Familie und dem Onkel unabhängigen Lebens, so deutet der Verlust des Bildes am nächsten entscheidenden Wendepunkt seines Lebens, in dem Moment nämlich, als er von der Oberköchin zum Bleiben eingeladen wird, zumindest auf einen partiellen Verlust seiner Vergangenheit, seiner europäischen Identität, der sich später in der Überlegung konkretisiert, trotz höherer Schulbildung eine Stelle als Liftjunge annehmen zu wollen, und endlich mit dem Verlust seiner Jacke beim Übergang vom Hoteldienst zur Dienertätigkeit bei Delamarche — wieder ein wichtiger Umschwung in seinen Verhältnissen — noch ein viel größeres Ausmaß erreicht.

Wenn Karl im Zimmer der Oberköchin Photographien anschaut, auf denen diese selbst und ihre Freundinnen abgebildet sind, die »dem Besucher zugewendet waren und doch mit den Blicken auswichen«, so ist hier auf die vergleichbare Szene im vierten Kapitel Bezug genommen und gleichsam versteckt im Blickpunkt auf diese Ersatzmutter Karls ausgesagt, daß an einen guten Ausgang der Dinge im Hotel nicht zu denken ist. Die Blicke der Oberköchin selbst unterstützen diese Deutung und integrieren auf diese Weise das Bildmotiv noch enger in den Kontext: Gleich bei der ersten Begegnung mit Grete Mitzelbach nennt sie Karl »starrköpfig« und sieht »von ihm weg«; Karl muß den Vorwurf eigentlich für berechtigt halten, denn während seines Aufenthalts bei Pollunder schreibt er sich selbst diese Eigenschaft zu. [228]

Das auf dieses Erzählelement bezügliche Beziehungsgeflecht wird noch dadurch vervollständigt, daß auch die beiden restlichen Vaterfiguren Karls sich von ihm abwenden: Der Onkel weicht, während er zusammen mit Karl im Boot zum amerikanischen Ufer fährt, dem Blick seines Neffen aus, und Delamarche schaut während der Auseinandersetzung mit dem Hotelangestellten in den Himmel oder auf die Straße und später in der Diskussion mit dem Polizisten beiseite, obwohl er doch Karl für Brunelda als Diener gewinnen will. Bis zum kleinsten mimischen Detail hin erweisen sich also Karls Erlebnisse als Wiederholungsfälle des Aus- und Abgewiesenseins. [229]

Es spricht übrigens auch für Kafkas Fähigkeit zur Erzählökonomie und seine Absicht, im Roman ein System derartiger Verweisungszusammenhänge aufzubauen, daß er Karl sich als Möglichkeit, dem zugeknöpften Onkel näherzukommen, eine Szene ausdenken läßt, wo dieser, noch im Nachthemd und im Bett liegend, von seinem Neffen überrascht wird, der in derart vertraulicher Nähe mit ihm frühstücken will. Das Motiv, daß durch körperlichen Kontakt mit einem Liegenden Vertrautheit erreicht werden soll, taucht hier schon zum viertenmal auf. [230]

Überhaupt ist bewunderungswürdig, wie Kafka in diesem Roman innere Beziehungen durch Anschauung zu illustrieren vermag. Vom Heizer einmal abgesehen, ist Therese diejenige Figur, die Karl am nächsten steht. Ihre Erzählung vom Tod der Mutter, die einzige zusammenhängende und nicht in Dialog aufgelöste Binnenerzählung des Werks, die zudem in keiner äußeren Kausalverbindung mit den Lebensschicksalen der anderen Romanfiguren steht, scheint zunächst ein Fremdkörper zu sein, bis man bei einer Würdigung der sie konstituierenden Motive erkennt, daß die Lebensverhältnisse Theresens zu einem Schicksalsverlauf verflochten sind, der demjenigen Karls ähnelt und die Zuneigung der beiden zueinander verständlich macht.

Therese ist ein uneheliches Kind, das mit seiner Mutter vom Vater nach Amerika nachgeholt wurde, der dann beide verläßt und keine Verbindung mehr mit den in den Massenquartieren des New Yorker Ostens unauffindbar Verlorenen hat: Auch Karl Roßmann, der Vater eines unehelichen Kindes, will das freundliche Verhalten der Frieda Brummer einmal vergelten und überlegt sich, daß er für die Eltern unauffindbar sein wird, wenn er nicht schreibt; außerdem ist er wie Therese elternlos im fremden Land unter der Obhut der Oberköchin und nur knapp dem Schicksal entgangen, in den genannten Elendsquartieren zu verschwinden. Auch verweisen folgende Einzelmotive von Theresens Bericht auf Karl: Während ihrer Wanderung durch die Straßen New Yorks schaut sich die Mutter nicht nach ihrer kleinen Tochter um, als ihre Hand erlahmt, die das Kind hält, nur später glaubt das Mädchen noch einen freundlichen Blick erhalten zu haben; das paßt dazu, daß Karl auf der erwähnten Photographie besonders die Hand der Mutter auffiel, »die ganz vorne an der Lehne des Fauteuils herabhing, zum Küssen nahe«, so daß er erwog, den Eltern trotz eines gegenteiliges Schwures zu schreiben. Und ihr schmerzliches Lächeln suggeriert, weil nicht wie beim Vater ausdrücklich Gegenteiliges gesagt ist, eine Hinwendung zu Karl. Erzählung und

Bild als Erinnerungsträger akzentuieren also auf vergleichbare Weise die mütterliche Zuwendung durch Gesicht und Hand.

Wenn Therese sich an jenem Winterabend, an dem der Schneesturm wütet, der ihr sogar noch ein wenig Freude macht, an den Röcken der Mutter festhält und deren Leiden nicht begreifen kann, so erinnert das daran, wie Karl Roßmann als Kind mit seiner Mutter auf dem Christmarkt steht und sie, weil sie nicht genau genug alle Ereignisse verfolgt, zu sich heranzieht, bis er sie in seinem Rücken fühlt. Beidesmal ist »Unachtsamkeit« das Wesen der mit sich selbst beschäftigten Mütter; vergeblich versuchen die Kinder durch Anfassen, sie aus dieser Lethargie zu wecken.

Die labyrinthischen Korridore, in denen sich Mutter und Tochter verirren, stimmen zum Labyrinth auf dem Schiff, in dem sich Karl verläuft, auch befindet sich Theresens Mutter auf schwieriger, aussichtsloser Arbeitssuche wie vorher Karl mit seinen Kameraden, und als Therese ihr Bündel verliert, wird sie von der Mutter geschlagen – so wie Karl anfänglich seinen Koffer verloren glaubt und sich in Erinnerung ruft, wie sehr ihn der Vater zu diesbezüglicher Achtsamkeit aufgerufen hatte. [231]

Zurück zu den Formen der Blickverweigerung und -abwendung. Seitenblicke, in der mimischen Forschung als feindliche Blickzuwendung interpretiert [232], erscheinen auch bei Kafka in dieser Bedeutung, häufiger aber als Ausdruck heimlicher, zuweilen mit Angst gepaarter Beobachtung, die natürlich auch Verständigungsmöglichkeiten mit dem so anvisierten Partner zuläßt und, wieder in Übereinstimmung mit empirischer Beobachtung, als Zweckbewegung verstanden werden muß. [233]

Ist beim Seitenblick die Beziehungsintensität in der Regel groß, so ist sie beim Blick, der jemanden bloß streift und oft Geringschätzung verrät, wenig ausgeprägt. Wenn es also in der *Verwandlung* kurz vor Gregors Tod heißt: »Sein letzter Blick streifte die Mutter«, so drückt sich in solcher Formulierung aus, daß eine enge seelische Bindung an die Familie nicht mehr besteht und die endgültige Ablösung von ihr erfolgen kann. [234]

Der ziellos umherirrende Blick, bei dem die Augen nicht auf ein Objekt fixiert sind, war für Kafka ein Ausdruck innerer Verwirrung. Es ist deswegen bedeutungsvoll, wenn K. während seiner Verhaftung – übrigens trifft das auch auf die drei aus seiner Bank stammenden Beamten zu, denen er auf dem Weg zur ersten Vernehmung wieder begegnet – zerstreut umherblickt oder K. im *Schloß*, von Frieda ungnädig entlassen und, unter Alkoholeinfluß übermäßig ermüdet, den Gang mit den Beamtenzimmern betritt und dabei »ziellos« umherblickt. Auch tritt das Abirren des Blicks vom Partner ein, wenn Schwierigkeiten auftreten oder mangelnde Konzentration vorliegt. [235]

Der über jemand hinweggehende Blick meint Hochmut wie bei Amalia, dem Auskunftsgeber im *Prozeß* und einem Schloßdiener, der mit diesem Zug seine Zugehörigkeit zu der teilnahmslos blickenden Dienerschaft Klamms verrät, denn die beiden Mienen zugrunde liegenden Verfassungen sind miteinander verwandt: Wenn etwa der Reisende in der *Strafkolonie* ungeduldig über den Offizier hinwegsieht, der ihn für seine Verhältnisse begeistern zu können glaubt, so heißt das doch, daß er für das auf der Insel herrschende Strafverfahren wenig Teilnahme aufbringt. [236]

Weiterhin ist das dezidierte Wegsehen von jemandem fest umschreibbaren Stimmungslagen zugeordnet. Man wendet die Augen, wenn man sie wegen der Unerträglichkeit des Anblicks nicht festhalten kann; oder wenn man aus Furcht, Schwäche, Verlegenheit oder Verachtung des andern so verfährt. [237] Besonders Josef K. wird durch diese Augenbewegung vorzüglich charakterisiert. Am Ende des zweiten Kapitels im *Prozeß* sieht er nicht »auf den Untersuchungsrichter, sondern auf die Tür, deren Klinke er schon ergriffen hatte« und die er wenig später anlacht; er verachtet also den Beamten so sehr, daß er ihm den Rücken zudreht. Das gleiche gilt, wenn er bei der Vorstellung Blocks und beim Abschied von Titorelli darauf verzichtet, diesen das Gesicht zuzuwenden.

An anderer Stelle ist K. das Objekt eines derartigen Verhaltens. Während des Gesprächs zwischen Direktor-Stellvertreter und Fabrikant, in dem das Baugesetz der Szenenführung in der Unterhaltung zwischen Direktor und Italiener wieder verwendet wird, scheint es K., »als werde über seinen Kopf von zwei Männern, deren Größe er sich übertrieben vorstellte, über ihn selbst verhandelt«.

Solche Dreiergruppierungen sind auch biographisch konstelliert. Denn als Ottla während Kafkas Aufenthalt in Planá (1922) in einem Gespräch mit der Wohnungsvermieterin, bei dem er anwesend war, durch ein paar flüchtig gewechselte Sätze eine Angelegenheit in Ordnung brachte, die bei ihm einen inneren Zusammenbruch ausgelöst hatte, stand er da »wie Gulliver« – er hatte Swifts Satire im Vorjahr gelesen –, »wenn die Riesenfrauen sich unterhalten«.

Die chronologischen Verhältnisse sind irrelevant für die vorgenommene Zuordnung. Denn es ist belanglos, ob man sagt, die Gestaltung des Romans, in der für den Dichter ja eigene Verhältnisse überschaubar gemacht werden sollten, habe ihm die Swift-Stelle einprägsam und zum Bild für persönliche Gegebenheiten werden lassen, oder ob man von einer ursprünglich in Kafkas Bewußtsein vorhandenen Konstellation ausgeht – es sei an sein stummes Dasitzen bei Zusammenkünften erinnert, das er bewußt als die ihm passende Form des zwischenmenschlichen Verkehrs ansah [238] –, die nun zufälligerweise im biographischen Nachlaß später belegt ist als im Erzählbereich. Jedenfalls glaubt in der genannten Szene im *Prozeß* K., der die Verbindung zu den sich Unterhaltenden durch aufwärts gedrehte Augen herstellt, die zu erfahren suchen, was sich »oben« ereignet, beobachten zu können – es ist zweimal in kurzem Abstand davon die Rede, daß der Direktor-Stellvertreter nur zum Fabrikanten redet und K. und seine möglichen Beiträge zum Thema mit Mißachtung zu übergehen scheint. [239]

Interessant sind auch die zahlreichen Passagen, wo Figuren herumblicken.

Sie wollen auf sich aufmerksam machen, Selbstbestätigung in der jeweiligen Lage gewinnen [240], es geschieht aber auch mehr zweckhaft zur vorsichtigen Prüfung der Situation. [241] Nachdem Gregor Samsa nach dem dritten, entscheidenden Verlassen seines Zimmers dorthin zurückgekehrt und die Tür hinter ihm verschlossen worden war, heißt es: » ›Und jetzt?‹ fragte sich Gregor und sah sich im Dunkeln um.« Zu sehen ist hier nichts, auch kennt Gregor seine Umgebung nur zu genau; es handelt sich also um eine Ausdrucksbewegung, die wie seine Frage darauf verweist, daß es gilt, sich jetzt in neuen Gegebenheiten zurechtzufinden.

Besonders aufschlußreich sind die Belege im *Schloß*. Zu Beginn des fünften Kapitels reflektiert K. den bisherigen Umgang mit den Behörden: »ein etwas leichtsinnigeres Verfahren, eine gewisse Entspannung« scheint ihm nur im direkten, amtlichen Verkehr mit den Behörden am Platze zu sein, während im Privaten, beispielsweise »in K.s Schlafkammer«, vor jedem Schritt immer große Vorsicht, »ein Herumblicken nach allen Seiten« notwendig ist. Dementsprechend war K. von Anfang an verfahren: Bevor er den ersten, ihm von Barnabas überbrachten Brief Klamms las, wies er den Boten auf die K. umgebenden, aufdringlichen Bauern und Gehilfen hin, um dessen Meinung zu erkunden – Barnabas aber »blickte nur im Sinne der Frage umher« –, und »blickte sich um«, als Frieda nach der ersten gemeinsamen Liebesnacht dem sie rufenden Klamm die Gefolgschaft verweigerte und als er nach einem weiteren Beisammensein mit ihr im »Brückenhof« erwachte. [242]

Wenn überdies von Klamm gesagt wird, er habe sich, um der Begegnung mit K. zu entgehen, »mehrmals im Halbkreis umgesehen« – Lasemann übrigens, sozusagen stellvertretend, auch für die Schloßinstanzen, das Kollektivurteil über die Familie des Barnabas aussprechend, kommt mit ähnlicher Miene in die Stube (»ein Blick im Umkreis, und er war fertig«) –, so mag man darin Erzählökonomie sehen, die noch im kleinsten Detail durch Beziehungsgefüge die Textteile miteinander verkittet, vielleicht auch ein kleines Indiz für die innere Bezogenheit Klamms auf K. und schließlich eine ästhetisch sehr befriedigende, weil erzählerisch konkretisierte Übereinstimmung von Handlungsgang und Reflexion. [243]

Bleiben unter den intentionalen Blicken noch diejenigen, die Raumverhältnisse illustrieren, dann die nach oben und unten gehenden Augen und schließlich das Sich-Hinwenden auf Dinge der Umgebung. Es ist typisch für Kafkas Verfahrensweise, die nach sichtbarer Repräsentierung aller Erzählelemente strebt, daß die Art der Blickrichtung genau auf die räumlichen Positionen der Figuren abgestimmt wird, die dadurch selbst wieder deutlicher hervortreten. Karl Roßmann sieht zu dem neben ihm hergehenden und viel größeren Pollunder auf, als er erfahren will, wie dieser die überraschende Anwesenheit Greens beurteilt; und auch der vor Frau Grubach sitzende Josef K. müßte, wenn er nach dem Lärm im Vorzimmer fragt, zu ihr aufsehen, wenn er ihr schon endgültig verziehen hätte. Sind die Größenverhältnisse umgekehrt, so blickt der Größere oder sich höher Befindliche auf die andern hinunter. [244] Schaut eine Figur jemanden an, der sich in einiger Entfernung von ihr befindet, so blickt sie zu dieser Bezugsperson hin oder hinüber. [245]

Ebenso genau wie oben und unten beachtet Kafka aber vorne und hinten, weil seine Personen, wenn sie hinter ihnen Stehende ansprechen, sich ausdrücklich umdrehen müssen. Geschieht dies nicht, so hat es Ausdruckswert. Als K. am Morgen nach seiner Ankunft im Dorf ein Bild des Kastellans bemerkt, heißt es: »›Wer ist das?‹ fragte K. ›Der Graf?‹ K. stand vor dem Bild und blickte sich gar nicht nach dem Wirt um.« K. ist so von dem Gemälde gefesselt, daß er unhöflich ist; auch daß der Wirt hinter ihm bleibt, ist Absicht, denn er wird in der ganzen Szene als ängstlich und unterwürfig dargestellt. Die genannte Körperwendung steht auch für eine auffällige Bezugnahme auf einen andern und natürlich als Zeichen des Verfolgtseins. [246]

Das Senken der Augen, das von der entsprechenden Kopfgeste unterschieden werden muß, bedeutet Verlegenheit, Schrecken, Scham und die dadurch in einer Figur ausgelösten Reflexionen. Wenn es vom Offizier in der *Strafkolonie* heißt, er habe eine Zeitlang still gestanden und zu Boden geblickt und dann dem Reisenden aufmunternd zugelächelt, so schämt er sich wegen des sehr eingeschränkten Rahmens, in dem die Exekutionen jetzt stattfinden müssen – »Merken Sie die Schande?« hatte er eben noch seinen Gast gefragt –, ein Gefühl, das dann aufgrund des während dieser Gesprächspause entwickelten Plans, der die Verhältnisse entscheidend verbessern soll, in das der Hoffnung übergeht. [247]

Wie folgerichtig Kafka diese Zusammenhänge darstellt, zeigt beispielsweise eine Stelle aus den *Forschungen eines Hundes*. Der Ich-Erzähler, der nur noch mit einem benachbarten Mithund verkehrt, überlegt, während er seinen Partner »fest« ansieht: »Bist du doch vielleicht mein Genosse auf deine Art? Und schämst dich, weil dir alles mißlungen ist ... mir ist es ebenso gegangen ... komm, zu zweit ist es süßer«; der Nachbar »senkt dann den Blick nicht, aber auch zu entnehmen ist ihm nichts, stumpf sieht er mich an«. Hätte der andere den Blick des Ich-Erzählers gedeutet und wäre dessen Vermutung richtig, hätte er in Scham die Augen senken müssen; beides, muß sich der Erzähler eingestehen, trifft offenbar nicht zu. [248]

Im Gegensatz dazu stehen die emporgerichteten Augen. In einer geringeren Anzahl von Fällen stehen sie für den gleichsam visionären Blick in die Weite, der Ruhe und Selbstsicherheit veranschaulicht. [249] Darin sind. sie mit dem Fernblick verwandt, der als Bild für kompromißloses Handeln belegt ist, das Alternativen und die Entscheidung störende Gegebenheiten bewußt übersieht. [250] Sonst aber bedeuten sie, wie die jeweiligen Kontexte und interpretierenden Elemente ausweisen, Zerstreutheit, Abwesenheit der Aufmerksamkeit, Verlorenheit und Willensschwäche. [251]

Reichlich Belege finden sich endlich für die auf Dinge der Umgebung gerichteten Augen. So ist es selbstverständlich, daß Gegenstände erhöhter Bedeutung fixiert werden. [252] Im *Prozeß* heißt es von K., der bei seiner Verhaftung zunächst die drei in seiner Bank beschäftigten Beamten übersehen hatte, er habe sich gegen seine Gewohnheit mit den »Äußerlichkeiten« befaßt, die ihm auf dem Weg zum Untersuchungszimmer vor die Augen kamen. So beobachtet Josef K. im Verlauf des Romans, und zwar in genauer Entsprechung zu K. im *Schloß*, das Wetter, eine Aktentasche, das Bild eines Beamten, ein Schriftstück und Türen und Flure. [253]

Auch auf diese Weise können Intentionen der Figuren sichtbar gemacht werden: Wer andere erwartet, schaut auf die Flure und Treppen, auf denen diese erscheinen könnten. [254] Natürlich spielt auch der umherschweifende, die Umgebung prüfende Blick eine Rolle – bei der optischen Empfänglichkeit Kafkas eigentlich selbstverständlich –, der auch zum Überblick werden kann, eine Vorstellung, die, sieht man von einer traumhaften, gestrichenen Passage im *Prozeß* und dem utopischen Kapitel *Das Naturtheater von Oklahoma* einmal ab, im literarischen Werk, wo die Figuren undurchschaubaren Mächten ausgeliefert sind, begreiflicherweise fehlt. [255]

Bevor die Aussagen über Form und Aussagekraft der Augen gewürdigt werden, sollen noch einige Bemerkungen zur Kopfgestik gemacht werden. Bei der Deutung von K.s Begegnung mit Fräulein Bürstner wurde bereits angeführt, daß der hängende Kopf Hilflosigkeit und Abwehr verkörpert. Kafka spricht einmal davon, daß er während der Hochzeit seiner Schwester Valli in einem »solchen ausgetrockneten kopfhängerischen Zustand« gewesen sei, daß er dem kläglichsten aller Gäste noch unterlegen war; es ist also nicht nur eine Floskel, wenn der Erzähler-Vater der *Elf Söhne* seinen Sechsten einen »Kopfhänger« nennt. Das Belegmaterial läßt den Schluß zu, daß auch Apathie, Demütigung, Gedrücktheit und das Gefühl, machtlos den Verhältnissen ausgeliefert zu sein, durch diese Geste vorgestellt werden sollen. [256] Bei intensiver Ausprägung wird dabei »förmlich das Kinn in die Brust gedrückt«, was Kafka an sich selber beobachtete, als er »gegen alle abgeschlossen« etwas vorlas.

Sehr erhellend hinsichtlich Kafkas Beobachtungsgabe ist eine Stelle im *Schloß*, wo es von Hans Brunswick heißt, er sei »mit aufrechtem Körper, gesenktem Kopf, aufgeworfener Unterlippe« dagesessen und habe »wie aus Trotz gegenüber manchen dringenden Fragen vollkommen« geschwiegen. Denn diese Beschreibung steht in Übereinstimmung mit der gestischen Forschung, die hervorhebt, daß der Körper an dieser Kopfsenkung nicht beteiligt sei – sonst wäre es eine Zweckbewegung, die es den Augen bequemer gestatten würde, ein niederer liegendes Objekt zu beobachten –, und die hier abwehrenden Trotz ausgedrückt sieht. [257]

Zwischen dieser Kopfhaltung und einer mimischen Konstellation, wo die Augen einer Figur vor sich hinsehen – diese Ausdrucksbewegung ist bei Kafka von den gesenkten Augen unterschieden –, besteht eine gewisse Verwandtschaft, weil in beiden Fällen eine Neigung nach unten vorliegt, die zu ähnlichen Ausdrucksgehalten führt. Dafür ein Beispiel: Während seines ersten Gesprächs mit der Wirtin bittet Frieda K., nicht böse zu werden – er hatte die Vertraulichkeit der Gehilfen mit Friedas Freundin, der Wirtin, beanstandet –, konfrontiert dann ihre frühere Lage mit den gegenwärtigen Verhältnissen, wobei sie »traurig« den Kopf senkt. Im 13. Kapitel wiederholt sich die Szene in gewisser Weise: Frieda hat, wie K. meint, ihn den Gehilfen geopfert; sie fragt ihn, ob er ihr wegen ihres Verhaltens böse sei; dabei entspinnt sich ein Dialog über Friedas ehemalige und jetzige Lebensweise, wobei sie »traurig vor sich hin« sieht. [258] Die Geste bedeutet offensichtlich, daß Frieda gedrückt ist und keine Hilfe weiß.

Ist aber die zweite Ausdrucksbewegung trotz der Vergleichbarkeit der Konstellation damit identisch? Ein Zitat aus dem Tagebuch zeigt den Vorstellungsbereich der genannten Augenstellung: »Ich mache Pläne. Ich sehe starr vor mich hin, um nicht die Augen von den imaginären Gucklöchern des imaginären Kaleidoskops zu entfernen, in das ich schaue.« Das Unbeweglich-auf-einen-Punkt-Starren deutet, auch nach Ausweis der mimischen Forschung, darauf hin, daß jemand vollständig von einem Gedanken gefesselt ist, der ihn übermannt oder niederschlägt. [259] In diesem Sinne wäre dann Friedas Reaktion heftiger als in der ersten Szene und damit ein Ausdruck ihres der Krise zutreibenden Verhältnisses zu K. Diese bestimmte Art des Nachdenkens und Gelähmt-in-sich-Versunkenseins meint die Augenhaltung häufig. [260] Je nach der Art der Gedankenperseveration kann sich dabei Langeweile, Unbeirrbarkeit oder Sorge artikulieren. [261]

Es bedeutet nur eine konkretere Veranschaulichung und eine Intensivierung dieser Blickrichtung, wenn als Objekt des schräg vor sich Hinsehenden ein Bierglas, Teller, Brief, Rock, Kaffeetopf, Tisch, Teppich oder Buschwerk erscheint. [262] Ein solcherart fixierter Blick drückt aus, daß die schweifenden Gedanken sich nur ordnen, wenn sich die Augen an einen äußeren Festpunkt halten können, und daß sie mit dem Gesprächspartner nicht in Übereinstimmung gebracht werden können.

Eine Tagebuchstelle vereinigt auf anschauliche Weise die genannte Blickrichtung, die Geste des Kopfhängens und ihr Gegenteil: »Im gleichen Kreis weiß man ... immer das gleiche. Es gibt nicht den Hauch eines Gedankens, den der Tröstende vor dem Getrösteten voraus hätte. Ihre Gespräche sind daher Vereinigungen der Einbildungskraft, Übergüsse der Wünsche von einem auf den andern. Einmal sieht der eine zu Boden und der andere einem Vogel nach, in solchen Unterschieden spielt sich ihr Verkehr ab. Einmal einigen sie sich im Glauben und sehen beide Kopf an Kopf in unendliche Richtungen der Höhe. Erkenntnis ihrer Lage zeigt sich aber nur dann, wenn sie gemeinsam die Köpfe senken und der gemeinsame Hammer auf sie niedergeht.« [263]

Das Auf-den-Boden-Sehen als Ausdruck leidvoller Trostbedürftigkeit (und das polar ihm zugeordnete Verfolgen des Vogelflugs, das unbekümmerte Freiheit und Gehobenheit meint) wird als uneigentlicher Zustand der Selbsttäuschung vom Senken des Kopfes unterschieden, der die Erkenntnis der wirklich vorliegenden Verzweiflung verkörpert und so dokumentiert, daß Kafka die beiden verwandten Vorstellungen doch streng voneinander trennt. Und da der durch den mimisch-gestischen Bereich vorgestellte Teil der Argumentationskette dem vorhergehenden an Differenziertheit gleichkommt, wo andere Anschauungsbegriffe eingesetzt sind, wird man auch sagen können, daß dieses Instrument fein genug ist, um den Bedürfnissen zu genügen, die Kafka hinsichtlich der Darstellung geistiger Vorgänge hatte.

Nicht zu verwechseln mit dem Bewegen des Kopfes nach unten ist das An-sich-Hinunterschauen – hier handelt es sich um Zweckbewegungen, um ein Beobachten des Äußeren, das zu Sorge oder Befriedigung Anlaß gibt [264] – und das Neigen des Kopfes. Denn letzteres bedeutet bei Kafka, daß der Kopf vorgestreckt oder leicht vorgebeugt wird, damit die Sinnesorgane näher an die Reizquelle herangeführt werden können; die dieser Haltung zugrunde liegende Interessiertheit kann dabei auch negativer Art sein. Schöne Beispiele sind Gregors erstes Erscheinen vor der Familie, wo die Mutter »den Kopf geneigt, als wolle sie Gregor besser sehen«, um Hilfe ruft, und der »steif geneigte[m] Kopf« des Oberportiers im *Verschollenen* – das Adverb deutet an, daß kein schlaffes Auf-die-Brust-Fallen des Kopfes gemeint ist –, dessen böse Blicke Karl suchen. Und wenn die Oberköchin, telephonisch von Karls angeblichen Verfehlungen informiert, ins Büro des Oberkellners eilt und ihrem Schützling mit dieser Kopfhaltung entgegentritt, oder wenn Momus »fast vorgebeugt« K. stolz anblickt, weil er zweifacher Dorfsekretär ist, so zeigt sich in beiden Fällen – jedesmal wird eine Art Verhör eröffnet – die innere Gespanntheit der in dieser Position Befindlichen. [265]

Nach dem Gesagten verwundert es nicht, daß auch dem isolierten, nicht unmittelbar mit der Zuwendung zum Partner verbundenen Heben des Kopfes ein pointierter Ausdruckswert zukommt. In einem Brief an Felice heißt es: »Dein Wesen ist Handeln, Du bist tätig, denkst rasch, bemerkst alles, ich habe Dich zuhause gesehen (wie Du da einmal bei einer Bemerkung den Kopf gehoben hast!) . . .« Aktivität, Entschlußkraft und Extraversion werden also an dieser Kopfgeste abgelesen – die Konstanz der Zuordnung ist offensichtlich: »Nach Verlegenheiten im Gespräch bedeutet ein freies Heben des Kopfes, daß ein Ausweg gefunden ist.« So eine Tagebuchstelle, an der Kafka eine Gesprächspartnerin charakterisiert.

Als Beleg innerhalb literarischer Texte kommt eine Passage aus dem 7. Kapitel des *Prozeß*-Romans unmittelbar in Frage, wo es im Anschluß an K.s Aussage, er sei vollkommen unschuldig, über Titorelli heißt: »›So‹, sagte der Maler, senkte den Kopf und schien nachzudenken. Plötzlich hob er wieder den Kopf und sagte: ›Wenn Sie unschuldig sind, dann ist ja die Sache sehr einfach.‹« Die mit der Lösung des Problems freiwerdende Sicherheit und seelische Kraft läßt den Kopf des Nachdenkenden nach oben gehen. Und in der Erzählung *Elf Söhne* heißt es vom zehnten Sohn, er sei in erstaunlicher, selbstverständlicher und froher Übereinstimmung mit dem Weltganzen, »die notwendigerweise den Hals strafft und den Körper erheben läßt«. [266] Auch dies ein objektiver Befund, denn die psychologische Forschung deutet diese Handlung als Ausfluß von Selbstsicherheit, Tatbereitschaft und, weil in dieser Stellung die Orientierung im Raum am leichtesten möglich ist, interessierter Bezogenheit auf die Umwelt. [267]

Wenn also Titorelli »mit erhobenem Kopf« ins Leere lächelt, so soll das heißen, daß er der Tat sicher ist, die er gleich ausführen wird, wie er ja überhaupt sehr selbstbewußt auftritt und K. glauben machen will, er könne ihn allein dem Gericht entreißen. Das Gesagte erklärt auch, warum auf Kafka das Aufschauen Felicens mit anschließender langsamer Vierteldrehung des Kopfes während des ersten Zusammentreffens so großen Eindruck gemacht hat, denn es sind ja hier die gleichen psychischen Korrelate anzusetzen, also Tatkraft, Selbstsicherheit und Freimut, Eigenschaften, die der Dichter immer wieder an Felice rühmt, weil er selber ihrer weitgehend ermangelte.

Daß damit nicht überinterpretiert wurde, beweist auch ein kleines Fragment, in dem es heißt: »Suche ihn mit spitzer Feder, den Kopf kräftig, fest auf dem Halse sich umschauend, ruhig von deinem Sitz ... mächtig sind deine Schenkel, weit die Brust, leicht geneigt der Hals, wenn du mit der Suche beginnst. Von weither bist du sichtbar ...« Kräftig, mächtig, fest, ruhig, solche Benennungen im Zusammenhang mit der fraglichen Kopfhaltung, die sorgfältig von der bei der Suche eintretenden Geneigtheit des Hauptes unterschieden wird, verweisen zwingend auf den herausgestellten Hintergrund.

In solcher Beleuchtung erscheint dann die Tagebucheintragung vom 20. August 1912, wo der Dichter von seiner Erstbegegnung mit Felice berichtet und behauptet, »ein unerschütterliches Urteil« über sie zu haben, in ganz anderem Licht. Meist wird die Äußerung so verstanden, als habe er schon damals gewußt, daß er allein bleiben müsse und zur Heirat unfähig sei, oder als habe er auf Felicens leeres Gesicht Eigenschaften projiziert, die er bei einer Frau für notwendig hielt. Tatsächlich hat man davon auszugehen, daß er nicht nur (wovon schon in anderem Zusammenhang die Rede war) aus wenigen mimischen Einzelzügen einen objektiven Gesichtseindruck formte, sondern daß er auch aufgrund seiner Beobachtungsgabe das Wesen der späteren Braut aus ihren Ausdrucksbewegungen endgültig deutete. [268]

Wird der Kopf zurückgeworfen, wie es die stolze Pepi bei der Arbeit tut, so ist damit Selbstgefühl ausgedrückt, was ihr, deren neue Stellung ihr als unendliche Hervorhebung erscheint, durchaus eignet; als er den zweiten Brief Klamms erhält, wirft auch K. den Kopf zurück; er, der sein Verhältnis zum Schloß als Kampf bestimmt, empfindet ihn – so muß man die nicht weiter interpretierte Geste aufgrund empirischer Beobachtungen deuten – als Herausforderung, die er anzunehmen gedenkt.

Davon muß man das Gefühl des Hochmuts und der Verachtung unterscheiden, das durch aufrechte Haltung, Anheben des Kopfes und einen Blick von oben herab bei halb geschlossener Lidspalte ausgedrückt wird. Es ist vorauszusetzen, wenn von Momus im *Schloß* gesagt wird, er habe »mit stolz gesenkten Augen« nach rechts und links geblickt, wo nichts zu sehen war, oder wenn Robinson im *Verschollenen* »mit gesenkten Augen« überlegen den Kopf schüttelt, als Karl ihn auffordert, Brunelda zu Hilfe zu eilen.

Diese Haltung wiederum wird bei Kafka deutlich von einem entspannten Zurücklegen des Kopfes in den Nacken differenziert, das passive Sorglosigkeit und hingebendes Genießen aussagt: »Es war vielleicht diese kleine, ganz ruhige Pause zwischen Tag und Nacht, wo uns der Kopf, ohne daß wir es erwarten im Genicke hängt und wo alles, ohne daß wir es merken, still steht, da wir es nicht betrachten und dann verschwindet.« [269]

Unter den vielen, auf Form und Wirkung des Auges selbst zielenden Aussagen seien zuerst diejenigen herausgegriffen, die sich auf die Umgebung der Augen beziehen: Kafka bemerkt die falsche Einbettung der Augen, beachtet darunter liegende Ringe, beobachtet an sich selbst Hitze im Brauenbereich und die Schwärze der Höhlen, die zusammen mit den gleich gefärbten Haaren und Brauen »wie Leben aus der übrigen abwartenden Masse« dringe. Auch Janouch berichtet, daß Kafka dunkle, dichte Brauen gehabt habe – sie kehren übrigens auch in einem Traum des Dichters wieder –, die sich im Gespräch häufig zusammengezogen hätten. [270]

So ist verständlich, daß Kafka auch der Mimik dieses Bereichs Beachtung schenkt. Die Miene des Unwillens, d. h. wenn sich jemandem ein Widerstand entgegenstellt, gegen den er innerlich angeht, zeigt sich daran, daß die Brauen von oben außen nach unten innen gezogen werden, die innern Augenbrauen sich einander nähern und die Stirn dazwischen in eine größere oder mehrere kleinere Falten gelegt wird, die von der Nasenwurzel ein Stück weit nach oben in die Stirn verlaufen. [271]

Als während der ersten Untersuchung im *Prozeß* der vernehmende Richter K. mit einem Zimmermaler verwechselt und die Zuhörer über K.s Antwort lachen, droht er der Galerie, »und seine sonst wenig auffallenden Augenbrauen drängten sich buschig, schwarz und groß über seinen Augen«. Das ist von Kafka gut beobachtet: der beschriebene Befund kann tatsächlich nur entstehen, wenn die Brauen sich in der genannten Richtung zusammenziehen.

Auf die Frage Karls, warum er sich alles gefallen lasse, antwortet der Heizer nicht, er faltet nur die Stirn, »als suche er den Ausdruck für das, was er zu sagen habe«, die Brückenhofwirtin im *Schloß* mißbilligt »mit zusammengezogenen Augenbrauen« Pepis Neugier und Großtuerei, den Dorfbewohnern fällt an Sortini übereinstimmend die Art auf, wie sich bei ihm die Stirn in Falten legt; diese ziehen sich nämlich »geradewegs fächerartig über die Stirn zur Nasenwurzel hin«, obwohl der Beamte nicht älter als 40 Jahre ist, die Faltenbildung also nicht altersbedingt sein kann. Sie ist also mimisch, als Ausdruck übergroßen Unwillens zu verstehen, ist er doch widerwillig zum Feuerwehrfest erschienen und, wie Olga erklärt, wegen der von Amalia ausgehenden Faszination, die er nicht vergessen kann, äußerst ungehalten. [272]

Man darf die Miene nicht mit dem Ausdruck innerer Sammlung verwechseln, bei dem die Lider leicht zusammengezogen werden, was eine Senkung auch der Braue zur Folge hat. In einer solchen Verfassung ist ein Reisender, den Raban in *Hochzeitsvorbereitungen auf dem Lande* beobachtet. Er preßt die Brauen seiner Augen und sieht dabei Raban an, »wie man irgendwohin fest blickt, um nichts von dem zu vergessen, was man sagen will«. Dann Titorelli, dem durch eine Frage K.s die Rede »verschlagen« scheint und der deswegen auf K.s begütigende Zurede »mit zusammengezogener Stirn« antwortet; und schließlich der Heizer, dessen Reaktion auf Karls Frage, warum er sich das alles gefallen lasse, so beschrieben wird: »Der Heizer legte nur die Stirn in Falten, als suche er den Ausdruck für das, was er zu sagen habe.« Um von der Miene des Unwillens zu differenzieren, veranschaulicht der Dichter diese Ausdruckshaltung also in den beiden zuletzt erwähnten Beispielen durch die leichter verständlichen Stirnfalten, die im Gefolge der Brauenbewegung auftreten. [273]

Erwähnt sei noch, daß die gesenkten Augenlider, die den verhangenen Blick hervorbringen, auf den Dichter einen besonderen Reiz ausgeübt haben müssen. Die hochgezogenen Brauen werden an anderer Stelle behandelt. [274]

Die Stellen, wo die Augen selbst ohne Beachtung ihrer Blickrichtung beschrieben werden, lassen sich in drei Gruppen zusammenfassen, die die Augenfarbe, sonstige, meist adjektivische Spezifizierungen der Augen nach Form und Ausdruck und schließlich das Weinen betreffen. Wer von dem Grundsatz ausgeht, jedes Erzähldetail habe einen Funktionswert, könnte auf die Vermutung verfallen, Kafka habe die Augenfarbe leitmotivisch eingesetzt, etwa der von Thomas Mann im *Tonio Kröger* verwendeten Technik vergleichbar, zumal Kafka diese Erzählung früh kennen und schätzen gelernt hatte. [275]

Das trifft freilich nicht zu, jedoch lassen sich gleichwohl vorgängige Zuordnungen zwischen Augenfarbe und Wesensart einer Person feststellen – schwarz und blau vor allem kommen in Frage, in einigen Fällen auch braun und gold –, auf die aber explizit nie die Rede kommt. Auffällig ist auch, daß Kafkas eigene Augenfarbe erzählerisch nie genau zum Zuge kommt. Janouch spricht von grauen und graublauen Augen, Klara Thein erinnert sich an dunkelgrüne, und in Kafkas Reisepaß steht dann ganz exakt »dunkelblaugrün«. [276]

Wenn K. im *Prozeß* zunächst die großen, schwarzen Augen Lenis im Guckfenster bemerkt und diese kurz darauf als die ihm schon bekannten dunklen Augen wiedererkennt, so kann man davon ausgehen, daß in der im dichterischen Werk verwandten Terminologie dunkel und schwarz identisch sein sollen. Wer solche Augen hat, besitzt nach Kafka eine starke sexuelle Anziehungskraft oder Neigung zum Erotischen. Denn auch die Frau des Gerichtsdieners, die nur als Geschlechtswesen gezeigt wird, hat schwarze, leuchtende Augen, ebenso, nach ihrer Aussage, K. selbst, der von ihr verlockt wird. Renell, der von Damen im Aufzug geküßt wird und nachts ausgeht, hat gleichfalls dunkle Augen; und der alte Samsa, dessen schwarze Augen in diesem Zusammenhang angeführt werden können, weil er nach Gregors Verwandlung als männliches Familienoberhaupt erscheint und sich einmal förmlich mit Gregors Mutter vereint. [277]

Sogar in realen Beobachtungen finden sich derartig gefärbte Augen in Verbindung mit männlicher Tatkraft und Energie. [278] Wenn in einem Traum Kafkas ein frauenhaftes Mädchen dunkeläugig ist und er sich in einem andern Felice ebenso vorstellt, wobei jedoch in der Mitte jedes Auges ein Punkt ist, »der wie Feuer und Gold glänzt«, so bestätigt das weiter die genannte Vermutung und zeigt, durch das zuletzt zitierte Moment, daß er Felice unbewußt mit einem Tierattribut versah, denn Tieraugen erscheinen regelmäßig als goldglänzend. [279]

Dagegen sind blaue Augen häufig durch die Eigenschaften gutmütig, gut, fröhlich, freundlich und ruhig bestimmt. [280] So ist es gewiß kein Zufall, daß die Oberköchin im *Verschollenen* und Olga im *Schloß* blaue Augen haben, denn beide werden als gutmütig geschildert. Für diese Zuordnung, die man zunächst, weil wissenschaftlich unsinnig und höchstens populäre Vorurteile wiederholend, für ungegründet zu halten geneigt ist, gibt es sogar einen zweifelsfreien Beleg. Der Dichter beschreibt nämlich in einem Reisetagebuch einmal einen Trompeter, den er zunächst für einen »lustigen glücklichen« Menschen gehalten hatte, »denn er ist beweglich, hat scharfe Einfälle, sein Gesicht ist von blondem Bart niedrig umwachsen und endet in einem Spitzbart, er hat gerötete Wangen, blaue Augen, ist praktisch angezogen«.

Man kann das kaum anders deuten, als daß Kafka der Meinung war, rote Wangen, blonde Haare und blaue Augen gestatteten einen direkten Hinweis auf das Glück eines Menschen und dessen Eigenschaften. Besteht zwischen schwarz und dunkel offenbar kein Unterschied, so auch nicht zwischen blau und hell: Olga blickt »klug und helläugig« auf K., Kafka bemerkt auf einer Reise eine junge Frau mit »klugen blauen Augen«. [281]

Überraschend ist, wie selten braune Augen vorkommen. Abgesehen von der Braut Rabans – bei der Betrachtung ihres Bildes findet Raban sie schön, kurz darauf bekennt er in einem Gespräch, er kenne keine schönen Augen – finden sie sich im *Schloß* beim Brückenhofwirt, bei Gerstäckers Mutter und Hans Brunswick, wobei ja auffällig ist, daß der so eng der Mutter verbundene Junge nicht wie diese blaue Augen hat. [282] Von der Funktion dieser Figuren her ist die Farbwahl aber verständlich, denn die drei Genannten sind schüchtern und versuchen K. zu helfen, und zwar außerhalb des erotischen Bereichs, der durch Frieda und Pepi repräsentiert ist.

Was nun die schon erwähnte gelbe Farbe des Tierauges betrifft, so kann aus dem Kafkas Traum betreffenden Zitat, in dem Feuer und Gold auf der gleichen Ebene erscheinen, geschlossen werden, daß sie nur eine andere Ausdrucksweise für sein Funkeln und Glänzen ist, das dem Dichter ein Bild seelischer Gespanntheit und animalischer Stärke war. So spricht er etwa im Zusammenhang seiner Zürauer Mäuseerlebnisse einmal von »Feueraugen«, um die Katze in Jagdsituation zu kennzeichnen. Er verwendet dieses flackernde, blitzende Auge dann, wenn in Erzählungen Tiere zu beschreiben sind, also in der *Kreuzung*, in *Josefine* und in den *Forschungen eines Hundes,* wo der Ich-Erzähler in den Augen seiner Mithunde ein Hilfe suchendes Leuchten bemerkt, das er eventuell für den Widerschein seiner eigenen Blicke hält.

Von daher kann die Übertragung auf Menschen erfolgen, die in ihrem animalischen Leben dem Tierischen nahe stehen. So heißt es von den Soldaten in der *Abweisung,* neben ihrem starken Gebiß, das allzusehr ihren Mund fülle – mit diesem zerreißen die ihnen verwandten Nomaden in der Erzählung *Beim Bau der Chinesischen Mauer* rohes, ja lebendiges Fleisch –, falle vor allem »ein gewisses unruhig zuckendes Blitzen ihrer kleinen schmalen Augen« auf. Es ist wohl auch kein Zufall, daß Karl Roßmann feststellt (als er dem Frauenhelden Delamarche nach dem Verlassen des Hotels wieder begegnet), in dessen von roh gearbeiteten Muskeln gebildetem, dunklem Gesicht überrasche der »grelle Schein seiner jetzt immer etwas zusammengezogenen Augen«. Ebenso haben die Gehilfen im *Schloß* nach Friedas Meinung – sie stellen ihr nach – funkelnde Augen und einen ganz dunklen Teint; beides soll offenbar starken sexuellen Drang veranschaulichen. [283]

Man darf dieses Leuchten nicht mit dem Strahlen des Auges verwechseln, das sich – man denke an die eben angeführte Stelle aus dem *Schloß,* wo die kluge Olga als »helläugig« bezeichnet wird, und vergleiche dies mit einer Briefstelle, wo Kafka aus »überhellen« Augen das Unglück der Welt erkennen will – offenbar vom hellblauen Auge ableitet und vernünftige Lebensübersicht repräsentiert. In diesem Sinne etwa ist der strahlende Blick Alexanders des Großen zu verstehen, der nach Kafkas Meinung jeden Menschen (auch Diogenes) hätte glücklich machen müssen, weil in ihm – so darf man wohl im Hinblick auf den *Neuen Advokaten* ergänzen – zumindest eine Ahnung vom wahren Lebensweg aufschimmert. In vergleichbarer Weise heißt es von den Augen Milenas – sie waren blau –, sie strahlten das Leid der Welt nieder.

Den überzeugendsten Beleg für den angenommenen Zusammenhang bietet aber die Erzählung *Eine kleine Frau,* wo der Ich-Erzähler beklagt, daß er für die »fast weißstrahlenden Augen« der Titelfigur ein unnützer Mensch sei. Viele Einzelheiten weisen sie tatsächlich als »scharfsinnige Frau« aus, die den Erzähler »unter ihre stärkste Lupe nimmt«, ihn also mit überhellen Mikroskop-Augen betrachtet, wie sie Kafka sich selbst zuschreibt: Sie hat blondes Haar und ist leicht beweglich – beide Momente finden sich auch bei der Beschreibung des Trompeters, den Kafka zunächst für glücklich hielt –, hält gern die Hände an den Hüften – wie gezeigt eine Ausdruck für robuste Lebensbejahung – und besitzt überhaupt »Frauenschlauheit«.

An einer Stelle wird ihre Beschreibung zu einem aus mimisch-gestischen Details erstellten Gesamtbild: »Immer wieder werde ich etwa im Glück der ersten Morgenstunden aus dem Hause treten und dieses um meinetwillen vergrämte Gesicht sehn, die verdrießlich aufgestülpten Lippen, den prüfenden und schon vor der Prüfung das Ergebnis kennenden Blick, der über mich hinfährt und dem selbst bei größter Flüchtigkeit nichts entgehen kann, das bittere in die mädchenhafte Wange sich einbohrende Lächeln, das klagende Aufschauen zum Himmel, das Einlegen der Hände in die Hüften, um sich zu festigen, und dann in der Empörung das Bleichwerden und Erzittern.« [284]

Die hier vorkommenden Elemente bilden feste Kategorien in Kafkas System der Ausdruckserfassung. Aufgestülpte Lippen stehen für Unangenehmes, Unmut und Widerwille: In einem Brief an Felice sind sie mit stumpfen Augen parallelisiert, in der *Verwandlung* sieht der vor dem Ungetüm zurückweichende Prokurist mit aufgeworfenen Lippen zu Gregor zurück, und Frieda im *Schloß* wirft auf K.s Frage hin, was die Anwesenden dazu sagen würden, wenn sie ihm Klamm zeige, nur die Unterlippe auf. [285]

Dieser Miene polar zugeordnet ist das Sich-auf-die-Lippen-Beißen, mit dem jemand dokumentiert, daß er sich einem negativen Eindruck, wie etwa einem Unglück, einer Enttäuschung oder Verärgerung nicht voll hingeben und nicht dieser Verfassung gemäß agieren will, sondern daß dieser Gemütszustand unterdrückt werden soll: Felice gegenüber äußert Kafka im August 1913, von Angst und Sorgen dürfe in Zukunft nicht mehr gesprochen werden, »was davon noch übrig ist, muß zwischen den Zähnen zerbissen werden«. Diese Aussage verdeutlicht klar, daß Kafka die Miene nicht unreflektiert als überkommene Sprachfloskel auffaßte.

Als K. im *Schloß* bemerkt, daß Klamm im »Herrenhof« übernachtet, fühlt er, daß er die Folgen seiner Abhängigkeit vom Bürovorsteher nicht bekämpfen kann, so daß er wortlos dasteht und sich die Lippen zerbeißt, Frieda, die nicht verhindern kann, daß Klamms ihr unangenehme Dienerschaft sich im Ausschank breitmacht, beißt »im Zorn an ihren dünnen Lippen«, und als K. erkennt, daß Jeremias sich im Zimmer seiner ehemaligen Braut befindet und diese festhält, heißt es von ihr: »Frieda ertrug trotzig seinen Griff, hatte den Kopf tief geneigt und biß auf die Lippen.«

Als der Offizier in der *Strafkolonie* im Begriff steht, sich selbst zu richten, heißt es: »Der Reisende biß sich auf die Lippen und sagte nichts. Er wußte zwar, was geschehen würde, aber er hatte kein Recht, den Offizier an irgend etwas zu hindern.« Von daher ist auch der etwas abweichende Gebrauch in der Erzählung *Ein Besuch im Bergwerk* erklärbar, wo es vom dritten, die Würde wahrenden Ingenieur heißt: »nur im fortwährenden Beißen seiner Lippen zeigt sich die ungeduldige, nicht zu unterdrückende Jugend«, denn seine mit der Würde kollidierende Ungeduld will ihn dauernd zu Handlungen hinreißen, die sein Status nicht zuläßt, so daß er sie verbeißen muß.

Genau umgekehrt hinsichtlich der Vitalität verhielt sich Kafka bei einer Begegnung. Er war völlig ermattet und biß sich in die Lippen, um sich bei der Sache zu halten. Ähnlich im *Prozeß*, wo der Onkel mit »nervösem Lippenbeißen« verfolgt, wie K. einem jungen Mann Anordnungen erteilt. Auch diese Ausdrucksbewegung war übrigens im *David Copperfield* vorgeprägt, wie folgende Passage zu verdeutlichen vermag: »Miß Dartles Augen wanderten ruhelos über den fernen Horizont, und sie biß sich auf die Unterlippe, als ob sie dadurch das Zucken ihres Mundes unterdrücken könnte.« [286]

Eine Abart der Vorstellung sind die zusammengekniffenen Zähne oder Lippen, von denen sich vielleicht der »Aberglaube« im *Prozeß* ableitet, man könne aus der Zeichnung der Lippen eines Angeklagten den Ausgang des Verfahrens erkennen. [287] Schließlich zeigt Kafka gelegentlich Figuren, die zwei Finger an Mund oder Lippen führen, was eine Position der Verlegenheit und beunruhigten Nachdenkens vorstellen soll. [288]

Doch zurück zu dem Porträt aus der *Kleinen Frau.* Der prüfende Blick, als verstärktes Fragen, als über den Körper des Partners hin und her gehendes Auge, ist aus anderen Belegen schon bekannt, und die Schmerzmiene, durch unfrohe Sinneseindrücke verursacht, tritt tatsächlich als Wangenmiene in Erscheinung, indem die Haut der seitlichen Wange schräg nach oben gezogen wird, wodurch Faltenbildung entsteht. Dieser Vorgang muß mit dem bei Kafka ja öfters belegten Begriff des Sich-Einbohrens gemeint sein. [289]

Die Beschreibung ist als organischer Gesamtverlauf gegeben, der die Reihenfolge der genannten Einzelheiten bestimmt: Man kann sagen, daß der Mund die inneren Vorgänge auf gröbere Art widerspiegelt, sozusagen die Grundbefindlichkeit artikuliert, während das Auge den Ablauf im einzelnen darstellt. [290] Deswegen nennt Kafka zunächst den ablehnenden Mund, um die Art der Beziehung vorzustellen, dann den Blick als Bewegung von unten nach oben über den Partner hin und weiter zum Himmel, worin eine geringe Ausrichtung auf die Umwelt und die Unwilligkeit, sich weiter mit dem Beobachtungsobjekt zu beschäftigen, zum Ausdruck kommt [291] – die endgültige Verfestigung der Ausgangslage erscheint jetzt als Bitterkeit im Mund-Wangen-Bereich –, und schließlich die nach oben gezogenen Arme, die Selbstbehauptung ermöglichen sollen. [292] Da es der Frau aber trotzdem nicht gelingt, ihres negativen Eindrucks Herr zu werden, erblaßt sie vor der vom Ich-Erzähler immer noch ausgehenden Bedrohung und zittert vor Erregung, die das psychische Ergebnis der Konfrontation darstellt.

Die Besonderheit, die darin liegt, Figuren durch aufeinander bezogene Ausdrucksbewegungen zu kennzeichnen, wird anschaulicher, wenn man sie mit einer Personendarstellung vergleicht, die auf physiognomischer Grundlage beruht. Die Beschreibung, die im *Schloß* vom Beamten Bürgel gegeben wird, ist einer der wenigen Fälle, wo Kafka in dieser Weise vorgeht, also dauernde, statische körperliche Erscheinungen als Zeichen für seelische Gegebenheiten auffaßt: »Es war ein kleiner, wohl aussehender Herr, dessen Gesicht dadurch einen gewissen Widerspruch in sich trug, daß die Wangen kindlich rund, die Augen kindlich fröhlich waren, daß aber die hohe Stirn, die spitze Nase, der schmale Mund, dessen Lippen kaum zusammenhalten wollten, das sich verflüchtigende Kinn gar nicht kindlich waren, sondern überlegenes Denken verrieten.« In gewisser Weise erinnert diese Charakterisierung an das Bild des Kastellans, das K. eingangs des Romans betrachtet,

denn dort ist von einer hohen, lastenden Stirn und einer starken, hinab-
gekrümmten Nase die Rede. [293]

Neben den strahlenden Augen kennt Kafka die leeren — auch in diesem
Fall wieder ein sich polar zugeordnetes Vorstellungspaar —, die Unverständ-
nis oder Lebensschwäche meinen und im Tode als brechende, erlöschende
Augen erscheinen. [294]

Was nun die Stellen angeht, an denen der »Ausdruck« der Augen mit spezifischen Adjektiven beschrieben wird — Wertungen wie »schön« oder »süß«,
an sich schon im literarischen Werk recht selten, werden nie ohne nähere
Erläuterungen gegeben [295] —, so bestätigt die Differenziertheit der diesbezüglichen Passagen die These, daß das menschliche Auge für Kafka bevor-
zugter Beobachtungsgegenstand war, in Vergleich zu dem manchmal alles
andere zweitrangig gewesen zu sein scheint. Könnte er sonst von »augenblitzenden Körpern« sprechen, könnte er formulieren: »Sein Auge, ja sein
ganzer Körper mit den Kleidern darauf verfinsterte sich«, und wären sonst
die Besonderheiten der einzelnen Figuren im *Schloß* vorzüglich an der unterschiedlichen Ausdrucksart der Augen ablesbar? [296]

Dazu kommt noch, daß er öfters seelische Gegebenheiten nur dem Auge
zuordnet, auch wenn andere Gesichts- oder Körperteile an der fraglichen Ausdrucksbewegung gleichrangig beteiligt sind; wenn er aber andererseits, was
gar nicht so selten ist, eine einzige Regung durch mehrere Ausdruckselemente
darstellen will, um das einheitliche Erleben einer Figur zu zeigen, beteiligt
er sehr gern das Auge:

> Große Wirkung, als er ... aufrecht stand ... das Taschentuch in den Händen
> spannte und zusammendrückte und mit den Augen glänzte (reale Beobachtung)

> er ... blickt einen Augenblick lang gespannt zur Tür, den Mund offen, die Augen
> aufgerissen und die Haarsträhnen schütteln sich auf seiner feuchten Stirn (fiktionale
> Gestaltung, die deshalb besonders auffällt, weil das Schauen durch die Augen gleich-
> sam pleonastisch verdeutlicht wird)

> die Meinungen sind die gleichen geblieben, ebenso die Bewegungen, der Blick
> (zeigt die Gleichrangigkeit von Rede, Gestik und Mimik)

> Ich ... suche durch Streicheln Deiner Hand, durch Suchen Deiner im dunklen
> Zimmer herumirrenden Augen meinen schrecklichen Fehler wieder gutzumachen
> (Anschauungsbegriff)

In solchen Fällen tritt dann manchmal eine Verlagerung des Ausdrucks zugunsten der Augen ein; diese sind etwa in den folgenden beiden Fällen in
Wirklichkeit am Lächeln und Auffordern weniger beteiligt als Kafka suggeriert:

> Geschäftsleute ... kommen dann Lächeln in Mund und Augen heraus (auch Assi-
> milation der Präposition!)

> Das Mädchen ... lockte mich hinunter, weniger mit dem winkenden Zeigefinger
> als mit dem Blick

> Zwischen den Verkäufern durch, die er mehr durch zwei schnelle Blicke als durch
> die Ellbogen beiseite schiebt, ist er ... herangekommen

... und ihr Mund geöffnet ist wie ein blinzelndes Auge, wie überhaupt ihre Mundwinkel beim Sichöffnen an die Winkel der Augen erinnern (Augen als Vergleichsebene in der Metapher) [297]

Endlich ist zu bedenken, daß Kafkas perspektivtechnische Besonderheiten, die
durch Außensichtstandorte in bezug auf die Zentralfigur oder hinsichtlich
der Mithandelnden eines Perspektivträgers gekennzeichnet sind, die Verwendung von Augenmienen insofern begünstigen, als die inneren Gegebenheiten,
die über die von außen beobachteten Figuren mitgeteilt werden müssen, auch
nur am Äußern abgelesen werden können und sich natürlich leicht einem
Element assoziieren, das, weil es Kontakt auch über räumliche Distanz ermöglicht wie kein anderes, für feinere Beziehungskonstellationen der Personen schon im Gebrauch ist und dazuhin sprachüblicherweise weit unterschiedlicher als andere Gesichts- oder Körperteile als Ausdrucksträger verwendet wird.

Zu den bevorzugten Gehalten gehört der aufmerksam-forschende, fröh-
liche, traurige, strenge, ängstliche, ruhige und scharfe Blick; die beiden zuletzt genannten Arten werden im dritten Teil dieser Arbeit gewürdigt. In
allen diesen Fällen ist vereinfachend die Interpretation für die Deskription
eingetreten, denn der Aufwand eindeutiger mimischer Beschreibung stünde
in keinem ausgewogenen Verhältnis mehr zu dem Gewinn, den eine anschauliche Darstellung eines geistigen Sachverhalts nun einmal für Kafka bedeutet.

Der aufmerksam-forschende Blick – er ist unterschieden vom fragenden,
wo das Auge von der Mittellage aus, in der es den Befragten fixiert, in kleinsten Bewegungen zur Seite abrückt und sofort wieder in die Ausgangsstel-
lung zurückkehrt – ist dadurch charakterisiert, daß die Augenbrauen in ihrem äußeren Teil nach oben gezogen werden, die Lidspalte sich verengt und
am Unterlid Fältchenbildung auftritt.

Kafka kennt den Blick als Eigenbeobachtung, Fremdwahrnehmung, Me-
tapher und vor allem in Erzähltexten, wobei die Exaktheit der solchen Aus-
sagen zugrunde liegenden Wahrnehmung daraus erschließbar ist, daß zum
Beispiel Karl Roßmann die Augen eines Prüfenden nicht von denen eines
Kurzsichtigen unterscheiden kann, der natürlich durch Zusammenziehen der
Lider ebenfalls den Sehschlitz verkleinert, um ein klareres Netzhautbild zu
bekommen, und daß etwa der Herrenhofwirt im *Schloß* K. »mit kleinen
Augen, prüfend oder schläfrig«, ansieht, denn bei starker psychophysischer
Ermüdung sinkt das Oberlid erschlaffend über das Auge, wodurch sich die
Lidspalte verkleinert und mit der Miene der Aufmerksamkeit verwechselbar
ist. [298]

Das zuletzt angeführte Zitat verdeutlicht übrigens, daß Kafka bei derartigen Detailschilderungen keineswegs nur die gleichsam autonom gesehene
Szene vor Augen hatte, sondern daß ihm das ganze Beziehungsgeflecht vorgeschwebt haben muß. Denn offensichtlich kommt es nicht hauptsächlich auf
K.s Wahrnehmungsschwäche an – obgleich diese ein integraler Bestandteil
des Romans darstellt, wie etwa seine Beobachtungen des Schlosses und Olgas

Erzählungen über das Aussehen Klamms beweisen, so daß auch die an dieser Stelle nebenbei sichtbar werdende Beschränkung des äußeren Sehhorizontes nicht als etwas Totes, d. h. nicht Weitergeführtes aus dem Zusammenhang herausfällt –, es kommt also auf eine gewisse Ambivalenz des Blicks an, die nun eben, wie schon an Klamms Dienerschaft gezeigt, für den Schloßbereich, dem der Herrenhofwirt natürlich in ganz anderer Weise zugehört als die übrigen Dorfbewohner, konstitutiv ist.

Auch die Miene der Erheiterung ist an den Augen tatsächlich erkennbar; entweder werden die Augen von unten her verkleinert, oder, bei stärkerer Ausprägung des Gefühls, verlaufen vom innern Augenwinkel schräg nach vorne unten zur Nase Fältchen. Kafka beobachtete dies genau, wenn er im Tagebuch über die Schauspielerin Klug schreibt, sie habe ihn »mit blinzelnden Augen« angesehen, »die auf den vom Mund herkommenden Falten schwammen«. [299]

Der traurige, ängstliche oder entsetzte Blick zeigt sich vorwiegend an der Stellung der Brauen, die innen leicht nach oben rücken [300], während der strenge vorwiegend auf einer gesteigerten Intensität des Schauens beruht, die eine fast unmerkliche Vergrößerung des Auges bewirkt. Deshalb verbindet Kafka die zuletzt genannte Art des Schauens, die mimisch undeutlich bleibt, mit andern spezifizierenden Merkmalen [301], ein Verfahren, das er auch in solchen Fällen anwendet, wo der Ausdrucksgehalt keine plastische Körperbewegung evoziert. [302]

Mehr der Vollständigkeit halber noch einige Bemerkungen zur Form des Auges. Tiefliegende Augen verdeutlichen übermäßige Anstrengung [303], während die bei Kafka genau so beliebte gegenteilige Vorstellung – hervorgequollene Augen – offenbar Bild für eine Anspannung ist, die sehr stark die physischen Gegebenheiten mitbetrifft. Wenn sie, wie bei Leni im *Prozeß*, als Dauerzustand vorkommen, sollen sie gewiß das Animalische und Anziehende der Figur betonen. [304] Belegt sind noch die verdrehten Augen, ein Ausdruck verlangender Sehnsucht [305], und die kleinen Augen, die Kafka wohl ausschließlich als optisches Phänomen beeindruckten. [306]

Bleibt das Weinen, das mimisch einen Sonderfall darstellt und bei Kafka recht häufig belegt ist. Zu Beginn seines ersten Hungerversuchs hat der Ich-Erzähler der *Forschungen eines Hundes*, der sich von seinen Artgenossen isoliert fühlt und diesen Zustand rückgängig zu machen trachtet, die Vision, er werde aufgrund seiner Forschungsergebnisse in großen Ehren im Volk aufgenommen und erfahre dort die wohltätigen Gefühlszuwendungen der Gemeinschaft: »Meine Leistung erschien mir so groß, daß ich aus Rührung und aus Mitleid mit mir selbst dort in dem stillen Gebüsch zu weinen anfing, was allerdings nicht ganz verständlich war, denn wenn ich den verdienten Lohn erwartete, warum weinte ich dann? Wohl nur aus Behaglichkeit. Immer nur, wenn mir behaglich war, selten genug, habe ich geweint.«

Die erste Motivation steht in völliger Übereinstimmung mit der Psychologie, für die das Weinen keineswegs einen Ausdruck tiefsten Schmerzes darstellt, sondern den der Mißbilligung des eigenen, Leiden hervorbringenden Schicksals, insofern dieser Charakterzug mit Selbstbemitleidung und Hilflosigkeit einhergeht. Schon Schopenhauer hatte das Phänomen so gedeutet. [307]

Die zweite, korrigierende Begründung ist damit gut vereinbar, wenn man sich nur einen selbstquälerischen Charakter wie Kafka als Subjekt vorstellt. In diesem Falle treten Tränen der Befriedigung auf, da mit dem Schicksal nicht gerechtet wird; man fühlt sich emotional der eigenen Lage ausgeliefert, deren Hilflosigkeit aber nicht als solche, sondern als Übereinstimmung mit den wahren Verhältnissen erscheint, die Behaglichkeit schafft und damit gleichzeitig ein Gerührtwerden durch den mit dem eigenen Lebenslos konfrontierten andersartigen, günstigeren Lebenslauf ermöglicht.

Die zitierte Textstelle läßt sich biographisch verifizieren. Ende November 1912 bekennt Kafka in einem Brief an Felice: »Ich habe im Laufe vieler Jahre nur vor zwei, drei Monaten einmal geweint, da hat es mich allerdings in meinem Lehnsessel geschüttelt, zweimal kurz hintereinander, ich fürchtete, mit meinem nicht zu bändigenden Schluchzen die Eltern nebenan zu wecken, es war in der Nacht und die Ursache war eine Stelle meines Romans.« Da die zweite Fassung des *Verschollenen* frühestens am 25. September dieses Jahres begonnen wurde und er im Vormonat teils mit der Fertigstellung der *Betrachtung* und der Reinschrift von Reisenotizen beschäftigt war, teils auch gar nicht literarisch arbeitete, kann der genannte Termin nur acht Wochen vor der angeführten Briefstelle liegen und muß sich auf den *Heizer* beziehen, den Kafka damals für vorzüglich gelungen hielt.

Dazu kommt noch, daß er bei der Vorlesung des *Urteils* am 24. September 1912 – er führt das offenbar wegen der zeitlichen Nähe zum eben zitierten Vorgang nicht eigens auf, vielleicht auch, weil es kein eigentliches Weinen war – am Schluß Tränen des Glücks in den Augen hatte, weil sich ihm beim Vortrag die »Zweifellosigkeit der Geschichte« bestätigte. Dann heißt es über ein Jahr später, am 15. Dezember 1913, anläßlich der Lektüre des Erinnerungsbüchleins *Wir Jungen von 1870/71:* »Wieder von den Siegen und begeisterten Szenen mit unterdrücktem Schluchzen gelesen. Vater sein und ruhig mit seinem Sohn reden. Dann darf man aber kein Spielzeughämmerchen an Stelle des Herzens haben.« Im Herbst 1916 las Kafka A. Zweigs Tragödie *Ritualmord in Ungarn,* die einen unerhörten Eindruck auf ihn machte: »Bei einer Stelle mußte ich zu lesen aufhören und mich auf das Kanapee setzen und laut weinen.« Schließlich ist überliefert, daß Kafka nach seiner Entlobung im Dezember 1917 übermäßig Tränen vergoß. [308]

Die Lebenszeugnisse bestätigen also die Seltenheit des Phänomens, die der Ich-Erzähler der *Forschungen eines Hundes* hervorhob. Was nun seine Ursache angeht, so ist es im *Heizer* wohl Ausdruck der Behaglichkeit und Rührung gleichermaßen. Behaglichkeit wegen des Gelingens, Rührung vielleicht wegen Karls Wunsch, seine mit ihm hadernden Eltern zufriedenzustellen, denn in jenen Tagen, als der Dichter das erste Kapitel des *Verschollenen* beendete, zankte der Vater mit Kafka, weil er sich nicht genügend für die Familienbelange einsetzte. Daß Kafka sich damals mit seinem Helden identifizierte, geht aus einem Brief an Max Brod hervor, wo es heißt, daß er, falls er den elterlichen Forderungen nachkomme, zwischen dem Anfang des Romans und seiner Fortsetzung in vierzehn Tagen sich gegenüber »gerade meinen zufriedengestellten Eltern im Innersten meines Romans bewegen und darin leben werde«. [309]

Die Parallele zu der Vorstellungswelt des hungernden Hundes ist offensichtlich: Wie dieser in den Volkszusammenhang zurückkehren und sich dort Achtung und Ansehen verschaffen will – in früheren Jahren steht für die Gemeinschaft die Familie –, erstreben Karl Roßmann und Kafka die Anerkennung durch die Eltern, und es ist naheliegend, daß ihn die Rührung über das eigene, sich in Karl spiegelnde Schicksal ergriff, als er weinte. Am Schluß des *Urteils*, am Ende dieses Rundgangs um Vater und Sohn, der antizipatorisch das befürchtete Ende der inneren Auseinandersetzungen Kafkas mit seinem Vater wegen der geplanten Verlobung spiegelt, mußte der Dichter gleichfalls gerührt sein, stirbt Georg doch mit den Worten auf den Lippen: »Liebe Eltern, ich habe euch doch immer geliebt«.

Die Tagebuchstelle vom Dezember 1913 steht ebenfalls unter dem Kennwort des Generationenkonflikts, so daß das Weinen an allen vier Stellen durch das grundlegende Problem der Beziehung zur Gemeinschaft veranlaßt sein dürfte. Vor allem aber: Die Kategorie, unter der das Weinen in den im Sommer 1922 entstandenen *Forschungen eines Hundes* erscheint, ist mit dem Begriff identisch, mit dem Kafka am 14. Februar 1922, also nur wenige Monate zuvor, sein eigenes Weinen motiviert. Das Behagen, so wird an dieser Tagebuchstelle ausgeführt, habe ihn seit jeher verfolgt, »es schafft sich um mich von selbst oder ich erreiche es durch Betteln, Weinen, Verzicht auf Wichtigeres«. [310]

Kafka wurde bei der Wahrnehmung der Erscheinung besonders »erschreckt«; es kam ihm wie eine »unbegreifliche, fremde Naturerscheinung« vor. Gerade deswegen hatte er sie mit scharfem Auge beobachtet. [311] Etwas von dieser Haltung scheint auf den starrköpfigen K. im *Schloß* übergegangen zu sein, der, weder durch Worte noch durch die Situation belehrbar, sich immerhin »am meisten durch die Tränen der Wirtin beeinflußt« zeigt. Die Betonung des Fremdartigen durch Kafka darf aber nicht zu der Meinung verleiten, als habe er das Weinen nicht verstehen können: Er hat das Weinen eines alten, von ihm beobachteten Ehepaares bewußt anders gedeutet, als es gemeint war, was Urteilssicherheit in dieser Frage voraussetzt, und als er von einem scheinbar unvermittelten Tränenausbruch Felicens erfuhr, schrieb er: »... dieses Weinen verfolgt mich. Es kann aus keiner bloß allgemeinen Unruhe kommen, Du bist nicht verzärtelt, es muß einen besonderen, ganz genau zu beschreibenden Grund haben.« [312]

Unbegreiflich war Kafka diese »Naturerscheinung« demnach nur hinsichtlich ihrer Aufdringlichkeit – denn so grob, unspezifisch und wirkungsstark ist keine andere mimische Ausdrucksform –, die den Dichter zu übermannen drohte [313], nicht aber, was die psychologische Erklärung angeht, die teils in ganz verschiedenen Ursachen gefunden wird – schon dies eine über das gewöhnliche Verständnis hinausgehende Differenziertheit der Erkenntnis –, teils in einem verweichlichten Wesen begründet sein soll. Das literarische Werk zeigt infolgedessen in diesem Punkt große Mannigfaltigkeit. Robinson im *Verschollenen* verkörpert den larmoyanten Persönlichkeitstyp: »immerfort weinst du«, sagt Karl, selber in diesem Punkt anfällig, richtig über das Verhalten seines Kameraden. [314]

Sehr interessant sind die Belege im *Schloß*: Wenn die Brückenhofwirtin in einer von Kafka wieder gestrichenen Stelle meint, Frieda weine wegen K., wenn sie sich unbeobachtet glaube, und wenn es entsprechend in den *Bildern von der Verteidigung eines Hofes* heißt, die Hausfrau habe dem ablehnenden Kommandanten »mit geneigtem Kopf, Tränen in den aufwärts schauenden Augen« Suppe angeboten, so zeigt sich in derartigen Aussagen, daß der Dichter gleichsam als Regelfall davon ausgeht, daß der Weinende seine Tränen eigentlich verbergen will, weil er über die Stärke des Gefühlsausbruchs verlegen ist. Auf diesem Hintergrund muß man Friedas Verhalten sehen, deren innere Entwicklung an den Augen ablesbar ist. Als sie von K.s Heiratsplänen erfährt – während des ersten Gesprächs mit der Wirtin –, hebt sie ihr Gesicht: »ihre Augen waren voll Tränen, nichts von Sieghaftigkeit war in ihnen. Warum ich? Warum bin ich gerade dazu ausersehen?«

Durch die ausdrückliche Bezugnahme auf Friedas Augen beim ersten Zusammensein – ihr Blick ist sieghaft, während sie K. erzählt, Klamms Geliebte zu sein – wird die inzwischen eingetretene Veränderung sinnenfällig, die, jedenfalls nach K.s Meinung, auf die Trennung vom Vorstand und ihrer Stellung im »Herrenhof« zurückgeführt werden muß. Es sind Freudentränen und Tränen des verwirrten Gefühls, und gleichzeitig weint die Wirtin, deren Gesicht verfallen ist, aus Rührung. Die nächste Entwicklungsphase sollte ursprünglich die schon zitierte, von Kafka getilgte Passage aus dem *Zweiten Gespräch mit der Wirtin* sein, in dem wiederum die Verfallenheit im Gesicht Gardenas hervorgehoben wird, sozusagen stellvertretend dafür, daß sie hier nicht als Weinende gezeigt werden kann, und in dem mit diesem Gespräch innerlich zusammenhängenden Kapitel *Kampf gegen das Verhör* eine Stelle, die sie mit Tränen in den Augen gezeigt hätte – es kam Kafka darauf an, die Freundschaft der beiden Frauen auch äußerlich durch gleichartige Handlungszüge zu veranschaulichen [315] –, aber ebenfalls verworfen wurde.

So wird der neue Stand der Dinge erst in dem Kapitel *In der Schule* erreicht, wo Frieda, »unter Tränen mühselig lachend«, K. empfängt, also ihre auch im Gespräch sich ankündigende Trauer nicht mehr ganz zurückhalten kann – am nächsten Morgen schluchzt sie dann, als K. ihr vorwirft, ihn den Gehilfen geopfert zu haben –, die nach Kafkas ursprünglicher Konzeption schon im übernächsten Kapitel, *Hans*, sich hätte Bahn brechen sollen, wenn der Dichter den »hinter Tränen undeutlichen Blick«, der gegenüber dem Fehlen der Sieghaftigkeit Ausdruck weiteren Niedergangs gewesen wäre, nicht wieder gestrichen hätte; man sieht, wie sich das Motiv Kafka förmlich aufdrängt und einen in sich geschlossenen Verweisungszusammenhang bildet.

Der endgültige Durchbruch vollzieht sich dann in dem *Friedas Vorwurf* überschriebenen Kapitel, wo sich die Titelfigur wegen K.s Verhalten gegenüber Hans innerlich von ihm distanziert: Sie »saß ihm aufrecht gegenüber und weinte, ohne ihr Gesicht zu bedecken; frei hielt sie ihm dieses tränenüberflossene Gesicht entgegen, so, als weine sie nicht über sich selbst und habe also nichts zu verbergen, sondern als weine sie über K.s Verrat und so gebühre ihm auch der Jammer ihres Anblicks«. [316]

Die Hervorhebung der aufrechten Haltung gegenüber ihrer früheren kopfhängerischen Trauer verdeutlicht, daß sie jetzt vor K. gar nichts mehr verbirgt und sich ihrem Schicksal bewußt stellt; die spätere Trennung von K. ist hier schon angedeutet.

Es ist in diesem Zusammenhang ein geschickter, beziehungsfördernder Erzählkniff, daß Pepi, die im Verlauf des Romans wohl Frieda ersetzen sollte – sie tut es schon zeitweilig im Ausschank, auch ist ihr Leben in ähnlicher Weise wie dasjenige Friedas mit K., den beide lieben, verbunden –, durch dieses Motiv mit der Frieda-Handlung verknüpft wird. Denn es ist wohl nicht zufällig, daß Anfang und Ende der von K. bestimmten Lebenszeit Pepis von Tränen gleichsam eingerahmt sind und daß sie ihre lange Erzählung vor K. ebenfalls mit Tränen beschließt, die, in völliger Parallele zu der eben angeführten, auf Frieda bezüglichen Stelle, in einem sich unmittelbar anschließenden Als-ob-Satz dahingehend gedeutet werden, daß sie sich nicht auf das eigene, sondern auf K.s Unglück beziehen. [317]

Sonst erscheinen die Tränen im literarischen Werk in ihrer ganzen Spannweite. Kafka sah sie als etwas speziell dem Menschen Zukommendes an: Sie können Ausdruck sein der Erinnerung, der beleidigten Mannesehre, der Freude und Erlösung, der gefühllosen Kälte, des Zorns und der Verzweiflung und, wie in dem Stück *Auf der Galerie*, des zur Ohnmacht verdammten Mitleidens. [318]

5. Kapitel:
Die Als-ob-Sätze

Als-ob-Sätze und Konstruktionen, die ihnen funktionsmäßig entsprechen, kommen in den verschiedenartigsten Texten Kafkas vor, sind aber in den Romanen besonders häufig. Dabei fällt auf, daß die Form nur selten zur Beschreibung der dinglichen Welt verwendet wird [319], jedoch in aller Regel zur Präzisierung von Mienen, Gesten, Haltungen, Bewegungen, Aussagen und Gedanken der Figuren (auch der Perspektivträger) dient, also zur Menschendarstellung.

Sucht man nach künstlerischen Vorbildern, so können unter der älteren Literatur nur der *David Copperfield* von Dickens (und die Romane Dostojewkis) namhaft gemacht werden, wo diese Verwendungsart der Als-ob-Sätze in gleicher Weise gegenüber einzelnen auf Natur und Dinge bezüglichen Stellen [320] dominiert. Die folgenden, sich auf Dickens als Vergleich beschränkenden Beispiele sollen von dieser auffälligen Ähnlichkeit einen Eindruck vermitteln:

Ganz überrascht sah Mr. Peggotty ... mich an, als ob er aus einem Traum erwache
Die Wirtin sah ihn an, mit einem Blick, als träume sie ... erst durch K.s erstauntes Gesicht wurde sie gewissermaßen geweckt; es war, als ... erwache sie

Peggotty schluckte, als ob ihr etwas Bitteres im Halse stecken geblieben sei ... der Onkel machte ein finsteres Gesicht, als schlucke er etwas Abscheuliches hinunter

... und warf uns einen Seitenblick zu, als ob er die äußere Welt, zu der wir gehörten, vergiften wollte, wenn er könnte
... und sah Karl von der Seite an, als beobachte er eine schlecht gehende Uhr

»Damit wären wir fertig!« sagte er und machte eine Handbewegung, als ob er etwas Leichtes wegwerfe
Green leitete seine Antwort mit einer Handbewegung ein, welche das Unnütze von Karls Bemerkung übertrieben darstellte
(vgl.: »Ach was!« sagte Karl und warf die ganze Geschichte mit der Hand weg)

Sowie sie diesen Punkt erreicht hatte ... blieb sie stehen, als sei sie am Ziele angekommen
der Wirt blieb gerade bei K. stehen, als sei dieser sein Ziel

Wenn wir ... vor dem Feuer saßen, beschäftigten uns diese Gedanken oft so natürlich und so erkennbar für den andern, als ob wir es uns offen gesagt hätten
Und K. stand stillschweigend auf, als hätte er seine Gedanken laut ausgesprochen und dadurch der Frau sein Verhalten erklärt

Miß Murdstone ... schüttelte den Kopf, als ob sie gegen diese unpassende Unterbrechung protestiere
Und ärgerlich schüttelte er den Kopf, als habe er von Delamarche keine Ermahnungen anzunehmen

Mr. Peggotty nickte wieder mit dem Kopfe, als wollte er sagen: Das versteht sich von selbst
der Diener ... der ... Karl ernst zunickte, als wolle er damit etwas erklären [321]

Wie man sieht, finden sich Als-ob-Sätze bei Dickens und Kafka zur Erläuterung derselben mimischen und gestischen Details, wobei auch manche der dabei verwendeten Vorstellungen sich ähneln. Da bekannt ist, daß Kafka einerseits die Personendarstellung des als Quelle zum *Verschollenen* dienenden *David Copperfield* als »roh[er]«, d. h. künstlerisch unbefriedigend deutete, ein Mangel, den er durch sein Epigonentum überwunden zu haben glaubte, und da er andererseits auch ausdrücklich vermerkt, in der »Methode« von Dickens abhängig zu sein [322], kann vermutet werden, daß er sich hinsichtlich des fraglichen Satztyps an diesem Vorbild schulte und dadurch die großen Möglichkeiten erkannte, die in dieser Form tatsächlich liegen; er hat sie aber beträchtlich modifiziert.

Dickens benützt die Als-ob-Sätze nicht so oft wie Kafka, und die einzelnen Beispiele des Engländers sind nicht so umfangreich wie die seines Nachahmers. Sie sind hinsichtlich des Vorstellungsgehalts immer eingliedrig, während Kafkas Als-ob-Sätze, wie etwa schon die auf Pepi bezüglichen Passagen zeigen, zu fast selbständigen Referaten über die Lage einer Figur anwachsen können, deren Bezugspunkt nicht mehr immer ganz deutlich ist.

Formal ist der Als-ob-Satz bei Dickens nicht vollständig artikuliert: Nicht immer schließt er sich direkt an seine Bezugsgröße an, und manchmal mischt er sich mit einem Wie-Vergleich: »Dora ... war so lustig, als ob wir zum Spaß haushielten, wie die Kinder zu Weihnachten.« [323] Der Hauptunterschied ist jedoch, daß bei Dickens vielfach die im regierenden Ausdruck vorgestellten Gegebenheiten in den ihnen zugeordneten Als-ob-Sätzen fast pleonastisch wieder auftauchen, wenn sie durch Parallelsituationen spezifiziert werden oder durch eine zusätzliche Metapher plastischer hervortreten sollen.

Bei Kafka bilden derartig konstruierte Fälle nur eine kleine Minderheit, wo zudem im Als-ob-Satz die Zusatzinformation viel mehr von der Primäraussage verschieden ist und neue Aspekte des fraglichen Sachverhalts bringt. In der Hauptmasse der Belege jedoch werden die Ausdrucksphänomene durch eine seelische Gegebenheit begründet; in den nicht sehr zahlreichen vergleichbaren Stellen bei Dickens fällt diese Rückführung auf die Innenwelt der Figuren meist sehr oberflächlich und undifferenziert aus.

Einige Beispiele zur Verdeutlichung dieser Unterschiede:

... daß Master Micawber ... seinen Kopf mit beiden Armen stützte, als wäre er lose
Des Kellners Vertraulichkeit war spurlos verschwunden, als ob sie nie dagewesen wäre
Manchmal warf er den Arm in die Luft, als karikiere er jemanden
Der rechte Arm lag auf einem Tischchen, als wäre er besonders schwer
K. hatte in Selbstvergessenheit gesprochen, so, als stehe er vor Klamms Tür und spreche mit dem Türhüter

Im zweiten Beispiel ist der Inhalt des Als-ob-Satzes mit dem Bedeutungsinhalt des Wortes »spurlos« identisch, während in dem damit vergleichbaren letzten Beleg (das physiologische Substrat des Gebarens ist in beiden Fällen nicht ausdrücklich genannt) K.s Haltung durch den assoziierten Romankontext in weitere Zusammenhänge gestellt und damit auch verdeutlicht wird. Im ersten Zitat ist eine selbstverständliche Voraussetzung in der Ebene der Ausdrucksbewegung selbst noch eigens genannt worden, während die beiden Armgesten aus Kafkas Werk die Art der Bewegung und Lage des Körperteils exakt zu beschreiben suchen.

Auch wenn Dickens ein zusätzliches Bild einführt, ist die Gefahr der Tautologie nicht immer vermieden:

> Mr. Creakle... sah mich mit seinen Augen so scharf an, als ob er mich damit durchbohren wollte
> (vgl.: meine Tante... sah mich so scharf an, wie sie die Nadel beim Einfädeln angesehen hatte)

Beidesmal wird im abhängigen Satz der an sich gar nicht hinsichtlich seines Erscheinungsbildes klärungsbedürftige Begriff »scharf« illustriert. Der Als-ob-Satz kann durch ein Adjektiv oder Verb ersetzt werden; und er hat überdies aussagemäßig vor dem Wie-Vergleich nichts voraus. Es ist deswegen nur folgerichtig, daß Kafka in allen Fällen, wo im übergeordneten Satz die Art der Ausdrucksbewegung schon genannt ist, im davon abhängigen Als-ob-Satz die diese begleitende Bewußtseinslage vorstellt:

> »Kommen Sie mit!« wiederholte K. jetzt schärfer, als habe er endlich den Gerichtsdiener auf einer Unwahrheit ertappt.

Natürlich gibt es dazu bei Dickens Analoga, doch gilt auch hier, daß die im Erläuterungssatz gegebenen Informationen blaß bleiben. Die enthüllten Vorstellungsinhalte sagen wenig über die besondere Lage einer Figur aus und evozieren beim Leser kaum eine plastische Rückkoppelung auf die zu präzisierende Ausdrucksbewegung:

> Mrs. Markleham... flüchtete sich hinter ihren Fächer, als wollte sie nie wieder hervorkommen
>
> Karl flüchtete sich hinter die Schlosser, als könne sich auf dem Wagen der Onkel befinden und ihn sehen

Kafka erstellt eine, übrigens wieder auf den Romankontext verweisende, speziell auf Karl ausgerichtete Vergleichssituation, die sofort auch die Art seiner Fluchtbewegung deutlich macht. Auch wenn die Ausdrucksbewegungen im übergeordneten Satz unpräzisiert sind, bleibt Dickens im nur Äußerlich-Formalen möglicher Verhaltensweisen, während Kafka auch bei ganz kurzen, einfachen Vergleichungen die psychischen Gegebenheiten selber nennt:

> Miß Dartle blickte mich an, als wollte sie fragen, ob ich noch etwas zu wissen wünschte
>
> Frieda... sah nach K. hin, so, als wolle sie sich Kraft holen
>
> K.... sah Frau Grubach an, als trage sie die Verantwortung [324]

Bei den Als-ob-Sätzen handelt es sich insofern um Vergleichssätze, als tatsächlich immer eine comparandum-comparatum-Beziehung vorliegt. Eine sehr schöne Veranschaulichung dieses Sachverhalts bietet eine Tagebuchstelle Kafkas, wo die Als-ob-Phrase sofort in Wie-Vergleiche aufgelöst und dabei näher differenziert wird: »Rote-Kreuz-Schwester. Sehr sicher und entschlossen. Reist, als wäre sie eine ganze Familie, die sich selbst genügt. Wie der Vater raucht sie Zigaretten und geht im Gang auf und ab, wie ein Junge springt sie auf die Bank, um etwas aus ihrem Rucksack zu holen, wie eine Mutter schneidet sie vorsichtig das Fleisch, das Brot, die Orange, wie ein kokettes Mädchen, das sie wirklich ist, zeigt sie auf der gegenüberliegenden Bank ihre schönen kleinen Füße, die gelben Stiefel und die gelben Strümpfe an den festen Beinen.«

In denjenigen Fällen jedoch, wo ein Ausdruckselement durch seine seelische Grundlage erläutert wird – dies ist, wie gesagt, der Normalfall bei Kafka –, besteht die Besonderheit, daß es nicht etwa mit einer Zweckbewegung ähnlicher Art in Parallelsituationen erhellt werden soll, sondern sozusagen mit sich selber verglichen wird, wobei die erhellende Wirkung nur darin besteht, daß im Vergleichsfall die Ursache des fraglichen Phänomens genannt ist: Indem der Leser weiß, welche Ausprägungen im physiologischen Bereich aus solcher Bewußtseinslage zu folgen pflegen, vermag er sich den Ablauf des im comparatum Dargestellten besser vorzustellen, indem er diese Attribute darauf überträgt.

Man muß aber – und dies betrifft jetzt alle Belege, also auch solche Als-ob-Sätze, in denen Ausdrucksbewegungen als solche phänomenologisch verdeutlicht werden sollen – noch einen Schritt weitergehen und sagen, daß bei dieser Vergleichsform nicht nur das tertium des Vergleichs, sondern das Verglichene selbst ein echter Bestandteil der Primäraussage wird, wo das Ausdruckselement entweder wirklich präzisiert (der Untersuchungsrichter wirft die Arme karikierend in die Luft) oder psychisch motiviert wird (Karl flüchtet sich nicht nur wie einer, der fürchtet, auf dem ihm begegnenden Wagen könne sich der Onkel befinden, der ihn verstieß, sondern er flüchtet sich erschreckt und voller Scham hinter die Schlosser, weil er fürchtet, auf dem Wagen könne sich der Onkel befinden und ihn sehen).

Die Wendung »als ob« soll jedoch im Gegensatz zur direkten, vorbehaltslosen Aussage zum Ausdruck bringen, daß der im Als-ob-Satz akzentuierte Sachverhalt von einem Beobachter erschlossen ist und daß der Erzähler auf diese Tatsache Wert legt.

Auf die gleiche Weise sind bestimmte Wie-Phrasen zu behandeln, die sich äußerlich schon dadurch von Vergleichen unterscheiden, daß die Partikel gestrichen werden kann, ohne daß das Folgen für die Syntax hat. Diese ebenfalls bei Dickens belegte Form umfaßt die ganze Variationsbreite der Als-ob-Sätze:

sie zog das Ende ihrer Lippen in die Höhe, wie von Spott oder von Mitleid erfüllt (Dickens)

... der schließlich wie aus Trotz gegenüber manchen dringenden Fragen vollkommen schwieg, und zwar ganz ohne Verlegenheit, wie es ein Erwachsener niemals könnte (Enthüllung der Bewußtseinslage)

Frieda, die wie leblos war (Präzisierung eines physischen Zustands)

die klägliche Kabine, in welcher ein Bett, ein Schrank, ein Sessel und ein Mann knapp nebeneinander, wie eingelagert, standen (Sachbeschreibung + Metapher)

Während dieser langen Rede Karls hatte Herr Pollunder ... einige Male ernst und wie erwartungsvoll zu Green hinübergesehen (Enthüllung einer Bewußtseinslage)

wir waren ... von dem süßen Schloßwein wie betäubt (Selbstdeutung eines Perspektivträgers) [325]

In der vorliegenden Aussageform wird aber besonders deutlich, daß die comparata, die sofort zu Realaussagen werden, wenn die Beobachtung signalisierende Partikel gestrichen wird, tatsächlich die Phänomene kennzeichnen, denen sie zugeordnet sind: Hans ist wirklich trotzig, sitzt er doch »mit aufrechtem Körper, gesenktem Kopf, aufgeworfener Unterlippe« da, nur daß dies von dem außenstehenden Beobachter K. bloß vermutet werden kann; was soll Frieda anders sein als eben leblos? Im folgenden Beispiel ist durch die objektive Aussage »knapp nebeneinander« sichergestellt, daß das im Bild Gesagte, nämlich unorganische Enge, der Kabine tatsächlich zukommt. Und wer wollte schließlich behaupten, Herr Pollunders Miene sei zwar ernst, aber nicht erwartungsvoll, und der Schloßwein habe die Familie des Barnabas nicht betäubt?

Betrachtet man den Ausdruckswert des »wie« und des »als ob« in der angegebenen Weise, dann ist es eine folgerichtige Entwicklung, wenn Kafka im Gegensatz zu Dickens das Schwergewicht auf die seelischen Hintergründe der Ausdruckselemente legt, denn deren Vermutungscharakter ist unvergleichlich größer als bei doch immerhin direkt beobachtbaren optischen und akustischen Erscheinungen. Auch erklärt sich auf diese Weise die Häufigkeit der Form bei beiden Autoren auf eine naheliegende Weise, sind doch der *David Copperfield* als Ich-Erzählung und Kafkas Romane durch die Tatsache, daß das Erzählte jeweils im Wahrnehmungshorizont Karl Roßmanns und der K.s erscheinen soll, darstellungstechnisch so gebaut, daß das Innere und Äußere anderer Figuren grundsätzlich von den Perspektivträgern beobachtet und erschlossen werden muß; und gerade dies auf einfache Weise sichtbar zu machen, ermöglichen die Als-ob-Sätze.

Es ist also falsch, wenn in den Grammatiken hinsichtlich dieser Form von irrealen Vergleichssätzen gesprochen wird, die im Widerspruch zu den tatsächlichen Verhältnissen stünden, oder von Bildern, die etwas bloß Vorgestelltes oder Erdachtes ausdrückten, das nicht zu verwirklichen sei, wenn es auch vielleicht als erlebnismäßig möglich rezipiert werden könne.

Diesem Irrtum unterliegt auch B. Beutner, wenn sie unter Berufung auf den Konjunktiv als Modus des Möglichen und Irrealen diesen »als einen Schlüssel zu dem Bereich des Über-Realen« bei Kafka deutet und deswegen den Inhalten der Als-ob-Sätze »zwar die nicht wahrnehmbar-reale, aber die wesentlichere, die wirksamere und damit eigentlich wirklichere« Ebene zuordnet.

Diese Auffassung ist abhängig von der folgenden Position H. Hillmanns: »Vergleichende und hypothetische Wendungen werden also erst da verwandt, wo die direkte Beschreibung nicht mehr möglich ist, wo das Unbeschreibliche ... auf irgendeine Weise noch erfaßt werden soll. Eine solche Trennung der Beschreibungsmittel läßt auf eine enorme Sauberkeit und Genauigkeit des Erzählens schließen, das das Bild nur im äußersten Fall verwendet und ihm gegenüber höchst mißtrauisch ist.« Diese These ist aber anhand eines nur sehr begrenzten Belegmaterials in den Erzählungen gewonnen worden und wird durch die folgende Analyse nicht bestätigt: Der angedeutete Erzählbereich findet sich in Als-ob-Sätzen, auch wenn man nach Sinnschwerpunkten gewichtet und nicht nur quantitativ auszählt, nur in einer verschwindenden Minderzahl der Fälle. [326] Die angeführten Urteile orientieren sich natürlich auch daran, daß, statistisch betrachtet, der Konjunktiv II, der dann als Irrealis verstanden wird, heute in der Mehrzahl der Als-ob-Sätze verwendet wird und in älterer Zeit sogar fast ausschließlich. [327]

Die in dieser Untersuchung zugrunde gelegte Dickens-Übersetzung von Richard Zoozmann illustriert selber diesen Befund. Der Regelfall bei starken Verben ist der Konjunktiv II, der auch allein der englischen Vorlage entspricht, wo gewöhnlich gar nicht differenziert werden kann. Bei den schwachen Verben jedoch, wo störender Gleichklang und mögliche Verwechslungen mit dem Präteritum drohen (nicht aber bei den Modalverben, wo der Vergangenheitscharakter bei solchen Formen nicht so fühlbar ist), sowie im Singular beim einfachen Verb »sein« steht der Konjunktiv I, der offenbar dauernd an Boden gewinnt und heute in allen möglichen Stellungen belegt ist.

Gewichtige Gründe sprechen dafür, daß die schon gelegentlich geäußerte Auffassung zutrifft, der Gebrauch des Konjunktivs in den Als-ob-Sätzen sei in Analogie zu seiner Verwendung in der oratio obliqua geregelt. [328] Aber man muß davon ausgehen, daß sich die entsprechenden Gesetzmäßigkeiten noch nicht vollständig durchgesetzt haben, so daß von einer statistischen Auswertung des gegenwärtigen Sprachzustandes, wo fast jede vorkommende Verwendungsart als sprachrichtig erklärt werden muß, nur mögliche Tendenzen, aber keine bindenden Aufschlüsse erwartet werden darf.

Bekanntlich – und das ist schon ein erstes Indiz für die hier vertretene These – ist die gesetzmäßige Verwendung des Konjunktivs I in der indirekten Rede von Süddeutschland ausgegangen – zur Zeit der deutschen Klassik überwiegen noch die Belege im Konjunktiv II – und hat teilweise bis heute den Norden nicht erreicht. Es muß als objektiv falsch gelten, wie der in Hamburg geborene H. E. Nossack die indirekte Rede gebraucht; derartige Beispiele können niemals positiv zur Auffindung sprachüblicher Gesetzmäßigkeiten beigezogen werden. [329]

Ähnliches gilt für sehr viele Belege in heutigen Als-ob-Sätzen, auch wenn sie von hervorragenden Schriftstellern stammen. So weit sie nicht Süddeutsche oder Österreicher sind, gehen sie, auch etwa der stilbewußte Thomas Mann [330], von einer weitgehenden Wahlfreiheit zwischen Konjunktiv I und II aus, die ihnen klangliche und stilistische Finessen ermöglicht und die Suggerierung von Bedeutungsnuancen erlaubt, die aber in dem Teil des Sprachgebiets immer weniger besteht, der die gesetzmäßige Gebrauchsregelung des Konjunktivs in Nebensätzen vorantreibt.

Kafka dagegen ist, obgleich nicht jeder Beleg von letzter Beweiskraft ist, da die Romane vom Autor nicht zum Druck befördert worden sind und die posthumen Herausgeber, freilich selber in Böhmen aufgewachsen, hie und da gebessert haben mögen, ein idealer Untersuchungsgegenstand, weil er als Österreicher des Konjunktivs mächtig ist, als Prager in fremdsprachlicher Umgebung und als Künstler ein außerordentlich feines Sensorium für sprachliche Phänomene besitzt, weil er gleichwohl sehr stark intuitiv produziert und seine sehr zahlreichen und differenzierten Beispiele ausnahmslos den strengen Gesetzmäßigkeiten des Konjunktivgebrauchs in der oratio obliqua folgen, auf die sich offensichtlich der gegenwärtige Sprachzustand hinentwickelt.

In der indirekten Rede wird regelmäßig der Konjunktiv I verwendet, nur bei undeutlichen Formen und wenn Gleichklang mit dem Indikativ eintreten würde, steht ersatzweise Konjunktiv II. (Es ist übrigens auffällig, daß die Ausweitung des Konjunktivs I in Als-ob-Sätzen, wie sie die stellvertretend für eine ältere Stufe des Gebrauchs stehende deutsche Dickens-Übersetzung zeigt, nach analogen Grundsätzen erfolgt zu sein scheint.)

Der oblique Konjunktiv bezeichnet nun keineswegs einen geringeren Sicherheitsgrad der Aussage und dient auch nicht zur bloßen Bezeichnung der syntaktischen Abhängigkeit. Denn es gibt indirekte Reden ohne Konjunktiv, wo die Mittelbarkeit der Aussage, die freilich durch Redeanweisungen eingeführt sein muß, nur durch die Veränderung des Personenbezugssystems oder sonstige nicht konjunktivistische Modifikationen des Verbs zustande kommt. [331]

S. Jäger verkennt in seiner Untersuchung *Der Konjunktiv in der deutschen Sprache der Gegenwart* diesen Sachverhalt, weil er seine Beispiele zu sehr vom Kontext isoliert, wodurch sich die Rolle des Konjunktivs übermäßig verstärkt, und weil er sich mehr als nötig auf einfache Alltagsbeispiele beschränkt. [332]

So besteht die Funktion des Konjunktivs in der indirekten Rede darin, die mittelbare Rede unbestätigt weiterzugeben und das eigene Urteil des Referenten zurückzuhalten. Wird statt des möglichen Konjunktivs der Indikativ gesetzt, so tritt der Nacherzähler damit dem referierten Sachverhalt bei. Über die Wirklichkeit und Wahrheit des berichteten Phänomens ist damit noch überhaupt nichts ausgemacht. [333] Ersetzt der Konjunktiv II einen deutlichen und mit dem Indikativ nicht verwechselbaren Konjunktiv I, so distanziert sich dadurch der Referent von der übermittelten Aussage.

Dafür ein Beispiel aus dem *Verschollenen*. Nachdem Karl zusammen mit Robinson das Frühstück für Delamarche und Brunelda geholt hat, versucht er, dem Ganzen ein besseres Aussehen zu geben: »Robinson hielt diese Arbeit für unnötig und behauptete, das Frühstück hätte schon oft noch viel ärger ausgesehen, aber Karl ließ sich durch ihn nicht abhalten ... « Karl (und damit der seine Wertungen übernehmende Erzähler) ist mit der Haltung des Irländers nicht einverstanden. Der von seinem Kumpan berichtete schlechte Zustand des Frühstücks ist ihm so anstößig, daß er dessen Aussage bei der Übertragung in mittelbare Rede mit dem formalen Zeichen der Ablehnung versieht.

Natürlich darf man mit dieser Verwendungsart nicht Fälle vermengen, wo der Konjunktiv II dadurch bedingt ist, daß eine solche Form schon der direkten Rede eignete. Frieda im *Schloß* antwortet auf K.s Vorschlag, die Gehilfen zu entlassen, sie sei »völlig mit K. einverstanden, daß es das beste · wäre, sie wegzuschicken und allein zu zweit zu sein ... sie wisse aber kein Mittel gegen die Gehilfen ... Am besten sei es, sie leichthin zu nehmen als das leichte Volk ... « Die letzte Konjunktivform ist regelrechte oratio obliqua. Wenn die erste davon abweicht, obwohl es sich um die gleiche Phrase handelt, so deswegen, weil K. selber kurz vorher gesagt hatte, daß man durch eine kräftige Behandlung der Gehilfen erreichen könnte, »entweder sie zu zügeln oder, was noch wahrscheinlicher und auch besser wäre, ihnen die Stellung so zu verleiden, daß sie endlich durchbrennen würden«.

Irrealität auszudrücken, ist der Konjunktiv II seinem Wesen nach nicht geeignet, sie entsteht durch Kontextbedingungen und bestimmte Zeitverhältnisse beim Verbum. [334] Erwähnt sei noch, daß nicht nur wirklich gesprochene Rede, sondern auch unausgesprochene Gedanken, Wahrnehmungen, Erkenntnisse, Gefühle und Absichten in entsprechender Form Ausdruck finden können. [335] Alle diese Aussagen gelten sinngemäß auch für die Als-ob-Sätze bei Kafka:

> Er ... begann auf der Schwelle der verschlossenen Tür Akten aufzuhäufen, so als habe er seine Meinung geändert, und dem Herrn sei rechtmäßigerweise nichts wegzunehmen, sondern vielmehr zuzuteilen

> seine Fragen waren eifrig und eindringlich, so, als wolle er möglichst schnell das Wichtigste erfahren, um dann selbständig für K. und Frieda Entschlüsse fassen zu können [336]

Man sieht, wie diese Fälle, wo die Bewußtseinslage der Figuren aus ihrem mimisch-gestischen Habitus abstrahiert werden soll, fast schon indirekte Rede darstellen, nur daß die als Gedanken anderer erscheinenden psychischen Inhalte nicht gehört, sondern durch Hypostasierung gewonnen worden sind (»als ob«). Da sie nun aber vom Beobachter, der genau dem Referenten der indirekten Rede entspricht, wiedergegeben werden, ohne daß er für ihre Richtigkeit einstehen will und kann, liegt es nahe, dabei den Konjunktiv I zu verwenden, der bei Kafka regelmäßig, d. h. in der Mehrzahl der Fälle, in Als-ob-Sätzen auftaucht.

Die Vergleichbarkeit der beiden Mitteilungsformen wird noch dadurch gesteigert, daß die Als-ob-Form auch auf den Perspektivträger oder den Beobachter des fraglichen Phänomens selbst angewendet werden kann, ganz so, wie sich die mittelbare Rede auch auf erste Personen bezieht. Die ihr eigentümliche Redeanweisung hat zudem in den die Als-ob-Sätze einleitenden Ausdrucksbewegungen oder Sachwahrnehmungen eine Parallele.

Wenn S. Jäger aus seinem Belegmaterial den Schluß ziehen muß, daß bei diesem Zuordnungstyp bei präteritalem Obersatz Konjunktiv II häufiger sei, weil der Berichtende eine vergangene Vermutung in der Zwischenzeit überprüft habe und beurteilen könne [337], so spricht dies gerade für den Konjunktiv I bei Kafka, denn im fiktionalen Bereich verliert das Präteritum insofern seine Vergangenheitsbedeutung, als für die als Beobachter gedachten fiktionalen Figuren distanzlose Gegenwärtigkeit herrscht und sich Kafka grundsätzlich hütet, durch auktoriale Bemerkungen den Erfahrungshorizont seiner Romanpersonen kritisch zu beleuchten.

Der dargestellte Zusammenhang erklärt auch zu einem Teil, warum der Zuordnungsprozeß der Als-ob-Sätze zur indirekten Rede erst langsam in Gang kommt. Im 18. und 19. Jahrhundert, wo die Innenschau der Figuren vor allem auf auktorialer Basis vorgenommen wurde, brauchte man den bei Kafka dominierenden Als-ob-Typ kaum (Entsprechendes gilt übrigens für die erlebte Rede, die sich parallel zu ihm ausbildete), der also für diese Zeit nur als eine verschwindende Minderheit nachweisbar ist.

Da eine Stellungnahme oder Korrektur hinsichtlich einer eigenen Beobachtung immer erst nachträglich möglich ist – und entsprechend verfährt Kafka in seinen Romanen [338] –, wäre es nur folgerichtig, wenn Indikative, wie sie in der indirekten Rede vorkommen, um die Zustimmung des Referenten zum Berichteten zu dokumentieren, sich überhaupt nicht nachweisen ließen. Tatsächlich sind die wenigen diesbezüglichen Beispiele auch anders zu erklären:

Pepi ... fragte ... traurig, als habe sie inzwischen die Bosheit der Welt kennengelernt, gegenüber der alle eigene Bosheit versagt und sinnlos wird

... fragte die Frau langsam und prüfend, als sage sie etwas, was sowohl für sie als für K. gefährlich war

Und als wisse oder ahne er dies und als begegne er dem, soweit es in seiner Macht stand, war um seine Lippen und Augen ein unaufhörliches Lächeln des Glückes, das ihm selbst, seinem Gegenüber und der ganzen Welt zu gelten schien [339]

Im ersten Fall stellt der Schlußteil eine auch unabhängig von der Beobachtung K.s gültige Sentenz dar, die, wie sonst gelegentlich bei Kafka, präsentisch wiedergegeben wird; das Beispiel aus dem *Prozeß* müßte eigentlich – aber das wäre stilistisch unschön – genauer heißen: »... was sowohl für sie gefährlich sei und auch für K. gefährlich war«. Zwar gehört auch der Teil hinter dem »und« noch zu K.s Beobachtungen, und insofern hätte Kafka auch sagen können: »... was sowohl für sie als für K. gefährlich sei«; aber der Dichter wollte deutlich machen, daß K. die von der Frau ausgesprochene Gefährdung teilt (ob die von K. beobachtete mutmaßliche Tendenz in der Intonation der Frau richtig ist, behauptet Kafka nicht, sie ist höchstens indirekt vorausgesetzt, indem K. sie für richtig hält) und verwendet deshalb eine

Darstellungsform, die das zum Ausdruck bringen kann, nämlich den erlebten Eindruck.

Auch im letzten Fall erscheint nicht die hypostasierte Ursache von Macks Lächeln im Indikativ, sondern nur die Aussage, die den Geltungsbereich seiner Intention bestimmt, der immerhin unabhängig von Karls Beobachtung der Miene Macks bestätigt sein mag; denn es ist ja schwer möglich, Macks Macht als mimisch ablesbare Einsicht Karls zu formulieren und seinen Einflußbereich so in der Schwebe zu lassen; dazu kommt noch, daß Kafka dem stilistisch etwas mißlungenen Satz durch den zum folgenden »war« vermittelnden Indikativ etwas aufhelfen wollte.

Derartige, auf die einzelne Textstelle zielende Erwägungen sind aber eigentlich zur Beweisführung gar nicht notwendig, denn für Kafka gilt das Gesetz, daß er, sowohl gelegentlich in der indirekten Rede als auch grundsätzlich in den Als-ob-Sätzen, den Indikativ benutzt, wenn syntaktische Abhängigkeiten zweiter Ordnung entstehen, also immer in Nebensätzen, die vom Vergleichssatz (oder der oratio obliqua) abhängig sind. Für den zuletzt genannten Bereich noch ein Beispiel. Über Artur und Jeremias sagt K. zu Frieda: »Und den Gehilfen selbst tue man doch wahrscheinlich nur einen Gefallen, wenn man sie irgendwie vertreibe, denn groß sei ja das Wohlleben nicht, das sie hier führten, und selbst das Faulenzen, das sie bisher genossen hatten, werde ja hier wenigstens zum Teil aufhören, denn sie würden arbeiten müssen.« Viel interessanter und wichtiger sind natürlich die Fälle, wo Kafka den Konjunktiv II verwendet:

> »Nun also«, sagte Delamarche ... in einem Ton, als werfe er dem Polizeimann Mangel an Menschenkenntnis vor
>
> »Richtig«, sagte der Onkel in einem Ton, als kämen sie jetzt endlich einander näher

In völliger Übereinstimmung mit dem Gebrauch bei der indirekten Rede steht im zweiten Beispiel Konjunktiv II, weil im Plural bei den starken Verben der Konjunktiv I mit dem Indikativ des Präsens formgleich ist.

> Fußgänger ... stiegen zwar hie und da durch die einzelnen Automobile hindurch, als sei dort ein öffentlicher Durchgang
>
> Da kam endlich, als wäre die Wand vor ihm durchrissen, ein frischer Luftzug ihm entgegen

Man sieht zunächst, daß der Konjunktiv I auch in Als-ob-Sätzen steht, die sich auf Dingliches beziehen, und zwar, wie in den Fällen, wo der Vergleichssatz der Artikulierung einer Miene oder Geste selbst gilt, durchaus regelmäßig. Im Hinblick auf die mögliche Herkunft des Konjunktivgebrauchs aus der oratio obliqua könnte man dies als Angleichung einer Minderzahl von Stellen an einen Satztyp auffassen, der umfang- und bedeutungsmäßig dominiert; man darf dabei aber nicht außer acht lassen, daß natürlich auch dann, wenn greifbare Phänomene den Gegenstand des Interesses bilden, den Als-ob-Sätzen der Charakter des nur Erschlossenen bleibt, der solche Sätze noch mit indirekter Rede verwandt sein läßt. Man könnte vermuten, daß es die im letzten Beispiel zusätzlich auftretende Metapher sei, die für das »wäre« verantwortlich gemacht werden müsse, doch zeigen die beiden folgenden Beispiele, daß diese Annahme unrichtig sein muß:

> »Zurück zu dir, Herr!« riefen sie, als wäre K. das trockene Land und sie daran, in der Flut zu versinken

> Einer sagte ... »Man hört immer etwas Neues«, und er leckte sich die Lippen, als sei das Neue eine Speise

Obwohl in beiden Sätzen zusätzlich Metaphern eingeführt sind, die Stimme und Miene auf eine außerhalb des Bereichs der Ausdrucksbewegungen liegende zweckhafte Handlung beziehen, ist der Modusgebrauch unterschiedlich. Andererseits besteht dieser Unterschied in andern Vorstellungszusammenhängen, wo Kafka keine Metaphorik verwendet:

> Selten nur klopfte ihm einer während der Fahrt auf die Schulter, um irgendeine kleine Auskunft zu bekommen, dann drehte er sich eilig um, als habe er es erwartet

> Aber vor der Tür, als hätte er nicht erwartet, hier eine Tür zu finden, stockte er [340]

Dieser Befund führt zu der wahrscheinlichen Vermutung, daß bei der Verwendung des verbum substantivum Kafka so verfährt wie bei schwachen Verben und nur in den Fällen, wo sich der Vergleichscharakter eines Als-ob-Satzes durch bewußtseinsfremde Hilfsvorstellungen aufdrängt, den sachlich richtigen Konjunktiv II setzt. Weiteres Material zu dieser Frage findet man im Anhang dieser Arbeit, wo die Als-ob-Sätze in der literarischen Umwelt Kafkas untersucht werden.

In den beiden zuletzt genannten Beispielen praktiziert Kafka jedoch streng das von ihm bei starken und modalen Verben verfolgte Gesetz: Als Liftboy erwartet Karl Roßmann natürlich Fragen der Fahrgäste. Josef K. andererseits kann nicht wirklich staunen, wenn er eine Tür vor sich sieht, durch die er vor wenigen Minuten gegangen war. Hier will der Vergleichssatz nur die Art seiner Bewegung, nicht seines Denkens selber zur Darstellung bringen.

Alle Beispiele mit Konjunktiv II haben also gemeinsam, daß die Hilfsvorstellung des Als-ob-Satzes, die die übergeordnete Ausdrucksbewegung verdeutlichen soll – sei es ein Bild oder bloß ein Arrangement mit Bausteinen der jeweils vorliegenden Situation –, also solche nicht direkt die Innenwelt einer fiktiven Figur abbilden soll, sondern bloß zu Anschauungszwecken erstellt wurde. Es ist unmöglich, daß K. wirklich glaubt, die Wand selber zerreiße vor ihm, und undenkbar auch, daß der Landvermesser für die Gehilfen ein Land darstellt, zu dem sie streben; schon ihre ihnen von Galater übertragene Aufgabe und ihr Gesamtverhalten sprechen dagegen. Stünde hier ein starkes Verbum mit Konj. I, dann müßte man das so interpretieren, daß Artur und Jeremias beim Anblick K.s sich das Bild eines vom Wasser umspülten Landes aufdrängt, das sie, mit den Wellen kämpfend, vergeblich zu erreichen suchen.

Beim Konjunktiv II sind die Vergleichssituationen also bloß vorgestellt, was aber gerade nicht heißt, daß sie den auf sie bezüglichen Ausdrucksbewegungen nicht adäquat sind; sie erläutern diese vielmehr genau auf die gleiche Weise wie jedes andere comparatum. Der Konjunktiv II weist also das Berichtete oder Beobachtete als nicht unmittelbar zur Erlebnissphäre des Berichtenden oder Beobachtenden gehörig aus, ohne daß er sich über dessen Wahrheitsgehalt irgendein Urteil anmaßte.

Offenbar entspricht der Konjunktiv II in diesen Sätzen, wo sich der Berichtende auf die genannte Weise von den Hilfsvorstellungen distanziert, die er gebraucht, den bisweilen in der indirekten Rede gebrauchten Konjunktiv-II-Formen, soweit diese nicht undeutliche Konjunktive des Präsens ersetzen oder Bedingungssätze markieren sollen. Es ist aufgrund des Gesagten jetzt besser verständlich, warum in älterer Zeit Sätze mit Konjunktiv II so sehr dominierten. Die Als-ob-Form ist ja durch die Lyrik populär geworden, wo natürlich Fälle mit Metaphern und bloß vorgestellten Situationen überwiegen, die vornehmlich zur äußeren Beschreibung von Dingen und Personen dienten. Konjunktiv I war da nicht denkbar.

Der Konjunktiv II wird also auch dann gebraucht, wenn die im Als-ob-Satz zur Veranschaulichung eines Verhaltens gebrauchten äußeren Phänomene oder geistigen Vorstellungsgehalte situationsmöglich sind. Es besteht in diesen Fällen kein Zweifel daran, daß die Ausdrucksbewegung nach Meinung des Beobachtenden so verläuft oder sich darstellt, daß sie ein Äquivalent der im Als-ob-Satz genannten Spezifizierungen oder in den dort genannten Vorstellungsgehalten begründet sein könnte, aber es soll gleichzeitig darauf hingewiesen werden, daß die zur Konkretisierung verwendeten Hilfsvorstellungen selbst tatsächlich die Situation und damit die den Ausdrucksträger leitenden Triebkräfte und Vorstellungen nicht kennzeichnen. Wie in der indirekten Rede regelt also der Konjunktivgebrauch nicht den Realitätsgrad der Aussagen an sich, sondern nur die Art der Beurteilung, der diese durch den Referenten oder Erzähler unterliegt.

»Karl, o du mein Karl!« rief sie, als sähe sie ihn und bestätige sich seinen Besitz, während er nicht das Geringste sah

Und, als hätte er bereits die Erlaubnis zum Weggehen erhalten, fügte er hinzu

wie wenn er unbewußt K. strafen wollte, entzog er ihm seinen Blick und senkte die Augen, aber es war wohl Bestürzung wegen K.s Schreien

Die Beispiele sprechen für sich: Im ersten und dritten Zitat — »wie wenn« ist eine hinsichtlich des Konjunktivgebrauchs von »als ob« ununterschiedene, selten gebrauchte Nebenform — wird ausdrücklich gesagt, daß die Vorstellungen der Als-ob-Sätze unzutreffende Setzungen sind, die aber Sprech- und Blickart zu verdeutlichen vermögen, und im mittleren Beispiel erhellt ebenfalls aus dem Kontext klar, daß Karl von Pollunder eben noch nicht verabschiedet worden ist; um diesen Vorgang geht es ja überhaupt in der Szene.

Wie differenziert und überlegt Kafka vorgeht, zeigt auch folgende Passage aus dem *Prozeß*:

Aber der Mann folgte der Aufforderung nicht, sondern hielt die Hände ruhig in den Hosentaschen und lachte laut. »Sehen Sie«, sagte er zu dem Mädchen, »ich habe also doch das Richtige getroffen. Dem Herrn ist nur hier nicht wohl, nicht im allgemeinen.« Das Mädchen lächelte auch, schlug aber dem Mann leicht mit den Fingerspitzen auf den Arm, als hätte er sich mit K. einen zu starken Spaß erlaubt. »Aber was denken Sie denn«, sagte der Mann noch immer lachend, »ich will ja den Herrn wirklich hinausführen«. »Dann ist es gut«, sagte das Mädchen

Der Auskunftgeber will offensichtlich K. etwas foppen, das Mädchen protestiert dagegen mit einer Handbewegung, die tatsächlich zum Ausdruck bringt, daß diese Bemerkung zu stark gewesen sei, denn der Spaßmacher antwortet darauf wie auf einen Vorwurf. Da er aber die Absicht gehabt hat, K. zu helfen, ist Kafka der Auffassung, daß der Spaß situationsangemessen war, und setzt zum Ausdruck dessen den Konjunktiv II, obwohl die Armgeste des Mädchens dem Zu-Stark exakt entsprach.

Wie ist nun aber zu verstehen, daß in dem Beispielsatz aus dem *Heizer* neben dem Konjunktiv II auch noch Konjunktiv I auftritt? Man kann die Frage plausibel beantworten, wenn man die Passage mit ähnlich gelagerten Fällen vergleicht:

die langen Bärte waren steif und schütter, und griff man in sie, so war es, als bilde man bloße Krallen, nicht als griffe man in Bärte

Nun lächelte sie auch noch ein wenig, und erst durch K.s erstauntes Gesicht wurde sie gewissermaßen geweckt; es war, als hätte sie eine Antwort auf ihr Lächeln erwartet und erst jetzt, da es ausblieb, erwache sie

von ihm hier ertappt zu werden, wäre für K. zwar kein Schrecken im Sinne des Wirtes, aber doch eine peinliche Unzukömmlichkeit gewesen, so etwa, als würde er jemandem, dem er zu Dankbarkeit verpflichtet war, leichtsinnig einen Schmerz bereiten

In den beiden ersten Belegen müßten beide Verben im Konjunktiv II stehen, denn die vorgestellten Situationen bestehen nicht: Da man wirklich in Bärte greift, kann man nicht bloß Krallen bilden, die keinen Widerstand finden, und die Wirtin wird durch K.s Miene eben nur »gewissermaßen geweckt« – sie unterhält sich ja mit ihm –, so daß ihr Erwachen metaphorisch zu nehmen ist. Das dritte Beispiel führt auf die Lösung: Kafka wählt ausnahmsweise die Umschreibung mit würde, um den Konjunktiv II zu ermöglichen – da sich K. dem Wirt nicht zur Dankbarkeit verpflichtet fühlt, wozu auch keinerlei Anlaß besteht, genügt nicht Konjunktiv I –, der sonst mit dem Indikativ des Präteritums zusammenfiele, weil es sich um ein schwaches Verb handelt. Da es sich nun bei den drei andern fraglichen Fällen ebenfalls um schwache Verben handelt und Kafka im Als-ob-Satz den Konjunktiv II von schwachen Verben meidet, muß geschlossen werden, daß er um der Deutlichkeit willen, also aus rein formalen Gründen, in den Konjunktiv I übergeht, eine Auffassung, die auch durch die schon erwähnte Übersetzungspraxis Zoozmanns gestützt wird.

Die gewonnenen Einsichten ermöglichen es, manche Stelle klarer zu interpretieren:

»Sie sind Schiffsheizer!« rief Karl freudig, als überstiege das alle Erwartungen

Karl freut sich übermäßig, aber seine Bewußtseinslage ist nicht derart, daß er bestimmte Erwartungen gehabt hätte, die durch die Aussage des Heizers übertroffen worden wären.

Wieder stand K. still, als hätte er im Stillestehen mehr Kraft des Urteils.

K.s Urteilsfähigkeit ist nicht größer, wenn er steht, doch sieht es so aus, als sei sein Stehenbleiben dadurch begründet.

»Nun also?« sagte der Onkel, als wäre Karls Antwort nicht die geringste Rechtfertigung gewesen

Dieses Beispiel ist besonders interessant, weil es einer schon zitierten Passage aus dem gleichen Roman sehr ähnlich ist. Delamarche sagt dort die gleichen Worte, jedoch in einem Ton, »als werfe er dem Polizeimann Mangel an Menschenkenntnis vor«. Da hier Konjunktiv I verwendet ist, soll gesagt werden, daß nicht nur der Tonfall seiner Rede anklagt, sondern daß dahinter auch der im Als-ob-Satz artikulierte Vorwurf tatsächlich steht. Onkel Jakob spricht – soweit sind die Fälle parallelisierbar – ebenfalls unfreundlich, weil er Karls Antwort nicht den Charakter einer Rechtfertigung zuerkennt. Der Erzähler, der Karls Optik einnimmt, ist anderer Meinung und bringt durch das »wäre« zum Ausdruck, daß tatsächlich eine solche vorliegt. [342]

Erwähnenswert sind noch die Fälle, wo Als-ob-Sätze von »tun« abhängig sind, wo der Sprechende also von einem Eindruck berichtet, den ein anderer oder er selbst erwecken wollte. Da dann immer definitionsgemäß auf die Mitteilung des eigentlichen Ausdrucks und der ihm zugeordneten Bewußtseinslage verzichtet wird, ist grundsätzlich mit Konjunktiv II zu rechnen:

Sie taten, als wären sie glücklich, K. wiederzusehen

K. tat, als hätte er ihr Benehmen nicht bemerkt

K. registriert sehr wohl den scharfen, auffordernden Blick, den das Mädchen vor Titorellis Tür auf ihn richtet; und der Landvermesser bezweifelt, daß die Gehilfen wirklich glücklich sind, ihn gefunden zu haben. Dem Außenbild der genannten Phänomene ist jeweils eine damit gar nicht übereinstimmende innere Verfassung zugeordnet. Wie sind aber dann folgende Fälle zu erklären?

Als K. an Momus vorüberkam, tat dieser, als erkenne er erst jetzt in ihm den Landvermesser

sie tat, als erkenne sie ihn nicht

er tat absichtlich, als verstehe er den Maler nicht völlig

»Sehen Sie«, rief die Wirtin, und sie tat so, als spreche sie nicht selbst, sondern leihe nur Frieda ihre Stimme

Es ist anzunehmen, daß Kafka in derartigen Fällen schwerfällige, überalterte Konjunktivformen wie »erkennte«, »liehe« oder »spräche« (in diesem Falle wäre allerdings auch Assimilation durch den folgenden Konjunktiv I denkbar) vermeiden wollte. Da es im *Heizer* einmal heißt, die Titelfigur sei, »als verstünde sich das von selbst«, unter vollständiger Vernachlässigung des Oberkassiers zum Kapitän gegangen, um vor ihm seine Beweismittel auszubreiten, kann man vermuten, daß Kafka den Konjunktiv II von »verstehen« noch als tragbar empfand. Entweder also ist der Dichter im Verlauf der folgenden beiden Jahre von dieser Meinung abgekommen, oder es liegt eine Konjektur des Herausgebers vor. Denkbar wäre freilich auch, daß Kafka als kleine zusätzliche Nuance zum Ausdruck bringen wollte, daß K. trotz seiner Verstellung auch tatsächlich nicht ganz versteht.

Jedenfalls hat man auch bei starken Verben gelegentlich aus rein formalen Gründen mit Ersetzungen des Konjunktivs II durch Konjunktiv I zu rechnen (und nicht nur umgekehrt). Dies ist umso unbedenklicher, als durch zusätzliche Kontextdeterminanten in der Regel sichergestellt ist, daß hier ein bloßes »Als ob« vorliegt.

Zum Vergleich einige Stellen aus dem *David Copperfield:*

> Sie stellte sich, als ob sie lachte
>
> ein seltsames Gefühl der Scheu, das mich veranlaßte, zu tun als ob ich sie nicht kennte
>
> Peggotty tat, als ob sie ihn kaum kannte

Hier taucht also bezeichnenderweise Konjunktiv II (bzw. Indikativ) auf, obwohl, wie gezeigt, Zoozmann derartige Formen gerne vermeidet.

Nicht auf die gleiche Ebene gehören Sätze, in denen sich die Konjunktion »als ob« dem Verbum »sein« anschließt, denn der auf diese Weise artikulierte Eindruck muß ja nicht absichtlich hervorgerufen sein, so daß hier das ganze Spektrum der Möglichkeiten verwendbar ist, das die Als-ob-Sätze auszeichnet:

> ihm war, als werde seine Freiheit eingeschränkt

Da K. am Kragen gepackt wird, ist seine Bewegungsmöglichkeit tatsächlich reduziert.

> es war ihm, als sei irgendwie allem Fräulein Montag beigemischt und mache es widerwärtig

Ein Bild, das situativ möglich ist, sofern man das »irgendwie« nicht näher bestimmt. Man kann an einen Geruch denken oder sich vorstellen, daß Fräulein Montag das gleiche Frühstücksgeschirr benutzt.

> Es war, wie wenn ein trübseliger Hausbewohner, der gerechterweise im entlegensten Zimmer des Hauses sich hätte eingesperrt halten sollen, das Dach durchbrochen und sich erhoben hätte, um sich der Welt zu zeigen

Szenisch nicht realisierbares Bild (herkömmlicher Irrealis), weil das *comparandum* ein Gebäude bezeichnet.

> es war, als hätte er Frieda aus einem ihm günstigen Schlummer geweckt

Bloß vorgestellte Hilfssituation, die mit Konjunktiv II bedacht wird –K. unterhält sich in diesem Augenblick schon eine Zeitlang mit Frieda.

> mir ist dann, wie wenn ich alles verloren hätte

Ersetzung von Konjunktiv I durch Konjunktiv II aus formalen Gründen, K. ist ohne Frieda tatsächlich ein »Nichts«.

> Es war ... wie wenn sich aus diesem Summen in einer geradezu unmöglichen Weise eine einzige hohe, aber starke Stimme bilde, die an das Ohr schlug, so, wie wenn sie fordere, tiefer einzudringen als nur in das armselige Gehör

Ersetzung von Konjunktiv II durch Konjunktiv I, um Gleichklang und Verwechslung mit dem Präteritum des schwachen Verbs zu vermeiden. Durch die Art der Zuordnung – »in einer geradezu unmöglichen Weise« – zwischen Vergleichsebene und Sachebene ist nahegelegt, daß es sich um einen Vergleich handelt, der in K.s Situation nicht realisiert werden kann. Will man dies nicht annehmen – doch ist dann uneinsichtig, warum die Unmöglichkeit der Zuordnung betont wird, der kein besonderer Anschauungswert zukommt –, steht hier regelrecht Konjunktiv I.

> mir war, als kämst du gerade in den Ausschank, zutunlich, offenherzig, und suchtest so kindlich-eifrig meinen Blick

Doppelte Determinierung: Konjunktiv II muß aus formalen Gründen stehen, und weil dem comparandum (der Beginn von K.s Gespräch mit Hans Brunswick) ein Gefüge aus der ersten Begegnung zwischen Frieda und K. zugeordnet ist, die schon lange zurückliegt; es liegt also auch eine situationsüberschreitende Hilfsvorstellung vor, die den Konjunktiv II verlangt. Die Ersetzung durch Konjunktiv I beim schwachen Verbum unterbleibt natürlich in der 2. Person singularis, weil dadurch eine preziöse und mit dem Indikativ zu verwechselnde Form entstünde.

In der deutschen Dickens-Übersetzung steht bei dieser Konstruktion immer Konjunktiv II beziehungsweise Präteritum, auch nach präsentischem Oberbegriff und bei schwachen Verben:

> es ist mir ganz so, als müßte ich laut zu ihm sprechen
>
> mir war's, als ob ich ihr zuhörte
>
> ... war es mir, als ob schon der Ton der Glocke mein Botschaft verriet [343]

Innerhalb der Kafka-Forschung hat nur J. Kobs den Als-ob-Sätzen besondere Beachtung geschenkt. Die Form ist für ihn ein Ausdruck dafür, daß die Perspektivträger in den Romanen das Sichtbare kurzschlüssig in Strukturen der subjektiven Innerlichkeit übertragen. In den diesbezüglichen häufigen Deutungen mimisch-gestischer Phänomene findet er seine Grundthese bestätigt, das für Kafkas Gestalten diskontinuierliche Bewußtsein nehme nur Einzelheiten, Teilaspekte wahr, die es durch Verknüpfungen und Interpretationen in einen einheitlichen Wirkungszusammenhang zu bringen suche, weil die vorgängige Isolierung das Sichtbare nicht als sinnhaltige Größe, sondern in unerklärlicher Fremdheit erstehen lasse. [344]

 ˙ Diese Auffassung ist falsch. Mögen die von Kobs hervorgehobenen Denkprozesse auch in bestimmten reflektierenden Partien des *Verschollenen* und der beiden anderen Romane, zu denen er in dieser Hinsicht keinen Wesensunterschied feststellt, tatsächlich zum Ausdruck kommen, so wäre die von ihm vorgenommene erkenntnistheoretische Ausdeutung dieses Sachverhalts nur dann zulässig, wenn er vom realen Wahrnehmungssystem des Dichters unterschieden wäre und nicht vielmehr dieses spiegelte, wie die schon zitierten, aufs Erkenntnismäßige gehenden Lebenszeugnisse beweisen.

Was nun besonders den mimisch-gestischen Bereich angeht, so besteht die Darstellung von Kobs in einer einzigen Häufung von unbewiesenen Spekulationen und falschen Einzelauslegungen. Er meint nämlich, unter Hinweis auf *Dantons Tod*, wo an einer Stelle die vergebliche Mühe betont wird, aufgrund der allein am andern faßbaren sichtbaren Attribute zu kommunizieren und einander zu erkennen – »Wir müßten uns die Schädeldecken aufbrechen und die Gedanken einander aus den Hirnfasern zerren« –, Kafka habe diese Ansätze Büchners kritisch zu Ende gedacht, d. h. er sei sich der Diskrepanz zwischen dem bloßen Schein äußerer Gegebenheiten und dem von ihm unterschiedenen unerreichbaren Wesen schmerzlich bewußt gewesen. Allerdings seien die Gestalten der Erzählwelt selbst denkbar weit von dieser Einsicht entfernt: »Sie sind von der unreflektierten Überzeugung getragen, daß das Äußere dem Innern genau entspreche und stets eine sinnhaltige Größe sei.« [345]

Es ist, wie die Untersuchung der Lebenszeugnisse ergeben hat, der Dichter selbst, der zum Ärgernis skeptischer Erkenntnistheoretiker von diesem naiven Glauben an die Deutlichkeit äußerer Gegebenheiten getragen war und in seiner diesbezüglichen Interpretationsfähigkeit eigentlich die einzige Fähigkeit sieht, die er andern gegenüber rühmend hervorhebt.

Von entsprechender Gewaltsamkeit sind die Einzelanalysen von Kobs:

> Der Bursche mit der zerfressenen Nase im Torweg fiel ihm ein, und er legte einen Augenblick lang das Gesicht in seine Hände
>
> »Jetzt küßt er sie«, sagte Robinson und hob die Augenbrauen

Es gibt kein sinnvolles Kriterium, das die Feststellung eines grundlegenden Unterschieds zwischen den beiden Ausdrucksbewegungen zuließe, wiewohl es sich einmal um eine Körpergeste, das anderemal um eine Stirnmiene handelt und die Bezugspersonen, perspektivisch gesehen, unterschieden sind. Beide Äußerungen sind uninterpretiert, weil ihre Deutung nach Kontext und Lebenserfahrung selbstverständlich oder erschließbar ist. Für Kobs ist das erste Beispiel in der Sphäre des reinen Ausdrucks beheimatet, im Bereich dichter sprachlicher Ausdrucksintensität, die bei aller Sinnfülle nichts mehr bedeute. Es stehe für nichts außerhalb seiner selbst Liegendes, und jede begriffliche Fixierung zerstöre seine ungetrübte Wirkung.

Es bleibt unklar, nach welchen Grundsätzen Kobs sinnhafte Ausdrucksbewegungen, die nach seiner Meinung die Deckschichten subjektiver Überformungen durchbrechen, von andern abheben will, und daß er irrt, zeigt ein Blick auf den *Heizer*, von dem es an einer Stelle heißt: »Und müde setzte sich der Heizer nieder und legte das Gesicht in beide Hände.« Die Haltung bedeutet Resignation, Aussichtslosigkeit und verzweifeltes Nachdenken, wie der Kontext zeigt.

Kobs hat nicht erkannt, daß hier und noch in einigen ähnlich gelagerten Fällen im *Verschollenen* ein gestischer Verweisungszusammenhang herausgestellt wird, der den Leser erkennen läßt, daß sich die Verhältnisse im Verlauf des Romans insofern umkehren, als Karl erleidet, was sich ihm anfangs an anderen Figuren präsentierte. Verursachten seine Ratschläge die beschriebene Haltung des Heizers zu Beginn seiner amerikanischen Laufbahn, so führt sein eigenes unüberlegtes Handeln – Fluchtversuch und Strafe – später in der Wohnung Bruneldas genau zu der gleichen Ausdruckshaltung bei ihm selbst.

Und bei Therese, deren Schicksal dadurch noch enger motivlich mit Karls Lebenslinie verfugt wird: Am Schluß ihrer großen Erzählung angelangt, ist es ihr unmöglich, noch einmal auf die letzte Erinnerung an die Mutter zurückzukommen; sie stockt, legt das Gesicht in die Hände und sagt kein Wort. Genauso offensichtlich ist die Passivität in einem Brief Kafkas an Milena, wo er sich selber in dieser Haltung sitzen sieht, und die ihr eigene Niedergeschlagenheit kommt besonders deutlich in folgender, sich selbst ausdeutender Passage aus dem *David Copperfield* zum Ausdruck: »Ich stützte den Kopf in die Hand und fühlte mich bedrückter und niedergeschlagener, wie ich in das Feuer blickte, als ich es so kurz nach der Erfüllung meiner schönsten Hoffnungen für möglich gehalten hätte.« [346]

Indem Kobs solche strukturellen Gegebenheiten durchgängig mißachtet, muß er es auch falsch deuten, wenn Karl, der sich unfähig fühlt, dem sich im Gespräch immer mehr verwirrenden Heizer aus seiner Mißlichkeit herauszuhelfen, vor diesem sein Gesicht senkt und die Hände an die Hosennaht schlägt, »zum Zeichen des Endes jeder Hoffnung«. Gewiß mißversteht der Heizer diese Ausdruckshaltung, denn er verwechselt sie mit der Aufforderung, »Haltung zu wahren und den Kampf für die gerechte Sache tatkräftig voranzutreiben«, und fängt infolgedessen mit Karl zu streiten an [347]; doch kann man nicht wie Kobs sagen, daß dieses Mißverständnis zwangsläufig sei, weil die »militärisch straffe, energische und gesammelte Geste... schlechterdings nicht als Zeichen extremer Hoffnungslosigkeit verstanden werden« könne, die durch kraftloses Sinken- oder Herabfallenlassen der Arme zu bezeichnen sei, also so, wie es trivialer, von Kafka bewußt vermiedener Schreibweise entspricht. [348]

Karls Haltung wird deutlicher, wenn man eine Stelle aus dem dritten Kapitel vergleichsweise heranzieht, wo Herr Pollunder Greens Meinung beistimmt, Karl müsse vor seinem Abgang noch von Klara Abschied nehmen:

»Ihm hörte man es an, daß die Worte nicht aus seinem Herzen kamen, schwach ließ er die Hände an die Hosennaht schlagen und knöpfte immer wieder seinen Rock auf und zu . . . das Gesicht erschien bleich und geplagt.«

Nicht nur das Adverb »schwach«, sondern auch die als Gegensatz gegebene und sich unmittelbar anschließende Beschreibung Greens, der den Kopf »aufrecht und schaukelnd« trägt und dessen militärische Straffheit dadurch zum Ausdruck gebracht ist, daß er Karl ein »Vorturner« zu sein scheint und die Füße soldatisch zusammengeklappt hat – im *Heizer* wird das Militärische des Kapitäns durch dessen stramme Verbeugung artikuliert –, beides also beweist, daß für Kafka das Berühren der Hosennaht ein vollgültiger Ausdruck der Resignation war. Dies ist auch gut beobachtet, weil beim kraftlosen, Willensschwäche verratenden Herabfallen der Arme tatsächlich eine Berührung mit den Hosenbeinen zustande kommt. Vielleicht ist auch Verlegenheit als Komponente mitzudenken – das Auf- und Zuknöpfen des Rockes kann so verstanden werden –, weil Kafka diese Regung in einer Haltung ausgedrückt fand, wo die Arme eng an den Körper angedrückt sind. [349]

Vor allem aber vermag die Körpergeste mit dieser ungewöhnlichen Formulierung besser ihre Aufgabe als Motiv zu erfüllen, weil sich der Leser leichter als bei einem konventionelleren Ausdruck daran erinnert, daß von Karl schon Vergleichbares gesagt wurde. Wie dieser seinem Schützling gegenüber nicht aktiv wurde, so jetzt nicht Pollunder gegen Karl, an dem er doch Wohlgefallen gefunden hat. Außerdem redet Karl lange und umständlich vor Pollunder – »Dinge, an die er gar nicht eigentlich vorher gedacht hatte« –, um seinen Wunsch zu motivieren, sofort zum Onkel zurückkehren zu dürfen, so wie der Heizer durch ein »trauriges Durcheinanderstrudeln« den Kapitän bewegen will, Schubal zur Rechenschaft zu ziehen. Konnte Karl in jener Szene dessen Geschick nicht zum Guten wenden, so Pollunder hier nicht das Verhängnis von seinem Schutzbefohlenen abwenden. Wieder findet also eine Umkehrung der im *Heizer* vorgestellten Gegebenheiten statt, wo Karl dort zum Betroffenen wird, wo er vorher Bezugsperson eines solchen war. [350]

Auch die gehobene Braue Robinsons deutet Kobs falsch; sie ist keineswegs ein »Zeichen der Verzückung«. Warum sollte auch Karl, in erotischen Belangen noch ein Kind, als Perspektivträger des Romans eine derartige Miene richtig auffassen können? Es handelt sich vielmehr um ein von seinem Gesprächspartner begriffenes Zeichen der Aufmerksamkeit. Der Satz: »Der Voyeur, der die erotischen Gefühle anderer zu repräsentieren sucht, bringt es über eine marionettenhafte Gestik nicht hinaus«, entbehrt jeder sachlichen Grundlage.

Denn wenn Kafka komödienhaft-theatralisches Verhalten mit Hilfe einer Stirnmiene darstellen wollte, verfuhr er anders. In einer gestrichenen Stelle zum Schlußkapital des *Prozeß*-Romans heißt es über die beiden K. zum Steinbruch führenden Herren, deren pointiert schauspielerhaftes Gebaren K. auffällt: »Ihre Augenbrauen waren wie eingesetzt und wippten unabhängig von der Bewegung des Gehens auf und ab.« Mit Robinsons Miene vergleichbar ist eine Stelle aus dem achten Kapitel des *Prozeß*-Romans, wo es über den Kaufmann Block heißt: »Er zog die Augenbrauen hoch und neigte den Kopf, als horche er, ob sich der Befehl, zum Advokaten zu kommen, wiederholen würde.«

Neben dem Aufmerken ist das Erstaunen – beides in Übereinstimmung mit der Mimik-Forschung – psychisches Korrelat dieser Ausdrucksbewegung, die Kafka ganz bewußt an anderen beobachtete. Als der Büroleiter im *Verschollenen* sich weigert, Karl als Negro für das Theater in Oklahoma aufzunehmen, zieht der Diener die Augenbrauen in die Höhe, steht auf und spricht die Aufnahmeformel selbst, doch offenbar überrascht durch das Verhalten seines Vorgesetzten, und das übermäßige Erstaunen von Frauen, die erfahren müssen, daß Männer in Gefahr sie für nichts achten, wird so ausgedrückt: »ihr endloses Reden bekommt Zeitwort und Punkt, die Augenbrauen steigen aus ihrer Ruhelage auf, die Atembewegung der Schenkel und Hüften setzt aus«. Eine Abart dieser Verwendungsart liegt dann vor, wenn Kafka die Miene als Ausdruck für einen Seelenzustand einsetzt, wo jemand nur sehr unvollständig imstande ist, sich zu äußern; es handelt sich hier gleichsam um eine Folgeerscheinung nach dem Überraschtsein. Eine derartige Augenstellung verweist also auch auf eine innere Spannung, die sich nur unzureichend in Rede entladen kann. Bezeichnend ist eine Regieanweisung in einem kleinen Dialogfragment, die so lautet: »*Kleipe* geht sehr langsam zum Bett und sucht auf dem Weg durch Handbewegungen etwas zu erklären. Beim Reden hilft er sich durch Strecken des Halses und durch Hoch- und Tiefziehn der Augenbrauen«. Dazu paßt sehr gut eine Stelle aus der viele Jahre älteren *Beschreibung eines Kampfes*, wo es von dem Betrunkenen heißt, er habe seine Augenbrauen hochgerissen, »so daß zwischen ihnen und den Augen ein Glanz entstand«, denn seine folgende Rede geschieht stockend »in Absätzen« und ohne klar durchlaufende syntaktische Gliederung. [351]

Die grammatische Analyse der Als-ob-Sätze ergab, daß die in ihnen artikulierten Inhalte von Beobachtern wahrgenommene Beschaffenheiten der Dinge, erschlossene Ausdrucksbewegungen oder Bewußtseinsinhalte anderer Figuren (oder der eigenen Person) darstellen, deren Richtigkeit an sich offenbleibt und überhaupt nicht mit sprachlichen Mitteln überprüft werden kann. Kann also die Auffassung von Kobs, die diesbezüglichen Deutungsversuche der Perspektivträger führten regelmäßig zu kurzschlüssigen Übersetzungsfehlern, weil das derart isolierte Detail nur unerklärlich werde, überhaupt philologisch bewiesen oder widerlegt werden? Das ist in der Tat möglich, insofern beim fiktionalen Text eine geschlossene, der Empirie vergleichbare Erzählwelt vorliegt. Denn kann der Wahrheitsgehalt eines auf reale Personen bezüglichen Als-ob-Satzes nur dadurch festgestellt werden, daß diese daraufhin untersucht werden, ob ihnen die beigelegten Attribute zukommen, so ist die entsprechende Realitätskontrolle in Kafkas Romanen dadurch möglich, daß die im jeweiligen Als-ob-Satz gegebene Deutung mit den Informationen verglichen wird, die der Romankontext liefert. Nur wenn sich dabei Diskrepanzen ergeben, hätte Kobs mit seiner Auffassung recht.

Als der Heizer bei der Darstellung seiner wechselvollen seemännischen Laufbahn – er hat schon auf zwanzig Schiffen gedient – erwähnt, er habe sich als Arbeiter ausgezeichnet, sei belobt worden und sogar einige Jahre auf dem gleichen Handelssegler gewesen, erhebt er sich, »als sei das der Höhepunkt seines Lebens«. [352] Kobs will seine These an diesem Satz dadurch bestätigen, daß er ein ephemeres, willkürlich gewähltes tertium comparationis feststellen zu können glaubt. Eine derartige, auf sprachlicher Ebene sich vollziehende Kritik ist der Fragestellung, wie eben ausgeführt, unangemessen. Sie setzt auch voraus, daß das comparandum bekannt ist, denn nur dann läßt sich über die Tragfähigkeit eines Vergleichspunktes Bündiges ausmachen. Schließlich könnten derartige ungewöhnliche Verknüpfungen auch eine Eigenheit oder Ungeschicklichkeit Kafkas sein:

> Du hast mir drei Stücke aus dem Roman vorgelesen ... im ersten fuhren einem die tatsächlichen »jüdischen Stellen« ein wenig störend über die Augen, als würden im dunklen Saal bei einzelnen Stellen alle Lichter schnell auf- und abgedreht

Was haben, so könnte man angesichts dieser Passage aus einem an Max Brod gerichteten Brief sagen, störende Textstellen mit unvermittelten Lichteinwirkungen gemeinsam? Auch ist die Vergleichsebene gar nicht hinreichend expliziert: Meint die Wendung »bei einzelnen Stellen« die Lesung Brods (dann wären Bild- und Sachebene unzulässig miteinander vermischt), oder hat man sich einen im dunklen Saal vor einem Publikum Vortragenden zu denken, was in sich schon ein schiefes Bild ergäbe? Denn dann ist noch weniger deutlich, was die durch schnelles Auf- und Abdrehen der Saalbeleuchtung bewirkte Blendung der Zuschauer mit den nach Kafkas Gefühl aus dem Kontext herausfallenden jüdischen Stellen in Brods Roman zu tun haben sollen. Um im zweiten Fall überhaupt noch ein tertium zu finden, muß man auf den in anderen Zusammenhängen schon erläuterten Bildbegriff der Blendung zurückgehen. Kafka wäre dann vor der Auffälligkeit der fraglichen Textteile zurückgeschreckt, die sich zum andersartigen Kontext verhielten wie hell zu dunkel, und dieser abrupte Wechsel wäre nach Kafkas ästhetischen Grundsätzen tatsächlich störend.

Besteht nun hier nicht ebenfalls eine sehr indirekte Beziehung zwischen dem Oberbegriff und seiner Erläuterung im Als-ob-Satz? Beeinträchtigt die Fragwürdigkeit der formalen Aneinanderkettung etwa die Richtigkeit des von Kafka hier Monierten? Und andererseits müßte dann Kobs zugeben, daß korrekte tertia auf eindeutige Beobachtungen der Wahrnehmenden schließen ließen.

> er ... stieß einmal mit dem Ellbogen herum, als sei er noch im Gedränge
>
> der Onkel ... stieß ihn gegen das Haustor, als wolle er ihn dort festnageln [353]

Die Vergleichspunkte in beiden Beispielen sind unanfechtbar und eindeutig, und doch darf man daraus nicht schließen, daß Karl und Josef K. deswegen richtig beobachtet hätten; es wäre sogar denkbar und läßt sich bei Kafka belegen, daß ein Autor fiktive Figuren auch durch die Art charakterisiert, wie sie Metaphern bilden.

Zu der fraglichen Stelle in der Erzählung des Heizers gibt es eine bemerkenswerte Parallele: Als Bürgel nach langen Erklärungen der bürokratischen Verhältnisse im allgemeinen jene fast niemals vorkommende Möglichkeit beschreibt, daß eine Partei überraschend einen Sekretär aufsucht, der in der zu verhandelnden Sache eine Nebenzuständigkeit besitzt, spricht er »mit zwei Fingern an der Unterlippe spielend, mit geweiteten Augen, gestrecktem Hals, etwa als nähere er sich nach einer mühseligen Wanderung einem entzückenden Aussichtspunkt«.

Zunächst muß man bedenken, daß durch die Art der Einzelgesten ein Verweisungszusammenhang im Roman aufgebaut werden sollte, wenngleich dieser in der vorliegenden Gestalt des Romans noch nicht sichtbar wird. In einer von Kafka verworfenen Passage nämlich wird der Schreiber Bratmeier in einer ähnlichen Haltung dargestellt. Er betritt den Ausschank »mit großen Augen umheräugend, den Hals immer wieder weich auf und abbewegend, was ein fortwährendes Bestreben gefällig zu sein ausdrückte«; dann setzt er sich nieder, »die rechte Hand beim Munde«. Daß Kafka diese Positur empirisch beobachtet hat, macht eine Briefstelle vom Mai 1920 wahrscheinlich, in dem der Dichter Max Brod schreibt: »eine alte Tante von mir hat z. B. ohne besondere innere Beteiligung ein außerordentliches Zuhör-Gesicht: offenen Mund, Lächeln, große Augen, fortwährendes Kopfnicken und unnachahmliche Halsstreckung, die nicht nur demütig ist, sondern auch das Ablösen der Worte von den Lippen des andern erleichtern will und erleichtert.« Durch solche Motiventsprechungen wird die Homogenität der einander zugeordneten hierarchischen Einheiten der Schloßbürokratie betont: So wie Klamms Dienerschaft in ihrer mimischen Ausformung zum Vorsteher Klamm paßt und wie der Blick des einzelnen Knechtes an den seiner Kollegen erinnert, so auch der Schreiber an den ihm übergeordneten Sekretär, dem er vielleicht sogar speziell dient.

Die einzelnen Ausdrucksbewegungen, deren optisches Erscheinungsbild sowieso für K. keinen Interpretationsspielraum zuläßt, meinen ungewisse, gespannte Nachdenklichkeit – darauf verweisen auch noch andere Parallelstellen und die Tatsache, daß Bürgel die entscheidende Phase seines Vortrags mit einer rhetorischen Frage einleitet –, innere Erfülltheit von dem zu Berichtenden – als Nebenbedeutung kommt derartig erweiterten Augen, wie gezeigt, auch das Moment des Ängstlichen zu – und eine Haltung, die man am besten mit dem Begriff der Geneigtheit umschreibt, denn neben dem Element des Gefällig-sein-Wollens, das aus der Erläuterung der auf Bratmeier bezüglichen Stelle zu erschließen ist, eignet der Positur natürlich auch die Komponente des Interesses, weil eine derartige Stellung des Halses mit einem gespannten Vorstrecken des Kopfes identisch ist.

Die drei Verhaltensweisen Bürgels entsprechen demnach genau der geschil-

derten Situation, denn K.s Eindringen stellt doch für den Sekretär erlebnismäßig einen Höhepunkt seiner Amtstätigkeit dar, die ihn gleichzeitig erregt
und ängstigt.

Sie werden zusammenfassend passenderweise mit der Spannung, Erfülltheit und strebenden Aktivität eines Wandernden verglichen, der sein Ziel
vor Augen hat.

Dies war für den gern weite Strecken gehenden Kafka eine naheliegende
Vorstellung, die noch an einer weiteren, ebenfalls getilgten Stelle des Romans
vorkommt, wo K. sich vorwirft, geglaubt zu haben, »er könne so leicht ins
Schloß kommen, wie man etwa auf einem kleinen Sonntagsspaziergang einen
Hügel bezwingt«. Diese Aussage erhellt, daß Kafka derartige Ausflüge als
strukturierten Spannungsverlauf ganz bewußt empfand. Für die Art, wie nun
dieses reale Anschauungsmoment metaphorisiert wurde, könnte wieder
Dickens Vorbild gewesen sein. Denn über den seine große Abschiedsrede
haltenden Mr. Micawber heißt es, er habe gesprochen, als ob er »fünfhundert-
tausend Meilen reisen sollte«; im Kontext wird noch berichtet, er sei vorher
aufgestanden und habe sich nachher wieder hingesetzt. Also auch hier wird
der Höhepunkt der Ausführungen, die der Autor durch Ausdrucksbewegungen als gegliederten seelischen Ablauf vorstellt, mit einer großen Marsch-
leistung verglichen. Das tertium comparationis ist also in allen Fällen die
Ausgedehntheit eines zu einem Gipfelpunkt strebenden Vorgangs. [354]

Wenn Kafka in dem zehn Jahre älteren *Heizer* den gleichen Vorstellungsbereich nur leicht modifiziert verwendet, so läßt das den Schluß zu, daß ein
festes Denkgefüge des Autors vorliegt, der längere Reden sowieso gestisch
zu artikulieren trachtete. Und wie der unerwartete nächtliche Besuch K.s bei
Bürgel als markanter Punkt in dessen Dienst erscheint, so doch auch die Tatsache, daß der ewig unzufriedene Heizer jahrelang auf einem einzigen Schiff
aushielt, denn dieser Sachverhalt hebt sich als der Höhepunkt seiner Karriere
heraus, der ganz zwanglos die genannte Ausdrucksbewegung evoziert, besonders bei einem so impulsiven Charakter. Es gibt also keinerlei Hinweise
darauf, daß Karl die Stimmungslage seines Gesprächspartners falsch verstanden hätte.

In andern Fällen findet Kobs gar keinen Vergleichspunkt:

> Und der Mann setzte sich auf den Sessel, als habe Karls Sache jetzt einiges Interesse
> für ihn gewonnen

Selbst wenn man dies zugestünde – das tertium ist hier die einer kurzfristig
aufgehobenen Aufbruchssituation zugrunde liegende Verfassung –, hätte Karl
genau beobachtet. Der Heizer will sein Zimmer verlassen, er läßt sich durch
den eindringenden Karl zunächst nicht stören, sondern packt weiter seine
Habseligkeiten zusammen; wenn er nun Karl Ratschläge gibt und ihn nach
seinem Schicksal fragt, so kann dies als beginnendes Interesse für seinen
Gesprächspartner ausgelegt werden, das sich äußerlich auch dadurch dokumentiert, daß er sich setzt. Von seiner augenblicklichen Tätigkeit und seinen
seitherigen Intentionen her bestand dazu überhaupt kein Anlaß.

Es läßt sich durchweg zeigen, daß die Als-ob-Sätze keineswegs einen möglicherweise verzerrten Wahrnehmungshorizont der Perspektivträger widerspiegeln, sondern Informationen enthalten, die der Erzähler dem Leser zukommen lassen will, die er aber aus perspektivtechnischen Gründen nicht anders formulieren kann. An einigen markanten Beispielen soll diese wichtige Einsicht noch illustriert werden:

Von Green heißt es einmal: »es bekam wirklich den Anschein, als wolle er sich von seiner alten Wirtschafterin gründlich erholen.« Hier wird im Als-ob-Satz nur das aufgenommen, was Green eben selber gesagt hat. Ähnlich, aber komplizierter ist folgende Stelle aus dem *Prozeß*:

> »Deshalb kann ich es auch wagen, hier und da einem armen Manne, der einen Prozeß hat, zu helfen.« »Und wie tun Sie das?« fragte K., als sei es nicht er, den der Maler soeben einen armen Mann genannt hatte. Der Maler aber ließ sich nicht ablenken, sondern sagte: »In Ihrem Fall zum Beispiel werde ich . . .«

Zunächst fällt ja auf, daß die Als-ob-Form auf den Perspektivträger selber angewendet wird. Kobs sieht darin den Prozeß der Selbstentfremdung der Figuren aktualisiert, die in solchen Deutungen angeblich die Antriebe ihrer eigenen Innerlichkeit verfehlen. Diese Auffassung vergewaltigt aber die Texte, weil die Mitspieler auf die Gesten der Perspektivträger im Sinne der gemachten Selbstdeutungen reagieren. Es gibt keinen Beleg dafür, daß in solchen Fällen der von den Zentralgestalten ausgehende Vorgang der Selbstentfremdung von den Gegenfiguren spiegelartig verstärkt werde.

K. ist Titorellis Aussage peinlich, er sei ein armer Mann. Er will eine weitere persönliche Zuspitzung des Gesprächs abwehren, weil dann die ihm unangenehme Schuldfrage erörtert werden muß; er stellt also seine Frage in einem akademischen, kein persönliches Engagement verratenden Tonfall, der Titorelli von der eingeleiteten Zuspitzung des Gesprächs aufs Persönliche abbringen soll. Der Maler jedoch – nur wenn man so deutet, bekommt das »aber« einen Sinn – läßt sich darauf nicht ein, sondern appliziert seine Aussagen noch schärfer auf K.

Ähnlich gestaltet Kafka zu Beginn des Romans:

> »Lächerliche Zeremonien!« brummte er noch, hob aber schon einen Rock vom Stuhl und hielt ihn ein Weilchen mit beiden Händen, als unterbreite er ihn dem Urteil der Wächter. Sie schüttelten die Köpfe. »Es muß ein schwarzer Rock sein«, sagten sie

K.s Handbewegung muß wirklich ein Unterbreiten sein, denn sonst wäre die folgende Kopfgeste und Rede der Wächter unverständlich.

Ein sehr instruktives Beispiel ist auch folgende Passage aus dem *Fragment I* des *Verschollenen*. In einem durch zwei Schränke vom übrigen Zimmer abgetrennten Raum wird Brunelda von Delamarche gebadet, unsichtbar den Blicken Robinsons und Karls. Gegen Ende dieser großen, für alle Beteiligten aufreibenden Aktion heißt es:

> Aber sogleich war alles vergessen, denn Brunelda flüsterte, ganz müde, als werde sie von dem heißen Wasser überflutet . . .

Der Reiz dieser Stelle besteht darin, daß der Perspektivträger zwar auch hier einen Sachverhalt an bestimmten Indizien erschließen muß, ganz so, als handele es sich um eine Ausdrucksbewegung, daß sich aber aufgrund des Kontextes eindeutige Aussagen über die Rechtmäßigkeit dieser Interpretation machen lassen, handelt es sich doch um eine äußere Situation. Will man nun wirklich behaupten, hier liege ein irrealer Vergleich vor und das im Als-ob-Satz Stehende sei nicht im Sinne der fiktiven Romanszene existent? Der Leser erfährt, daß Robinson kübelweise heißes Wasser in den Baderaum trägt, auch hören Karl und sein Kumpan, wie Brunelda sagt: »Ach, wie ist das Wasser heiß, man wird so müde.« Endlich wird kurz zuvor erzählt: »Delamarche schien sie aus Furcht, sie könnte sich erkälten, erfaßt und in die Wanne gedrückt zu haben, denn mächtig klatschte es im Wasser.« Hier wäre es übrigens auch unsinnig, etwa dieser Aussage, die ja ebenfalls erschlossen ist, einen höheren Realitätsgrad zubilligen zu wollen, weil sie sich durch das Verb »scheinen«, nicht aber durch einen Als-ob-Satz als solche erweist. Jedenfalls sind sämtliche Voraussetzungen für das in dieser Form Artikulierte für Karl eindeutig beobachtbar, sogar das Ergebnis selber wird ja von Brunelda formuliert, er braucht nur in einem Kausalschluß, den niemand anzweifeln wird, Ursache und Wirkung zu verbinden. Der Vergleichssatz soll also ausschließlich verdeutlichen, daß das Vorgestellte von Karl beobachtet und gefolgert ist, und zwar als richtig, wie der Zusammenhang ergibt.

Für eine solche Auffassung der Dinge läßt sich auch der Schlußsatz des *Prozeß*-Romans als Beleg anführen, dessen Entstehung aus der Handschrift abgelesen werden kann. Kafka hatte zunächst geschrieben: »Wie ein Hund! sagte er, sein letztes Lebensgefühl war Scham.« Dann wurde der letzte Satz gestrichen und durch die Formulierung »bis ans letzte Sterben blieb ihm die Scham nicht erspart« ersetzt. Aber auch dies tilgte Kafka wieder zugunsten der endgültigen Aussage: »es war, als sollte die Scham ihn überleben.«

Sachlich besteht zwischen den Varianten insoweit kein Unterschied, als doch in allen drei Versionen betont werden soll, daß K. bis ganz zuletzt ein Schamgefühl empfindet. Die dritte Fassung des Satzes zeichnet sich nur dadurch aus, daß hier dieser Gedanke besonders pointiert und in kursusartiger rhythmischer Glätte vorgestellt wird. Der dabei verwendete Als-ob-Satz hat also in gar keiner Weise einen irrealen Aspekt, sein Wirklichkeitscharakter steht den anderen Aussageformen in nichts nach.

Müßte aber K. nicht selber über sein Verhalten so genau Bescheid wissen, daß sich dessen Vorstellung in einem Als-ob-Satz erübrigt?

Das Problem wäre verhältnismäßig einfach zu lösen, wenn es sich um Fälle handelte, wo an sich eindeutige Ausdrucksbewegungen oder innere Gegebenheiten durch Hilfsvorstellungen oder Metaphern näher veranschaulicht werden sollen. Die Belege bei Dickens sind dieser Art:

> In sehr unbehaglicher Stimmung folgte ich ihm und mit einem Gefühl, als überriesele es plötzlich heiß meinen ganzen Körper, gleichsam als ob meine Befürchtungen in Knospen ausbrächen

... daß mir die Finger schmerzten, als ob ich sie verbrannt hätte
(vgl. folgende Aussage über die Herrenhofwirtin im *Schloß*: »hierbei war es, als überliefe sie ein Kälteschauer«)

ich ... ging mit ihm fort, als wandelte ich auf Wolken [355]

Kafkas Beispiele sind in der Regel anderer Art. Trotzdem lassen sich die meisten Fälle, wo Gegebenheiten der Perspektivträger erläutert werden, auf zwanglose Art erklären. Zum besseren Verständnis hat man sich dabei folgenden Sachverhalt klarzumachen: Als-ob-Sätze dienen außerhalb von Situationen, die durch möglicherweise eingeschränkte Wahrnehmungshorizonte gekennzeichnet sind, als gewöhnliche Komparativsätze, die beliebige Zusammenhänge verdeutlichen sollen. So wird zum Beispiel die Form in Kafkas Romanen auch in den sprachlichen Äußerungen der Figuren verwendet:

man hört dort solche Geschichten ungläubig an, als könne außerhalb des Zimmers eigentlich nichts geschehen

Auf diese Weise deutet Pepi in ihrer langen Erzählung die eigene Situation und die ihrer Freundinnen. Es ist in keiner Weise gekünstelter, wenn K. in einem Gespräch mit Frieda über die Gehilfen ausführt:

Merke sie denn nicht auch, daß die Gehilfen frecher würden von Tag zu Tag, so, als ermutige sie eigentlich erst Friedas Gegenwart und die Hoffnung, daß K. vor ihr nicht so fest zugreifen werde, wie er es sonst tun würde

Es bedeutet auch prinzipiell keinen Unterschied dazu, wenn Perspektivträger derartige Vergleichssätze in Selbstreflexionen gebrauchen:

Wie sie auf meinem Schoß sitzt, als sei es ihr einzig richtiger Platz!

Das überlegt sich Josef K. im *Prozeß*, »verwundert« über Leni, die sich an ihn gedrängt hatte. Ist hier eine Gegenfigur Objekt der Überlegung, so im folgenden Passus eine vorgestellte Lage des Reflektierenden selbst. Karl, in Bruneldas Wohnung gefangen, denkt vor dem Einschlafen über seine Zukunftsaussichten nach:

Die guten Vorsätze drängten sich in seinem Kopf, als stehe sein künftiger Chef vor dem Kanapee und lese sie von seinem Gesicht ab

An dieser Stelle sei ein kurzer Blick auf die Lebenszeugnisse Kafkas erlaubt. Die wenigen Zitate mögen veranschaulichen, daß der Gebrauch der Als-ob-Form sich in keiner Weise von der Verwendungsart in dichterischen Texten unterscheidet. In einem Brief an Felice bekennt der Dichter zum Beispiel:

Ich habe mich gerade dabei ertappt, daß ich beim Schreiben des vorigen Satzes ganz gerade in die Höhe sah, als wärest Du in der Höhe. Wärest Du doch nicht in der Höhe, wie es leider wirklich ist, sondern da bei mir in der Tiefe

Einmal handelt es sich also um eine Selbstbeobachtung, die hinsichtlich ihrer Optik direkt mit den eben zitierten Beispielen verglichen werden kann. Dann aber zeigt sich auch auf dieser Ebene, daß solche Vergleichssätze, auch wenn sie im Konjunktiv II stehen, die Realität des Ausgesagten überhaupt nicht vermindern, denn der zweite Satz formuliert ja den durch die Konjunktion »als ob« eingeleiteten Befund noch einmal als augenblicklich bestehend. Der Konjunktiv II soll aussagen, daß Felice nicht, jedes physikalische Gesetz aufhebend, körperhaft über Kafka schweben kann, daß er aber den Blick erhob, wie wenn dies der Fall wäre. Trotzdem bleibt bestehen, daß die Geliebte in einem übertragenen Sinne extrem weit über ihm steht. Ähnlich gelagert ist das folgende Beispiel, wo der Dichter von einem Telegramm Felicens sagt:

> ich starre es an, als wäre es ein Gesicht

Die Form »sei« kann hier nicht stehen, weil es situativ unmöglich ist, daß ein Telegramm menschliche Formen annimmt; gleichwohl besteht die Aussage zu Recht, weil Kafka öfters das Gefühl hatte, daß ihm die Geliebte aus dem Geschriebenen entgegentrat.

Über die jüdische Schauspielerin Tschissik notiert sich Kafka im Tagebuch:

> Ihr Gang bekommt leicht etwas Feierliches ... Besonders als sie das jüdische Nationallied sang, in den großen Hüften schwach schaukelte und die parallel den Hüften gebogenen Arme auf und ab bewegte, mit ausgehöhlten Händen, als spiele sie mit einem langsam fliegenden Ball

Da man mit derart gehobenen Händen tatsächlich Ballspielen kann, steht der Konjunktiv I; ob dabei eine Ausdrucksbewegung interpretiert wird oder nur die äußere Haltung einer Person veranschaulicht werden soll, ist dabei natürlich belanglos.

Besonders instruktiv für den vorliegenden Zusammenhang ist auch der Befund in der frühen Erzählung *Beschreibung eines Kampfes*, insofern hier zwei im Sprachlichen streckenweise sehr ähnliche Fassungen vorliegen, die aber gerade hinsichtlich der Verwendung der Als-ob-Sätze auffällige Unterschiede zeigen.

Zunächst gibt es dort Stellen, die eindeutig beweisen, daß den mit Hilfe dieser Form artikulierten Inhalten keinerlei Minderung ihres Realitätsgrades eigen ist, sondern daß diese ein einfaches Mittel der Perspektivgestaltung darstellt, das es erlaubt, innere Regungen der Gegenfiguren eines Wahrnehmungsträgers zu erkennen. Dazu einige Beispiele, in denen die beiden Fassungen wie in der Edition mit A und B bezeichnet werden:

> A: Mein Bekannter kam in fröhlichem Schritt und wohl auch ein wenig besorgt
> B: Mein Bekannter kam über die Trottoirfläche weg auf mich zu, rasch, als sollte ich ihn auffangen

Der Begriff »besorgt« ist durch das »wohl« deutlich als interpretiert angegeben, und für die Bezeichnung »fröhlich« muß man dies — es handelt sich um eine Ich-Erzählung — gleichfalls annehmen. Mehr als dieser fehlende Hinweis ist als Motiv für die Änderung wohl anzusetzen, daß die heitere Seelenlage schwerlich allein an der Art der Beinbewegung abgelesen werden kann, daß nicht konkretisiert ist, woran sich die Besorgtheit zeigt, und daß die beiden genannten Stimmungslagen ja Gegensätze sind, die als solche in der Fassung A im Leser keinen einheitlichen Gesamteindruck erzeugen können. Die Änderung verbessert alle diese Mängel, weil der Zustand des anderen als eine einheitliche Gesamtbewegung des raschen Gehens gegeben wird, deren Deutung als Ausdrucksbewegung im erläuternden Nachsatz sowohl Freude als auch Gedrücktheit einschließt.

Interessant ist die Genese des ersten Satzes der *Belustigungen*, der in vier verschiedenen Fassungen überliefert ist. Ihre zeitliche Abfolge wird im folgenden Zitat durch eingeklammerte Zahlen verdeutlicht:

A: Schon sprang ich (1) mit ungewohnter Geschicklichkeit
B: (2) , geschickt[, als sei es nicht das erste Mal]
                            (3) , als sei es nicht das erste Mal
                            (4) — im Schwung, als sei es nicht das erste Mal —
    meinem Bekannten
    auf die Schultern

Es handelt sich hier also um eine Selbstbeobachtung des Erzählers, die, ginge es nach der Auffassung von J. Kobs, regelrecht gar nicht in dieser Vergleichsform stehen dürfte. Kafka empfindet offenbar die Wendung »mit ungewohnter Geschicklichkeit« zu abstrakt und versucht das Springen durch die Evozierung eines auf Erfahrung gegründeten flüssigen Ablaufs zu veranschaulichen. Dabei entsteht nun aber zunächst eine Art Tautologie – was ist Geschicklichkeit anderes als durch Übung erworbene Sicherheit? –, die dadurch wieder aufgehoben wird, daß Kafka den Oberbegriff streicht. Daß es sich wirklich so verhält, lehren diejenigen Stellen, wo Als-ob-Sätze der Fassung A getilgt werden, weil das darin Ausgedrückte dem Autor zu trivial schien:

A: ... er beschleunigte sogar seinen Gang, als er merkte, daß er zurückgeblieben war und that, als wäre das etwas Natürliches
B: ... er beschleunigte seinen Gang, als er merkte, daß er zurückgeblieben war. Es wurde nichts gesprochen, man konnte auch nicht sagen, daß wir liefen
A: Dabei reichte ich ihm die Hand, als sei die Sache endgiltig erledigt
B: Dabei reichte ich ihm die Hand zum Abschied hin

So war der Dichter also auch mit der dritten Lesart des Einleitungssatzes zu den *Belustigungen* nicht zufrieden: Die Art des Sprunges wird jetzt als schwungvoll interpretiert und dadurch von bloßem Ungestüm gesondert.

In diesem Beispiel besteht also keine perspektivmäßige Akzentuierung, zu der vom Kontext her gar keine Notwendigkeit besteht, sondern die Form ist ausschließlich als bequem handhabbarer Vergleichssatz eingeführt.

Nicht immer sind die Ursachen für eine Änderung so kompliziert. Manchmal genügt für Kafka die Tatsache, daß der Vergleichssatz einfacher und überzeugender zum Ausdruck bringen kann, daß ein fraglicher Sachverhalt von einer Erzählfigur gedeutet ist, um ein Gefüge entsprechend umzubauen:

A: Aber ich brachte kaum die ersten Worte vor, als mein Bekannter gleichgültig und bloß überrascht darüber, mich noch hier zu sehn — so schien es mir — sich zu mir wandte und sagte

B: Mein Bekannter unterbrach mich, er wandte sich plötzlich um, es sah fast so aus, als sei er erstaunt, mich noch hier zu sehn

In der Fassung B ist der Sachverhalt ohne Zweifel konziser, griffiger und vor allem dramatischer gefaßt, und dazuhin ist die Plumpheit der in A vorkommenden Parenthese umgangen, ohne daß die Funktion des in ihr Mitgeteilten irgendwie geschwächt worden wäre, im Gegenteil.

Es ist übrigens durchaus nicht so, daß die Vergleichssätze in einer der beiden Fassungen dominieren, gibt es doch Stellen, wo Kafka schon an sich ihm genügende Als-ob-Sätze tilgt, weil er ihre Inhalte nicht in die Neubearbeitung übernehmen wollte. Manchmal kommt es dabei zu ganz feinen Abschattierungen des Gemeinten, wie folgende Belegstelle zu zeigen vermag.

A: ... ihre Augen schauen lustig, als wäre milde Witterung
B: ... sie machen lustige Augen und haben an der Witterung nicht das geringste auszusetzen

In der Erstfassung verweist der Konjunktiv II darauf, daß der Als-ob-Satz nur Vergleichscharakter hat, der bloß die Art des Sehens illustrieren, keineswegs aber auf das Innere der Figuren verweisen soll. Ob nämlich dieses in einem genetischen Zusammenhang mit dem herrschenden Wind steht, bleibt völlig offen, während in der Zweitfassung eine entsprechende Abhängigkeit postuliert ist, die die Verfassung der Figuren als Ausdruck der herrschenden Wetterlage erweist.

Man muß allerdings insgesamt sagen, daß der Konjunktivgebrauch in der fraglichen Stilform – wie übrigens auch der Gebrauch der erlebten Rede in den der Entstehungszeit nach vergleichbaren *Hochzeitsvorbereitungen auf dem Lande* – noch nicht die für die spätere Zeit dann kennzeichnende Eindeutigkeit und Folgerichtigkeit aufzuweisen scheint.

Man vergleiche dazu zunächst folgende Passage, die in der Erstfassung keinerlei Entsprechung hat und auch in dieser Form in der *Betrachtung* gedruckt wurde:

B: Fragte mich einer vom Fenster aus, so sah ich ihn an, als schaue ich ins Gebirge oder in die bloße Luft

Dann ist ungewöhnlich auch folgender Fall:

A: Daher griff ich in die hintere Hosentasche und that, als suche ich dort etwas
B: daher griff ich die die hintere Hosentasche und tat, als suchte ich dort etwas

Da in der Fortsetzung versichert wird, daß diese Handlung bloß vorgegeben war – der Erzähler wollte nur seinen Anblick verändern –, ist an sich Konjunktiv II das Gegebene, der aber von Kafka, wenn Verwechslungen mit dem Indikativ möglich sind, in den Konjunktiv I verwandelt wird. Da aber in der ersten Person singularis diese Verwechslung auch in diesem Fall möglich ist, mag sich der Dichter in der Zweitfassung für das üblichere »suchte« entschieden haben. In dem Zitat aus den *Kindern auf der Landstraße* dagegen wäre er beim Konjunktiv I geblieben. Da die Fortsetzung des Zitats lautet:

».. . und auch ihm war an einer Antwort nicht viel gelegen«, ist freilich noch eine andere Deutung möglich. Das im Vergleichssatz Stehende könnte vom Autor für situationsgegeben angesehen worden sein: Der Ich-Erzähler empfindet subjektiv seinen in die Ferne schweifenden und die Partner durchdringenden Blick als identisch mit der Augenstellung, die bei der gleichzeitigen Betrachtung dieser Objekte eingenommen wird.

Von dieser Verwendungsart her, wo also Perspektivträger beziehungsweise der beobachtende Dichter selber das eigene Verhalten durch Als-ob-Sätze zu präzisieren suchen, ist es nicht sachgemäß, davon auszugehen, daß in literarischen Werken nur Regungen der Gegenfiguren durch derartige Vergleichssätze vorgestellt würden, solche der Hauptfiguren aber direkt benannt sein müßten. Dies kommt freilich auch vor:

> Herr Pollunder schüttelte Karl ganz glücklich beide Hände, als wolle er sich so stark als möglich dessen vergewissern, daß Karl nun doch mitfahre. Karl . . . schüttelte auch seinerseits Herrn Pollunders Hände, er freute sich, den Ausflug machen zu können

Aber dennoch können die Mittelpunktsfiguren selber in Als-ob-Sätzen eigene Ausdrucksbewegungen vorstellen, insofern das Ziel darin besteht, die Art ihres Ablaufs oder ihr Erscheinungsbild zu verdeutlichen und nicht die sie verursachende Bewußtseinslage. Unter diese Rubrik lassen sich auch die beiden zitierten Briefstellen einordnen, wo Kafka eben das Bedürfnis hatte, einen ihm an sich wohlbekannten inneren Zustand in seiner besonderen Äußerungsweise bildhaft zu verdeutlichen.

Auch wenn man annimmt, daß im literarischen Werk solche Sätze Aussagen eines Erzählers sind, der nur berichtet, was der Wahrnehmungsträger wissen kann, ändert sich nichts, denn auch dann ist es natürlich, daß an sich bekannte Ausdrucksbewegungen in Vergleichssätzen spezifiziert werden. Wollte man dies nicht zulassen, also einer Einschränkung des Beobachtungshorizontes auf einen Erzählerstandort das Wort reden, wo auch die sprachlichen Formulierungen vollständig vom Bewußtsein der Perspektivfigur ergriffen werden, müßte jeweils der ganze Text, wie etwa in A. Schnitzlers *Leutnant Gustl*, nur aus innerem Monolog oder allenfalls noch erlebter Rede bestehen.

Hinsichtlich des Realitätsgrades gibt es keinen Unterschied zu entsprechend verwendeten Komparativsätzen mit »wie«, nur daß bei diesen ausdrücklicher betont wird, die gegebene Verdeutlichung sei mit Hilfe eines anderen Gegenstandsbereichs geleistet worden.

Man vergleiche:

> K. . . . machte eine Bewegung, als reiße er sich von den zwei Männern los, die aber weit von ihm entfernt standen

> »Lieber Onkel«, sagte K. und riß sich von seiner Zerstreutheit los

> K. . . . nickte Momus . . . zu, so wie man einem Kind zunickt, das man eben hat loben hören

Jedesmal geht es darum, die Art der Ausdrucksbewegung zu kennzeichnen. Kafka will in der ersten Stelle zur Darstellung bringen, daß K. teils schon innerlich an die beiden Wärter gekettet ist – sein ganzes Verhalten in der Eingangsszene des *Prozeß*-Romans ist ein Beleg dafür –, teils aber auch sich aus dieser Abhängigkeit zu lösen versucht. Da K. von den beiden Eindringlingen räumlich weit entfernt steht – hier waltet bewußtes Szenenarrangement –, kann sich Kafka nicht wie im zweiten Beispiel, das vom Beginn des sechsten Kapitels stammt, der direkten Formulierung bedienen, ist er doch nur in einer Lage, die mit einer solchen vergleichbar ist, wo jemand sich durch eine Bewegung aus sichtbarer Umklammerung befreit. Denn in der Szene mit dem Onkel ist das Verb durch die Art der ihm zugeordneten näheren Bestimmung nicht mehr in seiner handgreiflichen Grundbedeutung verwendet. Wenn K. seinen abwesenden Blick von dem ihm gegenüberliegenden Fenster löst und sich dem ihm ebenfalls in Blickrichtung gegenübersitzenden Besucher zuwendet, so überwindet er ja tatsächlich seine Mattigkeit, und seine innere Lage ist nicht nur mit einer solchen Situation parallelisierbar; deswegen kann diese mit Hilfe des schon metaphorisch verwendeten Verbs direkt benannt werden.

Der Als-ob-Satz unterscheidet sich also vom letzten Beispiel – die Kopfgeste K.s im *Schloß* wird durch eine Parallelszene als überlegen-gönnerhaft charakterisiert – nicht grundsätzlich. Der verwendete Konjunktiv I ist Ersatz für den eigentlich zu gebrauchenden, aber zu manieriert klingenden Konjunktiv II, denn da K. von seinen Mitspielern räumlich getrennt ist, muß das Sich-Losreißen als eine zwar situationsmögliche, aber nicht wirklich bestehende Hilfsvorstellung angesehen werden.

Schwieriger wird die Sache, wenn im Vergleichssatz eine die Miene oder Geste begleitende Bewußtseinslage vorgestellt werden soll, denn jetzt scheint es ja in der Tat, als stünden die Perspektivträger sich so fremd gegenüber wie ihren Gegenfiguren, und das, obwohl an andern Stellen erzählerisch unvermittelte Innendarstellungen in erlebter Rede gegeben werden.

> Und nun weinte Karl, während er die Hand des Heizers küßte, und nahm die rissige, fast leblose Hand und drückte sie an seine Wangen, wie einen Schatz, auf den man verzichten muß

> Bei ihr angekommen, faßte er sie bei den Schultern, so, als ergreife er wieder von ihr Besitz

Der zweite Satz bezieht sich auf K. im *Schloß*. Er trifft im »Herrenhof« Frieda wieder, die ihn mit Jeremias betrügt. In beiden Fällen nähern sich die Perspektivträger geliebten Objekten, von denen sie durch den Verlauf der Ereignisse getrennt wurden, in der Haltung ehemaliger Besitzer. Aus den Bewegungen ist dieser Sachverhalt aber nicht erkennbar, obzwar diese für den Leser durch die Mitteilung der ihnen zugrunde liegenden Haltung plastischer erscheinen mögen. Gleichwohl lassen sich Gesichtspunkte angeben, die erklären, warum Kafka auch bei solcher Sachlage Als-ob-Sätze benützt. Da sind zunächst die Fälle, wo eine sprachlich verkürzte Form des Typs »so tun, als ob« vorliegt; hier könnte Kafka gar nicht anders verfahren:

> »Und man muß die Erlaubnis zum Übernachten haben?« fragte K., als wolle er sich davon überzeugen, ob er die früheren Mitteilungen nicht vielleicht geträumt hätte

> »Dann werde ich mir also die Erlaubnis holen müssen«, sagte K. gähnend und schob die Decke von sich, als wolle er aufstehen

> »Das ist ja ein Richter«, hatte K. gleich sagen wollen, hielt sich dann aber vorläufig noch zurück und näherte sich dem Bild, als wolle er es in den Einzelheiten studieren

Da es sich jedesmal um ein schwaches Verbum in der 3. Person singularis handelt, vermeidet Kafka den Konjunktiv II, den er eigentlich setzen müßte, weil die Figuren das in Wirklichkeit nicht tun, was ihre Ausdrucksbewegungen zu verraten scheinen. Ein formales Indiz für diese Auffassung findet man nur im ersten Beispiel: Das »hätte« betont, daß K. die früheren Mitteilungen keineswegs geträumt hat, und damit ist für den Leser auch klar, daß sein erstaunter Tonfall nur gespielt ist.

In den beiden andern Beispielen hilft ein eindeutiger Kontext. Während des Besuchs bei Titorelli verstellt sich K. zunächst (er kommt z. B. absichtlich lange nicht auf den eigentlichen Zweck seines Besuchs zu sprechen). Obwohl er von dem Bild stark affiziert ist, hält er mit einer diesbezüglichen Frage zurück und sucht den Maler zunächst dadurch für sich einzunehmen, daß er vorgibt, sich für dessen Malkunst zu interessieren. Was das mittlere Zitat betrifft: K. weiß, daß er mit dem Schloß um seine Aufnahme kämpfen muß. Er hofft, daß Schwarzer vorschlägt, die Übernachtungserlaubnis könne nachträglich am nächsten Morgen eingeholt werden. Als sich diese Hoffnung zerschlägt — Schwarzer verlangt, daß K. gleich das Dorf verlasse —, gibt er sofort das nur Gespielte seines Verhaltens zu und geht zu einer andern Strategie über.

Es waren künstlerische Gründe, die Kafka dazu brachten, auf die ausdrückliche Nennung des übergeordneten Ausdrucks zu verzichten. Im Kontext der *Prozeß*-Passage heißt es wenig später:

> »Wie?« fragte K., er tat absichtlich, als verstehe er den Maler nicht völlig

Es hätte sich dann eine stilistisch unbefriedigende Wiederholung der Form »tat« ergeben. In den Passagen aus dem *Schloß* aber wollte Kafka nur indirekt K.s Intentionen zum Ausdruck bringen. K. ist Kafkas undurchdringlichste Gestalt; der Leser muß das Gewebe seiner Gedanken fast aus der Optik der Dorfbewohner mühselig aus Indizien eruieren; und besonders am Beginn eines Romans empfiehlt sich ja eine gewisse Verschleierung der Sachverhalte aus wirkungsästhetischen Gründen.

Naheliegend ist die Verwendung der Form auch in den folgenden beiden Stellen, weil dort ausdrücklich betont wird, daß es sich um unwillkürliche Bewegungen handelt. Solche Bewegungen sind nicht von Bewußtseinsintentionen gesteuert, sie sind, so könnte man sagen, in gewisser Weise auch den Perspektivträgern fremd und müssen von ihnen gedeutet werden:

> »Sie glauben mir also nicht?« fragte K. und faßte ihn, unbewußt durch das demütige Wesen des Mannes aufgefordert, beim Arm, als wolle er ihn zum Glauben zwingen. Aber er wollte ihm nicht Schmerz bereiten, hatte ihn auch nur ganz leicht angegriffen ...

> Unwillkürlich hatte K. einen Schritt gegen die Tür gemacht, als wolle er den Fabrikanten hinausbegleiten, dieser aber sagte ...

Diese Belege sind sehr gut mit den drei vorhergehenden vergleichbar, weil auch hier das Verb »wollen« verwendet wird. Diesmal aber liegen keine Ersetzungen für Konjunktiv II vor, denn der Inhalt der Als-ob-Sätze soll als solcher und nicht etwa nur vergleichsweise Josef K.s Bewußtsein kennzeichnen.

Im ersten Beispiel zeigt zunächst die mit »aber« eingeleitete Fortsetzung, daß die Vorstellung des Als-ob-Satzes keine Beschreibung des Griffs sein soll, den K. anwendet. Das Wort »zwingen« evoziert ja ein entsprechend hartes Zupacken, ein Mißverständnis, das von Kafka ausdrücklich zurückgewiesen wird. Daß nun aber K. tatsächlich eine diesbezügliche Intention hat, erhellt der Kontext, wo er in einer erlebten Rede seine Kränkung darüber zum Ausdruck bringt, daß man ihm nicht glaubt. Er muß also tatsächlich versucht haben, diesen Eindruck zu erwecken. Im zweiten Beispiel zeigt das die Rede des Fabrikanten einführende »aber«, daß dieser K.s Absicht gedeutet hat, die demnach die im Als-ob-Satz vorgestellte war.

Vielleicht muß man überdies davon ausgehen, daß Kafkas Darstellungstechnik nicht nur dadurch gekennzeichnet ist, daß die Gegenfiguren mit den Augen der Perspektivträger betrachtet werden, sondern auch, sozusagen umgekehrt, in der Weise, daß die Hauptfiguren bloß in konkreten Situationen in der Regel von anderen beobachtet, und deswegen öfters aus dieser Optik gezeigt werden. Es gibt dafür allgemeine Anhaltspunkte wie die Tatsache, daß im *Schloß* K.s Innenleben nur enthüllt wird, insofern er selbst durch Bewegungen und Worte agiert, daß in den andern Romanen und Erzählungen Bewußtseinsvorgänge dann gegeben werden, wenn die Figur auf Äußeres reagiert, und daß Kafka in den Er-Erzählungen auf eine Handlungsschicht nicht verzichtet, in der die Bewegungen der Perspektivträger, die in der Regel ja nicht Gegenstand ihres Wahrnehmungshorizontes sind, beschrieben werden.

Dazu treten bezeichnende Einzelbefunde: Etwa die immer wieder vorkommende Besonderheit Kafkas, daß Gegenfiguren Gesten der Perspektivträger deuten und dann entsprechend handeln. Aber nicht in der Art wie in den bisher vorgeführten Beispielen, daß die Deutung selber vom Leser vorgenommen wird und ausschließlich aus den Reaktionen der den Hauptfiguren zugeordneten Personen deutlich wird, daß diese ebenso interpretierten, sondern durch explizite Ausdrucksdeutungen der Gegenfiguren selbst:

Das Mädchen aber erkannte doch zuerst, daß das Benehmen K.s in einem leichten Unwohlsein seinen Grund hatte, sie brachte einen Sessel

»Messen Sie dem Lachen nicht zuviel Bedeutung zu«, sagte das Mädchen zu K., der, wieder traurig geworden, vor sich hinstarrte und keine Erklärung zu brauchen schien

Gewiß ist hier eine Art Außenperspektive gerade unter den sonstigen Erzählprämissen sehr naheliegend, weil K. während seines Besuchs der Gerichtskanzleien Ohrensausen und Schwindelanfälle bekommt, die sein Wahrnehmungssystem in Unordnung bringen, doch sind derartige Belege keineswegs auf solche besonders gelagerten Situationen beschränkt:

... dann wandte er sich mit einem fast höhnischen Blick nach der erschrockenen Frau Grubach um. Dieser Blick schien zu sagen, daß K. diese Einladung ... schon längst vorausgesehen habe

Sogar in Als-ob-Sätzen kann eine Verdeutlichung des Verhaltens von Perspektivträgern erfolgen. Es handelt sich dabei um sehr bezeichnende Sonderfälle, wo – dies selber ein Indiz für die vermutete Erzählintention Kafkas – Bewegungen der Perspektivträger gedeutet werden, obwohl die Protagonisten ausnahmsweise ohne direkten Gesprächspartner gezeigt werden:

Selbst Gespenster verschwinden gegen Morgen, aber K. sei dort geblieben, die Hände in den Taschen, so, als erwarte er, daß, da er sich nicht entfernte, der ganze Gang mit allen Zimmern und Herren sich entfernen werde

So die Herrenhofwirtin zu K., weil dieser die morgendliche Aktenverteilung beobachtet hatte; weil während dieses Vorgangs, wo K. »mit Teilnahme« den Vorgängen folgt, keine erzählerisch plausible Möglichkeit war, K.s Haltung vorzustellen – sie wäre von K.s Bewußtseinslage her nicht zu motivieren gewesen und hätte die Einheitlichkeit der Darstellung unterbrochen –, wird sie auf die beschriebene Weise nachgeholt.

Raffinierter ist ein anderer Fall:

K. ging tief in die Gasse hinein, langsam, als hätte er nun schon Zeit oder als sähe ihn der Untersuchungsrichter aus irgendeinem Fenster und wisse also, daß sich K. eingefunden habe. Es war kurz nach neun.

Zunächst – um diesen Gesichtspunkt nicht ganz aus den Augen zu verlieren – der Modusgebrauch. Es steht Konjunktiv II, aber nicht ganz folgerichtig, denn dann müßte für »wisse« »wüßte« stehen (das »habe« ist korrekter coniunctivus obliquus in einem vom Als-ob-Gefüge abhängigen Satz, den Kafka hinsichtlich des Konjunktivgebrauchs nicht modifiziert). Es gibt dafür mehrere Erklärungen: Entweder wollte Kafka die Häufung von drei umlautenden Konjunktiv-II-Formen wegen der damit verbundenen Schwerfälligkeit vermeiden, oder er faßte dieses Satzglied als zumindest sachlich abhängig vom Vorherigen, d. h. als eine Art Folgesatz auf, in dem die Bewußtseinslage des Richters artikuliert ist; sie war dann in indirekter Rede zu geben, da sie nur Folgeerscheinung, nicht ursprünglicher Bestandteil der zwar situationsmöglichen, aber nicht situationswirklichen Hilfsvorstellung ist.

Dies letztere läßt sich beweisen und rechtfertigt so den Konjunktiv II: K. hat keine Zeit, und es ist belanglos, ob der Untersuchungsrichter sein Kommen bemerkt (er bemerkt es nicht), denn K. hat sich vorgenommen, um neun Uhr zu erscheinen. Als er verspätet in das Untersuchungszimmer eintritt, wird er unter Hinweis auf seine ursprüngliche Konzeption vom Untersuchungsrichter gerügt. Da zu dem Zeitpunkt, als K. langsam geht, neun Uhr schon vorüber ist, hat K. tatsächlich nicht die Zeit zu verschnaufen.

Aber das Beispiel wurde ja um der Art der Hilfsvorstellung im Als-ob-Satz willen angeführt. Während des Wegs zur ersten Untersuchung ist K. allein. K., so heißt es da, »kleidete sich an und lief, ohne zu frühstücken, in die ihm bezeichnete Vorstadt«. Als ob ihm dies zu unanschaulich gewesen sei, führt Kafka nun die drei Beamten ein, die während seiner Verhaftung zugegen waren; er erhält so die Möglichkeit, K. aus anderer Optik zu sehen: »Alle sahen ihm wohl nach und wunderten sich, wie ihr Vorgesetzter lief«. [356] Als sich die Art des Gehens ändert, wird – auch auf dieser Ebene vermeidet der Autor also isolierte Einzelzüge – ein neuer Außensichtstandort für K. vonnöten, den er in seiner Vorstellung selber erzeugt, so daß er dadurch gleichsam seiner Bewegung bewußt und ansichtig werden kann.

Wenn man diese Zusammenhänge beachtet, wird man es nicht erstaunlich finden, daß Perspektivträger bisweilen dann in ihren Ausdrucksbewegungen durch Als-ob-Sätze gekennzeichnet werden, wenn sie auffällig von andern beobachtet werden; die Kafka eigentümliche Perspektivgestaltung wird dadurch etwas zugunsten der Gegenfiguren und überhaupt der konkreten Erzählbühne verschoben:

> Zufrieden damit... wagte es K. sogar, kurzerhand das Heft dem Untersuchungsrichter wegzunehmen und es mit den Fingerspitzen, als scheue er sich davor, an einem mittleren Blatte hochzuheben, so daß beiderseits die engbeschriebenen, fleckigen, gelbrandigen Blätter hinunterhingen

> Und ärgerlich schüttelte er den Kopf, als habe er von Delamarche keine Ermahnungen anzunehmen, und wollte, um dies noch deutlicher zu zeigen, auf die Frauen zugehen, da hielt ihn aber Robinson...

In beiden Zitaten (man muß davon ausgehen, daß in der Stelle aus dem *Prozeß* »scheue« keine Ersatzform ist, weil K. das ganze Gerichtswesen anwidert und die Beschreibung des Heftchens einen entsprechenden Eindruck erweckt) werden Bewußtseinsvorgänge von Perspektivträgern in der Als-ob-Form gegeben, aber eben so, daß Josef K. von Hunderten von Augen beobachtet wird, Karl aber von den beiden Schlossern.

Man muß jedoch zugeben, daß nicht alle hierher gehörigen Stellen auf die bis jetzt herausgestellten Gründe zurückgeführt werden können. Es bleiben z. B. einige Passagen, wo die Hauptfigur allein auf der Szene ist und auch weder unwillkürliche Bewegung, Spezifizierung einer solchen noch der Fall vorliegt, daß die Figuren ihr Verhalten nur vorgeben:

Von da ab hielt er es aber nicht mehr dort aus, sondern ging ein wenig ins Vorzimmer, als könne er dadurch die Ankunft des Fräulein Bürstner beschleunigen. Er hatte kein besonderes Verlangen nach ihr ... aber nun wollte er mit ihr reden

Die Fortsetzung zeigt, daß K. ungeduldig ist. Zwar ist die Hilfsvorstellung nicht situationsmöglich (»könne« ist Ersatzform für mißverständliches »könnte«), aber sie erläutert eine Parallelsituation, nämlich K.s Ungeduld, die der Grund seines äußeren Verhaltens ist; es handelt sich also hier tatsächlich um eine Aussage über die Innenwelt der Hauptfigur.

Zur Erklärung darf man vielleicht anführen, daß Kafka auch sonst gelegentlich Vorstellungen der Perspektivträger als erschlossen kennzeichnet. Dazu zwei sehr instruktive Belege aus der *Verwandlung* und dem *Schloß*:

Offenbar infolge seiner Müdigkeit zögerte er, die Straße zu verlassen

er scheute nicht die große Mühe ... die Fensterbrüstung hinaufzukriechen und ... sich ans Fenster zu lehnen, offenbar nur in irgendeiner Erinnerung an das Befreiende, das früher für ihn darin gelegen war, aus dem Fenster zu schauen

Man kann hier weder sagen, die Figuren wüßten über die Motive ihres Handelns nicht Bescheid, noch Perspektivbrüche vermuten, denn K. und Gregor sind ja allein auf der Erzählbühne. Sondern man muß beachten, daß Kafka überhaupt sehr ungern Aussagen über das Innere der Hauptfiguren als erzählerische Direktinformation gibt; er macht sie lieber vom Bewußtsein der Gestalten abhängig:

K., der sich übrigens wirklich müde fühlte

Gregor fühlte sich tatsächlich, abgesehen von einer nach dem langen Schlaf wirklich überflüssigen Schläfrigkeit, ganz wohl

Die Ursache solcher Perspektivierungen liegt wohl darin, daß gerade die direkte Aussage leicht als Erzählerbericht mißverstanden werden kann und andererseits die das Handeln der Hauptfiguren bestimmenden seelischen Gegebenheiten von diesen tatsächlich selbst bewußt artikuliert werden müssen, bevor sie als abstrahierte begriffliche Beschreibung des Innern auftreten können. In vergleichbarer Weise versucht der Dichter, die Handlungsschicht auf das Bewußtsein der Perspektivträger zu beziehen. [357] Man kann also davon ausgehen, daß die fraglichen Als-ob-Sätze ein Mittel unter anderen darstellen, bei der Innendarstellung möglichst Verben der inneren Wahrnehmung und der Gemütsbewegung zu vermeiden oder diese doch durch Zusätze, die auf die Hauptfigur als Beobachter verweisen, in deren Wahrnehmungshorizont zu integrieren. Noch ein Beispiel aus der *Verwandlung*:

Gregor kroch noch ein Stück vorwärts und hielt den Kopf eng an den Boden, um möglicherweise ihren Blicken begegnen zu können. War er ein Tier, da ihn Musik so ergriff? Ihm war, als zeige sich ihm der Weg zu der ersehnten unbekannten Nahrung. Er war entschlossen, bis zur Schwester vorzudringen, sie am Rock zu zupfen und ihr dadurch anzudeuten, sie möge doch mit ihrer Violine in sein Zimmer kommen, denn niemand lohnte hier das Spiel so, wie er es lohnen wollte

Die Passage beginnt mit einer Zweckbewegung, deren Intention in der Infinitivkonstruktion mit »um zu« beschrieben wird; also in einer syntaktisch unselbständigen und durch ihren Finalcharakter noch einigermaßen auf Gregors Bewußtsein ausgerichteten Form. Die vom Wahrnehmungseindruck konstellierte seelische Gestimmtheit erscheint in erlebter Rede und wird im folgenden Als-ob-Satz spezifiziert. Den ganzen Ablauf könnte man – und auch dies führt vom außenstehenden Erzähler weg – als erlebte Begründung bezeichnen, denn Gregors Gefühl ist die Ursache für sein Vorwärtskriechen, es geht diesem zeitlich voraus. Der hier vorliegende Ablauf entspricht aber mehr dem menschlichen Erleben, insofern man sich häufig erst nach einer Bewegung über deren Grund klar wird. Gregors daraus resultierende Absicht wird durch ein Verbum der inneren Wahrnehmung eingeleitet. Es wirkt deshalb nicht als Erzählerbericht, weil es als Resultat der vorhergehenden Reflexion verstanden werden muß und im abhängigen Satz einen Gedanken Gregors unverkürzt vorstellt: letzteres ist jedoch nur in der indirekten Rede möglich, weil der Sinn der von Gregor geplanten Bewegung gedeutet werden muß; die abschließende Begründung wird dann wieder in erlebter Rede gegeben, weil Präteritum verwendet wird (»lohnte«, die indirekte Rede verlangt »lohne«). [358]

Abschließend noch einige Bemerkungen, die erklären sollen, warum Kafka überhaupt die Als-ob-Sätze so sehr bevorzugt. Hier ist vor allem hervorzuheben, daß es die Form ermöglicht, die psychische Verfassung der Gegenfiguren auf allereinfachste Weise als Deutung der Perspektivträger vorzustellen, weil sie grammatisch zwanglos an jede Äußerung einer Person angeschlossen werden kann, ohne daß Wahrnehmungsverben gesetzt werden müßten, das Wahrgenommene beschrieben oder eine verschiedene Bild- und Sachebenen setzende Metaphorik eingeführt zu werden braucht.

Die Erzählung *In der Strafkolonie* vermag das Gemeinte zu illustrieren. Schon zum zweitenmal fragt der Reisende, ob der Verurteilte sein Urteil kenne:

»Nein«, sagte der Offizier wieder, *stockte dann einen Augenblick,*

als verlange er vom Reisenden eine nähere Begründung seiner Frage,

und sagte dann: »Es wäre nutzlos, es ihm zu verkünden. Er erfährt es ja auf seinem Leib.«
Der Reisende ... fühlte ... wie der Verurteilte seinen Blick auf ihn richtete; er schien zu fragen, ob er den geschilderten Vorgang billigen könne.

Darum beugte sich der Reisende, der sich bereits zurückgelehnt hatte, wieder vor

und fragte noch: »Aber
daß er überhaupt verur-
teilt wurde, das weiß er
doch?«
»Auch nicht«, sagte der
Offizier *und lächelte den
Reisenden an,*
              als erwarte er nun von
              ihm noch einige sonder-
              bare Eröffnungen.
»Nein«, sagte der Reisende
                              und strich sich über die
                              Stirn hin,
»dann weiß also der Mann
auch jetzt noch nicht, wie
seine Verteidigung aufge-
nommen wurde?«
»Er hat keine Gelegenheit
gehabt, sich zu verteidi-
gen«, sagte der Offizier
und sah abseits,
              als rede er zu sich selbst
              und wolle den Reisen-
              den durch Erzählung die-
              ser ihm selbstverständ-
              lichen Dinge nicht be-
              schämen.
»Er muß doch Gelegenheit
gehabt haben, sich zu verteidigen«, sagte der Rei-
sende
                              und stand vom Sessel auf.

Wie man sieht, werden die Gesten nicht voneinander isoliert, sondern als
Teile von seelischen Gesamtverläufen gegeben, deren Phasen sie bei beiden
Gesprächsteilnehmern signalisieren. Die Gründe des Stockens, Lächelns und
Beiseitesehens, also der Ablauf von anfänglicher Verwirrung, folgender Überraschung und endlicher Verlegenheit, werden ohne Unterbrechung des Satz-
flusses als Beobachtung des als Mittelpunktsfigur fungierenden Reisenden
gegeben, wobei rückwirkend auch wieder die Ausdrucksbewegungen plastischer werden, weil der Leser, der weiß, wie diese aussehen, wenn solche
Ursachen sie hervorbringen, die ihm bekannten Details der Vergleichsebene
auf die genannten Gesten und Mienen überträgt. Der gleiche Genauigkeits-
grad wäre bei direkter Beschreibung nur mit sehr viel größerem Aufwand zu
erreichen.

Was den Reisenden betrifft, so kann sich der Autor auf die uninterpretier-
ten Gesten beschränken, weil diese eindeutig seinen geistigen Hintergrund
während des Gesprächs spiegeln. Er beugt sich vor, erneut engagiert und gespannt, versucht die ihm unbegreiflichen, lästigen Vorstellungen zu verscheuchen — das Glätten der Stirnfalten verschafft physiologische Erleichterung —
und steht dann in innerer Erregung auf.

Formal ist auffällig, daß sich jedem Gesprächsbeitrag eine Ausdrucksbewegung in möglichst enger syntaktischer Verflechtung beigesellt. Dies ist insofern repräsentativ für Kafka, als er immer darauf aus ist, jeden Entwick-

lungsschritt in einem zwischen Erzählfiguren stattfindenden Gespräch sich auch optisch und räumlich manifestieren zu lassen. Nur ist es in der episch weitgespannteren, ausladenderen Darstellung der Romane nicht die Regel, daß mit jeder Gesprächsaussage ein derartiger Geschehensfortschritt erreicht wird.

Hervorhebenswert ist noch der Gebrauch der inquit-Formeln. An Entstehungsvarianten im *Verschollenen* ist ablesbar, daß Kafka ganz bewußt die schmuck- und variationslose Wiederholung der verba dicendi und interrogandi erstrebt, offenbar um sie ganz unauffällig zu machen. Kafka vermeidet die im herkömmlichen Erzählen wuchernde formelhafte Verwendung der reinen seelischen Zustandsbegriffe. Stellen wie: »›Nein‹, sagte K. kühl«, oder: »›Ja, wirklich‹, sagte Karl beschämt«, sind außerordentlich selten. Entweder verwendet Kafka nur das blasse »sagte« oder »fragte«, oder er verbindet auf die eben erläuterte Weise durch Gesten und differenziert tatsächlich in der inquit-Formel, dann aber so, daß mit Hilfe von Als-ob-Sätzen die Art der Intonation sehr genau und auf die jeweilige Situation bezogen dargestellt wird.

Man hat drei Fälle zu unterscheiden. Es gibt Stellen, wo die Art der Rede schon im eben beschriebenen herkömmlichen Sinn durch ein Adjektiv oder eine ihm entsprechende Phrase näher bestimmt ist, deren geistiger Hintergrund dann im Als-ob-Satz nachgeliefert wird:

> »Ich bin für den Ausschank wieder aufgenommen«, sagte sie dann langsam, als sei es unwichtig, was sie sage, aber unter den Worten führe sie noch ein Gespräch mit K., und dies sei das wichtigere

In anderen Fällen wird der Erläuterungssatz durch die das verbum dicendi erweiternde Formel »in einem Ton« eingeleitet.

> »Das werde ich Ihnen erklären«, sagte die Wirtin in einem Ton, als sei diese Erklärung nicht etwa eine letzte Gefälligkeit, sondern schon die erste Strafe, die sie austeilte

Die dritte Möglichkeit besteht darin, daß der Als-ob-Satz unmittelbar an die inquit-Formel angeschlossen wird.

> »Es ist eben hier alles viel zu klein für ein Atelier«, sagte der Maler, als wolle er einem Tadel K.s zuvorkommen

In sehr vielen Belegstellen entsteht also eine Dreiheit von Rede, Begleitgeste (bzw. Redeweise) und der dieser zugrunde liegenden seelischen Gestimmtheit, die eine Figur plastisch hervortreten läßt, weil sich ihre Ausdrucksbewegungen, Aussagen und psychischen Gehalte wechselseitig erhellen, wobei die Gesprächsformel funktionsmäßig fast zur Kopula herabsinkt.

Es besteht eine gewisse Wahrscheinlichkeit dafür, daß sich diese Erzählpraktiken nicht ganz ohne Einfluß des *David Copperfield* entwickelten. Einmal sind die beschriebenen Dreierkonstellationen in diesem Roman gar nicht selten:

»Es wäre wohl möglich«, sagte Mr. Micawber und sah sich im Zimmer um, als ob er ein paar Acker vortrefflich angebautes Land um sich hätte

Zum andern aber liebt es Dickens in den Partien, wo er übertreibt oder groteske Situationskomik erzeugen will, gesprächsbegleitende Gesten so einzusetzen, daß sie Umschwünge in der Gesprächsführung markieren. Dies geschieht beispielsweise im 28. Kapitel, als Steerforth – eine Gestalt, die Kafka besonders beachtete – plötzlich bei Copperfield erscheint:

»Was Blümchen, alter Knabe, ganz stumm geworden!« lachte Steerforth und schüttelte mir herzlich die Hand und schleuderte sie scherzend wieder weg

Solange der Dialog in dieser heiteren, unproblematischen Stimmung gehalten wird, muß auch der Ankömmling nicht weiter mimisch-gestisch hervorgehoben werden. Ein Problem stellt sich erst, als Steerforth sich nicht an einen gemeinsamen Jugendfreund erinnert:

»Ah der!« sagte Steerforth und zerklopfte mit dem Schüreisen ein Stück Kohle auf dem Feuer

Dies und sein folgendes stummes Zuhören, während Copperfield von Traddles erzählt, zeigt seine Desinteressiertheit, die er schließlich in einer Gegenrede bestätigt:

»Das ist ja ein Abendessen für einen Fürsten, Blümchen!« rief er aus, indem er sein Schweigen mit auffallender Lebhaftigkeit brach und am Tisch Platz nahm

Eine neue Phase des Gesprächs ist erreicht, als der Gastgeber fragt, was der Freund inzwischen gemacht habe, und entsprechend verändert sich die Position des Besuchers:

»Littimer ist ein größerer Esel als ich dachte, wenn er sich nach mir erkundigt«, sagte Steerforth, indem er sich ein Glas Wein einschenkte und mir zutrank

Dann fällt ihm ein, daß er Copperfield einen Brief zu überbringen habe, nimmt verschiedene Papiere aus seiner Brusttasche, sucht in andern Taschen. Ausdrücklich vermerkt Dickens, daß er vorher Messer und Gabel beiseite gelegt, während Copperfield das Schreiben las aber wieder mit dem Essen und Trinken fortgefahren habe. Wegen Gesprächsäußerungen, die durch den Inhalt des Briefes veranlaßt wurden, will Copperfield seinem Gast Vorhaltungen machen, was dieser zuläßt:

»Die Mächtigen tun, was du willst«, gab er zur Antwort und begab sich vom Tische wieder zum Kamin

Schließlich wird er nachdenklich, legt seine Hände auf Copperfields Schultern, zieht seinen Mantel an und begibt sich nach Hause.

Nicht nur die Form der einzelnen Belege erinnern an Kafka, sondern auch deren Zusammenhang. Die Gesten dokumentieren lückenlos Steerforths Verhalten während seines Auftritts fast in der Form ausführlicher Regieanweisungen für eine Theaterszene, und diese Eigenart ist es gerade, die auch für

Kafkas Erzählbühne konstitutiv ist. Besonders eindringlich bei Dickens sind noch die beiden Szenen mit Miß Mowcher, wo teilweise jeder Gesprächsbeitrag der Zwergin, die dauernd redet, durch sehr ausführliche Darstellungen ihrer Mimik, Gestik und Körperbewegungen ergänzt wird. [359] Da Kafka für derartige Szenen viel übrig hatte, scheint es nicht abwegig, hier eine Abhängigkeit zu postulieren, zumal diese durch einige schon angeführte andere sprachliche Indizien und Motivübernahmen noch gestützt wird.

Zurück zu den Gründen, die möglicherweise für die häufige Verwendung der Als-ob-Sätze bei Kafka verantwortlich gemacht werden können. Einer liegt sicher darin, daß den Wie-Vergleichen, die man ja als Mittel, Anschaulichkeit zu erhöhen, in einer gewissen Konkurrenz zu den Als-ob-Sätzen sehen muß, lange nicht eine so große Variationsbreite und Geschmeidigkeit zukommt wie der vom Dichter bevorzugten Form. Man sieht das deutlich, wenn man das regelrechte Vergleiche betreffende Belegmaterial bei Kafka durchmustert. Da handelt es sich einmal darum, einen Begriff eines an sich vollständigen Satzes auf eine höhere Ebene der Anschaulichkeit zu bringen:

> Bürgel ... streckte sich plötzlich wild und mutwillig wie ein kleiner Junge

Der ästhetische Wert solcher Vergleiche ist bei Personendarstellungen gering, weil das comparandum schon deskriptiv ausgeführt sein muß und das Vergleichsglied durch seine Statik einen verhältnismäßig geringen dynamischen Wert hat, der allerdings durch davon abhängige Nebensätze oder attributive Bestimmungen verbessert werden kann:

> In den Blicken des Malers lag es wie ein Vorwurf, daß K. ihm die Last einer solchen Bürgschaft auferlegen wolle

> Eine intrigante Natur, scheinbar sinnlos arbeitend wie der Wind, nach fernen, fremden Aufträgen, in die man nie Einsicht bekam

Kafka verwendet die Form deswegen lieber zur Beschreibung von Dingen oder in Gespräch und Reflexion. Die Bedeutung liegt aber weniger im so erzeugten größeren Anschauungswert als in den Vergleichsvorstellungen selbst und ihren Bezügen untereinander, die strukturell bedeutsam werden.

Hier noch ein kleines Beispiel für Personencharakterisierung. Wenn Delamarche, der nach Vorbildern im *Copperfield* dadurch als Typ gezeichnet ist, daß ihm leitmotivisch bestimmte Eigenheiten zukommen – er stößt, schüttelt und schiebt Karl oder klopft ihm auf die Schulter, stellt Frauen nach und redet wenig, aber Vulgäres –, daß er Karl gegenüber triviale und völlig abgeblaßte Vergleiche verwendet – »still wie ein Mäuschen« und »laufen wie ein Pferd« –, so wird darin Erzählabsicht liegen. Robinson dagegen weint und trinkt. [360]

Etwas anders gibt sich der Satzvergleich. Hier wird der fragliche Begriff eines schon syntaktisch geschlossenen Zusammenhangs in einem vollständigen, relativ selbständigen Satz auf der Vergleichsebene entfaltet, die Kafka gerne mit »so wie« einleitet:

> K. ... lief vor, faßte sie, küßte sie auf den Mund und dann über das ganze Gesicht,

wie ein durstiges Tier mit der Zunge über das endlich gefundene Quellwasser hinjagt

Wie man sieht, muß hier eine vollständige und – das ist das entscheidende – vom comparandum vollständig getrennte Vorstellungsebene aufgebaut werden, die etwa im vorliegenden Fall – freilich ist der *Prozeß* Fragment geblieben – auch nicht entfernt mit dem Motiv- und Vorstellungsgeflecht des Romans in Beziehung gebracht werden kann. Und je umfangreicher der Vergleich, je größer die Gefahr – jedenfalls für einen so auf Einheitlichkeit und Integration aller Details bedachten Autor wie Kafka –, daß sich die Bildebene verselbständigt und vom eigentlichen Geschehen ablenkt. Dazu kommt, daß im Wie-Vergleich eine Gegebenheit auf der gleichen Ebene, aber in einem andern Vorstellungsbereich zwar ohne Schwierigkeiten erläutert werden kann, daß es aber nicht einfach ist, etwa Sichtbares durch Seelisches zu erhellen – für eine Personendarstellung, die auf der Deutung von Ausdrucksbewegungen basiert, das entscheidende –, wofür auch spricht, daß in den allermeisten Fällen bei Kafka Äußeres mit Äußerem verglichen ist. Sollen die Inhalte des Vergleichssatzes mit der Innenwelt eines Perspektivträgers verbunden werden, sind besondere Vorkehrungen notwendig:

> Warum dies alles? fragte er sich und betrachtete unter den gesenkten Augenlidern Bürgel nicht wie einen Beamten, der mit ihm schwierige Fragen besprach, sondern nur wie irgend etwas, das ihn am Schlafen hinderte und dessen sonstigen Sinn er nicht ausfindig machen konnte

Durch die Negation ist die strenge Bindung an eine vergleichbare Parallelsituation aufgehoben, und Kafka ist im Wie-Satz frei, direkt K.s Gedanken vorzustellen. Oder:

> unwillkürlich mußte er lächeln, der Geruch war so süß, so schmeichelnd, so wie man von jemand, den man sehr lieb hat, Lob und gute Worte hört und gar nicht genau weiß, worum es sich handelt, und es gar nicht wissen will und nur glücklich ist in dem Bewußtsein, daß er es ist, der so spricht

Hier wird nicht nur schon im comparandum personifiziert, um den Übergang in eine Vergleichsebene zu erleichtern, die durch seelische Gehalte bestimmt ist, sondern Kafka muß auch, um K.s Eindrücke im Vergleichssatz sichtbar werden zu lassen, zunächst eine äußerlich treffende Parallelsituation aufbauen und kann dann erst innerhalb des Bildes das Schwergewicht von den Sinneseindrücken selbst auf deren Wirkung im Bewußtsein des Wahrnehmenden verlagern, die dann tatsächlich auch das Innere der Figur in der Sachebene kennzeichnet; da letzteres im vorliegenden Fall gar nicht artikuliert wurde, war der Dichter in der Wahl der Vergleichssituation nicht gebunden.

Nicht immer bestehen diese günstigen Bedingungen. Während Josef K. den Kaufmann Block nach seinem Namen fragt und argwöhnt, dieser habe ihm seinen wirklichen Namen verschwiegen, fühlt er sich so frei,

> wie man es sonst nur ist, wenn man in der Fremde mit niedrigen Leuten spricht, alles, was einen selbst betrifft, bei sich behält, nur gleichmütig von den Interessen

der anderen redet, sie dadurch vor sich selbst erhöht, aber auch nach Belieben fallen lassen kann.

Die besondere Art der Freiheit kann natürlich nur plastisch hervortreten, wenn die Vergleichssituation in allen Einzelzügen strukturell mit den Gegebenheiten der Sachebene übereinkommt. Da K. Block in überlegener Haltung von seinem Prozeßverlauf erzählen läßt, ihn bald ernst nimmt, dann wieder demütigt und von sich selber auf Drängen des andern nur bekannt gibt, was sich sowieso im nächsten Augenblick durch den Handlungsgang offenbart, ist das im vorliegenden Beispiel tatsächlich gegeben, so daß auf eine indirekte Weise die Wesensmerkmale der Vergleichsperson auch Anwendung auf K.s Inneres finden können, obgleich in der Motivik keine Verflechtungen zum Romankontext bestehen und der Leser erst über ein Vergleichsdrittes die Bezüge herstellen muß.

Bei diesem Vergleichstyp macht auch zu schaffen, daß zwangsläufig die zu vergleichende Vorstellung sprachlich auf der Vergleichsebene wiederholt werden muß.

> wie Hunde verzweifelt im Boden scharren, so scharrten sie an ihren Körpern

Weil derartige Wortwiederholungen stören, muß man Synonyma finden, die die Situation gar nicht exakt treffen:

> so, wie jemand in einem Misthaufen einen einst verlorenen Edelstein zu sehen glaubt, während er ihn in Wirklichkeit dort gar nicht finden könnte, selbst wenn er dort wirklich wäre

Das Verb »finden« träfe das Gemeinte viel genauer als das »sehen«, doch würde dann, weil es zu »finden« in der Sachebene keine passenden Ersatzwörter gibt, eine störende Verbwiederholung entstehen. Manchmal, wie in der Passage, die K.s Freiheitsgefühl erläutern sollte, ist auch eine Wiederaufnahme durch das unscheinbare blasse »es« möglich, doch kann dann die Konstruktion so umständlich werden, daß Kafka beispielsweise in der Passage, wo von der Süße des Kognaks die Rede ist, lieber eine falsche Konstruktion wählt.

Ein dritter Vergleichstyp ähnelt der Form nach dem ersten, weil es sich auch um einen erweiterten Wortvergleich handelt; er ist aber syntaktisch anders zu bewerten, weil hier das Prädikatsnomen oder ein Adverb des die Sachebene darstellenden Satzes selber durch die Wie-Phrase ersetzt wird.

> Einmal klang es wie der Jubel von Kindern, die sich zu einem Ausflug bereitmachen, ein andermal wie der Aufbruch im Hühnerstall, wie die Freude, in völliger Übereinstimmung mit dem erwachenden Tag zu sein [361]

Diese Form ist umständlich, denn sie setzt voraus, daß die reduzierte Sachebene im vorhergehenden Kontext ausführlich expliziert wurde. Wenn dann die Grammatik einen direkten Anschluß durch einen Wie-Vergleich nicht erlaubt, muß syntaktisch neu angesetzt werden.

Es dürfte einleuchtend geworden sein, daß die genannten Formen keine ernsthafte Konkurrenz zu den Als-ob-Sätzen darstellen können, denn deren Vorzüge bestehen gerade in einer sehr großen Dynamik in allen Fällen, weil auf der Vergleichsebene verbal ein Geschehnisablauf entwickelt wird, in einer leichten Verbindungsmöglichkeit zwischen Außenwelt und Innenwelt, weil im Komparativsatz Bewußtseinsinhalte als Aussagen über das comparandum verstanden werden, und in einer Geschmeidigkeit, die es ermöglicht, an jeden beliebigen Satz anzuschließen, auch wenn ein tertium nicht sichtbar ist:

> Karl wollte vieles über das Fräulein Klara hören, als sei er ungeduldig über die lange Fahrt und könne mit Hilfe der Erzählungen früher ankommen als in Wirklichkeit

Karls Ungeduld kann hier ohne Schwierigkeit syntaktisch mit einer erzählerisch gerafften Situation verbunden werden, ohne daß eine vergleichbare Gegebenheit, die auf solche Ursachen zurückgeführt wird, wie sie Karl im Als-ob-Satz zugesprochen werden, genannt werden müßte. Weil das so ist, eignet den Als-ob-Sätzen auch eine große Freiheit der Satzführung; die Wahl des Subjekts ist dadurch nämlich keinen Beschränkungen mehr unterworfen. In vielen Fällen erscheint so das Objekt des übergeordneten Ausdrucks als Subjekt im Komparativsatz, und zwar unabhängig davon, ob sich das comparandum auf einen Perspektivträger bezieht:

> der Portier ... zeigte auf den noch lesenden Oberkellner, als sei dieser der Vertreter seiner Rache
>
> K. ... sah Frau Grubach an, als trage sie die Verantwortung dafür

Oder es wird ein Drittes als Subjekt eingeführt:

> der Schreiber ... machte eine Handbewegung, als habe nun der Leiter das Weitere zu veranlassen

Die eine Gruppe eignet sich besonders zur Darstellung von gleichsam handgreiflichen Beziehungen zwischen einzelnen Figuren oder zwischen einer Figur und einer Sache; wenn es Gegenstand des Interesses ist, erscheint das Subjekt des übergeordneten Satzes dann im Komparativsatz in den obliquen Kasus. Der letzte Beleg ist insofern interessant, weil sich zeigt, daß auch dann, wenn es sich nicht um Regungen der Perspektivträger handelt, nicht nur im comparandum eingeführte Gegebenheiten näher erläutert werden können, sondern daß, teils aus der Situation, teils assoziativ über diese hinausgreifend, neue Inhalte mit ihm verbunden werden können. [362] Es lassen sich noch zwei weitere Gründe für die Beliebtheit der Form ausfindig machen. Einmal kann die Art der Deutung im Als-ob-Satz so gewählt werden, daß gleichzeitig mit der Darstellung der seelischen Verfassung einer Figur Verknüpfungen mit dem Erzählganzen sichtbar werden. Der Advokat sagt zu Block, dieser schaue ihn an, als ob jetzt sein Endurteil käme. Dadurch wird der Blick auf den weiteren Fortgang des Romans gelenkt. In andern Fällen erinnern solche Passagen auch an schon erzählte Partien des Werks, die auf diese Weise gleichsam als Erzählstränge weitergeführt werden können:

> »Ich habe es mir ja gedacht«, sagte Robinson leise, als bedrückten ihn noch Schmerzen

Hier steht nicht die Spezifizierung der Tonart im Vordergrund, in der der wehleidige Robinson spricht, sondern die Tatsache, daß der Irländer bei der Schlägerei im Schlafsaal verwundet wurde und der Erzähler dies den Leser nicht vergessen lassen will. Im *Schloß* verdeutlicht Kafka auf diese Weise die von K. so beklagte Freundschaft Friedas mit der Brückenhofwirtin:

> »Wo denn? Wo denn?« riefen Frieda und die Wirtin, so gleichzeitig und so begierig, als hätten sie die gleichen Beweggründe für ihre Frage

> es war mir, als sitze die Wirtin neben mir und erkläre mir alles, und ich suche sie mit allen Kräften wegzudrängen, sehe aber klar die Hoffnungslosigkeit solcher Anstrengung

Mehr beachtet als die Art des Tonfalls und Friedas Gefühl wird, daß der Erzähler in beiden Fällen die enge Verbindung der beiden Frauen situativ in den Als-ob-Sätzen hervorhebt.

Wie jedes Phänomen, das das Medium der Begriffssprache noch nicht durchlaufen hat, besitzen auch die Ausdrucksbewegungen eine viel größere Genauigkeit als abstrahierende Paraphrasen und sind besser als Worte geeignet, Ausgangspunkt für psychologische Abgrenzungen zu sein. [363] Dies gilt freilich nur für wirkliche Gesten, nicht für erzählte. Denn es ist aussichtslos und künstlerisch nicht vertretbar, mit psychologischen Beschreibungskategorien ähnliche Ausdrucksbewegungen voneinander zu differenzieren. Dadurch kommt es, daß diese im Erzählkontext häufig deutungsbedürftig sind. Das folgende Beispiel soll zeigen, wie verschiedenartig Kafka eine bestimmte Ausdrucksbewegung einsetzt und wie groß der Anteil der Als-ob-Sätze an den sie nuancierter bestimmenden Interpretationen ist.

> Sie nickte nur

> Dieser ... nickt ... zustimmend

> K. nickte mechanisch

> Sie verständigten sich durch Kopfnicken und Lächeln

> beide nickten, Karl schien richtig geantwortet zu haben

> ... welcher ihm bloß zunickte, ohne daß man wußte, ob er es mit Absicht tat oder ob es eine Folge dessen war, daß er mit der Hand seinen Bart strich

> der Diener ... der ... Karl ernst zunickte, als wolle er damit etwas erklären (Entstehungsvariante: »... der dies aber mehr ahnte«)

> Er nickte K. zum Abschied zu

> Amalia nickte K. schweigend zu — es war deutlich eine Verabschiedung

> »Zweifacher gar«, sagte K. und nickte Momus ... zu, so wie man einem Kind zunickt, das man eben hat loben hören

Delamarche nickte ihm bloß zu, als sei er sein Diener, der eine selbstverständliche Pflicht erfüllt habe

Die Herren nickten lachend und eifrig, als hätten sie die ganze Zeit über darauf gewartet

Der Maler nickte, als verstehe er K.s Unbehagen sehr gut

Der Oberportier nickte mehrere Male, als wären es seine eigenen Worte, die der Oberkellner nur nachspreche [364]

Neben der Vielfalt der Bedeutungen wird die Darstellungskunst Kafkas sichtbar, denn in einem Bereich, wo sonst am ehesten die erstarrte, nichtssagende Formel sich einschleicht, zeigt sich, daß noch die kleinste Bewegung, die unbedeutendste Szeneneinheit sich mit individuellem, d. h. kontextdeterminiertem Leben erfüllt. (Vgl. z. B., wie unterschiedlich Kafka in den beiden Fällen formuliert, wo das Nicken eine Unterredung beendet und einen Gesprächspartner entläßt.)

Friedas bloßes Nicken auf K.s Aussage, er habe die Gehilfen entlassen, ist als Minimalreaktion zu verstehen – sie hat ja Vorbehalte –, die von der bewußten Zustimmung, die der schwachköpfige Junge, von der Mutter unterstützt, zum Ausdruck bringt, genauso unterschieden ist wie K.s unbeteiligte Bejahung der Frage Bürgels, ob er als Landvermesser ohne entsprechende Arbeit sei, oder das zufriedene Nicken der Karl im Theater von Oklahoma befragenden Personen. Daneben gibt es Fälle, wo der Ausdruckswert der Kopfgeste ungewiß ist oder von sehr allgemeinem Charakter bleibt. Dazu gehört das auf eine Selbstkritik Karls bezügliche Nicken des Dieners, dem als solchem ja Zurückhaltung auferlegt ist; Kafka aber wird es dadurch ermöglicht, den schon vorher erwähnten Bart erneut ins Spiel zu bringen und dieses Anschauungsmoment so zu dynamisieren.

Betrachtet man die Art der Deutungszusätze, so fällt nicht bloß der Abwechslungsreichtum ihrer Gestaltung auf, sondern auch ihre Überlegenheit gegenüber bloß direkter Attribuierung. Amalias und Erlangers hochmütigschweigender Abschied kann schlecht durch eine direkte Erläuterung des Verbs ausgedeutet werden, er wird durch die in der Optik der Perspektivträger erscheinende Bezugsgröße wirkungsvoller in seinem Ausdruckswert hervorgehoben.

Andererseits werden durch die Als-ob-Sätze Intentionen sichtbar, die in direkter Aussage als Kausalsätze erscheinen müßten und dann keine Rückübertragung von Anschauungswerten auf die Geste mehr verstatten.

Ein weiterer Vorteil ist endlich, daß die Hilfsvorstellungen des Als-ob-Satzes die Ausdrucksbewegung eben doch in einem nicht ganz so eindeutigen Licht erscheinen lassen – jedes tertium hat ja noch gleichsam eine Aura von mitschwingenden Nebenbezugspunkten bei sich [365] –, was im Hinblick auf das prinzipiell mehrdeutige Ausdrucksphänomen nur von Vorteil sein kann und übrigens auch die Vereinheitlichung disparater Züge ermöglicht (»lachend und eifrig« und »durch Kopfnicken und Lächeln«).

6. Kapitel:
Hände

Kafka, der selber sehr schmale, ausdrucksvolle Hände besaß, beachtet sowohl in seinen Lebenszeugnissen als auch in dichterischen Gestaltungen diese Körperglieder stark, ja es gibt sogar ein Erzählbruchstück, das ganz auf dem Motiv der Hand aufbaut: »Ich habe meinen Verstand in die Hand vergraben, fröhlich, aufrecht trage ich den Kopf, aber die Hand hängt müde hinab, der Verstand zieht sie zur Erde. Sieh nur die kleine, harthäutige, aderndurchzogene, faltenzerrissene, hochädrige, fünffingrige Hand, wie gut, daß ich den Verstand in diesen unscheinbaren Behälter retten konnte. Besonders vorzüglich ist, daß ich zwei Hände habe. Wie im Kinderspiel frage ich: in welcher Hand habe ich meinen Verstand? Niemand kann es erraten, denn ich kann durch Falten der Hände im Nu den Verstand aus einer Hand in die andere übertragen.«

Die Adjektivhäufung verweist auf die besondere Bedeutung des so ausgezeichneten Gegenstandes, denn Kafka ist in der Regel sehr sparsam mit dem Attribut, besonders in der Deskription äußerer Gegebenheiten. Hinsichtlich der Hände ist die zitierte Passage aber nur wegen ihrer Ausführlichkeit ungewöhnlich, denn die nähere Beschaffenheit der eigenen Hände wird ebenso erwähnt wie das Aussehen dieser Körperteile bei Erzählfiguren. In der einleitenden Beschreibung, die in der Erzählung *Eine kleine Frau* von der Titelfigur gegeben wird, sind außer Kleidung, dem Haar, der Schlankheit und Beweglichkeit des Oberkörpers nur die Hände hervorgehoben, deren Beschreibung umfangmäßig etwa 40 Prozent ausmacht.

Auffällig ist auch der Gebrauch im *Bau*: Als Hauptwerkzeuge des von sich selbst erzählenden Tiers werden zweimal richtig Krallen angegeben, und doch heißt es an anderer Stelle, der Bau habe eine von den »Händen« des Erbauers geschaffene Schwäche. [366]

Aus dem zitierten Erzählfragment läßt sich aber noch eine andere Tendenz Kafkas erschließen. Der nur scheinbar skurrile Erzähleinfall beruht doch darauf, daß sich die geistige Verfassung eines Menschen auch in seiner Handhaltung ausprägt, die beispielsweise Müdigkeit in gleicher Weise wie der hängende Kopf zum Ausdruck bringen kann. Die Pointe des Ganzen liegt nur darin, daß die sonst vorauszusetzende Einheitlichkeit der Ausdrucksbewegungen nicht mehr gewahrt wird, sondern ein Organ das andere gewissermaßen entlastet, ein Gedanke, den Kafka schon fünf Jahre vorher für die Erklärung seiner Lungenkrankheit benützt hatte.

Gerade der Vergleich zwischen Handstellung und Gesichtsausdruck ist für Kafka das vorzüglichste Indiz für die innere Verfassung einer beobachteten Person. So heißt es etwa im Tagebuch über einen Ostjuden: »Das Zusammenspiel und gegenseitige Sichverstärken des Hände- und Mienenspiels. Manchmal verbindet er beides, indem er entweder seine Hände ansieht oder sie zur Bequemlichkeit des Zuhörers nahe beim Gesicht hält. Tempelmelodien im Tonfall seiner Rede, besonders beim Aufzählen mehrerer Punkte führt er die Melodie von Finger zu Finger wie über verschiedene Register.«

Wenn Kafka von Bequemlichkeit spricht, so zeigt das, daß er Gesicht und Hände gleichzeitig zu beobachten pflegte, wenn er die Intonation erwähnt, daß er auch das Lautliche als Ausdrucksbewegung ansah, die mit Mimik und Gestik harmonieren müsse; Abweichungen von dieser Gesetzmäßigkeit wunderten ihn besonders. Auch läßt sich aus dem Zitat erschließen, daß er nicht impressionistisch beobachtete und sich von den Objekten seine Wahrnehmungskategorien aufzwingen ließ, sondern daß er ein vorgegebenes Raster benutzte, denn der Blick einer Person auf die eigenen Hände wird auch sonst registriert.

Häufig tritt aber in Kafkas Werk die Handgestik allein auffällig hervor. Als Beweis für die Erfülltheit und Durchschlagskraft seines Vorlesens, ja für die Stimmigkeit des von ihm vorgetragenen *Urteils* selbst, wird angeführt: »Gegen Schluß fuhr mir meine Hand unregiert und wahrhaftig vor dem Gesicht herum ... Die Zweifellosigkeit der Geschichte bestätigte sich.« Das Wort »unregiert« ist hier nicht im Sinne von unkontrolliert zu verstehen, es meint vielmehr die spontane innere Übereinstimmung mit der gegebenen Situation, die alle Schichten der Persönlichkeit umfaßt, weil sie in den Tiefen des Lebens wurzelt und nicht durch bewußte Steuerung erzeugt wird.

Genau umgekehrt verhält es sich im folgenden Fall, wo Kafka über die Art seiner Vorbereitungen für einen Vortragsabend des Schauspielers Löwy schreibt: »ich habe nur so herumgefuchtelt« und Brods Eltern das Verdienst am Gelingen des Abends zuschreibt. Die Metapher ist ein Bild für orientierungslose Vielgeschäftigkeit, für ein Handeln, das fester Grundsätze und Ziele ermangelt; die Art der sehr umfangreichen Tagebucheintragungen über diese Vorbereitungen vermittelt genau diese Vorstellung von Kafkas Aktivität. Es ist also mehr als eine bloße Floskel, wenn es im *Neuen Advokaten* heißt, in heutiger Zeit könne niemand nach Indien führen, viele hielten zwar Schwerter, »aber nur, um mit ihnen zu fuchteln, und der Blick, der ihnen folgen will, verwirrt sich«. Auch hier ist die beobachtete Handbewegung ein Ausdruck innerer Desorientiertheit. [367]

Hände sprechen eben: Als organische Verbindung von Papierdeutsch und Gebärdensprache weiß Kafka bei Karl Kraus »dieses den Oberarm ausrenkende und das Kinn hinaufreißende: Glauben *Sie*!« zu würdigen oder interpretiert eine hinter dem Rücken seiner Schwester vollzogene Handbewegung des Vaters, »die in seiner Sprache nur ›Vieh!‹ bedeuten konnte«. Auch im literarischen Werk gibt es Stellen, wo Personen auffallend gestikulieren, also ausgesprochen mit den Händen reden. [368]

Wenn Kafka Gesten als Bedeutungsträger einsetzt oder beobachtete Handbewegungen interpretiert, so geschieht dies nie bloß im Sinne der literarischen Tradition oder üblicher Konvention. Lebendige Erfahrung und große Menschenkenntnis bilden vielmehr den Hintergrund. Dafür zwei Beispiele:

Als im ersten Kapitel des *Verschollenen* Schubal, der Gegner des Heizers, den Raum betritt, beobachtet Karl seinen Schützling, »der die Fäuste an den gestrafften Armen so ballte, als sei diese Ballung das Wichtigste an ihm, dem er alles, was er an Leben habe, zu opfern bereit sei. Da steckte jetzt alle seine Kraft, auch die, welche ihn überhaupt aufrecht erhielt.«

Hinter diesem, durch seine differenzierte Beschreibung auffälligen Gestus stehen eigene Erfahrungen Kafkas. Er gerate, schreibt er Felice, nicht leicht in Zorn, wenn es aber einmal geschehe, fühle er sich Gott näher als sonst: »Wenn sich das Blut mit einem Male von oben bis unten erhitzt, die Fäuste in den Taschen zucken, der ganze versammelte Besitz von jeder Selbstbeherrschung sich lossagt und diese Ohnmacht, sich zu beherrschen, von der andern, und zwar der eigentlichen Seite aus gesehn eine Macht bedeutet, dann erfährt man, daß der Ärger nur in seinen niedrigen Anfängen vermieden werden soll.« Beide Stellen haben gemeinsam die Manifestation und Konzentration des Gefühls in der Faust und die Tatsache, daß der Zorn als autonomer, höchster Wert empfunden wird.

Sehr interessant ist auch das Motiv der sich greifenden Hände. Wer verlassen lebt, heißt es im *Gassenfenster*, und sich doch hie und da irgendwo anschließen wolle, wird »ohne weiteres irgendeinen beliebigen Arm« suchen, »an dem er sich halten könnte«. Hier hat Kafka einen Sachverhalt formuliert, der von der Verhaltensforschung als stammesgeschichtlich sehr altes Gesetz erkannt wurde: Das schutzbedürftige Einzeltier sucht die Nähe des Artgenossen, die Geborgenheit bedeutet. Der körperliche, besonders durch Arme und Hände vorgenommene Kontakt zwischen zwei Individuen beruhigt, weil instinktive Vorprägungen zugrunde liegen. [369]

Wenn Kafka von Grillparzer sagt, er sei »lebendiges, abzutastendes Unglück« gewesen, so weist ein solcher Satz ebenso auf eine außerordentlich starke Sensibilisierung der Hände Kafkas hin wie die auffällige Bindung von Gefühlslagen an diese Extremitäten. [370] Nicht der Dichter, sondern seine Hand ist schwer und gelähmt und verweigert die Gefolgschaft; auf dem Boden liegende Hoffnungen können »frisch in die Hand« zurückgegeben werden, und wenn er sich nicht durch verbale Preisgabe persönlicher Geheimnisse in anderen verliert, hat er sich »wirklich in der Hand«. [371]

Unter solchen Voraussetzungen ist verständlich, daß Kafka der Handverbindung mit anderen besondere Bedeutung beimaß. Er mußte sich aus der menschlichen Gemeinschaft verstoßen fühlen, wenn er zu beobachten glaubte, daß niemand ihn umfasse und irgendwie imstande sei, ihn zu retten. Als er andererseits einmal das Gefühl hatte, innerlich zu seinem Freund Max Brod zurückgefunden zu haben, drückte er ihm im Dunkeln die Hand und ging stolz nach Hause. Max Brod berichtet in Übereinstimmung dazu, daß Kafka, als Brod ihn nach dem Tod seines Jugendfreundes Max Bäuml bat, dessen Stelle einzunehmen, nichts gesagt, sondern ihm nur kräftig die Hand gedrückt habe. So ist gewiß auch kein Zufall, wenn Kafka es notierenswert findet, daß er aus bestimmtem Anlaß seinen Schwägerinnen gleichzeitig beide Hände mit einer Geschicklichkeit reichte, »wie wenn es zwei rechte Hände wären und ich eine Doppelperson«, denn eine »Kräftigung« ging davon aus.

Natürlich gehört zu diesem Komplex die schon in anderem Zusammenhang erwähnte besondere Aufmerksamkeit, die Kafka, auch in seinen Dichtungen, dem Handgruß entgegenbringt. Die Aufgabe des Grußes ist es, Verbundenheit zu schaffen und Aggressionen zu beschwichtigen. Der Verhaltensforscher I. Eibl-Eibesfeldt schreibt: »Die Erwiderung des Grußes ist eine wichtige Bestätigung der Kontaktbereitschaft, und er enthält bis zu einem gewissen Grade eine Verpflichtung. Daher ist ein erwiderter Gruß meist eine Garantie der Sicherheit.« [372] Durch diese menschliche Elementarbeziehung wird der offene Kontakt zwischen Partnern eingeleitet. In Übereinstimmung mit diesem Naturgesetz steht, trotz seiner ironischen Verfremdung, eine Aussage im *Bericht für eine Akademie:* »Das erste, was ich lernte, war: den Handschlag geben; Handschlag bezeigt Offenheit; mag nun heute, wo ich auf dem Höhepunkte meiner Laufbahn stehe, zu jenem ersten Handschlag auch das offene Wort hinzukommen.« [373]

So ist es verständlich, daß Kafka in seinen Briefen an Felice – die ihm die Verbindung zu Leben und Gemeinschaft repräsentierte – sehr häufig und in außerordentlich nuancierter Weise von der Art der zwischen ihnen bestehenden oder erwünschten Handverbindung spricht. Dafür zwei Beispiele. In einem Traum über Felice entwickelt Kafka ein Verfahren des Miteinandergehens, das ihm eine bessere Verbindung gewährleistete als bloßes Einhängen der Arme beim Partner, das ihn offenbar seit jeher beschäftigte. Schon im *Ausflug ins Gebirge* findet sich nämlich folgende bezeichnende Aussage: »Wie sich diese Niemand aneinanderdrängen, diese vielen quergestreckten und eingehängten Arme, diese vielen Füße, durch winzige Schritte getrennt!«

Nach Kafkas Auffassung berühren sich bei der herkömmlichen Art des Kontakts die Arme nur an einer Stelle, so daß »jeder einzelne seine Selbständigkeit behält«. Modifiziert man aber den Schlußarm auf die von Kafka vorgeschlagene Weise, die er durch eine kleine Zeichnung zu veranschaulichen suchte, berühren sich nicht nur die Schultern der Beteiligten, sondern auch die Arme liegen »der ganzen Länge nach aneinander«. Drei Tage später bemerkt der Dichter zu einem Illustriertenbild, das die Prinzessin Viktoria Louise und ihren Bräutigam zeigt: »Die zwei gehn in einem Karlsruher Park spazieren, sind ineinander eingehängt, haben aber, damit noch nicht zufrieden, auch noch die Finger verschlungen. Wenn ich diese verschlungenen Finger nicht 5 Minuten lang angesehen habe, dann werden es eben 10 Minuten gewesen sein.« [374] Wie wichtig Kafka der beschriebene Sachverhalt war und wie fest er sich in sein Bewußtsein eingrub, lehrt die Tatsache, daß er ihn fast zwei Jahre später als wichtiges Motiv im Schlußkapitel des *Prozeß*-Romans verwendete.

Bemerkenswert, und dies ist der zweite Punkt, ist auch, wie Kafka häufig die augenblicklich bestehende Art seiner Partnerbindung oder die vermutete Einschätzung seiner selbst durch den Briefempfänger metaphorisch auf der Ebene der Handgestik sich verdeutlicht. Ist er im Verhältnis zu Grete Bloch innerlich hin- und hergeworfen, so »reißt« es auch an seiner Hand, die Gretes gute Hand hält, und über einen freundlichen Brief Felicens schreibt er: »Dein Morgenbrief hat mich zu Dir hingezogen wie mit Händen.« Im gegenteiligen Fall formuliert er: »Dein Donnerstagbrief schaut eigentlich im ersten Augenblick erschreckend aus, wie wenn irgend eine böse und mächtige Hand Dir die Hände festgehalten oder Dir gar noch etwas Ärgeres angetan hätte.«

In solchen Aussagen dokumentiert sich deutlich neben seiner Neigung zur Versinnlichung seelischer Gegebenheiten auch besonders die enge Verbindung zwischen Handhaltung und partnerschaftlicher Kommunikation, deren Gründe schon angedeutet wurden. Durch die Art des Vergleichs im folgenden Beispiel wird deutlich, daß Kafka die Handverbindung zum andern schon auf der physischen Ebene sehr stark empfand: »Lieb und geduldig, bin ich das?«, schreibt er einmal an Milena: »Das weiß ich wirklich nicht, nur daß ein solches Telegramm gut tut gewissermaßen dem ganzen Körper, das weiß ich, und ist doch nur ein Telegramm und keine hingereichte Hand.« [375]

Was geschieht jedoch im Bereich gestischer Veranschaulichung, wenn, wie es bei Kafka immer wieder vorkommt, der Partner fehlt, Einsamkeit, Schwäche und Unsicherheit sich breitmachen? Die Verhaltensforschung hat herausgestellt, daß die von ihren Artgenossen Alleingelassenen und Schutzsuchenden sich selber umklammern, um so die beruhigende Nähe des andern zu ersetzen. [376] Die Tatsache, daß dieses Motiv bei Kafka als fester Bestandteil seiner gestischen Vorstellungswelt belegt ist, spricht für die Exaktheit seiner Beobachtungsgabe und Deutefähigkeit.

Schon in der Studienzeit Kafkas läßt sich die Kenntnis dieser Zusammenhänge belegen. In einer wahrscheinlich aus dem Jahr 1906 stammenden Tagebuchaufzeichnung heißt es: »Jetzt abend, nachdem ich von sechs Uhr früh an gelernt habe, bemerkte ich, wie meine linke Hand die rechte schon ein Weilchen lang aus Mitleid bei den Fingern umfaßt hielt.« Eine vergleichbare Aufzeichnung findet sich in der mindestens ein Jahr älteren Fassung A der *Beschreibung eines Kampfes*, wo es über den Beter heißt: »Daraufhin wurde er muthig. Er legte die Hände in einander, um seinem Körper eine Einheit zu geben . . .« Um seine vollendete Einsamkeit in der Wohnung seiner Schwester zu beschreiben, bei deren Betreten keine ersehnte Ehefrau die Tür öffne, stellt sich Kafka vor: »Man steht an der Wand schmerzhaft festgedrückt, senkt furchtsam den Blick, um die Hand zu sehen, die drückt, und erkennt mit einem neuen Schmerz, der den alten vergessen macht, die eigene verkrümmte Hand, die mit einer Kraft, die sie für gute Arbeit niemals hatte, dich hält.«

Die Ersetzung des Partners, der die Qualen der Einsamkeit aufhöbe, durch die eigene Hand, die in der zuletzt zitierten Passage in großer Klarheit zum Ausdruck kommt, war Kafka so selbstverständlich, daß er diese Geste als

Abbreviatur ungedeutet in einem Brief an Grete Bloch erwähnt. Um zu beschreiben, was er sei, erwähnt er unter verschiedenen Beschäftigungen auch, er »drücke mit der einen Hand die andere«.

Schließlich verwendet er dieses Bild im Mai 1922 in einer aphorismusartigen Eintragung: »Zu zweit fühlt er sich verlassener als allein. Ist er mit jemandem zu zweit, greift dieser zweite nach ihm und er ist ihm hilflos ausgeliefert. Ist er allein, greift zwar die ganze Menschheit nach ihm, aber die unzähligen ausgestreckten Arme verfangen sich ineinander und niemand erreicht ihn!« Wichtig ist im vorliegenden Zusammenhang nicht die Tendenz der Aussage, sondern die bemerkenswerte Tatsache, daß die Beziehung zur Gemeinschaft aufgrund der sich im ausgestreckten Arm manifestierenden körperlichen Zuwendung der andern diskutiert wird. Diese ist, auch wenn eine Verbindung nicht zustande kommt, offensichtlich die maßgebliche Leitvorstellung gewesen. [377]

Natürlich gibt es hinsichtlich der Handgestik eine ausgedehnte Metaphorik in Kafkas Werk, die derjenigen im mimischen Bereich durchaus gleichkommt. Dazu ein paar typische Beispiele, die auf seine Wahrnehmungsweise und Kategorienbildung einiges Licht werfen, insofern die Art des gewählten Vergleichspunktes Rückschlüsse auf die Einschätzung der als Sachebene verwendeten Gegenstandsbereiche zuläßt. Über ein Gespräch mit Brods Braut notiert er sich: »Man muß förmlich, um ein gutes Gespräch zu erreichen, die Hand tiefer, leichter, verschlafener unter den zu behandelnden Gegenstand schieben, dann hebt man ihn zum Erstaunen. Sonst knickt man sich die Finger ein und denkt an nichts als an die Schmerzen.« Das Zitat zeigt Kafkas Beobachtungsweise. Offenbar erkannte er zunächst die Gelungenheit des Gesprächs an der Art der es begleitenden Handbewegungen; unter Verwendung dieses Materials wurden dann seine Voraussetzungen als Bild formuliert, dessen Elemente sich möglichst eng an die Ausgangssituation anlehnen, ein für nicht rationale Typen ganz regelrechtes Verfahren.

Daß solche Umformungsprozesse keineswegs aufgrund eines preziösen Stilwillens zustande kommen, läßt sich beispielsweise an folgender, vom September 1911 stammender Briefstelle ablesen, in der Kafka den Vorschlag Max Brods zurückweist, er solle während seines jetzigen Sanatoriumsaufenthalts kräftig seine literarischen Pläne vorantreiben: »Natürlich, wenn ich den Zwang zum Schreiben in mir fühlen würde, wie für längere Dauer einmal in langer Zeit, wie für einen Augenblick in Stresa, wo ich mich ganz als eine Faust fühlte, in deren Innern die Nägel in das Fleisch gehn – anders kann ich es nicht sagen –, dann allerdings bestünde keines jener Hindernisse.« Er ist also bei der Beschreibung eigener Seelenzustände auf äußere Eindrücke angewiesen, mögen diese nun tatsächlich beobachtet oder als gleichsam idealer Ausdruck des gespürten Gefühls bloß vorgestellt sein. Beides ist möglich und gewiß an der Ausprägung seiner Psychologie der Hand beteiligt. Für das letztere spricht, zumindest im vorliegenden Fall, die Tatsache, daß sich der Dichter zwei Jahre später, und zwar ebenfalls auf einer

Reise, über den gleichen Sachverhalt ganz ähnlich äußert: »So . . . hängt man an der Kugel der Literatur und kann nicht los, weil man die Fingernägel hineingebohrt hat«. Ein fester Anschauungsbegriff steht hinter beiden Aussagen.

Zu erinnern wäre auch an das schon über Kafkas Typologie Ausgeführte, denn man hat davon auszugehen, daß der introvertierte Intuitive innere Gegebenheiten nicht als körperliche Innervationsvorgänge empfindet, sondern als davon losgelöste Bilder. [378] Andererseits ist Kafkas Hypochondrie und Hinwendung zur Naturheilkunde zu bedenken, die ihn zu einem scharfen Beobachter seines Körpers machten und zu seiner Auffassung führten, Physis und Psyche wirkten geradezu mechanisch in einem einheitlichen Organismus zusammen, so daß diese, nach Kafkas erkenntnistheoretischer Position sowieso nicht direkter rationaler Erkenntnis zugänglich, sich auch eindeutig in jener manifestieren muß.

Jedenfalls ist die Faust-Metapher zu einem ausgeprägten Vorstellungszusammenhang ausgewachsen. Sie dient als Ausdruck kraftvoller Entschlossenheit, als Bild für die Durchsetzung des eigenen Willens; hätten ihn nicht Schwäche und Armut von Berlin zurückgehalten, wäre er mit »allen Fäusten losgegangen«. Hatte er während einer Fahrt Lust, einer Mitreisenden, die gähnte, »die Faust in den Mund zu stoßen«, so sah er sich ein andermal im Zusammenhang mit Milena ganz von Willenskraft erfüllt, so, »als hätte er eine Faust im Mund«. Und um die Wirkung des väterlichen Lärms zu umschreiben, spricht er davon, es sei ihm »jeder Schrei wie ein Faustschlag ins Auge« gewesen, eine Vorstellung, die auch zeigt, wie er akustische Eindrücke in sichtbare Bewegung überträgt. Als Drohgeste ist das Motiv auch in literarischen Texten belegt. [379]

Häufig steht die Hand auch einfach für die ihr zugehörige Person, was zwar ein verhältnismäßig blasser Gebrauch ist, aber doch als Symptom für Kafkas allgemeine Wertschätzung dieses Körperglieds bezeichnend ist. Manchmal erscheint dadurch die Person wie im Schatten, ausgeblendet, nur in ihrer durch die Hand repräsentierten Funktion: Der Sekretär Momus im *Schloß* ist »ein Werkzeug, auf dem die Hand Klamms liegt«, und in der Erzählung *Beim Bau der Chinesischen Mauer* lautet eine Stelle: »Durch das Fenster aber fiel der Abglanz der göttlichen Welten auf die Pläne zeichnenden Hände der Führerschaft.«

Auch die schon im mimischen Bereich beobachtete Rückführung erstarrter Wendungen auf die ihnen zugrunde liegende Situation hin findet sich bei der Handgestik. Nicht anhand eines vernünftigen Buches könne man die eigenen Fähigkeiten »aufführen«, sondern »an der Hand« eines solchen, so als sei dieses ein Partner, der einen führt; Karl stellt es sich so vor, müßte er »an der Hand des Delamarche« ins Hotel zurückkehren; auch hier Konkretion, denn zum Verständnis des Gemeinten hätte ein »mit« genügt. Durch die Plastizität wird Karls Reflexion aber auch an einen Verweisungszusammenhang des Romans angeschlossen, denn zu allen neuen, entscheidenden Stationen seines Lebens wird er ja tatsächlich an der Hand geführt, was seine Unselbständigkeit versinnlichen soll. [380]

Schließlich sei noch erwähnt, daß sich in Kafkas Werk eine auffällige Hervorhebung der Fingerspitzen beobachten läßt. Die Gründe liegen in seiner Typologie. Innerhalb des Systems von Ernst Kretschmer muß er als schizoides Temperament angesehen werden. Nach Kretschmers Auffassung liegt der Schlüssel zur Erfassung dieses Typs in der Tatsache, »*daß die meisten Schizoiden nicht entweder überempfindlich oder kühl, sondern daß sie überempfindlich und kühl zugleich sind*«. Auch sei folgende Selbstaussage eines Schizoiden von unnachahmlicher Prägnanz: »Es ist eine Glasscheibe zwischen mir und den Menschen.«

In fast wörtlicher Übereinstimmung damit finden sich diese beiden Aussagen als Selbstcharakterisierungen bei Kafka. Weiterhin muß hier erwähnt werden, daß sich die psychästhetische Proportion im Lauf des Lebens fast gesetzmäßig verschiebt, und zwar so, daß die anästhetischen Elemente der Temperamentsskala allmählich die Oberhand gewinnen.

Kretschmer schreibt: »Der Übergang vom hyperästhetischen zum anästhetischen Pol hin wird von entwickelteren Persönlichkeiten als eine allmähliche innere Erkaltung mit grauenhafter Deutlichkeit erlebt... In dieser Art entwickelt sich, auch ohne seelisch zu erkranken, eine ganze Gruppe von begabten Schizoiden, die, von Jugend auf zart, scheu und nervös, in der Frühpubertätszeit ein treibhausartiges kurzes Aufblühen all ihrer Fähigkeiten und Gefühlsmöglichkeiten auf der Grundlage einer enorm gesteigerten Reizsamkeit ihres Temperamentes im Sinne elegischer Zärtlichkeit oder eines mehr gespreizt-überspannten Pubertätspathos erleben. Nach wenigen Jahren gehen sie als kaum noch leidliche Durchschnittsbürger, allmählich immer matter und kühler, einspannig, schweigsam und trocken hinweg.«

Auf einer höheren Ebene läßt sich eben diese Entwicklung auch bei Kafka beobachten, denn aus dem verhältnismäßig kontaktfreudigen, reiselustigen und freundschaftsuchenden (auch erotische Bindung findenden) jungen Mann wird im Lauf der Jahre ein einsiedlerischer und nur auf sich selbst gestellter Mensch, der sein Verhältnis zum Mitmenschen, sofern nicht noch hyperästhetische Momente oder Mitleid mitspielten, durch »Langweile«, »Gleichgültigkeit« und Kaltsinnigkeit bestimmt sah, also durch eben jene Stumpfheit der Umwelt gegenüber, die nach Kretschmer mit der Akzentuierung persönlichkeitsbezogener Affektwerte einhergeht.

Eine Übereinstimmung herrscht auch zwischen den Denkeigentümlichkeiten der Schizoiden und dem, was bei Kafka wahrnehmbar ist: »Neben unsteten, zerrissenen, barock abspringenden, aphoristisch dunklen Schriftstücken finden wir andererseits bei den hochbegabten Schizoiden... einen entschiedenen Zug zur Tenazität, zur restlosen Aufzählung von Namen und Zahlen...«

Für die hermetische Bildhaftigkeit Kafkas braucht es keiner weiteren Belege, es sei nur verwiesen auf das erste Kapitel dieser Arbeit, wo gezeigt ist, daß der Aphorismus und das Bild die Kafka eigenen Denkformen darstellen. Auf seine Gründlichkeit und Ausführlichkeit weist Max Brod unübersehbar hin. Er erkannte auch die Verbindung dieser Gegebenheiten mit der Darstellungsweise seines Freundes: »Es ist dies, nebenbei bemerkt, dieselbe Methode, mit der Kafka seine Figuren schildert, ohne sie je zu Ende zu erklären.« Als Beispiel führt er Kafkas Unpünktlichkeit an, die darauf zurückging, daß vorher anderes auf das Allergenaueste erledigt werden mußte, sowie die Tatsache, daß der Dichter nach dem Besuch eines ihn entzückenden Filmes stundenlang nicht dazu zu bringen war, von etwas anderem als gerade nur von diesem Film zu berichten.«

Brod fiel eine ähnliche Verhaltensweise auch an Kafkas Lieblingsschwester auf: »Einmal kam ich zu Ottla (schon lange nach Kafkas Tod) eine wichtige Angelegenheit mit ihr zu besprechen; und sie unterhielt mich zunächst die ganze Zeit über nur mit lustigen Beobachtungen, die sie an ihrem Hund gemacht hatte, über anderes war mit ihr etwa eine Stunde lang schlechterdings nicht zu sprechen. Ähnliches habe ich öfters an Kafka bemerkt.«

Schon die Tatsache, daß Kafka zu dem genannten Zeitpunkt lange tot war, schließt es eigentlich aus, daß Ottla etwa, wie in vielen anderen Dingen, hier in diesem Punkt den Bruder nur imitiert hätte. Viel näherliegend ist doch die Annahme, daß beiden Geschwistern eine ähnliche Konstitution eigen war, die sich unter anderem in vergleichbaren Verhaltensmustern ausdrückte.

Auch sein Gesichtsbau, in der sich die Konstitutionsformel deutlich spiegelt, verweist auf einen leptosomen Körperbautypus. Die Umrißlinie stellt eine verkürzte Eiform dar, Zartheit und Magerkeit der Gesichtsbildung, die den asthenischen Leptosomen ebenfalls auszeichnen, sind für ihn charakteristisch.

Den letzten Zweifel an dieser Zuordnung zerstreuen seine Magerkeit und sein Haarwuchs, wie ihn etwa sein Verlobungsphoto deutlich zeigt. Man vergleiche diese Abbildung mit folgender Beschreibung Kretschmers: »Das Haupthaar ist nicht nur sehr dicht, sondern sucht sich auch über seine durchschnittlichen Grenzen hinaus auszubreiten. Es wächst im Nacken, ebenso aber an Stirn und Schläfen stark hinein, so daß die *Bucht an den Schläfenwinkeln verstreicht* und an den lateralen Schläfenpartien das Haupthaar in einer mehr oder weniger feinen *Haarbrücke* mit den Brauen in Verbindung tritt. Auch die Brauen nehmen an der Wucherung teil, sie sind sehr breit und dicht... Den Kopfbehaarungstyp... mit seinem dichten, buschigen Wachstum und seinem tiefen Herabgezogensein in Gesicht und Nacken kann man als *Pelzmützenhaar* bezeichnen.«

Speziell in den subtil abgestuften kleinen Handbewegungen sind die Leptosomen den übrigen Gruppen überlegen. Mehr als die anderen typologischen Einheiten sind sie zu differenzierten Einzelgesten fähig, während ihnen die Gesamtkoordination ihrer Bewegungen schwerfällt. Dazu stimmt nicht nur Kafkas Selbstaussage, er sei nur zur Imitation von Details fähig, besonders von Handbewegungen, sondern auch Dora Diamants Zeugnis, die ihm be-

sondere Geschicklichkeit für Schattenspiele und ausdrucksstarke, gesprächsbegleitende Bewegungen der Finger nachsagt. Damit findet die Betonung der
Fingerspitzen eine natürliche Erklärung.

Sie sind ihm ein Bild für den äußersten Teil seines Wesens, der widerwillig
etwas tun muß, ein Ausdruck für den Minimalkontakt, den er zu einer Sache
hat. Einmal ist davon die Rede, man müsse bis in die Fingerspitzen mit
Verantwortlichkeitsgefühl ausgestattet sein. Diese stellen also gleichsam die
Tastenden dar, mit denen die Umweltorientierung erfolgt. Als Beleg für ihre
Rolle als Träger von Ausdrucksbewegungen diene ein Zitat aus der *Entlarvung eines Bauernfängers:* »Ich zerrieb mir die Fingerspitzen aneinander,
um die Schande ungeschehen zu machen!« [381]

Angesichts der dem ausgebreiteten Material zu entnehmenden Gegebenheiten ist es nicht verwunderlich, daß Handbewegungen bei Kafka auf sehr
differenzierte Weise als Ausdrucksträger seelischer Gehalte verwendet werden; mit ihr korreliert eine entsprechende Beobachtungsschärfe in den Lebenszeugnissen. Die wichtigsten Gesten sollen jetzt kurz beschrieben werden.
Zunächst ist zu fragen, was es bedeutet, wenn Figuren die Hände in den
Hosentaschen halten. Abgesehen von den Fällen, wo dieses Motiv als Zweckbewegung benützt und dann auch gedeutet wird – die Taschen sollen das
Zittern der Hände verbergen –, kommt ihm ein bestimmter Ausdruckswert
zu, der sich daraus ergibt, daß eine solche Handhaltung den ausgestreckten,
nach dem andern greifenden Armen polar entgegengesetzt ist; sie sagt also
aus, daß eine Figur sich zurückhält, auf sich selber bezogen ist, gleichzeitig
freilich ihre Stellung zu behaupten trachtet. Sehr deutlich ist das aus der
Szene im *Verschollenen* ablesbar, wo Karl von dem Polizisten verhört wird.
Delamarche wird von Robinson aufgefordert, Karl zu helfen, aber »Delamarche wehrte ihn mit hastigem Kopfschütteln ab und sah untätig zu, die
Hände in seinen übergroßen Taschen«. Erst als er dann am Gespräch teil-
nimmt und »im Reden« ist, bringt er mit den Händen in den Taschen seinen
ganzen Mantel in schwingende Bewegung, und als er schließlich den Verlauf
der Verhandlung in seine Bahnen lenken kann, den Polizisten in die Defen-
sive drängt, begleitet er eine seiner Aussagen bekräftigend mit ausgebreiteten Armen.

Erhellend ist auch eine Stelle aus dem *Schloß,* wo die Herrenhofwirtin K.
über sein Verhalten nach den Verhören sagt, er sei unbegreiflicherweise im
Gang stehengeblieben, »die Hände in den Taschen, so, als erwarte er, daß,
da er sich nicht entfernte, der ganze Gang mit allen Zimmern und Herren
sich entfernen werde«, in trotziger, auch bequemer Selbstbehauptung, das
vor seinen Augen Geschehende nur beobachtend, aber nicht in seinen Verlauf
eingreifend. Kafka denkt sich also etwas dabei, wenn er Felice mitteilt, er
habe »ganz allein einen Spaziergang gemacht, die Hände in den Taschen«,
denn diese Haltung gilt ihm als Ausdruck der Einsamkeit; die Hände finden
keinen Partner.

Im *Kaufmann* sagt der Erzähler zu seinen imaginären Gesprächspartnern:

»Verfolget nur den unscheinbaren Mann ... beraubt ihn und seht ihm dann, jeder die Hände in den Taschen, nach, wie er traurig seines Weges in die linke Gasse geht.« Die gleiche Vorstellung liegt an einer Stelle der *Verwandlung* zugrunde, wo es über die drei Zimmerherrn heißt: »Sie kamen auch und standen dann, die Hände in den Taschen ihrer etwas abgenützten Röckchen, in dem nun schon ganz hellen Zimmer um Gregors Leiche herum.« In beiden Fällen erscheinen mehrere Personen nicht als Gruppe – wie sich zeigen wird, ein Sonderfall bei Kafka –, sondern nur durch einen äußeren Bezugspunkt verbunden. Jeder ist mit seinen Beobachtungen beschäftigt und äußerlich passiv.

Besonders beweiskräftig für den vermuteten Zusammenhang ist ein kleines Erzählfragment vom Februar 1912, in dem ein Ich-Erzähler beschreibt, was er vom Haustor aus auf der Gasse wahrnimmt. Es könnte sich übrigens hier auch um eine echte biographische Eintragung handeln, doch wäre dann zumindest eine starke Stilisierung anzunehmen. Es heißt da: »Mädchen ... gingen am Arm junger Leute ... Familien hielten gut zusammen, und waren sie auch einmal in langer Reihe zerstreut, so fanden sich leicht rückwärts ausgestreckte Arme, winkende Hände, Ausrufe von Schmeichelnamen, welche die Verlorenen verknüpften. Allein gelassene Männer suchten sich noch mehr abzuschließen, indem sie die Hände in die Taschen steckten. Das war kleinliche Narrheit. Zuerst stand ich im Haustor, dann lehnte ich mich an, um ruhiger zuzusehen. Kleider streiften mich, einmal ergriff ich ein Band, das hinten einen Mädchenrock verzierte, und ließ es durch die sich Entfernende aus der Hand ziehen; als ich einmal einem Mädchen, nur um ihm zu schmeicheln, über die Schulter strich, gab mir der folgende Passant einen Schlag auf die Finger. Ich zog ihn aber hinter den einen verriegelten Haustorflügel, meine Vorwürfe waren erhobene Hände, Blicke aus den Augenwinkeln, ein Schritt zu ihm hin, ein Schritt von ihm weg, er war glücklich, als ich ihn mit einem Stoß entließ. Von jetzt an rief ich natürlich öfters Leute zu mir her, ein Winken mit dem Finger genügte oder ein rascher, nirgends zögernder Blick.«

Man wird kaum einen anderen Kafka-Text finden, der derart ausschließlich sich durch Ausdrucksbewegungen konstituiert, das Problem der Gemeinschaftsbindung so ausschließlich durch diesen Bereich veranschaulicht. Einerseits wird hier deutlich, wie sich die Gruppen der Verliebten und Familien durch Gesten und Ausrufe als zusammengehörig erweisen, während die Junggesellen ihre Isoliertheit dadurch manifestieren, daß sie ihre Arme gleichsam in sich versenken. An dieser Stelle also ist es einmal ausgesprochen, wie Kafka eine derartige Armhaltung verstanden wissen wollte. Der zweite Teil der Passage zeigt, wie der Ich-Erzähler versucht, von seiner Randposition aus – er beobachtet ja zunächst nur – sich dem Gemeinschaftsleben zu nähern. Es geschieht dies durch Greifen. Dadurch kommt es immerhin zu einer spielerischen Auseinandersetzung, deren Verlauf aber nun wieder be-

zeichnenderweise ausschließlich mit Hilfe von Ausdrucksbewegungen dargestellt wird. [382]

Eine Ausdrucksbewegung liegt auch vor, wenn jemand seine Hände in
den Schoß legt. Läßt sich die eben beschriebene Geste auf die Formel Hand-
lungsunwilligkeit bringen, so bedeutet diese Handlungsunfähigkeit. In einem
Brief an Felice beschreibt Kafka einmal eine Situation im Büro: »... mir fiel
nichts ein ... ich saß ... bei der Maschine und fühlte mich zu nichts anderem geschaffen, als die Hände im Schoß zu halten.« Die Bedeutung dieser
Haltung ist so offensichtlich und ja auch sprichwörtlich, daß bei ihrer Verwendung in der Dichtung keine Erklärung zu geben war. Als Frieda in der
Darstellung ihrer Vergangenheit zu dem Punkt kommt, wo sie die völlige
Veränderung ihrer Verhältnisse durch das Auftauchen K.s berichtet, muß
sie abbrechen, »traurig senkte sie den Kopf, die Hände hielt sie gefaltet im
Schoß«. [838] Ihre Unfähigkeit weiterzuerzählen wird also auch in ihrer
Haltung sinnenfällig.

Auch die Bitthaltung ist im wesentlichen ein Arm- und Handhaltung. Je
nach dem Intensitätsgrad des Vorgangs werden dabei die Hände aneinander-
gerieben, gefaltet oder gerungen und die Arme – jedoch spielt hierbei auch
die räumliche Zuordnung zum Partner, der gebeten wird, eine Rolle – vorgestreckt bzw. ausgestreckt, gehoben oder in die Höhe gereckt. [384] Man
darf diese Geste keinesfalls mit den ausgebreiteten Armen vermengen, die
etwas anderes bedeuten. Um Verwechslungen zu vermeiden, interpretiert
Kafka, wenn erforderlich, den Bittgestus als solchen. Die von der Schule
ausgeschlossenen Gehilfen im *Schloß* »streckten ... alle Kräfte zusammen-
nehmend, die Arme bittend gegen die Schule aus«.

Sofern eine derartige Handstellung keine Zweckbewegung meint – intendiert ist dann Abschirmung bzw. Ergreifenwollen –, soll sie ein Sich-Öffnen
der Umwelt gegenüber darstellen und die Partner erklärtermaßen in die
eigene Vorstellungswelt einbeziehen, kurz, es handelt sich hier um den Gestus der Extraversion. Über das weitere Schicksal eines eben abgeschlossenen
Buches von Oskar Baum meint Kafka: »Jetzt soll nur die Welt die Arme ausbreiten, die lieben Kinder aufzufangen.« Schon fünf Jahre vorher hatte er
geschrieben, lustig, lebhaft, mit ordentlichem Gang und dem künftigen Leben
ziemlich geneigt: »wenn man uns nach unserm beabsichtigten Leben fragt,
so gewöhnen wir uns im Frühjahr eine ausgebreitete Handbewegung als Antwort an, die nach einer Weile sinken wird, als sei es so lächerlich unnötig,
sichere Dinge zu beschwören.« Eine fraglose, positiv empfundene Übereinstimmung mit den Verhältnissen liegt also dieser Haltung zugrunde. Es ist
die »Freiheit der begeisterten Bewegung«, die dem Dichter während seines
Einleitungsvortrags zu Jizchak Löwys Rezitationsabend nur als Mangel an
Übung nicht gelingen wollte. Die Zirkusreiterin in dem Stück *Auf der Galerie* will deswegen »mit ausgebreiteten Armen ... ihr Glück mit dem ganzen
Zirkus teilen«, und Schwarzer im *Schloß* sucht »mit ausgestrecktem Arm«

beim Wirt und den Gästen Bestätigung für seine Auffassung der Dinge. [385]

Diese Haltung hinwiederum hat man zu unterscheiden von dem Gestus der erhobenen, nicht in Bittstellung vereinigten Hände, der sich bei Kafka großer Beliebtheit erfreut. In ihm dokumentiert sich eine innere Erregung, die sich Bahn brechen muß. K. »warf die Arme in die Höhe, die plötzliche Erkenntnis wollte Raum«, Delamarche wird durch Hausbewohner so gereizt, daß er, »Arme und Beine werfend«, auf sie zueilt. Wenn also der Kaufmann Block im *Prozeß* »mit erhobenen Armen« in der Küche des Advokaten herumläuft, nachdem er erfahren hat, daß K. den Advokaten entlassen will, so drückt sich darin eine ganz besondere innere Erregtheit aus. Schließlich gehört in diesen Zusammenhang der bekannte Aphorismus: »Der Verzückte und der Ertrinkende, beide heben die Arme. Der erste bezeugt Eintracht, der zweite Widerstreit mit den Elementen.« Die originelle Formulierung zeigt, wie sehr Kafka vom Gestischen her dachte, wie dieser Bereich Disparates einander zuordnet, keinesfalls aber, wie grundlos vermutet wurde, eine Ambivalenz der Ausdrucksbewegung überhaupt, für die es auch bei genauester Prüfung des sehr umfangreichen Belegmaterials kein Indiz gibt. Die Sentenz will vielmehr zum Ausdruck bringen, wie nahe gegensätzliche Verhaltensweisen offenbar beieinanderliegen, wenn ihre physischen Korrelate sich so ähnlich sind. [386]

Für die Dominanz der Handgestik in Kafkas Vorstellungswelt, besonders der poetischen, gibt es noch ein sehr eindringliches Beispiel. Als er bei der Niederschrift des *Verschollenen* das Kapitel *Der Fall Robinson* beendet hatte, schrieb er an Max Brod: »zwei Figuren, die noch darin hätten vorkommen sollen, habe ich unterdrückt. Die ganze Zeit, während der ich geschrieben habe, sind sie hinter mir hergelaufen, und da sie im Roman selbst die Arme hätten heben und die Fäuste ballen sollen, haben sie das gleiche gegen mich getan. Sie waren immerfort lebendiger als das, was ich schrieb.«

Zusammen verwirklicht hat Kafka die beiden Komponenten nur im achten Kapitel des *Prozeß*-Romans, wo Block mit erhobenen Händen und Leni mit geballten Fäusten auf K.s Aussage reagieren, den Advokaten entlassen zu wollen, und in einer kleinen Teilszene der Bürgel-Episode im *Schloß*, wo K. träumt, »wie der Sekretär aus seiner stolzen Haltung durch K.s Vorstöße immer aufgeschreckt wurde und etwa den hochgestreckten Arm und die geballte Faust schnell dazu verwenden mußte, um seine Blöße zu decken, und doch damit noch immer zu langsam war«. [387] Drückt die erhobene Hand nur Erregung aus, so verkörpern die Fäuste deren aggressive Komponente. Die Briefstelle veranschaulicht aber vor allem, daß sich Kafka die zu konzipierenden Gestalten als profilierte gestikulierende Personen vorstellt, die in seinem Innern so lebendig, also optisch so präsent waren, daß sie sich seinem Bewußtsein in der Art einer Obsession aufdrängten.

Nicht weniger ausgeprägt als die Armgesten sind die Bewegungen der Hände im einzelnen. An einem unscheinbaren Sachverhalt läßt sich paradigmatisch zeigen, wie auch in diesem Bereich Wahrnehmung, Selbstbeobachtung und dichterische Gestaltung auf gleichen Vorstellungen beruhen. In einem Brief beschreibt er eine Anverwandte als »händereibende« Person. Über seine und der Freunde lustige Verfassung zu Anfang des Sommers meint er: »wir reiben unsere Hände vor Freude rot.« Das gleiche Motiv erscheint dann im *Verschollenen*, wo sich der Personalchef des Theaters von Oklahoma freudig die Hände reibt, weil so viele zur Aufnahme erscheinen. [388]

Sehr beliebt sind winkende, festnagelnde und ausgestreckte, zeigende Finger und redebegleitende Handbewegungen. Trotzdem hat Kafka die Gefahr starrer Typisierung vermieden. Einmal sind die verbreitetsten Gesten wie der Aufmerksamkeit heischende, erhobene oder Schweigen gebietende, an den Mund gelegte Zeigefinger, ungeduldiges Trommeln mit den Händen und Händereiben verhältnismäßig sehr selten. [389] Zum andern versucht Kafka durch Verwendung seltenerer Gebärden Abwechslung zu schaffen. So hat z. B. der Aufseher im *Prozeß* »eine Hand fest auf den Tisch gedrückt und schien die Finger ihrer Länge nach zu vergleichen«. Nach K.s wohl richtiger Deutung ist das ein Ausdruck für die betonte Unaufmerksamkeit des Aufsehers an seinen Äußerungen.

Eine dritte Möglichkeit, Klischees zu vermeiden, besteht darin, daß der gleiche zu veranschaulichende seelische Sachverhalt durch voneinander verschiedene, aber doch ähnliche und dasselbe meinende Gesten vorgestellt wird: Durch die Verhältnisse dazu verdammt, nicht in die Situation eingreifen zu können, wird Delamarche in der schon erwähnten Szene mit dem Polizisten immer nervöser, so daß er sich kaum beherrschen kann: er zerdrückt seine Visitenkarte in der Hand. Entsprechend verhält sich K.s Onkel im *Prozeß*. Während der Zeit, als K. Amtsgeschäfte erledigt, muß er seine, durch K.s Verhalten seinem Prozeß gegenüber noch gesteigerte, nach Aktivität drängende Erregung zurückhalten – sie dokumentiert sich auch durch nervöses Lippenbeißen –, so daß er aus dem Fenster sieht und mit ausgestreckten Händen die Vorhänge zusammenknüllt.

Selbst derartige Erzähldetails sind vom Autor nicht erfunden worden, sondern unmittelbarer Ausdruck seiner Beobachtung, ja seines Erlebens. Folgende Überlegung mag dies plausibel machen: Kafka schloß das 6. Kapitel des *Verschollenen* am 12. November 1912 ab. Ob er am 13. das folgende Kapitel begann, ist ungewiß, viel schrieb er aber nicht, war er doch bis 1/2 12 Uhr in der Nacht mit Ottla spazieren, außerdem glaubte er, daß Felice ihm nicht mehr schreiben werde, und es ist sehr fraglich, ob er in der damit zusammenhängenden Verzweiflung zum Schreiben fähig war. Sicher arbeitete er in den drei folgenden Tagen, also am 14., 15. und 16., am siebenten Kapitel, kam aber nur sehr langsam voran: »ich schreibe seit paar Tagen schrecklich wenig, ja fast nichts, ich habe zu viel mit Dir zu tun, zu viel an Dich zu denken.« So am 15. November. Zwischen dem 17. dieses Monats und dem 6. Dezember ruhte dann die Arbeit am Roman, weil Kafka in dieser Zeit die *Verwandlung* konzipierte. Die Stelle nun, wo Delamarche die Visitenkarte zwischen seinen Fingern zerdrückt, steht am Ende der 10. Druckseite des siebenten Kapitels. Geht man von Kafkas durchschnittlicher Tagesleistung aus und berücksichtigt man das, was er über das Tempo des Fortschreitens am 15. November äußerte, so wird man zu der Meinung gelangen müssen, daß die fragliche Stelle wohl am 7. Dezember (eventuell sogar erst am 8.) formuliert wurde, weil Kafka in den vier dem 17. vorhergehenden Tagen wohl kaum mehr als je zwei Druckseiten geschaffen haben kann.

Am 4. Dezember nun las Kafka öffentlich das *Urteil* vor. In dem Bericht, den er Felice von dieser Rezitation gibt, heißt es unter anderem: »Um nichts Auffälliges, aber doch unbedingt etwas vor Dir bei der Hand zu haben, hatte ich mir Deine Festansichtskarte mitgenommen und hatte mir vorgenommen, während des Vorlesens die Hand ruhig auf ihr liegen zu lassen und auf diese Weise mittels einfachster Zauberei von Dir gehalten zu werden. Aber als mir dann die Geschichte ins Blut ging, fing ich mit der Karte zuerst zu spielen an, dann aber drückte und bog ich sie schon ohne Besinnung, gut daß an Stelle der Karte nicht Deine liebe Hand gewesen ist, Du könntest mir sonst morgen gewiß keinen Brief schreiben und es wäre ein viel zu teurer Abend für mich gewesen.« Die innere Erregung also, die Kafka dazu führte, eine Karte Felicens zu zerdrücken, geht drei oder vier Tage später als Ausdrucksbewegung Delamarches in den Roman ein!

Schließlich sind hier auch die Fälle anzuführen, wo Handgesten durch Als-ob-Sätze näher determiniert werden. Der Schreiber in der Aufnahmekanzlei des Theaters von Oklahoma macht eine Handbewegung, »als habe nun der Leiter das Weitere zu veranlassen«. Durch diese Verwendungsart können auf einfache Weise dem Leser leicht verständliche, aber nur mit übergroßem Aufwand richtig zu beschreibende Handbewegungen in die Darstellung eingebaut werden, die überdies durch die Geschmeidigkeit der Vergleichssätze ganz individuellen Bewußtseinsinhalten zuordbar sind, so daß keine Ausdrucksbewegung der andern gleicht. [390]

Andererseits macht Kafka natürlich auch durchaus von der Möglichkeit Gebrauch, durch eine Analogie der Gebärden eine gewisse Beziehung oder Verwandtschaft der entsprechenden Handlungszüge anzudeuten. Das kommt besonders deutlich im *Verschollenen* zum Ausdruck, wo von der Forschung herausgestellt wurde, daß sich bestimmte Grundkonstellationen im Verlauf des Romans wiederholen, wobei Karl immer mehr aus der menschlichen Gemeinschaft verdrängt wird. Auf diesen Sachverhalt wird insofern durch Gestik aufmerksam gemacht, als Karl von Johanna, dem Heizer, Klara, der Oberköchin und einem Diener des Theaterunternehmens – in seinen Gedanken auch noch von Delamarche – an einen andern Ort gebracht wird, wobei jedesmal, und zwar durch fremde Willensentscheidung veranlaßt, ein neuer Abschnitt in Karls Leben beginnt. [391]

Man muß freilich bei solchen Zuordnungen vorsichtig sein: Gewiß, wenn der Senator und Brunelda Karl jeweils am Kinn fassen, so wird hier, das hat

W. Jahn zweifellos richtig gesehen, eine gewisse Verwandtschaft der Handlungsfunktion der beiden Elternfiguren in der Analogie der Gebärden angedeutet, besser gesagt, verstärkt, denn sie ist schon aus dem Baugesetz des Romans ablesbar. Verfährt aber Green mit Klara so, dann gewiß nicht, weil Klaras Schicksal demjenigen Karls vergleichbar wäre oder weil Kafka durch die negative Beleuchtung, in der Karl dieser Vorgang erscheint, hätte darauf aufmerksam machen wollen, daß ihr kein echtes seelisches Korrelat zugrunde liege; Kafka benützt vielmehr den Gestus, der ihm auch aus empirischer Beobachtung bekannt war, weil Greens Verfassung derjenigen der andern Figuren entspricht.

Wie fest solche Zuordnungen für Kafka waren, geht nicht nur aus der Tatsache hervor, daß es im *Prozeß* eine typische Stellung des Angeklagten gibt, die Kafka auch in einer Zeichnung festgehalten hat, sondern es zeigt sich auch darin, daß Gebärden aus dem *Verschollenen* noch im *Schloß* in gleicher Verwendung vorkommen: In beiden Romanen schlagen sich die Figuren mit der Hand an den Kopf, wenn sie eine Sache nicht begreifen.

Auch für kompliziertere Beziehungen zwischen zwei Figuren trifft diese Beobachtung zu: Pollunder, der Karl sehr gewogen ist, legt den Arm um seinen Schützling und zieht ihn zu sich zwischen seine Beine; Karl duldet es, obwohl er sich für eine solche Behandlung im allgemeinen zu erwachsen fühlt. In der Szene im *Schloß*, wo K. mit Brunswicks Sohn verhandelt, heißt es entsprechend: »Längst schon hatte K. Hans aus der Bank zum Katheder gerufen, hatte ihn zu sich zwischen die Knie gezogen und streichelte ihn manchmal begütigend.« [392]

Die dargestellten Befunde erklären die häufig geäußerte Behauptung, Kafka habe in seinem Werk auf die Darstellung der Gefühle verzichtet, was bei diesem durch seine Erziehung in diesem Bereich schwer geschädigten Autor auch gar nicht verwunderlich wäre. Richtig ist an solchem Verständnis sicher die nicht zu leugnende Besonderheit Kafkas, nicht in inneren Monologen die Gesamtheit des Innenlebens einer Figur zu entfalten, sondern sich bei deren Präsentation auf die situationsbezogenen Regungen, innerer und äußerer Art, zu beschränken. Entsprechend seiner Abneigung gegen den abstrahierenden Allgemeinbegriff und gemäß seiner erkenntnistheoretischen Position, Inneres lasse sich nicht beobachten, sondern nur leben, geschieht dies nun durch direkte Beschreibung des durch eine Situation evozierten Gedankenflusses und in den Fällen, wo ihm dies nicht günstig erscheint, durch die Gebärde. In dieser nichtbegrifflichen und auf die jeweilige Erzählsituation eingeschränkten Form gibt es also bei Kafka tatsächlich eine ausgedehnte Darstellung des emotionalen Bereichs.

In engster Beziehung zur Hand- und Armgestik steht eine erzähltechnische Besonderheit Kafkas, die schon bei der mimisch-gestischen Untersuchung der *Verwandlung* zum Ausdruck kam, nämlich die Gruppenbildung. Gemeint ist die auffällige Tatsache, daß Erzählfiguren in der Regel räumlich einander zugeordnet sind und als im Geschehensablauf wechselnde Gruppen erscheinen. Da es in den Wahrnehmungsprotokollen der Lebenszeugnisse Vergleichbares gibt, hat man davon auszugehen, daß Kafka überhaupt Personen nicht isoliert, sondern vorzugsweise in Verbindung mit ihrer Umgebung sah, gleichgültig ob er beobachtete oder gestaltete. Jedenfalls kommt in den Tagebüchern Einzelbeobachtung nur in einer Minderzahl der Fälle vor, aus denen natürlicherweise auch gar nicht immer geschlossen werden kann, ob überhaupt Bezugsfiguren anwesend waren. Wenn mehrere Personen erscheinen, wie in einer Überzahl der Belege, sind sie einander zugeordnet: »Der ruhig kauende Mann, der am Fenster vertraulich mit einer Frau, einer Verwandten, spricht.«

Die Gemeinsamkeit wird dabei auch durch Händefassen, Einhängen, Andrücken, Handbewegungen, Hintereinander- und Nebeneinandergehen, Frontalzuwendung und Blickewerfen sichtbar. Kafka empfindet in einer über das Greifbare der Situation hinausgehenden Weise die hinter einer solchen Gruppierung stehenden Kräfte, freilich auch umgekehrt unpassende Verbindungen. Auf einer Reise beobachtet er: »Drei Kinder, darunter Georg, der sinnlos wie etwa ein Schmetterling, sich bei ganz fremden Leuten niederläßt.«

Entsprechend wird auch im literarischen Werk betont, wenn mehrere Figuren keine Gruppe bilden. Über die Bauern im »Brückenhof« heißt es: »Wie er sie aber so dasitzen sah, jeden auf seinem Platz, ohne sich miteinander zu besprechen, ohne sichtbare Verbindung untereinander, nur dadurch miteinander verbunden, daß sie alle auf ihn starrten ... « Diese Beobachtungsweise des Dichters zeigt sich schon sehr früh und besteht unabhängig von Situationen, die sich tatsächlich im Augenblick der Beobachtung vor seinen Augen begeben. In einer Tagebuchnotiz aus dem Jahr 1910, in der er Personen, die seiner Entwicklung schadeten, in dichterischer Verfremdung eng zusammenrückt, wie er diesen Erinnerungsvorgang bezeichnet, heißt es vergleichsweise, sie stünden zusammen und wüßten »wie auf alten Gruppenbildern nichts miteinander anzufangen«; sie sind ja alle auf den Photographen ausgerichtet, nicht untereinander bezogen; die eben zitierte *Schloß*-Passage ist also in ihrem Arrangement durch ein vorgeprägtes Anordnungsmuster determiniert.

Interessant sind auch zwei Briefstellen aus den Jahren 1904 und 1911. An der ersten spricht Kafka davon, es müßten »hübsche Gruppierungen entstehen«, wenn er zwei eigene, sehr unterschiedliche Freunde zusammenbrächte, an der andern findet er die im Sanatorium anwesenden Frauen des Schweizer Mittelstandes dadurch »viel enger gruppiert«, daß er ihrer Sprache nicht mächtig ist. [393] Die Gruppe als Ordnungsvorstellung ist also auch dann lebendig, wenn es sich um bloß vorgestellte Personenbeziehungen handelt.

Obwohl Kafkas Raumgestaltung, besonders im *Prozeß*, schon Gegenstand genauer Analysen war, ist die Gruppenbildung als ihr wichtigster Aspekt bisher übersehen worden. Denn gewiß werden Räume durch Geräusche, Lichteinwirkungen usw. erzählerisch konkretisiert, aber sie bleiben auch dann Kulisse, wenn nicht die sich in ihnen bewegenden Figuren durch Lagekoordinaten als Teile einer Erzählbühne, also einer Szene, ausgewiesen sind, und dies eben bewirkt die genannte Erscheinung. [394]

Diese Gruppierung geschieht auch in Fällen, wo in den Augen des Normalbeobachters gar keine besonders ausgeprägte Zuordnung vorliegt, also etwa in der Bewegung. So gehen Josef K. und sein Freund Hasterer Arm im Arm, ebenso K.s Gehilfen im *Schloß*. Werden mehr als zwei Figuren derart gezeigt, hält Kafka genauere Angaben für unumgänglich. Zwei Beispiele aus dem *Schloß:* »K. und Frieda, hinter ihnen die Gehilfen, das war der Zug«, heißt es über den Weg vom »Herrenhof« zum Gasthaus »Zur Brücke«, den K. am Morgen nach seiner Vereinigung mit Frieda zurücklegt. Über den Einzug von Klamms Dienerschaft wird gesagt: »Sie gingen paarweise, aber sonst ohne Ordnung und Haltung.« [395]

Natürlich verwendet Kafka nicht nur Handgesten, um Partner in innerer Verbindung zu zeigen. Die gemeinsame Konspiration Pollunders und Greens wird durch eine bestimmte Kopf- und Körperhaltung der beiden sinnfällig. [396] An manchen Stellen ist auch deutlich zu bemerken, wie Kafka versucht, durch Wiederholung bestimmter Gruppenbildungen einen Verweisungszusammenhang aufzubauen. In der Szene in der Kammer des Heizers muß Karl an die Wand rücken – er liegt im Bett des Heizers –, weil dieser seine Beine aufs Bett legt und sie dort streckt. Als Therese Karl, der auf dem Kanapee liegt, zum erstenmal besucht, setzt sie sich so eng an sein Lager, daß er an die Mauer zurückweicht. Das Moment räumlicher Enge geht aber über die am Bett spielenden Szenen hinaus. Während Herr Pollunder und Karl im Automobil zum Landhaus fahren, sitzen sie »eng beieinander«, seine Möglichkeiten, das abendliche New York, das er noch nicht kennt, zu beobachten, sind dadurch außerordentlich beschnitten, er sieht nur die Weste seines Partners. [397] Offensichtlich soll durch solche Arrangements das Beengende zum Ausdruck kommen, das in Karls Beziehungen zu andern sichtbar wird.

Wenn Karl bei der Betrachtung des Bildes seiner Eltern die Hand der Mutter küssen will, erinnert sich der Leser daran, daß er dem Heizer und dem Onkel tatsächlich die Hand geküßt hatte. Solche gleichartigen Gruppierungen unterstützen natürlich die aus andern Gründen sichtbar werdende Funktionsähnlichkeit zwischen diesen Figuren. [398]

Sie soll am kompliziertesten Beispiel, das Kafkas Verfahrensweise am überzeugendsten zeigt, dargelegt werden, nämlich an der Szene im Büro des Oberkellners, die das Zentrum des sechsten Kapitels im *Verschollenen* bildet. Im Gegensatz zum *Heizer*, wo sich Kafka darauf beschränken konnte, gleichsam mechanisch die Lageveränderungen der einzelnen Personen oder Figurengruppen während des sich in der Kassa abspielenden Geschehens aufzuzeigen, waren die darstellungstechnischen Schwierigkeiten hier, trotz des etwas geringeren Personenstandes, erheblich größer. Denn einmal galt es, während der Verhandlung den Robinsons Schicksal betreffenden Parallelfaden mitzuführen, in die Büroszene zu integrieren – so verfährt Kafka etwa auch im

Landarzt, wo die der Haupthandlung zeitlich gleichlaufende Rosa-Handlung im Bewußtsein des Ich-Erzählers sich spiegelt –, weil sonst beim folgenden Zusammentreffen zwischen Robinson und Karl die Kontinuität des Erzählablaufs hinsichtlich Robinsons unterbrochen gewesen wäre.

Demgegenüber konnte das mit Karls Eintreten für den Heizer gleichzeitige Zusammenholen der Zeugen durch Schubal mit Hilfe einer einfachen Erklärung des Obermaschinisten berichtet werden, weil keiner der Anwesenden, und auch der Leser nicht, davon wußte. Außerdem aber sind die Einzelpersonen und Gruppen im *Heizer* vor allem auf Karl und seinen Begleiter ausgerichtet, die Beziehungen etwa zwischen Kapitän und Onkel oder dem Oberportier dagegen sekundär und unabhängig von den augenblicklichen Vorgängen.

Im *Fall Robinson* jedoch – und das ist der zweite, entscheidende Punkt, der Kafkas Schwierigkeiten beim Erzählen steigert – gibt es feste Gefühlsbeziehungen, auch negativer Art, zwischen den beteiligten Personen, nämlich zwischen Oberportier, Oberkellner und Karl, zwischen Oberkellner und Oberköchin, zwischen dieser und Therese, Therese und Karl und diesem und der Oberköchin, die durch entsprechende räumliche Gruppierungen zum Ausdruck kommen mußten. Das Problem potenziert sich noch dadurch, daß diese Bindungen durch den Handlungsverlauf teils verstärkt, teils abgeschwächt werden, was ebenfalls zur anschaulichen Darstellung gelangen mußte, und daß manche dieser Zuordnungen sich gegenseitig stören.

Die feindlichen Beziehungen zwischen Karl und dem Oberkellner einerseits und seine positive Bindung an die Oberköchin anderseits können nicht durch entsprechende Zweiergruppierungen dargestellt werden, weil dann die Zuneigung zwischen Oberköchin und Oberkellner nicht zum Ausdruck käme; eine Dreiergruppe hinwiederum würde falsche Übereinstimmung aller Mitglieder vortäuschen. So bleibt nur die Lösung, diese Verhältnisse in einander ersetzende Teilgruppierungen aufzulösen, also nacheinander die verschiedenen Beziehungskommunikationen zur Geltung zu bringen, die freilich wieder so aufeinander abgestimmt werden müssen, daß sich ein harmonischer Gesamtablauf ergibt.

Überhaupt ist bei solchem Figurenreichtum Kafkas ästhetisches Konzept, die einzelnen Figuren organisch zu entwickeln, sehr schwer durchzuführen. [399] So beginnt die Verhörszene mit wenig Figuren und ohne Aktivität. Der Oberkellner trinkt Kaffee und sieht ein Verzeichnis durch, ohne zunächst Karl viel zu beachten, als dieser in sein Büro eintritt. So bleibt Kafka Zeit, den gleichfalls anwesenden Oberkellner einzuführen; es geschieht dies durch eine zehnzeilige Beschreibung, die objektiv durch die Tatsache motiviert werden kann, daß diese Figur seither noch nicht in Erscheinung getreten war, subjektiv aber dadurch, daß Karl sich sonst ebenfalls immer wieder in der Betrachtung auffälliger optischer Eindrücke seiner Umgebung verliert.

Seine Reflexionen erinnern ihn, und damit den Leser, auch an Robinson, der noch im Schlafsaal festliegt. Erst nachdem also der Parallelstrang nachgeführt ist und über die Beziehungen des Oberportiers zu Karl Andeutungen gemacht wurden – er mustert Karl wiederholt mit bösen Blicken –, setzt handlungsmäßige Aktivität ein. Der Oberkellner spring plötzlich auf und schreit Karl an, während der Portier näher kommt und sich an seinem Röckchen zu schaffen macht, um auf eine Unordentlichkeit an seinem Anzug aufmerksam zu machen, was gleichzeitig auch wieder eine Vorausdeutung auf sein späteres handgreifliches Verhalten Karl gegenüber darstellt.

Schon hat sich also eine enge räumliche Gruppe gebildet, in der Karl in engem Kontakt mit den zwei ihm feindlichen Vorgesetzten gezeigt wird. Indem ihn der Oberkellner beim Rockkragen faßt und ihn der an die Wand genagelten Dienstordnung zudreht, wobei ihnen der Oberportier folgt, verändert sich die Art der Gruppe nicht grundsätzlich, nur daß Karl beide Gegner im Rücken hat, so als sollte gesagt werden, er sei eingekreist und ohne Möglichkeit des Auswegs. Außerdem besteht aber ein Verweisungszusammenhang zum Ende des dritten Kapitels, wo Karl im Landhaus Pollunders von seinem Onkel vertrieben wird: Nach der merkwürdigen Überreichung des Briefs bemerkt Karl Greens verdächtige Eile; er faßt ihn beim Rock und stellt ihn zur Rede. Die Verhältnisse haben sich also inzwischen im Gefolge des sozialen Abstiegs Karls umgekehrt, was er dort ausübte, muß er jetzt selber erleiden. Diese Deutung wird noch beweiskräftiger dadurch, daß Kafka diese gestische Umkehrung auch sonst im Roman verwendet. [400]

Während der Oberkellner zu seinem Verzeichnis zurückkehrt und die Morgenzeitung zu lesen beginnt, kommt es zu einer ersten verbalen Konfrontation zwischen Oberportier und Karl, jener hält ihm vor, er grüße ihn nicht, dabei streckt er gegen Karl seinen »dicken, großen, steif gespannten Zeigefinger« aus. Die Dreiergruppe hat sich in eine Zweierbeziehung aufgelöst, der Oberkellner steht aber nicht einfach dabei, sondern ist, während dieses Privatproblem des Portiers zu Sprache kommt, aus der Kommunikation ausgeschieden. Zunächst freilich war der Oberportier zusammen mit dem Oberkellner zum Tisch zurückgegangen, wo sich auch ein kleines Gespräch zwischen den beiden entspinnt; diese Verbindung wird demnach durch eine ihr entsprechende räumliche Nähe ausgezeichnet. Damit endet die erste Teilszene, die von der folgenden durch Reflexionen Karls getrennt wird; die Figuren wurden dabei dauernd in eindeutigen personalen Beziehungen gezeigt.

Nun wird die Oberköchin verständigt, Beß, der Oberste der Liftjungen, und Therese treten hintereinander ins Büro; beide nehmen sofort an Gruppenbildungen teil; der Liftjunge erzählt dem Oberkellner von den Geschehnissen im Schlafsaal, an die der Leser geschickt wieder erinnert wird, und der Oberportier hält mit dem einen Arm Karl, mit dem andern Therese fest, die sich für Karl eingesetzt hatte. Die beiden jungen Leute, die Zuneigung zueinander gefaßt hatten, sind also durch eine feindliche Instanz räumlich getrennt. Jetzt erscheint die Oberköchin. Sofort lösen sich die beiden Gruppen auf und ordnen sich anders, es entsteht eine einzige Gruppe mit Karl als Mittelpunkt; dies ist auch die für eine Verhörszene natürliche Ausgangslage.

Karl steht vor der Oberköchin, die in einem Sessel sitzt und mit ihm sprechen will. Hinter ihr steht der Oberkellner, der sie liebt, hinter diesem Beß, der als Randfigur die Erzählbühne wenig später wieder verläßt. Neben dem Oberkellner ist Therese zu lokalisieren, irgendwo neben Karl der Portier. Dieser hat also eine seiner Beziehung zu Karl entsprechende räumliche Sonderstellung, während die durch die Oberköchin, den Oberkellner und Therese repräsentierte Familie – die Oberköchin vertritt bei der verwaisten Therese die Mutter – um den Sessel versammelt ist und Karl gegenübersteht. Da dieses einheitliche Gepräge am ehesten dem *Heizer* entspricht, verwendet Kafka auch an dieser Stelle eine für das erste Romankapitel kennzeichnende, aufzählende Beschreibung: »Es war ganz still im Zimmer. Der Oberportier sah, Erklärungen fordernd, auf den Oberkellner, dieser sah auf die Oberköchin und schüttelte den Kopf. Der Liftjunge Beß grinste recht sinnlos hinter dem Rücken des Oberkellners. Therese schluchzte vor Freude und Leid in sich hinein und hatte alle Mühe, es niemanden hören zu lassen.«

Man sieht, wie Kafka die Statik der Beschreibung durch mimische Details (Blicke, Grinsen, Schluchzen) dynamisieren will; nebenbei bemerkt: Auch die Perspektivgestaltung ist einwandfrei, denn Karl kann das alles bei der beschriebenen Personenverteilung tatsächlich sehen. Auffällig ist auch, daß keine der Figuren jetzt in unmittelbarem räumlichem Kontakt zu einer andern steht, auf die engen Dreiergruppen, die vorhergingen, mußte aus psychologischen und ästhetischen Gründen gleichermaßen eine Entspannung folgen, die einen neuen Anstoß hervorruft. Was speziell die Beziehung zwischen Karl und der Oberköchin angeht, so zeigt sich die beginnende Ablösung der beiden voneinander darin, daß Karl seine Partnerin nicht anschaut, sondern zu Boden sieht, diese aber die Hände in den Schoß legt. Hände und Blicke als Intensivmittel der Beziehung werden also nicht eingesetzt.

Nachdem Beß seine Meldung vorgebracht, damit zum drittenmal an Robinson erinnert und der Oberkellner im Anschluß daran seiner Freundin die Geschehnisse der Nacht kurz berichtet hat, sich die Lage also zuungunsten Karls verschiebt, entwickelt sich sofort eine damit korrespondierende räumliche Verteilung der Anwesenden: Die Oberköchin erhebt sich, ergreift die Hand des hinter ihr stehenden Oberkellners, der gleich darauf ihren Spitzenkragen glättet, der sich umgeschlagen hatte, Therese aber »war von ihrem bisherigen Platz zur Oberköchin hinübergelaufen und hatte sich, was sie Karl sonst niemals hatte tun sehen, in die Oberköchin eingehängt«. Nachdem Karl zugegeben hat, Robinson in den Schlafsaal gebracht zu haben, wendet sich die Oberköchin stumm zum Oberkellner und dann zu Therese. Der zu dieser Gruppe tretende Oberportier wird vom Oberkellner »zurückgewiesen« und bleibt neben Karl stehen, dem er einen Stoß in den Rücken versetzt. [401]

Die Sonderstellung des Portiers wird also ebenso verstärkt wie die Zusammengehörigkeit der »Familie«, die jetzt durch Handgesten in ungewohnt enger körperlicher Berührung vereinigt ist. Es sind, nur ins Liebevolle gewendet, dieselben, die die Vorgesetzten gegen Karl anwandten, nämlich das Inordnungbringen der Kleidung und das Fassen des Armes. Die Dauerhaftigkeit dieser Konstellation wird während der folgenden längeren Erklärung Karls dadurch noch unterstrichen, daß Oberkellner und Oberköchin miteinander flüstern und Therese ihr Gesicht an der Oberköchin verbirgt; es besteht also nicht einmal mehr der durch die Augen vermittelte Minimalkontakt zwischen dieser Gruppe und Karl.

Der weitere Szenenverlauf folgt nun insofern dramatischer Gestaltung, als vor dem erwarteten Ende der Szene noch ein retardierendes Element eintritt. In einem »plötzlich sie überkommenden Entschluß« fordert die Oberköchin Karl auf, zu ihr zu kommen, umfaßt ihn mit der linken Hand und geht mit ihm und der ihr willenlos folgenden Therese in der Tiefe des Zimmers auf und ab. Scheinbar ist also die ursprüngliche Ausgangslage wiederhergestellt, denn die Oberköchin ist einträchtig mit ihren Schutzbefohlenen verbunden. Erstaunlich, daß Kafka es nicht vergißt, die beiden übrigen Figuren, die ja ihre Bezugspartner verloren haben, gleichfalls zu gruppieren, indem sie ebenfalls die vor Szenenbeginn bestehende Zuordnung dokumentieren: »gleich vereinigten sich hinter seinem Rücken der Oberkellner und der Oberportier zu lebhaftem Gespräch«, bemerkt Karl.

Diese Anordnung löst sich aber in bezeichnender Weise in die Gruppierung des Szenenschlusses auf: Die Oberköchin verständigt sich durch Blicke mit dem Oberkellner und kehrt zu ihm zurück; er umfaßt ihre Hand und spielt mit ihr, was bei Kafka eine erotische Geste darstellt. Therese verläßt den Raum, um Karls Koffer zu packen, aber sie schaut Karl dabei weder an, noch gibt sie ihm die Hand; überhaupt wird aus ihren Reaktionen deutlich, daß sie Karl nicht versteht. In dem Augenblick, als Karl allein und isoliert im Raum steht – die Oberköchin hatte ihm zum Abschied aufmunternd auf die Schultern geklopft, eine Geste, deren Flüchtigkeit und Indirektheit der nun sehr gelockerten Beziehung zu seiner Gönnerin entspricht [402], – fragt Giacomo, der kurz zuvor eingetreten war, Karl, ob er Robinsons Heimfahrt bezahle.

Karl geht, indem er seinem Kollegen das Trinkgeld der vergangenen Nacht zu diesem Zweck überreicht, die neue Bindung zu Robinson und Delamarche in dem Moment ein, wo die alte zu Therese und der Oberköchin erlischt.

Die sorgfältige Motivierung, die Kafka anstrebt, zeigt sich hinsichtlich dieses Vorgangs noch in einer anderen Beziehung, nämlich als Verweisungszusammenhang: Sein Verhältnis zu Robinson und Delamarche begann ja damit, daß Karl Geld aus seiner Geheimtasche holte, um den beiden das Frühstück zu bezahlen, ihre Wiederauffrischung geschieht also durch einen analogen Vorgang. Außerdem zeigt es sich jetzt, daß Karls anfängliches Abzählen und Vorzeigen des in der vergangenen Nacht eingenommenen Geldes kein funktionsloses Detail war, sondern eine kleine Nebenhandlung in Gang setzte, die dem Schluß des Kapitels jede Unglaubwürdigkeit nehmen sollte.

Als Karl den Raum verläßt, begleitet ihn der Oberportier zur Tür; diese während der ganzen Szene sichtbare, aber unausgetragene Beziehung bildet dann den Gegenstand der nächsten Teilszene. [403]

Es sei noch kurz darauf hingewiesen, daß die eben analysierte Szene eng auf den *Heizer* bezogen ist. Nicht nur korrelieren beide Ereignisketten hinsichtlich des Aufbaus des Romans, sondern Karls Vernehmung stellt sozusagen eine seinen Abstieg dokumentierende Umkehrung des Einleitungskapitels dar, die den schon erwähnten entsprechenden Vorgängen in der Gestik entspricht. Beide Szenen spielen in Büros von Abteilungsleitern großer Betriebe (Oberkassier – Oberkellner), denen eine weitere Führungskraft beigegeben ist (Kapitän – Oberportier). Karls Auftreten ist in beiden Fällen durch seine Gefühlsbindung zu Freunden bestimmt, nämlich dem Heizer und Therese (dies wird durch mehrere Aussagen Karls erhärtet), die er im Gefolge der Ereignisse verliert. Beide Szenen sind Verhörszenen, die klären sollen, ob eine in Frage stehende Position zu Recht verlassen wird: Der Heizer kündigt, Karl wird gekündigt. Jedesmal bringen Vorgesetzte der Angeklagten im Verlauf der Szene entscheidendes Beweismaterial, das die Wendung herbeiführt, nämlich der Obermaschinist Schubal und der Oberste der Liftjungen. Nun aber die Umkehrung: Karl kämpft im *Heizer* für eine andere Figur, jetzt ist er selber das Opfer, dabei gewinnt er dort einen Ersatzvater, hier verliert er eine Ersatzmutter.

Dritter Teil
Das Schloß

1. Kapitel:
Kafkas Lebensproblematik und die Gestalt des Romans

Angesichts der unbefriedigenden Forschungslage hinsichtlich der Struktur und der historisch-biographischen Einbettung des *Schloß*-Fragmentes scheint es angebracht, erstens die Erzählfiguren deutlicher als bisher in ihren gegenseitigen Beziehungen zu erfassen, die am Motivgewebe des Romans und seinen handlungsmäßigen Verweisungszusammenhängen ablesbar sind; denn dadurch kommt das Gesamtgefüge des Werks in den Blick, dessen Kenntnis willkürliche Akzentuierungen einzelner Figuren oder Details einigermaßen verhindern sollte. Zweitens wird der Versuch unternommen, durch eine Differenzierung des Blickpunkts bessere Ergebnisse zu erzielen. Es sind auch die kleinen Erzähleinheiten, insbesondere des mimisch-gestischen Bereichs, und ihre Ordnungsprinzipien daraufhin zu untersuchen, inwieweit sie ein Bild von Kafkas geistigen Vorstellungen und realen Schwierigkeiten darstellen. Eine derartige Erklärung des Romans durch den Autor selbst scheint beim gegenwärtigen Diskussionsstand sinnvoller als pleonastische Wiederholung oder unsicher tappende Abstraktion.

Kafkas innere Verfassung während seiner letzten Lebensjahre fand in seinen Briefen an Milena einen deutlichen Ausdruck. Er fühlt sich ihr gegenüber als Nichts, als der westjüdischste der Westjuden, was bedeutet, daß ihm keine ruhige Sekunde geschenkt ist, vielmehr alles, nicht nur Gegenwart und Zukunft, sondern auch die Vergangenheit, erworben werden muß: Es ist so, »wie wenn jemand vor jedem einzelnen Spaziergang nicht nur sich waschen, kämmen u.s.w. müßte ... sondern auch noch, da ihm vor jedem Spaziergang alles Notwendige immer wieder fehlt, auch noch das Kleid nähn, die Stiefel zusammenschustern, den Hut fabricieren, den Stock zurechtschneiden u.s.w.« [1] Wie man sieht, ist der Rangunterschied zwischen Kafka und Milena größer als derjenige zwischen ihm und Felice, wo er nicht nur wegen seiner erfolgreichen literarischen Arbeit einiges Selbstbewußtsein hatte, sondern auch noch nicht infolge dreier mißlungener Heiratsversuche und wegen der Erkenntnis resigniert hatte, durch die inzwischen sichtbar gewordene Krankheit in seinem Ringen um die Gemeinschaft kampfunfähig gemacht worden zu sein.

Neben diesen in seinem Lebensgang liegenden Gründen war es wohl die Tatsache, daß ein zur Selbstdemütigung neigender Jude einer christlichen Tschechin begegnete, die seine Unwertgefühle immens verstärkte, denn es fällt doch auf, daß, anders als bei sonst in den Lebenszeugnissen vorkommenden Selbstverurteilungen, die eigene Nichtigkeit mit dem Judentum begründet wird. [2] So schreibt er schon gegen Ende der Beziehung an die Geliebte: »Das Schreckliche ist ... daß ich mir an Dir meines Schmutzes viel bewußter werde und – vor allem – daß mir dadurch die Rettung so viel schwieriger, nein, so viel unmöglicher wird.« In einem unpublizierten Brief, der im vierten Kapitel dieses Teils herangezogen wird, ist die hier beschriebene Tendenz vielleicht am deutlichsten zu beobachten. [3]

Milenas Liebe, lebensvoll, weil sie sich von ihren Beziehungen zu ihrem Volk tragen lassen konnte, war demnach eine Liebe des »Trotzdem«, wie mehrfach in Briefen [4] und Ende Januar 1922 im Tagebuch, unmittelbar vor Entstehung des Romans, versichert wird. [5] Was Milena damit gemeint hat, ist erschließbar aus einem ihrer Feuilletons, auf das sie übrigens Kafka, der es dann zu lesen versprach, eigens hinwies. Ihre Aufsätze waren überhaupt in vielen Fällen die Fortsetzung des Schriftverkehrs mit dem Geliebten mit andern Mitteln.

Sie stellt die Frage nach dem Glück und Unglück der modernen Ehen. Jeder Mensch, heißt es dort, ist eine abgegrenzte Welt für sich, und je weniger Möglichkeiten und Talente er hat, desto tiefer und sicherer hat er sie. Und wenn er nur ein einziges besitzt, ist es am wertvollsten (das geht gewiß auf Kafka, den sie in ihrem Nachruf als unermeßlich edel und als die wertvollste Persönlichkeit bezeichnet, die sie kenne). [6] Die Probleme entstehen nun daraus, daß sich die Menschen gewöhnlich gerade das vorwerfen, was das Grundwesen ihres Innenlebens ist, und nicht darauf kommen, daß die Aufgabe der Ehe eben darin besteht, das Wesen des andern zu ertragen, und zwar so, daß dieser die Berechtigung fühlt, so zu sein, wie er ist. Schließlich und endlich verlange ein Mensch vom andern immer nur eine Bestätigung seiner selbst, den Beweis nämlich, von ihm geliebt zu werden »obgleich«. [7]

Daß Milena diese Auffassung in ihrem Verhältnis zu Kafka praktiziert hat, ist der Grund dafür, daß hier in kurzer Zeit eine derartige Vertrautheit, auch erotischer Art, entstand, daß er sich eins mit ihr fühlte, daß er mit ihr in Prag ehelich zusammenleben wollte – trotz seiner vorgeblichen geistigen Unfähigkeit zu heiraten – und ihr alle Tagebücher zur Lektüre gab, eine gegenüber jedem andern unvorstellbare Offenheit; aber er wußte, daß Milena seine Eigenheiten nicht als Waffe gegen ihn benutzen würde. [8]

Es ist nicht schwer, diese Vorstellungen im *Schloß* wiederzufinden: K. fühlt sich ohne Frieda, der literarischen Verkörperung Milenas, als »Nichts«, aber es sieht so aus, »als habe er erst durch die Berührung mit ihr seine tatsächliche Nichtigkeit entdeckt«.

Wichtig ist die Art und Weise, in der K. seinen Geschäften nachgeht: Er taumelt »hinter seidenglänzenden Irrlichtern von der Art des Barnabas« her, oder, wie es in einem Fragment heißt, in dem die Bürgel-Episode aus der Optik von Dorfbewohnern erzählt werden soll, er ist hinter seinen Dingen her wie ein Jagdhund — er strengt sich also an, aufmerksam zu sein —, aber die Fülle seines Wissens verwirrt ihn nur.

Das erinnert daran, daß Kafka Milena gegenüber seine Lebensaufgabe mit einer Verfolgungsjagd vergleicht, bei der ihm vieles, ja alles entgehe, wie ja überhaupt das Jagdbild, wie der *Jäger Gracchus* und der ihm zuzuordnende

Motivkreis beweisen, zu den Zentralvorstellungen gehört, mit denen er seine
Existenznöte zur Darstellung zu bringen suchte. [9]

Auch wird K.s Lebensproblematik im Roman in Formulierungen zum Ausdruck gebracht, die sowohl mit der eben schon zitierten Selbstdarstellung der
Milena-Briefe korrespondieren, wo sich Kafka als Extremfall des besitzlosen
Westjuden versteht, als auch zu einer Tagebuchstelle vom 23. Januar 1922
stimmen, wo er sein seitheriges Leben als »stehendes Marschieren« versteht,
als dauernd wiederholten Versuch, von einem gegebenen Kreismittelpunkt
aus den entscheidenden Radius zu gehen und den Kreis zu ziehen, so daß
schließlich, weil jeder vergebliche Anlauf die Zahl der abgebrochenen Radien
vermehrt, kein Platz mehr für weitere Versuche vorhanden ist.

In einer vom Autor getilgten Passage nämlich, in der K., auf Pepis lange
Erzählung antwortend, sein Schicksal mit demjenigen des Zimmermädchens
vergleicht, vertritt dieser die Meinung, seine Lage sei noch schlimmer als die
ihrige: »Sie hätte wenigstens für vier Tage erreicht, wonach sie strebte, hätte
sich dort ein wenig umsehn können, und für den nächsten Versuch sei sie
klüger. Er aber, K., wie weit sei er von allem entfernt, was er wollte, immer
gleich weit ... Im übrigen klage er, K., nicht ... Er klage nicht. Das Recht
seines Anspruchs sei ihm so klar, daß er manchmal glaube, er könnte sich
sorglos ins Bett legen – zuerst müßte er sich freilich das Bett erobern – und
nur das Recht seines Anspruches für sich kämpfen lassen, es würde genügen,
es würde genügen. Nur sind das freilich wieder Träume, unnütze, schädliche
Träume.« [10]

Die metaphorische Formulierung des Redenden, er sei von allem gleich
weit entfernt, scheint eine direkte Abbreviatur des angeführten Bildes vom
Lebenskreis, insofern der auf dessen Mittelpunkt Fixierte ja tatsächlich von
jeder Verwirklichung seiner Pläne denselben Abstand hat.

Weiterhin haben beide Texte gemeinsam, daß die jeweiligen Absichten
Kafkas und K.s, sich zu verwirklichen, mit dem Begriff eines »Versuchs«
belegt werden, daß die Betroffenen ihr Dasein mit Gefaßtheit ertragen (in
der genannten Tagebucheintragung ist einleitend davon die Rede, daß die
wegen der Erkenntnis des fraglichen Zusammenhangs in Kafka entstandene
Unruhe »aus einem gewissen Wohlbehagen komme«), daß irreale Wunschbilder bestehen, die anstehenden Probleme durch eine Verhaltensänderung zu
lösen (denn der Dichter erwähnt im gleichen Zusammenhang einen nicht in
die Tat umgesetzten nächtlichen Entschluß, der seiner auf den Augenblick
eingeschränkten Lebensform aufhelfen sollte), und daß im Kontext des Romanzitats K. davon spricht, »er sei doch nicht mehr allzu jung, um sich in
die Welt zu schicken«, also ironisch darauf verweist, daß er, wie Schwarzer
sagt, in den Dreißigern stehend, eigentlich schon mehr erreicht haben müßte
(denn in der Notiz vom 23. Januar wird erklärt, es stehe kein Platz mehr für
weitere Radien zur Verfügung, und das bedeute Alter). [11]

Der zuletzt erwähnte Zusammenhang wird an einer anderen Stelle des
Romans noch deutlicher. Ihm sei manchmal, sagt K. gelegentlich zu Frieda,

»wie wenn ich alles verloren hätte, ich habe dann das Gefühl, als sei ich eben erst ins Dorf gekommen, aber nicht hoffnungsvoll, wie ich damals in Wirklichkeit war, sondern im Bewußtsein, daß mich nur Enttäuschungen erwarten und daß ich eine nach der anderen werde durchkosten müssen bis zum letzten Bodensatz«. Hier ist nicht nur ausgesagt, daß alle Erfahrungen gleichartig negativ verlaufen müssen und schließlich ein Zustand entsteht, wo keine weiteren mehr möglich sind, sondern es wird auch deutlich, daß K.s Leben im Dorf, jedenfalls seinem Eindruck nach, sich nicht durch eine Entwicklung seiner inneren Situation, sondern durch eine gleichbleibende Gestimmtheit auszeichnet. Genau dieser Punkt wird aber auch in der schon mehrfach angeführten Tagebuchstelle hervorgehoben, wo Kafka schreibt, sein Leben habe eine Entwicklung höchstens in dem Sinne erfahren, »wie sie ein hohlwerdender, verfallender Zahn durchmacht«; einen Tag vorher hatte er festgestellt, er sei »ohne Entwicklung jung bis zum Ende, richtiger als jung ist der Ausdruck konserviert«. [12]

Der durch das Bild vom Spaziergänger, der sich alle zu diesem Geschäft notwendigen Utensilien selber herstellen muß, evozierte Vorstellungszusammenhang ist noch an andern Stellen des Romans greifbar. Es findet sich dort nämlich eine allgemeine Formulierung über K.s Lebensumstände, die strukturell genau der genannten Metapher entspricht: Die Verbindungen, die er sich im Dorf geschaffen habe, heißt es da, »dürfen, da sie schwer erkämpft worden sind und immer wieder neu erkämpft werden müssen, nicht aus den Augen gelassen werden. Ihr müßt euch das richtig vorstellen, alle diese Verbindungen lauern ja förmlich darauf, ihm zu entgehen. Er ist also immerfort vollauf mit ihnen beschäftigt.« Diese Stelle ist besonders deswegen wichtig, weil sie den zentralen Befund unabhängig von K.s Bewußtsein aus dem Gesichtswinkel der Dorfbewohner schildert und durch andere Perspektiven keineswegs relativiert, sondern in ihrer Tendenz nur bestätigt wird:

Frieda etwa geht davon aus, daß K. als Fremder – und als Nichts, wie man in der Terminologie Gardenas ergänzen darf, von der Frieda geistig völlig abhängig ist – auf Geschenke angewiesen ist, so daß allein den Schloßbehörden die Entscheidung darüber zukommt, ob er zu irgendwelchem Besitz gelangt. Und dieser selber spricht davon, daß er »ganz allein« auf sich »angewiesen«, »Hilfe im Allergeringsten, in den allerersten Vorbedingungen« seines Lebens nötig habe.

Der Handlungszusammenhang wird in den *Forschungen eines Hundes* wieder aufgenommen, wo der Erzähler über seine Jugend berichtet: »Ich war völlig auf mich allein angewiesen, begann mit dem allerersten Anfang und mit dem für die Jugend beglückenden, für das Alter dann aber äußerst niederdrückenden Bewußtsein, daß der zufällige Schlußpunkt, den ich setzen werde, auch der endgültige sein müsse.« Diese Ausführungen bringen nur in einer andern Optik zum Ausdruck, daß Kafka auf keine tragfähigen Lebensgrundlagen zurückgreifen kann und seine Bemühungen Stückwerk bleiben. In der Art der Beurteilung ähnelt der Passus sehr der Tagebucheintragung, in der von nichtgezogenen Kreisradien die Rede ist. Übrigens wird der Sachverhalt auch im *Brief an den Vater* akzentuiert, wo Kafka meint, er sei ein besitzloser, enterbter Sohn, der »von jedem Augenblick eine neue Bestätigung« seines Daseins brauche.

Die Ausgangslage seines Kampfes entspricht demnach genau Kafkas Grundbefindlichkeit zur Zeit der Niederschrift des Romans, auch hinsichtlich der Zentralbegriffe »Kampf« und »Kind« (letzterer verdeutlicht, wie sich zeigen wird, an markanten Stellen des Romans die besondere Art der Überforderung und Kraftlosigkeit, der K. überantwortet ist). Denn in einem der Briefe, die Kafka noch aus Meran an Milena richtete, überdenkt er, sich selber anredend, seine Lage wie folgt: »Einige Gefechte hast du mitgefochten . . . bist schon dabei ein Invalide geworden, einer von denen, die zu zittern anfangen, wenn sie eine Kinderpistole sehn, und nun, nun plötzlich ist es dir so, als seiest du einberufen zu dem großen welterlösenden Kampf.« [13]

In den gleichen Zusammenhang gehört jedoch noch ein nur scheinbar nebensächlicher Teil der Erzählung Pepis. Wenn K. seine Bemühungen ausdrücklich mit ihrem Versuch vergleicht, sich als Ausschankmädchen zu bewähren, und davon spricht, ihnen beiden sei die Gelegenheit gegeben worden, sich auf einem höheren Posten zu bewähren, um den sie sich »zu sehr, zu lärmend, zu kindisch, zu unerfahren« bemüht hätten, so dokumentiert sich darin eine, übrigens auch noch in andern Momenten zum Ausdruck kommende innere Nähe dieses Mädchens zu K. und den Lebensproblemen des Dichters, die im Roman nur in der Vertrautheit der Hauptfigur mit der Familie des Barnabas eine, freilich auf andern Prämissen beruhende, Entsprechung hat. [14]

Ist es da nun ein Zufall, wenn Pepis Vorbereitungen für die neue Stelle in einer Art geschildert werden, die an die umfangreichen Vorarbeiten erinnert, die der Spaziergänger in Kafkas Brief an Milena als Voraussetzung für das geplante Unternehmen durchführen muß? Was gab Frieda die Kraft, fragt sich Pepi, gegen ihre designierte Nachfolgerin kühl freundlich zu sein wie immer? »Pepi hatte damals nicht genug Zeit, darüber nachzudenken, sie hatte zuviel zu tun mit den Vorbereitungen für die neue Stelle. Sie sollte sie wahrscheinlich in ein paar Stunden antreten und hatte noch keine schöne Frisur, kein elegantes Kleid, keine feine Wäsche, keine brauchbaren Schuhe. Das alles mußte in ein paar Stunden beschafft werden; konnte man sich nicht richtig ausstatten, dann war es besser, auf die Stelle überhaupt zu verzichten, denn dann verlor man sie schon in der ersten halben Stunde ganz gewiß.«

Muß der Spaziergänger also Hut, Kleid, Stock und Stiefel fabrizieren, so das Zimmermädchen Frisur, die hier zwanglos für den Hut steht, Kleid, Unterwäsche, die, weil die Gäste zum Trinken animiert werden sollen, zu dieser Beschäftigung gehört wie der Stock zum Wandern, und Schuhzeug: Die Frisur macht sie sich selber, das Kleid, dessen Stoff eine Freundin opfert, schneidert sie mit ihren beiden Zimmergenossinnen zusammen, die Wäsche, freilich nur grobe, wird, so der Ausdruck, zusammengeflickt, und statt der ersehnten gestöckelten Stiefelchen finden sich nur einfache Hausschuhe. [15]

Es ist ganz offensichtlich, daß Kafka hier erzählerisch ausgefaltet hat, was ihm als festes Denkbild schon lange vorschwebte. Wenn Pepi mit ihrem Problem besser fertig wird als K. mit dem seinigen – so äußert er sich jedenfalls selber [16] –, so liegt das daran, daß andere mithalfen, eine besondere Begabung vorhanden war (»Fürs Frisieren hat sie eine besondere Anlage«) und Pepi jung ist (»jungen, gesunden Mädchen paßt ja alles«).

Ihre Bemühungen und K.s unablässige Bestrebungen veranschaulichen die Auffassung des Dichters, nichts geschenkt zu bekommen, sondern sich alle Lebensgrundlagen und Gemeinschaftsbindungen selbst erarbeiten zu müssen, nicht nur durch gelegentliche Gesprächsaussagen, sondern noch viel unmittelbarer und zentraler durch eine besondere Bauform des Romans und seine zentralen Motive.

Im Gegensatz zum *Verschollenen* etwa, wo Karl Roßmann hintereinander mehrmals gleichartige Handlungskonstellationen durchläuft – nur jedesmal auf einer niedrigeren sozialen Ebene, so daß sein allmähliches Beiseitegeschobenwerden sinnfällig wird –, sind im *Schloß* die verschiedenen, an sich voneinander unabhängigen Ereignisketten, in denen K. steht und die, dem *Verschollenen* durchaus prinzipiell vergleichbar, zu seinem gesellschaftlichen Abstieg bis an den Rand der Gesellschaft führen, nicht sukzessive angeordnet, sondern zeitlich derartig verzahnt, daß sie sich überlappen, die Hauptfigur also gleichzeitig die unterschiedlichsten Beziehungen, nach denen sie verlangt, vorantreiben muß.

Zu jedem Zeitpunkt seiner Anwesenheit im Dorf hat K. mehrere Verabredungen oder ihm von andern auferlegte Gesprächsverpflichtungen: An dem Abend, an dem der Roman abbricht, will sich K. mit Pepi treffen, um von deren Freundinnen Geschichten über Frieda zu erfahren, trotzdem läßt er sich noch schnell von Gerstäcker in dessen Hütte schleppen, weil ihn die Mutter des Fuhrmanns zu sprechen wünscht. Am nächsten Tag müßte er, der seine Schuldienerpflichten seit dem frühen Abend versäumte, zum Lehrer und zum Vorsteher, um die neue Lage zu besprechen, die dadurch entstand, daß Frieda ihn verließ, und mit Barnabas, mit dem er nach dessen Übermittlung der Botschaft Erlangers noch gar nicht gesprochen hat und dessen Berufseinschätzung ihm aufgrund Olgas Erzählung mißfällt, hätte er sich gewiß ebenfalls am kommenden Tag auseinandergesetzt. Außerdem darf nicht vergessen werden, daß die Herrenhofwirtin K. zu diesem Zeitpunkt rufen lassen will und daß er für den darauffolgenden Abend eine Zusammenkunft mit der Mutter Hans Brunswicks vereinbart hat.

Ähnlich ereignisreich ist der zweite, vierte und fünfte Tag seines Aufenthalts im Dorf – bei dieser Zählung ist der Ankunftstag mitgerechnet, weil K. selber so verfährt –, so daß die Bauern sich wundern, wann er überhaupt schläft. Dies geschieht aber gar nicht so selten. K. verbringt den dritten und sechsten Tag im Bett beziehungsweise auf den Fässern des Ausschanks, um sich zu kräftigen, gewiß ein beabsichtigtes kompositorisches Element, das auf seine Schwäche hinweisen sollte. [17]

Ein Indiz für den fraglichen Zusammenhang stellt zweifellos die seltsame Kapiteleinteilung dar, die der Dichter dem *Schloß* zugrunde legte: So beginnt das zehnte, *Auf der Straße* überschriebene Kapitel nicht, wie es doch die Überschrift nahelegt, mit dem Hinaustreten K.s vor den »Herrenhof«, sondern schon etwas früher mit dem Ende des durch K. verweigerten Verhörs im Ausschank. Das zweite Kapitel wird nicht dadurch eröffnet, daß K. nach seiner Rückkehr ins Gasthaus »Zur Brücke« dort überrascht die Gehilfen vorfindet, sondern erst etwas später, wo er mit den beiden schon in der Wirtsstube sitzt. Jedesmal liegt offensichtlich die Tendenz zugrunde, die in zwei aneinander stoßenden Kapiteln unterschiedlichen Handlungseinheiten miteinander zu verflechten. [18]

Daß Kafka darauf Wert legte, läßt sich auch aus den Formulierungen der Kapitelanfänge erschließen, die in aller Regel viel mehr unmittelbar das Vorhergehende fortsetzen als durch einen erzählerischen Neuansatz von diesem Abstand schaffen. Das neunte Kapitel fängt sogar mit »Und« an, das zweiundzwanzigste mit »Da«, und das dritte wird mit dem ihm folgenden dadurch verfugt, daß der an seinem Abschluß berichtete Vorgang – K.s Verlassen des Betts – im vierten wiederholt wird, obwohl dadurch perspektivtechnisch ein nicht ganz befriedigender Zustand erreicht wird. [19] Alle die genannten Mittel sollen dazu dienen, einen pausenlos ablaufenden Erzählgang zu suggerieren, der dem Leser so wenig wie K. irgendeine Verschnaufpause läßt.

Eine andere Bedeutung hinsichtlich der Thematik des Romans kommt der schon zitierten Bemerkung K.s im Gespräch mit Pepi zu, er habe auch nicht augenblicksweise erreicht, was er wollte, und müsse sogar um ein Bett kämpfen, womit die Aussage seiner Gesprächspartnerin korrespondiert, K. habe weder »Arbeit noch Bett«.

Für diesen Vorstellungszusammenhang gibt es wieder eine direkte biographische Veranschaulichung. Um Milena gegenüber genau seine Position zu bestimmen, greift Kafka zu folgendem Bild: »In der Stufenleiter der Menschheit bin ich etwa ein Vorkriegs-Greisler in Deinen Vorstädten (nicht einmal ein Spielmann, nicht einmal das), selbst wenn ich mir diese Stelle erkämpft hätte – aber ich habe sie mir nicht erkämpft – wäre es kein Verdienst.« Unter Anspielung auf Grillparzers *Armen Spielmann* – die Titelfigur liebt die Tochter eines kleinen Lebensmittelhändlers, kämpft aber gegenüber ihrem Vater nicht genügend um sie – fühlt sich Kafka auf eine derart niedrige Stelle menschlicher Verwirklichung gesetzt, und zwar »ohne Verdienst und Schuld«, daß ein weiterer Abfall nicht mehr möglich ist. Dann kann aber um einen solchen Zustand auch nicht gekämpft worden sein, doch würde freilich der kleinste Fortschritt zum Kampf herausfordern.

Man kann davon ausgehen, daß Beruf, Wohnung und Ehe – auch Pepi beachtet diesen Gesichtspunkt, denn unmittelbar vor der angeführten Wendung spricht sie davon, Frieda habe K. verlassen – die drei Hauptziele sind, um die sich ein extrem Besitzloser wie beispielsweise der Spaziergänger bemühen muß. So faßt es auch K. auf, der sich, noch zu einem früheren Zeitpunkt des Geschehens, Olga gegenüber gerühmt hatte, er habe während seines Hierseins doch schon »an Umfang gewonnen« – man denkt wieder an das Bild vom Kreismittelpunkt und die zu ziehenden Radien –, denn er besitze Heim, Stellung und Braut. [20]

So ist es ganz folgerichtig, daß K. im Roman um diese drei Gegebenheiten kämpft: mit Klamm, der Brückenhofwirtin, den Gehilfen und Olga um Frieda, mit dem Schloß und seinen Vertretern um seine Bestallung als Landvermesser, mit dem Lehrer und Gisa um die Schuldienerstelle und – so darf man vielleicht aufgrund ausgelegter Erzählfäden ergänzen – mit anderen Gegenfiguren um seine Position als Pferdeknecht im Dienste Gerstäckers, die K.s Laufbahn im Dorf wahrscheinlich hätte abschließen sollen.

Wie sorgfältig dieses Motiv behandelt wurde, geht unter anderem daraus hervor, daß die jeweiligen Arbeitgeber ausdrücklich erklären, die Kosten für K.s Lebensunterhalt – man kann darin ein Bild für die menschlichen Grundbedürfnisse überhaupt sehen – übernehmen zu wollen: Die »ganze Verpflegung« des Landvermessers soll vom Schloß bezahlt werden, die des Schuldieners erfolgt »auf Kosten der Gemeinde«, und der Fuhrmann will seinen Knecht so gut bezahlen, daß er auf andere Unterstützung nicht mehr angewiesen ist. [21]

Schließlich zeigt sich die Übereinstimmung zwischen Erzählgang und den diesen hervorbringenden Vorstellungszusammenhängen darin, daß die Hauptfigur realiter um jede Schlafgelegenheit kämpfen muß. Andere Texte Kafkas, die sich mit dem Problem des Junggesellen befassen, der für den Dichter nur ein weiteres Modell für das in den Briefen an Milena mit Hilfe der Vergleichsebene »Westjude« verdeutlichte eigene Lebensmuster war, solche Passagen also lassen erkennen, daß das Bett als einziger Besitz eines derart um seine Lebensgrundlagen ringenden Menschen betrachtet wird, so daß das Vorhandensein dieses Möbels gleichsam das Existenzminimum in einer Lebensform versinnbildlicht, die den genannten extremen Bedingungen unterworfen ist. [22] Wenn der Dichter selbst einmal sagt, der Junggeselle bescheide sich schon mitten im Leben auf einen immer kleiner werdenden Raum, so daß ihm beim Sterben der Sarg gerade recht sei, so erscheint von daher K.s Selbstcharakterisierung, er habe durch die genannte Entwicklung an Umfang gewonnen, noch in einem andern Licht, nämlich als Ausdruck einer zur sich dauernd einschränkenden, gleichsam schrumpfenden Lebensweise des Unverheirateten gegenläufigen Bewegung und Existenzform. [23]

Wenn man aufs Ergebnis sieht, ist jedoch K.s Position im *Schloß* gegenüber den Junggesellen-Metaphern noch radikalisiert, denn er muß, bevor er sich um Ehe und Beruf kümmern kann, zuerst um die jeweilige, von Tag zu Tag sich ändernde Schlafstelle kämpfen, deren Art und Niveau sich im Verlauf des Romans verringern, was dem Betrachter verdeutlicht, daß die Hauptfigur in ihren Bemühungen zwangsläufig unterliegen muß: »Er übersiedelt förmlich unaufhörlich, aber mit erwarteter Gesetzmäßigkeit«, notiert sich Kafka schon 1911 über den Junggesellen ins Tagebuch. [24]

K.s Übernachtungen im »Herrenhof« sind flüchtige Bemühungen, die außerhalb des geltenden Rechts liegen: Beim erstenmal belügt Frieda den Wirt und behält den angeblichen Landvermesser nachts bei sich im Ausschank, beim zweitenmal sind es besondere Umstände – es ist ja morgens, auch geht von K. eine Suggestivwirkung auf die Wirtin aus –, die die Wirtsleute dazu bringen, seine Gegenwart in diesem Raum mehr zu dulden als zuzulassen, und schließlich plant K., eine weitere Nacht heimlich in der im »Herrenhof« liegenden Kammer Pepis und ihrer Freundinnen zu verbringen.

Die regulären Schlafstätten aber markieren einen Abstieg: Vom Zimmer im Gasthaus »Zur Brücke«, gewonnen und verloren in der Auseinandersetzung mit Gardena, übersiedelt der Landvermesser ins Schulzimmer, das er gegen den Willen des Lehrers als Wohnung erhält und bei der Trennung von Frieda wahrscheinlich wieder verliert, jetzt aber schon in der wenig angesehenen Position eines Schuldieners, um schließlich, wie man annehmen muß, in Gerstäckers Stall im Stroh zu schlafen: Klamms Pferdeknechte verbringen ja ebenfalls die Nächte bei den Pferden, auch scheint undenkbar, daß K. im gleichen Raum wie Gerstäcker und seine Mutter schläft. Ein weiteres Zimmer ist dort nämlich gewiß nicht vorhanden, denn die etwas größere und besser ausgestattete Hütte des Barnabas – man hat dort wenigstens eine Küche und eine Petroleumlampe – besitzt ebenfalls nur einen einzigen Raum. [25]

Nicht zufällig werden in dem detailarmen Roman alle fünf Schlafgelegenheiten K.s genau geschildert: In der ersten Nacht – diese Bleibe ist im Kampf mit Schwarzer erschwindelt, da K. nicht als Landvermesser vom Schloß berufen war – ruht er auf einem Strohsack in der Nähe eines Ofens. Er hat außerdem eine Decke und benützt den Rucksack als Kopfkissen. Dann nächtigt er, sich mit Frieda in Bierpfützen wälzend, auf dem Fußboden des Ausschanks im »Herrenhof«. Im Gasthaus »Zur Brücke« gibt es ein Bett mit Polstern und einer Pferdedecke, aber keine Bettwäsche, immerhin aber ist es warm. Im Schulhaus hat K. nurmehr einen Strohsack zur Verfügung, den Frieda mit einem Umhängetuch überzieht, dann noch zwei grobe, steife Decken, die ungenügend wärmen, auch weil nicht genügend Brennholz zur Verfügung steht. Im Anschluß an die Nachtverhöre endlich schläft K. auf einem auf Bierfässern liegenden Brett, allerdings in der Wärme und mit einem Kissen unter dem Kopf. An sich schon also ist K.s Nachtlager in allen Fällen unzureichend, es wird aber nach seiner fast offiziellen Aufnahme im Dorf überdies immer noch ärmlicher (Bett – Strohsack – Brett – Stallboden mit Stroh). [26] Aus dieser Perspektive wird auch klar, was es mit K.s Äußerem auf sich hat. Die Unbedarftheit des Spaziergängers ist darin sichtbar, daß er Kleider und Stiefel selber herstellen muß, und entsprechend heißt es vom Junggesellen, er könne nicht durch einen »großen Komplex von Besitztümern« verblüffen, sondern müsse zufrieden sein, wenn er »mit seinen dünnen Kleidern« und seiner »schäbigen Körperlichkeit« standhalte. Beide sind also so arm, daß ihre Körper nur unzureichend bedeckt sind. Dies ist ein Bild für Kafkas innere Armut, für sein Gefühl, tragfähige Lebensgrundlagen nicht tradiert bekommen zu haben. Im Frühjahr 1922 spricht er von seiner »Angst vor einer für den Augenblick ... untrennbaren, betont, ausgesprochen ... mit allen Sakramenten der Untrennbarkeit versehenen, vor dem Himmel sich großartig hinpflanzenden Verbindung ... Was will man auf der Wanderschaft, in der Bettlerschaft mit so großen Dingen«. Die Unmöglichkeit, sich mit andern tiefer und bewußt zu verbinden, die in unzureichender Ausstattung und Vorbereitung des Dichters gründet, wird hier bezeichnenderweise mit dem Begriff der Besitzlosigkeit erläutert.[27]

Was über K.s Bekleidung gesagt wird, stimmt zu diesem Befund: Er besitzt nur einen winzigen Rucksack, der einen kleinen Wäschevorrat enthält – so wenig, daß täglich gewaschen werden muß –, und ist »ärmlich angezogen«, ja geradezu zerlumpt. Er besitzt nur ein Paar Stiefel, eine Hose und einen Rock – keinen Pelz, wie es das Klima erfordern würde –, der, weil er schnell naß wird, für winterliches Wetter ungeeignet ist. Durch diese Ausstattung wird innerhalb des Romans ein Verweisungszusammenhang zu Pepi hergestellt, deren wenige Sachen in einem Rückenkorb Platz haben. Pepis einziges Kleid wird schmutzig, weil sie, seit vier Tagen und Nächten im Dienst, nicht die Möglichkeit hat, es gegen ein anderes zu vertauschen. Beide Figuren versinnbildlichen jedoch die innere Verfassung des Autors, seine Kraftlosigkeit, Unwissenheit und Lebensunfähigkeit.

Es hieße aber die Wahrheit verfälschen, wenn man übersähe, daß dieser ganze Komplex durchaus auch eine materielle Komponente hat, nämlich Kafkas Mittellosigkeit. Sein Drang nach Unabhängigkeit verbot es ihm, soweit möglich, väterliche Unterstützung anzunehmen. Das bedeutete, daß der Dichter trotz spartanischer Lebensführung außer seinen Büchern nichts besaß. An Felice schreibt er über die geplante gemeinsame Zukunft unter der Voraussetzung, daß er im Büro bleibe: »Aber selbst wenn und solange ich bleibe, also im günstigen, vergleichsweise günstigen Fall, werden meine Frau und ich arme Leute sein, welche diese 4588 K sorgfältig werden einteilen müssen. Wir werden viel ärmer sein als z. B. meine Schwestern, die gewissermaßen wohlhabend sind. (Von meinen Eltern kann ich, wenigstens zu ihren Lebzeiten, nichts bekommen.) Wir werden ärmer sein als Max und Oskar.«

Der Zufall will es, daß die Unbemitteltheit Kafkas gerade auch aus dem Bereich der Bekleidung in den Lebenszeugnissen belegt ist. Im Dezember 1912 schickte er an Felice eine Photographie von sich. Im Begleitschreiben geht er auf sein Aussehen auf dem schon mehrere Jahre alten Bild ein und kommt dann auf seine Kleidung zu sprechen: »Dagegen ist der Anzug schon jener mehrerwähnte einzige (einzige ist natürlich eine Übertreibung, aber keine große) und ich trage ihn heute munter wie damals. Ich habe schon in Berliner Theatern auf vornehmen Plätzen, ganz vorn in den Kammerspielen, mit ihm Aufsehen gemacht und einige Nächte auf den Bänken der Eisenbahnwaggons in ihm durchschlafen oder durchduselt. Er altert mit mir.« Da die Berlin-Reise, auf die im Zitat angespielt wird, genau zwei Jahre zurücklag und die erwähnten Eisenbahnfahrten spätestens im Sommer 1911 und 1912 stattgefunden haben können, ist Kafkas Aussage vielleicht keine Übertreibung. Es ist auch aus einem Brief an Willy Haas bekannt, daß Kafka im Jahr 1912 tatsächlich nur einen Straßenanzug besaß, keineswegs einen Smoking, wie es in der Gesellschaftsschicht, der der Dichter angehörte, damals selbstverständlich war. Daß hier keineswegs eine bloß augenblickliche Besonderheit der Lage des Dichters dargestellt ist, zeigt schon ein Schreiben, das Kafka im März 1913 an Felice richtete. Zu den Gründen, die ihn von einem Besuch in Berlin abhalten, gehörte auch die Tatsache, »daß ich aus den letzten Jahren kaum einen Anzug übrigbehalten habe, in dem ich mich vor Dir, selbst vor Dir sehen lassen kann«.

Gerade zur Zeit, als er am *Schloß* arbeitete, spitzte sich das Kleider-Problem für Kafka auf eine unangenehme Weise zu. Die langen Kuren außerhalb Prags in der teuren Nachkriegszeit und die ärztliche Betreuung, die seine Lungenkrankheit erforderten, zehrten seine Dienstbezüge derart auf, daß zur Anschaffung von Anzügen nichts mehr übrig blieb. Hier wurde also, so gut es ging, gespart. Aus einem Schreiben an seine Eltern, das Kafka im Frühjahr 1921 aus Matliary nach Prag sandte, läßt sich entnehmen, daß er praktisch immer den gleichen Anzug trug: »Wenn ich nun noch länger hier bleibe, werde ich allmählich verschiedene Sachen brauchen, leichtere Kleider usw. – eigentlich habe ich hier nur ein Kleid, in welchem ich schon ein 1/4 Jahr jeden Tag herumgehe und liege, ein Festkleid ist es nicht mehr – wie wird man das herschaffen? Dringend ist es aber noch nicht.« Wenn also K. in Unterhosen vor dem Lehrer stehen muß, weil sein Anzug gerade gereinigt wird, so ist das freilich ein Bild, aber nicht nur, sondern, wie immer, wenn Kafka veranschaulicht, eine Gegebenheit, die auch in sich selber etwas bedeutet und ihren Sinn trägt. Sie verweist also auch auf eine ganz konkrete wirtschaftliche Notlage Kafkas.

Wie beharrlich der Dichter an dieser Vorstellung festhielt, zeigt noch die Tatsache, daß er sie auch im *Bau* verwendet, also den veränderten Bedingungen des Tierreichs als dem Erzählgegenstand anpaßt. Es heißt da: »Gehe ich nur in der Richtung zum Ausgang ... glaube ich schon in die Atmosphäre einer großen Gefahr zu geraten, mir ist manchmal, als verdünne sich mein Fell, als könnte ich bald mit bloßem, kahlem Fleisch dastehen und in diesem Augenblick vom Geheul meiner Feinde begrüßt werden.« Da das schützende Haarkleid beim Tier menschlicher Kleidung funktionsmäßig entspricht, ist der dargestellte Zustand mit dem der Nacktheit identisch, den Milena als Charakteristikum Kafkas erkannte. Gerade im letzten Berliner Winter, als der *Bau* entstand, hatte Kafka besondere Kleidersorgen. Wie aus einem an Ottla gerichteten Brief hervorgeht, besaß er wieder nur einen leichten Anzug, den er auch zu Hause tragen mußte. Er erbat sich deswegen aus Prag einen Winteranzug, eine Hose und eine Hausjacke.

Man verwechsle damit aber nicht Kafkas Neigung zur Eleganz und die

Aufmerksamkeit, die er modischen Belangen entgegenbrachte. Außerdem kommt es für den vorliegenden Zusammenhang auch gar nicht so sehr darauf an, ob die von ihm beschriebenen Sachverhalte objektiv in dieser Härte zutreffen. Für die literarische Produktion ist vor allem wichtig die Vorstellung, die er sich von seiner Garderobe machte.

Möglicherweise ist die Armut des Landvermessers auch noch durch einen Artikel Milenas mitbestimmt, in dem sie ein Bild Wiens entwirft. Sie erwähnt dort nämlich einen armen, aber berühmten Maler, der von Wien nach München fahren wollte und als Gepäck nur »zwei schmutzige Hemden und ein Taschentuch in der Abendzeitung« bei sich hatte. [28]

In andere Vorstellungsbereiche gehört der Begriff der Wanderschaft, den Kafka an der zitierten Briefstelle ebenfalls für sich in Anspruch nimmt, und zwar keineswegs nur aus einer augenblicklichen Eingebung heraus: Schon in einem der ersten Briefe an Milena spricht er von einer langen, mit unsicheren Schritten unternommenen Reise, die er jetzt, nachdem er sie getroffen, hinter sich habe. Und später heißt es dann: »Ich bin ... auf der Fahrt, es ist eine lange Reise.« Der Ausdruck meint einmal die Lebensform des Unseßhaften, der, allein, sich auf feste soziale Bindungen nicht einlassen kann, sondern sich auf Gelegenheiten beschränken muß, die zufällig auf seinem Weg liegen, zum andern ist die Reise für Kafka eine Metapher für sein Judentum, das ihm für Lebensmüdigkeit und -schwere und für ein Dasein zwischen Leben und Tod, und das heißt zwischen Gemeinschaft und Isolation, stand.

Dieser Hintergrund ist also mitzudenken, wenn K. im *Schloß* sich als »Wanderbursch« bezeichnet und mit einem »Knotenstock« im Dorf erscheint – auch der Spaziergänger braucht einen »Stock« –, dessen Existenz der Erzähler auch später nicht vergißt. [29] Vor allem aber werden seine Geschäfte in der Gemeinde als »Wanderungen« bezeichnet, und er hat eine große, schwere, lange, ja endlose Reise hinter sich: »Wie war er durch die Tage gewandert, ruhig, Schritt für Schritt.« Durch eine derartige Charakterisierung wird eine bestimmte Existenzweise beschrieben, keineswegs aber, wie behauptet wurde, darauf hingewiesen, daß K. beim Überqueren der Brücke am Abend seiner Ankunft im Dorf den Styx überschritten und damit nach langer Lebensreise den Weg ins Totenreich gefunden habe. [30]

Gewiß trennt die Brücke verschiedene Seinsbereiche, andernfalls könnte K. nicht zu Frieda sagen: »wir kamen ja jeder aus einer ganz anderen Welt zusammen«; aber der Bezirk der Grafschaft muß eine Region des Lebens sein, sonst hätte K. nicht Pepi gegenüber seinen Kampf mit dem Schloß als Gang »in die Welt« bezeichnet. Auch ist die Unterscheidung von zwei Welten eine in Kafkas Tagebüchern von 1921 und 1922 ganz geläufige Vorstellung: Dort wird die »Wüste«, das Gebiet der Isolation, das als K.s eigentümliche Umwelt im *Schloß* als menschenleere Schneewüste erscheint, dem ackerbauenden Land gegenübergestellt, das, von der Familie des Barnabas abgesehen, die Dörfler kennzeichnet. Kafka glaubte sich im Lauf der Jahre immer mehr aus der Gemeinschaft vertrieben und in einer Art Grenzbereich zur Einsamkeit angesiedelt; dabei wurde er innerlich von beiden Regionen angezogen und gleichsam zwischen ihnen hin und her gerissen. [31] Das am Ortseingang zu denkende Gasthaus »Zur Brücke«, K.s erster Aufenthaltsort, verleiht dieser besonderen Zwischenstellung Kafkas anschaulichen Ausdruck.

Außerdem wird in den Briefen an Milena Kafkas eigene, ursprüngliche Lebensweise durch die Vorstellung eines dunklen Waldes abgedeckt, dem die freie, durchsonnte Fläche als Milenas Lebensraum entgegengesetzt wird, was als Gegensatz der Antithese von Wüste und Kulturland nicht nachsteht. Die Verbindung der Liebenden erfolgt nun dadurch, daß Kafka seine Waldheimat verläßt und in das Gebiet Milenas überwechselt. Der Dichter und seine Geliebte gehören wie K. und Frieda verschiedenen Welten an, deren Abstand durch eine große Reise der männlichen Partner überbrückt wird. [32]

Man muß freilich fragen, warum Kälte und Schneelandschaft, die als Motive auch im *Urteil*, den *Erinnerungen an die Kaldabahn*, im *Kübelreiter* und im *Landarzt* belegt sind und Bilder für Menschenferne und geistige Isolation darstellen [33], die Szenerie des Romans beherrschen, obwohl das Dorf ein Gleichnis der menschlichen Gemeinschaft ist. Einen Hinweis gibt die Entwicklung des Erzählelements in Kafkas Denken: Während zur Zeit der Auseinandersetzung mit Felice eine solche Lebensmöglichkeit noch bekämpft und in der Figur des Freundes im *Urteil* abgelehnt wird – dieser Junggeselle lebt ohne Verbindung mit seinen Landsleuten in Petersburg –, wird dieser Vorstellungszusammenhang des einsam und ohne Reisewillen in russischer Eiswüste Lebenden in der Spätzeit als alternativlose Ich-Erzählung wieder aufgenommen, also zur einzigen Lebensmöglichkeit gemacht. Der Wendepunkt in der Einschätzung des Sachverhalts durch Kafka dürfte um das Jahr 1916 herum liegen. Ende August dieses Jahres schrieb er als Eingangssätze eines Fragments: »Die Hütte des Jägers liegt verlassen im Bergwald. Dort bleibt er während des Winters mit seinen fünf Hunden. Wie lang ist aber der Winter in diesem Land! Fast könnte man sagen, er dauere ein Leben lang. Der Jäger ist wohlgemut . . . « [34]

Es läßt sich zeigen, daß dieser Erzählkomplex die Urfassung des Jäger-Motivs darstellt, das dann kurz darauf in den *Gracchus*-Bruchstücken entfaltet wurde, die als pointierte Selbstdeutungen der inneren Lage Kafkas nach seiner Isolation von Felice im Winter 1916/17 angesehen werden müssen. [35] Deswegen ist es kein Zufall, daß der Zusammenhang in einem Roman wiederkehrt (und seine Kulisse entscheidend bestimmt), der als Reaktion auf die Trennung von Milena begonnen wurde – davon später mehr –, und daß er Pepi in den Mund gelegt wird, die, wie schon mehrfach gezeigt, vieles mit K. gemein hat. Sie antwortet auf seine Frage, wie lange es noch bis zum Frühjahr sei: »Der Winter ist bei uns lang, ein sehr langer Winter und einförmig. Darüber aber klagen wir unten nicht . . . aber in der Erinnerung, jetzt, scheint Frühjahr und Sommer so kurz, als wären es nicht viel mehr als zwei Tage, und selbst an diesen Tagen, auch durch den allerschönsten Tag, fällt dann noch manchmal Schnee.« [36] Die Entwicklung dieser Vorstellung läßt also den Schluß zu, daß Kafka in seinen letzten Lebensjahren der Auffassung war, eine Auseinandersetzung mit der Sozietät könne sich nur auf dem Hintergrund eigener Einsamkeit und gefühlsmäßiger Erstarrung vollziehen.

K. also fühlt sich allein auf seinen Wegen, es begegnen ihm dort nur die Gehilfen, der Bote und seine beiden späteren Arbeitgeber, nämlich der Lehrer und Gerstäcker. Die Dorfbewohner aber leben in der Wärme und Helle geschützter Behausungen miteinander; Frieda und Jeremias in einem kleinen Zimmerchen, das K. »hell und warm« dünkt, und Schwarzer, die wärmende Nähe Gisas suchend, mit der Lehrerin zusammen im Schulzimmer beim Schein zweier Kerzen. K. steht in beiden Fällen im realen Sinn des Wortes draußen wie Kafka selbst, der seine Lage in der Spätzeit dadurch zum Ausdruck bringt, daß er sich »etwa als ein Kind« fühlt, »das sich am Pfosten der Saaltür festhält und in ein großes fremdes Fest hineinschaut«, eine offenbar aus einer Szene im *Tonio Kröger* entwickelte Vorstellung, die schon zur Zeit des Briefwechsels mit Felice dazu diente, sein Ausgewiesensein vom Leben, das durch sie verkörpert war, anschaulich zu machen. [37]

Die dargestellten Zusammenhänge dokumentieren aber nur die eine Seite der Tatsache, daß für Kafka Leben ein unablässiges Ringen um elementare Gemeinschaftsbindungen und deren Voraussetzungen darstellte. Dieses Phänomen hatte für ihn nämlich noch den anderen Aspekt, daß ein Augenblick der Unachtsamkeit, ein momentanes Nachlassen der Anspannung genügte, um ihn für dauernd aus dem Kreis des Lebens zu verweisen. Daß K. gleichwohl eine Art Zentrum von Figurenkonstellationen bildet und in sozialen Interaktionen gezeigt wird, bedeutet keinen Widerspruch hierzu, denn »ohne einen Mittelpunkt zu haben«, bildet gleichwohl jeder Mensch, selbst der nichtigste, der Junggeselle, »wenn man nur ordentlich zusieht, den Mittelpunkt eines hier und dort zusammengedrehten Kreises«. [38]

Kafka formuliert den fraglichen Komplex, der auch mehrfach als zentrales Erzählmotiv zu belegen ist, beispielsweise am 17. Januar 1918 in folgender Weise: »Das Gesetz der Quadrille ist klar, alle Tänzer kennen es, es gilt für alle Zeiten. Aber irgendeine der Zufälligkeiten, die nie geschehen durften, aber immer wieder geschehen, bringt dich allein zwischen die Reihen.« Eine frühe, zwischen Lebenszeugnis und literarischer Fiktion schwankende Tagebuchstelle spezifiziert die Umstände des Vorgangs, der hier mit dem Anschauungsbereich Tanz verdeutlicht werden soll: »rücken wir nur einmal zur Seite, in irgendeiner Selbstvergessenheit, in einer Zerstreuung, einem Schrekken, einem Erstaunen, einer Ermüdung, schon haben wir ihn in den Raum hinein verloren, wir hatten bisher unsere Nase im Strom der Zeiten stecken, jetzt treten wir zurück, gewesene Schwimmer, gegenwärtige Spaziergänger, und sind verloren.« [39]

Nicht nur die über viele Jahre hin sich erstreckende Konstanz der Bildlichkeit verblüfft – beispielsweise wird der Spaziergänger der Tagebuchstelle im Kontext in überraschender Übereinstimmung mit den Lebensumständen seines Zwillingsbruders im zitierten Brief an Milena gezeigt –, sondern vorwiegend der Sachverhalt, daß K.s Mißerfolge im *Schloß* deutlich dieses Strukturmoment des gleichsam zufällig Ausgeschlossenseins aufweisen. Dies wird sogar direkt an einer Stelle gesagt. In dem schon angeführten Bericht, in dem die Bürgel-Episode aus der Sicht der Dorfbewohner erzählt wird, heißt es nämlich über K.s Beziehungen: »alle diese Verbindungen lauern ja förmlich darauf, ihm zu entgehen. Er ist also immerfort vollauf mit ihnen beschäftigt.« Dieses letztere ist also doppelt begründet, einmal in K.s Mittellosigkeit, die kein Ausruhen zuläßt, dann aber auch in dem fatalen Mechanismus, daß ein kurzfristiges Nachlassen der Kräfte dazu führen kann, daß K. eine Beziehung entgleitet. Beide Momente erscheinen gleich in der Eingangsszene, wo die besondere Art des Empfangs durch Schwarzer »vielleicht allem Folgenden die Richtung gegeben hatte«, insofern K. »noch völlig fremd im Dorf, ohne Bekannte, ohne Zuflucht, übermüdet vom Marsch, ganz hilflos ... jedem behördlichen Zugriff ausgeliefert war«. In dieser Darstellung sind die anschaulich zutage tretende Unbemitteltheit K.s und die schicksalsbestimmende Macht des zufälligen, nicht weiter reduzierbaren Ereignisses miteinander vereinigt, das nach Kafkas Einsicht auch das eigene Leben bestimmte. Im Rückblick erkennt er: »eine Kleinigkeit, und nicht einmal erkennbar, hat es entschieden.«

Unmöglich ist ihm die Vorstellung, die Anfänge seines Unglücks seien innerlich notwendig gewesen, sie kamen vielmehr »angeflogen wie Fliegen und wären so leicht wie sie zu vertreiben gewesen«. Entsprechend reflektiert K. über die näheren Umstände seines Eintreffens: »Nur eine Nacht später hätte schon alles anders, ruhig, halb im Verborgenen verlaufen können ... Und der lächerliche Anlaß alles dessen? Vielleicht eine ungnädige Laune Gisas an jenem Tag, wegen der Schwarzer schlaflos in der Nacht herumgestrichen war, um sich dann an K. für sein Leid zu entschädigen.« Deutlicher kann die Kontingenz des für K. schicksalhaften Geschehens nicht zum Ausdruck gebracht werden.

K.s Überlegungen sind freilich noch in einem andern Punkt bemerkenswert. Sie setzen nämlich zwei Grundmöglichkeiten der Beziehung zum Schloß voraus, einmal, dem tatsächlichen, durch Schwarzer in Gang gesetzten Romanverlauf entsprechend, eine Haltung, wo er »ohne Winkelzüge, offen, Aug in Aug« den Instanzen entgegentritt, zum andern aber eine Ankunft »halb im Verborgenen«, wo er mit »viel Lüge und Heimlichtuerei« die Behörde über seine wahren, weitgehenden Absichten im Unklaren gelassen und sich nach und nach, mehr durch Gewohnheit als durch offizielle Entscheidung des Schlosses, den Status eines Gemeindeglieds erworben hätte. Es ist, mit Hilfe einer Übertragung dieser Alternative auf den Lebenshintergrund Kafkas, wenigstens teilweise möglich zu verstehen, was gemeint ist. [40]

An der schon angeführten Briefstelle, wo Kafka sich Wanderschaft und

Bettlerschaft zuordnet, ist davon die Rede, daß er Angst vor Verbindungen hatte, die als solche durch förmliches Bereden gleichsam besiegelt waren, während er »stillschweigende Vereinbarungen« duldete. Damit läßt sich seine Unfähigkeit in Verbindung bringen, einen vereinbarten Besuch bei seinem Freunde Oskar Baum auszuführen, der damals, im Juli 1922, in Thüringen weilte. Sie hatte teilweise ihren Grund in Kafkas Angst, »die Aufmerksamkeit der Götter durch eine für meine Verhältnisse große Tat« auf sich zu lenken. Schließlich ist hier eine ähnlich lautende Tagebuchstelle vom 21. Januar 1922 anzuführen, wo er von einer außergewöhnlichen Schlafleistung berichtete, die ihm zum Unglück ausschlug, »denn nun kam der nicht abzuwehrende Gedanke: so viel Glück verdienst du nicht, alle Götter der Rache stürzten auf mich herab, ich sah ihren wütenden Obersten die Finger wild spreizen und mir drohen oder fürchterlich Zimbel schlagen«. [41]

Das letzte Beispiel erläutert das ihm Vorhergehende insofern, als sich die »Götter« als eigene Instanzen erweisen, die Kafka zu quälenden inneren Kämpfen veranlassen, wenn er durch auffälliges Verhalten, d. h. durch erfolgreiche Lebensgestaltung hervortritt. Der diesem psychischen Mechanismus zugrunde liegende Wesenszug ist offensichtlich Kafkas Skrupelhaftigkeit: Als Max Brod davon sprach, ihn in der Hohen Tatra besuchen zu wollen, lehnte er eine derart ausschließlich um seinetwillen unternommene Reise mit dem Bemerken ab, das würde ihm, Kafka, zuviel Verantwortung auferlegen. Habe der Freund hingegen zufällig in der Nähe anderes noch zu erledigen, sei seine Anwesenheit in Matliary natürlich sehr willkommen. [42]

Analoges gilt für die beiden ersten eben zitierten Beispiele: Die explizite enge Freundschaftsbindung und das Zusammenleben mit Oskar Baum, das schon einmal in Zürau statthatte und für den seelischen Haushalt Kafkas überaus ungünstige Folgen zeitigte [43], müßten immer wieder auf ihre Rechtmäßigkeit und Tragfähigkeit hin überprüft werden, was ein dauerndes gespenstisches Hin und Her der Argumentation bedeuten würde, der Kafka mit allen Mitteln zu entgehen trachtete. Dies war aber gar nicht einfach, weil der Überempfindliche zu Perseverationen neigte und immer ein längerer Zeitraum verfließen mußte, bis die innere Erregung wieder abklang. [44] So versuchte er durch taktische Manöver zu verhindern, daß die seelischen Prozesse überhaupt in Gang kamen, was nur dadurch geschehen konnte, daß er sich möglichst so verhielt, daß keine · großen Entscheidungen notwendig wurden.

Schwarzers Eingreifen bei der Ankunft K.s im Dorf bedeutete nun, daß die Hauptfigur sich gleich zu ihrem Streben nach Gemeinschaftsbindung öffentlich bekennen mußte – K. sagt, er sei als gräflicher Landvermesser angefordert worden – und nicht sozusagen für sich selber offen lassen konnte, wie ernsthaft der Kampf zu führen war. Es entsteht ein »Aufruhr im eigenen Innern«, der sich im Roman in der seelische Komponente des Helden manifestierenden Schloßhierarchie spiegelt, gegen die gekämpft werden muß, während sich sonst die Beamten »ruhig, im Amtswege, ungestört« von der ihnen verhaßten Ungeduld der Partei – für Kafka war diese Charaktereigenschaft die Ursache allen Übels –, mit der Angelegenheit hätten beschäftigen können.

Gestützt wird diese Deutung auch dadurch, daß Kafka den entsprechenden eigenen Zustand mit ähnlichen Begriffen kennzeichnet: »Lebe ich hier in meinem Zimmer weiter, vergeht ein Tag regelmäßig wie der andere, muß natürlich auch für mich gesorgt werden, aber die Sache ist schon im Gang, die Hand der Götter führt nur mechanisch die Zügel, so schön, so schön ist es, unbeachtet zu sein«. [45]

Die Szene mit Schwarzer am Beginn des Romans repräsentiert also die Tatsache, daß Kafka die Erfahrung machte, den Kampf um das Leben in der Sozietät – in der Spätzeit gegen seinen Willen – bedingungslos und grundsätzlich führen zu müssen, vielleicht weil er, wie Milena meinte, aller »Zutaten entledigt« war, die ihm hätten helfen können, das Leben zu »verzeichnen«, so daß er »durch seine schreckliche Hellsichtigkeit, Reinheit und Unfähigkeit zum Kompromiß« gezwungen war, jede Gegebenheit, und wie erst dieses Zentralproblem, in allen seinen Aspekten bewußt und unaufhörlich auszuloten. [46]

Übermüdung und Zerstreuung kennzeichnen K.s Verhalten im Roman überhaupt, man denke daran, daß er zwei Tage ganz verschläft und daß Kafka die schon im Titel betonte Parallelität der beiden Gespräche K.s mit Gardena neben anderem auch dadurch verstärkt, daß die Hauptfigur jedesmal »zerstreut« ist. [47] Vor allem aber wird dieser grundlegende Sachverhalt in drei aufeinander zugeordneten Kernszenen entfaltet:

Nach dem Gespräch mit dem Lehrer, das K. selber gesucht hatte, ist er nicht bei seinen Gedanken und fühlt zum erstenmal seit seinem Kommen »wirkliche Müdigkeit«. Deswegen glaubt er, an diesem Tag das Schloß nicht mehr erreichen zu können. In einer vom Autor dann verworfenen Stelle wird sogar gesagt, daß K. die Hoffnung aufgegeben habe, das Schloß jemals erreichen zu können. [48]

In innerem Zusammenhang mit dem Ereignis steht der gleich anschließend berichtete Sachverhalt, daß K. im Schnee stecken bleibt und fremde Hilfe in Anspruch nehmen muß: Er taumelt so sehr, daß man ihn für betrunken hält. Diese Aussage entbehrt insofern nicht ganz eines realen Hintergrundes, als K. am Abend vorher einen »Schlaftrunk« zu sich genommen hat. Dadurch wird eine Beziehung zu den beiden anderen Zentralszenen hergestellt, weil er dort ebenfalls – und bezeichnenderweise auch vor dem ersten Gespräch mit der Wirtin – alkoholische Getränke konsumiert. [49]

In der Szene dann, wo K. im Hof auf Klamm wartet, wird seine »Vergeßlichkeit« damit illustriert, daß ihm der Gedanke, er solle sich in seiner augenblicklichen Verfassung lieber nicht vor Klamm zeigen, »nur undeutlich, als leise Störung, zu Bewußtsein« kommt. Gemeint ist also eine Selbstvergessenheit – der Begriff ist neben Erschrecken, Erstaunen und Ermüdung in der Tagebuchstelle von 1910 erwähnt –, die mit K.s Zerstreutheit im er-

sten Kapitel harmoniert. Dazu kommt, daß K. von Momus überrascht wird
– er erschrickt so, daß die Flasche seiner Hand entfällt –, während er den
Kognak des Kutschers trinkt. Wieder hat er eine Niederlage erlitten und ist
in der sich anschließenden Szene unschlüssig, ob er sich verhören lassen
soll. Der Motivzusammenhang vom Vorhergehenden wird unter anderem dadurch verstärkt, daß K. am Schanktisch Pepis von einem Kognak nippt. [50]

Die größte Möglichkeit, sein Ziel zu erreichen, vertut K. während der
Unterredung mit Bürgel. Richtig sagt dieser mit feiner Beziehung auf die
augenblickliche Situation: »... hier ist ja alles voll Gelegenheiten. Nur gibt
es freilich Gelegenheiten, die gewissermaßen zu groß sind, um benützt zu
werden, es gibt Dinge, die an nichts anderem als an sich selbst scheitern.
Ja, das ist staunenswert.«

K. müßte nämlich, um vor Klamm erscheinen zu dürfen, seinen Ge-
sprächspartner nur darum bitten. Er aber schläft während der entscheidenden
Ausführungen Bürgels und ist schon vor dem Verhör so müde, daß er sich
in ein gerade nicht besetztes Bett eines Sekretärs legen will, um dort tüchtig
auszuschlafen. Und wieder ist dieses Moment mit Zerstreuung gekoppelt.
Schon als K. den Gang betritt, blickt er »ziellos« umher, und zu Anfang des
Gesprächs heißt es dann: »er war wenig mit seinen Gedanken bei der Sache«.
Der erwähnte Alkoholgenuß trägt dazu bei: Unmittelbar vor den beiden
nächtlichen Vernehmungen trinkt K. ein Viertel Wein und eine kleine Karaffe
Rum, letzteres als »Schlaftrunk«. Am nächsten Morgen, als er, völlig über-
müdet, die Wirtsleute bittet, ihn im Ausschank ausschlafen zu lassen, gestat-
tet dies die Wirtin schließlich mit den an ihren Mann gerichteten Worten:
»Er ist ja betrunken, der Lümmel. Laß ihn hier seinen Rausch ausschlafen!«
Damit kommt überein, daß in dem Fragment, in dem die Bürgel-Episode aus
der Sicht von Dorfbewohnern erzählt wird, davon die Rede ist, K. habe sich
für das Verhör mit Erlanger durch das Leeren der Rumkaraffe »ein wenig
Kräftigung« geholt, »vielleicht sogar zuviel«. [51]

Das Entscheidende in der Handlungsführung – und das erweist diese Romanteile als Ausdruck der Auffassung Kafkas, die wichtigen Verfehlungen
des Lebens geschähen zufällig – liegt nun darin, daß K.s Versagen nicht
eigentlich zwangsläufig aus der jeweils vorliegenden Konstellation motiviert
werden kann, also auch nicht mit gleichsam innerer Notwendigkeit aus der
Situation folgt. Es sind vielmehr Kleinigkeiten, die den Verlauf bestimmen,
die zufällige Begegnung K.s mit dem Lehrer, die ihn zur Unzeit ermüdet, die
Tatsache, daß Momus aus dem Fenster schaut, als sich K. dem »Herrenhof«
nähert, und die Verlockung durch das Angebot des Kutschers, die eine Überraschung Klamms nicht mehr erlaubt, und schließlich das Phänomen, daß
die Grenze, bis zu der die Leibeskräfte reichen, auch sonst bedeutungsvoll
ist. [52]

Andererseits ist jedoch wichtig, daß die Ausgangslage des Geschehens
gleichfalls durch Zufallskonstellationen hergestellt wird: Es ist doch so, daß
K. seinen Schneeball an ein beliebiges Hüttenfenster wirft. Es ist also nicht

sein Verdienst, daß bei Lasemann besuchsweise, gleichsam in einer Potenzierung des Zufalls, Frau Brunswick weilt, die aus dem Schloß stammt und K. als Helferin für seine Bemühungen willkommen ist. Als er in den »Herrenhof« geht, um Klamm im Herrenzimmer zu treffen, ist ihm das Glück wieder günstig. Obwohl nämlich der Bürovorsteher an diesem und dem ihm vorhergehenden Tag sein unzugängliches Zimmer im Obergeschoß nicht verlassen hat, K. also eigentlich im Ausschank nichts erreichen kann, trifft es sich doch, daß sich sein Vorgesetzter gegenwärtig zur Abreise vorbereitet, also jeden Augenblick im Hof erscheinen muß. Was endlich die Szene mit Bürgel betrifft, so ist sie sogar hinsichtlich des in Frage stehenden Zusammenhangs motivlich mit dem ersten Kapitel verbunden: Denn K. öffnet eine der links und rechts des schmalen Gangs liegenden, für ihn ununterscheidbaren kleinen Türen – die Zimmer haben aber, wie Häuser, Nummern –, um auszuruhen. [53]

Dieses Szenenarrangement muß von Kafka gleichfalls bewußt gewählt worden sein, denn es finden sich Äußerungen aus seiner Spätzeit, in denen zum Ausdruck gebracht ist, daß die entscheidenden Chancen, das Leben zu verwirklichen, auch innerhalb scheinbar sinnloser und mißlingender »Wanderungen« jederzeit möglich sind. In diesem Sinne schrieb er im Juli 1922 an Robert Klopstock: »Da wir doch nur auf einem Weg sind, welcher erst zu einem zweiten führt und dieser zu einem dritten u. s. f. und dann noch lange nicht der richtige kommt und vielleicht gar nicht, wir also ganz der Unsicherheit, aber auch der unbegreiflich schönen Mannigfaltigkeit ausgeliefert sind, ist die Erfüllung der Hoffnungen und insbesondere solcher Hoffnungen das immer unerwartete, aber dafür immer mögliche Wunder.« [54]

Die beschriebenen Szenen des 1., 8. und 23. Kapitels bilden aber auch noch in anderer Hinsicht einen einheitlichen Zusammenhang, wobei auffällig ist, wie sorgfältig sie aufeinander abgestimmt und untereinander abgestuft sind: K. ist zunächst bloß zerstreut, dann selbstvergessen, so daß ihm die wahren Zusammenhänge nur schwach ins Bewußtsein dringen, und in der Bürgel-Szene endlich brennt er darauf, daß der Sekretär einschlafe, damit er sich nicht auf die Situation konzentrieren muß; im letzten Fall ist also das Element des Willentlichen zusätzlich gesetzt.

Dazu kommt, daß der Alkoholgenuß von Szene zu Szene gesteigert wird: Zuerst handelt es sich um einen Schlaftrunk (vermutlich ein Glas Bier), der zudem zeitlich weiter zurückliegt, dann sind es drei Schlucke Kognak unmittelbar vor und ein weiterer nach dem bedeutsamen Ereignis, das aber noch von einer Erzähleinheit gefolgt wird, in der K. eine Korrekturmöglichkeit des Geschehenen erhält; schließlich trinkt er ein Glas Wein und ein Fläschchen Rum, bevor er den Verbindungssekretär aufsucht.

K. versucht in allen drei Fällen, Einblick in innere Gegebenheiten des Schlosses zu gewinnen, was den Protest seiner empfindlichen Gegenspieler hervorruft: Der Lehrer weigert sich, über den unsittlichen Lebenswandel des Grafen Auskunft zu geben – er ist als Schreiber des Dorfvorstehers gleich-

sam Teil der gräflichen Beamtenhierarchie –, Momus, der Dorfsekretär
Klamms und eines anderen Schloßherrn, schützt den Kanzleivorstand vor
den neugierigen Blicken K.s, und die Wirtsleute des »Herrenhofs« retten die
empfindlichen Sekretäre vor seiner Aufdringlichkeit; daß auch die Wirtin
in gewisser Weise der Schloßwelt zugehört, geht nicht nur aus ihrer Aufgabe
hervor, den Beamten Wohnung und Essen bereitzustellen; gewisse Sachverhalte lassen den Schluß zu, daß sie engere Beziehungen zum Schloß unterhält, die freilich nicht mehr gestaltet wurden; sie hat also eine dem Lehrer
und Dorfsekretär vergleichbare offizielle Position inne. [55]

Die Intensität des Einblicks, den K. erstrebt, würde sich zwar, wenn er
Erfolg hätte, von Szene zu Szene steigern, und deswegen auch verwendet
Kafka entsprechende Örtlichkeiten – eine Straße, die zum Schloß führt, den
Hof des Gebäudes, in dem die Schloßherren absteigen, und einen Flur dieses
Hauses –, aber in der hierarchischen Stufung besteht eine abnehmende Rang-
folge, die versinnbildlichen soll, wie er sich immer mehr bescheiden und seine
ursprünglichen hochfliegenden Pläne zurücknehmen muß (Graf – Bürovor-
steher – Sekretär).

In allen drei Fällen verschläft er sozusagen das Entscheidende: Zum Sitzen
auf der Truhe eingeladen und den Kopf an die Schulter des Alten gelehnt,
schlummert er ein, während er Frau Brunswick beobachtet. Er versäumt also
die Gelegenheit, sich mit ihr ungestört zu unterhalten, während der Alte vor
sich hindämmert und ihr Mann und ihr Bruder baden. Später müssen dann
die umständlichsten Überlegungen angestellt werden, um ein solches Gespräch möglicherweise zustande zu bringen, was K. ja deswegen wichtig ist,
weil Hansens Mutter aus dem Schloß stammt.

Während des Wartens auf Klamm wird K. vom Kutscher aufgefordert, im
Schlitten eine Kognakflasche zu holen, und läßt sich dadurch verführen, sich
in sein Inneres zu begeben: »Man wußte gar nicht, ob man auf einer Bank
saß, so sehr lag man in Decken, Polstern und Pelzen ... Die Arme ausgebreitet, den Kopf durch Polster gestützt, die immer bereit waren, blickte K.
aus dem Schlitten in das dunkle Haus.« Wieder sitzt er, animiert von seinem
Gegenspieler, auf einer Bank in Schlafhaltung – das Haupt ist, wie bei Lasemann, wo er von Brunswick zum Sitzen aufgefordert wurde, gestützt – und
schaut auf den »Herrenhof«, der in engsten Beziehungen zum Schloß steht,
anstatt die Zeit zu nützen und den Kutscher über Klamm auszufragen oder
zu erforschen, warum dieser meint, Klamm erscheine erst, nachdem sich K.
entfernt habe.

Da K. diese Bemerkung des Knechts übergeht, muß der Leser zu dem
Schluß kommen, daß er die Hellhörigkeit, die ihm nach dem Erwachen bei
Lasemann immerhin noch eigen war, inzwischen verloren hat. Im 23. Kapitel
endlich wird K. von Bürgel eingeladen, am Rand des Bettes Platz zu nehmen,
was dieser tut: Da er einen Bettpfosten im Rücken hat, entsteht eine Art
Bank, die freilich, zumal auch jetzt wieder der Kopf in eine günstige Ruhelage gebracht wird, ein komfortableres Einnicken ermöglicht als in den in den

Parallelszenen eingenommenen Positionen: »K ... hatte oben auf dem Bettpfosten den linken Arm ausgestreckt und den Kopf auf ihn gelegt, schon
verschiedentlich hatte er es sich bequem zu machen versucht, diese Stellung
war aber die bequemste von allen, er konnte nun auch ein wenig besser
darauf achten, was Bürgel sagte.«

Aus dem weiteren Verlauf der Unterredung wird noch viel deutlicher,
daß K., so gut er kann, Bürgel zu beobachten versucht. Es gelingt ihm demnach in allen drei Fällen nicht, das Objekt seines Interesses auf die Dauer
festzuhalten. Die Kernszenen sind auch dadurch aufeinander bezogen, daß
K. jedesmal vorher ißt: Am ersten Morgen seines neuen Lebens nimmt er
ein Frühstück ein, das vom Schloß bezahlt wird, im 8. Kapitel ein von Frieda
liebevoll zusammengestelltes Vesper und auf dem Gang der Sekretäre ein
von ihr auf seine ausdrückliche Bitte hin eilig aus Essensresten zusammen-
getragenes Abendbrot.

Selbst in diesem nebensächlichen Detail ist also eine absteigende Linie zu
erkennnen, die K.s immer größer werdende Mittellosigkeit zum Ausdruck
bringt: Erst sorgt die mächtige Institution für ihn, dann seine Verlobte und
schließlich, nach der Trennung von ihr, muß er von Abfällen leben. Man darf
davon ausgehen, daß diesem letzten Erzählmoment in Kafkas Augen noch
eine eigene Bedeutung zukam. Denn wenn er sich mit einem Hund vergleicht, der nur das Recht habe, schnell seinen Fraß zu verschlingen und dann
in sein schmutziges Loch zurückzukehren und dort zu verharren – Gardena
spricht bezeichnenderweise davon, K. erhalte ohne ihren Willen im Dorf als
Nachtlager nicht einmal eine Hundehütte –, und wenn er in einem Aphorismus formuliert: »Er frißt den Abfall vom eigenen Tisch«, so zeigen solche
Bilder doch, daß K.s Situation gegen Ende des vorliegenden Romantextes mit
Kafkas deprimiertem Selbstverständnis identisch ist. [56]

Eine weitere Parallelität der Szenen besteht darin, daß Frau Brunswick,
Momus und Bürgel Gemeinsamkeiten haben: Alle drei stammen aus dem
Schloß und leben jetzt vorwiegend oder dauernd im Dorf; außerdem arbeiten
die beiden Sekretäre für mehrere Herren und nehmen Koordinierungsaufga-
ben wahr.

Was die Szene mit dem Dorfsekretär angeht, so hat sie im Verhör vor
Erlanger eine strukturelle Entsprechung, auf die Momus selber verweist,
wenn er zu K. bei seinem Erscheinen vor dem »Herrenhof« sagt: »der, welcher sich so ungern verhören läßt, drängt sich zum Verhör. Bei mir wäre es
damals einfacher gewesen.« Beide Vernehmungen schließen sich ja unmittelbar an die Kernszenen an. Indem Kafka im ersten Fall Gardena anwesend
sein läßt – sie nimmt auch ausdrücklich auf ihre Bekanntschaft mit K. Bezug –, wird eine Verbindung dieser Handlungseinheit zu K.s Auseinandersetzungen mit ihr hergestellt, die verständlich macht, warum die Motive der
Zerstreutheit und des Trinkens außerhalb der drei grundlegenden Situationen
gerade in K.s Gesprächen mit der Wirtin artikuliert werden.

Endlich werden Verklammerungen der Teile dadurch erreicht, daß K. im

1. und 24. Kapitel von Gegenspielern der Trunkenheit geziehen wird, daß er jeweils vor seinem Zusammentreffen mit dem Lehrer und vor seinem Warten im Hof ausführlich das Schloß betrachtet – an andern Stellen geschieht dies nicht – und daß er aus der Hütte Lasemanns und dem Gang der Sekretäre in vergleichbarer Weise fortgeschafft wird: Im einen Fall ziehen Brunswick und Lasemann K. zur Tür, im andern nimmt ihn der Wirt unter den Arm, während seine Frau von der andern Seite auf ihn einredet.

Verstärkt wird diese Ähnlichkeit noch durch ein anderes Moment: Während K. das Haus des Gerbermeisters verläßt, freut sich der alte Bauer, der ihn eingelassen hatte, über irgend etwas und klatscht in die Hände. Und Frau Lasemann lacht »bei den plötzlich wie toll lärmenden Kindern«. Überdies ertönen während der sich anschließenden Rückkehr K.s in das Gasthaus »Zur Brücke« verschiedene Glocken aus dem Schloß und, vielleicht, dem Dorf. Eine überraschend ähnliche Geräuschkulisse entsteht, als K. von den Wirtsleuten in den Ausschank zurückgebracht wird, den er aus Schwäche genausowenig verlassen kann wie im ersten Kapitel seine Stellung auf der Gasse: Hatte nämlich vorher nur eine einzige elektrische Glocke getönt, so beginnen später auch noch andere zu arbeiten, »jetzt nicht mehr aus Not, sondern nur zum Spiel und im Überfluß der Freude«, die, wie K. bei seinem Kommen beobachtet hatte, derjenigen von Kindern ähnelt. Lärm, Glocken und kindliche Freude der Zurückbleibenden kennzeichnen also beide Situationen.

Auffällig ist endlich, daß die Zentralszenen sich durch eine zu dem eben genannten Motiv im Gegensatz stehende bemerkenswerte Stille auszeichnen: Während K.s Gespräch mit dem Lehrer fällt die »plötzliche Stille« der Kinder auf, die bezeichnenderweise wie in den erwähnten Parallelszenen nachher von einem lauten Schreien abgelöst wird, das gleichsam die Unbekümmertheit der Gegenwelt verkörpert und K. so demütigt. Auch im Hof und im Gang der Sekretäre herrscht eine vom Autor besonders hervorgehobene Ruhe. Und die beiden letzten Erzählkomplexe sind außerdem noch dadurch miteinander verklammert, daß K. an beiden Örtlichkeiten mit den Händen in der Tasche dasteht. [57]

Im Zusammenhang mit der Szene im Hof findet sich eine Art Beschreibung des »Herrenhofs«, über dessen Baulichkeiten auch an anderen Stellen des Werks mehr oder weniger direkte Aussagen vorkommen. Es läßt sich zeigen, daß die verschiedenen Angaben sich zu einem Gesamtbild des Gebäudes fügen, das Kafka offensichtlich vorgeschwebt hat. Die Kenntnis dieses Zusammenhangs kann nicht unerheblich für das Verständnis des Romans sein, denn man hat, nach allem, was an vergleichbaren Fällen zu beobachten ist, davon auszugehen, daß noch die kleinste Erzähleinheit funktional bestimmt ist, d. h. mit der Thematik des Werks und der Entwicklung der Verhältnisse K.s in Verbindung steht. Dies also läßt sich über den wichtigsten Schauplatz des Romans ausmachen:

Es handelt sich um ein u-förmiges Gebäude, das an der den Schenkeln abgewandten Seite über eine Freitreppe betreten wird, die einem der Seitenflügel vorgelagert ist. Im Folgenden wird angenommen, es sei, aus der Perspektive eines vor dem Haus Stehenden gesehen, der rechte.

Betritt man den Flur, so liegt rechter Hand das kleine Privatkontor, von dem aus der Wirt den Flur beobachtet und in dem K.s Gespräch mit dessen Frau stattfindet. Es wird nämlich gesagt, dieser Raum liege gegenüber dem Ausschank auf der andern Seite des Gangs. Letzterer muß aber das erste Zimmer sein, das der Eintretende links erreicht: Von den auf Verhöre vor dem »Herrenhof« Wartenden erfährt K., die Wirtin habe durchgesetzt, »daß die Parteien, die zuerst einfach in einem Korridor, später auf der Treppe, dann im Flur, zuletzt im Ausschank gewartet hatten, schließlich auf die Gasse hinausgeschoben worden waren«. Daraus folgt, daß der Ausschank im vorderen Teil des zur Freitreppe führenden Flurs liegen muß.

Diese Lage ist auch vorausgesetzt, wenn der Wirt sagt, K. dürfe nur bis zum Ausschank gehen, und im 8. Kapitel berichtet wird, K. habe sich »anstatt zum Ausgang gegen das Innere des Hauses« gewandt. Wenn dieser also bei seinem ersten Besuch des »Herrenhofs« den Wirt beiseite nimmt, während Olga »unterdessen geduldig am Ende des Flurs« wartet, so ist das vom Blickpunkt K.s aus gesagt, der seinen Gesprächspartner nach hinten gezogen hat, weg von der am Hauseingang zurückbleibenden Olga.

Daraus läßt sich auch erschließen, daß sich die zum Ausschank führende Tür – wie üblich und vernünftig – in unmittelbarer Nähe der Haustür befinden muß. Jeder Zweifel an dieser räumlichen Ordnung verschwindet schließlich, wenn man liest, man könne von den Fenstern des Ausschanks auf die zum Wirtshaus führende Gasse sehen und im Hintergrund des Raumes – also an der der Flurseite gegenüberliegenden Wand – öffne sich eine Tür in den Innenhof des Gebäudes. [58] Da das sogenannte Herrenzimmer, in dem Klamm sich aufzuhalten pflegt, Wand an Wand mit dem Ausschank liegt und andererseits auch vom Gang aus zugänglich ist – K. sieht von dort aus, wie der Wirt in diesem Raum verschwindet –, kann es sich nur an die den Fenstern gegenüberliegende Seite anschließen. An dieser Zimmerfront steht auch der Kredenztisch. Wer davorsteht, sieht rechts von diesem Pult eine Tür, die zu Klamms Aufenthaltsraum führt.

Wenn also Pepi bei K.s zweitem Besuch in einem Winkel zwischen ihr und dem Schanktisch sitzt und beim Eintreten des Landvermessers erschrickt, so ist darin sichtbar, daß sie, seit ihrem Dienstantritt nach Klamm Ausschau haltend, immer noch auf ihn wartet, indem sie, gleichsam den Eingang zu seinem Zimmer überwachend, für seinen möglichen Anruf sofort bereit sein will. Hinter Klamms Zimmer, vom Eingang aus gesehen, muß der Flurgang rechtwinklig nach links abbiegen und zum Hof führen. Im Anschluß an das Kontor, demnach Klamms Zimmer gegenüber, und an der Rückseite dieses Seitentrakts liegen der Schlafraum des Serviermädchens und wohl weitere Bewirtungszimmer für die Schloßherren, die ohne Schwierigkeit vom Ausschank aus bedient werden können: Im Roman ist nämlich eine Mehrzahl von im Erdgeschoß liegenden Herren- oder Gastzimmern vorausgesetzt, die nicht mit den Schlafräumen der Beamten verwechselt werden dürfen. [59]

Wenn K. dem genannten Weg folgt, kann er mit einigen Schritten den Hof erreichen: Was er am Ende des Flurs vor sich sieht, bestätigt, was über die Lage des Verbindungsflurs erschlossen wurde: Der viereckige Hof wird auf der einzigen nicht vom Haus gebildeten Seite von einer hohen, weißen Mauer mit einem »großen, schweren« Tor begrenzt. K. »schief gegenüber, noch im Mitteltrakt, aber schon im Winkel, wo sich der gegenüberliegende Seitenflügel anschloß, war ein Eingang ins Haus, offen, ohne Tür«. Wenn er, um zu dem vor diesem »Tor« stehenden Schlitten zu gelangen, »nahe an der Mauer« zwei Seiten des Hofes umgehen muß, so zeigt diese Angabe genau wie das Wort »schief«, daß er den Innenhof ziemlich am Ende des Seitenflügels erreicht haben muß. [60]

Wesentlich ist ferner, daß der Mitteltrakt vier bewohnte Stockwerke aufweist, deren Höhe und Ausstattung kontinuierlich nach unten zu abnimmt: Im ersten, voll ausgebauten Obergeschoß wohnen Klamm und gewiß auch die ihm gleichgestellten anderen Bürovorsteher, denn es gibt ja mindestens zehn Kanzleien. Da eine Galerie vorhanden ist, die dieser Etage ein größeres Ansehen gibt, haben diese Zimmer also eine Art Balkon. Sie sind über einen »Korridor« zugänglich. Da Kafka dieses Wort nur für den zu ihnen führenden Flurgang verwendet, den zum Hof führenden Weg aber nur als »Flur« bezeichnet und von dem wieder einen Stock tiefer liegenden »Gang der Sekretäre« spricht, kann man diese Terminologie als Ausdruck einer Abstufung verstehen, in der die unterschiedliche Größe der fraglichen Gebäudeteile sichtbar werden soll. Der Begriff »Korridor« und die Art seiner sonstigen Verwendung bei Kafka fordert – auch die Tatsache, daß das Wort heute etwas außer Gebrauch ist, weist darauf hin – an sich schon meist eine bestimmte Gewichtigkeit und Ausdehnung des damit zu bezeichnenden Raumes. Dazu kommt, daß es im Korridor des »Herrenhofes« Nischen gibt, in denen man sich verstecken kann, daß im Roman dieser Begriff auch auf die Verbindungsgänge des Schlosses angewandt wird und daß Max Brod in seiner Kafka-Biographie von den »hallenden Korridoren« der äußerlich repräsentativen Arbeiter-Unfall-Versicherungs-Anstalt in Prag spricht – auch Kafka selbst verwendet für die gleiche Sache dieses Wort –, wo der Freund beschäftigt war. Es liegt also ein technischer Gebrauch des Wortes vor. [61]

Über das Erdgeschoß des Mittelteils des »Herrenhofes« wird nichts Näheres gesagt, doch hat es sicher wie der danebenliegende Ausschank Fenster. Da die Galerie fehlt, ist es baulich nicht ganz so ansehnlich wie das Darüberliegende. Es wird gleichfalls von höheren Beamten bewohnt, demnach wohl von Herren wie Sordini oder Friedrich, die bestimmte Abteilungen leiten oder eine »Agenda« innehaben, wie es im *Schloß* einmal heißt, also von den Sachbearbeitern.

Das erste Untergeschoß ragt noch halb aus dem Boden heraus – zum Erdgeschoß führt von vorne eine Freitreppe –, so daß der Gang, der vom Hof aus zu ihm führt, nur leicht nach unten geneigt sein muß. Deutlich ist es ärmlicher ausgestattet als das Erdgeschoß: Der Gang ist kellerartig, und Fenster sind nicht vorhanden. So sind, um die Luftzirkulation zu erleichtern, die an den Gang stoßenden Wände der Zimmer nicht bis zur Decke geführt, so daß oben ein »Spalt« freibleibt, hinter dem K. – wegen seiner Körpergröße kann er im Gang nur gerade aufrecht stehen – die morgendlich zerrauften Köpfe der Sekretäre wahrnimmt.

Auch dieses Element ist auf die oberen Stockwerke bezogen, aufs Erdgeschoß, insofern K. dort einen penetranten Geruch von abgestandenem Bier bemerkt, der auf ungenügende Lüftung dieses der Öffentlichkeit zugänglichen Gebäudeteils verweist, auf das Obergeschoß aber, insofern die erwähnte Galerie, gewiß ebenfalls aus Ventilationsrücksichten, »bis auf einen kleinen Spalt in Augenhöhe« geschlossen ist. In der Nacht erleuchtet, ist dieser für den Klamm Unterlegenen – auch am Morgen nach dem Verhör mit Erlanger ist er das, weil dieser wegen Klamm Friedas Rückführung in den Ausschank befohlen hatte – das einzige Zeichen des Lebens im Obergeschoß. In beiden Etagen gibt es also einen Schlitz in Gesichtshöhe, der der Be- und Entlüftung dient; evident ist aber der Unterschied in der Ausführung. Die hierarchische Ordnung der Stockwerke manifestiert sich auch darin, daß auf Klamms Ebene vollkommene Stille herrscht, während im Gang der Sekretäre vielfach gelärmt wird. Außerdem ist dem Personal das Betreten des oberen Korridors streng verboten, während den Bediensteten der Gang der Sekretäre wenigstens zu bestimmten Tageszeiten zugänglich ist; sie dürfen aber nur die gerade unbewohnten Zimmer in Ordnung bringen. [62]

Mag nun auch bei den Sekretären alles »klein, aber zierlich« gebaut und der Raum möglichst ausgenützt sein, so sollte sich doch – das wird allerdings nur in den vom Autor verworfenen Teilen sichtbar – das Konstruktionsprinzip des Hauses, gemäß dem sich der amtliche Rang eines Bewohners in einer diesem entsprechenden Raumausstattung seines Domizils äußert, innerhalb einer Ebene wiederholen: Warum wird beispielsweise Bürgels Zimmer als klein beschrieben? Doch wohl deswegen, weil die Agenda seines Vorgesetzten Friedrich »eine der unbedeutendsten weit und breit ist« und weil er selbst nicht einmal dessen erster Sekretär ist, »sondern einer recht weit hinten in der Reihe«. Verständlich also, daß das allerdings breite Bett mehr als die Hälfte des Raumes einnimmt.

Erlanger andererseits ist »einer der ersten Sekretäre Klamms«. Nun wird zwar über die Größe seines Zimmers in dem von Kafka gebilligten Text nichts ausgesagt, aber seine höhere Stellung wird immerhin darin sichtbar, daß er von einem Diener begleitet ist, der ihm Handschuhe und Pelzmütze reicht. Wahrscheinlich muß auch seine strenge, knappe, wenig Worte machende Redeweise als Ausweis seiner Ranghöhe zwischen Klamm und Bürgel verstanden werden, denn ist von jenem bekannt, daß er tagelang schweigt, so ist dieser durch eine auffällige Geschwätzigkeit gekennzeichnet.

Deutlicher wird dies alles in einer umfangreichen Variante zu dieser Verhörszene. Dabei ist weniger charakteristisch, daß sich in Erlangers Zimmer Sessel und Schreibtisch finden, denn jeder Sekretär hatte die Wahl zwischen einer vollständigen Zimmereinrichtung mit schmalem Hotelbett und einem breiten Bett mit Waschtisch, und die beiden Beamten entschieden sich eben unterschiedlich. Auffälliger ist schon, daß Erlangers Reisetasche, die derjenigen Bürgels ähnelt, sich als fast zu klein für die vielen Akten erweist, deren Menge dem beruflichen Rang des Bearbeiters proportional scheint: die diesbezügliche Arbeitslast der höheren Beamten wird mehrfach betont.

Unverständlich scheint in dieser Passage zunächst, daß der von Erlanger gerufene Diener verlangt, daß Bett, Waschtisch und Kasten durch eine Holzrollwand vor K.s Augen verborgen werden. Offensichtlich soll der private Bereich des Sekretärs K.s Blicken entzogen werden, damit es Erlanger, der auch noch andere Vorkehrungen in dieser Hinsicht getroffen hat, leichter wird, Amtsperson zu bleiben, während hingegen Bürgel schon durch die bevorzugte Zimmereinrichtung der möglichen Vermischung der Sphären Vorschub leistet. Die Empfindlichkeit steigt wohl mit der eingenommenen Position: Klamm selber verbirgt sich überhaupt den Blicken, seine Diener aber verbringen die Nächte mit Olga. Vor allem aber bewohnt Erlanger mehrere Zimmer, die durch Türen miteinander verbunden sind, er hat also im Gegensatz zu Bürgel eine Art Suite. [63]

Der durch den Mitteltrakt führende Gang, der durch das, vom Hof aus gesehen, an seinem rechten äußeren Ende liegende offene Tor betreten werden kann, endet aber nicht an der Stelle, wo der Seitenteil beginnt, in dem der Ausschank liegt, wohl aber natürlich am Übergang zu dem ihm auf der rechten Hofseite gegenüberliegenden, der den Wagenschuppen und den Pferdestall enthält, die durch ein großes, in den Hof führendes Tor zugänglich sind. Der Gang biegt vielmehr rechtwinklig in den linken Gebäudeflügel ein, in dem hier, also direkt unter Ausschank und Herrenzimmern, die Küche und Wirtschaftsräume liegen. In diesem Gangteil gehen K. und Frieda bei ihrem abschließenden Gespräch auf und ab. [64]

Vor diesen Wirtschaftsräumen, vielleicht unmittelbar nach dem Knick, den der Gang macht, muß Pepis Behausung liegen. Dafür gibt es vier Indizien: Erstens wird gesagt, daß sie »unten« wohne, in einer kleinen, dunklen, also wohl fensterlosen Kammer, dann beklagt sie selbst, im Lärm, den die Sekretäre machen, leben zu müssen, drittens befürchtet K., wenn er bei Pepi wohne, im Gang der Sekretäre ertappt zu werden, und schließlich geht eine Variante, die noch voraussetzt, daß Pepi ihre Geschichte K. in ihrem Zimmer erzählt und zwar vor dessen Besuch bei Bürgel, wo in der späteren Fassung K.s Auseinandersetzung mit Frieda stattfindet, – diese Vorstufe also geht davon aus, daß Pepi an diesem Gang wohnt. Denn als sie K. dort trifft, »zieht« sie ihn in ihr »Zimmerchen«, und nachher ist er »wieder auf dem Gang«.

Ein wenig schwierig scheint dann nur eine Stelle in Pepis Bericht, wo sie davon spricht, sie müsse, nachdem an der Zimmertür nächtliche Bestellungen aufgegeben worden seien, in die Küche hinunterlaufen. Der Widerspruch ist aber nur scheinbar. Es ist nämlich so, daß der Gang der Sekretäre sich gegen den Küchentrakt zu senkt, so daß Pepi tatsächlich, wenn auch nicht viel, abwärts gehen muß, wenn sie dorthin will. [65] Wo befindet sich nun aber das gemeinsame Zimmer von Frieda und Jeremias? Von dem Gangteil, auf dem sich K. und seine ehemalige Braut unterhalten, zweigt ein kleiner Seitengang ab, der »ein paar Stufen abwärts« führt: »Man sah unten eine kleine Tür, noch niedriger als die Türen hier im Gange – nicht nur Jeremias, auch Frieda mußte sich beim Hineingehen bücken«. Da das Ausschankmädchen mehrfach als sehr klein geschildert wird, müssen unten, im zweiten Kellergeschoß, Räume sein, in denen K. nicht stehen könnte. Man kann vermuten, daß dort auch die Kellerburschen – warum würden sie sonst so heißen? – und diejenigen Diener wohnen, die keine Pferdeknechte sind; diese letzteren nämlich übernachten im Stall. Man muß dem Romantext entnehmen, daß die Diener nicht in den Zimmern der Sekretäre wohnen. Pepi spricht, um die Menge des anfallenden Schmutzes zu charakterisieren, nur davon, daß die Knechte dort »herumhantieren«. Würden sie bei den Sekretären auch noch schlafen, wäre der entstehende Dreck noch viel größer, und Pepi hätte das nicht verschwiegen. Dagegen kann man auch nicht einwenden, in der Erstfassung der Szene, in der K. von Erlanger verhört wird, sei davon die Rede, daß Erlanger mit dem dort auftretenden Diener zusammenwohnt. Denn hier handelt es sich um einen »Amtsdiener«, wie K. noch keinen gesehen hat, weil diese in der Regel nicht ins Dorf kommen, also um »höhere Diener«, die vielleicht »sogar höher als manche Beamte« sind. [66] Wo also sollen die niederen Diener wohnen, wenn nicht, was auch dem in den andern drei Etagen vom Autor befolgten Gesetz der Abstufung entspräche, ganz in der Tiefe?

Für eine solche Annahme spricht ja auch, daß der neue Beruf des Jeremias – er ist Zimmerkellner – funktionsmäßig mit dem übereinstimmt, was nach Pepis Darstellung Aufgabe der Knechte ist; da der Gehilfe aus dem Schloß stammt, ist gegen eine solche Beschäftigung aus der Sicht des Wirts nichts einzuwenden. Wohnungsmäßig wäre er dann als Diener in der untersten Stelle der hierarchischen Ordnung richtig eingefügt. Auch könnte man in diesem Zusammenhang die Neuerung erwähnen, die Pepi im Restaurationsbetrieb einführt. Sie überträgt die Bedienung der Knechte den Kellerburschen, »die dafür ja auch viel besser taugen«. Pepi nämlich, so zeigt es eine gestrichene Passage des Kapitels *Kampf gegen das Verhör*, kommt mit den niederen Dienern nicht zurecht; hält sie die Kellerburschen für besser geeignet, so doch wohl aus dem Grund, weil diese niveaumäßig besser zu jenen passen.

Kafka intendierte offenbar, daß die Bediensteten jeweils auf demjenigen Stockwerk leben, in dem sie beschäftigt sind. Zunächst muß man hinsichtlich des Obergeschosses sagen: Wer soll den Bürochefs aufbetten und ihre Zimmer reinigen, wenn das Hauspersonal keinen Zugang zu ihnen hat? Da kommen doch nur höhere, mit den Beamten zusammenwohnende Diener oder die Wirtin in Frage, die ihre Privaträume im ersten Stock über dem Ausschank und den Herrenzimmern hat und, wie am Anfang des dritten Kapitels ganz deutlich wird, Aufträge Klamms entgegennimmt, die dann ihr Mann ausführt.

Zu dieser Position paßt der Aufzug der beiden: Der Wirt trägt dunkle oder schwarze, bis oben zugeknöpfte Kleider wie Erlanger und Klamm! Nicht ohne Grund meint K., daß er gar nicht mehr richtig zum Dorf zu gehören scheine. Seine Frau trägt, wie Schwarzer, städtische Kleider, die seidenartig knistern. Dies hebt sie nicht nur von den andern Dorfbewohnern ab, die sie ja auch kaum in ihrem Hause duldet, sondern suggeriert auch eine Nähe zum Schloß: Auf Frau Brunswick, die von dort stammt, liegt ein »Schein wie von Seide«, und die Jacke des Schloßboten Barnabas besitzt die »Zartheit und Feierlichkeit eines Seidenkleides«. Es ist auffällig, wie diese Besonderheit der Kleidung dem sozialen Rang entspricht, den ihre Träger in der Hierarchie des »Herrenhofs« einnehmen. Das Kleid der Wirtin ist aus Seide, Frieda, die, wie sich gleich zeigen wird, im Erdgeschoß wohnt, trägt immerhin noch einen seidenen Unterrock, und die wieder einen Stock tiefer anzusiedelnde Pepi ist durch ein »Seidenband« ausgezeichnet, das ihr Kleid unten zusammenzieht.

Damit noch nicht genug. Die Bauern im »Herrenhof«, Klamms Knechte also, die entweder im Stall schlafen oder, wie später Jeremias, im zweiten Untergeschoß, sind, wie K. sofort auffällt, »reinlicher und einheitlicher« gekleidet, und zwar in »graugelblichen, groben Stoff«. Man kann das so verstehen, daß der Seidencharakter, der dem Schloßbereich zukommt, auf dieser Ebene noch weiter verflüchtigt ist, aber doch noch durchschimmert. Aus einem andern Zusammenhang, wo Kafka die Wortprägung »gelblich-grau[em]« verwendet, geht hervor, daß er damit holzfarben meint, was natürlich gut zum Milieu des *Schloß*-Romans paßt. Die Verweisungslinien werden also von Kafka sehr fein gesponnen; daß Pepis Kleid aus »grauglänzendem Stoff« und das der Herrenhofwirtin braun ist, wird man für keinen Zufall halten. Ihr Aufzug enthält dieselben Komponenten wie der der Diener, nur eben in anderer, leuchtenderer Mischung, die ihrer etwas aus den Dörflern herausgehobenen Stellung entspricht. [67]

Da über das Erdgeschoß des Mitteltrakts im erhaltenen Romankorpus keine näheren Aussagen gemacht werden, muß man auf den Ausschank als Analogon zurückgreifen. Dabei ist nun bemerkenswert, daß der Dichter offenbar davon ausgeht, daß Frieda und ihre Nachfolgerin, die ja auch die im Erdgeschoß liegenden Herrenzimmer zu bedienen haben, in diesem Stockwerk schlafen: Wenn Pepi in ihrer Erzählung davon spricht, jetzt, nachdem ihre Konkurrentin erneut die Servierarbeit übernehme, sei das »Bettfach unten in dem Mädchenzimmer« für sie wieder bereit – »sie wird hinkommen, von den weinenden Freundinnen begrüßt« –, so ist bei solcher Rede doch vorausgesetzt, daß die Sprecherin während ihrer Tätigkeit als Schankmädchen nicht mehr dort wohnt. Deutlicher äußert sich der Dichter in der kleinen Szene am

Ende des dritten Kapitels, in der geschildert wird, wie K. und Frieda nach
der ersten gemeinsamen Nacht den »Herrenhof« verlassen. Nachdem am
Morgen die Bauern wieder in den Ausschank zurückgekehrt sind, heißt es:
»Frieda, die für einen Augenblick verschwunden war, kam mit einem kleinen
Wäschebündel zurück.« [68] Ihr Zimmer muß also in unmittelbarer Nähe
des Schankraums liegen, jedenfalls an dem zu Hof und Freitreppe führenden
Flur.

Der dargelegte Befund ist um so auffälliger, als K. in seinen Beobachtungen
zu Recht davon ausgehen kann, daß es im Dorf nur geringe bauliche Unterschiede gibt. Größere Gebäude des Mittelstandes, also der Handwerker,
oder das Wirtshaus »Zur Brücke« sind wie die Bauernhütten einstockig,
haben aber schräge Dachkammern – auch der »Herrenhof« erscheint K. von
der Frontseite aus so –, in denen Bedienstete oder Untermieter wohnen,
Gisa, der Lehrer und K. Das Erdgeschoß der Privathäuser ist entweder ein-
räumig wie bei Gerstäcker, besitzt, wie bei Barnabas, noch eine Küche oder
hat zusätzlich eine kleine Schlafkammer. So ist es jedenfalls bei Gardena:
Dort gibt es eine Gaststube, eine Küche und einen dahinterliegenden alko-
venartigen Schlafraum. Die Treppe nach oben führt unmittelbar zum Dach-
geschoß und zu der dort liegenden Mansardenkammer der Mägde; Gastzimmer
gibt es nicht.

Was bedeutet es nun, wenn die Detailbeschreibung des »Herrenhofs« ein
Bild ergibt, das so sehr von den andern Gebäuden abweicht, daß die eben
erwähnte Ansicht K.s von der durchgehenden baulichen Homogenität des
Dorfes nicht aufrecht erhalten werden kann? Denn allein der Gang der Sekretäre hat mindestens 15 Zimmer, der Seitentrakt mit dem Ausschank im
Erdgeschoß mindestens fünf, es gibt mehrere Wirtschaftsräume und vier bewohnte Etagen, und das Personal wohnt in den Untergeschossen!

Man kann das alles nur so deuten, daß man davon ausgeht, der »Herrenhof« solle als gleichsam verkleinertes Abbild des Schlosses beschrieben werden, als das Schloß im Dorf sozusagen, weil das wirkliche unzugänglich und
damit für die notwendige erzählerische Konkretisierung nicht heranzuziehen
ist.

Alle Aussagen fügen sich dieser Annahme: Das Haus hat eine Freitreppe,
über der die gräfliche Fahne weht, und es ist zweistöckig wie das Schloß
selbst. Es handelt sich um ein u-förmiges Gebäude mit Zentraltrakt und Sei-
tenflügeln, die typische Bauform eines Schlosses. Es ist, wie in der Regel derartige Monumente, durch ein großes, verschließbares Tor zugänglich, in dessen unmittelbarer Nähe sich – wieder ein bezeichnendes Moment – ein kleines Pförtchen für die Angestellten befindet. Über dem Eingang im Mitteltrakt, der ebenfalls als Tor bezeichnet wird, ist eine Lampe angebracht –
offenbar gibt es nur in diesem Gebäude elektrisches Licht [69] –, ein übliches Requisit der damaligen herrschaftlichen Häuser.

Und was das Innere betrifft: Es gibt dort Korridore mit Nischen, die so
lang sind, daß sie erst »weit in der Ferne« abbiegen, die Bediensteten wohnen

wie auf den Schlössern auf der Etage, wo sie gebraucht werden, und ihre Vielzahl entspricht dem Personalaufwand eines damaligen Schloßherrn: Es gibt verschiedene Abteilungen von Zimmermädchen, dazu Küchenjungen, Küchenmädchen und Kellerburschen. Gardena dagegen hat nur zwei Mägde, und in früheren Jahren tat sie die Arbeit ganz allein.

Vor allem aber gibt es eine streng hierarchische Ordnung der einzelnen Stockwerke. Die Wirtsleute sind, als aus der Dorfgemeinschaft herausfallende Persönlichkeiten, Abbilder der gräflichen Familie – die vornehme Redeweise des Wirts wird auffällig hervorgehoben –, und die Knechte dürfen ohne ausdrückliche Anweisung den Bereich des »Herrenhofs« nicht verlassen. Ein letztes Indiz für die vorgeschlagene Deutung ist schließlich eine Liste des Autors, die sich auf dem Vorsatzblatt zum zweiten Manuskriptheft des Romans erhalten hat. Kafka gibt dort in Stichworten eine Inhaltsübersicht der ersten beiden Kapitel. Dabei lautet nun die letzte Eintragung: »Weg mit Olga ins [gestr.: Schloß] Herrenhof«. [70] Der Irrtum Kafkas ist also kein Zufall, sondern Ausdruck der Tatsache, daß das Wirtshaus jenes repräsentiert.

Für diesen Zusammenhang findet sich ein sehr schöner indirekter Hinweis in der Handlungsführung zu Beginn des achten Kapitels: K.s Eindruck vom Schloß, den er unmittelbar vor Betreten des »Herrenhofes« gewinnt, stimmt überraschend zu dem, was ihm kurz darauf an diesem Gebäude auffällt. Jenes kommt ihm nämlich vor, als beobachte er jemanden, der dasitze und vor sich hinsehe, »als sei er allein und niemand beobachte ihn, und doch mußte er merken, daß er beobachtet wurde, aber es rührte nicht im geringsten an seiner Ruhe, und wirklich ... die Blicke des Beobachters konnten sich nicht festhalten und glitten ab. Dieser Eindruck wurde noch verstärkt durch das frühe Dunkel.« Außerdem war vorher die Stille des Schlosses hervorgehoben worden, »niemals noch hatte K. dort das geringste Zeichen von Leben gesehen«. In diesen Zusammenhang gehört auch wohl, daß K. bei einer früheren Betrachtung aufgefallen war, daß seine Mauern im Verfall begriffen sind, denn als er jetzt das Haus betritt, fällt ihm der Geruch abgestandenen Bieres auf, »etwas Derartiges kam wohl im Wirtshaus ›Zur Brücke‹ nicht vor«. Beide Gebäude sind also etwas heruntergekommen.

Die Gemeinsamkeiten des »Herrenhofs« mit der unmittelbar vorhergehenden Beobachtung des Schlosses durch K. sind aber diese: K. findet das Wirtshaus unbeleuchtet, und die Stille des Innenhofes, die ja der des Obergeschosses entspricht, in dem die Bürochefs wohnen, fällt ihm besonders auf. Als er sich dem Gebäude nähert, öffnet sich ein Fenster im ersten Stock, »ein junger ... Herr im Pelzrock beugte sich heraus und blieb dann im Fenster. K.s Gruß schien er auch nicht mit dem leichtesten Kopfnicken zu beantworten«. Das Verhalten des Dorfsekretärs ist also eine Konkretisierung der Metapher, mit der K. eben seinen Eindruck vom Schloß zusammengefaßt hatte. Später dann, nach der Niederlage, die ihm Momus bereitet, steht K. allein im Hof. Das elektrische Licht erlischt – »wem hätte es leuchten sollen?« –, »und nur noch oben der Spalt in der Holzgalerie« bleibt hell und hält »den irrenden Blick ein wenig« fest. Neben dem Abgleiten des Auges und dem Mangel an menschlichen Lebenszeichen ist die helle Ritze in der dunklen Wand auf das Schloß beziehbar, erinnert sie doch an die kleinen Fenster des dortigen Wohnturms, die irrsinnig in der Sonne aufblitzen, als K. das Ganze im ersten Kapitel betrachtet. [71]

Neben dem genannten, auf die Gegenständlichkeit des Romans selbst sich beziehenden Gesichtspunkt gibt es aber noch eine andere, in Kafkas Vorstellungswelt beheimatete Gegebenheit, die die Konzeption eines derart geschichteten Gebäudes nahelegt. Aus dem ersten Teil dieser Arbeit ist bekannt, welche große Bedeutung für Kafka das Motiv des Babylonischen Turmes hatte, dessen Gegebenheiten er für menschliches Streben überhaupt nahm und dessen Stockwerke er mit Instanzen seines seelischen Lebens in metaphorische Beziehung brachte. Es ist bezeichnend, daß dieser Denkzusammenhang die Existenz unterirdischer Etagen mit einschließt. Dazu kommt, daß während der Entstehungszeit des Romans das Denkbild von den beiden Welten nicht nur in einer sich in die Horizontale erstreckenden Vorstellungseinheit entfaltet wird – Wüste, Kulturland und weite Reise –, sondern auch in einer aufs Vertikale zielenden, wobei – und das setzt der Roman ebenfalls voraus – der menschenferne Zustand als unten befindlich, das Gemeinschaftsleben aber als oben liegend erscheinen kann. [72]

Da die Schloßinstanzen, wie sich noch zeigen wird, tatsächlich Kafkas psychischen Apparat widerspiegeln, lag es nahe, dessen räumliche Ausdehnung in einer stockwerkartigen Senkrechtgliederung zur Darstellung zu bringen. Diese konnte auch dazu dienen, K.s allmähliches Absinken in der Gemeinschaft zum Ausdruck zu bringen: Das in der Höhe liegende Schloß zu erreichen, hat K., nach Meinung der Dorfbewohner, »niemals gehofft«. So begnügt er sich mit einem möglichen Gespräch mit Klamm, und zwar, wie zu konkretisieren ist, im »Herrenhof«. Denn im ersten Gespräch mit Gardena sagt er zu dieser, wenn die Zusammenkunft auf keine andere Weise möglich sei, wolle er sich mit einem Treffen dort begnügen. Dazu kommt, daß der Leser einerseits nur von Schloßkanzleien weiß, in denen mehrere Beamte mit Schreibern zusammen arbeiten; Olga bestätigt ja in ihrer Erzählung ausdrücklich, daß Barnabas kein Einzelzimmer mit Namensschild des Vorstands gefunden habe.

Andererseits geht K. davon aus, daß Klamm im »Herrenhof« ein Büro habe, vor dem ein Türhüter stehe; der Raum neben dem Schankzimmer kann damit nicht gemeint sein. K.s Vorstellung paßt natürlich gut zur Konzeption des Autors, denn wenn schon Klamms Sekretär von einem Diener begleitet ist, so darf bei einem Bürochef noch mit einem viel größeren Aufwand an Bedienung gerechnet werden.

K. erreicht jedoch das Obergeschoß nicht, muß sich also mit dem ebenerdig liegenden Ausschank begnügen, wo er anfangs übernachtet und von wo aus er später Klamm in seinem Herrenzimmer zu überraschen sucht. Am Ende des vorliegenden Romantextes ist K. um eine Etage tiefer gesunken

– Frieda hat er sozusagen mit nach unten gerissen –, indem sich seine Braut unterhalb der Stelle, wo sie sich zuerst mit ihm vereinigt hatte, von ihm trennt. Außerdem ist zu vermuten, daß er die folgende, von Kafka nicht mehr gestaltete Nacht auf diesem Niveau verbracht hätte, nämlich bei Pepi, was dahingehend gedeutet werden kann, daß er sich jetzt mit den Sekretären »begnügt«, die er von hier aus vielleicht belauern und überraschen zu können glaubt. [73]

Man fragt sich bei einer derartigen Betrachtungsweise natürlich, wie das Schloß fortgesetzt worden wäre. Bevor einige Vermutungen in dieser Richtung gewagt werden können, ist jedoch eine Analyse der Figur des Fuhrmanns und seiner Funktion im Roman notwendig. Zunächst ist festzustellen, daß nichts dazu berechtigt, der Schlußepisode des Werks eine qualitativ andere Bedeutung zuzumessen als den vorausgehenden Handlungseinheiten. Gerstäcker ist weder eine Art Charon [74] noch eine Figur, die die Geschicke K.s zum Besseren wendet. [75]

Zunächst läßt sich sagen, daß K. eine weitere Stufe herabsinken würde, wenn er Gerstäckers Angebot, bei ihm zu arbeiten, annehmen würde, soll er doch Pferdeknecht werden, was sozial noch unter der Position eines Schuldieners liegt. Ob er diese Stelle gleich angenommen oder vorher noch einer anderen Beschäftigung nachgegangen wäre, läßt sich natürlich schwer entscheiden. Immerhin weist K.s Unfreundlichkeit gegenüber Gerstäcker darauf hin, daß er im Augenblick nicht daran denkt, dessen Aufforderung nachzukommen. Seine Bereitwilligkeit, mit der Mutter des Fuhrmanns zu sprechen, ist kein Indiz gegen diese Auslegung, denn er hat immer Zeit, mit irgend jemandem »lange Unterhaltungen über ganz abseits liegende Dinge zu führen«. Und daß durch diese Zusammenkunft bei ihm eine Sinnesänderung herbeigeführt werden könnte, ist unwahrscheinlich, wenn man an die vergleichbaren Gespräche mit Gardena, dem Vorsteher und Momus denkt, wo die Initiative ja ebenfalls von diesen Partnern K.s ausgegangen war.

Für die vorgeschlagene Auffassung spricht auch der im Roman geschilderte Parallelfall, und der ganze Text ist doch auf solchen Verweisungszusammenhängen aufgebaut: Die ihm angebotene Schuldienerstelle nimmt K. erst an, als sein Verhalten gegenüber Gardena zu einer Änderung seiner äußeren Verhältnisse führt, vorher hatte er ausdrücklich abgelehnt. Man könnte also annehmen, daß er zunächst in die Dienste der Herrenhofwirtin genommen wird, die ihn ja eventuell rufen lassen will, die von ihm wie Gardena fasziniert ist und nach seinen Fähigkeiten wohl in der Absicht fragt, ihn zu beschäftigen. Dann wäre auch eine Analogie zwischen den beiden Wirtinnen erreicht, insofern die Besitzerin des Gasthauses »Zur Brücke« K.s Anwesenheit zunächst ablehnt – nur ihre Übermüdung am Abend von K.s Ankunft habe, zusammen mit der Nachlässigkeit ihres Mannes, seine Übernachtung in ihrem Hause ermöglicht –, ihn aber dann in einer Dachkammer aufnimmt. Denn die Herrenhofwirtin will K. nach seinem Verhör mit Erlanger aus dem Hause treiben, wobei sie sich eifriger als ihr Mann zeigt, während sie ihm dann später Asyl gewähren würde. Man könnte so annehmen, daß K., der eigentlich nur im zweiten Untergeschoß schlafen könnte, sich durch starrköpfiges Verhalten gegenüber seiner Vorgesetzten ins Unrecht gesetzt und seine Arbeit, etwa als ein mit der Kleiderpflege beschäftigter Bursche, gezwungenermaßen aufgegeben hätte und dann in der Not bereit gewesen wäre, Gerstäcker bei seinen Holzfuhren zu helfen. Auch innerhalb der Hierarchie des »Herrenhofs« bedeutet dies einen Schritt nach unten, weil die Pferdeknechte Klamms nicht im Mitteltrakt übernachten dürfen, sondern im Stall schlafen.

Kafka bringt den gesellschaftlichen Abstieg, der mit einer Tätigkeit K.s bei Gerstäcker verbunden wäre, schon durch die Art und Weise zum Ausdruck, in der dessen Hütte vorgestellt wird. Dort brennt – auch zu Beginn des Romans, wo Rauch aus dem Fenster quillt, dessen ungewöhnliche Kleinheit hervorgehoben wird – nur ein Herdfeuer und ein Kerzenstumpf. Es fehlen also Ofen, Küche und Petroleumlampe, die in der ehemals bürgerlichen Familie des Barnabas immerhin noch vorhanden sind. Auch scheint die Hütte so niedrig, daß an den Außenwänden manchmal ein aufrechtes Stehen nicht mehr möglich ist. [76]

Aus den genannten Indizien ist zu schließen, daß das sonst im Roman befolgte Baugesetz in der Fortsetzung nur eine Etappe weitergetrieben worden wäre. Die Sympathie, die K., gleich am Anfang, von der Mutter des Fuhrmanns entgegengebracht wird, fällt ja keineswegs aus dem Rahmen der ihm sonst entgegengebrachten Hilfe: Frieda, Pepi und Olga erwarten ebenfalls von ihm eine entscheidende Umwälzung ihrer Verhältnisse, und zur Familie des Barnabas stimmt ja besonders auch die Tatsache, daß die bei Kerzenlicht lesende Mutter Gerstäckers fremd in ihrem dörflichen Umkreis erscheint.

Es gibt noch einige Indizien, die es ermöglichen, wenigstens teilweise zu erkennen, in welcher Richtung die Fortsetzung des Romans intendiert war. Man muß da zunächst darauf verweisen, daß Gerstäcker und der Lehrer diejenigen Figuren sind, die im Eingangskapitel K.s Versuch vereiteln, das Schloß zu erreichen. Die Begegnung mit diesem macht K. müde und zerstreut, so daß ihm die zu einer derartigen Unternehmung nötigen Kräfte fehlen; das Zusammentreffen mit jenem bringt ihn wieder zum Ausgangspunkt seines Ausflugs zurück, da der Fuhrmann sich weigert, ihn ins Schloß zu fahren. Beide sind offenbar Junggesellen: Gerstäcker wohnt mit seiner Mutter zusammen, die auch als einzige Person in der Hütte anwesend ist, als K. mit ihrem Sohn erscheint. Für den Lehrer kann man den gleichen Sachverhalt immerhin erschließen: Während die verheirateten Paare in eigenen Hütten wohnen, ist er beim Fleischermeister eingemietet. Eine Passage seines Berichts vor K. über sein Gespräch mit dem Vorsteher weist in die gleiche Richtung: »Ich wies darauf hin, daß bisher kein Schuldiener nötig gewesen sei; die Frau des Kirchendieners räumt von Zeit zu Zeit auf, und Fräulein Gisa, die Lehrerin, beaufsichtigt es.« Wäre der Lehrer verheiratet, hätte Kafka die Inspektion gewiß dessen Frau überwiesen, vielleicht sogar die Aufgabe der

Reinigung, weil dann die Einführung einer sonst nicht weiter profilierten Figur hinfällig geworden wäre, was dem Dichter aus ästhetischen Gründen genehm sein mußte. [77]

Wenn K., ohne Frieda ein Besitzloser in jedem Sinn, der seine Lage in Kategorien beschreibt, die mit denen identisch sind, die der Dichter für die des Junggesellen verwendet, wenn der angebliche Landvermesser also Lehrer und Fuhrmann als Arbeitgeber erhält, die unter den auftretenden Dorfbewohnern die beiden einzigen Gestalten im ganzen Roman sind, die nicht verheiratet sind oder in eheähnlichen Verhältnissen leben, so kann das kein Zufall sein.

Ist nun aber die erschlossene Stellung als Pferdeknecht wirklich die letzte Phase von K.s Laufbahn im Dorf? Diese Frage ist zu bejahen: Gerstäcker führt am Ende des ersten Kapitels gleichsam als Symbolhandlung aus, was sich dann im Handlungsgang des Romans entfaltet, er bringt K. an seinen Ausgangspunkt zurück, ins Gasthaus »Zur Brücke«, das die erste Station seines Aufenthalts im Dorf darstellt. Denn nach einer von Max Brod überlieferten Äußerung Kafkas sollte der Roman – entsprechend dem im *Prozeß* schon verfolgten Arrangement – mit einer Szene enden, die in ihrem Aufbau seinem Beginn entspricht: »Der angebliche Landvermesser erhält wenigstens teilweise Genugtuung. Er läßt in seinem Kampfe nicht nach, stirbt aber vor Entkräftung. Um sein Sterbebett versammelt sich die Gemeinde, und vom Schloß langt eben die Entscheidung herab, daß zwar ein Rechtsanspruch K.s, im Dorfe zu wohnen, nicht bestand – daß man ihm aber doch mit Rücksicht auf gewisse Nebenumstände gestatte, hier zu leben und zu arbeiten.« [78]

Der entkräftete, liegende K., die um ihn versammelten Bauern, die telephonische Botschaft der Schloßbehörden und K.s Aufnahme ins Dorf als Landvermesser (» ... und zu arbeiten«!) sind Elemente, die dem Anfangs- und Schlußkapitel gemeinsam sind. Für die Zuverlässigkeit dieser Tradition, zu der auch gehört, daß Kafka sich klar genug äußerte und das erst in einem Stadium tat, als sich die Konzeption nicht mehr änderte, sprechen noch andere Gegebenheiten.

Dieser Ausgang des *Schlosses* paßt nämlich zu einer Überlegung K.s, die man als erzählerische Vorausdeutung verstehen kann; Kafka, der Überraschungen im Handlungsgang nicht liebt, gebraucht dieses Mittel gern, wo es vonnöten ist. K. befürchtet, es könne, »wenn er nicht immer auf der Hut war, wohl geschehen ... daß er hier zusammenbrach und die Behörde, noch immer sanft und freundlich ... kommen mußte, um ihn aus dem Weg zu räumen«. Eben dies geschieht ja am Schluß des Romans teilweise, insofern K. seinen Kampf tatsächlich aufgeben muß und sein Ende erwartet. Die andere Seite dieses Ausklangs aber, sein positiver Aspekt, ist aus dem Verlauf der Bürgel-Episode ablesbar.

Zwar gelingt es K. nicht, die entscheidende Bitte zu tun, aber der Verbindungssekretär schreibt sich immerhin K.s Klage darüber, daß er nicht als Landvermesser beschäftigt werde, auf einen Notizblock. Dies bedeutet, nach der inneren Logik der Szene, daß die Behörden, ohne sich irgendwie wehren zu können, dieser Forderung nachgeben müssen. Dagegen spricht nicht, daß K. nachher bei der Aktenverteilung beobachtet, wie ein Zettel von einem Notizblock, den K. geneigt ist für seinen eigenen Akt zu halten, von den Dienern vernichtet wird. Denn um Bürgels Niederschrift kann es sich dabei keineswegs handeln: Aus dem ganzen Zusammenhang geht hervor, daß er nach dem Gespräch mit K. sein Bett nicht verläßt, sondern, weil er nicht vom Schloß zurückgerufen wurde, die Folgezeit schlafend verbringen will. Zu Anfang des Gesprächs mit K. deutet er einen solchen Verlauf als wenig wahrscheinliche Möglichkeit an, dann wird er richtig müde, und am Ende äußert er die Hoffnung, »jetzt« doch ein wenig schlafen zu können; später sieht K., daß seine Tür bei der Aktenverteilung von den beiden Dienern übergangen wird. Er kann folglich das Notierte nicht weitergegeben haben. K. muß also, wie Kafka es in seiner Aussage über den Romanschluß auch voraussetzt, letztlich als Landvermesser arbeiten dürfen.

Trotzdem könnte natürlich der vom Diener zerrissene Notizzettel K.s Akt sein. Das ergäbe dann eine höchst erwünschte Parallele zu dem, was der Vorsteher K. über die Jahre zurückliegende Berufung eines Landvermessers erzählt. Auch damals ging nämlich ein Akt verloren, was erst viel später durch Kontrollämter aufgedeckt wurde. [79]

Man kann sogar den von Kafka erwähnten fehlenden Rechtsanspruch K.s aus dem vorliegenden Romantext ablesen: Es läßt sich verhältnismäßig leicht erkennen, daß K. weder Landvermesser ist noch sein will; auch wurde er als solcher keineswegs vom Schloß berufen, sondern, wie er später einsieht, nur scheinbar, in gleichsam uneigentlicher Weise benannt, weil er selber vorgibt, diesen Beruf auszuüben. Ähnlich ist es mit den Gehilfen: Indem er von ihnen spricht, stellen sie sich ein, und Klamm lobt die von den dreien ausgeführten Landvermesserarbeiten. Auch im Falle Friedas befiehlt das Schloß nur, was K.s Bewußtseinsstand entspricht: Nachdem diese K. schon verlassen hat und in den Ausschank zurückgekehrt ist, wird eben dies dem Landvermesser durch Erlanger aufgetragen.

Das Schloß handelt in allen diesen Fällen, um mit den Worten des Vorstehers zu reden, wie ein Automat. Geht man davon aus, daß K. in seiner Sterbestunde, wie sein Namensvetter im *Prozeß*, den Widerstand gegen den mächtigen Beamtenapparat aufgibt, nicht mehr die Berechtigung seines Anspruchs durchsetzen will, wie er einmal Pepi gegenüber formuliert, kann das Schloß seinerseits zugeben, daß ein Rechtsanspruch K.s, der ja bei wirklicher Ernennung und vorhandener fachlicher Qualifikation zu bejahen wäre, nicht vorhanden ist, denn K. hält, völlig entkräftet und im Sterben, nicht mehr daran fest.

Richtig schreibt in diesem Zusammenhang M. Walser: »Das Werk zeigt ... keinerlei Entwicklung. Es entfaltet sich lediglich ein Verhältnis, das implicite schon auf der ersten Seite gegeben ist«. Von daher gesehen muß man das *Schloß* als geschlossene Erzählform deuten. Nun gelangt aber J. Rolleston unter Berufung auf Wölfflins kunstgeschichtliche Grundbegriffe zu der Auffassung, in Kafkas Roman herrsche eine offene Struktur vor. Er geht dabei nicht vom Textverlauf aus, sondern von der Rolle der Hauptfigur gegenüber dem Gesamtgeschehen: »The hero of the open structure is ... on the outside looking in: his position impels him towards the restoration of balance and coherence. Without insisting on a central role, he nevertheless predicates his identity on the affirmation of a logically functioning world; in a word, he seeks continuity. The hero of the closed structure, on the other hand, is cast unwillingly in the central role of a drama beyond his control. He seeks disengagement, narcistic neutrality, a world in which his own trivializing masks remain in place. But the aesthetics of paradox that govern Kafka's narrative theater ensure that the hero is systematically deprived of the role he craves. The hero of the open structure does indeed generate a ›story‹, but it is the story of his own existence, eluding all congruence with his presumptions about an ordered world; while the hero of the closed structure is forced into the public realm, unable to evade meaning and accusation in the most indifferent gestures and the most ›private‹ spheres of life.«

Aber der hier postulierte Gegensatz wird dadurch wieder etwas eingeebnet, daß etwa Josef K. im *Prozeß* als einer geschlossenen Struktur – übrigens auch nach der Auffassung des Verfassers, denn dort wird die Eingangskonstellation im Schlußkapitel unter veränderten Bedingungen wiederholt – sich doch unbewußt von Anfang an seine Schuld eingesteht, deswegen auf dieser Ebene die Rechtmäßigkeit der gegen ihn erhobenen Beschuldigungen anerkennt und sich dann im Verlauf des Romans auch bewußtseinsmäßig zu dieser Einsicht durchringen kann, so daß man von einer Entwicklung und zunehmender Neigung des Angeklagten sprechen kann, sich den Gegebenheiten nicht zu entziehen, während in gewisser Beleuchtung vom Landvermesser genau das Umgekehrte zu sagen wäre. Die Einzelanalysen haben ergeben, daß er durchaus kein Mann ohne Eigenschaften ist, eine bloße Leerform von Möglichkeiten und von bloß vorläufiger Identität, wie das Rolleston unter dem Einfluß von Walser und K.-P. Philippi voraussetzt. Denn wenn er etwa im Eingangskapitel teilweise von außen gezeichnet wird, so ist das rezeptionstechnisch bedingt, auch spannungsförderndes Moment, das jedoch nichts daran ändert, daß er von Anfang an ein unwandelbares Verständnis seiner Rolle hat. Seine Überlegungen beim Schneeräumen vor dem Schulhaus zeigen, daß er in unauffälliger, Kämpfe vermeidender Maske in der Sozietät leben will und die Auseinandersetzungen bedauert, in die er durch die Umstände geriet, die seiner Kontrolle entzogen sind. Er verhält sich also wie der Held in Rollestons geschlossener Form.

Die genannte Rückkehr zum Ausgangspunkt paßt ausgezeichnet zum autobiographischen Hintergrund des Romans, denn sie veranschaulicht auf treffliche Weise Kafkas Aussage, sein Leben sei ein stehendes Marschieren ohne Entwicklung gewesen, die höchstens im Sinne einer Entfaltung schon angelegter Fehler stattgehabt habe; dieser Sachverhalt spiegelt sich in K.s sozialem Abstieg wieder. Endlich erinnert die Reduktion der Aktionen K.s auf das anfängliche unbedarfte Liegen stark an Kafkas Selbstdeutung, solange in einem Kreismittelpunkt verharren zu müssen, bis keine Möglichkeit mehr für weitere Lebensversuche bleibe, und als Junggeselle in der Sterbestunde auf die Maße des Sargs eingeschrumpft zu sein. [80] Zurück zu der Tätigkeit K.s bei Gerstäcker. Sie erweist sich in einem Sinn ausdrücklich und direkt als Rückwendung zu seiner Ankunft im Dorf. In einer schon analysierten längeren Reflexion über die Umstände, die bei seinem Eintreffen obwalteten, geht er davon aus, daß er ohne das Eingreifen Schwarzers zunächst irgendwo als Wanderbursch übernachtet und dann wahrscheinlich »bald als Knecht irgendwo ein Unterkommen gefunden« hätte. Sein ursprüngliches Vorhaben scheint also am Schluß des Werks Wirklichkeit zu werden, nur daß er eben dann alle seine Pläne nicht mehr vor sich, sondern hinter sich hat. [81]

Um die allgemeine Tendenz des von Kafka nicht mehr konzipierten Schlußteils zu charakterisieren, mag es nützlich sein, auf Kafkas innere Verfassung nach dem Scheitern seiner Liebesbeziehung zu Milena hinzuweisen. Spiegelt sich, was noch nachgewiesen wird, diese in K.s Verhältnis zu Frieda, so müßte es auch Indizien dafür geben, daß K.s seelische Verfassung, nachdem ihn seine Braut verlassen hat, derjenigen des Dichters in der entsprechenden Lebensphase ähnelt. Dies ist nun auch tatsächlich der Fall.

Als er in seinem Verhältnis zur Geliebten die Wahrheit erkannt habe, schreibt Kafka in einem Brief an Milena, habe er, das Waldtier, die lichtbestimmte Lebensform seiner Partnerin verlassen und sich wieder im Dunkel »verkriechen« müssen. Diese Trennung fällt in die ersten Monate des Jahres 1921, wo er sich nach Matliary in der Hohen Tatra zurückgezogen hatte. Ende Januar 1921 schreibt er an Max Brod: »Übrigens bekam ich von M. vor etwa einer Woche noch einen Brief, einen letzten Brief.« Mitte April heißt es dann ». . . heute aber kam ein Brief von M. Ich soll Dir nichts von ihm sagen, denn sie habe Dir versprochen, mir nicht zu schreiben.« Im gleichen Schreiben bittet er den Freund, ihn davon zu verständigen, wielange Milena in Prag bleibe, damit er nicht etwa um diese Zeit nach Prag komme, und ihm mitzuteilen, falls die Geliebte ihn jetzt besuchen wolle, damit er rechtzeitig vorher wegfahren könne. Milena verlangte damals nur »eine einmalige Nachricht, auf die keine Antwort erfolgen soll«. Vorausgegangen muß also der Brief Kafkas sein, in dem er fordert: »Nicht schreiben und verhindern, daß wir zusammenkommen.« Die folgende, in ähnlicher Formulierung zweimal im März 1921 vorkommende Schilderung seines inneren Zustandes darf also als Folgeerscheinung des vollzogenen Bruchs angesehen werden: ». . . vor allem aber steigerte sich die Müdigkeit, ich liege stundenlang im Liegestuhl in einem Dämmerzustand, wie ich ihn als Kind an meinen Großeltern angestaunt habe.« [82]

Eine solche Situation hätte auch K. gegen Ende des *Schlosses* ausgezeich-
net: Tatsächlich hat er ja die Absicht, sich in der dunklen Kammer der
Mägde zu verstecken, und auch sein mögliches Schlafen im lichtlosen Stall
Gerstäckers kann man als eine Art tierisches Verkriechen auslegen.

Daß diese Übereinstimmung nicht zufällig ist, verdeutlicht ein kleines,
anderthalbzeiliges Fragment, das sich auf einem Briefentwurf Kafkas erhalten hat. Schriftbild und räumliches Arrangement weisen darauf hin, daß es
älter ist als der Brief, der frühestens im August 1922 geschrieben worden
sein kann. So wäre das Bruchstück auf Juli oder August 1922 zu datieren,
auf die Zeit also, wo Kafka am Ende des vorliegenden Romantextes arbeitete.
Es lautet: »Ich wollte mich im Unterholz verstecken, mit der Hacke bahnte
ich mir ein Stück Weges, dann verkroch ich mich und war geborgen.« [83]
Wie der Dichter sich in Matliary vor Milena verbarg, und zwar, metaphorisch gesprochen, im Wald, so hier der Ich-Erzähler.

Was speziell den inneren Zustand K.s nach dem Scheitern seiner Beziehung
zu Frieda betrifft, so sagt er darüber zu Pepi über Frieda: »Da sie bei mir
war, bin ich immerfort auf den von dir verlachten Wanderungen gewesen;
jetzt, da sie weg ist, bin ich fast beschäftigungslos, bin müde, habe Verlangen nach immer vollständigerer Beschäftigungslosigkeit.« Eine schlagende
Parallele dazu ist eine Stelle aus einem Brief an Milena, in dem er über die
Wirkung seiner Beziehung zu ihr ausführt: »Wenn ich nicht schreibe, bin ich
nur müde, traurig, schwer; wenn ich schreibe, zerreißt mich Unruhe und
Angst.« Die Antinomie ist also auf der biographischen Ebene vorgebildet: Beziehungslosigkeit schafft einen handlungslosen Dämmerzustand, der
mit K.s Verlangen nach Ruhe identisch ist. Seine »Wanderungen« dürfen
demgemäß schon vom Bild her als Unruhe gedeutet werden. Die im Lebenszeugnis behauptete Angst wird nicht nur im mangelnden Selbstvertrauen
K.s den Behörden gegenüber ahnbar, sondern läßt sich auch insofern erschließen, als K. die Behauptung des Jeremias, er fürchte seine Gehilfen, unwider-
sprochen läßt und die beiden Lüsternen, wie sich zeigen wird, wesensmäßig
mit K.s Verhältnis zu Frieda zusammenhängen. So kann man davon ausgehen, daß die nicht vorhandenen Romanteile sich lange nicht im gleichen
Maße durch »Wanderungen« K.s ausgezeichnet hätten wie das Vorliegende.

Über die Funktion Gerstäckers läßt sich aber noch etwas mehr sagen als
das bisher Ausgeführte. Zu den vielen Entsprechungen zwischen den Szenen
bei Lasemann, im Hof des »Herrenhofs« und im Gang der Sekretäre gehört
auch die bisher nicht näher bestimmte Tatsache, daß K. in allen drei Fällen
noch die Möglichkeit erhält, das Geschehene nachträglich zu korrigieren: »Gehen Sie doch«, sagt Friedrichs Verbindungssekretär am Ende des Gesprächs,
nachdem Erlanger an die Wand geklopft hatte, um K. gleich zu sich zu be-
ordern, »wer weiß, was Sie drüben erwartet, hier ist ja alles voll Gelegenheiten.« Und Erlanger hebt hervor, es könne K. in seinem Fortkommen gelegentlich nützlich sein, wenn er sich in dieser Kleinigkeit bewähre. [84]

Vor allem aber hätte K. doch die Möglichkeit gehabt, sein Anliegen, nämlich Klamm sprechen zu dürfen, vor dem ersten Sekretär des Bürovorstehers vorzubringen. Was die Szene im Ausschank betrifft, die sich an K.s Warten auf Klamm im Hof unmittelbar anschließt, so hätte er durch das Gewähren- lassen des Dorfsekretärs sich die einzige offizielle Chance offengehalten, möglicherweise doch vor Klamm erscheinen zu dürfen.

In diesen Zusammenhang läßt sich nun auch die Szene mit Gerstäcker im Eingangsteil des *Schlosses* einordnen. Denn allein mit dem ihn einhüllenden Schnee, fühlt K. fast die Gelegenheit zur Verzweiflung in sich; da aber kommt unvermittelt im Schlitten des Fuhrmanns Hilfe, die K. wahrschein- lich, wenn er nicht so grob und direkt darum gebeten hätte, ins Schloß ge- fahren zu werden, noch viel besser hätte verwerten können. In welch spezifi- schem Sinne das aus dem Hoftor fahrende Pferdefuhrwerk für Kafka ein Bild für die Unberechenbarkeit und Zufälligkeit sich zeigender Lebenshilfen ist, geht aus einer schon erwähnten Tagebuchnotiz vom 27. Januar 1922 hervor, in der er seine Schwäche während einer Schlittenfahrt beklagt. Davon unab- hängig zu werden, ist nicht erreichbar, indem man die durch diesen Zustand verursachten Gegenstände übersieht, »denn es kann nicht vernachlässigt wer- den, das ist nur zu erreichen durch Heranführung neuer Kräfte. Hier aller- dings gibt es Überraschungen; das muß der trostloseste Mensch zugeben, es kann erfahrungsgemäß aus Nichts etwas kommen, aus dem verfallenen Schweinestall der Kutscher mit den Pferden kriechen«.

Er deutet hier seine Situation mit Hilfe der Fabel und Bildlichkeit der Er- zählung *Ein Landarzt*. Dort steht die Hauptfigur im winterlichen Schnee- treiben, ohne die Möglichkeit zu haben, den entfernt wohnenden Kranken erreichen zu können. Aus dem seit Jahren unbenützten Schweinestall, an dessen brüchige Tür der Landarzt »zerstreut« mit dem Fuß gestoßen hatte, kriecht »auf allen Vieren« ein Pferdeknecht hervor. Zwei Pferde folgen, die an den Wagen gespannt werden und den Ich-Erzähler in einem Augenblick zu seinem Ziel gelangen lassen, obwohl er unfähig ist, sein Gefährt zu len- ken und unter seine Kontrolle zu bekommen. Die Übereinstimmungen mit der Szene im *Schloß* sind beträchtlich: Beide, der Landarzt und der Landver- messer, stehen hilflos im Schnee, beide sind zerstreut und, nach dem Er- scheinen des Fuhrwerks, unfähig, es willensmäßig zu beherrschen. Und wie Gerstäckers Hütte ist der Schweinestall niedrig, aus dem der Pferdeknecht wie ein Tier hervorkommt [85]; die Anwendung des Begriffs »verkrie- chen« auf das Dasein eines solchen Berufs im *Schloß* ist also noch von ganz anderer Seite berechtigt.

Offenbar stellt das Erlebnis Kafkas in Spindlermühle, von dem noch in anderem Zusammenhang die Rede sein wird, das Bindeglied zwischen dem 1917 entstandenen *Landarzt* und dem fünf Jahre jüngeren Roman dar. Die Erzählung wurde im Sinne unverhofft eintreffender Kräfte gedeutet, weil das Vorhandensein einer solchen Möglichkeit Kafka tröstete, der äußerlich in einer Lage war, die Ähnlichkeit mit der des Arztes hatte. Die Vergleichbar- keit der Gegenstandsbereiche ist dem assoziativen Denken genug Anlaß,

Erzählung und Realsituation in Beziehung zu setzen. Ungefähr vier Wochen später konnte der so verstandene Motivzusammenhang als Schicksalsmöglichkeit K.s in den Roman integriert werden.

Ein weiterer Aspekt ist hinsichtlich der Figur Gerstäckers denkbar: Er ist offenbar lungenkrank, denn er ist abgemagert, hustet stark und trägt einen auffälligen Schal. Es war gerade in Matliary und während der sich an diesen Aufenthalt anschließenden Monate, daß sich Kafkas Tuberkulose durch starken Husten bemerkbar machte und bei gelegentlich auftretenden Infektionskrankheiten eine starke Gewichtsabnahme des sowieso Überschlanken bewirkte. Auch heißt es am 30. Januar 1922 im Tagebuch: »Warten auf die Lungenentzündung.« In den sich anschließenden Überlegungen reflektiert der Dichter sein Verhältnis zur Mutter, mit der ihn Dankbarkeit und Rührung verbinde, weil sie trotz ihres Alters seine Beziehungslosigkeit zum Leben auszugleichen suche. Der kranke Junggeselle, der hinsichtlich K.s im Auftrag seiner Mutter handelt, und diese selbst, die K. nicht verkommen lassen will, hätten also vielleicht auch Kafkas Krankheitsproblematik darstellen sollen. Dafür könnte auch noch eine Tagebuchnotiz vom 1. Februar 1922 sprechen, wo vom »Glück des Fuhrmanns« die Rede ist: »Der Mensch reiner als am Morgen, die Zeit vor dem müden Einschlafen ist die eigentliche Zeit der Reinheit von Gespenstern, alle sind vertrieben ... am Morgen sind sie sämtlich ... da, und nun beginnt wieder beim gesunden Menschen ihre tägliche Vertreibung.« [86]

Hier sind zwei auch sonst belegte Gedanken miteinander vereint. Einmal die Vorstellung, die eigene Krankheit sei durch geistige Gegebenheiten verursacht, durch Gespenster eben, d. h. eine Art Besessenheit, der man ausgeliefert ist, so daß sich in der Regel nach dem Ablauf des Tages keineswegs der so erwünschte Zustand der wohltätigen, durch nichts anderes getrübten Erschlaffung einstellt.

Zum anderen ist hier vorausgesetzt, daß durch körperliche, gesunde, stumpfsinnige, nützliche und einsame Arbeit bis zu einem gewissen Grade die Quälgeister vertrieben werden können. Kafka versuchte jedenfalls zuzeiten, sich durch derartige Tätigkeiten von seiner Neurasthenie zu heilen. Am Tag der Eintragung hatte er nun ausnahmsweise das Gefühl, in einem solchen Reinheitszustand zu sein, den er dem gesunden, körperlich arbeitenden Menschen als Normallage unterstellte.

Es wird also in diesem, dem Beginn des Romans nur wenige Wochen vorhergehenden Eintrag eine Verbindung zwischen Krankheitsursache und Beobachtungen an einem Fuhrmann hergestellt, dessen Arbeit so gut wie die Gärtnerei durch die angeführten Attribute gekennzeichnet werden kann. Wie läßt sich aber nun damit vereinen, daß Gerstäcker doch offenbar im Gegensatz zu dem im Tagebuch genannten Fuhrmann krank ist? Die Antwort kann mit Hilfe eines Analogieschlusses gegeben werden: Alle Romanfiguren, die sich von K. angezogen fühlen und vom Autor schon näher expliziert sind, also Frau Brunswick, Frieda, Gardena, Pepi und die Familie des Barnabas,

12 Textprobe aus der Handschrift des *Verschollenen*: Schluß des *Fragments II*

13 Manuskriptseite aus dem Eingangskapitel des *Schloß*-Romans

14   Milena Jesenská (1896–1944)

Gmünd

15 Gmünd, Grenzstation zwischen der Tschechoslowakei und Österreich

sind in der Romangegenwart in einem Zustand, der sich stark von demjenigen in der Vergangenheit unterscheidet: Die beiden Schankmädchen haben eine Karriere hinter sich, Frau Brunswick, Gardena und die Eltern des Barnabas sind krank und verfallen, während sie früher rüstig, ja ausgesprochen stark waren. [87] Man könnte deswegen vermuten, daß in dem Gespräch zwischen K. und Gerstäckers Mutter Reinheit und Krankheit als zwei Lebenszustände des Sohnes miteinander konfrontiert worden wären, die die entsprechende Problemstellung Kafkas veranschaulicht hätten. Bei dieser Annahme wäre auch kein Widerspruch zu dem vorher genannten Aspekt der Figur Gerstäckers vorhanden: Denn spontane Lebenskräfte können nur dort vorhanden sein, wo das Gespenstisch-Wahnhafte nicht hinreicht, in der Tiefe des Lebens also. Die Stimmigkeit des Ganzen wird erhöht, wenn der Fuhrmann, wie sein reales Vorbild im Tagebuch, ebenfalls unter dieses Gesetz fällt.

2. Kapitel:
Frieda und Milena

Max Brod vermutete als erster signifikante Beziehungen zwischen der Frieda-Handlung im *Schloß* und dem Milena-Geschehen. [88] Es läßt sich zeigen, daß diese These sogar noch erweitert werden kann, indem sich auch Verknüpfungen zwischen anderen Romanfiguren und lebensgeschichtlichen Details herstellen lassen. Man darf aber bei der Behandlung dieses Problems einige Besonderheiten, die in solcher Fragestellung mitgesetzt sind, nicht außer acht lassen: Man muß bedenken, daß der komplizierte Verweisungs-zusammenhang eines Romans, der nach des Dichters Aussage über die ganze Welt hin entworfen ist, also eigene Erfahrungen ins Grundsätzliche zu heben trachtet, auch Bezüge aufweist, die wegen der unvollkommenen Kenntnis der Biographie Kafkas in den letzten Jahren seines Lebens nur sehr schwer aus-gemacht werden können; zu denken wäre hier etwa an die kaum bekannten Umstände der Verlobung Kafkas mit Julie Wohryzek, die zur Zeit des Mi-lena-Briefwechsels für Kafka innerlich noch lebendig war. [89]

Auch die Beziehung zu Milena ist nur bruchstückhaft und einseitig doku-mentiert, sogar wenn man, was im Folgenden geschieht, die unveröffent-lichten Partien der an sie gerichteten Briefe Kafkas mitberücksichtigt; es fehlt ein objektives Bild seiner Partnerin. Immerhin ist es möglich, einige Struktu-ren, Konstellationen und Vorstellungen zu finden, die dem *Schloß* und Kaf-kas Milena-Erlebnis gemeinsam sind und den Schluß zulassen, daß mit erfah-rungsmäßig artikulierten Bausteinen gearbeitet wurde.

Endlich ist zu bedenken, daß Kafkas Verhältnis zu Milena in gewisser, aber zentraler Beziehung ähnlich strukturierte Bindungen zu Felice und Julie vorausgingen, was nicht ohne Einfluß auf die Gestalt Friedas bleiben konnte, auch wenn man feststellen kann, daß Julie vornehmlich in Amalia verkörpert ist. Es ist anzunehmen, daß bestimmte Gegebenheiten der alten Fälle wegen dieser Ähnlichkeiten das Gegenwärtige überlagerten und es gleichsam anrei-cherten. Dabei kommt nun weniger in Betracht, ob Kafka bewußt seine Be-ziehung zu Milena grundsätzlich in den Erfahrungshorizont seiner Verlo-bungskämpfe stellte oder nicht, sondern vielmehr die Tatsache, daß ein Ver-gleich der an Felice gerichteten Schreiben mit den *Briefen an Milena* zeigt, daß Kategorien des früheren Verhältnisses bei der Deutung des späteren An-wendung fanden.

Ein Beispiel, nämlich die Metaphorik der Annäherung an die Partnerin, wurde schon in anderem Zusammenhang erwähnt; hier also einige andere Sachverhalte, die die gemachte Behauptung absichern sollen. Beide Korre-spondenzen stehen unter dem gleichen Anspruch: Kafka will sich in seinen Briefen so wahrhaftig wie möglich geäußert haben, und zwar mehr als jedem anderen Menschen gegenüber. Glaubte er manchmal, den Anblick Felicens nicht ertragen zu können, so drehte er sich, bildlich gesprochen, um, weil er Milenas Blick nicht auszuhalten glaubte. Beide Frauen sind Engel – warum wohl schmückt sich die nach K.s Auffassung Frieda imitierende Pepi so, wie das nach Meinung des Stubenmädchens die Engel tun? –, müssen also, um Kafka, das sich auf dem Waldboden krümmende Waldtier, erreichen zu können, zu ihm herunterkommen oder sich zu ihm herunterbeugen.

Ganz allein will er mit Felice auf der Welt sein, die er dann mit Milena vollständig auszufüllen glaubt. Von beiden Frauen fühlt er sich geschlagen, und bestimmte Phasen der Beziehung werden durch den Begriff des Wirbels veranschaulicht. Die Art der Zuwendung der Geliebten ist beidesmal ein Trotzdem, während das Zugehörigkeitsgefühl des Dichters ihnen gegenüber probeweise mit einem ihrer Einrichtungsgegenstände verglichen wird. In den Briefen sieht Kafka die Gestalt der Korrespondenzpartnerinnen deutlich vor sich. Bei dieser Sachlage ist es naheliegend, daß bestimmte Momente des Erzählgangs oder der Motivik im *Schloß*, die vorwiegend das Verhältnis zu Milena reflektieren, zusätzlich durch die Auseinandersetzungen um Felice bestimmt sind, weil schon in diesem Zusammenhang ein bestimmter Sachverhalt artikuliert wurde.

Das gilt z. B. für das Element des Vertrauens, das Kafka sowohl Felice als auch Milena gegenüber nicht aufbrachte und das nach seiner ursprünglichen Intention im Roman eine bedeutende Rolle spielen sollte; dann für die Verlockung, die von Frieda auf K. ausgeht, weil Kafka den geliebten Frauen in ähnlicher Weise entgegentrat; auch für die Vorstellung des Opfers, die im Roman mit der Haltung des Schankmädchens verbunden wird und die auch der Autor seinen Partnerinnen unterstellte. Diese Art der Beziehung gilt sogar für solche Spezifika wie Friedas überlegenen Blick, der in K.s Zukunft geht. Wie sich zeigen wird, hat er zunächst in Milenas Blicken eine Entsprechung, in denen Kafka seine Zukunft las. Nun heißt es aber schon in Briefen des Dichters an seine erste Braut: »Felice, mach die Augen auf und laß mich in sie schauen, wenn meine Gegenwart in ihnen ist, warum sollte ich in ihnen nicht auch meine Zukunft finden?« Und an anderer Stelle: »Ich habe heute das Gefühl . . . daß aus Deinen lieben Augen wieder jener freundliche und doch beherrschende Blick kommt, der mich für Zeit und Ewigkeit getroffen hat.« Sowohl, was Kafka Milena gegenüber äußert, als auch, was er K. beobachten läßt, findet sich schon acht und zehn Jahre früher hinsichtlich einer doch ganz andersartigen Frau ausgesagt!

Wie man sieht, sind die Erlebnissphären vielfach gar nicht voneinander zu trennen, ein gewisser Anteil Felicens an dem Roman, der ja Kafkas Verhältnis zur Frau auf repräsentative Weise abbilden soll, überaus wahrscheinlich. Da ist es auch nicht zu verwundern, daß in einer begrenzten Anzahl von Fällen Gegebenheiten der Beziehung zu Felice direkt ins *Schloß* Eingang gefunden haben, das heißt, ohne durch Parallelen – jedenfalls soweit die fragmentarische Überlieferung erkennen läßt – derjenigen zu Milena abgedeckt zu sein.

Dazu gehört einmal der Name des Schankmädchens und die Art, sich im Gespräch zu äußern, von beidem wird gleich die Rede sein; dann doch wohl auch die Tatsache, daß Friedas Frische und Entschlossenheit, die ihren nichtigen Körper verschönt hatte – daß es sich um ein »unhübsches« Mädchen handelt, muß sogar K. zugeben –, nach dem Zusammenleben mit K. müden Bewegungen weicht. Kafka bemerkte nämlich, daß die frische und entschlossene Felice, der er später ausdrücklich Schönheit absprach, im persönlichen Umgang mit ihm »wie ermattet« wirkte. Weiter gehört in diesen Zusammenhang wohl, daß Frieda K. vorhält, er sei, sollte das für ihn vorteilhaft sein, auch bereit, Komödie zu spielen und vorzugeben, sie zu lieben, denn eben dieser Verhaltensweise zieh sich Kafka gegenüber Felice.

Was schließlich das Äußere Friedas betrifft, so läßt sich sogar vermuten, daß neben Felice auch Julies Gestalt an dessen Ausformung beteiligt war: So war Milena – auch von Felice darf man es voraussetzen – breit und hochgewachsen, hatte große Hände und üppiges Haar. (Vgl. auch Abb. 14) Friedas Körper und ihre Hände sind jedoch klein oder nichtig; ihr Haar ist kurz, schütter und nicht sehr rein.

Gewiß ist diese Anordnung durch künstlerische Erwägungen bestimmt, insofern die nächste Bezugsfigur im Roman, Pepi, zwar ebenfalls von kleinem Wuchs ist, aber dicklich wirkt und üppiges Haar besitzt. [90] Gleichzeitig läßt sich aber auch eine Determinierung durch die Frauen erkennen, die Kafka vor Milena liebte: Julie nämlich empfand er in ihrer Körperlichkeit als nichtig, und das steife, reizlose Haar Felicens fiel ihm gleich bei der ersten Begegnung auf. Man kann also sagen, daß hier länger zurückliegende biographische Details reaktiviert werden, weil sie sich als Formträger des zu Gestaltenden erweisen.

Das dritte, *Frieda* überschriebene Kapitel des *Schloß*-Romans ist in seinen wichtigeren Elementen vom entsprechenden Erlebnishintergrund Kafkas bestimmt. Er spricht in einem Brief an die Geliebte davon, daß er nach einer langen Reise an einer scheinbar zufälligen »Wegdrehung« Milena unerwartet gesehen habe; sie stand dort, während ihre Augen das Leid der Welt niederstrahlten: »Sie rufen mir zu, machen mich auf Gefahren aufmerksam, wollen mir Mut geben, entsetzen sich über meinen unsicheren Schritt«; Kafka kann deswegen keine herkömmlichen Liebesworte stammeln, »und daß ich knie, erfahre ich vielleicht erst dadurch, daß ich ganz nahe vor meinen Augen ihre Füße sehe und sie streichle.« Er schleicht im Schatten der Bäume dahin, fällt, liegt dann später in einer schmutzigen Grube, ein Waldtier, das sein Schicksal von Milenas Augen abliest.

Beim ersten Zusammentreffen überrascht Frieda K. mit einem Blick, der besondere Überlegenheit verrät und »schon K. betreffende Dinge erledigt hatte, von deren Vorhandensein er selbst noch gar nicht wußte, von deren Vorhandensein aber der Blick ihn überzeugte«. [91]

Die Wichtigkeit dieses Vorgangs erhellt daraus, daß K. später, als Frieda ihn schon verlassen hat, zu ihr sagt, er sei immer von ihr beschenkt worden, seit sie ihre Augen zum erstenmal ihm zugewandt habe. Auf entsprchende Weise also lebte Kafka von Milenas Blick, dessen Kraft und Durchdringungsvermögen auch von Milenas späterer Freundin M. Buber-Neumann hervorgehoben wird. [92]

Nach dem ersten Wiener Treffen sprach er von ihren aus unbegreiflicher Gnade leuchtenden Augen. Was damit konkret gemeint ist, kann einem Brief entnommen werden, den Milena an Max Brod schrieb. Obgleich Brod, der das Schreiben in seiner Kafka-Biographie publizierte, kein Datum angibt, läßt sich die Entstehungszeit auf Frühjahr 1921 festlegen. Die Schreiberin erwähnt nämlich, sie sei lungenkrank, müsse sofort zur Erholung fahren und verspricht dem Adressaten, Kafka nicht zu schreiben. Da der Dichter Mitte April 1921 diese beiden Gegebenheiten in einem Brief an Max Brod erwähnt – Milena hatte sich doch wieder an ihn gewandt –, kann der fragliche Text nur wenig älter sein. Daß Brod ihn später Kafka gezeigt hat, darf man voraussetzen; selbst wenn dies nicht der Fall gewesen sein sollte, bleibt das Folgende beweiskräftig, denn was hier ausgeführt wird, ist gewiß auch in Gesprächen Kafkas mit der Geliebten angeklungen: »Was seine Angst ist, das weiß ich bis in den letzten Nerv. Sie existierte auch schon immer vor mir, solange er mich nicht kannte. Ich habe seine Angst eher gekannt, als ich ihn gekannt habe ... Wenn er diese Angst spürte, hat er mir in die Augen gesehen, wir haben eine Weile gewartet, so als ob wir keinen Atem bekommen könnten oder als ob uns die Füße wehtäten, und nach einer Weile ist es vergangen.« [93]

Zunächst erstaunt, daß hier – und das kann keine zufällige Übereinstimmung sein – wie im Roman ausgesagt wird, die Geliebte habe die Eigenart ihres Partners erkannt, bevor sie von diesem wußte. Zweitens ist aus dem Kontext erschließbar, daß Milena mit ihrem Blick Kafkas Angst vor entblößtem Fleisch und dem Sexuellen bannte, so daß er später davon ausging, er sei mit der Geliebten »eins«, obwohl eine völlige körperliche Vereinigung nicht stattgefunden hatte.

Auf diesem Hintergrund wird eine Passage des Romans überhaupt erst verständlich. Obwohl K. von Pepi sexuell derart erregt wird, daß er seine gierig blickenden Augen mit den Händen abdecken muß, ist sich K. sicher, dieses Mädchen niemals anzurühren, obwohl ihn – und darin ist diese mögliche Beziehung grundsätzlich derjenigen zu Frieda ähnlich – eine Umarmung dieses Körpers für seinen schweren Weg »rühren und aufmuntern« könnte: »Dann war es vielleicht nicht anders als bei Frieda? O doch, es war anders. Man mußte nur an Friedas Blick denken, um das zu verstehen.« Friedas Blick nimmt K.s Angst vor dem Erotischen, Pepi, die sich rühmt, Klamm könne, falls er in ihren Augen überhaupt etwas suche, »bis zur völligen Sättigung« finden, was er von einem Mädchen erwarte, ruft sie offenbar hervor, weil ihr ganzes Wesen auf Verführung ausgerichtet ist. [94]

Drittens schließlich ist bemerkenswert, daß die Metaphern, mit denen Mi-

lena den Vorgang ihrer Beschwörung durch Blicke beschreibt, von Kafka zur
Veranschaulichung von K.s Zustand während seiner nächtlichen Vereinigung
mit Frieda verwendet werden: Er hat das Gefühl, als sei er so weit in der
Fremde wie vor ihm noch kein Mensch – als ob die Füße (nach langer, damals tatsächlich unternommener Wanderung, darf man verdeutlichen) wehtäten, schreibt Milena –, in einer Gegend, »in der man vor Fremdheit ersticken müsse«; sogar stilistisch harmonieren Brief und Romanszene, weil
beidesmal Als-ob-Sätze verwendet sind. Anhand der Korrespondenz mit Milena läßt sich überdies zeigen, daß das Bild von der nicht atembaren Luft
zuerst von Milena benützt und dann von Kafka, auch in anderen Zusammenhängen, aufgegriffen wurde. Besonders beweiskräftig für die postulierte Abhängigkeit der Romanstelle von Kafkas Biographie ist in dieser Hinsicht, daß
er in einem Brief, in dem er seine augenblickliche Trennung von der Geliebten der in Wien vorhandenen Einheit gegenüberstellt, jene mit den Worten
beschreibt: ». . . unverständlich, wie sich die Brust genug weiten und zusammenziehen kann, um diese Luft zu atmen . . .« [95]

Wenn auch die Verwendungsart des Bildes jeweils eine andere ist, so bleibt
als Gemeinsamkeit die Tatsache, daß in drei Berichten über das Wiener Zusammentreffen, dem nur eine kurze Begegnung in einem Prager Caféhaus
vorangegangen war, der gleiche, bezeichnenderweise von Milena eingeführte
Gegenstandsbereich als Vergleichsebene verwendet wird.

In dem eben Angeführten steckt schon wieder ein neuer Vergleichspunkt,
denn auch K. lernt ja Frieda in einem Gasthaus kennen, wobei die dem dichterischen Erleben entsprechende Zweigliedrigkeit dieses Kennenlernens darin
zur Darstellung gelangt, daß Frieda nach einiger Zeit den Ausschank mit
den Knechten verläßt und erst später zu K. dorthin zurückkehrt.

Frieda wird überdies, obwohl die Geliebte Klamms, als »Mädchen« vorge-
stellt, und so bezeichnet Kafka auch gern die verheiratete Milena. Dann hat
K. das Schankmädchen ganz zufällig nach seiner unendlich ausgedehnten
Reise getroffen, denn Olga hatte ihm vorher nichts von ihrer Existenz verraten. Und was Kafka im übertragenen Sinne über seinen Zustand hinsichtlich
Milenas sagt, wird im Roman szenisch entfaltet: K. sieht, sich vor dem Wirt
versteckend, tatsächlich Friedas Fuß vor sich, wodurch er sich »sicher« fühlt
– Kafka wird durch die vor ihm erscheinenden Beine der Geliebten ermu-
tigt –, und liegt dann später mit ihr im Dunkeln und im Schmutz. [96]

Dazu kommt, daß Frieda K. auffordert, sie von Klamm abzuziehen, und ihn
bei der Hand nimmt, um diesen K. zu zeigen: ». . . daß Du einmal bei mir
stehn geblieben bist und mir die Hand gereicht hast«, wundert sich Kafka im
Hinblick auf den Anfang der Beziehung. Als K. und Olga weggehen wollen,
schaut ihn Frieda dröhend an und bittet um ein Gespräch unter vier Augen,
nachdem schon vorher gesagt worden war: »und wieder ging ihr sieghafter,
mit dem, was gesprochen wurde, gar nicht zusammenhängender Blick über
K. hin«. Alle Initiative, zu der auch der dreimalige auffällige Blick gehört,
geht vom weiblichen Partner aus, ähnlich wie auf der biographischen Ebene:

Milena, die wahrscheinlich auch den Briefwechsel begonnen hatte [97], war es, die zuerst von ihren Lebensschwierigkeiten sprach, die mit ihrem Mann zusammenhingen, und Kafka aufforderte, sie in Wien zu besuchen. Wenn dieser schließlich davon spricht, Milena habe sich in ihm »verfangen« und ihre Liebe sei ihm »in den Schoß gefallen«, so erhellt aus solchen Aussagen ebenfalls, daß er ihre Zuwendung nicht erkämpft, sondern als Geschenk unverhofft erhalten hatte.

Über K.s Blicke während seiner ersten Begegnung mit Frieda sagt Pepi später, er habe sie »ja gar nicht angesehen«, womit sie nicht ganz unrecht hat, denn K. schaut Frieda, nachdem sie sich ihm zugewendet hat, unaufhörlich von der Seite an. Hier ist ein Motiv der Beziehung zu Felice wieder aufgenommen, wo Kafka seine Unebenbürtigkeit, die er, wie gezeigt, Milena gegenüber noch viel intensiver empfand, durch die Formulierung zum Ausdruck gebracht hatte, er habe sich Felice förmlich von der Seite genähert. Daß diese Deutung hier vorauszusetzen ist, ergibt sich auch daraus, daß die Brückenhofwirtin später behauptet, K. habe sich an Frieda herangemacht, Frieda deren Vorwürfe umfassend begründet und K. darauf erwidert, das Gesagte sei in gewissem Sinne richtig, arg aber nur in dem Falle, wenn Frieda ihn nicht liebe. Ihre Zuneigung basiert also, wie der entsprechende Vorgang im Leben Kafkas, auf einem Trotzdem. [98]

Ein anderer bezeichnender Einzelzug im dritten Kapitel ist Friedas »Hochmut« gegen K., der in ihrer Stellung als geachtetes Ausschankmädchen begründet ist, zu dem sie sich hochgearbeitet hat, und natürlich in der Tatsache, daß sie Klamms Geliebte ist. Entsprechend stellt Kafka zu Beginn seines Briefverkehrs mit Milena bei ihr Stolz, Hochmut und Überhebung fest, weil sie sich hinsichtlich ihrer Lebensverhältnisse selbst aufgestellten grausamen Gesetzmäßigkeiten unterwerfe. Interessant in diesem Zusammenhang ist auch Friedas Zurückhaltung im Reden. Sie spricht, ganz im Gegensatz zu Gardena, Olga und Pepi, sehr wenig im Zusammenhang, eine Ausnahme bildet hier nur die längere Rede, in der sie K. Vorwürfe der Wirtin referiert; also doch fremde Gedanken. Beim Erzählen ihrer Vergangenheit bricht sie gleich ab, und später ersetzt sie Argumente durch Tränen. Pepi hält sie für ein verschlossenes Mädchen, das Geheimnisse hat. Damit stimmt überein, daß Kafka Milena gewissermaßen vorhält, daß sie schweigend etwas verschweige oder verschweigen müsse oder unwissend verschweige. In diesem Punkt dürfte auch Felicens Verhalten Kafka gegenüber eingewirkt haben, denn in den entscheidenden Momenten der Beziehung kam es nicht zu verbalen Auseinandersetzungen. Kafka schreibt von ihr: »sie antwortet nicht« und: »während der etwa 7 Stunden, die wir im ganzen miteinander verbracht haben, hat F., wenigstens meiner Erinnerung nach, überhaupt nur in halben abgebrochenen Sätzen gesprochen.« Auch weinte Felice bei dieser Zusammenkunft. [99]

Außerdem ist darauf hinzuweisen, daß Milena einen Friedas Laufbahn vergleichbaren Entwicklungsgang durchlief. Nach ihrer Heirat brauchte sie zwei

Jahre, bis sie »die Wirtschaft vollständig und allein versehen konnte« und zusätzlich durch Unterrichtsstunden und Schriftstellerei das im Haushalt fehlende Geld zu verdienen vermochte, denn Polak gab ihr nichts von seinem Verdienst. Schulden zwangen sie, sich darüber hinaus als Kofferträgerin – wie Friedas Beruf ein Dienstleistungsgewerbe – zu verdingen. Überträgt man diese Verhältnisse auf den dörflichen Gesichtskreis des Romans und profiliert die in ihnen zum Ausdruck kommende Tendenz durch entsprechende Berufszuordnungen, so kommt man zu Friedas Karriere, die drei Jahre vor K.s Ankunft als Stallmagd in dem sowieso weniger angesehenen Gasthaus »Zur Brücke« ihren Ausgangspunkt nahm.

Doch man muß auch ein anderes Moment dieses Zusammenhangs beachten. Es verwundert doch, wie schnell und anscheinend ohne jeden Kampf Frieda das Erreichte wieder aufgibt und bereit ist, sich an K.s Seite auf Hausfrauenpflichten zu beschränken. Eben solches Verhalten stimmt aber genau zu Milenas Ansichten. In einem *Arbeitsschürzen* überschriebenen Beitrag wendet sie sich nämlich gegen die emanzipatorischen Bestrebungen ihrer Zeit und vertritt pointiert die Auffassung, die Frau finde am ehesten Erfüllung im häuslichen Kreis. [100]

Man muß auch erwähnen, daß der »Herrenhof«, in dem Klamm und die andern Beamten essen und schlafen, wenn sie nicht zu Hause im Schloß sind, in dem gleichnamigen Wiener Caféhaus sein Vorbild hat, in dem Milenas Mann Ernst Polak und sein Kreis verkehrte. Dieses Lokal rivalisierte mit dem nahegelegenen »Central« mit dem Ergebnis – »Fein abgetönt, wie in Wien alles ist« –, daß sich die verschiedenen geistigen Richtungen angehörenden Besucher systematisch räumlich aufteilten. In Kafkas Roman erfährt der Leser, daß die beiden Dorfgasthäuser, zwischen denen K. äußerlich nur geringe Unterschiede feststellt, miteinander konkurrieren, erwähnt Gardena doch einmal, sie habe dem »Herrenhof« Essensgäste abgejagt.

Von Belang für die Entstehungsgeschichte des Romans dürfte überdies sein, daß das Wiener Lokal Eingangsstufen besaß, daß es dort modrig roch, weil zu wenig gelüftet wurde, daß ein Arkadenhof mit Empore vorhanden war und daß es als »Remise für wartende Frauen« bezeichnet wurde. Anton Kuh, selber ein Mitglied des dortigen Literatenzirkels, schreibt: »... sie wurden nicht vernachlässigt; sie kiebitzten nicht dem Spiel, sondern bildeten es. Es ging um sie vom Augenblick an, wo sie sich hoffnungs- und übergangsfroh, auf Bestimmungen wartend oder von ihnen ausruhend, hier festgesetzt hatten, bis zu ihrer letzten Zermürbung, toll und heiß zu.« Architektonische Elemente des »Herrenhofs« im *Schloß*, besonders jedoch seine erotisierte Atmosphäre, sind damit vergleichbar: Pepi will von Klamm und den Gästen erobert werden, Frieda folgt Klamms Ruf, Sortini erwartet Amalia, und jedes Dorfmädchen liebt die Beamten, deren sexuelle Gier sprichwörtlich ist.

Endlich paßt zu Milenas Leben, daß Klamm Frieda in einem Gasthaus zu sich ruft, hatte doch jene in einem Hotel zum erstenmal intime Beziehungen zu Polak aufgenommen. [101]

Ein weiterer Vergleichspunkt ist Friedas Kleidung. K. bemerkt sie erst, während beide Klamm beobachten: »Sie lehnte neben K. und ordnete spielerisch, wie K. jetzt erst auffiel, ihre leichte, ausgeschnittene, cremefarbige Bluse, die wie fremd auf ihrem armen Körper lag.« Man kann hier die Tatsache repräsentiert finden, daß Kafka von seiner ersten Begegnung mit Milena in Prag nur ihre Gestalt und ihr Kleid in Erinnerung blieb, als sie »zwischen den Kaffeehaustischchen« wegging, die ihn also auch nicht im ersten Moment der Begegnung am stärksten beeindruckten. Was die erwähnte Farbe angeht, so könnte man darauf verweisen, daß Milena niemals Kleidung »in ungebrochenen Farben« trug, sondern »Abschattierungen« liebte, denn Friedas Bluse ist farbmäßig als gedämpftes Gelb einzustufen. Beim ersten Wiener Zusammentreffen trug Milena ein derartiges Kleidungsstück, das sie dann wegzog, damit Kafka an ihrer entblößten Brust ruhen konnte; in Übereinstimmung damit heißt es in der sich im Roman anschließenden nächtlichen Liebesszene nach der Vereinigung der beiden: »K . . . begann die Reste ihrer Bluse zusammenzusuchen«. [102]

Möglicherweise wirken als Determinanten noch Felice, deren Blusen Kafka ebenfalls hervorhebt, und Julie Wohryzek ein, von der Kafkas Vater sagte: »Sie hat wahrscheinlich irgendeine ausgesuchte Bluse angezogen, wie das die Prager Jüdinnen verstehn, und daraufhin hast Du Dich natürlich entschlossen, sie zu heiraten. Und zwar möglichst rasch, in einer Woche, morgen, heute.« Besonders der Blusenausschnitt und der Umstand, daß K. und Frieda am nächsten Morgen gemeinsam den »Herrenhof« verlassen, um miteinander zu leben, sind in dieser Aussage vorgeprägt. Außerdem scheint sie darin aufgenommen, daß Friedas Griff an die Bluse – sie ordnet sie spielerisch – als verführerische Geste gedeutet werden kann. Andererseits wird diese Auffassung aber auch wieder relativiert, denn Pepi kritisiert später Friedas Aufzug als ausgesprochen unkleidsam – »manchmal zog sie so schlampig herum, daß die Gäste sich lieber von den Kellerburschen servieren ließen als von ihr« –, und für K. bilden ja ihre lockenden Augen den Ausgangspunkt seiner Hinwendung zu ihr. [103]

Pepis Aussetzungen kennzeichnen Friedas reales Vorbild. M. Buber-Neumann schreibt: »Milena liebte schöne Kleidung, aber haßte jegliches Herausputzen.« Und was ihr Verhältnis zu den Gästen betrifft, so ist daran zu erinnern, daß Milena, wenn Polak nachts seine Kumpane noch in die Wohnung brachte, nur »müde, in einen Schlafrock gehüllt« da saß, »isoliert« – »Ihre einzige Freundin vielleicht ist die alte Wirtin aus dem Brückengasthaus«, sagt Pepi über ihre Konkurrentin –, und »immer verstört und traurig wirkte«. Kafka erfuhr sehr schnell von dieser Lage. In einem der ersten Briefe fragt er: »Warum haben Sie, wie Sie schreiben, früher mit vielen Leuten in Wien verkehrt und jetzt mit niemandem?«

Es ist also kein Zufall, wenn Frieda selbst ihre Vergangenheit als Schankmädchen in schlechter Erinnerung hat: Ihr sei fast alles gleichgültig gewesen, weil sie mit vielem unzufrieden war. Daß Milena eine Wirkung auf die

Gäste ihres Mannes ausübte, die manchmal der von Pepi behaupteten gleichkam, kann man aus folgender Charakterisierung M. Buber-Neumanns schließen: »Milena fehlte alles, was die Wiener Frauen und Mädchen auszeichnete, die Leichtlebigkeit, der Liebreiz, die charmante Koketterie.« [104]

Schließlich ist die Art und Weise, wie im *Schloß* Friedas Liebhaber Klamm erscheint, dadurch konstelliert, daß Milenas Mann, wie schon Max Brod und W. H. Sokel bemerkten [105], seine Erscheinungsform im Roman mitbestimmte. Das wichtigste Moment in dieser Hinsicht ist natürlich Klamms Verhältnis zum anderen Geschlecht. Es ist einerseits dadurch bestimmt, daß er, polygam und Frauenheld, sexuelle Beziehungen aufnimmt, wann immer es ihm gefällt und sie bedenkenlos wieder aufgibt, wenn er durch seine Partnerin nicht mehr gefesselt wird. Andererseits gilt aber auch, daß die Frauen auf eine fast zwanghafte Weise an ihn gekettet sind. K. sagt zu seiner Braut: »Noch immer bist du Klamms Geliebte, noch lange nicht meine Frau.« Später äußert er Olga gegenüber, Frieda liebe Klamm »noch heute«. Extremer wird diese Bindung an Klamm bei Gardena dargestellt, die die Nächte ihrer Ehe mit Hans damit verbringt, darüber nachzugrübeln, warum Klamm sie nur dreimal hat rufen lassen, und ohne die Erinnerungsstücke, die sie sich erbeten hatte, nicht leben könnte. Dieser Zusammenhang ist, wie eben erwähnt, nur ein Sonderfall einer die Romanwelt bestimmenden Gesetzmäßigkeit, denn Olga formuliert K. gegenüber ihre diesbezüglichen Erfahrungen so: »Wir . . . wissen, daß Frauen nicht anders können, als Beamte lieben«. Drittens noch gehört zu diesem Punkt, daß K. Klamm gegenüber unerhörte Ehrfurcht entgegenbringt. Er »wagt« es gar nicht, mit ihm zu sprechen, sagen die Dorfbewohner, und er selber ist sich auch nicht sicher, ob er Klamms Anblick überhaupt ertragen würde, wenn dieser nicht durch eine Tür von ihm getrennt ist. Besonders deutlich wird diese Verfassung auch an einer Stelle, als er sich vorstellt, vor Klamm zu sprechen. [106]

Eben diese Momente sind auch für die diesem Dreiecksverhältnis zugrunde liegende reale Situation konstitutiv. Ganz eindeutig ist ein Brief Milenas an Max Brod, in dem sie diesem von ihrer Wiener Zusammenkunft mit Kafka berichtet: »Als ich ihm von meinem Mann erzählte, der mir hundertmal im Jahr untreu ist, der mich und viele andere Frauen in einer Art Bann hält, erhellte sich sein Gesicht in derselben Ehrfurcht wie damals, als er von seinem Direktor sprach . . .« Kafka wußte also zur Zeit der Niederschrift des Romans nicht nur von Polaks Vielweiberei, sondern auch von der Faszination, die er auf Milena und andere ausübte. In einem Brief an die Geliebte spricht er davon, sie sei »durch eine geradezu sakramentale unlösliche Ehe« mit ihrem Mann verbunden. Auch über seine Ehrfurcht gibt es weitere Zeugnisse. Er gesteht Milena, »Respekt« habe er immer vor Polak gehabt, mit dem er sich gar nicht zu reden traue, überdies habe Max Brod eine hohe Meinung von ihm: »das war mir dann immer gegenwärtig, wenn ich an ihn dachte.« Tatsächlich war Polak allgemein angesehen, teilweise wegen seiner geistigen Fähigkeiten, vor allem aber wegen seiner Heirat. Ein Kenner der damaligen Wiener Szene schreibt: »Besonders imponierte in Künstlerkreisen, daß er die Tochter eines bekannten Prager Universitätsprofessors entführt und geheiratet hat.« [107]

Kafka dachte ähnlich. In einem der ersten an Milena gerichteten Briefe schreibt er: »Und wie käme ich dazu abzuurteilen, der ich in jeder wirklichen Hinsicht – Heirat, Arbeit, Mut, Opfer, Reinheit, Freiheit, Selbständigkeit, Wahrhaftigkeit – so tief unter Ihnen beiden stehe, daß es mir zum Ekel ist, überhaupt darüber zu sprechen.« Die Heirat erscheint also als wichtigstes Moment an erster Stelle. Wenn nun freilich nicht ganz deutlich auszumachen ist, wie die genannten Begriffe exakt auf die beiden Ehepartner zu verteilen sind, so wird man doch sagen können, daß sich Opfer, Reinheit und Wahrhaftigkeit wohl vorwiegend auf Milena beziehen, die andern aber doch auch Polak charakterisieren wollen. Das verrät eine ähnlich positive Einschätzung dieses Mannes wie diejenige, die ihm durch Max Brod zuteil wurde. An anderer Stelle des Briefwechsels heißt es, Polak sei im Caféhauskreis »der verläßlichste, verständigste, ruhigste, fast übertrieben väterlich, allerdings auch undurchsichtig«. [108]

Alle diese Momente kehren in der Figur Klamms wieder: Er ist als Bürovorsteher der ranghöchste Beamte, der im Roman gezeigt wird, eine Funktion, die Klugheit und Zuverlässigkeit verlangt. Seine Ruhe ist sprichwörtlich: K. sieht ihn schlafend, und oft, so erfährt er, spricht er stundenlang kein Wort. Seltsam berührt die behauptete Väterlichkeit Polaks, war er doch drei Jahre jünger als Kafka. Gerade diese Doppelgesichtigkeit zeichnet aber den Bürovorsteher aus. Sein Gesicht ist nämlich einerseits noch glatt, »aber die Wangen senkten sich doch schon mit dem Gewicht des Alters ein wenig hinab«. In die gleiche Richtung weist, daß Gardena schon vor weit über zwanzig Jahren seine Geliebte war und K. im Gespräch vorwirft, er wolle mit dem Vorsteher wie mit einem »Brautvater« sprechen. Andererseits wird aber auch hervorgehoben, daß Klamm mit seinem noch jungen Sekretär Momus verwechselt werde. Seine Undurchdringlichkeit endlich wird darin sichtbar, daß niemand seine Absichten kennt. [109]

Den ungeheueren Unterschied, den der Dichter zwischen sich und Milenas Mann findet, kennzeichnet auch K.s Verhältnis zu seinem Vorgesetzten. Er ist ein Nichts, Klamm und Frieda aber werden als Löwe und Löwin bezeichnet, als ein Tier also, dessen Mut (der König der Tiere!) – diese Kategorie erscheint an der einen Briefstelle schon an dritter Stelle – sprichwörtlich ist. Die Kafka noch wichtigere Arbeitsleistung Polaks wird dadurch verdeutlicht, daß Klamms Arbeit als die größte bezeichnet wird.

Auffällig ist noch eine andere Metapher, weil K. dieses Bild später deutet: Gardena meint, ihre ehemalige Magd habe gewissermaßen den Adler verlassen, um sich mit der Blindschleiche, nämlich K., zu verbünden. Größe und Art des Gefälles entspricht einem Bild, in dem Kafka Polak als reichen König und sich selbst als arme Maus bezeichnet, »der man höchstens einmal im Jahr erlauben kann, offen quer über den Teppich zu laufen«. Und er

staunt, wie die Brückenhofwirtin in der Vergleichssituation, daß die Königin
Milena nicht nur ihn lieben, sondern ihm angehören könne. Die Übertragung
des Vorstellungszusammenhangs in die genannte Relation im Roman ist natürlich nicht zufällig erfolgt. Einmal werden die Gehilfen mit Schlangen verglichen, so daß – abgesehen von der Tatsache, daß auch sonst in diesem
Werk Tierbilder bevorzugt werden, die als solche aufeinander verweisen und
so der epischen Integration förderlich sind [110] – hier eine sehr subtile
Beziehung zu diesen läppischen, kindischen und unfähigen Begleitern K.s
hergestellt wird.

Zum andern ist die Blindschleiche hier wohl auch als Beutetier des Adlers
aufzufassen, was zum Ausdruck bringen soll, daß K. in gewisser Weise der
Gejagte ist: An anderer Stelle wird in einer sehr ähnlichen Strukturierung
gesagt – der Unterschied besteht nur darin, daß nicht nur Gleichwertigkeit,
sondern Überlegenheit K.s gegenüber den Beamten den Ausgangspunkt der
Vergleichung bildet –, K. umschleiche den »Herrenhof« wie die Füchse den
Hühnerstall, »nur daß in Wirklichkeit die Sekretäre die Füchse sind und er
das Huhn«. Und wie sich in der beschriebenen Verkennung K.s reale Erfahrungen Kafkas spiegeln, die ihm im Gefolge seiner inneren Kämpfe bewußt
wurden, so auch in der Vorstellung der am Boden kriechenden Blindschleiche. [111]

Einerseits erinnert ihre Fortbewegungsart an den Begriff, mit dem er sein
Verhalten zum Ausdruck brachte, nachdem Milena ihn verlassen hatte. Andererseits aber gehört das Bild auch in den zentralen Vorstellungszusammenhang des vergeblich von seinem Untergrund wegstrebenden Tieres, mit dem
Josef K. kurz vor seinem Tode die Art seines Lebens zu umreißen sucht.

Es liegen nicht genügend triftige Gründe dafür vor, das Schlangen-Bild,
wie es K.-H. Fingerhut tut, vor allem als Zeichen der Geist-Inspiriertheit und
im Sinne der abendländischen Symboltradition zu verstehen. Entsprechende
Metaphern der Lebenszeugnisse lassen vielmehr erkennen, daß die Schlange
in ihrer unübersichtlichen, schnellen Beweglichkeit und sich schlingenden
Länge für Kafka ein Ausdruck für die Undurchschaubarkeit ihm autonom
entgegentretender innerer Zustände war. Ein weiterer Aspekt, der sich der
biblischen Sündenfall-Geschichte assoziiert, kommt in folgender Stelle zum
Ausdruck: »Verantwortungen weiche ich aus wie eine Schlange«. Eben diese
beiden Momente kennzeichnen nun doch auch die Gehilfen, sie erscheinen
K. manchmal wie ein »großes Knäuel«, sind rasch in ihren Bewegungen und
propagieren durchgehend Verantwortungslosigkeit, so daß man sagen kann,
K.s die Beziehung zu den Gehilfen einleitende Bemerkung fasse nur später
explizierte Eigenheiten konzis im Bilde zusammen, in einer Vorstellung zudem, die der epischen Integration förderlich war. [112]

Was den Adler betrifft, so kennzeichnen ihn als König der Vögel und als
in der Höhe Bauenden und Fliegenden naturgemäß Freiheit und Selbständigkeit – die übrigen Attribute, die nach des Dichters Auffassung Polak
eigen sein sollen –, kurz eine Lebensweise, die K. unzugänglich und von ihm

nicht zerstörbar ist; so interpretiert er ja selber das Klamm und dem Adler Gemeinsame. [113] Man vergleiche damit das Faktum, daß der Dichter die unveränderliche, weil mit Polak unlöslich verbundene Geliebte so hoch gestellt zu haben glaubte, daß sie ihm unerreichbar war. [114]

Auch die Tatsache, daß Erlanger die Rückführung Friedas in den Ausschank verfügt, kann auf Kafkas Beziehung zu Milena ausgerichtet werden. Daß Frieda wieder Klamm servieren soll, kann als Ausdruck für den bezeichnenden Sachverhalt gedeutet werden, daß Ernst Polak durch Kafkas Werben um Milena sich wieder mehr für seine Frau zu interessieren begann. Und wenn Klamms erster Sekretär als Ursache für seinen Befehl angibt, die Veränderung, die für Klamm dadurch entstehe, daß ihn jetzt manchmal ein anderes Mädchen bediene, könne für ihn möglicherweise eine ernstliche Störung darstellen, weil jede belanglose Modifikation der äußeren Lebensumstände in der genannten Weise wirke, so entspricht diese Begründung etwa der Erklärung, die Milena einmal dafür gab, ihren Mann nicht verlassen zu können: Sie äußerte, sie müsse ihm doch seine Stiefel putzen. Denn das ist eine der Tätigkeit eines Schankmädchens vergleichbare äußerliche Dienstleistung. Wie wichtig Kafka dieses Argument nahm, geht aus der großen Erregung hervor, in die ihn Milenas Einstellung versetzte.

Freilich wird sich noch zeigen, daß in Klamms Empfindlichkeit auch ein Eigenbild Kafkas vorliegt, was nicht so erstaunlich ist, wie es zunächst scheint. Denn das Schloß und seine Hierarchie muß in gewisser Weise noch subjektstufig, und das heißt als Darstellung des psychischen Apparates Kafkas, genommen werden. Und überdies bringt dieser Handlungszusammenhang zum Ausdruck, daß Polak, ganz im Gegensatz zu der in ihrem Volk verwurzelten Tschechin Milena, als Westjude qualitativ unter den gleichen Gesetzmäßigkeiten steht wie der Dichter selbst. [115]

Alle übrigen Momente der Relation zwischen K. und Klamm sind gleichfalls durch lebensgeschichtliche Ereignisse vorgeprägt: Wie der Landvermesser mit dem Bürovorstand, so wollte zunächst Kafka immer wieder mit Ernst Polak über Milena sprechen, und wie K. von Klamm Briefe erhält, so beabsichtigte Milenas Mann, dem Dichter zu schreiben. Dazu kommt, daß Frieda nicht will, daß K. mit Klamm spricht: Milena wollte verhindern, daß Kafka ihren Mann traf. K. ist sich nicht sicher, ob er Klamms Anblick ertragen würde, und Kafka bekennt zu einem späteren Zeitpunkt seines Verhältnisses zu Milena, nicht mit Polak reden zu können.

Schließlich wird in einer gestrichenen Partie des Romans eine fingierte Rede K.s vor Klamm mitgeteilt, die auch in einem Brief Kafkas an Polak stehen könnte: »Frieda liebt nicht nur mich, sondern auch Sie, in einer ganz anderen Weise freilich ... Daß in Friedas Herzen auch Platz für mich ist, versteht sie selbst nicht, und sie kann nur glauben, daß es einzig durch Ihren Willen möglich wurde ... Immerhin ist es nur eine Annahme, außerhalb derer nur der Gedanke bleibt, ich, ein Fremder, ein Nichts ... hätte mich eingedrängt zwischen Frieda und Sie.« Kafka war der Meinung, gegenüber

den weitläufigen Lebensbezügen Milenas und ihres Mannes eine zu vernach-
lässigende Größe darzustellen. Mit letzterem glaubte er sich zudem auf Leben
und Tod verbunden. Da Milena mit allen Sinnen Polak angehörte und ihr
stärkstes Leben aus ihm zog – eine Liebe, die sich aber »auf einer andern
Ebene«, nicht in Kafkas Bereich, abspielte –, muß es dem Dichter und natürlich auch Milena »unverständlich« bleiben, daß die Geliebte trotzdem die
Möglichkeit hat, ihm anzugehören, was nur eine andere Formulierung für die
Romanaussage ist, Friedas Liebe sei nur durch Klamm möglich; endlich
erwog Kafka, sich als Volksfremder störend in Milenas Verhältnisse eingedrängt zu haben. [116]

Die Art und Weise, wie Klamm im dritten Kapitel eingeführt wird, stützt
die aufgrund von späteren Stellen gegebene Ausdeutung der Figur: K. – und
dies ist die einzige Aktivität, die von ihm in dieser Erzähleinheit ausgeht –
fragt von sich aus und unvermittelt Frieda nach Klamm und beugt sich dabei
weit über den Schanktisch, um ihren Blick auf sich zu ziehen. Darauf bietet
sie ihm mit gesenkten Augen an, ihm den Vorstand zu zeigen. Ihr Blick
verrät Unsicherheit – »scheu und ängstlich« sei Milena bei jedem Brief
Kafkas und verstecke sich bei der geringsten Regung seinerseits hinter der
Tür –, weil sie innerlich nicht von Klamm loskommt. Schon sehr früh
brachte Kafka in einem Traum zum Ausdruck, daß Milena sich zugunsten
Polaks und seines Wiener Kreises mit einer plötzlichen Körperdrehung von
ihm abwandte. [117] Es ist auffällig, wie Kafka ein darin vorkommendes
Bild, mit dem er Milenas untergründige Distanz zu sich verdeutlichen wollte,
in dem Moment auf Frieda überträgt, wo diese schon mit K. gebrochen hat:
Das Schreckliche des traumhaften Gesprächs mit Milena seien nicht die
Worte gewesen, »sondern der Untergrund, die Zwecklosigkeit des Ganzen,
es war auch Dein fortwährendes stillschweigendes Argument: ›Ich will
nicht kommen. Was kann es Dir also helfen, wenn ich doch komme?‹«
Denn dies mutet wie eine Verdeutlichung einer Gesprächsäußerung Friedas
an, die bei ihrer letzten Begegnung mit K. aus innerer Abwesenheit erst
mühsam zu K. zurückfinden muß: »›Ich bin für den Ausschank wieder aufgenommen‹, sagte sie dann langsam, als sei es unwichtig, was sie sage, aber
unter den Worten führe sie noch ein Gespräch mit K., und dieses sei das
wichtigere.« [118]

Durch ein kleines, zu Beobachtungszwecken in einer Tür angebrachtes
Guckloch sieht K. Klamm im Nebenzimmer sitzen. Als K. Frieda fragend ansieht, weil sie zögert, in ihrem eben begonnenen Bericht über ihr Verhältnis
zu Klamm fortzufahren, schüttelt sie den Kopf und will nicht weiterreden.
Darauf sagt K., Frieda habe gewiß ihre Geheimnisse, über die sie natürlich
nicht mit jemandem rede, den sie »eine halbe Stunde lang« kenne und der
noch keine Gelegenheit gehabt habe, seine Verhältnisse darzulegen. Dies
bewirkt eine K. ungünstige Gesinnungsänderung bei Frieda, die jetzt das
Guckloch verschließt und in der Bedienung der Gäste fortfährt. K. muß das

Gespräch neu anknüpfen und sagt bei dieser Gelegenheit: »Sie sollten Klamm verlassen und meine Geliebte werden.«

Dieser Ablauf spiegelt die innere Dramatik der anfänglichen Beziehung zwischen Kafka und Milena. Wenn der Dichter in der Fortsetzung des schon zitierten Bildes von der Tür, hinter der man sich verstecken könne, meint, einer von ihnen brauche nur ein Wort zu sagen, dann habe der andere schon gewiß die Tür hinter sich geschlossen und sei nicht mehr zu sehen, so drückt sich darin die leichte Verletzlichkeit Milenas genauso plastisch aus wie in den analogen Bildvorstellungen des Romans (Schließen des Gucklochs und Sich-Entfernen von K.) diejenige Friedas. Vor allem aber: Milena hatte ja begonnen, ihre Verhältnisse Kafka darzulegen, als sie von seinen Lebensproblemen noch kaum etwas wußte, denn seine ersten Briefe verraten fast nichts davon. Der im Roman gegebenen Zeitbestimmung entspricht es, daß Kafka die Initialbegegnung im Caféhaus als »kleines vereinzeltes halbstummes Beisammensein« bezeichnete, wo Milena gewiß auch nicht viel über den Dichter erfahren konnte. Dafür, daß gerade die genannte Zeiteinheit gewählt wurde, mag verantwortlich sein, daß Milena einmal ausdrücklich dagegen polemisiert und auch vom Beischlaf als von einer verächtlichen Männersache sprach, die sich in einer »halben Stunde im Bett« vollziehe. [119]

Jedenfalls war sie über die Art und Weise, wie Kafka das ihm über ihren Mann Anvertraute bewertete, tief verletzt, und die Thematik in den darauf folgenden Briefen verlagerte sich auf Kafka – das Guckloch wurde geschlossen. Wenig später jedoch bat er sie, Geld von ihm anzunehmen und Wien und ihren Mann für einige Zeit zu verlassen.

Die Parallele zwischen Romantext und Milena-Beziehung schließt auch Klamms Dienerschaft ein, rohes Volk, das Frieda als »das Verächtlichste und Widerlichste« bezeichnet, das sie kenne, und das sie im Namen Klamms beherrscht. Die Lächerlichkeiten des Wiener Caféhauskreises, von Polak beherrscht, über den Milena geklagt hatte und an den sie doch gebunden war, mißfallen Kafka, weil er meint, Milena als Frau habe zu urteilen, mit wem sie verkehre; er habe aber den Eindruck, daß sie als überlegene Herrin die dort vorkommenden Kindereien verzeihe, die nichts weiter sind »als das Zick-Zack-Laufen der Hunde, während der Herr querdurch geht, nicht gerade mitten durch, sondern genau dort, wo der Weg führt«.

Wenn also Frieda das »Vieh«, dessen Gegenwart sie »zerrüttet«, mit der Peitsche in den Stall treibt – in einer für K. unverständlichen Angst beginnen die Diener, in den Hintergrund zu drängen, und verlassen den Ausschank –, so veranschaulicht Kafka hier Polaks Lebenskreis, freilich in einer für ihn bezeichnenden Ausdeutung.

Auf zwei Einzelmomente ist noch hinzuweisen. Wenn die Austreibung der wilden Knechte »im Namen Klamms« geschieht und diese bemerken, »daß es ernst war«, so ist man geneigt, hier an ein Wortspiel zu denken, weil Kafka im Briefwechsel mit Milena in dem Wort »ernst« den Vornamen Polaks wiedererkannte – »immer wieder schiebt sich ›ernst‹ in den Brief«, heißt es an einer Stelle. Vielleicht ist es deshalb nicht zufällig, wenn Pepi meint, daß Frieda hätte nicht versuchen können, mit einem der Knechte ihre Ehre, Klamms Geliebte zu sein, im Rausch einer neuen Liebe zu verwerfen, weil der so Auserwählte dann »nicht genug Ernst bewahrt« hätte.

Zweitens ist auffällig, daß es sich in diesem ersten Teil des dritten Kapitels um eine Szene handelt, wo Klamm sozusagen als Hausherr im Nebenzimmer schläft (Hans steht in der Wirtsstube manchmal wie verloren da), Frieda die der Hausfrau zukommenden Aufgaben der Bewirtung übernimmt und die Knechte im Mittelpunkt stehen, während die Wirtsleute selber außerhalb des Schankraums bleiben. So wird der Zusammenhang zwischen den Genannten, auf den es auch unter entstehungsgeschichtlichem Aspekt ankommt, anschaulicher vorgestellt. [120]

Daß nicht nur eine konkrete Begegnung, sondern auch eine Phase der Korrespondenz zwischen Kafka und Milena in derart minutiöser Weise zur Ausgestaltung einer Erzählszene beigetragen haben, wird dann leichter verständlich, wenn man bedenkt, daß schon den Briefwechsel selber bildhafte Deutungen des Verhältnisses kennzeichnen, also anschauliche Situationen, die von der gleichen poetischen Einbildungskraft erzeugt wurden, die den Roman hervorbrachte und dabei manchmal von derartigen Erzählkernen aus größere Zusammenhänge entwickelte. Zweitens aber war Kafkas Neigung zu mimisch-gestischer Präsentation, die ja die Grundlage seiner Szenengestaltung darstellt, so stark, daß er Briefe Milenas fast wie eine »Begegnung« empfand, wobei er die Körperbewegungen, die Hände, den Atem und die Augen der Briefpartnerin zu sehen glaubte; sich dies vorzustellen, wurde ihm auch deswegen nahegelegt, weil er ihr ausdrücklich versichert, alles, was sie sich über ihn vorstelle, müsse, wenn nicht gesprochen, so doch »gedacht, geblickt, gezuckt oder wenigstens vorausgesetzt werden«, also als Ausdrucksbewegung sichtbar sein. Man kann demnach sagen, daß die Umwandlung ins Szenische sich schon während des Briefverkehrs selber vollzieht, so daß beim Beginn der Niederschrift des Romans Material bereit lag, das teilweise schon die Gestalt von Erzählbausteinen hatte. [121]

Der Romananfang ist zeitlich unmittelbar aus dem Erlebnishorizont der Milena-Tragödie herausgewachsen, so wie *Der Verschollene* unmittelbar nach der Aufnahme des Briefwechsels mit Felice und der *Prozeß* direkt nach dem endgültig scheinenden Abbruch dieser Beziehung begonnen wurde. Denn nachdem Kafka schon im Herbst 1920 zu dem Schluß gekommen war, daß die Beziehung zu keinem befriedigenden Ende geführt werden konnte, begann er, um innerlich mit der damit verbundenen stärkeren Isolation fertig zu werden, nach längerer Abstinenz wieder mit literarischer Arbeit, die für ihn seit jeher eine schlechtere Alternative zur Ehe darstellte. Gleichzeitig versuchte er, Begegnungen mit Milena zu verhindern und den Briefwechsel zu beenden; dies gelang eine Zeitlang, weil er bis einschließlich August 1921 in der Hohen Tatra weilte. Jedoch kam es nach seiner Rückkehr und im folgenden Winter zu neuen Zusammenkünften und zum Austausch von Briefen.

Beide versuchten jetzt, sich über die Ursachen grundsätzlich klar zu werden, die zum Scheitern des Verhältnisses geführt hatten. Milena artikulierte ihre Ergebnisse teilweise in Artikeln, die Kafka als Leser anvisierten, er selbst in Tagebucheintragungen und im *Schloß*; er begann damit, wie im nächsten Kapitel gezeigt wird, im Februar 1922, also mitten in dieser Phase der Selbstprüfung und des Rückblicks, die ihm zwangsläufig die Anfänge seiner Beziehung zu Milena im scharfen Licht der weiteren Entwicklung zeigten. [122]

Die noch dem dritten Kapitel zugehörige nächtliche Liebesszene ist in ihrer Strukturierung ebenfalls mit dem Material des Milena-Erlebnisses zu erklären. Zunächst liegt K. auf dem Boden, und Frieda steht neben ihm hinter dem Pult. K. kann ihren Fuß berühren und fühlt sich von jetzt an vor dem nach ihm suchenden Wirt sicher. K. sieht also Friedas Fuß so nahe vor sich wie Kafka denjenigen Milenas in der schon zitierten Metapher, die die Unebenbürtigkeit der beiden aussagen sollte. Dann setzt das Schankmädchen seinen Fuß auf K.s Brust, so wie der Jäger der erlegten Tier [123], und küßt ihn, Ausdruck der Besitznahme.

Darauf kommt sie zu K. unter das Pult auf den Boden, obwohl sie meint, dort zu ersticken. Dem entspricht, daß Milena zu Kafka »herunter[zu]kommen« und sich mit ihm wie eine Maus in ihrer eigenen Wohnung vor dem Schritt des Hausherrn verstecken muß (Klamm wird gleich nach Frieda rufen) und daß der Dichter der Auffassung war, dort, wo er lebe, sei die Luft für andere nicht atembar. [124] Seltsam berührt auf den ersten Blick die nächste Phase der Annäherung: »wie ohnmächtig vor Liebe lag sie auf dem Rücken und breitete die Arme aus, die Zeit war wohl unendlich vor ihrer glücklichen Liebe ... Dann schrak sie auf, da K. still in Gedanken blieb ...« Schon daß Frieda das Licht abgedeckt hatte, ist nicht bedeutungslos – auch Josef K.s Geschlechtsverkehr mit Leni spielt sich in einem dunklen Zimmer ab –, denn für Kafka war die sexuelle Vereinigung eine Angelegenheit der Nacht, vor der er sich fürchtete; eine entsprechende Gestimmtheit mag K.s Zögern verursachen, vielleicht aber auch, wie aus einer gestrichenen Stelle erschlossen werden kann, die Tatsache, daß er rechnerisch die neue Lage einzuschätzen sucht; Kafka hat diesen Passus vielleicht wieder getilgt, weil er es zunächst, als er Milenas sicher war, noch ablehnte, die Möglichkeiten seiner Beziehung zu Milena, besonders im Hinblick auf Ernst Polak, zu durchdenken. [125]

Was nun Friedas Körperhaltung betrifft, so handelt es sich hier um eine Lieblingsvorstellung Milenas. In ihrem Aufsatz *Von Mensch zu Mensch*, in dem sie dazu auffordert, an der Seite eines Menschen zu leben und zu loben, was er zu tun imstande ist, heißt es auch: »Lagt Ihr schon einmal in einer Julinacht auf dem Rücken auf der Erde und saht nach den Sternen? Haltet es einmal etwa eine Stunde lang aus ... Ihr werdet sehen, was für eigenartige Gedanken Euch anfallen werden.« Dazu ist belegt, daß Milena während eines späteren Zusammentreffens mit Kafka in Gmünd (vgl. Abb. 15) am Abend auf der Wiese lag, während Kafka ihr mit wenig Erfolg bestimmte Seiten seines Wesens erklären wollte. [126]

Die endgültige Vereinigung vollzieht sich dann »in den kleinen Pfützen Biers und dem sonstigen Unrat, von dem der Boden bedeckt war«; dies nicht nur ein Bild für Schmutz und Ekel, die sich für Kafka mit dem Geschlechtsakt assoziierten, sondern auch seines besonders Milena gegenüber häufig geäußerten Grundgefühls, innerlich schmutzig zu sein. Kafka läßt K. in diesen Stunden gemeinsamen Atmens das Gefühl haben, »er verirre sich oder er sei so weit in der Fremde, wie vor ihm noch kein Mensch, einer Fremde, in der selbst die Luft keinen Bestandteil der Heimatluft habe, in der man vor Fremdheit ersticken müsse und in deren unsinnigen Verlockungen man doch nichts tun könne als weiter gehen, weiter sich verirren«. [127]

Auch für diese Zusammenhänge bieten sich lebensgeschichtliche Gegebenheiten an, die, was ihren Ausgangspunkt betrifft, nämlich das Zusammentreffen Kafkas und Milenas in Wien und seine Deutung durch die Geliebte, schon verdeutlicht wurden. Das Gefühl, in die Irre gegangen zu sein und sich zu weit von dem ihm zukommenden Lebensbereich entfernt zu haben, hatte auch Kafka während der Zeit, als seine Beziehung zu Milena schon problematisch geworden war. In Milenas Gegenwart sei er zwar glücklich, stolz, frei, mächtig und vor allem zu Hause gewesen, aber im Grunde sei seine Heimat das Dunkel des Waldes, »ich hielt die Sonne nicht aus, ich war verzweifelt, wirklich wie ein irregegangenes Tier«. K.s Seelenlage, von Pepi später bestätigt, repräsentiert also Kafkas endgültige Meinung über seine Beziehung; doch wären die damit zusammenhängenden Probleme im Roman nur einseitig repräsentiert, wenn nicht auch der andere Aspekt dort gestaltet würde, nämlich Kafkas Festigung durch Milena zu Anfang des Verhältnisses, die er auch in dem schon angeführten Bild betonte, wo Milena als Warnerin und Führerin auf Kafkas Lebensweg erscheint.

Dies ist auch wirklich der Fall, denn K. sagt im 13., *Hans* betitelten Kapitel zu Frieda: »Ehe ich dich kannte, ging ich ja hier ganz in die Irre.« Sogar Frieda, argwöhnisch durch die Deutungen geworden, die die Brückenhofwirtin K.s Handlungen unterlegt, muß zugeben, daß diese Aussage insofern zutreffend ist, als K., seit er Frieda kennt, »zielbewußt« geworden ist. Es ist verständlich, daß bei dieser Übertragung ins Fiktionale Kafkas endgültige Position der im Roman seltenen Ebene rückhaltloser Selbsterkenntnis K.s zugeordnet wurde, während die oberflächlichere Sicht der Dinge zur Aussage in einem Gespräch wird, in dem K. die schwankende Frieda zurückgewinnen will, auch wenn dadurch die reale Chronologie von Kafkas Erkenntnisprozeß auf den Kopf gestellt wurde. [128]

Das Gefühl des Nicht-atmen-Könnens erscheint auch unter dem Bild des Gewürgtseins. In einem kleinen Erzählfragment vom Herbst 1920 formuliert Kafka: »Alles fühlt den Griff am Hals.« Daß dieser Vorstellungszusammenhang ein Ausdruck für die Schwierigkeiten ist, die für ihn in seinen Beziehungen zu Frauen lagen, ist leicht zu zeigen. Was Felice betrifft, muß man darauf verweisen, daß er seine zu Atembeschwerden führende Lungenkrankheit als Symbol für seine geistige Lage nahm, und Milena gegenüber erklärt er in einem Brief über seine Angst vor der geschlechtlichen Vereinigung: »nur ihre Hand an meiner Gurgel kenne ich und das ist wirklich das *Schrecklichste, was ich jemals erlebt habe oder erleben könnte*«. [129] Die Detailanalyse des Werks bestätigt in einem wichtigen Einzelpunkt also die aus der Beachtung der entstehungsgeschichtlichen Daten des Romans gewonnene Einsicht, daß Kafka in einer Phase zu schreiben begann, wo er sich prinzipiell über die Ursachen, die zum Scheitern der Beziehung führten, klarzuwerden suchte, denn die Ergebnisse der nachträglichen Überprüfung sind schon als Ausgangspunkt des Verhältnisses zwischen K. und Frieda in den Erzähltext eingeflossen.

Auf zwei Einzelmomente sei noch ausdrücklich hingewiesen: Es ist auffällig, daß K. und Frieda selber später im Roman Gestik und Mimik ihrer ersten Begegnung reflektieren. Außer den schon in andern Zusammenhängen zitierten Beispielen sei noch angeführt, daß Frieda sich an den kindlich-eifrigen Blick erinnert, mit dem K. im Ausschank ihren Augen zu begegnen trachtete, und im gleichen Zusammenhang auch den hoffnungslosen Blick des Geliebten nach der ersten Liebesnacht richtig deutet, so daß sie aus der Diskrepanz des Augenausdrucks zwischen beiden Fällen den Schluß ziehen kann, sie habe K. in seinen Bestrebungen nur entmutigt und behindert. Auf Kafkas Biographie weist also nicht nur, daß die Erzählfiguren wie der Dichter selbst die erste Begegnung im nachhinein mimisch reflektieren, sondern daß Frieda wie Kafka aus dem Ausdruckswert der Augen die Art einer Beziehung zu begreifen suchen.

Zum andern ist eine bestimmte Art des Küssens in beiden Bereichen belegt: Kafka sieht Milena vor sich, über die Arbeit gebeugt, der Hals ist frei, er steht hinter ihr, wovon sie nichts weiß, und fühlt plötzlich, worüber sie nicht erschrecken möge, denn es sei nur hilflose Liebe, seine Lippen an ihrem Nacken. In einer Motiventsprechung dazu heißt es in einer gestrichenen Stelle zum 13. Kapitel: »K. ... küßte sie auf den Nacken, so daß sie zusammenzuckte«, und aus dieser Situation entwickelt sich dann eine recht kurz gehaltene Liebesszene. [130]

Die Aufgabe, das *Schloß* als Spiegelbild der Kafka in seinen letzten Jahren beschäftigenden Probleme zu erweisen, ist erst zu einem kleinen Teil gelöst. Es soll nun noch gezeigt werden, daß auch die übrigen Figuren des Romans und ihre Beziehungen zueinander ihre spezifische Ausprägung unter Verwendung von entsprechendem biographischen Material erhalten haben und daß sie auf der subjektiven Ebene bestimmte Aspekte des Autors und seiner Probleme zur Darstellung bringen sollen.

So spricht vieles dafür, daß die Gestalt der Brückenhofwirtin, Friedas einzige Vertraute, durch Milenas Freundin Staša und eine Zürauer Erinnerung konstelliert wurde. Wie Gardena hatte die Bäuerin Lüftner, eine Greisin, zehn

Jahre vor Kafkas Aufenthalt in dem Dorf, ihren Knecht geheiratet, der die Wirtschaft vernachlässigt; ebenso war Hans, dem jede Arbeitskraft mangelt, früher Pferdeknecht bei einem Großbauern. Als weitere biographische Determinante kommt Matliary in Frage. Dort lernte Kafka eine Mitpatientin kennen, eine Bauersfrau, die er als »mittelkrank« bezeichnet. Ihren Gesundheitszustand führt er auf übermäßige Arbeitsbelastung zurück, vor der schon früher der Arzt gewarnt habe; ganz entsprechend deutet Gardena ihren körperlichen Verfall. Wie gut es Kafka gelingt, derartige Reminiszenzen für das Romanganze nutzbar zu machen, zeigt sich gerade bei der zitierten Berufsangabe.

Sie empfahl sich vom Gefüge her, weil die Ehe der Wirtin wegen ihrer Bindung an Klamm ein Parallel- und Gegenbeispiel für K.s geplante Ehe mit Frieda bildet; denn die Beziehungen zwischen diesen Personengruppen wären klarer, und der Abstand, der K. von Hans trennt, wäre anschaulicher geworden, wenn die Hauptfigur ohne Frieda schließlich bei Gerstäcker Pferdeknecht geworden wäre.

Der Hinweis auf diese Zusammenhänge erklärt aber noch nicht genügend, warum Kafka gerade die erwähnte Züriauer Erinnerung als Vorbild für Hans und Gardena nahm. Die Antwort auf diese Frage muß lauten: Weil er in dieser Ehe – schon daß K. die Verbindung der Brückenhofwirtin mit ihrem Mann im Hinblick auf seine bevorstehende Heirat mit Frieda zu analysieren sucht, ist ein Hinweis auf diese Sicht der Dinge – darstellen wollte, wie seine eigene Lebensgemeinschaft mit einer Frau ausgesehen hätte. Schriftlichen Niederschlag gefunden haben derartige Erwägungen freilich nur in der Zeit, als er mit Felice korrespondierte, es ist aber kaum anzunehmen, daß er, der, wie sich eingangs dieses Kapitels zeigte, vielfach Kategorien seiner Beziehung zu Felice auf das spätere Verhältnis zu Milena übertrug, – es ist also naheliegend, daß sich seine Anschauungen in diesem Punkt nicht verändert hatten, im Gegenteil: Da zur Zeit, als er den Roman begann, mit baldiger Pensionierung zu rechnen war und Kafka überhaupt schon lange im Vergleich zu den Kriegsjahren nur noch sehr sporadisch berufstätig war, mußte er sich, wenn er sich als Ehemann vorstellte, noch mehr dem wenig tätigen Brückenhofwirt annähern.

In zwei Briefen nun malt Kafka seinen Adressaten aus, wie im Falle einer Heirat sein künftiges Leben verliefe. Nachdem er Felice drastisch vor Augen geführt hat, was sie durch eine Bindung an ihn alles verlöre, fährt er fort: »Statt daß Du Dich für wirkliche Kinder opfern würdest, was Deiner Natur als der eines gesunden Mädchens entsprechen würde, müßtest Du Dich für diesen Menschen opfern, der kindlich, aber im schlimmsten Sinne kindlich ist und der vielleicht im günstigsten Fall buchstabenweise die menschliche Sprache von Dir lernen würde.« In die Einzelheiten geht Kafka dann in einem Brief an Max Brod vom Juli 1916: »F. wird weiter arbeiten wie bisher und ich, nun ich, das kann ich noch nicht sagen. Will man sich allerdings das Verhältnis anschaulich darstellen, so ergibt sich der Anblick zweier Zimmer ... in einem steht F. früh auf, läuft weg und fällt abends müde ins Bett; in dem andern steht ein Kanapee, auf dem ich liege und mich von Milch und Honig nähre. Da liegt und streckt sich dann der unmoralische Mann (nach dem bekannten Ausspruch). Trotzdem – jetzt ist darin Ruhe, Bestimmtheit und damit Lebensmöglichkeit. (Nachträglich angesehn, sind das allerdings starke Worte, kaum dauernd niederzudrücken von einer schwachen Feder.)«

Nimmt man noch hinzu, daß er an Felice vor allem ihre Geschäftstüchtigkeit bewunderte, so findet man die wesentlichen Elemente der Wirtsleute im Roman hier vorgebildet: Nämlich die tüchtige Frau, die durch ihre Arbeitskraft das Anwesen hochbringt und für sich erwirbt, der nichtstuende Ehemann, der sich im wesentlichen selber pflegt und der durch Menschenscheu und Kindlichkeit ausgezeichnet ist; beides trifft ja auf Hans zu. Wenn man annehmen dürfte, daß Kafkas 1923 in Berlin gefaßter Plan, mit Dora zusammen in Palästina einen Restaurationsbetrieb zu eröffnen, in dem er sich als Kellner nützlich machen wollte, hypothetisch als Denkmöglichkeit schon einige Zeit bestand – auf seine Absicht auszuwandern, trifft das zweifellos zu –, so wäre sogar der Berufszweig von Gardena und Hans durch die Sehnsüchte des Dichters bestimmt worden. [131]

Als Milena durch das sich anbahnende Verhältnis zu Kafka innerlich unsicher wurde, wandte sie sich deswegen an ihre frühere Freundin Staša, die verheiratet war und, wie jetzt die Brückenhofwirtin, in wohlhabenden Verhältnissen auf einem Landsitz lebte; Kafka meint dazu, Milena habe zunächst nicht geradezu den Rat Stašas, wohl aber deren Gegenwart gewollt. Über Stašas briefliche Antwort an Milena, in der nach Kafkas Meinung der gegenwärtige Zustand seiner Geliebten für eine »Kapitulation« gehalten wird, äußerte sich der Dichter sehr kritisch – in dem Brief war auch von der gegenseitigen Liebe Milenas und Polaks die Rede –, obwohl dort auch die Möglichkeit eines Zusammenlebens mit Kafka angedeutet war. Als dieser zum erstenmal mit Staša sprach – ihren Mann hatte er schon vorher getroffen, der, wie der Dichter meinte, ihm mit Mißtrauen begegnet sei –, natürlich vor allem über Milena, fand er, ihr vielleicht ehemals vorhandenes »Himmelslicht« sei »ausgelöscht in fürchterlicher Vollständigkeit« und sie sei innerlich tot wegen ihres Mannes. Und ein Jahr später wußte er über diese erste Begegnung an Max Brod zu berichten: »Übrigens hat Staša mir gegenüber einen scharfen Blick gehabt, gleich bei der ersten Begegnung hat sie erkannt, daß ich nicht verläßlich bin.« Über ein späteres Zusammentreffen schreibt er, Staša habe eine wunderbar schöne Minute gehabt, als sie eine Photographie Milenas »eigentlich unverständlich lange und angestrengt und schweigend und ernst ansah«. [132]

Der mit diesen Vorgängen vergleichbare Verlauf im Roman stellt sich so dar, daß Frieda nach der ersten gemeinsamen Nacht mit K. diesen veranlaßt, gemeinsam die Brückenhofwirtin aufzusuchen; den Wirt, zu dem sich kein Vertrauensverhältnis einstellt, hatte K. schon bei seinem morgendlichen Ausmarsch näher kennengelernt. In dem sich anschließenden Gespräch zu dritt, das also den Kafka bekannten Briefverkehr der Freundinnen spiegelt, bezeichnet die Wirtin Frieda als »verwirrt vom Zusammentreffen zu vielen Glücks und Unglücks«, ist der Meinung, K. und ihre Freundin müßten sich heiraten, verlangt aber »Sicherungen«, weil sie dem Fremden, dessen Absichten man nicht kenne, nicht traut. Im *Zweiten Gespräch mit der Wirtin* hebt der Dichter die »Verfallenheit des Gesichts« bei K.s Gesprächspartnerin hervor – schon bei der Darstellung der ersten Zusammenkunft fällt dieser Begriff –, und sie selbst nennt sich zerstört. Zu ihren Kleinodien gehört eine Photographie Klamms – über mögliche Beziehungen Polaks zu Staša schweigen die Lebenszeugnisse –, und zu K.spricht sie in jenem »einheitlichen, tief überzeugten, leidenschaftlichen Geiste«, der Kafka an Staša auffiel. [133] Auch der erwähnte scharfe Blick Stašas kehrt im Roman in einer Bemerkung Friedas wieder, die meint, die Wirtin habe »einen so scharfen Blick für Menschen«. Dies ist auch deswegen keine zufällige Koinzidenz, weil diese Art des Schauens für Kafka eine auf wirklicher Beobachtung beruhende Kategorie war, die er den Frauen in der Regel absprach, weil ihnen der nötige innere Abstand zur Beurteilung menschlichen Verhaltens fehle: Er veranschaulicht zum Beispiel das distanzierte, lieblose Verhältnis der Eltern Karl Roßmanns zu ihrem Sohn dadurch, daß er Karl sich an eine Photographie erinnern läßt, auf der die Eltern ihn scharf anblicken. [134]

Die nächste Stufe der Entwicklung besteht auf der biographischen Ebene darin, daß Kafka fand, zwischen Milena und Staša bestehe »eine unglaubliche Vereinigung«, »fast etwas Geistliches, so wie einer, fast selbst ungerührt, denn er wagt nicht mehr zu sein als Vermittler, weitererzählt, was er gehört hat, was allerdings – dieses Bewußtsein wirkt mit und macht den Stolz und die Schönheit des Ganzen aus – nur er hat hören und verstehen dürfen«. Bei solcher Übereinstimmung ist es verständlich, daß Kafka Milenas ängstliche Bitte, er solle in bezug auf ihren Mann nichts selbständig unternehmen, wahrscheinlich, weil sie erst darüber sich mit Polak besprechen wollte, im Roman auch auf die Freundin Friedas übertragen konnte. Die Wirtin rät K., nichts zu unternehmen, bevor sie nicht mit Klamms Dorfsekretär gesprochen habe. [135]

Vor allem aber wirkt die Darstellung in dem Kapitel *Friedas Vorwurf* wie eine erzählerische Ausgestaltung dieser Vereinigung der beiden Frauen, denn Frieda vermittelt tatsächlich bloß die Anschuldigungen ihrer Freundin, so daß K. Friedas Aussagen nicht immer von denjenigen der Wirtin unterscheiden kann. Diese Übereinkunft ist K. feindlich, entsprechend der Vorstellung des Romans, die Eindrängung anderer Personen habe K.s Beziehung zu Frieda zerstört. Es ist die Wirtin, die sich in K.s Leben mischt, Frieda unterliegt fremden Einflüsterungen, »es gab Zeiten«, meint K. im Rückblick, »wo du von mir wegsahst, dich irgendwohin ins Halbunbestimmte sehntest, armes Kind, und es mußten nur in solchen Zwischenzeiten in der Richtung deines Blicks passende Leute aufgestellt werden, und du warst an sie verloren, erlagst der Täuschung, daß das, was nur Augenblicke waren, Gespenster, alte Erinnerungen, im Grunde vergangenes und immer mehr vergehendes einstmaliges Leben, daß dieses noch dein wirkliches jetziges Leben sei«. Gemeint sind natürlich auch die Gehilfen, Jugendfreunde Friedas, denen zuliebe sie ja tatsächlich ihren Blick von K. gewendet hatte. [136]

Was die Gespenster betrifft, so ist zu erwähnen, daß Kafka in einem auf März 1922 zu datierenden Brief an Milena sich darüber wundert, daß sie noch nicht über Gespenster geschrieben habe, die, eine allgemeine Plage der Menschen, auch sein Verhältnis zu ihr vergiftet hätten; wenn man die Inhalte der Briefe heranzieht, die er im nachhinein besonders verurteilte, dann ergibt sich, daß es sich um Rechtfertigungsketten oder um Wesensbestimmungen handelt, die ihr Material aus der Analyse früherer Verhältnisse beziehen. [137] Zur Tendenz der Aussage stimmt auch genau, daß Kafka das Unglück seiner Beziehung zu Milena auf die Einflußnahme anderer zurückführte: »Ich werde aber, wenn es nur irgendwie möglich ist, nichts mehr über andere Menschen schreiben, ihre Einmischung in unsere Briefe hat alles verschuldet.« [138]

Der weitere Ablauf der Beziehung zwischen Frieda und K. läßt sich ebenfalls auf Lebensdaten des Dichters beziehen. Ausgangspunkt im Roman ist eine große Liebe Friedas, die auch K. »vorwärtsgetragen« hätte, »wenn nicht hier im Dorf, so anderswo«; am liebsten jedoch wollte sie, von K. umklammert, in einem Grab liegen. Das Leben beider Partner nahm durch diese Liebe »einen ganz neuen Weg«, der Frieda, die ihre ganzen bisherigen Verhältnisse aufgeben muß, »taumeln« läßt, schon durch die Beachtung der Gehilfen und der Gedanken der Wirtin, und der K. in seinen Geschäften hindert.

Auch Milena liebte Kafka, schrieb von gemeinsamer Zukunft, schmiedete Reise- und Auswanderungspläne und müßte ebenfalls alles aufgegeben haben, um äußerlich und innerlich zu Kafka zu gelangen; und manchmal glaubt Kafka, die Wahrheit der Beziehung sei »ein Grab mit paar welken Blumen, offen, zum Aufnehmen bereit«. [139]

Daß Milena andererseits nicht zu Kafka nach Prag übersiedelte, unlösbar mit ihrem Mann verbunden ist, sich deswegen quält und unglücklich ist, kehrt genauso im Roman wieder wie ihre Meinung, Kafka sei an ihr zerbrochen, und seine Auffassung, er sei auch mit seinen Gegebenheiten unlösbar verbunden, gleichgültig über den Verlust Milenas, lügnerisch, voller Berechnung, habe sich Milena hinterlistig genähert und kenne keine Eifersucht. Dies sind zwar alles Aussagen Kafkas selbst, aber er unterschiebt sie ernsthaft seiner Briefpartnerin, wenn er schreibt: »Deine Klagen sind im Grunde die meinen« und über seinen Vorschlag, sich nicht mehr zu schreiben, meint: ». . . daß *ich* es gerade gesagt habe, war nur Zufall, Du hättest es ebensogut sagen können.« [140]

Die Parallele im Roman: Frieda, innerlich an Klamm und die von ihm gesandten Gehilfen gebunden, weigert sich, K. zu heiraten, und wird, wie ihr dauerndes Weinen zeigt, wegen ihrer Stellung zwischen den Genannten und

K. unglücklich. Sie glaubt, K. in seinen Geschäften gehindert zu haben, meint, er opfere um seiner Klamm und das Schloß betreffenden Ziele willen jedes menschliche Verhältnis, wirft ihm Unaufrichtigkeit, Berechnung, Vertrauensmangel und fehlende Eifersucht vor und schließt sich auch insofern der Meinung der Wirtin an, als sie zu wissen glaubt, daß K., wenn er nur zu Klamm sprechen darf, gleichgültig Friedas Verlust hinnimmt. [141]

Aktualisiert und dramatisiert wurde die Entwicklung einerseits durch Kafkas Zusammentreffen mit Milena in Gmünd, wo er sie vergeblich für seine Probleme zu interessieren suchte, wo es Mißverständnisse und Schande gab, wo er, der sich in diesem Punkte sicher glaubte, erkannte, daß er die Geliebte gar nicht mehr fest besaß, und wo diese, die sich teils vor dieser Zusammenkunft fürchtete, teils auch wieder dazu drängte, traurig war; Gmünd war der Grenzort zwischen Österreich und Böhmen (vgl. Abb. 15), wo man sich aus paßtechnischen Gründen traf; auf der Ebene des Zeichens ist es der Ort, der keinem der Partner zugehörte, zu dem aber Kafka als »Hausbesitzer« reiste. Auch das Schulhaus ist ein solcher Platz. Er gehört nicht wie die Wirtshäuser zum Bereich Friedas oder des Schlosses, aber natürlich auch nicht zu K., dem ortsfremden Landvermesser; erklärtermaßen ist es auch ein vorübergehendes Domizil, wobei ein Schulraum zweckentfremdet wird; trotzdem ist K., wenn man so will, nur hier im Roman Besitzer eines eigenen Hauswesens, hat er doch Wohnung, Beruf und Frau.

Frieda aber ist traurig, und wie ihr reales Pendant auf der biographischen Ebene sträubt sie sich anfänglich gegen die von K. gewünschte Aussprache, während sie ihn später, über den aktuellen Anlaß hinaus, damit bedrängt, er solle sie jetzt nicht verlassen, was auf eine Verfassung schließen läßt, die der eben genannten gegensätzlich ist. Auch hört Frieda nicht zu, während K. mit Hans spricht, den er sich zum Freund gewinnt; dem entspricht ja genau, daß Kafka klagt, er habe in Gmünd von einem »Freund« ohne Erfolg Milena erzählt. Was das schon dargestellte Fernerrücken Friedas betrifft, so muß man noch berücksichtigen, daß Milena damals verreiste, wodurch die Briefverbindung erschwert und eine neue Zusammenkunft vorläufig unmöglich wurde. [142]

Als weitere Determinanten dieses Romanteils kommen zwei Episoden in Frage, in denen Milena bekannte Frauen eine wichtige Rolle spielen, die im Briefwechsel des Dichters mit der Geliebten eine starke Zäsur bilden und damit auch zum Umschwung der Verhältnisse beitrugen. Das 13., *Hans* überschriebene Kapitel ist, so könnte man sagen, die erzählerisch ausgestaltete Kontamination dieser Ereignisse, eine Gestaltung, die noch mit Zügen Milenas angereichert wurde. Man hat nämlich davon auszugehen – ein in großer Dichtung sehr übliches Verfahren *(Faust)*, das Kafka aus der Verfahrensweise seiner literarischen Umwelt genauestens bekannt war [143] –, daß die mit einer Person verbundenen Probleme in einem literarischen Werk auf verschiedene Figuren verteilt werden. Abstrakte seelische Probleme werden dadurch in konkreten Personen und deren Konstellationen veranschaulicht.

Schon im *Urteil* war Kafka offensichtlich so verfahren, indem er sein Verhältnis zu Vater und Ehe in zwei epische Handlungsträger, nämlich Georg und seinen Petersburger Freund, aufspaltete. [144] Entsprechendes geschieht im *Schloß* mit Milena, die nicht nur in Frieda, sondern auch in Gisa, der Lehrerin, und Hansens Mutter, Brunswicks Frau, verkörpert ist, deren Bild freilich unvollständig bleiben muß, weil ihre von Kafka geplante Begegnung mit K., die näheren Aufschluß über ihr im Roman singuläres Schicksal gebracht hätte, erzählerisch nicht mehr gestaltet wurde.

Kafka hat natürlich dafür gesorgt, daß die drei Frauengestalten aufeinander bezogen sind. Gisa fühlt sich als Friedas Vorgesetzte, und diese sagt bezeichnenderweise, in K.s Verhalten gegenüber Hansens Mutter sehe sie ihre eigene Vergangenheit und Zukunft.

K. bemerkt Frau Brunswick zum erstenmal, als er sich bei seinem vergeblichen Versuch, aus eigener Kraft das Schloß zu erreichen, kurz beim Gerbermeister Lasemann erholt, denn dort sind die Brunswicks zu Besuch. Sie sitzt, müde und leblos, angetan mit einem seidenartigen Kleid und Kopftuch und in besonderer Beleuchtung – Hinweise auf ihre Herkunft aus dem Schloß, derer sie K. gegenüber mit einer wegwerfenden Handbewegung gedenkt – in einem hohen Lehnstuhl, einen Säugling an der Brust und die blauen Augen unbestimmt in die Höhe erhoben. Später erfährt K. von Hans, der ihn im Turnzimmer aufsucht, von einer undefinierbaren Krankheit der Mutter, die, auffallend blaß und schwach, die Luft im Dorf nicht vertrage, schon nach K. gefragt habe, freilich »im allgemeinen mit niemandem sprechen« wolle; K. bietet seine medizinischen Kenntnisse an, die, so muß man vermuten, auf homöopathischem Gebiet liegen, und empfiehlt einen Ortswechsel. Brunswick, der größte Schuster im Dorf, müsse die Kosten eines solchen Erholungsaufenthalts nicht scheuen. Nachdem der Vorschlag K.s, beim Haus Brunswicks zu warten und auf ein Zeichen Hansens hereinzukommen, abgelehnt wird, weil Hans darauf besteht, daß erst die Mutter informiert werden müsse, wird vereinbart, daß Hans K. holen wird, wenn der Vater, den K. in eigenen Angelegenheiten ebenfalls sprechen will, abwesend ist. [145]

Diese Erzählmomente lassen sich ausnahmslos im Milena-Bild Kafkas und den beiden mit ihr innerlich zusammenhängenden Episoden wiederfinden.

Kafka stellt sich Milena pointiert in einem Sessel sitzend vor, spricht von ihr als Mutter und sieht sie einmal sogar mit Kind vor sich; ihre blauen Augen erwähnt er ausdrücklich. M. Buber-Neumann, die spätere Freundin Milenas, schreibt in völliger Übereinstimmung zum Befund im *Schloß*: »Die mattschimmernde Haut war immer etwas bleich. Ihre Züge erweckten mehr Erstaunen als Entzücken. Man wurde gefangengenommen von den starken, blauen, durchdringenden Augen, die ihre Tönung nicht von dunklen Wimpern und Brauen erhielten, sondern aus sich heraus strahlten.« [146]

Gleich in ihren ersten Briefen erfuhr Kafka von einer Lungenerkrankung Milenas, die er als Mahnung, aber nicht als richtige Erkrankung auffaßte. Sie müsse jedenfalls ihre Lebensweise neu einrichten, »auch ganz nahe bei Wien gibt es doch schöne Aufenthalte und manche Möglichkeit«, für Milena zu sorgen, ist sie doch nicht heimatlos wie andere Leute.

Die Übereinstimmung mit dem Roman geht bis ins Detail: K. meint, schon eine zeitweilige Übersiedlung ins Schloß, wo Verwandte seien, also Volksgenossen und damit Heimat, werde Hansens Mutter guttun. Auch greift Kafka, ein strenger Anhänger der Naturheilkunde, die Milena betreffenden medizinischen Befunde an. [147]

Man muß annehmen, daß Brunswicks Frau aus dem Schloß verstoßen wurde, denn obwohl sie von dort stammt, war Hans noch nie dort und schweigt beharrlich auf K.s wiederholte Frage, ob seine Mutter das Schloß kenne; auch die Art ihrer Handbewegung beim Zusammentreffen mit K. und ihre Krankheit sprechen für eine derartige Deutung. Ebenso erging es Milena, deren patriotischer Vater das Liebesverhältnis seiner Tochter mit einem deutschen Juden mißbilligte und deswegen nach deren Heirat alle Beziehungen zu ihr abbrach. Sie verließ mit Polak die geliebte Heimat Prag, vereinsamte aber in dem ihr fremden Wien. [148]

Dem überlagern sich nun zwei Episoden, die Kafka das »Jarmila-Verständnis und -Mißverständnis« und die Vlasta-Angelegenheit nennt. Jarmila, eine Milena bewundernde Schulfreundin, die diese in allem imitierte, war lange mit Willy Haas befreundet, der sie 1921 heiratete. (Es besteht Grund zu der Annahme, daß nicht nur Staša, sondern auch Jarmila, dann Milenas einzige Wiener Freundin, eine Frau Kohler, und die Leiterin des Sanatoriums in Matliary, Jolan Forberger, zur Strukturierung der Gestalt Gardenas beigetragen haben.) [149] In seiner Begleitung sah Kafka, als er auf dem Weg zum Rudern war, Jarmila zum erstenmal, die ihrerseits Kafkas Lieblingsschwester Ottla schon von einer Prager Schwimmschule her kannte. Aus den Andeutungen der Milena-Briefe und den Lebenserinnerungen von Willy Haas ist zu schließen, daß Jarmila die Frau eines Redakteurs war, der wegen ihres Verhältnisses zu seinem Freund Willy Haas Selbstmord beging. Verzweifelt, von ihrem Geliebten fast ganz verlassen, schrieb sie einen Brief an Milena, den diese Kafka zur Beurteilung vorlegt. Er meinte dazu, Jarmila sei »in der Unterwelt«, müde, vielleicht sogar verwirrt oder irrsinnig, denn ihr Schicksal bringe auch ihn selbst und Milena aus der Fassung; müßte er ihr jetzt gegenübertreten, wäre er gewiß sehr aufgeregt.

Diese Aussagen muß Milena übelgenommen haben, denn später, nachdem Milena Erklärungen über ihre Freundin abgegeben hatte, heißt es: »Über Jarmila zu urteilen habe ich gar kein Recht, ich wage nichts mehr zu sagen und was ich gesagt habe, streiche ich.« Trotzdem wurde Kafka von Milena wenig später beauftragt, zu Jarmila zu gehen, denn verschiedene Personen in Prag hatten Briefe mit Milenas Handschrift erhalten, die aber nicht von dieser stammten. Vermutlich war Jarmila die Schreiberin; Kafka bekam den Auftrag, diese wohl inzwischen wieder an die Absenderin zurückgegangenen oder von ihr gesammelten Briefe zu vernichten, was aber schon geschehen war. In seinem diesbezüglichen Bericht an Milena schreibt Kafka, Jarmila sei bleich und vielleicht überhaupt nur dem Tod ähnlich und ihre ausdrucks-losen Augen seien in der Unmöglichkeit einer solchen Ausdruckslosigkeit wieder sehr ausdrucksvoll; auch seien ihre Hände lebhaft. Jarmila sitzt fort-während zu Hause, spricht mit niemandem, scheint Kafka »schonungsbe-dürftig« und traurig; sie hatte schon daran gedacht, Kafka aufzusuchen, um wenigstens mit jemandem sprechen zu können, der von der Brief-Affäre wußte, so daß sie aufrichtig froh war, als er kam. [150]

Die Einbeziehung dieser Zusammenhänge in den Roman lag für Kafka nicht nur deshalb nahe, weil Jarmila als Milena ähnliche Erscheinung einen weiteren Aspekt der Geliebten darzustellen vermochte, sondern vor allem, weil ihn ihr Schicksal als Dreiecksbeziehung zuzeiten an sein eigenes, da-mit vergleichbares Verhältnis zu Milena und Polak erinnerte. Jedenfalls ist es kein Zufall, daß auch Brunswicks Frau »leblos« und »müde« ist und auf K. traurig wirkt. Dazu geht sie »kaum aus dem Haus« und will »mit nieman-dem sprechen«, sie ist, dies gleichfalls eine wörtliche Übereinstimmung, »schonungsbedürftig« und hat nach K. gefragt, weil sie mit ihm sprechen will.

Obwohl sich Frau Brunswicks Haltung während K.s Besuch bei Lasemann nicht verändert – Kafka vergleicht Jarmila bezeichnenderweise mit einer Statue –, macht sie dann doch eine differenzierte Handbewegung, die zu Jarmilas gestischer Lebhaftigkeit paßt. Sogar daß Frieda in K.s Verhalten gegenüber Frau Brunswick, das von ähnlicher emotionaler Gespanntheit ist wie dasjenige des Dichters gegenüber Jarmila, ihr eigenes Schicksal abliest und K.s Auffassung der Dinge mißbilligt, hat seine biographische Entspre-chung und enthüllt eigentlich erst dort, wo die Zusammenhänge vollständi-ger faßbar sind, seine wahre Bedeutung.

Jarmila verließ ja dann mit Willy Haas (vgl. Abb. 18) zusammen Prag, der sein Studium abbrach und in Berlin Journalist wurde, wenn man so will sich also wie Brunswick selbständig machte und ein »Schreier« wurde. Daß Brunswick auf der Ebene der Subjektivität gleichzeitig denjenigen Aspekt in Kafkas Wesen verkörpert, der zunächst für sein Eintreten in die Gemein-schaft kämpft, dann aber eine gegenteilige Position einnimmt (indem er erst die Berufung eines Landvermessers fordert, dann aber K. bei Lasemann aus-gesprochen unfreundlich entgegentritt), paßt vollständig in die aufgezeigten wirklich vorhandenen Personenkonstellationen, nahm Willy Haas, dessen Neigungen übrigens in eine sehr ähnliche Richtung gingen wie bei dem mit ihm vergleichbaren Ehemann [151], doch in der Dreiecksbeziehung zu der Ehe des Redakteurs genau die gleiche Position ein wie Kafka zu der Ehe Polaks.

Denn zunächst mochte er, wie Kafka in seiner Beziehung, an einen glück-lichen Ausgang der Dinge glauben, nach dem Tod seines Kontrahenten spä-testens müssen ihm (und Kafka) die Schwierigkeiten aufgegangen sein, die ja auch zunächst zu einer Lockerung seiner Bindung an Jarmila führten.

Daß er die Ehe mit Jarmila dann doch einging – es wurde dies aber eine unglückliche Angelegenheit –, feierte Kafka als große Tat (und mußte auch zur Folge haben, daß Brunswick verheiratet ist), was zeigt, wie sehr der Dichter noch ein Jahr später innerlich an diesen Vorgängen beteiligt war.

In neuem Licht erscheint auch die Aussage von Willy Haas, er habe das *Schloß* in sich aufgenommen, »wie man ein völlig vertrautes Panorama seiner eigenen Jugend liest, in dem man jeden versteckten Winkel, jede Ecke, jeden staubigen Korridor, jede Laszivität, jede noch so delikate entfernte Anspielung sofort wiedererkennt«. [152]

Unter entstehungsgeschichtlicher Sicht hätte man also anzunehmen, daß bei der geplanten Begegnung zwischen K. und Hansens Mutter eine frühere Ehe beziehungsweise eine Liebesgeschichte Frau Brunswicks im Schloß zur Sprache gekommen wäre. Nur in diesem Fall wären ihre Verhältnisse ein Spiegel derjenigen K.s (und Kafkas), wie das ja bei den näher erläuterten Lebensumständen der Brückenhofwirtin und der Familie des Barnabas der Fall ist. Ansatzpunkte für eine derartige Fortsetzung der Brunswick-Handlung gibt es auch im Erzählgang: Hans Brunswick sieht seiner Mutter auffällig wenig ähnlich, und er ist in gewisser Weise gegen seinen Vater eingestellt; auch fehlt es diesem offenbar an Verständnis seiner Frau gegenüber, so daß die Ehe als unglücklich bezeichnet werden muß. [153]

Nun noch die andere Episode. Um Milenas äußere Verhältnisse zu bessern, hatte Kafka mit Vlasta, der Assistentin von Milenas Vater, der ein wohlhabender Kiefernorthopäde war, Kontakt aufgenommen. Ein Sanatoriumsaufenthalt Milenas sollte unterstützt werden, oder sie sollte ein Abonnement auf einen Mittags- und Abendtisch erhalten. Diese Intervention rief Milenas äußerste Empörung hervor, denn sie fühlte sich in ihrem Stolz und ihrer mühsam erworbenen Selbständigkeit vom Vater bedroht. Kafka sah ein, daß er einen Fehler gemacht hatte: »... wenn Du ... mir etwas gleichwertiges an Rücksichtslosigkeit, Scheuklappen-Verbohrtheit, Kinder-Dummheit, Selbstzufriedenheit und sogar Gleichgültigkeit getan hättest, wie ich Dir durch das Gespräch mit V., ich wäre besinnungslos geworden«. Er fand aber, daß beide und keiner Schuld habe; später versuchte er sich mit den guten Absichten, die er gehabt habe, zu rechtfertigen. Er schreibt über die unmittelbare Wirkung, die Milenas Reaktion bei ihm auslöste: »Das deutlichste war, daß Du mich schlugst«. [154]

Innerhalb dieses Erlebniszusammenhangs scheint nun Vlasta, die in gewisser Weise jetzt Jesenskýs Kind war, für Hans zu stehen – dies war übrigens auch der Vorname von Milenas Vater – und Brunswick für den Kiefernchirurgen und Gesichtsplastiker: Dessen Unverständnis der verliebten Tochter gegenüber kehrt in der Grobheit Brunswicks wieder, der feinere erotische Regungen der Dorftöchter nicht versteht; die fast verbrecherischen Mittel, mit denen Milenas Vater unter Ausnutzung persönlicher Beziehungen seine Tochter von Polak fernzuhalten suchte, in der intriganten Natur des Schusters, der zur Erreichung seiner Ziele Verwandtschaftsbeziehungen zu den Behörden ausnützt; und schließlich entsprechen seine hohen beruflichen Fähigkeiten

(Professor und berühmter Gelehrter) – er hatte sich mit eisernem Fleiß hochgearbeitet –, seine abendlichen Besuche eines Klubs und sein cholerisches Temperament ähnlichen Momenten in Brunswicks Vita: Er ist der größte Schuster im Dorf (und ist es wirklich Zufall, daß dieser Beruf in einer derartigen Dorfgemeinschaft mit dem des Orthopäden in Personalunion verbunden ist?), doch mußte er sich diese Position erst erringen, besucht abends den »Herrenhof« und hat, wie der Auftritt mit K. auch zeigt, ein ungezügeltes Temperament; außerdem besitzt er eine Tochter Frieda, deren Namen auf K.s Geliebte (und damit auf Milena) verweist, und eine blasse, leblose Frau, deren Krankheit undurchsichtig ist und durch Luftveränderung geheilt werden soll – Jesenský hatte eine anämische Frau, die starb, als Milena dreizehn Jahre alt war. [155] (Und wieder ist zu fragen: Kann es Zufall sein, daß K. am Morgen Brunswick beim Baden antrifft, wenn man weiß, daß Milenas Vater täglich zu dieser Zeit kalt badete? [156])

Innerhalb dieses Beziehungsgefüges ist es dann nicht weiter erstaunlich, daß Frieda an dem Morgen im Schulhaus K. einer Prügelstrafe durch den Lehrer aussetzt (wie erwähnt, fühlte sich Kafka in einer entsprechenden biographischen Episode von Milena geschlagen), daß Hans wünscht, erst ein Einverständnis mit der Mutter herzustellen, bevor K.s Vorschläge wegen eines Treffens verwirklicht würden (denn Vlasta hatte den Einfall, daß sie, ohne zunächst Milenas Vater etwas von den durch Kafka vermittelten Kenntnissen zu sagen, erst mit Milena in Verbindung treten und dann mit dem Vater sprechen wolle [157]), und daß K.s ursprünglicher Plan vorsah, daß er in der Nähe von Brunswicks Haus versteckt auf ein Zeichen von Hans warten sollte, das Brunswicks Abwesenheit und die Bereitschaft der Mutter, K. zu empfangen, signalisiert hätte (denn Kafka hatte bei einer weiteren Begegnung mit der Assistentin diese morgens vor Dienstantritt vor dem Haus Jesenskýs abgefangen, um von diesem unbemerkt mit ihr über Milena sprechen zu können). [158]

Vor allem aber sind auch die Selbstanklagen Kafkas über sein Fehlverhalten bei Vlasta mit erstaunlicher Genauigkeit als Anklagen Friedas (Milenas) über K.s Verhalten Hansens Mutter gegenüber in den Roman eingegangen: Rücksichtslosigkeit: Frieda sagt, aus K.s Reden habe nur »gänzlich unverdeckt« die Rücksicht auf seine Geschäfte gesprochen. Scheuklappen-Verbohrtheit: In der Rechtfertigung seines Verhaltens fragt K. Frieda, ob sie nicht mehr wisse, wie um »das Vorwärtskommen gekämpft werden muß … Wie alles benützt werden muß, was irgendwie Hoffnung gibt«. Wie sich ja überhaupt K. durch nichts von seiner Absicht, zu Klamm zu gelangen, abbringen läßt. Kinder-Dummheit: Frieda nennt K.s Verhalten Hans gegenüber »kindlich«. Selbstzufriedenheit: In ihr, meint Frieda, glaube K. ein zuverlässiges Mittel zu haben, um »sogar mit Überlegenheit« zu Klamm vorzudringen, auch zweifle er gar nicht an ihrem Besitz. Und endlich Gleichgültigkeit: Da K. an Frieda nichts liege, ist es ihm »gleichgültig«, daß sie die Stelle im »Herrenhof« verliert, »gleichgültig«, daß sie auch den »Brückenhof«

verlassen muß, und »gleichgültig«, daß sie die schwere Schuldienerarbeit leisten muß. [159]

Man kann sogar K.s phantastische Überlegungen, Brunswick auf seine Seite zu bringen und gegen den Dorfvorsteher auszuspielen, falls es zu einer erneuten Konfrontation der beiden und ihrer Anhänger kommen sollte, sinnvoll auf biographische Konstellationen beziehen: Innerhalb des Jarmila-Haas-Geflechts wäre Brunswick der Mann, der, selber verheiratet, vor den Schwierigkeiten eines Zusammenlebens mit einer verheirateten Frau warnt, als Milenas Vater ist er derjenige, der natürlich auch gegen die Verbindung seiner Tochter mit dem krummen Westjuden Kafka (dies eine Selbstprädikation des Dichters) einiges zu sagen hätte. Nimmt man hinzu, daß Kafka Milenas Vaterproblem durchaus mit seinen eigenen diesbezüglichen Lebensschwierigkeiten parallelisiert hat und Brunswick eben nicht nur als Ehemann erscheint, sondern auch als Vater – von einer blassen Impression abgesehen der einzige, der kleine Kinder hat –, was für Kafka der Inbegriff des Gemeinschaftslebens war, weil dies den Wertvorstellungen seines jüdisch-patriarchalischen Vaters entsprach, – dies alles also übertragen auf die Ebene der Subjektivität bedeutet doch, daß K. in vollkommener Verkennung seiner Lage – »so spielte er mit den Träumen und sie mit ihm« – die gemeinschaftsfeindlichen Kräfte in sich zu besiegen trachtet – oder daß er meint, wie Brunswick werden zu können.

K. Hoffer, der in seiner Arbeit über *Das Bild des Kindes im Werk Franz Kafkas* Hans Brunswick besondere Aufmerksamkeit schenkt, deutet auf der rein immanenten Ebene das Verhalten des Jungen im Sinne Freuds: »Hans schafft sich, um den Vater aus seiner – vor allem gegenüber der Mutter eingenommenen – Vormachtstellung zu drängen, in K. einen zweiten Vater und damit einen weiteren, in der Zukunft zu bekämpfenden Rivalen. Tatsächlich kommt es auch in demselben Augenblick, da K. sich entsprechend seiner ihm übertragenen Funktion verhält, als er sich um Hansens Mutter zu bemühen beginnt, zu einer – der ödipalen Rollenverteilung gemäßen – Reaktion Hansens: Nun hätte er am ›liebsten die Mutter vor jedem Blick und Wort K.s bewahren wollen‹«. Hier ist also die Anfangsphase einer Entwicklung gezeigt, die, wie dann im *Urteil* und der *Verwandlung*, zu einer Umkehrung der natürlichen Machtverhältnisse zwischen Vater und Sohn führen kann. Der Sohn bemächtigt sich der väterlichen Pflichten und Rechte und fällt ohne Rücksicht auf Einwände für sie wichtige Entscheidungen, selbst die drohende Strafe kann Hans von seinem Weg nicht abhalten. Sein Rollenbewußtsein kommt auch in der Vorstellung zum Ausdruck, die sich K. von ihm macht. Er fühlt sich als Schüler dem als Lehrer auftretenden Jungen gegenüber fast unterlegen. [160]

Insofern K., wie auch sonst im Roman, kindliche Züge trägt und ebenfalls um Frauen gegen männliche Rivalen zu kämpfen hat, fügt sich Hans in die Reihe der Parallelfiguren zum Landvermesser ein, die die Erfolgsmöglichkeiten einer derartigen Auseinandersetzung auf anderen Ebenen und unter den verschiedensten Bedingungen beschreiben. Man könnte sagen, daß Kafkas lebenslange Kämpfe mit seinem eigenen Vater und ihre literarische Darstellung ein verfestigtes Muster hervorbrachten, das wahrscheinlich schon die Wahrnehmung der Ereignisse um Jarmila und Vlasta konstellierte und deswegen bei ihrer Verwendung im Roman strukturbestimmend war.

Bleibt zu zeigen, daß tatsächlich auch die Gisa-Schwarzer-Beziehung aus dem Material des Milena-Erlebnisses aufgebaut ist. Milena gab Stunden – entsprechende Inserate formulierte und bezahlte Kafka – und unterrichtete sogar in Schulen, sie ist also wie Gisa auch Lehrerin gewesen. Die schon beschriebene häufige Lehrer-Schüler-Metapher und der Vorstellungszusammenhang Schule in den *Briefen an Milena* ist demnach nicht nur durch Kindheitserfahrungen des Dichters, sondern auch durch Gegebenheiten der Partnerin bestimmt. Kafka wünscht sich, Milenas Schüler sein zu dürfen, will, nur eine Stunde lang, einen Fensterplatz in der letzten Reihe haben, dann verzichte er gern auf alles weitere. Schwarzer, der von der Gemeinde zum Hilfslehrer ernannt worden war, übt dieses Amt hauptsächlich in der Weise aus, »daß er fast keine Unterrichtsstunde Gisas versäumte, entweder in der Schulbank zwischen den Kindern saß oder, lieber, am Podium zu Gisas Füßen«. Was sich Kafka wünscht, wird von Schwarzer erzählt!

Wenn es weiter heißt, Schwarzer habe weder Zuneigung noch Verständnis für die Kinder und übernehme nur den Turnunterricht, so fühlt man sich daran erinnert, daß Kafka während der Niederschrift des Romans dauernd von Kindergeschrei gestört wurde und daß er ein begeisterter Anhänger der Gymnastik war. Wenn der Hilfslehrer damit zufrieden ist, »in der Nähe, in der Luft, in der Wärme Gisas zu leben«, so kennzeichnet eine solche unaggressive Liebe, die vom andern nicht Besitz ergreifen will, auch Kafkas Beziehung zu Milena; denn der Geschlechtsakt war für ihn, wie er ihr ausführlich darlegt, mit Schmutz und Ekel verbunden; viel lieber wollte er still in Milenas Umgebung leben, etwa als Schrank in ihrem Zimmer. Und wenn es als großes Vergnügen für Schwarzer bezeichnet wird, daß er »Kopf an Kopf« neben Gisa sitzen und mit ihr Hefte korrigieren kann, so wiederholt sich darin Kafkas Verlangen, »Schläfe an Schläfe« mit Milena etwas zusammen zu lesen. [161]

Gisa liebt das Alleinsein über alles und ist am glücklichsten, »wenn sie sich zu Hause in völliger Freiheit auf dem Kanapee ausstrecken konnte«, und für Kafka war es, wie er Milena schreibt, eine Voraussetzung zum Leben, allein in einem Zimmer sein zu können, er hatte, wenn er an Milena dachte, immer »als klarste Vorstellung«, daß sie in bequemer Rückenlage im Bett liege. Schließlich passen Schwarzers beschäftigungsloses Sich-Herumtreiben und seine Besuche in der *Löwengasse*, wo Gisa wohnt, zu Kafkas auf Milena bezüglichen Lebensgewohnheiten. Auch er bestimmt seine Lebensform als Sich-Herumtreiben, und tagelang strich und ging er in Gedanken um die Geliebte herum; und als er dann in Wien war, gehörte zu seinen »Sehenswürdigkeiten« vor allem die Lerchenfeldstraße (auch ein Tiername), wo Milena wohnte.

Man geht wohl nicht fehl in der Annahme, wenn man in Gisa eine Art idealisierter Milena erblickt, der solche Eigenschaften zugeschrieben werden, die ein Zusammenleben mit Kafka ermöglicht hätten. Dabei richtet sich Kafka offenbar an einem ganz bestimmten Liebesideal aus, das sich für ihn bei Aufenthalten in Zuckmantel, Riva und Matliary (also in beträchtlicher Nähe zur Entstehungszeit des Romans) realisiert hatte: »Immer nur das Verlangen zu sterben und das Sich-noch-Halten, das allein ist Liebe«, heißt es in einer auf den zweiten Riva-Aufenthalt (1913) bezüglichen Tagebuchnotiz, in der die »Süßigkeit« reflektiert wird, die es für ihn bedeutete, von G. W. beim Bootsfahren angelächelt zu werden, einem (wie Milena) viel jüngeren Mädchen eines anderen, christlichen Volkes, mit dem er sich vertraut fühlte, ohne daß es zur geschlechtlichen Vereinigung gekommen wäre.

In diesem Punkt war die Beziehung zu Milena gleichsam auf einer Grenzscheide – Kafka spricht von einer »Grenzdurchbrechung«, um eine Art körperliche Verbindung mit Felice anzudeuten –, die es erlaubte, die Geliebte sowohl als Frieda und als Gisa erzählerisch zu entfalten, denn nach den Lebenszeugnissen scheint es, daß zwischen ihm und der leidenschaftlich fordernden Tschechin zwar keine völlige Vereinigung zustande gekommen sei, daß der Dichter aber das Geschehene zumindest als solche ansah. [162]

Mit der Schweizerin am Gardasee jedenfalls erlebte Kafka Liebe als, verglichen mit dem Herkommen, schwächste Form der geschlechtlichen Partnerverbindung, als völliges Zurückziehen des Triebs auf sich selbst, als ein derartiges Aufgeben von Aggression und Wille, daß jeden Augenblick der Umschlag in Todessehnsucht erfolgen konnte.

Ähnliches geschah ihm im Frühjahr 1921 in der Hohen Tatra: Auf einsamen Spaziergängen mit einem Mädchen galt für ihn, was man von den Tafeln der Könige sagt: »sie bogen sich unter der Fülle.« Und dies, obwohl äußerlich nichts geschah: »kaum ein Blick, das Mädchen merkte vielleicht gar nichts«. Von großem innerem Reichtum war diese Beziehung – das meint die Metapher –, obwohl man nur nebeneinander herging; die Parallelen zu den beiden andern, viel früher liegenden Erlebnissen muß Kafka schon deswegen gezogen haben, weil er dabei jedesmal Besucher eines Sanatoriums war und zumindest in den beiden letzten Fällen die unglücklichen Liebesverhältnisse zu Felice und Milena noch im Hintergrund standen. [163] Dies ist also der erlebnismäßige Hintergrund der Gisa-Gestalt. Ihre Augen geben keine Antwort auf die Frage, ob sie Schwarzer liebt, und es brennt Licht während ihrer Zusammenkünfte mit ihm. Es wird erst gelöscht, wenn er das Schulzimmer verlassen hat. Die Nacht, das Sexuelle, das Friedas und K.s Verhältnis kennzeichnet, hat hier keinen Zutritt, obwohl Gisas voller, üppiger Körper ausdrücklich hervorgehoben wird. [164]

Noch ein anderer Punkt ist am Verhältnis Gisa–Schwarzer bemerkenswert, die Tatsache nämlich, daß auch der Sohn des Kastellans eine gleichsam positive Gegenfigur zu K. und Kafka darstellt. Obwohl Schwarzer »doch« eigentlich Schloßbeamter ist, lebt er, ein ständiges Opfer, mit Gisa im Dorf und fertigt Boten des Vater, die ihn öfters abholen wollen, »so empört ab, als sei schon die kurze, von ihnen verursachte Erinnerung an das Schloß und an seine Sohnespflicht eine empfindliche, nicht zu ersetzende Störung seines Glückes«. Wie K. wird Schwarzer vom Dorfvorsteher gleichsam gegen den Willen der Schloßbehörden in die Gemeinde aufgenommen und zwar ebenfalls zur Unterstützung des Lehrers; beiden soll so ein Leben mit einem Dorfmädchen ermöglicht werden. Jenem gelingt es, weil er sich von den Bindungen an die väterlich-erotische Beamtenwelt befreit, die K.s höchstes Ziel darstellt.

Eigentlich war es auch K.s ursprüngliche Absicht gewesen, unbeachtet vom Schloß als Wanderbursche und Taglöhner im Dorf zu leben, der »auf Augenblicke« wiedererwachte amtliche »Hochmut« Schwarzers hatte ihn jedoch gezwungen, den offenen Kampf mit dem Schloß aufzunehmen, gemäß dem schon erwähnten Gesetz, daß unscheinbare Tendenzen am Ausgangspunkt einer Entwicklung, Äußerlichkeiten, die Richtung des Ganzen beeinflussen können. So war es z. B. eine Kleinigkeit — Kafka erhielt die versprochene Wohnung nicht—, die seine geplante Ehe mit Julie Wohryzek zwei Tage vor der Trauung zum Scheitern brachte. Die inneren Berechnungen hielten seine Entscheidungskraft in der Schwebe, und die geplante, nur von der Romanfigur verwirklichte Aufgabe seiner Beamtentätigkeit kam nicht zustande; »bis jetzt ist es eben mein Leben«, von dem er sich kaum losreißen könne, schreibt er dann an Milena über das Büro. Schon während des Kampfes um Felice bestand eine Koppelung zwischen vernünftiger Ehe und Verlassen des Beamtenstandes. [165]

Aufgrund der gegebenen Zuordnungen ist es nicht allzu schwierig, K.s Trennung von Frieda und deren Beziehung zur Familie des Barnabas mit biographischen Abläufen in Verbindung zu bringen.

Wie Kafka Julie früher als Milena kennengelernt hatte, trifft auch K. im *Schloß* zunächst auf die Familie des Barnabas, der durch Frieda gleichsam abspenstig gemacht wird. Der Landvermesser, der ursprünglich bei Barnabas übernachten wollte, tritt im Ausschank Frieda Arm in Arm mit Olga entgegen und bemerkt dann, daß die beiden Mädchen, die nur wenige kalte Worte miteinander wechseln, keine »Freundinnen« sind. Am andern Morgen, nachdem K. gemeinsam die Nacht mit dem Schankmädchen verbracht hatte, sagt Olga, »fast unter Tränen« ihre Worte mehrmals wiederholend: »Warum bist du nicht mit mir nach Hause gegangen . . . ? Wegen eines solchen Frauenzimmers!« Der zweite Satz bezieht sich auf Friedas Verhältnis zu Klamm, denn Olga lacht auf, als K. gleich nach seinem Eintreten am Abend diesen Namen erwähnt. Dem entspricht, daß Kafka von Meran aus zu Julie aufs Land fahren und Milena nicht in Wien treffen wollte, sich dann aber doch dazu durchrang, seine Briefpartnerin zu besuchen. Außerdem könnte man hier anführen, daß Julie, nachdem sie erfahren hatte, daß neben Kafkas Liebe zu Milena alles andere zu nichts werde, am ganzen Körper zitterte und fragte, ob Kafka sie jetzt fortschicke. Dies bejahte er, obgleich er gegenüber einer solchen Aussage »immer« wehrlos war. Wie Olga, die ebenfalls von K. alleingelassen wird, hatte Julie also mehrmals im Gespräch den entscheidenden Punkt des gegenseitigen Verhältnisses aufgerollt. Wenn Kafkas Verlobte überdies »böse Worte« über Milena sagt, die eigentlich ihren Mann liebe und nur »im Geheimen« mit Kafka spreche, so paßt dies nicht nur zu Olgas Urteil über Friedas moralische Minderwertigkeit, sondern auch zu der Tatsache, daß Frieda K. zunächst unter vier Augen sprechen will und ihre Vereinigung mit K. sich in einer Form vollzieht, die den im »Herrenhof« geltenden Vorschriften zuwiderläuft.

Wenn K. bei seinem zweiten Besuch bei den Schwestern diese zunächst in das Schulhaus einlädt, dann aber, als Amalia sofort annimmt, sein überstürzt gemachtes Angebot wegen der zwischen Frieda und den Schwestern herrschenden Zwietracht zurücknehmen muß, so kann man darin ein Schwanken K.s veranschaulicht finden, eine Unsicherheit, ob er eine Verbindung zwischen Frieda und Olga und Amalia zulassen oder verweigern sollte. So ging es auch Kafka, der unüberlegt Julie zwar erlaubt hatte, Milena zu schreiben, dann aber deswegen unruhig wurde, den Brief vor der Absendung zu lesen verlangte und ihn dann der Adressatin selbst übermittelte; auch hier ist die ursprüngliche, Beziehungen ermöglichende Intention des Handelnden wieder aufgehoben worden. Amalias Besuchswilligkeit korrespondiert überdies mit der Tatsache, daß Julie Kafka um Polaks Adresse bat.

Über den Inhalt des dann doch noch zustande gekommenen Schriftwechsels ist nur bekannt, daß Milena schrieb, Kafka habe ihr gegenüber Julie nie erwähnt. Ein freundschaftlicher Verkehr kann das also nicht gewesen sein, und die frostige Atmosphäre im Gespräch der beiden Mädchen im »Herrenhof« könnte man darauf zurückführen. Und Milenas Briefaussage kehrt im Roman in der Tatsache wieder, daß K. Frieda gegenüber über seine Besuche bei der Familie des Barnabas Schweigen bewahrt.

Wie schon bemerkt, vertritt Max Brod die Meinung, Milena habe von Kafka kategorisch verlangt, daß er sich von Julie und ihrer Familie völlig löse, was dieser unter gewissen Vorbehalten auch getan habe. Obwohl man eine solche Auffassung aus den Briefen Kafkas an Milena eigentlich nicht herauslesen kann, auch nicht aus ihren unpublizierten Teilen, die Max Brod gar nicht kannte, will dieser gerade aufgrund der Lektüre dieser Korrespondenz zu seiner Auffassung gelangt sein. Der Widerspruch beweist sozusagen, daß er recht hat: Offenbar erinnerte er sich beim Lesen der die fraglichen Vorgänge betreffenden Briefe daran, was Kafka ihm gesagt oder Milena ihm mitgeteilt hatte, spricht er doch in diesem Zusammenhang von eigenen Aufzeichnungen über Kafkas Verhältnis zu Milena und von mündlichen Mitteilungen, die ihm Kafkas Freundin gemacht habe; außerdem ist belegt, daß Kafka am 5. Juli 1920, also zu einem Zeitpunkt, als er gerade aus Meran zurückgekehrt war und Max Brod über die Identität der neuen Geliebten noch im Unklaren war, abends zwischen 9 und 12.30 Uhr mit seinem Freund zusammentraf und ihn über die wahren Zusammenhänge aufklärte, also in unmittelbarem Anschluß an die entscheidende Begegnung mit der zitternden und fragenden Julie; zudem machen es eigene Erinnerungen Max Brods und Briefaussagen Kafkas sicher, daß der Freund über die weitere Entwicklung im Frühsommer 1920 genauestens informiert war.

Aber nicht nur deswegen, und weil Kafkas Enthüllungen so plötzlich kamen und ihn gesundheitlich so beeinträchtigten, daß Brod aktiv eingriff, mußte der Freund diese Dinge in Erinnerung behalten, es gab dafür auch noch einen ganz persönlichen Grund: Milenas Forderung bedeutete nämlich eine merkwürdige Entsprechung zu seinen damaligen, Kafkas Schwierigkeiten genau parallel verlaufenden Lebensproblemen, von denen im 7. Kapitel noch ausführlich die Rede sein wird. Max Brod erinnerte sich bei Studium der Briefe Kafkas an Milena also einfach an ihre Hintergründe, die ihm so deutlich waren, daß er sie nicht philologisch klar genug von ihrer literarischen Manifestation zu trennen vermochte. Von daher erklärt sich nun Friedas Widerstand gegen K.s Verkehr mit der Familie des Barnabas, den er nach ihrer Meinung aufgeben sollte. Als er zu ihr beispielsweise sagt, er finde dort keine Ruhe, heißt es: » ›Du flüchtest vor ihnen? Nicht wahr? Liebster!‹ rief Frieda lebhaft und versank dann nach einem zögernden ›Ja‹ K.s wieder in ihre Müdigkeit.« [166]

Widerspricht dem aber nicht, daß K. weiterhin Barnabas besucht und zum Teil gerade dadurch Frieda verliert? Keineswegs. Spätere Erkenntnisse vorwegnehmend, kann gesagt werden, daß Amalia auch darin eigenes Erleben Kafkas verkörpert, als seine Unfähigkeit, sich vernünftig mit dem andern Geschlecht zu verbinden, zur Diskussion stand. Insofern er in den Briefen an Milena als Grund für das Scheitern der Beziehung seine Angst angab, mit der er in Prag unlösbar verbunden sei, ist es nur konsequent, daß er seinen literarischen Vertreter die Verbindung zu einer Familie aufrecht erhalten läßt, die ihm nahe im Dorf wie keine andere ist und sich teils durch besondere Ängstlichkeit, teils durch die Verweigerung der Geschlechtsgemeinschaft auszeichnet.

Innerhalb dieses Beziehungsgeflechts gibt es auch eine einleuchtende Erklärung für Friedas Feindschaft gegenüber Barnabas, hinter dem, wie sich ergeben wird, vor allem Max Brod selber steht; hatte doch dieser bei Milena um schonungsvollere Behandlung des Kranken gebeten, wogegen sich Milena wehrte.

Alle diese Zusammenhänge scheinen es nahe zu legen, in Olga ein Bild Julies zu sehen, wie das schon Max Brod getan hat. Ohne die Herkunft der erwähnten Elemente aus den mit Kafkas letzter Verlobung zusammenhängenden Ereignissen bestreiten zu wollen, wird die Analyse des Gesamtzusammenhangs doch ergeben, daß diese Vorgänge derart in den beiden Schwestern des Boten reflektiert werden, daß Amalia vor allem Julie vertritt, während

Olga mehr den Typ des westjüdischen Mittelstandsmädchens verkörpert, dem
etwa Max Brods Frau Elsa zuzuordnen wäre.

Für eine solche Sicht der Dinge spricht auch, daß sich die Feindschaft
der Dorfbewohner, deren Exponent Frieda ja ist, nicht gleichermaßen gegen
alle Familienmitglieder der Schustersfamilie richtet. Barnabas nimmt man
fast davon aus, man benennt seine Angehörigen nach ihm; dazu paßt auch,
daß er bei seinem ersten Auftreten Bekannte unter den Bauern durch Handschlag grüßt. Olga kommt, wie die von ihr berichtete Szene mit Pepi zeigt,
schon schlechter weg. Der ganze Bannstrahl aber richtet sich auf Amalia,
die demnach auch die eigentliche Antipodin Friedas ist: »Diese Verachtung
geht nur im allgemeinen ungeteilt gegen uns, gegen die Familie, die Spitze
kehrt sich doch nur gegen Amalia.«

Die Verachtung, die die hochmütige Frieda Olga entgegenbringt, unter anderem deswegen, weil diese sich, jeden weiblichen Stolz verleugnend, haltlos
mit Klamms Knechten einläßt, könnte innerhalb dieses Kontextes dann verdeutlichen, daß Milena, wie bekannt, alle Jüdinnen haßte, besonders auch
Max Brods Frau – die beiden kannten sich persönlich, während Julie und
Milena nicht zusammentrafen, so daß im Roman auch keine Begegnung zwischen Frieda und Amalia dargestellt wird –, deren fast unterwürfige Ergebenheit ihrem Mann gegenüber Milena als Verrat an der weiblichen Eigenständigkeit und Würde erscheinen mußte.

Friedas Verhalten zeigt auch, daß sich ihr Unwille vor allem gegen Amalia
richtet: Einmal beanstandet sie K. gegenüber, daß er sich von Amalia, der
Schamlosesten von allen, verleugnen lasse. Dann war es ja Frieda, die die
»Briefgeschichte« bei den Leuten herumtrug, und zwar »um sich und alle vor
ihr zu bewahren, um die Gemeinde darauf aufmerksam zu machen, daß hier
etwas geschehen war, von dem man sich auf das sorgfältigste fernzuhalten
hatte«. Ob Milena entsprechend mit Kafkas letzter Verlobung verfuhr, ist
nicht bekannt, doch genügt auch das Überlieferte, um dieses Element als
autobiographisch determiniert zu erweisen.

Milena hatte in ihren Artikeln Lebensprobleme Kafkas behandelt, die er
ihr erzählt oder in Briefen mitgeteilt hatte. In scherzhafter Form beschwert
sich Kafka, der Gegebenheiten eines Feuilletons der Geliebten auf sich selbst
angewendet hatte, bei der Verfasserin darüber, daß hier seine rein persönlichen Angelegenheiten veröffentlicht würden. Vielleicht aufgrund dieser
Aussage sprach Milena in einem späteren Schreiben von den Gedanken, die
sie in ihrer literarischen Arbeit leiteten. Aus Kafkas Kommentar dazu geht
hervor, daß sie bei der Konzeption auch an Kafka dachte, der sich als ihren
besten Leser bezeichnete: »Schon früher, ehe Du sagtest, daß Du manchmal
beim Schreiben an mich denkst, habe ich es mit mir in Beziehung gefühlt«.

Dazu kommt, daß Kafka der Geliebten berichtet, er habe erfahren, wie jemand aus ihrer Verwandtschaft die Meinung vertreten habe, man solle niemals mit Juden die Ehe eingehen, wobei als Begründung auf Milenas unglückliches Verhältnis zu Polak verwiesen wurde. Kafka war der Auffassung, daß seine Partnerin über eine mögliche Verbindung mit ihm, dem Juden, ähnlich denken müsse. Ihrer literarischen Vertreterin konnte eine abartige Tendenz um so eher in den Mund gelegt werden, als Kafka selber bereit war, für die Öffentlichkeit jede Erklärung seines Auseinandergehens mit Julie zu unterschreiben, gleichgültig ob sie ihm schändliche, lächerliche oder verächtliche Motive für sein Verhalten unterstellte. Die Komponenten des fraglichen Erzählmotivs waren also in den äußeren Ereignissen und in Kafkas Vorstellungswelt vorhanden, ihre Projektion auf die Amalia am distanziertesten gegenüberstehende Figur schon aus künstlerischen Gründen naheliegend. [167]

Man versteht jetzt auch, warum K. in seinem Gespräch mit Olga so sehr darauf aus ist, die Amalia-Sortini-Geschichte von der Frieda-Klamm-Beziehung zu unterscheiden. Kafka wollte Milenas Beziehung zu ihrem Mann, der in die Gestalt des Klamm eingegangen ist, auf einer anderen Ebene sehen als seine eigenen Heiratsversuche, weil er Polak als vorbehaltlos Heiratswilligen betrachtete und sein eigenes Verhältnis zu Milena von ihm absetzen wollte. Andererseits bringt Olgas Position zum Ausdruck, daß Kafka zuzeiten zwischen sich und Polak bloß eine Abstufung in der Intensität, nur einen quantitativen Unterschied sah. Endlich kann man auch die Tatsache, daß die Frieda-Handlung K.s Aufenthalten im Haus des Barnabas zeitlich parallel läuft, als Hin- und Hergerissensein zwischen Julie und Milena deuten. Kafka spricht noch im Sommer 1920 davon, daß seine Beziehung zu Julie weiterhin lebendig sei. [168] Sowohl Friedas als auch K.s Verhältnisse sind dafür verantwortlich, daß die Ehe nicht realisiert wird: »Es wird keine Hochzeit geben«, sagt Frieda, »es wird nie sein« Milena. K. war, weil er die halbe Nacht bei den Schwestern verbrachte und sich am liebsten von Olga gar nicht mehr trennen will, Frieda »untreu«. Dazu stimmt, daß Milena argwöhnte, Kafka könne ihr in Prag untreu gewesen sein; er selber fühlte, daß er sie dauernd enttäuschte.

Die Tatsache, daß Ernst Polak, als er erfuhr, daß Kafka sein Rivale sei und Milena heiraten wolle, »sich aufs neue für sie zu interessieren begann«, hat im Romanverlauf ebenfalls eine Entsprechung. Einmal wohl in Erlangers Forderung, Frieda müsse »sofort« wieder in den Ausschank zurückkehren, dann aber und vor allem in Pepis Deutung von Friedas Verhalten. Diese sei »durch ihren Skandal viel lockerer als früher«, eine Auffassung also, die genau mit dem übereinkommt, was Milena Brod berichtet hatte.

Endlich ist darauf hinzuweisen, daß Friedas Wunsch, in den Ausschank zurückkehren zu dürfen, die Ausgangslage vor dem Eintreffen K.s wieder herstellen und sie als Serviermädchen erneut mit Klamm in Verbindung bringen würde. Insofern wäre zu sagen, daß der Roman die Tatsache spiegelt, daß Milena in Wien an ihren Mann gebunden blieb, auch wenn sie vielleicht diesen verlassen wollte, aber eben gerade wegen Kafkas Verhalten nicht konnte. Es ist doch K.s Handlungsweise, die Frieda dazu zwingt,. ihren alten Beruf wieder zu ergreifen.

Weiterhin könnte man in der Tatsache, daß Frieda kurz den auf den Fässern schlafenden K. aufsucht, veranschaulicht sehen, daß Milena Kafka noch nach dem Scheitern der Beziehung in Prag besuchte. Wenn Pepi unterstellt, ihre Konkurrentin sei nicht K.s wegen in den Ausschank gekommen, sondern »weil sie verschiedenes hier vorzubereiten hatte, denn am Abend sollte sie ja wieder ihren alten Dienst antreten«, so widerstrebt das nicht der angenommenen biographischen Verifizierung, kam Milena doch auch nach Prag, um die abgerissene Verbindung zu ihrem Vater neu anzuknüpfen; aus analogen Situationen kann geschlossen werden, daß Kafka es angenehm sein mußte, wenn Milena ihre Reise nicht nur seinetwillen unternahm.

Vor allem aber geht aus einer unpublizierten Passage des Romans hervor, daß Frieda vielleicht ihren Dienst gar nicht antreten kann, weil sie erkrankt ist. Dieses Moment spiegelt exakt die Tatsache wider, daß Milena unmittelbar nach ihrer inneren Trennung von Kafka ernstlich lungenkrank wurde und in Erholung fuhr, Polak also gar nicht weiter den Haushalt führen konnte. [169]

Was Frieda betrifft, so kommt sie von ihren eigenen Verhältnissen, besonders ihrer Vergangenheit, nicht los. Als K. sie am Morgen im Schulhaus verläßt, bleibt sie am Fenster stehen, vor dem sich auch die Gehilfen im Schnee herumtreiben, »die Hand auf der Klinke, mit zur Seite geneigtem Kopf, großen Augen und einem starren Lächeln«. Die großen, also weit geöffneten Augen sind von den schon erwähnten aufgerissenen Augen zu unterscheiden; sie sind nicht nur, wie häufig in trivialen Texten, ein Zeichen der Angst, sind sie doch überhaupt nicht von der Art eines Gefühls, sondern bloß von seiner Intensität abhängig, deren Grad die Öffnung der Lidspalte bestimmt; die Miene zeigt also innere Erfülltheit an.

Um Eindeutigkeit zu gewährleisten und zur Vermeidung des Klischees verwendet Kafka die großen Augen kaum jemals, um Angstzustände zu bezeichnen, sondern für innere Erregung, Erstaunen, Erfülltheit durch den Gesprächspartner, Glückseligkeit und eben erotische Beglücktheit, die auch im vorliegenden Fall vorauszusetzen ist.

Dazu paßt die Neigung des Kopfes zur Seite, die nach übereinstimmender Deutung der mimischen Forschung — auch der Begriff »Geneigtheit« weist in diese Richtung — Zutrauen und Bereitwilligkeit ausdrückt, die den Verzicht auf eigene Willensziele einschließt und die eigene Lage dem Schicksal oder anderen Menschen überläßt. Demut und der Wunsch, sich erotisch hinzugeben, sind damit verbunden.

Schwieriger ist das starre Lächeln zu deuten. Man muß hier auf die vielen Stellen zurückgreifen, wo Kafka von starren Augen spricht — dem Erstarren des menschlichen Körpers schenkte er schon sehr früh Beachtung. Einmal werden die Blicke starr, wenn sich der Schauende auf einen inneren Vorgang konzentriert. Besonders konkret ist eine Aussage über Hans Brunswick, von dem es heißt, er habe mit starren Augen nachgedacht, »ganz wie eine Frau, die etwas Verbotenes tun will und eine Möglichkeit sucht, es ungestraft aus-

zuführen«. Wenn sich der starre Blick auf andere richtet, so liegt ein Affekt-
stau zugrunde, der dann eintritt, wenn man durch etwas in Gefühlserregung
geraten ist, die man nicht offen nach außen tragen kann; eine solche Miene
wirkt bisweilen herausfordernd.

Ein schönes Beispiel für diese Blickart ist eine Stelle aus der Erzählung
Blumfeld, ein älterer Junggeselle, wo es über die eben von der Titelfigur
zurechtgewiesenen Praktikanten heißt, sie hätten Blumfeld starr in die Augen gesehen, »als wollten sie ihn dadurch abhalten, sie zu schlagen... sie
sind überängstlich und suchen immer und ohne jedes Zartgefühl ihre wirklichen oder scheinbaren Rechte zu wahren«. Obwohl die Ausdrucksbewegung vom staunenden, großen Auge unterschieden ist, spricht der Dichter
einmal davon, er habe Bilder »vor Staunen angestarrt«. Die Ursache dürfte
sein — wenn es sich nicht um eine blasse Sprachfloskel handelt —, daß Kafka
als Folge fehlender innerer Festigkeit und wegen vorhandener Verlegenheit
andern gegenüber seine Gesprächspartner nicht fest anschauen konnte. Er
bemerkt: »Der Blick gleitet mir, wenn ich ihn gewähren lasse, von dem fremden Gesichte ab und kämpfe ich dagegen an, wird es natürlich kein fester,
sondern ein starrer Blick.«

Diese Zusammenhänge beleuchten eine Stelle im *Urteil*. Während der Auseinandersetzung mit dem Vater, der sich gerade als Vertreter des russischen
Freunds Georgs zu erkennen gegeben hatte, ist auch von den erstarrten Augen
des Sohnes die Rede. Sie sind zweifach determiniert; einmal durch eine Ge-
fühlsstauung — unmittelbar danach durchzischt ein Mordgedanke seinen
Kopf —, zum andern aber durch seine Unfähigkeit, den Vater dauernd anzuschauen, denn unmittelbar vor dieser Aussage ist davon die Rede, daß er den
vor einiger Zeit gefaßten Entschluß, »alles vollkommen genau zu beobachten«, wieder erneuern will, ihn aber sofort wieder vergißt. [171]

Was Frieda betrifft, so hat man davon auszugehen, daß ihre Starrheit auch
die Augen, ja den ganzen Körper umfaßt, denn als K. Frieda wieder begegnet, schaut sie »starr auf ihn«, und ihre starre Körperhaltung löst sich erst im
Verlauf des Gesprächs. Außerdem bezieht sonst beim Lächeln Kafka gern
das Auge mit ein, was wohl im vorliegenden Beispiel nur deshalb nicht geschieht, weil dieses noch Funktionsträger für einen anderen Ausdrucksgehalt
ist.

Im Schlußgespräch mit Frieda versucht K. eine Erklärung für Friedas Haltung am Fenster des Schulhauses. Frieda habe von ihm weggesehen, sich ins
»Halbunbestimmte« gesehnt, sei an die Gehilfen verloren gewesen, weil sie
der Täuschung erlegen sei, »daß das, was nur Augenblicke waren, Gespenster, alte Erinnerungen, im Grunde vergangenes und immer mehr vergehendes einstmaliges Leben, daß dieses noch dein wirkliches jetziges Leben sei«.
Frieda ist also durch ihre Vergangenheit, ihre gemeinsame Jugend mit den
Gehilfen, ihre Liebe zu Klamm innerlich gefesselt; K.s wegen kann sie sich
aber diesen Gefühlen, die sie zu übermannen drohen, nicht hingeben — beides
führt zur Starrheit; die beschriebene Augen- und Armhaltung unterstützt

diese sowohl auf Ausdrucksdeutungen als auch auf K.s Aussage beruhende Interpretation.

Und sogar zu diesem Punkt gibt es eine genaue Entsprechung in Kafkas Verhältnis zu Milena. Sehr bald nach dem Zusammentreffen in Wien glaubt er an ihren Briefen zu merken, daß ihr etwas geschehen sei, was eine Abwendung von ihm herbeiführe, »etwas klar oder nur halb Bewußtes«, eine Formulierung, die deutlich an das »Halbunbestimmte« der Aussage K.s erinnert. Kafka erkannte die geheimen Vorbehalte der Geliebten unter anderem daran, daß Milenas Mitteilungen »Briefe voll Erinnerungen« waren, also wie Friedas Haltung eine Fixierung an die Vergangenheit verrieten. [172]

Abschließend sei darauf hingewiesen, daß die Beziehung zwischen K. und Frieda in allen Phasen mimisch und gestisch veranschaulicht wird: Am ersten Abend im Schulhaus sitzen die beiden auf Sesseln nebeneinander, streicheln sich gegenseitig die Hände, und Frieda, von K. umfaßt, lehnt sich mit dem Gesicht an seine Schulter. Die liebende Übereinstimmung der beiden könnte nicht deutlicher demonstriert werden. Allerdings mag Frieda auch die Gehilfen: Sie sieht sie dauernd an und fährt einem von ihnen in der Nacht streichelnd übers Haar. Am nächsten Morgen – sie ist, wie sie später gesteht, von Artur und Jeremias in der Nacht besonders verlockt worden – besteht zwischen ihr und dem Landvermesser nur noch eine zweckhafte Augenverbindung – der Anblick K.s soll ihr Kraft geben –, die dann sogar völlig abgebrochen wird, während K. seinerseits zwar noch den Arm um sie legt, um sie zu trösten, dann aber, innerlich unschlüssig über den Wert, den sie für ihn hat, schließlich auch noch diese Verbindung löst. [173]

Entsprechend der inneren Distanzierung Friedas von K. intensiviert sich ihre Nähe zu den Gehilfen durch Ausdrucksbewegungen: Sie spricht mit K., ohne den Blick von ihnen abwenden zu können, und während des folgenden Gesprächs zwischen K. und Hans, die im Verlauf der Unterredung eine vertraute Gruppe bilden, sitzt sie isoliert auf einem Sessel abseits, in Gedanken versunken und meistens, ohne sich am Gespräch zu beteiligen.

Eine weitere Stufe der Entfremdung ist erreicht, als Frieda K. nachher gegenübersitzt – dies, wie gezeigt, schon Ausdruck größerer innerer Entfernung gegenüber dem Nebeneinandersitzen am Abend zuvor –, K. nicht anblicken will, ihre Hand derjenigen K.s zu entziehen sucht und dies dann auch wirklich tut. Als K. Frieda verläßt, schaut sie in der beschriebenen Haltung aus dem Fenster, also in einem Gesamthabitus, dessen Ausrichtung auf K. zumindest zweifelhaft erscheinen muß, wird er doch als Blickpunkt nicht ausdrücklich erwähnt. [174]

So wundert es nicht, daß die gewandelte Stellung Friedas zu K. nach ihrem Bruch mit ihm von Kafka sehr sorgfältig durch differenzierte Ausdrucksbewegungen festgehalten worden ist. Während sie sich mit Jeremias »durch Kopfnicken und Lächeln« verständigt, was einen hohen Grad vorgängiger Übereinstimmung voraussetzt und in Antithese zur starren Miene und Haltung K. gegenüber steht, begegnet sie diesem jetzt dadurch, daß sie ihm sanft mit einer Hand über Stirn und Wange fährt, so wie sie es mit den Gehilfen getan hatte, als sie noch K. angehörte. Es hat also geradezu ein Austausch stattgefunden, der genau dem Wechsel des Partners entspricht.

Während des Gesprächs zwischen Frieda und K. im Flur des Gasthauses werden dann die Gesten, die frühere Übereinstimmung gezeigt hatten, wieder aufgenommen, nämlich Nebeneinandersein und Arm-in-Arm-Gehen; auch ergreift K. Friedas Hand, und sie lehnt ihren Kopf an seine Schulter; aber es ist jeweils durch interpretierende Zusätze deutlich gemacht — teils duldet Frieda oder widerstrebt, teils weiß sie, daß der endgültige Bruch augenblicklich eintreten muß —, daß zwar die alten Beziehungsmuster noch einmal realisiert werden, diese aber von den inzwischen eingetretenen Geschehnissen schon überrollt worden sind.

Die neuen Bindungen, die K. inzwischen eingegangen ist, veräußerlichen sich andererseits darin, daß er nachts neben Olga auf der Ofenbank sitzt, ebenso neben Pepi, die er gierig ansieht, auf einem Faß, wobei er ihre Hände zwischen die seinigen nimmt. [175]

3. Kapitel:
Die Genese des Romans

Die genaue Fixierung des Zeitpunkts, an dem Kafka mit der Arbeit am *Schloß* begann, ist naturgemäß für eine Fragestellung von besonderer Bedeutung, die dieses Werk als Ausfluß lebensgeschichtlicher Probleme des Autors zu verstehen trachtet. Obwohl jegliche direkten Aussagen in den Briefen und Tagebüchern fehlen, ist es doch möglich, hinsichtlich dieses Problems zu einigermaßen gesicherten Schlußfolgerungen zu kommen: Allgemein bei Kafka beobachtbare schaffenspsychologische Gesetzmäßigkeiten, die vorherrschenden äußeren und inneren Lebensbedingungen in seiner Spätzeit und einige allgemeine Hinweise in Briefen und Tagebüchern erlauben es, den Beginn der Niederschrift an diesem Roman ungefähr auf die letzte Februarwoche 1922 festzulegen.

Bekanntlich hatte Kafka, als er im September 1917 lungenkrank nach Zürau fuhr, ganz bewußt sein Selbstverständnis als Schriftsteller aufgegeben und sich in den folgenden Jahren der Produktion enthalten. Fünf Jahre später bestand dieser Zustand aber nicht mehr. Anfang Juli 1922 schreibt Kafka beispielsweise an Oskar Baum, die Zürauer Zeit sei ihm, mit allem, was er damals gewesen sei, »weit verschwunden«. Die eindeutigsten Zeugnisse, die die Wiederaufnahme der literarischen Arbeit belegen, sind zwei Briefe an Robert Klopstock. In dem einen, den Max Brod und K. Wagenbach auf Frühjahr 1922 datieren, heißt es: »Ich habe, um mich von dem, was man Nerven nennt, zu retten, seit einiger Zeit ein wenig zu schreiben angefangen, sitze von sieben Uhr abends etwa beim Tisch, es ist aber nichts, eine mit Nägeln aufgekratzte Deckung im Weltkrieg und nächsten Monat hört auch das auf und das Bureau fängt an.« [176]

Dieser Brief ist auf Ende März zeitlich festlegbar: Kafka bekam nämlich am 27. Januar 1922 einen dreimonatigen Erholungsurlaub zugebilligt, der Ende April zu Ende ging. Überliefert ist außerdem eine am 1. März 1922 abgestempelte Postkarte an diesen Freund. Das den Brief einleitende »lange nicht geschrieben« ist nur sinnvoll, wenn er erst am Ende dieses Monats konzipiert wurde. Zu dieser chronologischen Anordnung paßt auch, daß das in ihm verwendete Bild in einer einige Wochen älteren Tagebuchnotiz auftaucht. [177]

Der zweite, offensichtlich in diesen Zusammenhang gehörige Brief ist von den Herausgebern fälschlich auf Ende März 1923 datiert worden, während er in Wirklichkeit in den ersten Apriltagen des Vorjahres geschrieben worden sein dürfte. Folgende Indizien sprechen für ein frühere Entstehungszeit des Schreibens. Zunächst einmal enthält es eine Formulierung über die künstlerische Produktivität Kafkas, die der eben zitierten sehr ähnlich ist: »Ich habe inzwischen, nachdem ich durch Wahnsinnszeiten gepeitscht worden bin, zu schreiben angefangen und dieses Schreiben ist mir in einer für jeden Menschen um mich grausamsten (unerhört grausamen, davon rede ich gar nicht) Weise das Wichtigste auf Erden, wie etwa einem Irrsinnigen sein Wahn (wenn er ihn verlieren würde, würde er ›irrsinnig‹ werden) oder wie einer Frau ihre Schwangerschaft. Das hat mit dem Wert des Schreibens, wie ich auch hier wiederhole, gar nichts zu tun, den Wert erkenne ich ja übergenau, aber ebenso auch den Wert, den es für mich hat ...« [178]

Der erste Satz — das Wort »inzwischen« meint die seit der Rückkehr aus Matliary (Ende September 1921) verflossene Zeit — suggeriert, daß von einer Lebensphase die Rede ist, die sich unmittelbar an den Aufenthalt in der Hohen Tatra anschloß. Lag dieser aber anderthalb Jahre zurück und die Monate in Planá überdies dazwischen, konnte nicht auf diese Weise formuliert werden. Und natürlich ist die Wendung »wie ich auch hier wiederhole« nur passend, wenn eine ähnliche Erklärung kurzfristig vorhergegangen war; im Frühjahr 1923 ist aber keine derartige Parallelaussage belegt, außerdem gibt es für diese Zeit, in der Kafka vor allem intensiv hebräisch getrieben zu haben scheint [179], keinerlei direkte oder indirekte Hinweise dafür, daß er literarisch aktiv gewesen sein könnte. Der Brief aus den letzten Märztagen des Jahres 1921 enthält jedoch die in der fraglichen Wendung vorausgesetzte Mitteilung über die Wertlosigkeit des Schaffens.

In dem zeitlich einzuordnenden Brief ist von einem Zusammentreffen mit Fräulein Irene die Rede, dessen Probleme Klopstock und den Dichter 1921 und 1922 beschäftigten, nicht aber 1923. [180]

Ein weiterer Punkt betrifft die im Brief verwendete Metaphorik, die ebenfalls auf das Jahr 1922 weist: Kafka und Klopstock seien verzweifelte Ratten, heißt es da, und das Schreiben dem Dichter so wichtig wie jemandem, der irrsinnig würde, wenn er den Wahn zu schreiben verliere, oder wie einer Frau ihre Schwangerschaft. Nun findet sich das Rattenbild schon in einem Brief an Klopstock vom Jahreswechsel 1921/22, was insofern typisch ist, als Kafka es liebt, einmal in einen Briefwechsel mit einem bestimmten Partner eingeführte Bildvorstellungen immer wieder modifizierend weiterzuführen. [181]

Dann heißt es in einer ebenfalls auf die ersten Monate des Jahres 1922 zu datierende Stelle aus dem Band *Hochzeitsvorbereitungen auf dem Lande*, die wiederum innerlich mit einer Tagebuchpassage vom 13. Februar 1922 zusammenhängt, wenn er, Kafka, nicht schreiben oder wenigstens selbstbiographische Untersuchungen durchführen könne, sei »Irrsinn« die Folge, ein Zusammenhang, der dann in dem großen Brief an Max Brod vom 5. Juli dieses Jahres breit entfaltet wird. Und schließlich bezeichnet Kafka am 21. Januar die von ihm zu leistende Lebensaufgabe als eine Unmöglichkeit, »es ist nicht einmal so viel Kind wie die Hoffnung einer Unfruchtbaren«; im Sommer spricht er in einem kleinen Fragment davon, der Ich-Erzähler fühle das Sichregen eines Verdachts »wie die Schwangere die Bewegung des Kindes«. [182] Die Metaphorik des Briefes wächst also aus den Problemzusammenhängen des ersten Halbjahrs 1922 heraus.

Aus dem Kontext des chronologisch festzulegenden Schreibens geht hervor, daß Klopstock in den Tagen, an denen es entstand, besuchsweise in Prag war und dort studieren wollte. Was das letztere betrifft, so läßt sich dieser Plan seit September 1921 in Kafkas Briefen an diesen Freund nachweisen, so daß auch von daher eine Zuweisung auf das Jahr 1922 gerechtfertigt ist. Was den Prager Aufenthalt Klopstocks angeht, so gesteht Kafka seinem Briefpartner, er habe »in zitternder Angst vor jeder Störung« — Schlaflosigkeit war die Folge — diesen davon abgehalten, ihn an einem bestimmten Tag zu besuchen, indem er vorschob, der Freund solle sich lieber einmal ausruhen. Damit harmoniert ausgezeichnet eine unveröffentlichte Tagebuchnotiz vom 13. April 1922: »Angst vor Störungen (Tr. M. Pe. Va. K.) Schlaflosigkeit aus dieser Angst.« Die Abkürzungen sind wohl so aufzulösen: Dr. Treml, Milena, Josef David oder Josef Pollak, Valli und eben Klopstock. [183] Von dieser Stelle her ist eine Datierung des Briefes nach dem April 1922 unmöglich.

Weiterhin ist zu bedenken, daß das den fraglichen Brief beherrschende Motiv — Klopstocks Enttäuschung über eine vorgebliche Verhaltensänderung Kafkas nach seiner Rückkehr nach Prag — schon in den vorhergehenden Wochen merkbar ist. Am 23. Februar 1922 behauptet Kafka, Klopstocks Mitteilungen seien eine qualvolle Beschämung für ihn, am 1. März heißt es, der Freund quäle ihn, wenn er nicht die »Besessenheit« des Dichters anerkenne, Ende dieses Monats versichert er, Klopstock schreibe an ein Phantom, mit dem er nichts gemeinsam habe, und in dem einzuordnenden Brief klagt Kafka, der Freund quäle ihn mit der Frage, warum er nicht anders sei als er sei. Von daher ergibt sich, daß auch der diesem Schreiben vorhergehende und von den Herausgebern gleichfalls auf Ende März 1923 angesetzte Brief ins Frühjahr 1922 gehört, jenem aber nachzufolgen hat, also wahrscheinlich Mitte April verfaßt wurde. Denn hier antwortet Kafka auf die wohl inzwischen eingegangene Frage seines Korrespondenzpartners nach den Ursachen dieser Angst vor Störungen. Und das wird dann unter anderem beantwortet mit dem Hinweis auf die Angst vor festen, abgesprochenen menschlichen Verbindungen, von denen im vorletzten Kapitel schon die Rede war.

Schließlich läßt sich chronologisch auswerten, daß Kafka von einer Neuigkeit spricht, die Klopstocks Brief enthalte. In diesem Zusammenhang schreibt er: »So heißt es noch in dem Brief, in welchem Sie den Paß zuletzt verlangten, daß die Aufenthaltsbewilligung des Preßburger Ministeriums unbedingt in den neuen Paß hinübergenommen werden müsse, weil ein Aus-Ungarn-nicht-Hinauskommen unter den gegenwärtigen Verhältnissen den Tod bedeutet.« Die erwähnte Bitte des Briefpartners kann also nicht lange zurückliegen. Daß nun Kafka für Klopstock eine Paßverlängerung erreichen und bei derem Scheitern einen neuen Paß ausstellen lassen sollte, ist also für Februar und Anfang März 1922 belegt, was wiederum die angenommenen Zeitverhältnisse bei der Abfassung des Briefes bestätigt. [184]

Die beiden Briefe, die auf das Schaffen Kafkas Bezug nehmen, ermöglichen zunächst die Feststellung, daß um den Monatswechsel März/April der Neueinsatz der literarischen Tätigkeit erst einige Zeit zurücklag, der durch die Aussagen »um mich vor dem, was man Nerven nennt, zu retten« und »nachdem ich durch Wahnsinnszeiten gepeitscht worden bin« näher bestimmt wird.

Glücklicherweise ist diese Phase der Neurasthenie zeitlich genau faßbar und auf die drei ersten Wochen im Januar festzulegen. Am 22. Februar, nach seiner Rückkehr aus Spindlermühle, schrieb er an Minze E.: »Ich hatte schlechte Zeiten, nicht von der Lunge her, von den Nerven.« [185] Und in einem auf die vierte Januarwoche zu datierenden Brief an Klopstock wünscht er sich, die vor ihm liegende Zeit möchte besser sein »als die letzten schlaflosen drei Wochen, das ging an Grenzen, die ich in Matlar noch nicht berührt habe«. Ähnlich äußert er sich in einer Tagebuchstelle vom 16. Januar 1922: »Es war in der letzten Woche wie ein Zusammenbruch, so vollständig, wie nur etwa in der einen Nacht vor zwei Jahren, ein anderes Beispiel habe ich nicht erlebt. Alles schien zu Ende und scheint auch heute durchaus noch nicht ganz anders zu sein.« Ein Nachklang dieser Verfassung war noch in Spindlermühle spürbar, wo Kafka in der ersten Februarwoche »schlaflos bis zur Verzweiflung« war, weil er sich von den »Geistern des Orts« erkannt und verfolgt fühlte. Vor diesem Zeitpunkt also kann das *Schloß* nicht begonnen worden sein. [186]

Diese Annahme wird durch andere Hinweise gestützt. Kafka unterzog sich in diesem Winter einer, wie er selber sagt, systematischen Kur — er war krankheitshalber vorübergehend von seiner Bürotätigkeit entbunden —, die ihm zu literarischer Arbeit keine Zeit ließ: »Der Tag ist genau eingeteilt zwischen Liegen, Spazierengehen und dgl., nicht einmal zum Lesen habe ich Zeit und Kraft.« So an Klopstock Anfang Dezember 1921.

Bezeichnend sind auch drei schwerverständliche, auf das Schreiben sich beziehende Tagebucheintragungen vom 6. Dezember 1921 und vom 16. und 27. Januar 1922. In der mittleren, am Tage der Ankunft in Spindlermühle geschriebenen heißt es: »Merkwürdiger, geheimnisvoller, vielleicht gefährlicher, vielleicht erlösender Trost des Schreibens; das Hinausspringen aus der Totschlägerreihe, Tat-Beobachtung.« Daß diese Notiz schon bestehende Arbeit voraussetze, ist nicht beweisbar und auch gar nicht wahrscheinlich, wohl aber kann man sie als grundlegende Reflexion über diese Tätigkeit betrachten, die, wie sich zeigen wird, sich schon einige Zeit hinzog und jetzt eindeutig und entschieden positiv gewertet wurde.

Da Kafka immer ein bis zwei Tage brauchte, bis er bei größerer Veränderung der äußeren Umstände ins Schreiben hineinfand, ist es ja undenkbar, daß der nach dem Zusammenbruch Mitte Januar und mit der Aussicht vor Augen, in wenigen Tagen in Erholung zu fahren, nach über einjähriger Pause eine größere Arbeit begonnen hätte, fürchtete er doch nichts so sehr wie ein gestückeltes Arbeiten, das bei solcher Verfahrensweise unumgänglich geworden wäre. [187]

Andererseits weist eine Briefstelle vom 6. oder 7. Februar — das Schreiben traf am 8. in Prag ein — darauf hin, daß er inzwischen mit der Produktion begonnen hatte. Die Ausführungen sind an Max Brod gerichtet: » . . . schade, daß Du nicht für *ein paar Tage* kommen kannst, wir würden, wenn das Glück es wollte, den ganzen Tag bergsteigen, rodeln (Skilaufen auch? Bisher habe ich fünf Schritte gemacht) und schreiben und besonders durch das letztere das Ende, das wartende Ende, ein friedliches Ende herbeirufen, beschleunigen, oder willst Du das nicht?« Hier wird doch, wofür auch die Art der Klammer spricht, aufgezählt, womit sich der Schreiber beschäftigt. Man kann auch die nur ein bis zwei Tage ältere Notiz vom 5. Februar in diesem Sinne verstehen: »Ihnen entlaufen. Irgendein geschickter Sprung. Zu Hause bei der Lampe im stillen Zimmer. Unvorsichtig, es zu sagen. Es ruft sie aus den Wäldern, wie wenn man die Lampe angezündet hätte, um ihnen auf die Spur zu helfen.« Denn wenn Kafka in dem zuletzt zitierten Brief davon spricht, die Ortsgeister hätten sein Inkognito gelüftet, so ist hier gesagt, daß der beim Schreibtisch im Hotelzimmer Sitzende seine inneren Verfolger zur Ruhe gebracht hatte. Und da er das Schreiben für einen Weg hielt, dies zu erreichen, darf man die Ausübung dieser Tätigkeit wohl als Grund für die Besserung seines Zustandes anführen. [188]

Für die beiden früheren Tagebucheintragungen ist dieser Zusammenhang nicht vorauszusetzen. Am 6. Dezember heißt es: »Aus einem Brief: ›Ich wärme mich daran in diesem traurigen Winter.‹ Die Metaphern sind eines in dem vielen, was mich am Schreiben verzweifeln läßt. Die Unselbständigkeit des Schreibens, die Abhängigkeit von dem Dienstmädchen, das einheizt, von der Katze, die sich am Ofen wärmt, selbst vom armen alten Menschen, der sich wärmt. Alles dies sind selbständige, eigengesetzliche Verrichtungen, nur das Schreiben ist hilflos, wohnt nicht ·in sich selbst, ist Spaß und Verzweiflung.« Nicht nur wegen der ersten beiden Sätze ist eine Beziehung dieser Aussage aufs Briefeschreiben wahrscheinlich, sondern auch deswegen, weil bekannt ist, daß Kafka in diesen Tagen seine Korrespondenz im Wohnzimmer der Eltern oder der im gleichen Haus befindlichen Wohnung Ottlas erledigen mußte; sein eigenes Zimmer war nämlich nicht geheizt. Außerdem war, wie auch einem Brief an Klopstock vom Januar 1922 entnommen werden kann, das Briefeschreiben dem Dichter gerade damals zum Problem geworden, denn er fühlte sich durch die Briefe, die er an Milena geschrieben hatte, »getäuscht«; die Auseinandersetzung mit ihr war — ihre dauernden Besuche bei Kafka zeigen es — auf einem neuen Höhepunkt angelangt. Schlecht vorstellbar ist auch, daß er in Anwesenheit eines andern literarisch gearbeitet haben sollte, und endlich bezeichnete er seine Inspiration gerade nicht als abhängig und hilflos, sondern als eine Gegebenheit, die ihn, der sich passiv ihr anvertrauen konnte, trug. Hätte sie nicht selber in sich gewohnt, hätte er, in Zeiten gelingender Arbeit, gewiß nicht, wie er voraussetzt, in sie einkriechen können. [189]

Was die längere Auslassung vom 16. Januar 1922 angeht, so erscheint hier das Schreiben noch als bloße Möglichkeit. Der Zusammenbruch wird so gedeutet: Die Selbstbeobachtung nehme die Richtung aus der Menschheit, so daß seine Einsamkeit unzweideutig werde und aufs Äußerste gehe. Wohin aber führt dieses Jagen? Entweder zum Irrsinn oder aber in eine andere Welt: »... ich kann — ich kann? —, sei es auch nur zum winzigsten Teil, mich aufrechterhalten, lasse mich also von der Jagd tragen. Wohin komme ich dann? ›Jagd‹ ist ja nur ein Bild, ich kann auch sagen ›Ansturm gegen die letzte irdische Grenze‹ ... Diese ganze Literatur ist Ansturm gegen die Grenze, und sie hätte sich, wenn nicht der Zionismus dazwischengekommen wäre, leicht zu einer neuen Geheimlehre, einer Kabbala, entwickeln können. Ansätze dazu bestehen. Allerdings ein wie unbegreifliches Genie wird hier verlangt, das neu seine Wurzeln in die alten Jahrhunderte treibt oder die alten Jahrhunderte neu erschafft ... « [190]

Die unvermittelte Einführung des Begriffs Literatur, der sich, wegen der Erwähnung des Zionismus, auf frühere Schreibversuche des Dichters beziehen muß [191], ist nur zu verstehen, wenn man voraussetzt, daß unter dem Sich-von-der-Jagd-Tragenlassen das Schreiben verstanden wird, wofür auch andere Stellen sprechen: In der zitierten Eintragung vom 27. Januar wird das Schaffen als Hinausspringen aus der Tatbeobachtung verstanden, die eine höhere, eigenen Gesetzen folgende Wahrnehmungsart ermögliche. Beidesmal wird also die Produktion als besondere Art der Selbstbeobachtung definiert, die in eigene Bereiche führt. Was in der jüngeren Eintragung aber als einigermaßen sicherer Trost erscheint, wird hier nur als eine von zwei gleichberechtigten Erkenntnismöglichkeiten zur Diskussion gestellt: Er fühlt nicht in sich die Begabung, die für den Erfolg notwendig ist, sie ist ihm unbegreiflich, und in der Parenthese wird ebenfalls das eigene Können angezweifelt. Es bleibt also noch unentschieden, ob sich Kafka diesem Weg anvertrauen soll, ob er der Irritation des Unglücks auf diese Weise Herr werden soll.

Man darf jedoch nicht glauben, daß Kafka am Ende der ersten Februarwoche schon an einer größeren Arbeit gewesen sei. Dann hätte er gewiß nicht den Freund eingeladen, der doch eine Ablenkung, eine Störung bedeutete, die er, wie sich aus den erwähnten Zeugnissen vom April zeigte, während der Niederschrift des Romans überhaupt nicht gebrauchen konnte. [192] Zweitens erinnert die negative Beurteilung, die das Schreiben erfährt, in der Art der Formulierung — der Sache nach bleibt die negative Wertung freilich auch später bestehen — noch sehr an die Tagebucheintragung vom 16. Januar, insofern dort unterstellt wird, daß die Jagd ihn zerreißen könne, eine Aussage, die der brieflich geäußerten Meinung entspricht, auf diese Weise werde das Ende beschleunigt. Im Gegensatz dazu wird die literarische Arbeit in der Folgezeit zwar als objektiv wertlos, aber doch immerhin als eine Art Schutz vor dem inneren, lebensbedrohenden Feind angesehen. Drittens schließlich hätte die Verzweiflung der ersten Februarwoche nicht eintreten können, wenn Kafka in diesen Tagen schon regelmäßig beim Schreibtisch gesessen hätte, denn dieses bewahrte ihn jeweils in der Anfangsphase eines schöpferischen Schubes vor jener Depression. Man hat also davon auszugehen, daß er Anfang Februar begann, sich durch kleine Versuche sozusagen für mögliche größere Projekte zu lockern und vorzubereiten.

Es spricht aber einiges für die Annahme, daß das *Schloß* zu diesem Zeitpunkt noch nicht begonnen wurde. Ein Blick auf die Entstehung der beiden andern großen Romane lehrt, daß der für ein solches großes Projekt nötige Schaffensfluß entweder nicht sofort zur Verfügung stand, so daß kleinere Arbeiten vorhergingen, oder daß doch der gestalterische Impetus zunächst noch nicht auf das Großwerk konzentriert war und die Abfassung von Erzählungen gleichzeitig erfolgte: Im Falle des *Verschollenen* war es das Gelingen des *Urteils*, das die Neufassung des *Amerika*-Romans auslöste, beim *Prozeß* scheint Kafka zwar mit dessen erstem Kapitel begonnen zu haben, doch förderte er schon nach einigen Tagen gleichzeitig die *Erinnerungen an die Kaldabahn!* Während der weiteren Niederschrift ist Kafka zunächst, wie es bei einer extrem autobiographischen Verfahrensweise auch gar nicht anders denkbar ist, durch andere Projekte nicht abgelenkt. Wenn aber dann doch zu einem späteren Zeitpunkt, wo die Schaffenskraft schon langsam zu erlahmen drohte, andere Werke nebenher entstehen, so ist das entweder Ausfluß einer tiefgreifenden Änderung der seelischen Lage des Autors, der dieser, wie er es selber bezeugt, mit seismographischer Genauigkeit zu folgen gezwungen ist (wie etwa hinsichtlich der *Verwandlung*), oder es handelt sich um einen der Thematik des Romans verwandten Neuansatz (so in der *Strafkolonie*). Und schließlich kann der Vorgang auch anzeigen, daß die Arbeitsfreude am größeren Werk überhaupt nicht mehr vorhanden ist, weil geänderte Lebensbedingungen Kafkas entsprechende literarische Neukonzeptionen erforderlich machen. [193]

So verhält es sich bei der Entstehung des Fragments *Blumfeld, ein älterer Junggeselle*, das auf die Woche genau zu dem Zeitpunkt begonnen wurde, an dem Kafka eine tiefgreifende Phase der Isolation von Felice überwand, die die Niederschrift des *Prozeß*-Romans verursacht hatte. [194]

Angesichts dieser Schaffensbedingungen erhebt sich die Frage, wann die Entstehung des *Hungerkünstlers* anzusetzen ist. Es gibt einige Argumente dafür, die es plausibel erscheinen lassen, daß diese Erzählung auf Februar 1922 datiert wird, also während des Aufenthalts in Spindlermühle, eventuell auch noch in der letzten Woche dieses Monats in Prag.

Ende Juni 1922 lag der *Hungerkünstler* schon einige Zeit in der Redaktion der *Neuen Rundschau*, er konnte also spätestens im Mai entstanden sein. Eine derart späte Niederschrift ist aber unwahrscheinlich. Es ist bekannt, wie lange Kafka — vom *Urteil* einmal abgesehen — immer zögerte, bis er einen Text zur Publikation freigab, so daß man davon ausgehen kann, daß auch in diesem Fall eine gewisse Zeit zwischen dem Abschluß der Arbeit an der Erzählung und ihrer Übersendung an den Verlag verstrichen sein muß. [195]

Man hat auch einen Brief an Klopstock mitzubedenken, in dem Kafka — wahrscheinlich Anfang Juni 1922 [196] — schrieb: „So viel Ruhe wie ich brauche gibt es nicht oberhalb des Erdbodens. Wenigstens für ein Jahr wollte ich mich mit meinem Heft verstecken und mit niemandem sprechen.« Aus der Art der Formulierung läßt sich ablesen, daß Kafka damals ganz auf seinen Roman konzentriert war. Aus den beiden schon zitierten Briefstellen vom März und April geht hervor, daß er von der Wertlosigkeit des Geschriebenen überzeugt war — wäre seine Unzufriedenheit in dieser Hinsicht in der Folgezeit geringer geworden, so hätte er nicht dieses extreme Einsamkeitsbedürfnis gehabt und in Tagebuchstellen die Art seines Arbeitens beklagt [197]; das paßt auch zu einem noch jüngeren Urteil über seinen Roman, wo er die in Planá geschriebenen Partien positiv dem vorher verfaßten Minderwertigen gegenüberstellt. Wäre der *Hungerkünstler* in dieser Prager Zeit entstanden, wäre er in gewisser Weise unter Kafkas ungünstige Beurteilung subsumiert. Dabei ist überliefert, daß er diese Erzählung »erträglich« fand — ein bei seiner Selbstkritik ganz vorzügliches Urteil — und sie in seinem Testament ausdrücklich zu den Werken zählte, die Bestand hätten. [198]

Vor allem aber ist es doch so, daß der *Hungerkünstler*, der außerhalb der empirischen Welt zu leben scheint, weil er dort keine geeignete Nahrung findet, thematisch sehr weit vom *Schloß* entfernt ist, wo die Hauptfigur einen unablässigen Kampf um einen Platz in der Gemeinschaft führt. Auch ist aus den, allerdings spärlichen, Tagebucheintragungen von März bis Juni keine Änderung in Kafkas innerer Verfassung zu erkennen, die eine Disposition für die Entstehung der Erzählung hätte abgeben können. In den beiden ersten Monaten finden sich mehrfach Kampf-Metaphern, die nur zum Roman passen, und was sonst an ihn erregenden Gegebenheiten erwähnt wird — er führte bewußt ein gleichförmiges Leben mit möglichst wenig Ablenkungen —, ging dann in den Roman ein. [199]

So ist man geneigt, die Niederschrift des *Hungerkünstlers* vor dieser Zeitspanne sich entstanden zu denken. Für eine Entstehung in Spindlermühle sprechen nun auch positiv vier Gründe: Erstens: Eigentlich konnte doch nur das Gelingen einer Erzählung den schon mehrfach am Roman Gescheiterten dazu ermuntern, nach mehrjähriger schriftstellerischer Abstinenz sich erneut in der Großform zu versuchen.

Für diese Chronologie spricht auch folgender merkwürdiger Sachverhalt: Im November 1921 erschien in der *Neuen Rundschau* ein großer Artikel Max Brods über den *Dichter Franz Kafka*. Offensichtlich wollte er dadurch das Selbstbewußtsein des Freundes stärken und seine Schaffenslust anregen, wahrscheinlich ihn auch ermutigen, Unpubliziertes zu veröffentlichen. Für diese Deutung spricht einmal, daß nach dem Brauch der *Neuen Rundschau* ein derartiger Essay in der Regel dazu diente, einen dem Leserkreis noch nicht vorgestellten Autor theoretisch einzuführen, bevor dieser in der Zeitschrift mit einer größeren Arbeit hervortrat. Auch Brods Beitrag weist in diese Richtung, denn er bemerkt in fast tadelndem Ton, der *Prozeß*, dessen künstlerische Stimmigkeit er hervorhebt, sei nach Meinung des Autors »freilich unvollendet, unvollendbar, unpublizierbar«. Gleichzeitig, nämlich am 3. November 1921, schrieb Kurt Wolff einen vielleicht von Max Brod oder Werfel mit veranlaßten Brief an Kafka, in dem er ihm anbot, jedes Manuskript des Autors mit Liebe und Sorgfalt herauszubringen. Wolffs Bemühungen hatten aber zunächst keinen Erfolg, denn am 26. Januar 1922 schrieb er an Hans Mardersteig: »Von Kafka, der fortgesetzt gesundheitlich laboriert, ist – wie mir Max Brod schreibt – trotz aller Bemühungen nichts zu bekommen. Seit Jahr und Tag gibt er überhaupt kein Manuskriptblatt aus den Händen und lehne auch vorläufig für alle Zukunft ab, etwas drucken zu lassen.« [200]

Was mochte also den Verleger, dessen Brief Kafka nicht einmal einer Antwort für Wert befunden hatte, veranlaßt haben, diesem am 1. März, also nur ungefähr fünf Wochen später, erneut zu schreiben? Er hatte offenbar aus Prag erfahren, daß es Kafka besser ging und daß er wieder literarisch arbeitete: »Wenn im Zusammenhang mit dieser Genesung Sie den Wünschen ihrer Freunde folgend sich ein wenig mit Ihren Manuskripten und Arbeiten beschäftigen, so denken Sie bitte an die dringlichen Bitten, die meine letzten Briefe Ihnen zutrugen.« [201] Die angeführten Zitate bestätigen nicht nur aus einer anderen Perspektive die in dieser Arbeit vertretene These, daß Kafka im Februar 1922 nach langer Pause wieder zu schreiben begann, sondern suggerieren auch, daß am 1. März schon Publikationswürdiges vorlag. Auf das *Schloß* kann sich das gewiß nicht beziehen, denn Max Brod lernte dessen Eingangskapitel erst zwei Wochen später kennen, und es ist überhaupt fraglich, ob er am Monatsanfang überhaupt schon wußte, worum es sich bei dieser Arbeit handelte. Selbst wenn dies der Fall gewesen sein sollte, mußte er wissen, gerade vom *Prozeß* her, dessen Veröffentlichung, auch in ausgewählten Teilen, ihm gerade mißlungen war, daß an eine Edition dieser größeren Arbeit, mit der Kafka eben erst angefangen hatte, in absehbarer Zeit nicht zu denken war.

Etwas anderes, etwas Vollendetes muß also am 1. März schon vorgelegen haben, und dies konnte nach Lage der Dinge nur der *Hungerkünstler* oder *Erstes Leid* sein. Letzteres Stück, das Kafka dann dem mit Kurt Wolff verbundenen Hans Mardersteig – er war sein »Freund und Mitarbeiter« – überließ, ist wahrscheinlich etwas früher entstanden. [202] Daß dies erst Anfang Mai 1922 geschah, und zwar, obwohl Kafka die Erzählung schlecht fand, beweist nicht, daß der *Hungerkünstler* damals noch nicht vorlag, sondern nur, daß er dieses Stück in der literarisch bedeutenden *Neuen Rundschau* herausbringen wollte, wo Max Brod entsprechend vorgearbeitet hatte, während es ihm jetzt, wo er hoffen durfte, wieder einmal mit größeren Arbeiten hervortreten zu können, nicht mehr so problematisch schien, solche für später geplanten Publikationen bei Wolff mit dem *Ersten Leid* einzuleiten. [203]

Für die Richtigkeit dieser Annahmen spricht auch ein sehr merkwürdiges Mißverständnis Max Brods. Ende Juni schrieb Kafka an den Freund anläßlich des Schreibens, in dem sich der Verleger über die Zusendung des *Ersten Leides* bedankt – Kafka hatte diesen, an seine Büroadresse gerichteten Brief erst jetzt erhalten —, es würde ihn glücklich machen, wenn er »die widerliche kleine Geschichte« wieder zurückziehen könnte, denn er fühlte sich durch Wolff beschämt und in seiner Selbstverurteilung bestätigt.

In seiner Antwort nun geht Max Brod davon aus, daß diese Bewertung den *Hungerkünstler* treffe. Die Verwechslung, die aufgrund der Briefstelle gar nicht möglich ist, läßt sich am besten erklären, wenn man voraussetzt, Brod habe gemeint, Kafka wolle an Wolff den *Hungerkünstler* schicken, und dies wiederum mußte ihm dann naheliegen, wenn er Wolff in den letzten Februartagen von der neuen Lage in Kenntnis setzte, weil diese Erzählung damals fertig geworden war. Nun in diesem Fall war eine Intervention auch sinnvoll. [204]

Zweitens: In Spindlermühle bekam Kafka eine äußere Anregung für das Thema der Erzählung. Er traf dort mit einer Schauspielergesellschaft zusammen. Im schon erwähnten braunen Quartheft, in dem der *Hungerkünstler* überliefert ist, geht dem Text ein kleines Fragment voraus, in dem aus der kollektiven Optik eines Theaterunternehmens die schöne und wirkungsvolle Vorführung beschrieben wird, die der »Ritt der Träume« genannt wird. Man könnte sich vorstellen, daß Kafka Zeuge von Erzählungen wurde, in denen Mitglieder dieser Gruppe von besonderen Attraktionen berichteten, die sie in ihrer Laufbahn erlebten. [205]

Drittens: Allgemein betrachtet unterschied sich Kafkas innere Lage in den beiden letzten Wochen seines Aufenthalts in Spindlermühle — er kehrte am 17. Februar nach Prag zurück — nicht von der der folgenden Monate, denn hier wie dort war sie durch innere Kämpfe, Müdigkeit und das Gefühl des Ausgewiesenseins gekennzeichnet [206], aber es gibt trotzdem in der früheren Phase einige Besonderheiten, die in näherer Beziehung zum *Hungerkünstler* stehen. Es war in Spindlermühle, wo Kafka formuliert, er sei Bürger einer anderen Welt, die von der Welt der menschlichen Gemeinschaft radikal unterschieden ist; auch fühlt er sich ohne jeden Zusammenhang mit Menschen, weil er einen solchen nicht herstellen kann. Beides traf auf die Zeit in Matliary, abgesehen von den ersten Wochen, und Prag, wo er Freunde und Bekannte hatte, nicht zu. [207] Auch erinnert die an zwei Tagebuchstellen verwendete Metaphorik stark an den Hungerkünstler, der in einen Käfig gesperrt ist, später in der Nähe der Stallungen eines Zirkusses lebt und sich auch wie ein Tier aufführt, wenn er das Hungern aufgeben soll. Am 10. Februar 1922 notierte sich Kafka: »...nur vorwärts, hungriges Tier, führt der Weg zur eßbaren Nahrung, atembaren Luft, freiem Leben, sei es auch hinter dem Leben.« Die hier angesprochene, sozusagen auf einer anderen Lebensebene liegende Essensmöglichkeit entspricht der Schlußphase der Erzählung, wo die Hauptfigur behauptet, sie habe auf dieser Welt nicht die Speise finden können, die schmeckt, und nur deswegen gehungert.

Daß sich darin auch ganz konkret die Tatsache spiegelt, daß Kafka seine ja tatsächlich bestehende sehr weitgehende Eßunfähigkeit auf geistige Ursachen zurückführte, beweist eine Briefstelle vom Januar 1921, wo er auf

Max Brods Erstaunen darüber eingeht, daß er angeblich nur die Frau so hoch
über sich stelle, daß diese ihm unerreichbar werde: »... Du sagst, wenn mir
das Nach-Vollkommenheit-Streben das Erreichen der Frau unmöglich macht,
müßte es mir ebenso auch alles andere unmöglich machen, das Essen, das
Bureau usw. Das ist richtig. Zwar ist das Vollkommenheitsstreben nur ein
kleiner Teil meines großen gordischen Knotens, aber hier ist jeder Teil auch
das Ganze und darum ist es richtig, was Du sagst. Aber diese Unmöglichkeit besteht auch tatsächlich, diese Unmöglichkeit des Essens usw., nur
daß sie nicht so grob auffallend ist wie die Unmöglichkeit des Heira-
tens.« [208]

Und sagt der Hungerkünstler, er hätte sich »vollgegessen wie du und
alle«, wenn er gefunden hätte, was ihm schmeckt, so war Kafka der Ansicht, er wäre ehrgeizig mit allen Fäusten »losgegangen«, wenn man ihm
»die Reiche der Welt und ihre Herrlichkeit« angeboten hätte. Intensiviert wurden diese Zusammenhänge gerade während der Zeit in Spindlermühle, wo
Kafka glaubte, an einer Lungenentzündung zu sterben und trotz der systematischen Kur der vorhergehenden Monate nicht die bei seiner Krankheit le-
bensnotwendige Gewichtszunahme erreicht hatte. [209] Außerdem heißt
es bald nach der Ankunft in Spindlermühle, die Hauptnahrung komme nicht
aus dem menschlichen Bereich, sondern aus anderer Luft und lebensfähigerem
Boden, in dem er kläglich verwurzelt sei. Ein an Bewußtlosigkeit erinnernder
Zustand in diesem Ort und seine Unfähigkeit, mit Menschen zu sprechen,
erinnert an den Ohnmachtsanfall, den der Hungerkünstler beim Verlassen des
Käfigs hat, während der Impresario mit dem Publikum plaudert. [210]

Viertens: Der handschriftliche Zusammenhang im braunen Quartheft weist
ebenfalls auf eine Entstehung der Erzählung in der angenommenen Zeit.
Um dies zu erkennen, muß man die Funktion dieser Blätter und ihre mögliche zeitliche Einordnung allerdings sehr detailliert betrachten: Abgesehen
von den sechs Quartheften, die den Text des *Schloß*-Romans enthalten, dem
13. Quartheft, in dem Kafka im Oktober 1921 das Tagebuchführen wieder
aufnahm, dem fraglichen braunen Heft und einem weiteren gleichgroßen
schwarzen scheint er kein weiteres Schreibmaterial für seine literarischen
Versuche benützt zu haben: Als er nämlich mit der Erzählung *Forschungen
eines Hundes* ans Ende des braunen Quarthefts kam, war er genötigt, im
Tagebuch fortzusetzen. Und als er, wohl Ende August, einen Brief an die
Freundin Max Brods entwarf, mußte er vielleicht Blätter aus dem 6. Quartheft (oder dem erwähnten schwarzen) herausreißen, das er für die Niederschrift der letzten Teile des *Schloß*-Romans benützte. Ebenso sind einige
kleine Fragmente vom Sommer 1922 auf Blättern überliefert, die aus diesem
6. Quartheft stammen.

Die Reihenfolge der Eintragungen im braunen Quartheft zeigt also die
zeitliche Abfolge an, in der die Texte während der produktiven Phase des
Jahres 1922 entstanden, sofern sie nicht zum Roman gehören. [211] Dabei
kann man davon ausgehen, daß Kafka zu dem Zeitpunkt, wo er Teile des 6.

Quartheftes für kleine Einfälle und Notizen verwendete, noch am *Schloß* arbeitete, denn erstens wäre sonst nicht einzusehen, warum die noch unbeschriebenen Seiten aus dem Heft entfernt wurden, und zweitens enthält die erste Eintragung eine Vorform der Bürgel-Episode, was bedeutet, daß die betreffenden Blätter im August dem Heft entnommen wurden, was wiederum zur Datierung des eben erwähnten Briefentwurfs stimmt. [212]

Konsequenterweise muß man bei diesen Papierverhältnissen annehmen, daß Anfang August das braune Quartheft schon ganz beschrieben war, denn sonst hätte Kafka für Briefentwurf und Variante der Bürgel-Episode den dort vorhandenen freien Raum benützen können. Da sich, wovon noch die Rede sein wird, erschließen läßt, daß der zuletzt genannte Romanteil ungefähr in der ersten Augustwoche entstand, müssen die umfangreichen *Forschungen eines Hundes* vorher, und zwar entweder zwischen dem 5. und 14. oder zwischen dem 20. und 31. Juli, entstanden sein, denn zwischen den beiden genannten Zeitpunkten weilte Kafka in Prag; für die Niederschrift des 21. und 22. Romankapitels, die wohl ebenfalls im Juli erfolgte, bleibt dann noch genügend Zeit in diesem Monat. Um die ungefähr fünfzig Druckseiten umfassende Erzählung zu konzipieren, reichen die angenommenen zehn Tage ebenfalls, denn im Oktober 1914, wo Kafka unter sehr ähnlichen Bedingungen arbeitete — Urlaub und in einer Schaffensphase, wo schon größere Teile eines Romans vorlagen —, leistete er in einer vergleichbaren Zeit sogar noch wesentlich mehr. [213]

Auch paßt der vermutete Zeitpunkt insofern gut, als ihm Ereignisse vorangingen, die eine Änderung der inneren Verhältnisse des Dichters herbeiführten. Diese auf äußeren Vorgängen fußenden Gegebenheiten, die eine gewisse Nähe zur Thematik der *Forschungen eines Hundes* aufweisen, bildeten also den Ausgangspunkt dieser retrospektiven, mit dem *Schloß* in keiner Weise vergleichbaren Erzählung. Am 1. Juli 1922 nämlich wurde Kafka pensioniert, weil sein Gesundheitszustand derart war, daß eine Besserung höchstens noch nach mehrjährigen Kuren erwartet werden konnte. Dies bedeutete doch einen unerhörten Einschnitt in seinem Leben, die Erkenntnis endgültigen Scheiterns, was ihn zur Retrospektion führen mußte, zur Suche nach den Ursachen, und nach Rechtfertigung des ehemaligen Verhaltens verlangte.

Dazu kam ein Zusammenbruch am 4. und 5. Juli, wo er sich seiner Unfähigkeit bewußt wurde, Planá um die Monatsmitte zu verlassen, um einen mit Oskar Baum abgesprochenen Urlaub in Deutschland anzutreten. Der Grund war »Angst um Erhaltung der Einsamkeit«. Die Übereinstimmung mit dem Beginn der *Forschungen eines Hundes* ist offensichtlich: »Wie sich mein Leben verändert hat und wie es sich doch nicht verändert hat im Grunde! Wenn ich jetzt zurückdenke und die Zeiten mir zurückrufe, da ich noch inmitten der Hundeschaft lebte, teilnahm an allem, was sie bekümmert...« Und die folgende, ebenfalls im ersten Abschnitt stehende Stelle könnte geradezu in einem Brief aus Planá stehen: »Zurückgezogen, einsam, nur mit meinen hoffnungslosen, aber mir unentbehrlichen kleinen Unternehmungen beschäftigt, so lebe ich . . .« [214]

Verweist dieser Zusammenhang mehr auf das frühere Datum, so gibt es auch Indizien, die für eine Entstehung Ende Juli sprechen. Erstens wurde die Einsamkeit — »Ich kann nicht mit den Leuten hier sprechen, und täte ich es, wäre es Erhöhung der Einsamkeit« — natürlich eher nach vierwöchigem Aufenthalt bewußt — Kafka traf am 23. Juli in Planá ein — als nach einem Drittel dieser Zeit. Zweitens machte er bei seinen Pragfahrten Erfahrungen, die ebenfalls in der Erzählung spürbar sind, Erkenntnisse also, die vor dem 19. Juli nicht zur Verfügung standen: Er meide die Stadt, schreibt er an Klopstock, »weil mich die paar winzigen Zusammenkünfte, Gespräche, Anblicke, die ich dort habe, fast ohnmächtig machen«. Damit kann man in Verbindung bringen, daß der Ich-Erzähler der *Forschungen eines Hundes* eine Art Entschluß faßt, die letzte Verbindung zu einem bekannten Mithund abzubrechen. Als äußerliche Anregung mag noch gedient haben, daß Kafka in Planá einen Hund zur Verfügung hatte — er gehörte der Vermieterin —, mit dem er spazierengehen konnte. [215]

Die ganzen bisherigen chronologischen Erwägungen werden auch noch dadurch gestützt, daß eine Entstehung der Erzählung in der letzten Augustwoche und im September, also unmittelbar nach dem Abbruch der Arbeit am Roman, nicht wahrscheinlich, teilweise sogar unmöglich ist. Schon am 19. September traf Kafka, der noch am 10. dieses Monats davon ausging, bis zum Ende des Monats in Planá zu bleiben, in Prag ein. Über die letzten Tage seines Feriendomizils sagt er unmittelbar nach seiner Rückkehr: »Zum Schluß war ich fast froh, daß ich wegfuhr.« Hätte er in der letzten Woche seines Aufenthalts in Planá wirklich mit den *Forschungen eines Hundes* begonnen, so hätte er weder von diesen Tagen so ungünstig gesprochen noch auch diesen Ort vorzeitig verlassen, denn er mußte wissen, daß die bevorstehende Übersiedlung auf jeden Fall der entstehenden Erzählung schädlich war.

Aber auch die Folgezeit kommt nicht für literarische Arbeit in Frage. Gleich in den ersten Tagen nach seiner Rückkehr erlitt er einen Zusammenbruch, der ihn natürlich arbeitsunfähig machte. Und nach diesem Zeitpunkt setzte Kafkas Inspiration offenbar für ein ganzes Jahr aus. Am 14. November bekennt er im Tagebuch resümierend über die zurückliegenden Wochen: »Sitze beim Schreibtisch, bringe nichts zuwege . . . «

Endlich fallen die vor dem 10. September liegenden Wochen für die Konzeption der Geschichte aus: Denn in einem Schreiben, das unmittelbar vor dem an Max Brod gerichteten und am 11. in Prag eintreffenden verfaßt worden sein muß, heißt es: »Lieber Robert, die Feder ist mir fast ungewohnt in der Hand, so lange habe ich schon nicht geschrieben.« Da in diesem Brief noch vorausgesetzt ist, daß die Rückkehr nach Prag erst zum Monatswechsel erfolge, kann er nicht nach dem 10. September verfaßt sein, weil sonst eine grobe Lüge Kafkas anzunehmen wäre, für die es gar kein Motiv gäbe, und weil auch schlecht vorstellbar ist, daß er beispielsweise eine Woche nach diesem Termin noch nicht gewußt haben sollte, daß er zwei Tage später in Prag sein würde. Da er in den ersten Tagen dieses Monats in Prag weilte, ungefähr um den 4. herum zurückkehrte und etwa schon vierzehn Tage vor diesem Datum die Beschäftigung mit dem *Schloß* aufgegeben hatte, konnte er um den 10. dieses Monats herum mit einem gewissen Recht sagen, das Schreibzeug liege ihm fremd in der Hand, denn in den vergangenen zweieinhalb Wochen hatte er, von einem kurzen, am 4. oder 5. verfaßten Schreiben an Klopstock selbst abgesehen, den Federhalter nicht in die Hand genommen, also in dieser Zeit auch nicht die *Forschungen eines Hundes* geschrieben. [216]

Spricht gegen eine solche frühe Datierung der Erzählung aber nicht, daß das ihr in der Handschrift unmittelbar vorhergehende Frieda-Buchstück inhaltlich in den Zusammenhang des Berichts von Pepi gehört, der doch nach der Szene mit Bürgel niedergelegt wurde? Dies ist keineswegs der Fall. Zu dem Zeitpunkt, als Kafka die Stelle schrieb, die jetzt als Variante des Bruchstücks erscheint, kann dieses nicht formuliert worden sein, denn sonst wäre jene Passage gestrichen und durch dieses ersetzt worden. So wäre Kafka gewiß auch verfahren, wenn er zu einem späteren Zeitpunkt mit der ursprünglichen Formulierung unzufrieden gewesen wäre. Es ist unwahrscheinlich, daß dann — und dazuhin ohne jeden näheren Verweis — die bessere Lesart in einem anderen Heft konzipiert worden wäre. Außerdem: Wann hätte eine solche Revision stattfinden sollen? Das Manuskript zeigt in seinem letzten Teil ja nicht einmal eine Kapiteleinteilung. Nach der Aufgabe der Arbeit Ende August hatte Kafka gewiß kein Interesse zu solcher Feinarbeit, die ja dann wohl in den noch leeren Blättern des 6. Quarthefts ihren Niederschlag gefunden hätte.

Die Passage im braunen Quartheft muß also älter sein als die jetzige Erzählung Pepis. Es handelt sich wohl um einen Formulierungseinfall, der vielleicht auch die besondere Art der von diesem Schankmädchen verwendeten indirekten Rede festhalten sollte. Kafka spricht einmal im Zusammenhang mit dem *Verschollenen* davon, daß er sich, freilich ungern, solche außerhalb des schon vorliegenden Textzusammenhangs stehenden Ideen späterer Handlungseinheiten notierte. Daß dies im vorliegenden Fall vor der Niederschrift der Vorfassung der Bürgel-Szene geschah, ist insofern gut denkbar, als das Bruchstück, das auf Blättern des 6. Quartheftes erhalten ist, doch noch voraussetzt, daß Pepis Lebensgeschichte K. vor den beiden Verhören erzählt wird. Kafka muß sich also schon vor der Konzeption der Vorfassung Gedanken über diesen Handlungsteil gemacht haben.

Solche Überlegungen mußten sich spätestens nach Beendigung des 21. Kapitels einstellen, das ungefähr in den letzten Junitagen entstanden sein wird, also zu Anfang des Folgemonats und damit, wie der handschriftliche Zusammenhang fordert, gerade vor dem Beginn der Arbeit an der Hunde-Geschichte. Wenn man ein in mehreren Ansätzen vorliegendes kleines Fragment, das im braunen Quartheft zwischen dem Frieda-Bruchstück und den *Forschungen eines Hundes* überliefert ist, in zeitliche Nähe zu der Mitte

Juni versuchten Rezension von H. Blühers Buch *Secessio judaica* bringen darf [217], könnte der erste Ansatz von Pepis Erzählung noch in der dritten Juniwoche in Prag fixiert worden sein. [218] Läßt sich also das Ende des braunen Quarthefts einigermaßen sicher auf Juli 1922 festlegen, so sein Anfang auf den Februar dieses Jahres. Folgende Überlegungen sollen dies wahrscheinlicher machen.

Im braunen Quartheft gehen etwa 9 Druckseiten dem *Hungerkünstler* voraus. Die zweite Eintragung beginnt mit dem Satz: »Das Schreiben versagt sich mir.« Daher habe er, schreibt Kafka, den Plan gefaßt, selbstbiographische Untersuchungen vorzunehmen. Wenn auch dies nicht gelingt, weil mitten in der Arbeit die Kräfte versagen, sei Irrsinn die Folge. Von dieser Passage gibt es recht enge Motivverbindungen zu Tagebuchaufzeichnungen vom 2., 14. und 20. Februar, von der ihr vorausgehenden — das kleine Erzählbruchstück spielt bezeichnenderweise »im Januar« — eine solche zu einem Eintrag vom 21. Januar 1922. Man hat hier also die allerersten Schreibversuche vor sich, die nur kurz vor oder nach seiner Ankunft in Spindlermühle entstanden sein können. [219]

Der übernächste Eintrag im braunen Quartheft lautet so: » ›Wie bin ich hierhergekommen?‹ rief ich. Es war ein mäßig großer, von mildem elektrischem Licht beleuchteter Saal, dessen Wände ich abschritt. Es waren zwar einige Türen vorhanden, öffnete man sie aber, dann stand man vor einer dunklen glatten Felswand, die kaum eine Handbreit von der Türschwelle entfernt war und geradlinig aufwärts und nach beiden Seiten in unabsehbare Ferne verlief. Hier war kein Ausweg. Nur eine Tür führte in ein Nebenzimmer, die Aussicht dort war hoffnungsreicher, aber nicht weniger befremdend als bei den anderen Türen. Man sah in ein Fürstenzimmer, Rot und Gold herrschte dort vor, es gab dort mehrere wandhohe Spiegel und einen großen Glaslüster. Aber das war noch nicht alles.«

Hier gibt es Beziehungen zu einem am 25. Januar entstandenen bildhaften Text im Tagebuch: »Immer in Gefahr. Kein Ausweg ... Wie hilflos schaut mich der Tyrann an: ›Dorthin führst du mich?‹« Die überraschte Frage, die Ortsveränderung, das Motiv der Ausweglosigkeit und die insgeheim anwesende Herrschergestalt sind beiden Passagen gemeinsam. Vor allem aber scheint hier die Urzelle des Romanbeginns gestaltet, denn in einer dem jetzigen Beginn vorausgehenden Variante des Anfangs wird der Erzähler — noch bei der endgültigen Niederschrift des *Schlosses* zunächst ein Ich — in ein »Fürstenzimmer« geführt, in dem sein Bewegungsspielraum wegen der Brüchigkeit des Balkons in einer dem Fragment im braunen Quartheft vergleichbaren Weise eingeschränkt ist. [220] Der zuletzt genannte Erzählansatz muß also älter sein als der Romanbeginn und paßt zeitlich am besten in die Zeit, als Kafka in Spindlermühle ankam.

So könnte man auch die nächste größere, von ihm nur durch ein anderthalbzeiliges Bild getrennte Eintragung einordnen: Ein Ich-Erzähler läßt sein Pferd aus dem Stall holen und unternimmt eine »wahrhaft ungeheure

Reise«. Denn dieses Erzählelement kennzeichnet auch K., der bei seiner Ankunft im Dorf vergleichbar ausgedehnte Wanderungen hinter sich hat. Die
Erwähnung des Pferds weist auf eine Notiz vom 27. Januar, dem Ankunftstag in Spindlermühle, wo die Heranführung neuer Kräfte erwartet und mit
der Vorstellungswelt des *Landarztes* veranschaulicht wird: »es kann erfahrungsgemäß aus dem Nichts etwas kommen, aus dem verfallenen
Schweinestall der Kutscher mit den Pferden kriechen.« Auch eine Beziehung
zum *Hungerkünstler* besteht, insofern im fraglichen Bruchstück diskutiert
wird, ob die Mitnahme von Eßvorrat sinnvoll sei – sie ist es nicht –, und
weil die Existenzform des Künstlers als »Wanderleben« bezeichnet wird. [221]

Daran schließt sich im Manuskript ein Stück, in dem ein Ich-Erzähler zu
einer Stelle im Gebäude kommt, wo er sich versenken lassen kann. Dies ist
insofern eine mit Spindlermühle assoziierbare Vorstellung, als es dort alte
Bergwerkstollen gab, die Derartiges suggerieren mochten. [222]

Im Quartheft folgt nun das von Max Brod unter dem Titel *Fürsprecher*
veröffentlichte Stück. Dort wird der Geltungsbereich des Gesetzes erörtert,
dem »Anklage, Fürspruch und Urteil« eignet, so daß ein selbständiges Sich-
einmischen des Menschen Frevel wäre. Anders beim Tatbestand des Urteils,
denn die Ankläger, »diese schlauen Füchse, diese flinken Wiesel, diese un-
sichtbaren Mäuschen, schlüpfen durch die kleinsten Lücken, huschen zwischen den Beinen der Fürsprecher durch«. Dazu stimmen Formulierungen
Kafkas vom 1. November 1921 und 18. und 19. Januar 1922, wo über das
von ihm befolgte »Gesetz« gesprochen wird, freilich auch über die Möglichkeiten, seine Gültigkeit zu umgehen, was zur Folge haben kann, »daß das
Blut in den Rinnen zwischen den großen Steinen des Gesetzes versickert«.
Auffällig ist auch, daß die erwähnten Tiere typisch für die Gegend um
Spindlermühle sind. [223] Und das zu Anfang des Bruchstücks erwähnte
Gerichtsgebäude mit seinen Gängen erinnert daran, daß Kafka Ende Dezember Tolstojs *Tod des Iwan Iljitsch* gelesen hatte, wo dieses Motiv auftaucht, und am 17. Februar des Folgejahres vom Thema dieser Erzählung
als einer »Hinrichtung« sprach. Gegen Ende des Textes heißt es dann: »Die
dir zugemessene Zeit ist so kurz, daß du, wenn du eine Sekunde verlierst,
schon dein ganzes Leben verloren hast, denn es ist nicht länger, es ist immer
nur so lang, wie die Zeit, die du verlierst. Hast du also einen Weg begonnen,
setze ihn fort ... Findest du also nichts hier auf den Gängen, öffne die Türen,
findet du nichts hinter diesen Türen, gibt es neue Stockwerke ... « Dieser
Vorstellungsbereich wird in einer Tagebucheintragung vom 27. Januar auf
andere Weise präsentiert: »Man kann ein Leben nicht so einrichten wie ein
Turner den Handstand.« Denn hier ist doch impliziert, daß eine Sekunde
der Unachtsamkeit, die den Handstehenden umwirft, das ganze Dasein vernichtet, weil das ihm zugrunde liegende Lebensgesetz diesem Mechanismus
folgt. [224]

In topographischen Details weist ein weiteres in dem genannten Quartheft überliefertes Textstück, das ebenfalls noch vor dem *Hungerkünstler*

steht, deutlich auf Spindlermühle. Der Ich-Erzähler, ein Hund, berichtet über einen Rundgang: »Wo bin ich denn herumgelaufen, zuerst über den Marktplatz, dann durch den Hohlweg den Hügel hinauf, dann vielemal über die große Hochebene kreuz und quer, dann den Absturz hinunter, dann ein Stück auf der Landstraße, dann links zum Bach, dann die Pappelreihe entlang, dann an der Kirche vorbei, und jetzt bin ich hier. Warum denn das? Und ich war dabei verzweifelt. Ein Glück, daß ich wieder da bin. Ich fürchte mich vor diesem zwecklosen Herumlaufen, vor diesen großen öden Räumen, was für ein armer, hilfloser, kleiner, gar nicht mehr aufzufindender Hund bin ich dort.« [225]

Von Spindlermühle aus gelangte man in östlicher Richtung auf dem sogenannten Ziegenrücken-Weg zur Eisenkoppe, einem Hügel, und zu dem sich ihm nördlich anschließenden Ziegenrücken, dessen Plateau tatsächlich »zickzackförmig« verläuft — es ist zerklüftet und scharfkantig —, so daß es unmöglich ist, an seinem Kamme zu wandern. Durchschreitet man es »kreuz und quer« in westlicher Richtung, so gelangt man an einen Steilabfall, der nach Norden in den Weißwassergrund führt. Man gelangt so an die zur Spindlerbaude führende Landstraße, die, in nördlicher Richtung begangen, nach kurzem das Weißwasser kreuzt. Folgt man ihm nach links, kommt man sofort zum rechten Elbufer und kann auf dem dortigen Ufer-Weg in südlicher Richtung zurück in den Ort gelangen. [226]

Überhaupt läßt sich das über den Erzähler Gesagte auf den Autor beziehen. Kafka wanderte dort »hoch genug und steil«, er war verzweifelt, spricht von seiner inneren Armut, der möglichen Sinnlosigkeit seiner Spaziergänge und fühlt sich als Kleinster seiner Welt. [227]

Der nächste Eintrag im braunen Quartheft lautet: »Der Kampf mit der Zellenwand. Unentschieden.« [228] Damit läßt sich in Verbindung bringen, was am 21. Oktober des Vorjahres als Tagebucheintrag erscheint: »Alles ist Phantasie, die Familie, das Bureau, die Freunde, die Straße, alles Phantasie, fernere oder nähere, die Frau; die nächste Wahrheit aber ist nur, daß du den Kopf gegen die Wand einer fenster- und türlosen Zelle drückst.« [229] Daß derartige Vorstellungen gerade in Spindlermühle aktiviert wurden, ist nicht verwunderlich, hatte er doch dort besonders das Gefühl vollständiger Isolation von seiner Umwelt und den Eindruck, in einer eigenen, vom Gemeinschaftsleben verschiedenen Welt zu leben.

Die beschriebenen, allesamt verhältnismäßig kurzen Ansätze passen vorzüglich zu der inneren Welt Kafkas im Januar und Februar 1922. Diese abreißenden Anfänge wirken wie eine Veranschaulichung der schriftstellerischen Fähigkeiten Kafkas, wie sie aus seinen Selbstaussagen in dieser Zeit erschließbar sind. Es sind also gleichsam Lockerungsübungen, wie sie am besten in die letzte Januar- und erste Februarwoche passen. Da nun im Manuskript unmittelbar der *Hungerkünstler* mit seiner Vorfassung folgt, kann man ohne Bedenken die Entstehung dieser Erzählung auf die folgenden Wochen festlegen. Daß sich dann bis zur Niederschrift der *Forschungen eines Hun-*

des nur noch 17 Druckseiten an Fragmenten finden, paßt gut zu dem aus anderen Indizien erschlossenen Befund, daß sich Kafka in dieser Zeit ganz auf seinen Roman konzentriert hat. [230]

So kann man sich vorstellen, daß er nach seiner Rückkehr nach Prag mit dem *Schloß* begann. Wenn er sich am 20. Februar, also drei Tage nach seiner Ankunft in Prag, die er gewiß zur Umstellung und Eingewöhnung brauchte, notiert: »Unmerkliches Leben. Merkliches Mißlingen« — am Vortage heißt es nur: »Hoffnungen?« —, so mag man darin ausgedrückt sehen, daß ihm der zunächst aussichtsreiche ursprüngliche Anfang des *Schlosses* zur Sackgasse wurde (vgl. Abb. 13), denn wie sollte das Mißlingen auf ein Leben zu beziehen sein, das er auch in der Folgezeit bewußt artikulierte, um keine Störungen seiner Arbeit aufkommen zu lassen?

Drei Wochen später nämlich, am 15. März, als Kafka das erste Kapitel Max Brod vortrug, muß schon sehr viel mehr vom *Schloß* vorgelegen haben: Der *Verschollene* wurde am 25. September 1912 begonnen, doch las Kafka, der von der Qualität des *Heizers* außerordentlich überzeugt war, den Eingangsteil erst am 6. Oktober seinem Freund vor, als er schon am zweiten Kapitel arbeitete oder dieses gar beendet hatte; den *Prozeß* begann er in der zweiten Augustwoche 1914, doch brachte er das erste Kapitel erst im September zu Gehör, als schon weitere Kapitel vorhanden waren. [231]

Gewiß verhielt sich Kafka 1922 nicht anders: Er wollte nicht den Anfang eines Romans präsentieren und dann gezwungen werden zu sagen, daß er leider zu weiteren Lesungen außerstande sei, weil er mehr als den Eingang des Ganzen nicht zustande bringe. Er muß also Mitte März schon mindestens zwei bis drei Wochen an der Arbeit gewesen sein. Natürlich ist nicht ganz auszuschließen, daß er den Roman schon etwas früher, also etwa Mitte Februar, begann und dann die Konzeption des *Hungerkünstlers* eingeschoben wurde, doch bleibt es auch in diesem Fall das wahrscheinlichere, daß diese Erzählung schon Ende dieses Monats vorgelegen haben muß, weil Max Brod sonst wohl kaum bei Kurt Wolff interveniert hätte.

Aufgrund dieses Ansatzes ist es möglich, einigermaßen genau zu bestimmen, wann Kafka bestimmte Teile des *Schlosses* schrieb. Denn die Arbeitszeit umfaßt ziemlich genau ein halbes Jahr, und da während dieser Monate im wesentlichen gleichartige Schaffensbedingungen herrschten — soweit dies, wie etwa in Planá, nicht der Fall war, läßt sich das aufgrund der Briefe berücksichtigen — und berufliche Ablenkungen nicht erfolgten, kann man davon ausgehen, daß in gleichen Zeiträumen auch ungefähr gleichviel konzipiert wurde, zumal diese Gesetzmäßigkeit auch bei anderen, in ihrer Entstehungsgeschichte besser belegten Werken beobachtbar ist. Allerdings muß man noch berücksichtigen, daß die Intensität der Schaffenslust allmählich abnahm und gegen Ende einer Produktionsphase langsam versickerte.

Um zu einer richtigen Einschätzung dieser Fragen zu kommen, muß man auch mit der aus M. Pasleys und K. Wagenbachs Datierungsversuch ableitbaren irrigen Annahme brechen, als hätten Ende Juli 1922 nur die ersten neun Kapitel vorgelegen. Die genannten Forscher vertreten diese Auffassung, weil sie fälschlicherweise das Frieda-Bruchstück im braunen Quartheft für die direkte Fortsetzung des achten Kapitels halten und davon auszugehen scheinen, daß der *Hungerkünstler* erst im Juni konzipiert wurde, offenbar, weil Max Brod in einem auf etwa Mitte Juli dieses Jahres zu datierenden Brief von der Lektüre des achten und neunten Kapitels spricht. [232] Diese These würde auch zu der ganz unglaublichen Folgerung führen, daß in der Zeit vom 20. Juli bis ungefähr zum 23. oder 24. August quantitativ mehr entstanden sein müßte als in der fünfmal so langen Zeitspanne davor. Und bei dieser Rechnung ist noch gar nicht mitbedacht, daß das Frühjahr an sich schon für Kafka eine arbeitsintensivere Phase darstellte als die Monate Juni und Juli, in denen er eigentlich kaum literarisch aktiv war, weil es seine Ferienmonate waren. [233]

Geht man von der statistischen durchschnittlichen Tagesleistung aus, so kann Kafka in Planá, weil er seine damalige Arbeitsleistung als untermittelmäßig einstuft, nur die Kapitel 21 bis 25 geschrieben haben. In den ungefähr zehn verbleibenden Arbeitstagen im Juli — die andere gleichlange Periode blieb den *Forschungen eines Hundes* vorbehalten — wären dann die beiden ersten der genannten Kapitel konzipiert worden, also K.s letztes Gespräch mit Jeremias und seine Auseinandersetzung mit Frieda auf dem Gang im »Herrenhof«. Das 23. und 24. Kapitel, das Zusammentreffen K.s mit Bürgel und Erlanger und seine Beobachtung der Aktenverteilung, könnte man sich dann in der ersten Augusthälfte niedergeschrieben denken, was einen normalen Tagesdurchschnitt von drei Druckseiten ergibt. Der gleiche Arbeitsfortschritt ergibt sich, wenn man Pepis Erzählung auf die dritte Augustwoche datiert. Dann kamen der Zusammenbruch, weil Kafka noch einen Monat ohne Ottla in Planá bleiben sollte, und die Reise nach Prag. Nach seinem eigenen Zeugnis versuchte er Ende August und zwischen dem 5. und 10. September den Roman fortzuführen, was ihm aber nicht gelang.

Tatsächlich weisen die nach Pepis Bericht stehenden Teile, nämlich K.s Antwort auf die lange Darstellung des Zimmermädchens, sein Gespräch mit der Herrenhofwirtin, mit Gerstäcker und seiner Mutter, bedeutende Streichungen und Varianten auf, die Kafkas Kampf mit dem Stoff und seine endliche Resignation diesem gegenüber deutlich zeigen. Das Manuskript bricht mitten auf der Seite ab (vgl. auch Abb. 12), und die vorhergehende Erzähleinheit ist erzählerisch nicht mehr ausgefeilt, sondern deutlich als skizzenhafte Vorfassung erkennbar. [234] An den ungefähr zehn Arbeitstagen dieser letzten Phase — der Zusammenbruch dauerte zwei Tage — hätte Kafka dann noch ganze 17 Druckseiten geschafft, zu dem allerdings noch ein ungefähr gleich großes Kontingent an gestrichenen, handgeschriebenen Seiten kommt. [235]

Zu den angenommenen Hypothesen stimmt auch die von Kafkas Hand stammende Titelgebung. Auf dem Vorsatzblatt zum ersten Manuskriptheft findet sich eine durchnumerierte Liste der Überschriften von Kapitel 1 bis 15. Nachträglich im Kontext vermerkt, und zwar gleichfalls von Kafkas Hand, sind die der Kapitel 17 bis 20. Das läßt sich so deuten, daß Kafka zunächst die Einheiten nur durch Spatien und Querstriche abgrenzte, ihre Benennung aber später vornahm.

Infolge der Verzögerung nun, mit der er Brod in Prag aus dem entstehenden Roman vorlas, geschah es, daß er, als er Ende Juni Prag verließ, nicht nur das ganze dritte Quartheft vollgeschrieben hatte, das der Freund noch gar nicht kannte, sondern auch schon fast das gesamte folgende vierte, das mit den Worten: »Hier, glaube ich, kommst du zu dem Entscheidenden« mitten im 16. Kapitel beginnt und zu Anfang des 21. Kapitels endet.

Kafka muß nun dieses dritte Quartheft vor seiner Abreise Brod zur Lektüre ausgehändigt haben. Als er sich später nach seiner Ankunft in Planá oder nach dem Abbruch der Arbeit an den *Forschungen eines Hundes* wieder in die Arbeit hineinfinden wollte, indem er das zuletzt im vierten Quartheft Geschriebene überlas — so verfuhr er auch beim *Prozeß* —, trug er die fehlenden Titel nach. Dies konnte aber beim 16. Kapitel nicht geschehen, weil sich sein Anfang im vorhergehenden, Brod überlassenen Heft befand, der in einem um den 20. Juli herum geschriebenen Brief Kafka von dieser Lektüre berichtet. Wenn dort vom achten und neunten Kapitel die Rede ist, so beweist das also gerade, daß Kafka zu diesem Zeitpunkt mit der Niederschrift schon viel weiter fortgeschritten war. [236]

Wenn Kafka am 11. September an Brod schreibt, er habe die »Schloßgeschichte« nicht wieder »anknüpfen« können, »obwohl das in Planá Geschriebene nicht ganz so schlecht ist wie das, was Du kennst«, so ließe sich dieser Formulierung eventuell entnehmen, daß der Freund alles kannte, was in Prag entstand, und diese Voraussetzung ist nur erfüllt, wenn das fragliche Heft tatsächlich Olgas Erzählung enthielt. [237]

Für die in Prag verfaßten Romanteile ergeben sich dann folgende Zuordnungen: Letzte Februarwoche und März 1922 Kapitel 1 bis 5, also die Ankunft K.s bis zu seinem Gespräch mit dem Vorsteher (ca. 110 Seiten), im April Kapitel 6 bis 12, nämlich das *Zweite Gespräch mit der Wirtin*, das Gespräch mit dem Lehrer, *Das Warten auf Klamm*, die Szene mit Momus, das Kapitel *Auf der Straße* und die beiden ersten Szenen im Schulhaus (ca. 85 Seiten), im Mai Kapitel 13 bis 16, d. h. *Hans, Friedas Vorwurf, Bei Amalia* und K.s Gespräch mit Olga über Barnabas (ca. 75 Seiten), und in den drei restlichen Juniwochen eben die Kapitel 17 bis 20 mit dem Rest von Olgas Erzählung (ca. 60 Seiten).

Eine solche Chronologie harmoniert nun sehr gut mit den biographischen Fakten, die in den Roman Eingang fanden. Kafka begann das Werk zu einer Zeit, als eine erotische Bindung an Milena nicht mehr in Frage kam, sondern wo die beiden Partner in Gesprächen und Selbstreflexionen zu erkunden suchten, wie es dazu kam, daß Milena nicht voll zu ihm stehen und er seinerseits die bestehende Beziehung nicht mehr ertragen konnte. Die damit einhergehende nervliche Belastung, die sich in, wie Kafka sagt, Wahnsinnszuständen manifestierte, wurde durch die Konzeption des *Schloß*-Romans ge-

mildert, weil er seinem Leben dann wieder einen Sinn abgewinnen und seine
Probleme, dieses unentwirrbare, ungeheuer groß gewordene Material, in der
Gestaltung besser überschauen konnte. In diesem Sinne muß man wohl auch
verstehen, wenn er das Schreiben als Schutz vor inneren Feinden deutet und
meint, der Roman sei nicht zum Gelesenwerden, sondern nur zum Geschrie-
benwerden da. Der gleiche Mechanismus war bei der Genese des *Prozeß*-
Fragments wirksam, der Kafkas selbstquälerische Überlegungen nach dem
Bruch mit Felice auffängt.

Wie eng tatsächlich Lebenskrise und Romankonzeption zusammengehen,
zeigt noch ein anderer mit der Entstehung des Romans zusammenhängender
Sachverhalt. In einem blauen Quartheft hat sich ein kleines Bruchstück erhalten, das schon die wesentlichen Elemente des *Schlosses* im Kern enthält:
Aus der Optik der Bewohner eines kleinen Ortes wird dargestellt — vergleichbar den Passagen, die die Bürgel-Episode aus der Sicht einiger Dorfbewohner
erzählen —, wie K. in die Familie des Gutsherrn einzudringen sucht, sich dabei aber nicht der üblichen gesellschaftlichen Wege bedient. K. will weder
angestellt werden, noch liebt er des Gutsbesitzers Tochter. Man erinnere sich,
daß Friedas Liebe und die berufliche Tätigkeit für K. nur Vorwände sind,
Mittel, um ins Schloß zu gelangen. Nun läßt sich wahrscheinlich machen,
daß dieser Text zu den ersten gehört, den Kafka im August 1920 niederschrieb, als er nach mehrjähriger Schreibunterbrechung wieder mit literarischer Arbeit begann, wohl wissend, daß er lange Monate brauchen würde,
um sich für eine größere Arbeit fähig zu machen. Anlaß dieses Neubeginns
aber war die Tatsache, daß die seither sichere Beziehung zu Milena aus dem
Gleichgewicht kam und sich ernste Schwierigkeiten einstellten. Auch dieser
erste Entwurf, den auszuführen sich der Dichter zum Zeitpunkt der Niederschrift gar nicht getrauen konnte, selbst wenn er dessen Tragfähigkeit erkannt haben sollte, ist also so exakt wie möglich an die Beziehung zu Milena
geknüpft. [238]

Außerdem läßt sich zeigen, daß der Aufenthalt in Spindlermühle eine un-
abdingbare Voraussetzung für die Konzeption des *Schlosses* darstellte, insofern in dieser Zeit entscheidende Gegebenheiten des Romans Kafka bewußt
oder wichtige Motive bekannt wurden. Ein Beginn der Arbeit am Roman
schon im Vorjahr stünde damit im Widerspruch, ein unmittelbarer zeitlicher
Anschluß an diesen Erlebnisumkreis bekräftigt dagegen sowohl die Datierung
als den postulierten Zusammenhang.

Was die einzelnen Erzählelemente angeht, so betrifft das Gemeinte zunächst den Ort Spindlermühle, der bis 1923 Spindelmühle hieß und von
Kafka in seinen Lebenszeugnissen auch so genannt wird. Er liegt auf der böhmischen Seite des Riesengebirges, bis zu 850 m hoch, an der obere Elbe unterhalb ihres Durchbruchs durch den böhmischen Kamm. Seine Hotels und
Landhäuser sind über die grünen Matten der Talhänge verstreut. Die Heil-
faktoren dieses damals bekannten Kurorts beruhen auf seiner günstigen Lage,
seiner ozonreichen Waldluft und der Güte seines Wassers. Herz- und Lun-

gentätigkeit werden dadurch angeregt, der Appetit dadurch gefördert. Auch Nervenschwäche und Schlaflosigkeit können unter den genannten Bedingungen günstig beeinflußt werden. Aus allen diesen Gründen empfahl Kafkas Prager Arzt, der für vierzehn Tage nach Spindlermühle reiste, dem Dichter, er solle ihn begleiten. So fuhr Kafka am 27. Januar 1922 dorthin, blieb aber insgesamt ungefähr drei Wochen. [239]

Mit dem Dorf im *Schloß* gemeinsam hat zunächst das Riesengebirge seinen Schneereichtum. Gewiß spielen hier auch Erfahrungen aus der Hohen Tatra mit, wo natürlich ebenfalls im Winter tiefer Schnee lag und vor allem Schneestürme wehten, die im Roman wiederkehren, aber Spindlermühle liegt nicht zufällig im »Schneegebirge«. Die höher gelegenen Bauden der Bewohner wurden oft bis über die Fenster hinauf von den Schneemassen zugeweht, so daß sie ihre Ausgänge von Dachöffnungen aus schaufeln mußten. Die Winter sind in dieser Gegend so schneereich, daß sich das weiße Kleid an den Nordabhängen bis in den Spätsommer hinein hält. Ein Kenner der Verhältnisse schreibt: »Es kommt bisweilen vor, daß Reste alten Schnees bis zum nächsten Winter liegen bleiben.« [240]

Ähnlich sind die Verhältnisse im *Schloß*: Es liegt tiefer Schnee, so daß K. nur mit Hilfe eines aus der Tür geschobenen Brettes zu Lasemann gelangen kann, er selbst erinnert sich später, im Schnee »versunken« gewesen zu sein. Und Olga erwähnt, die Winter begännen zeitig im Dorf. Auch die Aussage Pepis, die Winter seien lang im Dorf und der Sommer scheine sich auf zwei schneefreie Tage zusammenzudrängen, stimmt ganz zu den in Spindlermühle herrschenden Verhältnissen.

Ein weiteres Vergleichsmoment zwischen diesem Ort und der Romanwirklichkeit liegt darin, daß Kafka und K. ihre Aufenthaltsorte über eine Brücke betreten mußten. Spindlermühle hat keine Bahnstation. Man fuhr mit dem Zug bis Hohenelbe und von dort, im Winter mit dem Schlitten, mit Pferdefuhrwerken nach Spindlermühle. Die von Hohenelbe nach Spindlermühle führende Straße überquert am Eingang des letzteren Ortes den Fluß, weil Spindlermühle im Gegensatz zur Bahnstation östlich der Elbe liegt.

Einmal ist im Roman auch von einem jäh abfallenden Gäßchen die Rede, was insofern gut zu den realen Gegebenheiten stimmt, als der Ort Höhenunterschiede bis zu 140 m aufweist. [241]

Man könnte vielleicht zu der Auffassung gelangen, daß ein derartiger Touristenplatz nicht gut mit der abgeschiedenen Dorfgemeinde des Romans in Verbindung gebracht werden könne. Man muß aber wissen, daß der Siedlungskern von der Gemeinde St. Peter gebildet wird, die man als typisches Gebirgs- oder Alpendorf bezeichnen muß. Vor allem aber kann man, wenn man schon nach topographischen Vorbildern fürs Schloß sucht, hier einen besseren Anknüpfungspunkt finden als in Wossek, wo ein Aufenthalt Kafkas überhaupt nicht belegt ist und höchstens für Kafkas Jugendzeit eine gewisse Wahrscheinlichkeit hat und wo die Lage des dortigen Schloßkomplexes

— seine Anordnung ist der Beschreibung, die im Roman gegeben wird, allerdings ähnlich — in keiner Weise mit den Angaben im *Schloß* übereinstimmt.

In Spindlermühle gibt es zwar kein entsprechendes Gebäude, aber doch ein für Kafkas Imagination günstiges Monument, bei dessen Anblick sich Erinnerungen an Friedland einstellen konnten, wo Kafka in der gleichen Jahreszeit zwei Wochen weilte und wo Wallensteins hoch auf einem Berge sich erhebendes Schloß, schon von einer in die Stadt führenden Brücke aus sichtbar, Eindrücke hinterließ, die, wie gezeigt, mit der Vorstellungswelt des *Schloß*-Romans verschmolzen. Gemeint ist die Schneekoppe, mit 1605 m die höchste Erhebung des Riesengebirges, zu der viele Wege, auch Fahrwege, führen; die vielen Verkaufsbuden an ihrem Fuße bildeten damals geradezu ein kleines Dorf. Vor allem aber: Ihre Spitze trägt Bauwerke, nämlich Bauden, die damals als. Gasthäuser benutzt wurden, eine St.-Laurentius-Kapelle und eine meteorologische Beobachtungsstation. War dies alles vom Schnee überzogen, sah dieser Gipfel von dem fernen Spindlermühle aus einem verwunschenen Traumschloß gleich, besaß auch, wie es der Roman voraussetzt, eine Art Wohnturm und ein Glockengeläut. (Vgl. Abb. 16) [242]

Wenn man die Tagebucheintragungen betrachtet, die in Spindlermühle entstanden, so stellt man fest, daß dort Vorstellungsinhalte greifbar werden, die dann in dem in der Folgezeit entstehenden Werk eine Rolle spielen: Gleich nach seiner Ankunft in Spindlermühle muß Kafka eine Schlittenfahrt unternommen haben, eine offenbar chronologisch angelegte Aufzählung in einer am Anreisetag verfaßten Notiz führt zu diesem Schluß. Vielleicht ließ er sich vom Ankunftspunkt des öffentlichen Fuhrwerks zum Hotel fahren. Dies erinnert sehr an den Beginn des Romans, wo K. am ersten Tag von Gerstäcker zum Gasthaus »Zur Brücke« gefahren wird, wo er wohnt. Auch fällt auf, daß Kafka sich fünf Tage später Gedanken über das von Gespenstern freie Leben eines Fuhrmanns macht — Gerstäckers Beruf —, also einer in Spindlermühle häufigen Beschäftigungsart: Man brauchte Pferdefuhrwerke für den Holztransport — im Roman Gerstäckers Aufgabe, der Baumaterialien für das beim »Herrenhof« zu errichtende Wartegebäude herbeischaffen soll — und für die Touristen. Man konnte nämlich von verschiedenen Bauden der Umgebung Hörnerschlittenfahrten nach Spindlermühle unternehmen, wobei man mit Pferdevorspann den Ausgangspunkt erreichte und dann mit einem Schlittenführer die Strecke abfuhr. Etwas Derartiges muß Kafka unternommen haben, oder aber es verließen ihn bei seinen anstrengenden Bergwanderungen einmal die Kräfte, so daß er sich mit einem solchen Schlitten zurückbringen lassen mußte. In diesem Fall wäre die Beziehung zum *Schloß* noch enger als durch das bloße Fuhrmannsmotiv. [243]

Über die am 27. Januar unternommene Fahrt heißt es im Tagebuch: »Die abbröckelnden Kräfte während der Schlittenfahrt. Man kann ein Leben nicht so einrichten wie ein Turner den Handstand.« Es ist nicht schwierig, in diesem Bild mit Hilfe eines andern Gegenstandsbereiches veranschaulicht zu sehen, was sonst mit der Junggesellen- oder Spaziergänger-Metapher darge-

16 Die »Schneekoppe« (1605 m), höchste Erhebung im Riesengebirge

17 Zürau bei Saaz in Nordwestböhmen (1921)

stellt wird. Denn für den sich auf die genannte Weise ausbalancierenden Turner ist ja, wie schon in anderem Zusammenhang erwähnt, bezeichnend, daß er keine Verschnaufpause kennt, jeden Augenblick mit äußerster Anspannung sämtlicher Kräfte an der Erhaltung seines Zustandes arbeiten muß, weil ja jeder Augenblick der Unaufmerksamkeit zur Aufhebung der Kunstübung, auf der Sachebene: zur Vernichtung des Lebens führen muß.

Dies ist keine Eingebung des Augenblicks in jener Zeit. Der Schluß der Tagebucheintragung vom 16. Januar läßt sich ähnlich interpretieren: Kafka als ordentlicher Schriftsteller müßte die alten Jahrhunderte, also sämtliche literarischen Traditionen, Formen und Elemente, neu aus sich erschaffen, ohne sich dabei auszugeben, denn dieses Handeln wäre doch bloß Voraussetzung des eigentlich zu Leistenden. Ins Allgemeine gewendet ist der Denkzusammenhang auch Voraussetzung einer Eintragung vom 21. Januar, wo es von der zu vollbringenden Lebensaufgabe heißt: »... es ist nicht einmal die Unmöglichkeit selbst, es ist nichts, es ist nicht einmal so viel Kind wie die Hoffnung einer Unfruchtbaren.« Vor allem aber ist die Eintragung vom 18. Februar heranzuziehen, die unmittelbar nach der Rückkehr von Spindlermühle konzipiert ist, aber sich an seine dort gemachten Erfahrungen mit der Schauspielergesellschaft anlehnt: »Theaterdirektor, der alles von Grund auf selbst schaffen muß, sogar die Schauspieler muß er erst zeugen. Ein Besucher wird nicht vorgelassen, der Direktor ist mit wichtigen Theaterarbeiten beschäftigt. Was ist es? Er wechselt die Windeln eines künftigen Schauspielers.« [244] Das Bild vom Spaziergänger ist Zug um Zug auf eine andere Vergleichsebene übertragen und zu einem Erzählkern ausgestaltet worden. Daß dies zu dem Zeitpunkt geschah, wo Kafka ein Werk begann, dessen Thema ist, wie jemand »alles«, d. h. noch die entlegendsten Voraussetzungen für ein dann erst auf menschliche Weise sich vollziehendes Leben, selbst erzeugen muß, kann kein Zufall sein.

Auch die abbröckelnden Kräfte, die Kafka in Spindlermühle während der Schlittenfahrt bemerkte, und überhaupt seine damals sich bis zu ohnmachtsartigen Zuständen steigernde Müdigkeit, gingen in das Werk ein: K. kann sich nicht mehr auf seinen Körper verlassen, muß Gerstäcker und will Barnabas und die Gehilfen bemühen, um seinen nicht mehr recht gehorchenden Körper zu unterstützen. Von seiner grundlegenden Müdigkeit war schon die Rede, und seine Angst, zusammenzubrechen vor den inneren gemeinschaftsfeindlichen Mächten, korrespondiert mit der Furcht des Dichters in Spindlermühle, einer Lungenentzündung zu erliegen. Dazu kommt, daß die damals pointiert geäußerte Vorstellung von den beiden Welten — in einem im Frühjahr 1922 entstandenen, an Milena gerichteten Brief schreibt Kafka, er sei seit Jahren »wie nicht von dieser Welt, aber auch von keiner andern« gewesen — und die damit verbundene Beschreibung der Gesetzmäßigkeiten des neuen Lebensbereichs im *Schloß* als Motiv der unendlichen Reise, der verschiedenen Welten, in denen K. und Frieda leben, und als Wirkungsweise des behördlichen Apparates wieder auftauchen. [245]

Ja es scheint, als seien ganze Erlebniseinheiten, also schon gestalthafte
Zusammenhänge, in dieses Werk übernommen worden. Am 29. Januar 1922
heißt es etwa über einen Abendspaziergang: »In dieser Welt wäre die Lage
schrecklich, hier allein in Spindlermühle, überdies auf einem verlassenen
Weg, auf dem man im Dunkel, im Schnee fortwährend ausgleitet, überdies
ein sinnloser Weg ohne irdisches Ziel; (zur Brücke? Warum dorthin? Außerdem habe ich sie nicht einmal erreicht), überdies auch ich verlassen im
Ort... Wäre es nur so... dann wäre es schrecklich...« Direkt vergleichbar damit ist die Stelle im ersten Kapitel des Romans, wo K. von Lasemann
und Brunswick aus der Hütte geschafft wird: »... K. war mit dem ihn einhüllenden Schnee allein. ›Gelegenheit zu einer kleinen Verzweiflung‹, fiel
ihm ein, ›wenn ich nur zufällig, nicht absichtlich hier stünde.‹« [246]
    In beiden Fällen wird die Verzweiflung relativiert, weil K. und Kafka
ihre Zustände nicht als adäquaten Ausdruck ihrer Bestrebungen zu verstehen
brauchen; sie sind Bürger einer anderen Welt als der, die ihnen auf ihren
abendlichen Gängen Schwierigkeiten macht. Beide erreichen auch ihr Ziel
nicht, sind, schon äußerlich, auf ihren Wegen von anderen Menschen verlassen (die leeren Straßen im Roman werden ja mehrfach hervorgehoben),
und beide gleiten im Schnee aus (Barnabas muß K. wenig später, schon in
vollständiger Dunkelheit, am Arm führen). [247]
    In die gleiche Oberkategorie gehört noch die auffällige Tatsache, daß Kafka
das Lehrer-Schüler-Bild, das in seiner Spätzeit durch Milena reaktiviert wurde
und für die besondere Ausprägung der Figur des Lehrers im Roman verantwortlich ist, im *Schloß* einmal als Metapher in einer Weise verwendet, die
mit einer brieflich am 7. Februar vorgenommenen Selbstdeutung sogar in der
Art recht ähnlich ist, wie der Vergleichsbereich entfaltet wird: »Mir geht es
wie im Gymnasium, der Lehrer geht auf und ab, die ganze Klasse ist mit der
Schularbeit fertig und schon nach Hause gegangen, nur ich mühe mich noch
damit ab, die Grundfehler meiner mathematischen Schularbeit weiter auszubauen und lasse den guten Lehrer warten. Natürlich rächt sich das wie alle
an Lehrern begangene Sünden.« Die Parallelstelle stammt aus einer gestrichenen Passage der Szene, wo K. von Erlanger verhört wird. K. reflektiert:
»... er selbst saß hier auf dem Sessel wie ein Schüler, dessen sämtliche
Mitschüler rechts und links heute ausgeblieben waren«, und gibt eine längere, teilweise unwahre Erklärung seines langen Ausbleibens. [248] Auch
K. erscheint also vor seinem Lehrer ohne Kameraden, läßt diesen warten und
verschlechtert durch seinen Vortrag seine sowieso ungünstige Position.
    In der zuletzt angeführten Briefstelle ist die Frage impliziert, inwieweit der
Dichter sich für seine Verhaltensweise verantwortlich fühlt. In einer Tagebucheintragung vom 28. Januar wird das näher reflektiert: Als Knabe habe er
die Freude am Gebrauch von Waffen nicht gelernt, die ihm das Verbleiben in
der Welt der Gemeinschaft verstattet hätten. Einen eigenen Schuldanteil
mißt er sich insofern bei — der Rest ist vom Vater verursacht —, als er sich
aus der Alltagswelt zu entfernen trachtete, ohne folgerichtig eine Neugeburt

in der »Wüste« herbeizuführen. In vergleichbarer Weise wird im Roman, und zwar innerhalb der Antwort, die K. auf Pepis Lebensgeschichte gibt, die Schuldfrage gestellt. K. ist sich nicht sicher, ob er bei seinen Bemühungen um den Posten schuldig wurde, also in seinem Kampf um einen Platz in der menschlichen Gemeinschaft, hatte er sich doch unerfahren wie ein Kind benommen und seine Lebensmöglichkeiten gewissermaßen für immer unbrauchbar gemacht. [249] Die eigene Vergangenheit Kafkas scheint hier, der vergangenheitslosen Romanwirklichkeit entsprechend, auf die Bildebene übertragen, während Tendenz und Gegenstandsbereich der lebensgeschichtlichen Problemstellung erhalten blieb.

Die Überlegungen vom 28. Januar schließen mit folgender Analyse des eigenen Strebens: » . . . es ist wie die umgekehrte Wüstenwanderung mit den fortwährenden Annäherungen an die Wüste und den kindlichen Hoffnungen (besonders hinsichtlich der Frauen): ›ich bleibe doch vielleicht in Kanaan‹ und inzwischen bin ich schon längst in der Wüste, und es sind nur Visionen der Verzweiflung, besonders in jenen Zeiten, in denen ich auch dort der Elendste von allen bin, und Kanaan sich als das einzige Hoffnungsland darstellen muß, denn ein drittes Land gibt es nicht für die Menschen.«

Der Handlungsverlauf des Romans fügt sich dem hier vorgestellten Schema: K. wird ja im Verlauf seiner »Wanderungen« immer mehr aus der Dorfgemeinschaft vertrieben, in der er am liebsten als einfacher Arbeiter gelebt hätte; auch dies übrigens eine exakte Analogie zu Kafkas Wünschen in seiner Spätzeit. Statt in einem Sanatorium zu leben, fühlte er sich besser »in einem Dorfe mit einer leichten Arbeit« untergebracht, offenbar um das ihm sehr behagende Zürauer Dorfleben in ähnlicher Form zu wiederholen. Auch ist K. ja tatsächlich »schon längst in der Wüste«, insofern seine Unwissenheit der im Dorfe herrschenden Verhältnisse betont wird und weil er als Fremder aus einer anderen Welt kommt; auch ist die menschenleere Schneewüste seine Aura. Und er ist insofern in diesem Bereich der »Kleinste und Ängstlichste«, als er sich an die höheren Beamten nicht herantraut, sein Fall aktenmäßig der allerkleinste und er selber ein Nichts ist.

Vor allem sind es aber doch die Frauen, die K.s »Hoffnungen« beflügeln. Denn Frieda und Frau Brunswick werden von ihm als Mittel benützt, die ihm helfen sollen, seine Ziele im Schloß besser durchzusetzen. [250]

Umgekehrt ist auch das Verhältnis anderer zu K. in Kafkas entsprechenden Erfahrungen in Spindlermühle vorgebildet. Am 29. Januar erkennt er, daß die Anziehungskraft seiner Wüstenwelt auch auf andere groß sei, denn diejenigen, die ihn lieben, tun das um seiner Verlassenheit willen, »weil sie fühlen, daß ich die Freiheit der Bewegung, die mir hier völlig fehlt, auf einer anderen Ebene in glücklichen Zeiten habe«. Es ist auffällig, daß K. im *Schloß* auf Frieda, Gardena, Frau Brunswick, Gerstäckers Mutter, Pepi und die Herrenhofwirtin eine besondere Faszination ausübt, die, soweit sich diese Partnerinnen verbal artikulieren, gerade in K.s persönlicher Eigenart gründet, in der Tatsache also, daß er, wie auch deutlich ausgesprochen wird, in seinem Wesen von den Dörflern äußerst »verschieden« ist. [251]

Schließlich sind sogar die Gehilfen – davon Näheres im 8. Kapitel – ein spezifischer Ausdruck der Partizipation Kafkas an zwei verschiedenen Lebensbereichen in Spindlermühle.

Es ist also nicht zuviel gesagt, wenn man diesem Aufenthalt hinsichtlich der Genese des Romans als eine Art Inkubationszeit versteht, in der sich wichtige Leitvorstellungen bilden, die dann in den folgenden Wochen sofort verwendet werden konnten.

Erscheint also die eruierte Entstehungszeit des Werks im Blick auf den Einsatzpunkt gerechtfertigt, weil sie ermöglicht, daß Erzählvoraussetzungen dem Schreibbeginn auch zeitlich vorausgehen können, so ist diese chronologische Relation auch für die wenigen für die späteren Monate belegten realen Gegebenheiten praktikabel, die in das *Schloß* Eingang fanden: Im April wird zweimal auffällig »Maxens Leid« erwähnt, und in diese Zeit, und in den vorausliegenden Monat, fällt auch die erwähnte Auseinandersetzung mit Robert Klopstock über das gegenseitige Verhältnis. Beide Freunde sind in die Figur des Barnabas eingegangen, dessen Eigenart besonders im 16. Kapitel herausgestellt ist, das im Mai geschrieben wurde. Anfangs dieses Monats erfolgte auch die nach Kafkas Gefühl endgültige, auch äußerliche Trennung von Milena, die mit der Konzipierung des Kapitels *Friedas Vorwurf* – es ist nach dem gegebenen Zeitplan in der zweiten Maiwoche entstanden und zeigt Friedas innere Distanzierung von K. zum erstenmal deutlich – genau zeitgleich ist. Im Juni schließlich traf Kafka wieder einmal Fräulein Irene, deren von ihm beeinflußter Lebensgang seine ganze Weltanschauung umwandelte, weshalb er ihr Schicksal schon in den vorhergehenden Monaten dauernd verfolgt hatte, rechtzeitig genug, um in der Selbstdarstellung Pepis verarbeitet zu werden.

Dann wurden Erfahrungen, die der Dichter Ende Juni mit Ämtern machte, für die Darstellung der Aktenverteilung im 24. Kapitel verwendet, das nur sieben Wochen jünger ist als jener Vorgang. In diese Romanszene sind auch Lärmerfahrungen eingegangen, die Kafka in der zweiten Juliwoche in Planá machte. Er erwähnt zunächst den störenden Güterverkehr am Bahnhof – »dabei wird immer gehämmert« –, der ihm am Berichtstag besonders zusetzte, und bezieht dann noch eine andere Lärmquelle in seine Betrachtung ein: »... diesen Morgen aber ... wurde schon so frühzeitig angefangen und durch den stillen Morgen und das schlafdurstige Hirn klang das ganz anders als bei Tag ... Dabei aber habe ich noch großes Glück. Es sind seit ein paar Tagen etwa zweihundert Prager Schulkinder hier untergebracht. Ein höllenmäßiger Lärm, eine Geißel der Menschheit. Ich begreife nicht, wie es kommt, daß die Leute in dem davon betroffenen Ortsteil ... nicht irrsinnig geworden aus ihren Häusern in die Wälder flüchten ... « Es sieht so aus, als habe Kafka die akustischen Verhältnisse im Gang der Sekretäre nach diesen, teilweise nur wenige Tage alten Erlebnissen gestaltet: [252]

K. hört bei seiner Ankunft im »Herrenhof« abends »Hammerschläge«, doch ist der Lärm gedämpft — das Hämmern auf dem Bahnhof in Planá ist untertage »milde und pausenweise« —, K. erinnert sich, daß manche Beamte »sich zeitweilig mit Tischlerei, Feinmechanik und dergleichen beschäftigen«. Mögen diese Freizeitbeschäftigungen auch zusätzlich noch in anderer Weise biographisch determiniert sein, so hat das zuerst genannte Steckenpferd gleichzeitig auch eine deutliche Beziehung zur Holzverladung. Um fünf Uhr morgens beginnt aber im Gang ein schrecklicher Lärm — Pepi bedauert, dort wohnen zu müssen —, der so beschrieben wird: »Dieses Stimmengewirr in den Zimmern hatte etwas äußerst Fröhliches. Einmal klang es wie der Jubel von Kindern, die sich zu einem Ausflug bereitmachen ... wie die Freude, in völliger Übereinstimmung mit dem erwachenden Tag zu sein ... « Und wie Kafka ist K. übermüdet und empfindet diesen Lärm doppelt nach der stillen Nacht. [253] Es waren die sich zum morgendlichen Ausflug sammelnden Prager Kinder, die der Dichter als Geißel der Menschheit deutete und zur Darstellung der Beamten verwendete, die freilich noch aus ganz anderen Gründen als kindlich erscheinen sollten.

4. Kapitel:
Die Darstellung der Geschlechtlichkeit und ihr zeitgeschichtlicher Hintergrund

Es wäre verkehrt, wenn man das bisher über Klamm Gesagte als ausreichend für das Verständnis dieser Figur erachtete. Denn es kann nicht übersehen werden, daß er im Roman nicht nur ein direkter Gegenspieler K.s im Blickpunkt auf Frieda ist, also Kafkas Erfahrung mit Ernst Polak spiegelt, sondern daß er, zusammen mit Sortini, der in ähnlicher Beleuchtung erscheint, als Inbegriff der höheren Beamten fungiert, demnach für einen ganzen Bereich steht und dessen typische Momente in sich vereinigt. Ergänzt wird dieses Bild von den Schloßbewohnern dann noch durch die Beobachtungen, die K. beim Zusammentreffen mit den Sekretären im »Herrenhof« macht, und durch die Erkenntnisse, die er im Gespräch mit dem Vorsteher gewinnt.

Zur Erklärung des erotischen Libertinismus reicht der Hinweis nicht aus, Ernst Polak sei ein Frauenheld gewesen, vielmehr ist Klamm für Kafka zum Typus des männlichen Juden überhaupt geworden, der ihm in seiner Umgebung dauernd entgegentrat. Der empfindliche, in dieser Hinsicht sehr Hellhörige mußte den Eindruck haben, daß sein ganzer Lebenskreis durch sexuelle Aggressivität, Schwierigkeiten mit der Geschlechtlichkeit und Ehebruch gekennzeichnet war. Vom Vater heißt es einmal abschätzig im Tagebuch: »Er liegt bei der Mutter, soll er sich doch an sie pressen, nahes verwandtes Fleisch muß beruhigen«. Kafka ist unfähig zu ertragen, wenn einer seiner Schwäger seine Schwester Valli »mein Gold« und »mein Alles« nennt, und tobt gegen Menschenverbindungen los, als ihm seine älteste Schwester Elli erzählt, ihr Mann sehne sich nach ihrem elastischen Körper.

Außerhalb der eigenen Familie bemerkte Kafka vorwiegend das erotisch bedingte Ungenügen im menschlichen Zusammenleben: die unglückliche Ehe Oskar Baums, der, vom anderen Geschlecht verehrt, sich am liebsten von seiner Frau trennen wollte, Felix Weltschs permanente Ehekrise, die Scheidung der Eltern seines jugendlichen Freundes Gustav Janouch oder eine in die Brüche gegangene Verlobung in der Familie Kisch, wo die Braut zu wenig Mitgift hatte. Dann besonders auch Dreiecksverhältnisse von der Art Polak-Milena-Kafka: Da wird der Dichter zum Berater für einen Bekannten, dessen Braut sich vielleicht von ihrem Lehrer hat verführen lassen, da erzählt Arne Laurin von Jarmilas Temperament und Max Brod von dem Skandal, in den sie verwickelt war. Brod selber unterhielt jahrelang ein ihn quälendes Verhältnis mit einer Berliner Schauspielerin, in dem Kafka, der auch von dieser Freundin brieflich um Rat angegangen wurde und später mit ihr in Berlin zusammentraf, den Berater abgab — im Briefwechsel seit der Zeit in Matliary stellt dieser Komplex neben Kafkas innerer Lage das Hauptthema dar — und dem Freund offen eine Ehe zu dritt vorschlug. Er selber formulierte als Grundsatz der sexuellen »Etikette«, der das Gesetz seiner Prager Geschlechtsgenossen war: »Du mußt jedes Mädchen besitzen!« Interessant ist auch, was Kafka selber über seine geschlechtliche Entwicklung anführt: Es waren Freunde, die ihn, »hinsichtlich sexueller Angelegenheiten . . . unschuldig und uninteressiert«, mit einem unfreien, gezwungenen Lachen, das ihm symptomatisch für das männliche Verhalten diesem Bereich gegenüber schien, »mit Gewalt« auf diese Dinge »gestoßen« hatten; außerdem riet ihm der Vater zu Bordellbesuchen, weil der Sohn »schon so ohne Umwege ins Leben eingeführt werden konnte«.

Man muß davon ausgehen, daß »soziales Material« dieser Art das Substrat bildete, das die Besonderheiten der Schloßbewohner konstellierte. Diese ungezügelt männliche, vom Geschlechtlichen beherrschte und sich bedenkenlos ins Leben ergießende Umwelt Kafkas, in der er wegen des väterlichen Fluchs nicht Fuß fassen konnte, die sich ihm aber zuzeiten, wenn er sich mit ihren im Vater personifizierten Wertmaßstäben identifizierte, als Land sehnsüchtiger Hoffnung darstellte (Felice, Julie, Milena), spiegelt sich in den Beamten — man denke an den Grafen Westwest, Sortini, Klamm, dessen geile Knechte und K.s lüsterne Gesellen —, die sich sexuell so verhalten wie das gesellschaftlich herrschende männliche Prag.

In ihrem Herrschaftsgebiet besteht bezeichnenderweise die Ehe als regelrechte Lebensform. Gisa und Schwarzer mitgerechnet, werden sieben Paare nicht nur genannt, sondern erzählerisch gestaltet, ein signifikanter Unterschied etwa zum *Prozeß*, wo außer der Gerichtsdienerfamilie, die aber nie gemeinsam auftritt, und dem Onkel, dessen Frau jedoch gar nicht erwähnt wird, entweder nur Ledige oder solche Personen vorkommen, deren Familienstand nicht bekannt ist. Von den Bauern sind nur der Lehrer und Gerstäcker Junggesellen, die nicht ohne Zufall Arbeitgeber K.s sind oder werden sollen. Beide erscheinen mit Mängeln behaftet, was vielleicht im weiteren Verlauf des Romans noch deutlicher geworden wäre: Der eine ist herrschsüchtig, weil unselbständig – letzteres für Kafka ein charakteristisches Zeichen des Unverheirateten –, denn er wohnt in Untermiete, muß dem Vorsteher gehorchen und ist auch nicht fähig, den Schmutz im Schulhaus zu entfernen – sogar dies ein Merkmal, das Kafka an seinen gemieteten Zimmern beklagte; der andere aber ist sehr arm und krank.

Absicht ist auch, daß die Frauen die überlegenen Partner der jeweiligen Beziehung sind; sie repräsentieren für Kafka die Fülle des Lebens, die sie zu Führerinnen des Mannes prädestiniert.

Ferner deckt sich das Verhaltensmuster K.s genau mit entsprechenden Parallelaktionen des Autors: Der vom Landvermesser trotz der während der Vereinigung mit Frieda sichtbar gewordenen Vorbehalte unternommene Heiratsversuch (Kafka: ». . . daß ich offenbar geistig unfähig bin zu heiraten«), der seine Stellung gegenüber Klamm stärken sollte (Kafka an seinen Vater: »diese Ebenbürtigkeit, die dann zwischen uns entstehen würde«), scheitert durch Abgesandte Klamms und in dessen Auftrag stillschweigend wirkende

Beamte, die Frieda in Klamms Einflußbereich zurückbringen (Kafka: »Du hattest meine Entscheidungskraft (unbewußt) immer niedergehalten« und: »So wie wir ... sind, ist mir das Heiraten dadurch verschlossen, daß es gerade Dein eigenstes Gebiet ist«). [254]

Alles dies reicht aber als Erklärung, die diesen Namen verdient, keineswegs aus. Entscheidend ist natürlich, daß Kafka die beschriebenen Phänomene nicht als zufällige Gegebenheiten ansah, sondern sie als zwingenden Ausdruck der Verhältnisse nahm, die er mit Hilfe bestimmter Theoreme systematisch zu durchdringen suchte. Innerhalb dieses Zusammenhangs ist es besonders wichtig zu begreifen, daß sein Selbstverständnis als Jude, das durch die Begegnung mit Milena gleichsam überscharf herausprofiliert wurde, sein Selbsthaß also und überhaupt seine Deutung der menschlichen Verhältnisse, keineswegs nur individual-psychologisch bedingt, d. h. in seinen neurotischen Zügen begründet ist. Vielmehr muß man davon ausgehen, daß er in seinen Anschauungen an den kritischen Analysen der Zeitgenossen teilhat, und zwar besonders, insoweit es sich um die in gewisser Weise eine Einheit bildenden kulturkritischen Gedanken des Wiener Caféhauskreises und seiner geistigen Väter handelt, also um Otto Weininger, Otto Groß, Anton Kuh (und natürlich Sigmund Freud).

Die Position dieser Gruppe ist, etwas vereinfacht ausgedrückt, dadurch gekennzeichnet, daß sie als Wiener und Juden geistig getragen werden von den Erkenntnissen der Psychoanalyse, dem aufkommenden Zionismus und streitbaren Antisemitismus. Dabei ergibt sich nur für den Nichtkenner der überraschende Befund, daß die beiden zuletzt genannten Strömungen, besonders aus der Optik vehementer jüdischer Selbstkritik, im Grunde weithin in ihrer Argumentationsweise und sogar ihren Intentionen identisch sind.

So kann es geschehen, daß Beweisführungen judenfeindlicher Werke aus nationaljüdischer Perspektive durchaus rezipiert werden konnten. In Hans Blühers Buch *Secessio judaica* etwa findet sich der Zentralgedanke, die Juden — jeder Volksvertreter ist in der Substanz krank — hätten seither versucht, sich auf Deutschland aufzupfropfen, so daß man die Verwachsungsstelle nicht mehr sehe. Gegenwärtig spiele sich die Ablösung der Juden von ihren Gastvölkern ab, ein »reines« geschichtliches Ereignis, das durch kontingente Kausalakte nicht determiniert sei. Durch diesen Vorgang werde offenbar, daß die jüdische Geistigkeit durch korrupte Gedankengänge, besonders der Wirtschaft und Wissenschaft, bestimmt sei, die die Wirklichkeit verfälschten. Beiläufig wird auch der geschlechtliche Bereich erwähnt: »Die Juden haben keine Scham; sie verwandeln alle deutschen Zustände des Liebeslebens in jene typisch jüdischen, die heute ein jeder an ihrem Geschmack kennt.«

Felix Weltsch, der philosophische Kopf unter den Freunden Kafkas, schrieb damals, mehr ausgelöst als erzeugt habe in ihm die Lektüre dieser Schrift die Erkenntnis, staatliches, wirtschaftliches Zusammenleben und der Bereich der Wissenschaft, wo er seither ein gemeinsames Arbeiten von Juden und

Christen für möglich gehalten habe, erwiesen sich ihm jetzt nun als Lebensprobleme, die spezifisch jüdisch zu lösen seien: »wie kommen wirklich die Anderen dazu, sich da hineinpfuschen zu lassen«. Kafka, der sogar eine Besprechung des Werks anfing, auf den »Anruf« antworten wollte, bat dann seinen Freund Robert Klopstock, die Aufgabe zu übernehmen, weil er sich selbst dazu innerlich unfähig fühlte.

Wie er selber entsprechende Argumentationsmuster verwendet, zeigt ein vom Herausgeber Willy Haas als Ganzes unterdrücktes Schreiben Kafkas an Milena (wohl Ende Juni 1920 zu datieren), in dem er offensichtlich auf die ihm brieflich übermittelten Erwägungen der Briefpartnerin hinsichtlich der um Jarmila und Haas kreisenden Vorgänge antwortet. Das für ihn Schreckliche des Vorgangs — diese Überzeugung drängte sich ihm in ihrer ganzen Fülle und Kraft auf — liegt darin, »wie sich die Juden notwendigerweise, so wie Raubtiere morden müssen und entsetzt, da sie doch nicht Tiere sind, sondern überwach, sich auf Euch stürzen mußten«. Er begreife nicht, wie die Völker, ehe es zu derartigen Erscheinungen gekommen sei, auf den Ritualmordgedanken hätten kommen können'.

Im Verhältnis von Haas und Jarmila sehe man doch »Hilsner« die Tat Schritt für Schritt tun, daß ihn die Jungfrau dabei umarme, sei bedeutungslos. Allerdings verstehe er auch nicht, wie die Völker – die »gojim« also, wie man die Nichtjuden im Hebräischen und Jiddischen nennt – hätten glauben können, daß der Jude morde, ohne sich dabei selbst »abzustechen«, denn das tue er. Kafka spielt hier auf den zwanzig Jahre zurückliegenden Ritualmord-Prozeß von Polna an, der sich von anderen derartigen Verhandlungen durch ein höchst bemerkenswertes Detail unterschied. Der böhmische Jude Leopold Hilsner wurde am 16. September 1899 zum Tode verurteilt, aber nicht, weil er ein christliches Mädchen zu rituellen Zwecken mißbraucht, sondern weil er an ihm ein Sittlichkeitsverbrechen begangen habe. Als das Verfahren ein Jahr später wieder aufgenommen wurde, lautete das Urteil und seine Begründung nicht anders. Kaiser Franz Joseph begnadigte Hilsner dann zu lebenslanger Freiheitsstrafe. Es ist heute nicht mehr vorstellbar, welche Reaktionen in der Öffentlichkeit dieser Prozeß auslöste. C. Stölzl schreibt darüber: »Noch bevor überhaupt die Justizmaschine zu arbeiten begonnen hatte, etablierten die journalistischen Funktionäre des Antisemitismus in Polna einen ›Spezialgerichtshof‹, der sich die politischen Lokalbehörden hörig zu machen verstand, Akten und Protokolle führte und die ersten Zeugenverhöre vornahm. Kurz nach den ersten Zeitungsberichten im April 1899 schwoll die Agitation lawinenartig an, und während die Wiener antisemitische Presse noch vorsichtig, blumig-mystisch orakelte, drückte sich die jungtschechische Massenpresse bereits deutlicher aus und legte den Gedanken an einen jüdischen Ritualmord nahe. Die klerikale Presse der Tschechen erging sich dann sehr bald in Details über mögliche ›Halsschnittechniken‹ bzw. ›Koscherierung‹ des Opfers. Die Ergebnisse dieser ›wissenschaftlichen‹ Diskussion fütterten eine hemmungslose Ritualmord-Trivialliteratur, eine Welle von

Bildpostkarten mit Polna- und Hilsner-Motiven überschwemmte das Land, der Ritualmord wurde Attraktion vieler Dioramen, Pantoskope und Guckkastenbilder in Böhmen.« Die Blutbeschuldigung erwies sich als unvergleichliches Mittel der antisemitischen Agitation, die, abgesehen von Thomas Masaryks kleiner Realistenpartei, mit der Kafka während der Studienjahre sympathisiert zu haben scheint, alle politischen Gruppierungen wie eine Seuche ergriff, denn »die Vorstellung, daß die Juden Mörder von Religions wegen seien, daß sie sich gerade die unschuldigen Kinder, Jünglinge und Jungfrauen zu Opfern ihres verbrecherischen Fanatismus aussuchen – dieser Gedanke muß ja die gläubige Menge bis in die dunkelsten Tiefen aufwühlen, muß die Vernichtung der ruchlosen Verbrecher als eine heilige, eine gottgewollte Tat erscheinen lassen«.

Für Kafka war die unsinnige Vorstellung vom Ritualmord eine falschverstandene Folge sexueller jüdischer Aggression. Er hielt das gegen Hilsner ergangene Urteil für einen wahrhaftigen Ausdruck eines allgemein gültigen Sachverhalts. Daran änderte auch die Lektüre von A. Zweigs bekanntem Stück *Ritualmord in Ungarn* nichts. Dort wird, in einer Nachzeichnung des Ritualmord-Prozesses von Tisza-Eszlár, dargestellt, daß es christliche Lüsternheit war, die das jungfräuliche Mädchen zu Tode brachte, dies übrigens im Widerspruch zu den Tatsachen, die ergaben, daß das verschwundene Mädchen überhaupt nicht ermordet worden war. Kafka war freilich von dem Buch außerordentlich beeindruckt. Die »irdischen Szenen«, meint er, hätten »bezwingendes Leben«. Bei einer Stelle mußte er sogar mit dem Lesen aufhören und sich, laut weinend, auf das Kanapee setzen, obwohl er seit Jahren nicht mehr geweint hatte. Sein waches Interesse an diesem Problemkreis geht auch daraus hervor, daß er sich in seiner Berliner Zeit selber literarisch mit einem russischen Ritualmord-Prozeß befaßte, der 1913 stattgefunden hatte.

Der letzte Satz des aus dem an Milena gerichteten Schreiben Angeführten braucht nicht nur Kafkas Selbsthaß auszudrücken, der freilich der Meinung war, seine unheilbare Krankheit sei eine Folge seines inneren Kampfes um Felice, bei dem er auf sich selber eingehauen habe, denn er schließt in dem erwähnten Brief andere Volksgenossen mit ein: Er übertreibe in gewisser Weise, »weil sich die Rettung-Suchenden immer auf die Frauen werfen und es ebenso gut Christinnen wie Jüdinnen sein können«. Spreche man von der Unschuld der Mädchen, so bedeute das nicht die gewöhnliche körperliche, sondern die Unschuld ihrer Opferung, die nicht minder körperlich sei. Kafka bezieht also sein eigenes Verhältnis zu Milena in die beschriebene Gesetzmäßigkeit ein. Dies wird nicht nur dadurch sichergestellt, daß er an anderer, aber zeitlich nicht weit abliegender Stelle seine Briefpartnerin als Mädchen bezeichnet, wie er noch keines gesehen habe, daß er ihr Verhalten ihm gegenüber als Opfer deutet und später den ganzen Vorgang als »so nah und fern wie die eigene Vergangenheit« bezeichnet, sondern vor allem auch dadurch, daß Milena Kafkas Aussagen in diesem Sinne auffaßte und, wie schon erwähnt, furchtbar darüber erschrak, so daß er gegen seine innere Überzeugung diese Ineinssetzung rückgängig machte. Man muß aber gleich hinzufügen, daß im *Ritualmord in Ungarn* der Junge, der durch seine falschen Aussagen Vater und Volksgenossen schwer belastet, sich dann in der Synagoge mit einem Messer selber ersticht, und daß Willy Haas, indem er sich mit seiner Familie überwarf, kurz vor dem Abschluß sein Studium aufgab und Prag verließ, einem ähnlichen Mechanismus der Selbstbestrafung unterlag. Daß Kafka einen gesellschaftlichen Skandal ins Grundsätzliche hob, also mit gleichsam philosophischen Kategorien deutete, läßt sich auch aus einem etwas jüngeren Brief schließen, in dem er noch einmal auf den fraglichen Sachverhalt eingeht. Mit solchen Geschichten sei es merkwürdig: »Nicht deshalb bedrücken sie mich, weil sie jüdisch sind und weil, wenn einmal diese Schüssel auf den Tisch gestellt ist, jeder Jude sich seinen Teil zu nehmen hat aus der gemeinsamen abscheulichen, giftigen, aber auch alten und im Grunde ewigen Speise, deshalb also bedrücken sie mich nicht.« Sieht man von der besonderen, gleich noch in anderem Zusammenhang zu würdigenden Bildlichkeit einmal ab, so bleibt als sachlicher Hintergrund, daß das beschriebene Verhalten des jüdischen Mannes als immer wirksames Daseinsmuster des Westjudentums verstanden wird. Er selber, den zuzeiten sein Geschlecht täglich plagte, so daß er jedes zweite Mädchen verlockend fand, konnte sich ebenfalls unter dieses Gesetz stellen.

Es gibt wohl keinen zweiten Punkt in Kafkas Denken, der so deutlich seine Abhängigkeit von der Sozialgeschichte Böhmens auf der Stirn trägt. Allerdings zog er andere Lehren aus der antisemitischen Hetze, als R.-M. Ferenczi meint, für die der Hilsner-Prozeß Schlüsselfall der gesellschaftlichen Gegebenheiten in Kafkas Umwelt ist. Denn Kafka fand durchaus nicht bei der Analyse, er sei »éminemment vulnérable, exposée à tous les abus de pouvoir, à la limite menacée de condammnation arbitraire, non protégée par la loi qui n'était apparemment pas valable pour lui, ni pour ses semblables«. Und so war sein Gefühl als Jude auch nicht von der Vorstellung beherrscht, in den Ritualmord-Prozessen zeige sich das Problem der Macht und ihres Mißbrauchs, das ihm auch in seinem Kampf mit dem Vater aufgefallen war und das ja im *Schloß* in der Sortini-Episode wieder thematisiert wird. Vielmehr internalisierte er, Enkel eines rituellen Metzgers, selbstquälerisch die Beschuldigungen, die seine arische Umwelt erhob, und machte sie, wie das andere Volksgenossen auch taten (Karl Kraus, Anton Kuh), zu Leitvorstellungen seines Selbstverständnisses als Jude.

Es ist nicht schwierig, diese Gedankengänge, die durch das Studium des Blüherschen Buches im Juni 1922 noch verschärft worden sein mögen, als Gesetz männlichen Handelns im *Schloß* wiederzufinden: »Das Glück der Ehe inmitten der zwei Raubtiere, die sich nur unter der Knute duckten, wäre nicht sehr groß gewesen«, sagt K. über die Gehilfen, die, wie sich noch zeigen wird, Bilder seiner Geschlechtlichkeit darstellen, während umgekehrt Frieda, als sie mit der Peitsche in der Hand Klamms wilde Knechte vertreibt, deren Gebaren an Tiere und Stall erinnert, als Lämmchen erscheint. An an-

derer Stelle werden Artur und Jeremias als »hündisch lüsterne Gesellen«
bezeichnet, und den Sekretären, die offenbar ihre Exkremente in den Zimmern hinterlassen — Pepi spricht von kerniger Arbeit, zu der man sich überwinden müsse — nähert man sich am besten nicht mit adretter Kleidung,
weil man sonst Gefahr läuft, vergewaltigt zu werden.

Klamm wird mit Adler und Löwe in Verbindung gebracht, also ebenfalls
mit Raubtieren, und der K. von der Wirtin unterstellte Wunsch, der Löwe
solle Stroh fressen, wäre in solcher Beleuchtung dann die Aufhebung des
jüdischen Daseinsmusters und im Sinne von *Jesaia* 11 die endzeitliche Wie-
derkehr des paradiesischen Zustandes, den Kafka gewiß durch die Abwesenheit aggressiver Sexualität gekennzeichnet sah.

Es ist nicht verwunderlich, daß K.s Verhalten im Roman in vergleichbaren
Kategorien beschrieben wird. Er hat sich an Frieda »herangemacht«, weil er
ein Ausschankmädchen irrigerweise für das vorbestimmte Opfer jedes die
Hand ausstreckenden Gastes hielt. K. selber veranschaulicht diese Ausdeutung seines Handelns, die er natürlich der Braut gegenüber bestreiten muß,
indem er sich als »schlaues Raubtier« bezeichnet, das Frieda an sich riß. Daß
er damit zumindest nicht weit von der Wahrheit abliegt, verdeutlicht eine
dann von Kafka allerdings wieder verworfene Passage, wo es über die erste
geschlechtliche Vereinigung von K. und Frieda heißt, jeder habe »des anderen
Kleider mit Händen und Zähnen aufgerissen«. In der endgültigen Fassung
der Szenen, wo die beiden miteinander verkehren, werden sie mit sich beim
Geschlechtsverkehr aufwerfenden Tierkörpern und scharrenden Hunden verglichen, deren Geilheit im Volksmund sprichwörtlich ist. [225]

Solche Auffassung des Sexualverhaltens ist bei Otto Weininger vorgebildet, für den sich Kafka beispielsweise 1921 sehr interessierte. Am 11. Februar dieses Jahres wurde in der *Selbstwehr* in einem Feuilleton, das Kafkas
ehemaliger Hebräischlehrer Friedrich Thieberger verfaßt hatte, ein Vortrag
Oskar Baums über Weininger angezeigt und in der darauffolgenden Nummer
von Johannes Urzidil ausführlich besprochen. Über diesen Vorgang schrieb
Kafka an Oskar Baum aus Matliary: »Von Dir habe ich fast gar nichts gehört, nur von Deinem Weininger-Vortrag gelesen (gibt es noch immer kein
freies Manuskript, keine Korrektur dieses Aufsatzes?)«.

Das Gesagte beweist, daß Kafka an Weiningers Theorien interessiert war
und diese in seinem Freundeskreis diskutiert wurden.

Bei Weininger findet sich der Gedanke, der Jude sei stets »lüsterner, gei-
ler, wenn auch merkwürdigerweise ... sexuell weniger potent, und sicherlich
aller *großen Lust* weniger fähig als der arische Mann«. Entsprechend sagt
Kafka, trotz der an sich beobachteten sexuellen Gier, er habe asketische Fähigkeiten; auch fürchtete er Potenzschwierigkeiten. Spricht Weininger vom
»gemeinsamen Dunstkreis« der jüdischen Familie, wo etwa der Sohn »ganz
tief in der Familie *darinnensteckt*«, so gebraucht Kafka ebendiese Termini,
um seine Situation den Eltern gegenüber zu beschreiben. Beide Autoren sind
sich auch darin einig, daß Sentimentalität den Juden auszeichne. Und kann

es ein Zufall sein, daß die Unmusikalität, als Metapher genommen, ausgerechnet in den Briefen an die Tschechin Milena eine wichtige Rolle spielt und dort, im wörtlichen Verstande genommen, als Erbstück der Vorfahren bezeichnet wird, das, weil Verwandtschaft viel bedeute, einigen Halt gebe? Hatte doch Weininger auch dieses Merkmal als charakteristisch für den Juden angesehen.

Was nun das *Schloß* betrifft, so wäre zu bemerken, daß Friedrich Thieberger über Weininger geschrieben hatte: »Das Verhältnis zum Weibe war ihm, wie er selbst sagt, ein Spezialfall seines Verhältnisses zur Welt, wenn auch der leidenschaftlichste, verzehrendste.« Daß eine solche Haltung nichts Einmaliges darstellt, möge ein Zitat aus Anton Kuhs Buch *Juden und Deutsche* beleuchten, einem Werk, das gleich noch näher betrachtet werden soll. Der Verfasser stellt seinen jüdischen Volksgenossen folgende polemische Frage: »Haltet ihr euch selbst für naive, vom Eros bis in die kleinste Handbewegung gesegnete, der Welt verschriebene, dem Ich verfallene, Gott in sich tragende Menschen?« Hier wird ja noch zusätzlich – und die gleichsam beiläufige Art zeigt, wie selbstverständlich eine solche Sehweise ist – Gott mit Welt und Liebe identifiziert, eine Auffassung, die sich auch bei Kafka und besonders in Max Brods großem Werk *Heidentum, Christentum, Judentum* findet, mit dem er sich auseinandersetzte. Folgende Aussage vom Sommer 1917 verkörpert also eine Einstellung, die für einen bewußten Juden damals nichts Ungewöhnliches zu haben brauchte: »Die Welt – F. ist ihr Repräsentant – und mein Ich zerreißen in unlösbarem Widerstreit meinen Körper.« Oskar Baums Reflexion setzte an dem entscheidenden Punkte an, stellt er doch den Verfall der jüdischen Erotik in den Mittelpunkt seines Vortrags; für ihn macht er die Tatsache verantwortlich, daß der schaffenden Unlogik der Liebe immer wieder der dogmatische Formalsinn und papierne Konvention gegenübergestellt würden, die die gesellschaftsbedrohende Form der Liebe in die soziale Institution der Ehe überführen sollten.

Daß dieser Problemzusammenhang im *Schloß* wiederkehrt, ist offensichtlich. K.s Verhältnis zu Frieda – hätte er zuerst Pepi im Ausschank getroffen, wäre es nicht anders gewesen – ist ihm Mittel zum Zweck, Beispielfall für seine Stellung in der Dorfgemeinschaft und Garant seines weiteren Kampfes mit den ihm unendlich überlegenen Instanzen des Schlosses. Und die Ehe Gardenas ist offensichtlich eine zum Teil auf Mitleid beruhende Wirtschaftsgemeinschaft, die den Triebbedürfnissen der Wirtin in keiner Weise Rechnung trägt und beide Ehepartner unglücklich macht. Auffällig ist auch, wie schnell der Vorsteher darauf drängt, daß K. seine Beziehung zu Frieda durch eine Heirat legalisiere. [256]

Noch viel deutlicher ist der Einfluß von Otto Groß, den Kafka spätestens auf seiner Rückreise aus Budapest im Juli 1917 persönlich kennengelernt hatte (vgl. Abb. 19). In einer unpublizierten Briefstelle berichtet er ausführlich Milena, wie Groß ihm die ganze Nacht mehr oder weniger vergeblich seine »Lehre« auseinandergesetzt habe. Er habe kaum etwas davon verstanden — gewiß eine Untertreibung, die unter anderem dazu dienen sollte, die Schwerfälligkeit seines Denkens überzubetonen —, habe aber Groß dann noch in Prag flüchtig gesehen. Vielleicht darf in diesem Zusammenhang noch erwähnt werden, daß Milena, die einmal mit Kafka auch über Otto Groß korrespondierte, in einem Feuilleton dessen Tod anzeigte, wobei sie ein kurzes Referat seiner Sexualtheorie gab — nach dieser, Freud verpflichteten Auffassung wurzeln Probleme in diesem Bereich in der frühen Kindheit — und auf die im Erscheinen begriffenen *Drei Aufsätze über den inneren Konflikt* hinwies, in denen Groß niedergelegt hatte, was er Kafka während der nächtlichen Eisenbahnfahrt zu erklären suchte.

Wie sehr Kafka von Groß aber tatsächlich beeindruckt war, geht aus Folgendem hervor: In der Einleitung zu dem eben erwähnten Bericht spricht Kafka davon, er habe an seinem Gesprächspartner »etwas Wesentliches« bemerkt, das über das bloß Lächerliche hinausgehe. Dazu paßt auch, daß er wenig später einräumt, Groß habe mit seinen psychologischen Auffassungen vielleicht doch recht. Als Kafka dann in Prag mit Groß und Werfel einen Abend lang zusammen war, begeisterte er sich so sehr für einen gemeinsamen Zeitschriftenplan, daß ihm dieser noch »längere Zeit hindurch verlockend« erschien, weil er »aus einem Feuer einer gewissen persönlichen Verbundenheit hervorzugehen schien«. Dieses bezieht sich auf das persönliche Lebensschicksal von Otto Groß, dessen Untergang nach Auffassung seiner Freunde von seinem Vater verursacht wurde. Kafka mußte dies als Paradigma seines eigenen Lebensmusters auffassen.

Dies wird auch durch den von Groß vorgeschlagenen Titel der geplanten Zeitschrift bestätigt, es sollten *Blätter zur Bekämpfung des Machtwillens* werden. Was damit gemeint ist, erhellt am besten aus Kuhs Referat der Auffassung seines Freundes in *Juden und Deutsche* und eigenen Aufsätzen von Groß: Als im Paradies die Frau noch dominierendes Gemeingut der Freude war, der männliche Geschlechtstrieb noch nicht an die Kette der Unterhaltssorge gelegt war, konnte es auch noch kein Herrentum des Staates, keine Autorität geben. Der Sündenfall bestand eben in der Gewalttat am Weibe, wodurch der Mann Besitzer, Ehemann und Machtträger wurde. Die jetzt sich konstituierenden Sitten und Institutionen stehen jedoch im Gegensatz zur möglichen Menschheitserfüllung: Ihre Existenzbasis ruht auf einer der landwirtschaftlichen Lebensform angepaßten »Primärgruppierung«. Mit dem Übergang zur ausgereiften Stadtkultur, die augenblicklich statthat, gerät die »Wirtschaftsvereinigung Mann-Weib-Kinder« in die Krise und zeigt deutlich ihren Zwangscharakter, der besonders für Frau und Kinder hervortritt. Immoralismus und Sittenverfall setzen ein. Im Kind entsteht ein Konflikt zwischen dem Eigenen und dem Fremden, weil sein angeborenes Liebeswollen unverstanden bleibt. Die Familie fordert: »Sei einsam oder werde, wie wir sind.« Das Kind wird also gezwungen, den fremden Willen in sein eigenes Wollen aufzunehmen. Daraus entsteht eine Zerrissenheit dann, wenn die eigene Wesensart gleichzeitig doch noch bewahrt werden soll.

Die ursprünglich miteinander harmonierenden beiden Triebkomponenten — »sich selbst nicht vergewaltigen lassen und andere nicht vergewaltigen wollen« — dissoziieren sich zu dem Gegensatzpaar Selbsterhaltungskampf und Selbstaufhebung (Masochismus). Eben dieser Antagonismus zeichnete auch Kafka aus, der in einer Interpretation einer Schrift von Jonathan Swift in Erinnerung an seinen eigenen Erziehungsgang die Entwicklung des Kindes in eben diesem Sinne begreift und gewöhnlich sein eigenes Leben als Auseinandersetzung zwischen Selbsterhaltung und versuchter Hingabe an die Sozietät würdigt.

Diese Sehweise formt Handlungskonstellationen und Erzählgegebenheiten im *Schloß.* In K.s Bewußtsein besteht eine übermäßige Rangdifferenz zwischen ihm und der Behörde. Er spricht davon, »daß der Machtunterschied zwischen der Behörde und ihm so ungeheuerlich war, daß alle Lüge und List, deren er fähig gewesen wäre, den Unterschied nicht wesentlich zu seinen Gunsten hätte herabdrücken können«. Der *Brief an den Vater* läßt deutlich erkennen, daß die Größe des Abstandes das ungewöhnliche Unterlegenheitsgefühl spiegelt, das der Dichter seinem Vater gegenüber hatte. Nur zwei Zitate zur Veranschaulichung: »Ich mager, schwach, schmal, Du stark, groß, breit.« Und: »Jedenfalls waren wir so verschieden und in dieser Verschiedenheit einander so gefährlich, daß, wenn man es hätte etwa im voraus ausrechnen wollen, wie ich, das langsam sich entwickelnde Kind, und Du, der fertige Mann, sich zueinander verhalten werden, man hätte annehmen können, daß Du mich einfach niederstampfen wirst, daß nichts von mir übrigbleibt.«

Man sieht aus solchen Aussagen, daß das Schloß den väterlichen Bereich verkörpert, der dem Dichter mit sinnvollem, ehemännischem Gemeinschaftsleben identisch war. Aus diesem Grunde, aber auch wegen anderer, im vorletzten Kapitel schon erwähnter Gegebenheiten, konnte Kafka auch sein Verhältnis zu Milena auf ähnliche Weise interpretieren: »Und darum bin ich ja gewissermaßen unabhängig Dir gegenüber, eben weil die Abhängigkeit so über alle Grenzen geht. Das Entweder-Oder ist zu groß.« An anderen Stellen wird diese Art der Beziehung durch das Bild von Mutter und Kind erläutert. Und soll man es Zufall nennen, wenn Klamm als Kommandant der Frauen bezeichnet wird, dessen Roheit hervorsticht?

Kafka versteht also sein Verhältnis zur Gemeinschaft als Extremfall des von Otto Groß herausgestellten Grundkonflikts. Manches Einzelmotiv im Roman verdeutlicht diesen Sachverhalt: K. ist auf Geschenke vom Schloß angewiesen, schickt es Gehilfen oder eine Frau, so sind das Willkürakte, gegen die man sich vielleicht nicht einmal wehren kann, es liegt ein »Druck« darauf, den man nie abschütteln kann. Eben dies behauptete Groß vom väterlichen Willen. Dann muß man noch anführen, daß K. aus der Sicht Gardenas als schrecklich unwissendes Kind bezeichnet wird, das im Gegensatz zu den herrschenden Gesetzmäßigkeiten steht. Und K. selber sagt einmal über Barnabas, der Figur also, mit der ihn am meisten verbindet, sein Verhalten gleiche dem eines Kindes unter Erwachsenen, was Kafka — und das ist nur eine andere Metapher für den erwähnten Gedanken vom ungeheuren Machtgefälle zwischen ihm und der Welt — in der Spätzeit auch von sich selber sagte. [257]

Zwei Folgerungen zieht Groß aus seiner Grundthese: Was Freud als infantile, perverse, verdrängte Inhalte des Unbewußten bezeichnet, sind bereits Verirrungen und Verzweiflungskämpfe der durch jenen Grundkonflikt, also durch Zwang und Lockung von außen sich selbst entfremdeten Psyche, für deren Zustand schon die Verdrängung der eingeborenen Eigenwertigkeit Voraussetzung ist. Daraus ergibt sich eine andere Bewertung neurotischer Gegebenheiten, die sich zurückführen lassen »*auf das Verankertsein jedes wie immer furchtbaren, häßlichen oder grotesken Einzelsymptoms an einem tiefsten Ursprungsmotiv, das immer zum unaufgebbar Guten gehört und dessen Loslassen deshalb unmöglich bleibt*«.

Man begeht wohl keine Geschichtsfälschung, wenn man folgende Aussage Kafkas, der von sich sagt, er sei von den psychologischen Theorien »besessen«, in eine genetische Abhängigkeit von der eben zitierten Auffassung bringt: »Alle diese angeblichen Krankheiten, so traurig sie auch aussehn, sind Glaubenstatsachen, Verankerungen des in Not befindlichen Menschen in irgendwelchem mütterlichen Boden ... « Dabei ist noch besonders erwähnenswert, daß Groß, in diesem Punkt auf Peter Kropotkin fußend, den Kafka ebenfalls kannte, davon ausging, daß die der Vaterschaft vorhergehende ursprünglich-paradiesische Phase der Menschheitsentwicklung matriarchalisch orientiert gewesen sei.

Dies Uminterpretation Freudscher Gedanken kommt nun insofern im *Schloß* zum Tragen, als niemand, auch K. im Grunde nicht, das im Roman herrschende System ernstlich angreift. Am weitesten in dieser Richtung gehen hier noch Frieda und Pepi, die eine will auswandern, die andere hätte gern, daß der »Herrenhof« in Flammen aufgeht. K. selber beklagt zwar den Machtmißbrauch, den Sortini sich habe zuschulden kommen lassen, hält aber Ehrfurcht einer Behörde gegenüber dann für richtig, wenn diese ordentlich arbeitet. Sonst aber sinnt niemand trotz des allgemeinen Unglücks auf Systemveränderung, und gerade Olga, als die am meisten betroffene Repräsentantin einer am Rand der Sozietät lebenden Familie, geht von der Zwangsläufigkeit der Verhältnisse aus. Und anders als im *Prozeß*, wo K. die Koruptheit der Gerichte anprangert, will sich ja der Landvermesser im Dorf fest niederlassen und würde am liebsten die Verhältnisse akzeptieren, wie sie sind.

Die zweite Folgerung von Groß betrifft die Lage der Frau. Insofern sie unter Verleugnung ihrer eigenen unabhängigen Individualität ihrem unveräußerlichen Grundtrieb zur Mutterschaft folgt, gerät sie in eine universelle Abhängigkeit vom Mann und in eine sexuelle Passivität, die der masochistischen Grundeinstellung verwandt ist. Auf der anderen Seite gibt es eine Minderzahl von Fällen, wo der Wunsch dominiert, Individualität und Freiheit festzuhalten, ein Wille, sich nicht vergewaltigen zu lassen.

Auch dieses kehrt im *Schloß* wieder. Es ist gerade das geschlechtliche

18 Willy Haas (1891–1973) etwa 1912 (rechts mit
    Stock)

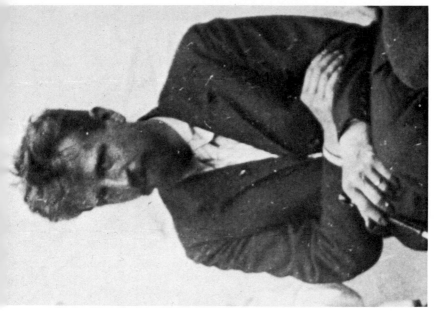

19 Otto Groß (1877–1920)

20   Anton Kuh (1891–1941)

21   Minze Eisner (1901–1972)

Unglück der Frau, das in diesem Roman besonders gespiegelt erscheint. Die unerfüllten Ehen Gardenas und Frau Brunswicks nehmen einen breiten Raum ein, desgleichen Friedas mißliche Abhängigkeit von Klamm und K. Andererseits machen die Söhne gegen männliche Besitzgier Front: Schwarzer, indem er die Lebensform des Schlosses hinter sich läßt und jede Aggressivität im Sexualverhalten aufgibt (doch verlagert sich, nach K.s Deutung, dieser Trieb dadurch bloß auf andere Bereiche), und der kleine Hans, indem er insgeheim mit K. und seiner Mutter gegen Brunswick paktiert, der als jähzornig und roh in sexuellen Dingen bezeichnet wird. Dabei ist interessant, daß den Anlaß zu seiner Intervention ein aggressiver Akt bildet — Gisa, deren geschlechtliche Zurückhaltung also auch nicht ohne Folgen bleibt, bringt K. mit einer Katzenpfote blutige Striemen bei —, der so zu den Gegebenheiten gehört, die das schüchterne Kind ablehnt. Im Schicksal der Dorfmädchen, die die Beamten lieben müssen, kommt die erwähnte Selbstpreisgabe dem Mann gegenüber genauso zum Ausdruck wie in Pepis geheimem Wunsch, von Klamm vergewaltigt zu werden, in Olgas Sich-Ausliefern an dessen Knechte oder in dem Frieda von ihrer Konkurrentin unterstellten Motiv, sich durch die Liebe zu dem nichtigen K. erniedrigen zu wollen. Amalia repräsentiert demgegenüber die sozial nicht anerkannte Haltung der nichthörigen Frau, die bezeichnenderweise auch nicht durch Landbesitz an der agrarischen Lebensform und der mit ihr zwangsläufig verbundenen männlichen Dominanz teilhat, sondern ausdrücklich darüber hinausstrebt. Auch K. denkt in diesen Kategorien, wenn er ganz im Sinne von Otto Groß Sortinis Verhalten gegenüber Amalia als Mißbrauch der Macht dartut. [258]

Besonders wichtig ist schließlich Kafkas Verhältnis zu dem acht Jahre jüngeren Anton Kuh, das bisher in der Forschung ganz unbeachtet geblieben ist. Kuh, dessen Vorfahren aus Prag stammen, gehörte an sich zum Wiener Literatenzirkel, war aber während des Ersten Weltkriegs ständiger Mitarbeiter des *Prager Tagblatts*. Daß Kafka seine Beiträge las, erhellt schon aus der Tatsache, daß er im Oktober 1917 aus Zürau schrieb, Kuh habe letzthin »recht miserabel-geistreich« über Werfel geschrieben. Gemeint ist der Essay *Werfel-Matinée* — er bezieht sich auf den *Besuch aus dem Elysium*, ein Stück, das Kafka 1912 vom Autor persönlich überreicht wurde —, der am 10. Oktober publiziert wurde. Kafka war zu dieser Zeit schon ungefähr einen Monat in Zürau. Er hat Kuh aber vorher persönlich kennengelert und mag, wie andere, davon enttäuscht gewesen sein, wie sehr dessen Schreiben hinter dem mündlichen Vortrag zurückstand, während jener umgekehrt Kafkas Werk kannte und schätzte.

Auf der schon erwähnten Bahnfahrt von Budapest nach Prag war auch Kuh dabei. Kafka schrieb in dem bereits angeführten Bericht über diese Nacht an Milena: »Kuh befangen-unbefangen wie immer sang und lärmte die halbe Nacht«. (Vgl. Abb. 20) Ein solches Urteil ist nur nach längerer Bekanntschaft möglich, niemals nach einem einmaligen Zusammentreffen.

Kuh war berühmt für seine zahlreichen Vorträge, von denen Kafka gewiß einige gehört hatte. Sie waren es wohl besonders, die Max Brod zu einem Bericht in der *Selbstwehr* veranlaßten — *Ein Wort über Anton Kuh* —, in dem er hervorhebt, daß Kuh sich zum Judentum bekenne, weil er es auf die allerpersönlichste Art bejahe. Selbstverständlich verkehrte er auch im Prager Literatencafé »Arco«, wo er besonders auffiel, weil damals viele einheimische Schriftsteller im Feld standen. Dort muß er mit Kafka, der allerdings nur verhältnismäßig selten dorthin ging, zusammengetroffen sein. Noch 1920 besuchte ihn eine von Kuhs Schwestern. Kuh schreibt in seinem Buch *Der unsterbliche Österreicher*, Ernst Polak sei »Geburtshelfer Werfels, Kornfelds, Franz Kafkas« gewesen. Da er hier nicht einer Fehlinformation erlegen sein kann — wer sollte dies behauptet haben? —, muß er aus der Tatsache geschlossen haben, daß er, wie es auch ein Brief Kafkas an Milena voraussetzt, den Dichter und Polak zusammen im Caféhaus sah.

Interessant ist, wie Kuh die *Verwandlung* deutet. Die literarische Aktivität der Juden erschöpfe sich in dem Versuch, den eigenen Vater zu überwinden: »Denn sie sind entsprungen, nicht frei. Sie können den Geruch des Zwingers nicht verlieren und nicht die wachsame Unruhe des Blickes, die dort gedieh, wo sich der Mensch, hart gepreßt und warm umschlungen, Ich-besessen und zu Tränen gerührt, am Menschen reibt und am Ende, wie es einer von ihnen genial beschrieb, in eine Wanze verwandelt.«

Kuh war der einzige, der beim Tode Kafkas einen Nachruf in Wien erscheinen ließ. In der *Stunde* schrieb er: »Kierling bei Klosterneuburg ist durch ihn in die Literaturgeschichte gekommen.«

Bei solcher gegenseitiger Kenntnis ist es nicht verwunderlich, daß Kafka von Kuhs Analysen des jüdischen Geistes beeindruckt war, die in dem Band *Juden und Deutsche* gesammelt sind. Es verwertet, wie Kuh einleitend schreibt, Elemente seiner in Prag und andernorts gehaltenen Vorträge und will Endgültiges zum Thema aussagen. Es ist denkbar, daß Kafka diese 1921 veröffentlichten Gedanken auch als Buch gekannt hat, denn er interessierte sich dafür. Aus Matliary schrieb er im April 1921 an Max Brod: »Nicht einmal was in der Selbstwehr erscheint, erfahre ich vollständig, von dem Kuh-Aufsatz z. B. (ein wenig wild, ein wenig in hohen Tönen, ein wenig eilig, aber eine solche Freude zu lesen) kenne ich nur den zweiten Teil.«

Gemeint ist Brods Beitrag *Der Nietzsche-Liberale. Bemerkungen zu dem Buch von Anton Kuh »Juden und Deutsche«*, der in den Nummern vom 1. und 8. April der *Selbstwehr* erschien. Der erste Teil dieser Ausführungen bestätigt das oben über den geistigen Hintergrund des Wiener Kreises Gesagte. Kuh, so führt Brod aus, verwechsle die Genese des Café »Herrenhof« mit der Entwicklung des Judentums überhaupt, habe aber Grundgefühle und Erkenntnisse mit den Zionisten gemeinsam, ohne sich dieser Richtung zuzuzählen. [259] In seinem Buch unterscheidet Kuh zwischen Assimilanten, Zionisten und Selbsthassern, deren Repräsentant ihm, neben Otto Weininger, vor allem Karl Kraus ist. Sein Verdienst besteht darin, das »Ohr reizbar gemacht zu haben für alle Wirkungen der jüdischen Schuld ... Er war der

Meisterdetektiv des latenten Jüdelns im Weltraum ... Der typische Repräsentant des jüdischen Antisemitismus war auch sein typischster Patient«. Dieser Sachverhalt ist nur auf eine andere Bildebene übertragen und neutraler bewertet, wenn Kafka über Kraus sagt: »Nur ein gerissener Wilddieb kann so ein strenger Waldhüter sein.« An Max Brod schreibt er, das Mauscheln im weitesten Sinne genommen könne man, wie besonders der extremste Fall Karl Kraus zeige, als die »laute oder stillschweigende oder auch selbstquälerische Anmaßung eines fremden Besitzes« verstehen, »den man nicht erworben, sondern durch einen (verhältnismäßig) flüchtigen Griff gestohlen hat und der fremder Besitz bleibt, auch wenn nicht der einzigste Sprachfehler nachgewiesen werden könnte, denn hier kann ja alles nachgewiesen werden durch den leisesten Anruf des Gewissens in einer reuigen Stunde«.

Die Übereinstimmungen mit Kuhs Position werden noch größer, wenn man bedenkt, daß dieser das zuletzt genannte Moment ebenfalls stark betont: Kraus müsse gegen die Juden den Ankläger spielen, »weil er von ihrer Kontrolle des Ertappens und Durchschauens fürchtet, daß sie sie ... duzbrüderlich auf sein eigenes Ertappen anwenden werden«. Auch dürfe er nie stehen bleiben, »weil die erste Sekunde des Stillstands die Gefahr birgt, daß er, von einem Erkenntnis-Herzschlag getroffen, in metaphysische Tiefen saust«. Was die erwähnte Sensibilisierung betrifft, so könnte man anführen, daß Kafka von der *Fackel* als der süßen Speise aller guten und bösen jüdischen Triebe spricht.

Die Essensmetaphorik, die schon im Zusammenhang mit den Vorgängen um Jarmila und Haas auffiel, könnte ebenfalls von Kuh stammen. Er spricht davon, die Juden müßten ihre eigenen »Lebenssuppentöpfe« mit dem Verstand auslöffeln, sie seien »Ecksitzer am Tisch der Völker«, sie seien Kiebitze »an den Spieltischen der Welt« und pathetische Auslöffler »jedes Brockens, der in ihre Suppe fiel«.

Hier ist an die *Forschungen eines Hundes* zu erinnern: Es wird nämlich von Kafka offenbar ein Zusammenhang zwischen Geiz, Judentum und bestimmten bürgerlichen Erziehungspraktiken postuliert. Als »Hundegesetz« wird in der genannten Erzählung formuliert: »wer Speise hat, behält sie«, eine Tatsache, die übrigens jeder Beobachter des Hundeverhaltens bestätigen wird. Sie steht aber Kafka nicht für sich selbst. Die unsichere Stellung der Juden unter den Menschen, schreibt er an Milena, »würde es über alles begreiflich machen, daß sie nur das zu besitzen glauben dürfen, was sie in der Hand oder zwischen den Zähnen halten, daß ferner nur handgreiflicher Besitz ihnen Recht auf das Leben gibt und daß sie, was sie einmal verloren haben, niemals wieder erwerben werden ...«. Was hier nur hypothetisch ausgesagt wird, und zwar pointiert zugespitzt auf Ernst Polak und Kafka selbst — man stand noch am Anfang der Beziehung —, erscheint in dem nur wenige Monate älteren *Brief an den Vater* als Realität. Kafka schreibt dort, wie widerlich ihm früher seine älteste Schwester gewesen sei, weil sie ihn an sich selbst erinnert habe, »so sehr ähnlich stand sie unter dem gleichen Bann der Erziehung. Besonders ihr Geiz war mir abscheulich, da ich ihn womöglich noch stärker hatte. Geiz ist ja eines der verläßlichsten Anzeichen tiefen Unglücklichseins; ich war so unsicher aller Dinge, daß ich tatsächlich nur das besaß, was ich schon in den Händen oder im Mund hielt oder was wenigstens auf dem Wege dorthin war«.

Unter dieser Optik erweisen sich nun plötzlich Klamms Eigenschaften — als Verkörperung des Westjuden Polak muß er das Lebensgesetz dieser Gruppe in sich tragen — als aufeinander bezügliches, sinnvolles Gefüge. Er ist so ängstlich, daß er K.s Anblick nicht erträgt, ein Kommandant über die Frauen, d. h. Prototyp des handgreiflichen Besitzers, entlohnt aber nicht für die genossenen Liebesdienste und kehrt vor allem niemals zu einer Frau zurück, die er verlassen hat, kann also das Verlorene nicht wieder zurückerobern.

Gerade der erotische Bereich war für Kafka mit dieser Besitzgier assoziiert, die sich im Bilde des Essens veranschaulicht. An Felice schrieb er: »Diese andern sind, wenn sie heiraten, fast gesättigt und die Ehe ist für sie nur der letzte große, schöne Bissen. Für mich nicht, ich bin nicht gesättigt, ich habe kein Geschäft gegründet, das sich von Ehejahr zu Ehejahr weiterentwickeln soll ... Ich habe einen solchen Hunger nach meiner Arbeit, daß er mich schlaff macht«. Als Vorbild für eine derartige Auffassung konnte Kafka natürlich das Leben der Eltern, aber auch die Eheschließung seiner mittleren Schwester dienen, bei der eine »unsinnige[n] Summe« verschwendet wurde.

Es war die »Lüsternheit des mit Fleisch und allen guten Dingen überfütterten, körperlich untätigen, mit sich ewig beschäftigten Kindes«, die solche Besitzgier hervorbrachte, bei Kafka und bei Elli, deren Sohn nun ebenfalls diesem Gesetz verfallen ist, ist er doch, aufgewachsen in dem besonderen Geist, der gerade in Prager wohlhabenden Juden wirkt, »übersättigt, geistig und körperlich weich gebettet, großstädtisch überreizt, glaubenslos und gelangweilt gewesen« wie der Dichter selbst. Das meint also Kafka, wenn er vom »Typus des westeuropäischen Juden« spricht, dem er sich nahe fühle und der krank sei. Man versteht, was es bedeutet, wenn der Erzähler der Forschungen eines Hundes und die Titelfigur des Hungerkünstlers sich durch Fasten in Gegensatz zu der sie umgebenden Gemeinschaft stellen. Es ist der Versuch, aus der überkommenen Besitzgier auszubrechen.

Völlig identisch in Kafkas und Kuhs Auffassung ist auch die Deutung, die beide der jüdischen Schriftstellerei geben. Die schreckliche innere Lage seiner Generation hängt nach Kafkas Auffassung mit dem Judentum der Väter zusammen, die die ihnen überkommenen Traditionen und Gemeinschaftsbindungen nicht an ihre Söhne weitergeben konnten, weil diese in städtischer Vereinzelung aufwuchsen: »Weg vom Judentum, meist mit unklarer Zustimmung der Väter (diese Unklarheit war das Empörende), wollten die meisten, die deutsch zu schreiben anfingen, sie wollten es, aber mit den Hinterbeinchen klebten sie noch am Judentum des Vaters und mit den Vor-

derbeinchen fanden sie keinen neuen Boden. Die Verzweiflung darüber war
ihre Inspiration.« Im *Brief an den Vater* heißt es, das Schreiben sei für Kafka
ein in die Länge gezogener Abschied vom Vater, und in einem Brief an Max
Brod vom Juli 1922: »Ich bin von zuhause fort und muß immerfort nachhause schreiben, auch wenn alles Zuhause längst fortgeschwommen sein
sollte in die Ewigkeit. Dieses Schreiben ist nichts als die Fahne des Robinson
auf dem höchsten Punkt der Insel.«

Kuh schreibt: »Angst ... hemmte den Fuß, der in die Welt hinaus-
schritt ... und die Söhne — lest es doch in ihren Schriften selbst ... wie sie
die Glieder schütteln ... wie sie ... an den Fesseln der Erinnerung zerren,
und wie ihnen ... deren Werk eine Ferndrahtung vom anderen Ende der Welt
an die hoffnungslos in der Stube Verbliebenen ist ... Kraus ... flieht, läuft,
ohne eine Kopfwendung nach rückwärts ... Jene aber behalten den Blick
nach dem Ursprung; sie stellen sich dem Gespenst, dem er haßvoll davon-
jagt.« Dann folgt, als ein Beispiel, der Hinweis auf die *Verwandlung*. Wie
bei Kafka ist hier die Fixierung der Söhne an ihren jüdischen Ursprung behauptet, bis hin in die Bildlichkeit, denn was ist die »Ferndrahtung« anderes
als das Signalisieren des Antipoden Robinson, was der Versuch, die gefessel-
ten Glieder von der Erinnerung zu befreien, anderes als das Klebenbleiben
der Beine am Judentum in Kafkas Brief? Auch scheint es, als habe Kafka
Kuhs Deutung seiner berühmten Erzählung selber aufgenommen, wenn er
Milena erklärt, anstatt sich davon zu überzeugen, daß sie ihm wohlwollend
entgegentrete, fürchte sich sein Körper und krieche lieber — wie Gregor
Samsa — langsam die Wand hinauf.

Aufgrund dieser gemeinsamen Basis erstaunt es nicht, daß auch die Beurteilung von Werfel bei beiden Autoren ähnlich ausfällt. Er kämpft, nach
Kuh, »himmels- und höllenentschlossen, am geistigen Ende der Wahrheit«,
kennt nicht seinen körperlichen Anfang, denn er will die »Atlasbürde« seines
Ichs abschütteln — eine Anspielung auf *Spiegelmensch* —, das nackt, unbe-
wehrt, »ohne Voraussetzung und Fundvorsatz aus dem Haus« geht, sondern
greift nach dem rangbekleideten, eitlen Ich, das nicht ernstlich in den Spiegel
zu sehen wagt. Kafka, der diese *Magische Trilogie* »gierig« an einem Nachmittag las, hielt den *Spiegelmenschen* trotz seiner Fülle und Kraft für »nutzlos«. Er vergleicht Werfel mit einem Abraham, der noch keinen Sohn hat
und ihn schon opfern soll, stellt ihn also unter das Gesetz der eigenen Unbedarftheit. So bleibt angesichts des Stücks nur der Verdacht, »daß diese
Männer absichtlich mit ihrem Haus nicht fertig werden und — um ein sehr
großes Beispiel zu nennen — das Gesicht in magischen Trilogien verstecken,
um es nicht heben zu müssen und den Berg zu sehen, der in der Ferne steht«.
Wie Kuh beanstandet also Kafka, daß Werfel sich seine wirkliche Lage nicht
eingesteht und in Theoretisches ausweicht.

Übereinstimmungen finden sich auch in pointierten Einzelheiten. Kuh
zieht Don Quichote zur Veranschaulichung jüdischer Unangepaßtheit heran, betont, daß der Jude sich beim Leben zusehe, als wäre er der eigene Ne-

benmann seines Daseins, spricht von der Eitelkeit als Form falscher Selbsterkenntnis und weist auf die Gemeinschaft als »der Völklichkeit bestes Teil« hin; alles dieses, sowie auch die Deutung des Tschechischen als gesundes, dörfliches, animalisches Leben voll draller Wirklichkeit, findet sich auch bei Kafka.

Manchmal sieht es so aus, als schöpften Kafka und Kuh aus dem gleichen Arsenal möglicher Vorstellungsbilder. Der letztere wettert über die Literaten: »Niemals liebend erstummen dürfen, sondern auf der ahasverischen Wander der Behauptung sein! Der Bodenlosigkeit entrinnen durch Verwortung des Schwebens! Wie ein im Rückenmark Kranker fester mit der Sohle aufstapfen, damit sie die Erde spüre! Sich durch Begrenzung vor der Grenzangst retten . . . « Da wird man an folgende Parallelvorstellungen bei Kafka erinnert: Er vergleicht sein eigenes Geschick mit dem des ewigen Juden, glaubt wurzellos über der Erde zu schweben, redet vom giftigen Mark jüdischer Knochen, fühlt sich in Stiefeln als ein anderer Mensch, möchte das Glück begreifen, daß der Boden, auf dem er steht, nicht größer sein kann als die beiden Füße, die ihn bedecken, und überlegt als Ausweg aus seiner Lage, ob es nicht möglich sei, daß er nur die Umrißlinien seines Wesens nachziehe, also jegliche Grenzdurchbrechungen zum andern hin vermeide.

Es sind gerade auch einzelne Vorstellungsträger, deren sich beide bedienen: Kuh spricht vom »Familiendunst«, Kafka, weil er, wie sich zeigte, das Kreisbild bevorzugt, vom »Dunstkreis« der Familie, Kuh von der »Urväterlichkeit«, Kafka in den *Forschungen eines Hundes* von den »Urväter[n]«.

Interessant ist eine Stelle bei Kuh, wo dieser gegen Kafkas These von der Überlegenheit des Ostjudentums loszieht, die freilich noch von den sogenannten Alljuden geteilt wurde: »Verkriecht er sich vor uns, nistet. in unwegbaren Wäldern?« Kafka schrieb, nachdem er die *Forschungen eines Hundes* aufgegeben hatte, als Beginn eines Erzählfragments nieder: »Ich wollte mich im Unterholz verstecken, mit der Hacke bahnte ich mir ein Stück Weges, dann verkroch ich mich und war geborgen.«

Sehr wichtig ist auch Kuhs Kennzeichnung der Juden durch den Begriff der Knabenhaftigkeit, den Kafka sich schon aufgrund seines jugendlichen Äußern zubilligte. Die Juden altern und bleiben doch Knaben. Über Karl Kraus heißt es: »So verheerend kann nur Knabentum auf Knaben wirken.« Ähnlich urteilt er über die den Juden innerlich verwandten Deutschen: »Der Mann: ein Bartknabe.« Dabei hat man sich nun zu erinnern, daß im *Schloß* Hans, der Brückenhofwirt, als eine Art unmännlicher Jüngling dargestellt wird, der wegen seiner Lebensweise nicht altert, d. h. viel jünger aussieht, als es seinen Lebensjahren zukommt. Vor allem aber sind doch die Gehilfen Bartknaben, denn es sind junge, kindische Leute, deren Benehmen zwar einerseits derart närrisch ist, daß K. zu ihrer Erziehung noch Prügel angebracht scheinen, die aber andererseits schon Bärte tragen, mit deren Pflege sie dauernd beschäftigt sind, und die ausgereifte, durchgeistigte Gesichter haben; die hier sichtbar werdende Ambivalenz kehrt auch darin wieder, daß sie wie Kinder herumhüpfen, aber wie Männer die Arme ausstrekken. [260]

Daß Kuhs Auffassungen oder, vorsichtiger formuliert, Auffassungen der Zeit, die bei Kuh besonders artikuliert greifbar werden, auch das literarische Schaffen Kafkas beeinflußt haben, soll im Folgenden gezeigt werden. Nimmersatte Neugier habe die Juden dazu getrieben, formuliert Kuh im *Epilog* seines Buches, in der Vorzeit der Schöpfung über die Schulter zu sehen: »War es Übermut oder Auftrag — sie zerbrachen die Schale, um den Kern zu finden. Und hier komme ich auf anderem Weg zur früheren Legendendeutung: sie zerbrachen das ›Du‹. Jählings schloß sich um jeden der Sarg seiner Einsamkeit und sprang nicht mehr auf. Denn jenes Wort, das den Menschen als Hülle der Gemeinschaft gegeben war, es wurde, in Millionen Teile zersplittert, zu ihrer Einzelzelle, allenfalls zu einer Notbrücke der Beziehung, die aber mit dem ersten unweigerlichen Schritt, den die Scham über sie setzt, im Augenblick wieder einbricht.« Gerade die Bejaher des Lebens haben es am schwersten, seinen »Verlockungen« auszuweichen, »sie irren am weitesten vom Weg ab«. Dieses Abirren wird interpretiert als sich zerwühlendes Selbstbefragen, wobei die eigene Blutstimme überschrien wird und der Sinn des Daseins unbekannt bleibt, sein wahrer Kern, die Liebe, die beim Sündenfall zerbrochen wurde. Heute aber gilt: » . . . wer die Waffe verliert, hat die Richtung seines Auftrags verloren.«

Es ist auffällig, daß Kafka die biblische Turmbau-Sage ebenfalls im Sinne des jüdischen Schicksals ausdeutet, wenngleich er in seiner Interpretation nicht das Motiv der Sprachverwirrung gestaltet — diese ist vielmehr vorausgesetzt —, sondern kräftelähmende Reflexionen für das Scheitern der Bemühungen verantwortlich macht. Da nach seiner Auffassung schon die zweite und dritte Generation die Sinnlosigkeit des Ganzen erkannte, ergibt sich für den Betrachter eine Strukturentsprechung zum *Neuen Advokaten*, wo schon die unmittelbar auf Alexander folgenden Geschlechter kein richtungsweisendes Lebensgesetz mehr aufweisen. Für sie ist vielmehr kennzeichnend, daß sie mit ihren Schwertern nur noch fuchteln, nicht mehr die Richtung eines Lebenswegs bestimmen können, eine Bildlichkeit, die mit der von Kuh verwendeten, auch im Bedeutungsgehalt, übereinkommt.

Vor allem aber ist an *Forschungen eines Hundes* zu denken, wo diese Geschichtsspekulation auf die »Urväter« des Erzählers übertragen wird, die, gemäß den Vorstellungen des Textes, wo nur Hunde auftreten, in der Vorzeit am Kreuzweg immer mehr abirrten, berauscht von der Schönheit des Lebens. Gerade in diesem Zusammenhang wird davon gesprochen, daß die Vorfahren eigentlich die jungen Hunde waren, die die Schuld auf sich laden mußten. Kuh spricht davon, daß die Juden den Ehrgeiz hätten, das älteste Volk zu sein: »Die Ältesten sind die Schuldigen, und die Schuldigen sind auserwählt, die Welt zu entsühnen. Ihr eigener Ausspruch jedoch bezichtigt sie dieser Erstlingsschuld.« Und wenn der Forschende davon spricht, »in einer schon von anderen verfinsterten Welt in fast schuldlosem Schweigen dem Tode zueilen« zu dürfen, ist der Jude nach Kuh einsam und damit »der dunkeln Ferne des Todes übergeben«. Wenn mit dem Sündenfall, auch nach der Lehre von Otto Groß, »Machtsucht, Häßlichkeit, Gewalt« in die Welt kamen und damit auch »Kauf« und »Besitz«, kurz: der Staat, so korrespondiert damit folgende Aussage aus dem *Stadtwappen*, wo erklärt wird, warum man sich mehr um die Arbeiterstadt, also das staatliche Gemeinwesen, gekümmert habe als um den Turmbau: »Jede Landsmannschaft wollte das schönste Quartier haben, dadurch ergaben sich Streitigkeiten, die sich bis zu blutigen Kämpfen steigerten ... in den Pausen verschönerte man die Stadt, wodurch man allerdings neuen Neid und neue Kämpfe hervorrief.«

Gewalt und Besitz sind also Folgen jenes urtümlichen Vorgangs, der als solcher mit dem Sündenfall und der Vertreibung aus dem Paradies, mit der sich Kafka in der Zürauer Zeit auffällig intensiv beschäftigte, aus der Distanz des tausend Generationen später Lebenden in Eins gesetzt werden darf. Dies um so mehr, als Scham und Einsamkeit, die Kuh als Folgen des Falls herausstreicht, auch die Szene der Späterzählung Kafkas beherrschen: »gerade wir leben weit von einander getrennt«, reflektiert der Hund, der die Welt verkehrt findet, weil die sieben Musikhunde unanständig-schamlos ihre Blöße zur Schau stellen. Einsamkeit darf nicht mit Schweigen verwechselt werden. Kuh hebt die Wortfülle der jüdischen Literaten hervor und deutet sie als »Tiraden der Selbstflucht« — so auch Kafka sinngemäß über Werfel —, in den *Forschungen eines Hundes* wird betont, das Fragen sei eine Eigentümlichkeit der Hundeschaft, »es ist, als sollte damit die Spur der richtigen Fragen verwischt werden«. Die Mithunde wissen mehr als sie eingestehen, mehr über die »entscheidenden Dinge«, als sie in der Lebenspraxis gelten lassen wollen: Was wissen, so fragt Kuh, die Juden von ihrer Sendung? »Mit klarem Auge — nichts. Instinktiv — alles.« Infolgedessen werden Mittel angewandt, das Leben zu ertragen, die »artverwandelnd wirken«, oder, wie Kuh formuliert, dem Zweck dienen, »aus der Haut des Judentums in eine unbekannte, noblere zu fahren«.

Auffällig ist ja in Kafkas Text, welche große Rolle das Essen dort spielt. Hundegesetz ist: »wer Speise hat, behält sie«, doch muß man sie erst »in der Raserei des Hungers« schnell und gierig an sich reißen. Dann aber ist die Welt im Lot, denn die Maxime lautet: »Hast du den Fraß im Maul, so hast du für diesmal alle Fragen gelöst.«

Die Erklärung für diesen schwer deduzierbaren Sachverhalt liefert wieder Anton Kuh. Aufgrund der genannten urzeitlichen Ereignisse habe sich die Liebeskraft der Juden in »Ermunterung zum Essen« verwandelt, die ihrerseits wieder allzuleicht in Völlerei übergehen kann, jener Gelegenheit, »unbeobachtet ein am Spieß gebratenes Huhn zu schänden und einen Kapaun auf den Rücken zu werfen. ›Essen‹ ist ... der Vorausgewinn eines unsicheren Paktes mit dem Himmel«. Deswegen habe im Ritual ein Glaube kulminiert, »dem der Besitz alles war und die Beziehung nichts ...« Daß diese Deutung hinsichtlich Kafkas den Kern der Sache trifft, erhellt auch aus einer

Stelle in den Briefen an Milena, wo Kafka ausführt, die unsichere Stellung der Juden unter den Menschen lasse es begreiflich erscheinen, daß sie glaubten, nur das zu besitzen, »was sie in der Hand oder zwischen den Zähnen halten«. Die Eßgesetze der Hundeschaft spiegeln also einfach jüdisches Besitzdenken. [261]

Angesichts dieser Zusammenhänge fragt man sich natürlich, ob denn von diesem System jüdischer Selbstdeutung nichts ins *Schloß* eingegangen ist. Direkte Motiventsprechungen gibt es nun tatsächlich keine, aber man kann doch sagen, daß Gedanken, wie Kuh sie in seinem Buch äußerte, den Hintergrund für die Darstellung des Geschlechtlichen im Roman mit geformt haben. Denn daß dieser Punkt von Kafka und seinen Freunden als das Entscheidende der Analysen Kuhs angesehen wurde, erhellt aus der Tatsache, daß Brod im zweiten, Kafka also bekannten Teil seiner *Selbstwehr*-Rezension, wo auch die wichtige Interpretation des Sündenfalls durch Otto Groß kurz referiert wird, ganz die Tatsache in den Vordergrund rückt, daß Kuh die Mißbeschaffenheit der jüdischen Erotik feststelle. Die Begründung, die Kuh für die Mißlichkeiten des jüdischen Ehelebens gibt, läßt der aus zionistischer Sicht argumentierende Brod natürlich nicht gelten. Wenn Kafka seinerseits, wie erwähnt, als Kritik an den Ausführungen seines Freundes schreibt, diese seien »ein wenig wild, ein wenig in hohen Tönen, ein wenig eilig« gewesen, so darf man wohl aus diesen Formulierungen herauslesen, daß er Brod vor falscher Selbstsicherheit und oberflächlich-affektiver Beweisführung warnen, daß er mit anderen Worten der Position Kuhs größeres Gewicht als der Freund zuerkennen wollte.

Was nun den eben genannten Zentralpunkt betrifft, so spricht Kuh direkt von einer Verfluchung des Juden — natürlich in Anlehnung an den biblischen Sprachgebrauch —, der durch die jüdische Sexualität verschuldet worden sei. Ihr sei es häufig versagt geblieben, »liebend geliebt zu werden«: Entweder werde das Liebeswort vom Verstand depraviert, oder es werde — eine typisch jüdische Werbungsform — zur Überredung. Dies alles ist Wirkung der Geschlechtsschuld, die durch den Verstoß gegen Gewaltlosigkeit beim Sündenfall entstand. Über Groß noch hinausgehend, meint Kuh: Die jüdischen Männer hätten den Frauen nicht die Ehre gelassen, »frei über sich und ihre Leibesfrucht zu schalten«. Und weiterhin: »der Enkel hatte Großvaterfalten, das Kind trug Greisesspuren. Sie hausten in Käfigen — ›Familie‹ genannt — und rückten ... über Fang und Entgang des Daseins brütend, am Eßtisch zusammen. Was war ihre Liebe? Mitleid zum Eßgefährten ... Hier kulminierte ein Glaube, dem der Besitz alles war und die Beziehung nichts, hier stopfte sich die Angst, um dünner zu atmen.« Der Vater schwingt die Erhaltungsfuchtel, die Mutter ist verkrüppelt, und die Töchter sind Verkaufsgut.

Die Parallelen zum Roman ergeben sich wie von selbst: K. liebt Frieda gewiß nicht — Kafka beklagt Milena gegenüber seine mangelnde Liebesfähigkeit —, statt Liebesworte zu stammeln, stellt er während des Geschlechtsverkehrs Berechnungen an, und als die Braut ihm entgleitet, versucht er sie, weniger zärtlich als sogar Frieda in diesem Augenblick will, bloß durch Überredung zurückzugewinnen. Frieda übrigens wirft ihm vor, daß K. hinsichtlich ihrer Person nur in der Kategorie des Besitzes zu denken vermöge, daß die Beziehung zu ihr aber ihm vollständig gleichgültig sei.

Dann hätte man vor allem die Familie des Barnabas zu nennen, die, wie auch aus anderen Indizien noch hervorgeht, den Typus der jüdischen Familie verkörpert und Kuhs Beschreibung entspricht: Der alte Schuster stellt seine Jüngste beim Feuerwehrfest gleichsam als Ware vor und freut sich, daß ein Freier auftritt, dem er, so wird ausdrücklich versichert, die Tochter gern hingibt; Olga aber bietet sich im »Herrenhof« im wörtlichen Sinne als Verkaufsgut aus. Auch will der Vater nach der Briefgeschichte Amalias Ehre, über die er also verfügen zu können glaubt, wieder herstellen. Was Barnabas betrifft, so kennzeichnet ihn neben seiner Jugendlichkeit auch Überalterung — beides gehört, wie auch sonst bei Kafka, zusammen —, die sogar über das Mannesalter hinauszugehen scheint.

Kann man es Zufall nennen, daß in dem Augenblick der Fluch über die Familie ausgesprochen wird, als Amalia Sortinis Begehren abrupt abweist? Daß der Segen in Gardenas Ehe fehlt? Daß Olga ausdrücklich ihre Einsamkeit innerhalb ihrer Familie betont, weil selbst Barnabas ihr vieles verschweigt?

Schließlich ist es bezeichnend, daß K. die Familie des Schloßboten zweimal auffällig beim Essen erlebt — der Geist der Mutter ist verwirrt, die Glieder des Vaters sind sozusagen verkrüppelt — und für »die ganze Ecke des Familientisches« nur Widerwillen hat.

Man verstehe die aufgewiesenen Bezüge nicht falsch: Alle Sachverhalte lassen sich natürlich auch individualpsychologisch würdigen — dies geschieht auch in dieser Arbeit — und bedürfen als solche nicht der Herleitung durch eine Theorie. Diese ist vielmehr insofern von Bedeutung, als sie die Artikulierung dieser vielleicht zunächst als kontingent erscheinenden Phänomene besser ermöglicht. Und wurde so ihr Paradigmatisches erkannt, konnten sie Erzähltexte konstellieren, die auf allgemeine Wahrheit zielen sollten.

Es soll auch keineswegs behauptet werden, daß etwa Weininger, Groß und Kuh vorwiegend und gerade in den hervorgehobenen Punkten Kafka beeinflußt hätten, sondern das ausgebreitete Material ist eher so zu interpretieren, daß die drei Genannten zusammen mit Kafka in ihrer literarischen Hinterlassenschaft erahnen lassen, daß sich unabhängig von streng nationaljüdischer Argumentationsweise, wie sie vor allem in Kafkas Freundeskreis üblich war, ein überaus selbstkritisches jüdisches Selbstverständnis ausbildete, besonders was das Verhältnis zum andern Geschlecht angeht, was nicht ohne Folgen für einen Roman bleiben konnte, der aus dem Scheitern des Dichters in der Sozietät erwuchs. Daß hier eine ganz spezifische Sehweise des Judentums vorliegt, die in Kafkas Umwelt keineswegs selbstverständlich war, lehrt die Tatsache, daß etwa Max Brod andere Auffassungen vertrat. Man muß zunächst wissen, daß die Gespräche der Freunde sich vor allem um die unterschiedliche Typologie der Familien Brod und Kafka drehte, weil in der Familie des Freundes Bedeutung und Problematik der beiden Elternteile gerade umgekehrt waren wie im Hause des Dichters. Aufschlußreicher ist aber Brods Aufsatz *Zur Charakteristik der österreichischen Familie* vom Jahr 1913, auf den Kafka Felice ausdrücklich hinwies. Brods Ausführungen sind von versöhnlichen Tendenzen getragen: Die geistige Atmosphäre der ihm nahestehenden Schichten nehme jetzt entschieden eine günstigere Strömung an und sei durch das Bewußtsein gekennzeichnet: »Wir haben den festen Willen, nebeneinander auszuharren.« Und als Beleg führt er, der freilich sieben Jahre später beanstandete, daß Kafka bei seinen Eltern lebe und esse, die Tatsache an, daß »der erwerbende und geistig unabhängige Sohn« noch gern im Haushalt der Eltern verbleibe, was doch nur im Blick auf Kafka und die beiden andern intimen Freunde gesagt sein kann, denn auch er selbst, Felix Weltsch und Oskar Baum, lebten bis zur Eheschließung in der elterlichen Wohnung.

Brod behauptet weiterhin, auch die Kenntnis der Theorien Freuds wirke entspannend auf die Konfrontation der Generationen. Von diesem Befund hebt er nun negativ eine Hypertrophie des Familiensinns der Reichsdeutschen ab, weil dort mit ängstlicher Pünktlichkeit Besuche, Gratulationen, Geschenke und Briefe ausgetauscht würden, wodurch man, wie einer seiner Freunde treffend bemerkt habe, »aus Liebe rücksichtslos« werde. Dies letztere könnte möglicherweise ein Zitat Kafkas sein, denn wie Brod, dessen Schwester in Berlin mit einem Verwandten der Familie Bauer verheiratet war, hatte Kafka eben damals schon Einblick in die Familienorganisation der Bauers, die ihn erstaunte und ungehalten machte.

Brods Position ist von seiner zionistischen Sicht bestimmt, die seit dieser Zeit seine Auffassungen prägte. Wie der schon erwähnte Essay über Anton Kuh zeigen könnte, wandelten sich seine Anschauungen im fraglichen Punkt auch später nicht mehr, so daß klar wird, wie Kafkas Überlegungen hinsichtlich des menschlichen Zusammenlebens trotz einer an sich Brod vergleichbaren national-jüdischen Ausrichtung seiner Gedanken in eine Richtung gingen, wo ihm von seinem besten Freund keinerlei Denkhilfen zukommen konnten. [262]

5. Kapitel:
Kafka und der behördliche Apparat

Aus dem Gesagten ergibt sich folgerichtig, daß die Figuren des Romans, und besonders natürlich auch das Schloß und seine Instanzen, nicht nur ein Bild der äußeren, Kafka umgebenden Verhältnisse sein können. Sie sind das zwar auch, aber als solche auch Demonstrationen eigener Persönlichkeitskomponenten, partizipierte der Dichter doch nach eigener Auffassung sogar in extremer Weise an den Gegebenheiten westjüdischen Daseins.

Es sollte also mit derartigem Material das komplexe System des eigenen Innenlebens dargestellt werden, das anders gar nicht zu fassen gewesen wäre, denn Seelisches war für Kafka nie deskriptiv, also in begrifflicher Distanzierung erkennbar, sondern nur in seinem konkreten Vollzug, als Leben gleichsam, verkörpert, handlungsmäßig geformt und personifiziert.

Schon in einem sehr frühen Brief ist belegt, daß er das Schloß als Metapher für sein eigenes Wesen gebrauchte: »Manches Buch wirkt wie ein Schlüssel zu fremden Sälen des eigenen Schlosses.« Dieser Zusammenhang scheint aufgenommen, wenn der Dichter in einem Brief vom März 1922, also zu der Zeit, wo der Roman gerade begonnen war, über sich ausführt, er sei »ein schwer erträglicher, in sich vergrabener, mit fremdem Schlüssel in sich versperrter Mensch«. In beiden Zitaten wird suggeriert, daß der psychische Apparat als Raumgefüge vorgestellt wird, das dem Willen und Bewußtsein seines Besitzers nicht zugänglich ist.

Dazu paßt zunächst, daß K. und das Schloß ja nicht eigentlich unabhängig voneinander sind, sondern dialektisch aufeinander bezogen, so wie Kafkas bewußte Sehnsucht nach einem Leben in der Gemeinschaft und seine eigenen unbewußten Triebkräfte, die, schließlich die Oberhand behaltend, ihn in die Einsamkeit führten. So heißt es zum Beispiel über die inneren Widerstände, die eine Verbindung mit Julie Wohryzek verhinderten: »Ich kann von ihnen tatsächlich wie von etwas Fremden reden, denn sie übersteigen beiweitem meine persönlichen Kräfte und ich bin, wenn sie wollen, ganz in ihrer Macht.« Was also in einem Teil der Lebenszeugnisse als Überwindung durch den Vater erscheint, als transpersonale Einwirkung, die nicht endgültig hingenommen werden könne, so daß aus Ehrgeiz der Kampfplatz nicht verlassen, sondern weitergekämpft wird, kann an anderen Stellen als eigene Willensschwäche, Angst ums Wohlbefinden, als Eigennutz, Abwehrinstinkt und Kraftlosigkeit gedeutet werden, so daß die Aussage möglich ist, er, Kafka, habe aus sich selbst den »Rächer« geschickt; Er fügt hinzu: »ein besonderes: die-rechte-Hand-weiß-nicht-was-die-linke-tut«; dies ist nur ein Umschreibungsversuch für seine Auffassung, der seelische Bereich sei höchstens in seinen Randzonen rationaler Beobachtung zugänglich, er könne sonst nur in seinen jeweiligen äußeren Auswirkungen erkannt werden.

Dieses Schwanken zwischen dem Eigenen und einem Fremden, das aber doch wieder auf unfaßbare Weise jenem zugehört, ist im *Schloß* erzählerisch entfaltet. Einerseits wird dort erklärt, K. könne nicht ins Schloß gelangen und mit Klamm sprechen, und seine Versuche in dieser Richtung scheitern tatsächlich, auf der Subjektstufe der Auslegung also ein Hinweis auf K.s Schwächezustände und die Undurchdringlichkeit und Bewußtseinsunabhängigkeit des Psychischen zugleich. Andererseits aber ist das Schloß auch wieder eine Funktion von K.s Bewußtsein: Weil er bei seiner Ankunft vorgibt, Landvermesser zu sein, verleiht es ihm dieses Amt; schickt Gehilfen, weil er deren Existenz behauptet, und bestätigt ihm schließlich telephonisch, er sei ein alter, eben angekommener Gehilfe des Landvermessers namens Josef, weil er sich unter dieser Bezeichnung gemeldet hatte; da K. am Schluß dieses Gespräches nichts Positives mehr erwartet, lautet die Antwort auch folgerichtig auf seine »gezwungen« vorgebrachte Frage, wann sein Herr ins Schloß kommen dürfe: »Niemals«. Es verkörpert also jetzt K.s unbewußte Strebungen gegen ein Leben in der Gemeinschaft.

Dieser Aspekt wird auch von R. Sheppard hervorgehoben. Er schreibt: »K. arrives in the village with a propensity for struggle. He therefore projects his own aggressiveness onto the Castle and villagers without any justification für doing so. The result of this is that he derives a neurotic and precarious ›negative identity‹ from his fantastic struggle with a Castle which is, to a great extent, the product of his own imagination.« [263]

Die beiden größeren Beschreibungen des Schlosses, die als Wahrnehmungen K.s gegeben sind, sind ebenfalls funktional auf die Erzählthematik bezogen. Die erste Stelle wird durch die Aussage eingeleitet, das Aussehen des Gebäude-Komplexes entspreche K.s Erwartungen. Es handelt sich weder um eine Ritterburg noch um einen Prunkbau, »sondern um eine ausgedehnte Anlage, die aus wenigen zweistockigen, aber aus vielen eng aneinander stehenden niedrigen Bauten bestand; hätte man nicht gewußt, daß es ein Schloß sei, hätte man es für ein Städtchen halten können«. K.s Heimatstädtchen, das er schon lange nicht besucht hatte, steht dem Schloß kaum nach: »Und er verglich in Gedanken den Kirchturm der Heimat mit dem Turm dort oben. Jener Turm, bestimmt, ohne Zögern geradewegs nach oben sich verjüngend, breitdachig, abschließend mit roten Ziegeln, ein irdisches Gebäude ... aber mit höherem Ziel als die niedrige Häusermenge und mit klarerem Ausdruck, als ihn der trübe Werktag hat.« Indem das Schloß als kleine Stadt erscheint, wird darauf verwiesen, daß die Charakteristika seiner Bewohner sozusagen städtischer Natur sind, den gesellschaftlichen Bedingungen der Stadt unterliegen, was K. erwartet, weil der ihn hervorbringende Autor seinen irregeleiteten Geschlechtstrieb mit den besonderen Erziehungsmethoden seines durch städtische Verhältnisse geprägten Standes hat erklären wollen.

Hinter dem von K. vorgenommenen Vergleich steht, biographisch betrachtet, Kafkas schon fünf Jahre zurückliegender Aufenthalt in Zürau, wo er die glücklichste Zeit seines Lebens verbrachte, einem Dorf, das er als Heimat bezeichnen konnte — der Begriff bedeutet, daß man in vorgängige Zusammenhänge eingebettet ist, die tragfähige Lebensgrundlagen darstellen —, weil er ohne zu kämpfen in Übereinstimmung mit sich selbst lebte und, soweit ihm dies möglich war, sich in den winterlichen Lebensrhythmus der dortigen Gegend und Menschen einfügte. In diesem Zusammenhang sei darauf hingewiesen, daß K.s Ankunft im Dorf Ähnlichkeit mit Kafkas Ankunft in Zürau hat: Fünfzig Schritt von der kleinen Brücke entfernt, über die Kafka den Ort betrat, lag eines der Dorfgasthäuser. [264]

Man muß wissen, daß Züraus Barockkirche — Kafka wohnte unmittelbar daneben — einen wenig hohen, zwiebelförmigen Turm besitzt. Sein länglicher Aufsatz wird von einer Spitze gekrönt, in der ein kleineres Formelement auf ein gleichartiges größeres aufgesetzt ist, so daß er tatsächlich als breitdachig und folgerichtig sich verjüngend bezeichnet werden kann (vgl. Abb. 17). Daß Kafka mit der Kirche höhere sonntägliche Ruhe verband, ist aus seinen Zürauer Briefen erschließbar, wo er berichtet, durch Gottesdienste und Beerdigungen Belehrung empfangen zu haben.

Dem wird nun der Schloßturm als einförmiger Rundbau entgegengestellt, »zum Teil gnädig von Efeu verdeckt, mit kleinen Fenstern, die jetzt in der Sonne aufstrahlten — etwas Irrsinniges hatte das —, und einem söllerartigen Abschluß, dessen Mauerzinnen unsicher, unregelmäßig, brüchig, wie von ängstlicher oder nachlässiger Kinderhand gezeichnet, sich in den blauen Himmel zackten. Es war, wie wenn ein trübseliger Hausbewohner, der gerechterweise im entlegensten Zimmer des Hauses sich hätte eingesperrt halten sollen, das Dach durchbrochen und sich erhoben hätte, um sich der Welt zu zeigen«. Deutlich erweist sich diese Beschreibung als Projektion intrapsychischer Phänomene K.s, hinter der eine entsprechende Verfassung Kafkas selbst steht. Das Moment des Irrsinnigen, das später noch einmal von Olga aufgenommen und auf die Schloßdiener bezogen wird, ist ein Lieblingsausdruck Kafkas, mit dem er seine junggesellenhafte Existenz zu kennzeichnen suchte, die ja auch für alle Schloßbewohner vorauszusetzen ist. [265] Da von der K. und Kafka betreffenden Kind-Metaphorik schon die Rede war, sei hinsichtlich des ersten Teils nur noch auf das ebenfalls ausdeutbare Element der Brüchigkeit verwiesen, denn dieser Begriff wird von Kafka vergleichsweise herangezogen, um seinen körperlichen und geistigen Verfall auszudrücken, der für ihn eng mit dem Zerfall jüdischer Werte und Traditionen in der westjüdischen Stadtkultur zusammenhängt: »*Prag*. Die Religionen verlieren sich wie die Menschen.« [266] Hier schließt sich der Kreis, denn — das kann aus dem Romanverlauf deutlich abgelesen werden — auch die Beamten sind vereinzelt und werden nie eigentlich in Gemeinschaft gezeigt. Es ist problematisch, wenn Sokel die im Roman repräsentierte Welt als geschlossene Gesellschaft versteht, in der die Entfremdung des modernen Intellektuellen unbekannt sei. [267]

Den Turm umkreisen Krähen, so wie K. den »Herrenhof« umschleicht und Kafka seine innere Lage sich dadurch verdeutlicht, daß er davon spricht, um seinen Kopf fliege »immerfort der heimliche Rabe« (bezeichnenderweise ist ja der Schloßturm personifiziert); dazu sind beide Vögel schwarz und der Dohle verwandt, dem Firmenzeichen seines Vaters — kavka bedeutet im Tschechischen Dohle —, die als Kryptogramm seiner selbst angesehen werden muß, wie überhaupt die um einen Gegenstand ausgeführte Kreisbewegung, insbesondere von Vögeln, ein Ausdruck für die desorientierte Ziellosigkeit und Verzweiflung Kafkas darstellt. Sogar das Unsolide des Ganzen hat auf der Ebene der Biographie eine Entsprechung, insofern dort der von Milena geliebte Dichter als Hausbesitzer erscheint, der freilich »luftig, ohne Bestand« baut.

Dieser Vorstellungszusammenhang leitet zum Schlußsatz über. Auf der Ebene des Romans kann man hierin eine Vorausdeutung auf den späteren Handlungsgang sehen. Da K. ein »Nichts« ist, der sich besitzmäßig nicht im Dorf verwurzeln kann, ist es nur folgerichtig, daß er beabsichtigt, nach der Trennung von Frieda die nächste Nacht in der kleinen dunklen Kammer der drei Mägde zu verbringen, die auch insofern mit dem entlegensten Zimmer des Schlosses korrespondiert, als sie im »Herrenhof« liegt, der für die Schloßherren reserviert ist. Indem K. freilich im Augenblick um seine Aufnahme als Gemeindeglied ringt, zeigt er sich der Welt wie Kafka zu der Zeit, als er um Felice, also um die Gemeinschaft kämpfte, der in überraschender Übereinstimmung mit der vorliegenden Metapher »in einem der alten Palais irgendwo in einem Bodenwinkel ein stilles Loch« suchte, »um sich dort endlich in Frieden auszustrecken«, weil seine Bemühungen nur »vollkommene Heimatlosigkeit, Brutstätte allen Wahns, immer größere Schwäche und Aussichtslosigkeit« im Gefolge hatte. [268]

Die zweite Beschreibung wird zu Anfang des 8. Kapitels gegeben. Es heißt da: »Wenn K. das Schloß ansah, so war ihm manchmal, als beobachte er jemanden, der ruhig dasitze und vor sich hinsehe, nicht etwa in Gedanken verloren und dadurch gegen alles abgeschlossen, sondern frei und unbekümmert, so, als sei er allein und niemand beobachte ihn, und doch mußte er merken, daß er beobachtet wurde, aber es rührte nicht im geringsten an seiner Ruhe, und wirklich — man wußte nicht, war es Ursache oder Folge —, die Blicke des Beobachters konnten sich nicht festhalten und glitten ab.«

Durch die Art der Metaphorik wird suggeriert, daß das Schloß eine männliche Welt darstellt (so wie man auch in dem eben beschriebenen Turm ein Phallussymbol sehen kann, dessen Jämmerlichkeit K.s problematisches Verhältnis diesem Bereich gegenüber beleuchtet, das auf entsprechende Ängste Kafkas zurückgeht): Man muß den Sitzenden für einen Mann halten, vor allem, weil seine Pose derjenigen Klamms entspricht, die K. während seines ersten Besuchs vom Ausschank des »Herrenhofs« aus beobachten konnte. Wegen des Zwickers kann K., der meint, daß Klamm wach sei, dessen Augen nicht sehen; doch belehrt ihn Frieda darüber, daß der ruhig Dasitzende schlafe. Die Hilfsvorstellungen, die die Körperhaltung des Vorgestellten spezifizieren sollen, werden alle auch auf Klamm angewendet: Er ist unbeein-

druckbar und andererseits wieder so feinfühlig, daß er den ihm auflauernden
K. bemerkt. [269]

Hier kommt ein zweiter neben der geschlechtlichen Gier die Schloßherren
auszeichnender Wesenszug in den Blick, nämlich deren auffallende Menschenscheu, die dazu führt, daß die Dorfbewohner über das Aussehen
Klamms sich die verschiedensten Vorstellungen machen. Die Beamten, so
liest man, sind zu verletzlich, um sich fremden Blicken aussetzen zu können, so daß der notwendige Parteienverkehr, bei Tag unerträglich, bei künst-
lichem Licht in der Nacht abgewickelt wird. Käme es zu einer Begegnung
zwischen Klamm und K., würde jener diesen nicht ansehen, weil er »ein
Nichts in Klamms Augen« darstellt – Klamms Umgebung verhält sich sogar
so, als ob er K.s Anblick nicht einmal in zufälliger Begegnung ertragen
könne –, während umgekehrt K. Bürgels Meinung teilt, daß »durch ein Wort,
durch einen Blick, durch ein Zeichen des Vertrauens mehr erreicht werden
kann als durch lebenslange, auszehrende Bemühungen«, und deswegen seine
Stimme hören, in seiner Nähe sein und von ihm wissen will, wie er sich zu
K.s Heirat verhält, und sich »mit allen Kräften um einen Blick Klamms« bemüht. [270]

Es scheint so, daß hier ganz bestimmte Lebenserfahrungen Kafkas, besonders aus seiner Spätzeit, artikuliert sind, wofür übrigens auch die Beamten der Gerichtswelt im *Prozeß* sprechen, die ihre innere Zusammengehörigkeit
mit den Schloßbewohnern schon deswegen nicht verleugnen können, weil sie
von ähnlicher sexueller Aggressivität sind wie diese, dazu in den entscheidenden Instanzen unsichtbar für den Außenstehenden und andererseits auch
wieder innerlich abhängig vom Angeklagten; jedoch sind sie weder durch
Nachtverhöre noch durch besondere Menschenscheu ausgezeichnet. So ist
es gewiß kein Zufall, daß Kafka in einem an Milena gerichteten Brief sein
Inneres im Bilde einer Instanzenhierarchie vorstellt. Er rechnet damit, daß
ein bestimmter Sachverhalt »bei den fernsten Instanzen« gegen ihn zeugen
könne. Auch die Schloßverwaltung hat ja diesen Charakter der Gerichtsbar-
keit, insofern Artur dort in der Ferne und K. unzugänglich gegen ihn Klage
führt. [271]

Er ertrage, schreibt Kafka im Herbst 1921, jetzt nicht einmal mehr die
Blicke der Menschen, beanstandet anderthalb Jahre vorher, daß in der kleinen Meraner Privatpension, wo er logierte, die Gäste einander immerfort in
die Augen schauen müßten, und gesteht sogar seiner engsten Vertrauten
Ottla, mit der er »besser als mit irgendjemandem sonst« zusammenlebte,
daß er zeitweilig nicht fähig sei, sie anzuschauen. Ja er spricht zur Zeit der
Niederschrift des *Schlosses* davon, daß ihn der Anblick anderer »fast ohnmächtig« mache. Er war derartiger fremder Einwirkung deshalb nicht gewachsen, weil diese Blicke eine Art Identitätsverwirrung bei ihm hervorriefen. Der psychologische Grund liegt in seiner Einfühlungsgabe, die ihn in
solchen Fällen offenbar zwang, sich mit den Augen anderer anzuschauen,
d. h. aus anderer Perspektive, was die eigene Bewußtseinslage verändert und

einen Verantwortungsdruck hervorruft; denn die betrachteten Schwierigkeiten stellen sich sichtbar dar, und es scheint, daß man den unterstellten Urteilen der Beobachter genügen muß. Diese Zusammenhänge hat Kafka in einer allgemein verbindlichen Formulierung in einem Aphorismus festgehalten: »Er wehrt sich«, heißt es da, »gegen die Fixierung durch die Mitmenschen. Der Mensch sieht, selbst wenn er unfehlbar wäre, im andern nur jenen Teil, für den seine Blickkraft und Blickart reicht. Er hat, wie jeder, aber in äußerster Übertreibung, die Sucht, sich so einzuschränken, wie ihn der Blick des Mitmenschen zu sehen die Kraft hat.« [272]

Wenn also die Schloßbeamten dem Anblick fremder Leute nicht gewachsen sind, beispielsweise vor ihren Zimmertüren bereitliegende Akten nur ergreifen, wenn K. gerade nicht hinsieht, so ist das ein neuer Beleg dafür, daß Kafka hier eigene, in der Abfassungszeit des Romans gewonnene Erfahrungen einbringt, die die Schloßwelt als einen Bereich zeigen sollen, der es ermöglicht, die eigenen Konturen gleichsam verantwortungslos und ohne Rücksicht auf die Gemeinschaft leben zu dürfen. Dies jedenfalls war eine Lieblingsvorstellung Kafkas, deren er sich anklagte. [273]

Auch die Müdigkeit, Geschwätzigkeit, Kindlichkeit und Empfindlichkeit der Sekretäre sind Eigenschaften, die Kafka sich selber zuschreibt: Seit dem Aufenthalt in Spindlermühle sind mehrfach Aussagen belegt, die seine grundlegende, nicht nur auf den physischen Bereich zu beschränkende Müdigkeit zum Ausdruck bringen. Besonders instruktiv ist eine Tagebuchstelle vom 3. 2. 1922, wo er erklärt, daß seine Schwäche in charakterlicher Hinsicht ihn von jedem Aufstieg abhalte, wieder ein Hinweis auf die Bildlichkeit des Romans, wo das Schloß auf einem K. unzugänglichen Berg liegt: »... aus Angst vor Irrsinn opfere ich den Aufstieg und werde dieses Geschäft auf dieser Ebene, die keine Geschäfte kennt, gewiß verlieren. Wenn nicht die Schläfrigkeit sich einmischt und mit ihrer nächtlich-täglichen Arbeit alles niederbricht, was hindert, und den Weg freimacht. Dann wird aber wiederum nur der Irrsinn mich aufnehmen, da ich den Aufstieg, den man nur erreicht, wenn man ihn will, nicht wollte.« Man muß diese Passage wohl so verstehen, daß dauernde bewußtseinstrübende und Aufmerksamkeit mindernde Müdigkeit die Möglichkeit des Aufstiegs eröffnet, weil dann die ihn hindernden Eigenschaften sich auf das Verhalten nicht mehr auswirken. Einen solchen Zustand scheinen nun die Sekretäre im *Schloß* zu verkörpern. Zwar sind sie (aber auch etwa Sordini) wie Kafka Neurastheniker, handelt es sich doch um »ein nervöses Volk«, dessen Arbeit die »Nerven« in Mitleidenschaft zieht, aber ihnen eignet andererseits »die Müdigkeit inmitten glücklicher Arbeit; etwas, was nach außen hin wie Müdigkeit aussah und eigentlich unzerstörbare Ruhe, unzerstörbarer Frieden war«. Konkretisiert wird diese Aussage K.s durch das Verhalten Bürgels, der etwa über sein Bett sagt: »... mir, der ich immerfort müde bin, ohne schlafen zu können, tut es wohl, ich verbringe darin einen großen Teil des Tages, erledige darin alle Korrespondenzen...« Es wird also auch im Roman davon ausgegangen, daß die Müdigkeit auch am Tage besteht und daß sie Grundlage eines nicht entnervenden Daseins ist. [274]

Man muß in diesem Zusammenhang unbedingt heranziehen, was Kafka am 1. Februar 1922, also nur zwei Tage vor der zuletzt zitierten Stelle, sich notierte: »Nichts, nur müde. Glück des Fuhrmanns, der jeden Abend so, wie ich heute meinen, und noch viel schöner erlebt ... Der Mensch reiner als am Morgen, die Zeit vor dem müden Einschlafen ist die eigentliche Zeit der Reinheit von Gespenstern, alle sind vertrieben, erst mit der fortschreitenden Nacht kommen sie wieder heran, am Morgen sind sie sämtlich, wenn auch noch unkenntlich, da, und nun beginnt wieder beim gesunden Menschen ihre tägliche Vertreibung.« Wie versuchte nun Kafka, der Geister Herr zu werden und den hier beschriebenen wohligen Zustand der Ermattung zu erreichen? Einmal wollte er mit Gartenarbeit seine Nervenschwäche bekämpfen: »Mein Hauptzweck war, mich ein paar Stunden von der Selbstquälerei zu befreien, im Gegensatz zu der gespensterhaften Arbeit im Bureau ... — dort ... *ist die wahre Hölle, eine andere fürchte ich nicht mehr —*, eine stumpfsinnige, ehrliche, nützliche, schweigsame, einsame, gesunde, anstrengende Arbeit zu leisten.« [275]

Eine Übereinstimmung mit dem Roman besteht zunächst darin, daß es tatsächlich die Büroarbeit ist, die als Ursache der Neurasthenie erscheint. Dann fällt auf, daß sie mit dem Begriff des Gespenstischen belegt wird. Er dient sonst auch dazu, seine quälende nächtliche Gedankenbewegungen zu umschreiben, seine inneren Kämpfe zu veranschaulichen, wenn ihn die Angst nicht schlafen ließ. Er bezeichnet die Nacht als »alte Feindin«, die eine innere Verschwörung gegen ihn durchführt und, beim Schreiben, Geister entfesselt, von denen man »im Sonnenlicht« gar nichts weiß. [276]

Die andere Möglichkeit, sich vor den inneren Gespenstern zu schützen, bestand in der Ausübung eines Handwerks. Kafka betrieb zu diesem Zweck etwas Tischlerei. Ein Handwerk zu lernen, war noch im Herbst 1920 sein sehnlichster Wunsch. Von besonderem Interesse ist in diesem Zusammenhang eine Stelle aus den Anfang dieses Jahres entstandenen *Er*-Aphorismen, wo Kafka von seinem Jugendwunsch spricht, eine Ansicht zu gewinnen, in der das Leben seinen natürlichen Ablauf, seine Gewichtigkeit behalten hätte, gleichzeitig aber als ein traumhaftes Schweben hätte erkannt werden können. Ernsthaft erstrebt, wäre dies wie ein Wunsch, »einen Tisch mit peinlich ordentlicher Handwerksmäßigkeit zusammenzuhämmern und dabei gleichzeitig nichts zu tun, und zwar nicht so, daß man sagen könnte: ›Ihm ist das Hämmern ein Nichts‹, sondern ›Ihm ist das Hämmern ein wirkliches Hämmern und gleichzeitig auch ein Nichts‹, wodurch ja das Hämmern noch kühner, noch entschlossener, noch wirklicher und ... noch irrsinniger geworden wäre«. [277] Die handwerkliche Betätigung erscheint auf der Vergleichsebene nicht als Steckenpferd, sondern als Mittel, sich durch solide Arbeit in der Realität zu verwurzeln, aber doch so, daß die dieser Übung zugrunde liegende Persönlichkeitsstruktur in ihrer Andersartigkeit nicht aufgehoben, sondern gerade noch hervorgehoben wird, und zwar als nichtige, von Geisteskrankheit besessene.

Offenbar sind derartige Erfahrungen und Auffassungen Kafkas auf die im Gang der Sekretäre spielenden Romanpartien projiziert worden. Abends nämlich beschäftigen sich manche Beamte, »um sich von der fortwährenden geistigen Anstrengung zu erholen«, mit Tischlerei, Feinmechanik und dergleichen. Später in der Nacht fällt K. die ungewöhnliche Stille in den Zimmern auf: »So waren also die Herren doch endlich eingeschlafen«, sagt sich K. Die Gespenster sind bis zum frühen Morgen vertrieben, wo sie wieder hervortreten. Um fünf Uhr wird es überall zu seiten des Ganges lebendig: »Dieses Stimmengewirr in den Zimmern hatte etwas äußerst Fröhliches. Einmal klang es wie der Jubel von Kindern, die sich zu einem Ausflug bereitmachen, ein andermal wie der Aufbruch im Hühnerstall, wie die Freude, in völliger Übereinstimmung mit dem erwachenden Tag zu sein.« Der zeitliche Ablauf von Ruhe und Unruhe stimmt mit der vom Fuhrmann handelnden Tagebuchstelle überein. Auffällig ist auch die rednerische Aktivität der Sekretäre, Bürgel selber zeiht sich der Schwatzhaftigkeit, und auch Erlangers Forderungen sollten in der ersten Fassung dieser Szene sehr weitschweifig vorgebracht werden. Da ausgerechnet der schweigsame Kafka sich dieses Lasters anklagt, darf man in diesem Erzählelement die Absicht sehen, die Beamten mit eigenen Zügen anzureichern.

W. Binder hat dieses Moment zur Basis seiner Deutung der Schloßinstanzen gemacht. Diese wollten das geistige Selbst des Menschen vermittels der Sprache, in der er existiere (»stumm dastehen kann auch ein Tier«), vernichten. Darum versage die Vernichtungsgewalt des Apparats, wenn ein Mensch schweigend vor einem Beamten stehe — ist gemeint in tierischer Dumpfheit? —, der aber gerade durch die Angst vor dem Schloß sprachlos gemacht sei. Eine derartig in sich widersprüchliche Dialektik läßt sich in Kafkas Roman gewiß nicht nachweisen. Amalia schweigt nicht aus Angst, sie ist, ausdrücklich, gerade diejenige, die diesen Zustand nicht kennt. Und niemand verstummt vor der Hierarchie der Beamten. Weiter: Wo ist der leiseste Anhalt, daß das Schloß, das jedem Dorfbewohner Entscheidungsfreiheit läßt, das Selbst des Menschen vernichten will? Es ist verkehrt, von einer »Redemauer« des Schlosses zu sprechen, hinter der sich das Nichts verberge, das vielmehr dem Gegenspieler K. eignet. Nur die Sekretäre sind schwatzhaft. Klamm als höherer Beamter sagt manchmal tagelang kein Wort, für das Schloß selbst scheint K. vollkommene Stille kennzeichnend, und Schweigen war für Kafka ein Attribut der Vollkommenheit. Das Reden hat er der Lüge zugeordnet, die menschliches Leben auszeichne. Daß dieses ein Nichts sei, gehört zu den merkwürdigen Exzessen der Heidegger-Nachfolge, von der Kafka glücklicherweise verschont blieb.

Daß die Sekretäre tatsächlich die innere, Kafka unheimliche Aktivität seelischer Gehalte vorstellen sollen, erhellt noch aus zwei anderen Beobachtungen. Sie sind nämlich, wie das Bild in dem zuletzt zitierten Textstück und überhaupt ihr Verhalten zeigt, ausgesprochen kindlich. Imitieren das Krähen eines Hahnes, übergießen den Diener mit Wasser und betätigen mit knabenhafter Freude im Chor ihre Läutwerke. Dazu stimmt, daß es von Bürgel heißt, er habe sich einen starken Rest gesunder Kindlichkeit bewahrt und strecke sich »mutwillig wie ein kleiner Junge«, und daß K. der Umriß des Schlosses wie von Kinderhand gezeichnet erscheint. Auf einer ersten Ebene stellt man natürlich fest, daß dieses Motiv insofern einen romanimmanenten Verweisungszusammenhang bildet, als K. direkt oder in übertragenem Sinn als Kind bezeichnet wird. Auf diese Weise kann die auch mit andern Mitteln sichtbar werdende gegenseitige Abhängigkeit des Landvermessers und der Behörden noch im Bewußtsein des Lesers verstärkt werden. [278]

Berücksichtigt man den weiteren genetischen Kontext des Werks, so wäre zu erwähnen, daß Kindlichkeit, »Knabenhaftigkeit«, ein prägnantes Selbstattribut des Dichters darstellt, das auch in gewissem Sinne objektiv begründet werden kann. [279] K. und die Sekretäre verweisen also auf den Autor. Auf einer dritten Stufe der Betrachtung endlich läßt sich speziell dem gespenstischen Innenleben Kafkas der Aspekt der Kindlichkeit zuordnen. In einem an Robert Klopstock gerichteten Brief vom September 1922, der nur wenige Wochen nach der Niederschrift der im Gang der Sekretäre spielenden Teile konzipiert wurde, führt Kafka aus: »Der Wert von Prag ist fragwürdig. Abgesehen von allem deutlich Persönlichen hat Prag auch noch etwas besonders Verlockendes . . . es ist eine Spur von Kindlichkeit in den Geistern. Diese Kindlichkeit ist aber so sehr gemischt mit Kindischem, Kleinlichem, Ahnungslosem, daß es für den Fremden zwar keine erstrangige, aber doch eine Gefahr bedeutet.« Die »Geister des Ortes« sind natürlich psychische Gegebenheiten, die verzweifelt und schlaflos machen. Dabei ist durchaus anzuerkennen, daß auf der Ebene rein immanenter Betrachtung wirklich ein Unterschied zwischen der Kindlichkeit K.s und der seiner Gegenspieler besteht. R. Sheppard hat ihn in folgender Antinomie klar formuliert: »The relationship between K. and the world of the Castle seems . . . to have two levels. At one level, because the Castle is the indirect agent of a benevolent power, its representatives seek to turn K. from his aimless, solipsistic striving and to reconcile him with himself and the village. But, because the Castle is, at a second level, a decrepit human institution, its officials secretly desire K. to become aware of the revolutionary implications of his conduct and to destroy their bureaucratic system which is, by any standards, rotten. These two levels interpenetrate throughout the novel. On the one hand, the Castle does not exist and K. is an adult in a world of children because his conduct suggests, deceptively as it turns out, that he realises this metaphysical truth. On the other hand, the Castle does exist and K. is a child in a world of adults because he wilfully refuses to see the transcendent quality of benevolence which operates obliquely, through the Castle authorities and the institutions of the village.«

Ganz verkehrt ist es dagegen, wenn B. Beutner die Kindlichkeit der Schloßbeamten, des Barnabas und der Gehilfen von der angeblich andersartigen des Landvermessers absetzt und als Ausdruck ihrer Integration in eine Gemeinschaft deutet, der auch die Dorfbewohner angehören, indem sie das Schloß als höhere Instanz akzeptieren. K.s Kindlichkeit eigne dagegen nur Unart und Unverstand, Folge seines Reflektierens. Zu dieser Fehldeutung kommt es, weil Beutner den fraglichen Bildbereich ohne die entscheidenden Belegstellen der Lebenszeugnisse exemplifiziert, dem vielmehr landläufige Vorstellungen zugeordnet werden, die sich bei Kafka überhaupt nicht belegen lassen. So sei für das Kind Fähigkeit zu grenzenloser Freude eigen, Einfalt auch und unreflektiertes Annehmen bestehender Ordnungen, lauter Gegebenheiten also, die beispielsweise für die Kindheitsentwicklung Kafkas selber, jedenfalls nach dem *Brief an den Vater*, in keiner Weise kennzeichnend waren.

Auch die Interpretation der Kinder, die als Figuren in Kafkas Werk, besonders in der Frühzeit, auftreten, kann zum Verständnis der fraglichen Bildlichkeit im *Schloß* nicht herangezogen werden. Wenn K. Hoffer recht hat — aber auch seine Analyse interpoliert zu sehr heutige Erkenntnisse über das Kind und sein Verhalten in Kafkas Aussagen —, dann ist das Kind Anwalt der Rechte sowohl des einzelnen als auch der vom Individuum angegriffenen gesellschaftlichen Ordnung, der Ausdruck kindlichen Vertrauens dafür, daß nichts unmöglich ist. Sein Urvertrauen und fehlende Angst vor den Konsequenzen möglicher Erkenntnisse läßt es unbeirrbar seine Fragen nach Grund und Ziel der Erscheinungen stellen. Von hier aus führt kein Weg zur Infantilität der *Schloß*-Figuren, denn diese Kategorien sind mit den Strukturen des Romans unvereinbar. [280]

Ein weiterer Gesichtspunkt für die Deutung der Sekretäre bildet die Aussage der Herrenhofwirtin über den verbotenerweise am Morgen im Gang verharrenden K.: »Selbst Gespenster verschwinden gegen Morgen«, nicht aber der Landvermesser in seiner unbegreiflichen Rohheit, eine Bemerkung, die nur scheinbar dem eben Ausgeführten widerspricht, wo das Gespenstische mit der morgens beginnenden Aktenarbeit in Verbindung gebracht wurde. Denn diese amtliche Tätigkeit hat ja auch ein Korrelat in der Nacht, nämlich die in dieser Zeit vor sich gehenden Verhöre der Parteien. Geht man von den erwähnten lebensgeschichtlichen Zusammenhängen aus, wo die Feindlichkeit der Nacht betont wird, die erst am Morgen verschwinde, so kann man in derartigen Gesprächen Bilder für Kafkas dauerndes Erwägen konträrer und miteinander konkurrierender Gedanken sehen, die ihn häufig entnervten und schlaflos machten. [281]

Für die gegebene Interpretation spricht schließlich ein Aphorismus von Anfang 1920: »Er hat viele Richter, sie sind wie ein Heer von Vögeln, das in einem Baum sitzt. Ihre Stimmen gehen durcheinander, die Rang- und Zuständigkeitsfragen sind nicht zu entwirren, auch werden die Plätze fortwährend gewechselt. Einzelne erkennt man aber doch wieder heraus, zum Beispiel einen, welcher der Meinung ist, man müsse nur einmal zum Guten übergehn und sei schon gerettet ohne Rücksicht auf die Vergangenheit und sogar ohne Rücksicht auf die Zukunft. Eine Meinung, die offenbar zum Bösen verlocken muß, wenn nicht die Auslegung dieses Übergangs zum Guten sehr streng ist. Und das ist sie allerdings, dieser Richter hat noch nicht einen einzigen Fall als ihm zugehörig anerkannt. Wohl aber hat er eine Menge Kandidaten um sich herum, ein ewig plapperndes Volk, das ihm nachäfft.« [282]

Wenn man von der besonderen Darbietungsform einmal absieht — die Vergleichsebenen sind bei Kafka ja nicht auf bestimmte Gegenstandsbereiche fixiert, sondern können wechseln —, so ergibt sich eine geradezu verblüffende Übereinstimmung der hier verwendeten Vorstellungselemente mit dem späteren Roman. Zunächst ist zu sagen, daß unklare Zuständigkeitsverhältnisse und gegenseitige Vertretung der Beamten für das *Schloß* außerordentlich bezeichnend sind: Am Telephon hebt einer für den andern ab, quer durch die Beamtenhierarchie hinweg, und die Sekretäre schützen sich vor den Parteien, indem sie sich von Kollegen vertreten lassen, die für den betreffenden Fall unzuständig sind. Klamm unterzeichnet in Vertretung Gardenas Heiratsurkunde, Galater wiederum hat die Geschäfte des Bürovorstehers übernommen, wenn er K. die Gehilfen schickt, und Sortini vertritt Sordini. Zur Abgrenzung der Geschäftsbereiche ist zu sagen, daß unklar bleibt, ob Sortini oder Sordini der wirkliche Feuerwehrfachmann ist, beide sind sich schon im Namen so ähnlich, daß Verwechslungen unumgänglich sind. Dann gibt es Sekretäre wie Momus, die für mehrere Herren arbeiten. Da aber jeder höhere Beamte einen derartigen Dorfsekretär hat, dessen Amtswirksamkeit nicht auf den Bereich des Dorfes eingeschränkt ist, ergeben sich Überschneidungen hinsichtlich der Kompetenz von Vorgesetztem und Untergebenem und natürlich vor allem auch etwa zwischen Momus und dem Dorfsekretär Vallabenes, denn für den zuletzt Genannten arbeitet ja Momus auch. Und endlich wird in der Bürgel-Episode die Möglichkeit angedeutet, gleichsam außerhalb des üblichen Instanzenwegs durch eine zufällige Konfrontation mit einem Beamten, der in dem fraglichen Fall nur eine Nebenzuständigkeit besitzt, mit einem Schlag das in vielen erfolglosen Kämpfen angestrebte Lebensziel zu erreichen. [283]

Eine weitere Übereinstimmung zwischen Aphorismus und Romanszene besteht darin, daß die Sekretäre K. durch ein »Stimmengewirr« auffallen und daß sich aus ihrer Menge, wie eben wieder sichtbar wurde, tatsächlich einer, nämlich der Verbindungssekretär Friedrichs, heraushebt, der glaubt, ohne etwas von den Umständen zu wissen, »aus dem Handgelenk« und unter gänzlicher Vernachlässigung der Schwierigkeiten, die sich »ergeben oder angekündigt hatten« — also unter Absehung von Vergangenheit und Zukunft —, K.s Sache in Ordnung bringen zu können. Die Tatsache hinwiederum, daß der im Aphorismus erwähnte Einzelrichter noch keinen Fall als in sein Ressort gehörig betrachtete, tritt im Roman als dauerndes Mißlingen der verschiedenen Versuche K.s zutage, die von Kafka als positiv empfundene Verwurzelung in der Gemeinschaft zu erreichen. Und schließlich erinnert auch die Wendung vom »Heer von Vögeln« insofern an den Vorstellungsbereich des Romans, als das dort von den Sekretären verwendete Bild vom Aufbruch im Hühnerstall, wo die Bewohner, Vögel, wie auf einem Baum zusammensitzen, sich denkbar eng an jene Vorstellung anlehnt.

Das Entscheidende ist nun, daß dieser ganze Vorstellungszusammenhang ein Gleichnis für verurteilende Instanzen ist, die, wie der fragliche Gegenstandsbereich (Ethik) zeigt, nur als innere Gegebenheiten verstanden werden können. Man hat deswegen anzunehmen, daß der im Paralleltext gezeigte hierarchische Apparat ebenfalls ein Bild für ein seelisches System darstellt. Nur auf dieser Ebene läßt sich auch der merkwürdigen Kompetenzverteilung einen Sinn abgewinnen. Als Erklärung für die Nebenzuständigkeiten kann man Kafkas Auffassung anführen, im psychischen Bereich hänge jedes mit jedem zusammen und alles bilde eine einzige, ineinander verschlungene, unauflösbare Masse. Ein gleichsam objektives Korrelat zu dieser These liegt in der schon mehrfach hervorgehobenen Tatsache, daß es in den Lebenszeugnissen Kafkas nichts Ephemeres, nur auf den Augenblick Gehendes gibt, sondern daß noch die Formulierung der scheinbar unbedeutendsten Einzelheit auf ein Zentrum existentieller Erwägungen bezogen bleibt.

Auch die Art und Weise, wie der Dichter den eigenen Schaffensprozeß verstand, könnte man hier anführen, insofern er als das Wagnis interpretiert wird, die fremdesten Einfälle und ursprünglich der Erzählthematik fernliegende Motive in der geforderten Homogenität des Entstehenden zu verschmelzen. [284]

Unter solcher Beleuchtung klärt sich auch die von Bürgel vertretene Meinung, selbst die kleinste Angelegenheit sei zu weitläufig, als daß ein einzelner Beamter alle seine Konsequenzen überblicken könnte: »Wer könnte allein, und wäre es der größte Arbeiter, alle Beziehungen auch nur des kleinsten Vorfalles auf seinem Schreibtisch zusammenhalten?« Die gleiche Kategorie wendet nämlich der Dichter selbst auf seine inneren Kämpfe an: Er behauptet, ein nur unzulängliches Verständnis seinen eigenen Angelegenheiten gegenüber zu haben, weil es sich um eine dauernd sich bewegende und im Wachstum nicht aufhörende Masse handle. Und an anderer Stelle klagt er, das Material sei so groß geworden, daß er an der Beschreibung seines Falles verzweifeln müsse. [285]

Neben den schon erwähnten Charaktereigenschaften ist es noch die im Roman vorausgesetzte Empfindlichkeit der höheren Beamten, die als Ausdruck einer entsprechenden seelischen Verfassung des Dichters verstanden werden kann. Der Umstand, daß ein Tintenfaß eine Handbreit von seinem gewöhnlichen Platze entfernt, daß ein auf dem Schreibtisch seit jeher vorhanden gewesener Schmutzfleck beseitigt wurde, kann die Arbeitsleistung beeinträchtigen, also auch ein neues Serviermädchen. Freilich beeindruckt dies alles, wie Erlanger ausführt, den Bürovorstand nicht eigentlich: »Trotzdem sind wir verpflichtet, über Klamms Behagen derart zu wachen, daß wir selbst Störungen, die für ihn keine sind ... beseitigen, wenn sie uns als mögliche Störungen auffallen.« Es macht gerade die Raffinesse und Feinheit der Kafkaschen Darstellungskunst aus, daß die Erzählfiguren, die Träger seelischer Strebungen sind, nach realen Vorbildern gezeichnet sind, denen entsprechende Gegebenheiten eignen. Ernst Polaks Nervosität wird in einem an Milena gerichteten Schreiben des Dichters deutlich hervorgehoben. [286]

Ganz auffällig bringt Kafka in der Zeit vor dem Beginn der Arbeit und während der Niederschrift im Roman mehrfach zum Ausdruck, daß er sich durch Äußerlichkeiten in der Arbeit gestört fühlte. Am 6. Dezember 1921 stört das einheizende Dienstmädchen, am 27. Januar 1922 der wackelnde Schreibtisch und die unzureichende Beleuchtung, und am 14. Februar heißt es gar: »... das Stubenmädchen, das mir früh das warme Wasser zu bringen vergißt, wirft meine Welt um.« Und Anfang Juli, kurz vor der Niederschrift der Verhör-Szenen also, spricht er brieflich von seiner Angst vor Veränderung, die ihm schließlich die Umstellung eines Tisches in seinem Zimmer nicht weniger schrecklich erscheinen lassen würde als eine größere Reise. Wie bei Klamm sind es also Unzukömmlichkeiten der Bedienung und des Arbeitsplatzes, die als Störquellen erscheinen. Sogar das Motiv, daß diese Beeinträchtigungen von Erlanger als nur angenommene, nicht eigentlich wirksam werdende gedeutet werden, ist im Tagebuch vorgebildet, insofern Kafka davon spricht, er müsse unbedingt von solchen Dingen unabhängig werden. Wie im Falle der Müdigkeit, wo nur deren positiver Aspekt, der beim Dichter nur ausnahmsweise zum Tragen kam, auf die Beamten überging, ist auch hier ein Postulat des Dichters erzählerisch ausgestaltet worden.

Die Intensität der Abhängigkeit vom lebensgeschichtlichen Hintergrund wird auch darin sichtbar, daß im *Schloß* Diener und Sekretäre die Aufgabe haben, über das »Behagen« Klamms zu wachen. Offenbar ist er nicht dazu geeignet, über sein eigenes Wohlbefinden selbst zu befinden. Damit läßt sich die Tagebucheintragung vom 14. Februar unmittelbar konfrontieren: »Die Macht des Behagens über mich, meine Ohnmacht ohne das Behagen ... Dabei verfolgt mich das Behagen seit jeher und hat mir nicht nur die Kraft genommen, anderes zu ertragen, aber auch jene, das Behagen selbst zu schaffen, es schafft sich um mich von selbst oder ich erreiche es durch Betteln, Weinen, Verzicht auf Wichtigeres.« Nicht nur ist hier ebenfalls das Behagen Zentralvorstellung, sondern auch die Art, wie es zustande kommt, mit der Romanhandlung vergleichbar. Auch um Klamm schafft es sich von selbst, oder er veranlaßt, etwa durch auffällige Unruhe, seine Umgebung zu einem dieses Wohlbefinden hervorrufenden Verhalten. [287]

Die gegebenen Belege machen es unausweichlich, in der Arbeitsweise der Schloßbeamten überhaupt eine großangelegte Metapher für Kafkas Innenwelt zu sehen. In diesem Sinne müßte sich dann auch die Erzählung des Dorfvorstehers auslegen lassen, die spezielle Einsichten in die Arbeitsweise der Behörden vermittelt. Außerdem impliziert eine solche Sehweise, daß die bloß negative, gesellschaftskritische Bewertung der Bürokratie, die Kafka in seinen Romanen nach Meinung vieler Forscher vornimmt, unrichtig sein muß, denn es ist schwer vorstellbar, daß ein so verzweigter Vorstellungsbereich, der nur in längerer Zeit sich durch vielschichtige gedankliche Arbeit zu einer Veranschaulichungsebene für die Kafka bedrückenden Lebensprobleme auswachsen konnte, gleichzeitig im wörtlichen Verstande zur Darstellung des österreichischen Beamtentums und seiner Mißstände dienen soll. Im Folgenden soll gezeigt werden, daß die gemachten Annahmen richtig sind, die gegebene Ausdeutung der Beamtenhierarchie des Schlosses also zutrifft.

Ernst Fischer vertritt die Auffassung, Kafka habe im *Prozeß* aufgrund seiner Erfahrungen als Staatsbeamter »das bürokratische System, das Erlebnis des Untertanen in seiner Auflehnung gegen die Bürokratie, in seiner Niederlage oder Resignation dargestellt«. Das Warten vor irgendwelchen Kanzleitüren sei für den österreichischen Untertanen zum Dauerzustand geworden, die entsprechende Beschreibung dieses Zustandes im *Prozeß* konzentriert realistisch. Es läßt sich aber beweisen, daß die Stelle, die Fischer zum Beweis seiner These beizieht, nicht als von K. unabhängige Realität erscheint, sondern als Projektion innerer Gegebenheiten aufgefaßt werden muß. [288]

Auch nicht überzeugender ist die von Johann Bauer aus Prager Sicht vertretene Anschauung, die viele Vorgänger hat: »Das Amt war eine anonyme, alles beherrschende Macht, der der einzelne hilflos ausgeliefert war. Die Konfrontierung des Menschen mit dem Amt, des privaten Lebens mit dem Mechanismus der Behörden, der Prozeß, dem der Mensch bei dieser ständigen Auseinandersetzung ausgesetzt ist, wurde zum Hauptthema von Kafkas Prosa. Auf die verschiedenste Art behandelt Kafka die Verstrickungen des menschlichen Schicksals in das Netz der bürokratischen Welt.« [289]

Solche Deutungen übersehen, daß Kafka als aktiver, leitender Beamter das Büro hinsichtlich der genannten Fragen — denn seine Beurteilung des Berufs im Blick auf sein künstlerisches Schaffen ist ein ganz anderes Problem — unter einer andern als der beschriebenen Optik erlebte, daß er, der die verschiedenen Gewerbebetriebe hinsichtlich der Höhe der zu zahlenden Prämien für den Versicherungsschutz der Arbeiter in bestimmte Gefahrenklassen einzureihen hatte, durchaus den Ablauf der Amtsvorgänge durchschaute und daß er, wie sein vielfaches Eintreten für Kollegen und Bekannte zeigt, recht erfolgreich auf der Instanzenapparatur zu spielen vermochte.

Vor allem aber ist in diesem Zusammenhang eine Aussage Max Brods heranzuziehen, der wie Kafka viele Jahre lang in der Provinz und in Prag Staatsbeamter war und gleichwohl das österreichische Staatswesen außerordentlich positiv bewertete: »Das alte, schwarzgelbe, angeblich so autoritärdiktatorische Österreich blieb doch der liberalste Staat, denn ich je aus der Nähe erlebt habe.« Wenn Kafka in diesem Punkt eine grundlegend andere Einstellung gehabt hätte, wäre Brod, der die Auffassung, im *Prozeß* seien Mißstände der Justiz gegeißelt, als »krasseste« Fehldeutung bezeichnet, gewiß darauf zu sprechen gekommen. [290]

Man kann nicht einmal sagen, daß der Dichter die Erfahrungen der Prager Beamtenschaft künstlerisch artikuliert hätte. Tatsächlich zählt er in einem Brief an Milena einmal aus dieser Perspektive auf, was seine Kollegen an ihrer Arbeitsstätte kränken konnte, nämlich das Unrecht, das den Beamten nach ihrer Meinung dauernd geschieht, das Übermaß an Arbeit, das sie zu leisten haben, die schlechte Führung, die sie erdulden müssen, und die Beschäftigung in einer, gemessen an den Fähigkeiten des Beamten, untergeordneten Position — wie man sieht, sind das ganz praktische Klagen, weit entfernt von der apokalyptisch anmutenden Hypostasierung in den eben angeführten Forschermeinungen. Was aber Kafka selbst betrifft, so distanziert er sich ausdrücklich von den Anständen seiner Kollegen; er fühlte sich vom Büro übermäßig geschont, fand das Ausmaß seiner Arbeit lächerlich gering, bewunderte seine Vorgesetzten und konnte nicht verstehen, daß man um seine Position und Arbeitskraft in der Anstaltsleitung so viel Aufhebens machte, und dies ist keine auf flüchtige Stimmungen zurückgehende oder bloß auf die Briefpartnerin zugeschnittene Aussage, sondern Kafkas feste Überzeugung, die in seinen Lebenszeugnissen immer wieder nachweisbar ist. [291] Alle die genannten Gesichtspunkte spielen in den Romanen als wirklich vorhandene Mißstände in der Beamtenschaft keinerlei Rolle. Vielmehr betonen ihre Vertreter bei jeder Gelegenheit, daß es sich um ein vollkommenes und gerechtes hierarchisches System handle.

Ist es aber nicht denkbar, daß Kafka, den K.s vergleichbar, auch als Privatmann und kaiserlicher Untertan Behördenerfahrungen hatte, die sich deutlich von den Beurteilungsmaßstäben unterschieden, die er anwandte, wenn er als Beamter über Beamte urteilte? Das war tatsächlich der Fall, und zwar dann, wenn Kafka als Antragsteller in Paßangelegenheiten auftrat, was wegen der von ihm ins Ausland, zu dem auch das Deutsche Reich gehörte, unternommenen Reisen häufig der Fall war. Die vor einiger Zeit in Prag gefundenen, auf diesen Komplex bezüglichen Dokumente über Kafka zeigen, daß es sich dabei um ziemlich umständliche bürokratische Vorgänge handelte. Kafka hat zwar in späteren Jahren, um sich gesundheitlich zu schonen, meist seine Schwester auf die zuständigen Ämter geschickt, doch ließ sich manchmal ein persönliches Vorsprechen nicht vermeiden. Es besteht Anlaß zu der Vermutung, daß ein solcher Besuch, der um den 20. Juni 1922 herum stattgefunden hat, also ungefähr 14 Tage nach seinem Antrag auf Pensionierung, wesentliche Impulse zur Darstellung der Aktenverteilung im 22. Kapitel gegeben hat. Daß die Prager, nicht aber Kafka, der eben bezeichnenderweise ganz anders reagierte, die erwähnte Einrichtung tatsächlich in einer Art und Weise interpretierten, die heutigem landläufigem Verständnis der Bürokratie der Donaumonarchie entspricht, dafür gibt es ein ganz einmaliges Zeugnis. Gemeint ist ein Zeitungsartikel, der, in einem kleinen, halberblindeten Amtszimmer spielend, das Paßbüro zum Gegenstand hat, über das auch Kafka reflektierte. Es heißt da: »Mitten durch eine hölzerne Barriere: die strenge unerbittliche, unerschütterliche Schranke zwischen beamteter Gottheit und armseligen, hundedemütigen Supplikanten. Mehr als fünfzig Menschen drängen sich nervös, unruhig an der Schranke. Sie knicken zusammen, sie krümmen den Rücken, sie verzerren die Gesichter zu gequält lächelnden Grimassen, wenn ein Beamter den Kopf bewegt. Aber augenblicklich verhärten sie die Mienen zu feindseliger, eisenharter Abwehr, wenn sich die Tür öffnet und einen neuen Wartenden hereinzwängt.«

Die vorgetragene Chronologie vom *Schloß* ergab nun, daß die Szene, wo K. die Aktenverteilung beobachtet, wahrscheinlich in der zweiten Augustwoche konzipiert wurde, also nur sechs Wochen nach Abfassung des Briefes, in dem er seinem Freund Oskar Baum folgendes, nur wenige Tage zurückliegendes Erlebnis schildert: »Den Paß habe ich, wunderbar ist die neue Paßausgabereform, unerreichbar sind für die sich nachtastende Deutung die Steigerungen, deren die Bureaukratie fähig ist, und zwar notwendige, unvermeidliche Steigerungen, hervorgehend aus dem Ursprung der Menschennatur, dem ja, an mir gemessen, die Bureaukratie näher ist als irgendeine soziale Einrichtung, sonst die Einzelheiten zu beschreiben ist zu langweilig, für Dich nämlich, der nicht zwei Stunden im Gedränge auf einer Bureautreppe glücklich war über einen neuen Einblick ins Getriebe und der bei der Übernahme des Passes bei Beantwortung einer belanglosen Frage gezittert hat in wirklichem tiefem Respekt (auch in gewöhnlicher Angst, allerdings aber auch in jenem tiefen Respekt).« [292]

Läßt man das Gedränge beiseite, das so ins *Schloß* nicht zu übernehmen war, so haben Roman und Erlebnis gemeinsam, daß der Beobachtende auf dem Gang einer Behörde steht und durch langes Dableiben neue Einblicke in die Organisationsform dieser Institution bekommt. Die Beantwortung der belanglosen Frage kann man mit dem kurzen Verhör bei Erlanger parallelisieren, der von einer »Kleinigkeit« spricht, die er mitzuteilen habe; die Aussage des Dichters, derartige Amtsvorgänge seien letztlich undeutbar, aber notwendig, paßt vollständig zu der Uneinsichtigkeit, die die Arbeitsweise der Schloß-Bürokratie kennzeichnet, und seine tiefe Ehrfurcht vor der Paßbehörde findet sich in der entsprechenden Haltung der Dorfbewohner der Schloßhierarchie gegenüber. Sollte man der Meinung sein, die Briefstelle sei ironisch eingefärbt, so ergibt sich ein weiterer Bezugspunkt zum Romantext, dessen abgründiger Humor nur noch vom *Bericht für eine Akademie* erreicht wird.

Vor allem aber zeigt die Darstellung des Dichters, daß die Wucherungen des bürokratischen Apparats, die, auch nach Kafkas sonst vertretener Meinung, gerade auf dem Gebiet des Paßwesens groteske Ausmaße angenommen hatten — »Wie hatte sein Vater bei der Beschaffung des Reisepasses über die nutzlosen Fragereien der Behörden sich ärgern müssen!« reflektiert schon Karl im *Verschollenen* —, von ihm als unvermeidlich und notwendig angesehen werden, so daß die Lebenszeugnisse nicht die Auffassung belegen, Kafka habe mit der Beschreibung der umständlichen Amtsvorgänge im *Schloß* die Prager Bürokratie anprangern wollen.

Er begründet ja die Notwendigkeit der genannten »Steigerungen« mit der eigenen, ausdrücklich als Richtschnur genommenen menschlichen Natur (nicht Unnatur), der die Bürokratie näher sei als andere Einrichtungen. Impliziert ist damit, daß sich der Dichter in dieser Auffassung von andern unterschieden weiß. So bringt er ja auch in dem schon zitierten Brief an Milena, in dem die Auffassungen der »meisten« Beamten referiert werden, eine diesen entgegengesetzte Sehweise der Dinge, wo das Büro (wie auch alle andern sozialen Institutionen wie Schule, Universität und Familie) als lebendiger Mensch angesehen wird, der ihn mit unschuldsvollen Augen betrachtet und mit dem er auf eine ihm unbekannte Weise verbunden worden sei, obwohl er sich ihm gleichzeitig außerordentlich fremd fühlte.

Läßt sich dieses Gefühl damit erklären, daß er als Künstler dieser Welt zu entfliehen trachtete, weil sie ihn an zusammenhängender literarischer Arbeit hinderte, der zuzeiten sein einziges *Interesse* galt und dem er jede Verankerung in der Sozietät aufzuopfern bereit war, so leitet sich jenes von der Auffassung her, er sei seiner inneren *Anlage* nach Beamter, gehöre also einer »Auswurfsklasse des europäischen Berufsmenschen« zu.

Entfaltet wird der damit gemeinte Sachzusammenhang besonders in einer Tagebucheintragung vom 27. August 1916, die sich zwar vor allem auf die zurückliegenden Jahre des Kampfes mit Felice bezieht, aber die grundlegenden Verhaltensmuster überhaupt verdeutlicht. Dort wird die Beamtenhaftigkeit als Knabenhaftigkeit, Schwäche, Sparsamkeit und ewige Folge von Berechnungen — »ein ungeheuerlicher Wellengang von vier Jahren« — gedeutet, die zu falscher Vorsorge führen müssen. Es besteht also die Tendenz, keine Zukunft zu wagen, »ohne sie vorher erklärt zu haben«. Dies führt aber gewöhnlich zu vernichtenden inneren Kämpfen zwischen gleichstarken Motiven, die ohne die gewünschte Entscheidung enden. Als Lösung bliebe der Ausweg, »zu sehn, wer du bist, statt zu rechnen, was du werden sollst«. Es ist nicht schwer, solche Tendenzen bei K. und im Schloß wiederzufinden.

Es ist K.s Schwäche, die ihn an entscheidenden Erfolgen hindert, auch fragt er gleich eingangs den Brückenhofwirt nach der Entlohnung für seine Tätigkeit. Sein berechnendes, klügelndes Wesen — »Das wirft alle meine Berechnungen über den Haufen«, sagt er einmal zum Dorfvorsteher —, wird durch das Protokoll des Momus, Friedas und auch Gardenas Beobachtungen und besonders auch durch die Art seiner Gesprächsführung Olga gegenüber deutlich. [293]

Dann ist in diesem Zusammenhang doch wohl die Frage zu bedenken, ob das fiktive gesellschaftliche System im Roman als Ganzes mit Kafkas Deutung der Sozietät übereinstimmt und ob, falls dies der Fall ist, dieses hinwiederum als Bild für die Gesamtpersönlichkeit Kafkas selbst genommen werden kann. Die im *Schloß* beschriebenen sozialen Verhältnisse spiegeln die zur Entstehungszeit des Romans in Böhmen weithin herrschenden Verhältnisse, die Kafka durch seinen langen Aufenthalt in Zürau und seine berufliche Tätigkeit genau bekannt waren. Für die Dorfgemeinden war ein

Kleinbauerntum kennzeichnend, das sich durch einen geringen Grad der Arbeitsteilung auszeichnete. Viele Gemeindeglieder übten neben der Landwirtschaft her noch ein Gewerbe aus. Schuster, Tischler, Fleischer, Schmied und Wirt waren die hauptsächlich vorkommenden Berufe, da man das Brot selber buk, fehlte ein Bäcker (nicht aber in dem verhältnismäßig wohlhabenden Zürau), das Schneiderhandwerk wurde, wie oft heute noch in kleineren Gemeinden, durch einen fachlich nicht Geschulten ausgeübt. [294]

Genau dieser Umstand herrscht auch im Roman, nur daß dort noch Gerber und Fuhrmann hinzukommen, Berufe, die in wald- und wild- bzw. viehreichen Gegenden gebraucht werden. Daß die Spezialisierung nicht sehr weit fortgeschritten ist, läßt sich etwa am Schicksal Gardenas ablesen: Zu ihren Pflichten gehörte zunächst, als noch keine Mägde da waren, auch die Besorgung des Stalls. Aber man muß sagen, daß dieses System von Kafka deshalb als Sujet gewählt wurde, weil es, in Verbindung mit einem Schloß, das vielen Gemeinden zugeordnet war, zum Gleichnis seiner persönlichen Nöte werden konnte. Wenn er von seiner inneren Lage spricht, versteht er diese oft auch als Ausdruck bestimmter sozialer Gegebenheiten, eine Betrachtungsweise, die durch seine Lektüre nationaljüdischen Schrifttums sehr gefördert worden sein muß. [295]

Er geht dabei von einer berufsmäßigen Dreigliederung aus. Über seine Sorgen, die er wegen der beabsichtigten Ehe mit Julie Wohryzek hatte, schreibt er an deren Schwester: »... Du bist kein Bauer, dem das Land die Kinder nährt und bis zum letzten hinuntersteigend nicht einmal ein Kaufmann, ich meine der inneren Anlage nach, sondern ... Beamter«. Diese Aufteilung kennzeichnet nun den Roman insofern, als man ohne Bedenken die städtische Mittelschicht der Händler mit den Handwerkern identifizieren kann. Nicht nur sind diese ja in gewissem Sinne Kaufleute, weil sie auch mit Gebrauchsgütern handeln, sondern auch ihr Lebensgefühl scheint demjenigen der Städter zu entsprechen: die angesehenen Töchter des Schuhmachers fühlen sich als »Bürgermädchen«, die an der Magd Frieda vorübergehen, »ohne sie mit dem Blick zu streifen«. [296]

Entsprechend der unterschiedlichen Einschätzung der Berufsstände durch Kafka werden diese auch im *Schloß* vorgeführt. Sofern die Dorfbewohner als Bauern gezeigt werden, erscheinen sie als Kollektiv, denn in diesem Moment verkörpert sich ihre Verankerung in der Gemeinschaft, als deren höchster Ausweis nach Kafkas Auffassung Ehe und Kinder fungieren. Deswegen wird im Brief an Julie dieser Stand durch die Fähigkeit bestimmt, mehrere Kinder problemlos ernähren zu können. So ist es wohl kein Zufall, daß sich für K. aus der Mittagsgesellschaft im Gasthaus »Zur Brücke«, wo ausschließlich Dorfbewohner essen, ein Ehepaar »mit Kindern« heraushebt. Die Bauern sind eben nicht von der Vereinzelung des Stadtlebens betroffen, weshalb der Dichter auch Ottla und Minze E. zu einer landwirtschaftlichen Tätigkeit zu bewegen suchte. [297]

Fragwürdiger steht es schon um den Mittelstand, dem sich Kafka — dies bedeutet die Einschränkung »bis zum letzten hinuntersteigend« — wenigstens teilweise zugehörig fühlte. Im *Brief an den Vater* erwähnt er, daß er als Junge vom elterlichen Geschäft affiziert gewesen sei — auch war er später Teilhaber einer im Familienbesitz befindlichen Asbestfabrik —, und führt dort vor allem seine ungünstige Persönlichkeitsentwicklung auf seine Erziehung zurück, die bestimmten Gesetzmäßigkeiten des gutsituierten jüdischen Bürgertums entsprach. [298] Insofern ist es bezeichnend, daß die Figuren, die im Roman als Handwerker profiliert werden, nicht als Großgruppe, sondern im engeren Familienkreis gezeigt werden und daß ihnen beträchtliche Lebensschwierigkeiten eigen sind, man denke an Brunswick oder an Gardena und ihren Mann Hans.

Ein deutlicher Unterschied besteht in dieser Hinsicht zu der Familie des Barnabas, die bezeichnenderweise keine Äcker besitzt. Sie hat eben nicht die Möglichkeit, ihre drei Kinder durch Landarbeit zu ernähren, als der Vater durch die Ereignisse auf dem Feuerwehrfest die Schusterei aufgeben muß, so daß Olga und Barnabas als die Verdienenden zu nicht offiziell anerkannten, nur geduldeten, in gewisser Weise außerhalb der Legalität liegenden Tätigkeiten greifen müssen, die nun wiederum zu einer unbefriedigenden inneren Verfassung dieser Personen führen müssen. Wegen ihres ungewöhnlichen Unglücks steht die Familie des Barnabas gewissermaßen außerhalb der Dorfgemeinschaft, die von ihr eine heroische Selbstbefreiung erwartet. [299]

Die sozial über den Gewerbetreibenden stehenden Sekretäre und ihre Vorgesetzten werden als »Auswurfsklasse des europäischen Berufsmenschen« bezeichnenderweise in der Vereinzelung gezeigt, und zwar je mehr, desto höher ihre Position ist. Während Bauern und Knechte gemeinsam ihr Bier trinken, sitzen Klamm und die Sekretäre jeder für sich in ihren Zimmern. Auch Sortini ist fremd und ohne Teilnahme für seine Umgebung bei dem in gewisser Weise doch die Standesgrenzen aufhebenden Feuerwehrfest. Vor allem aber sind die Beamten doch alle offenbar Junggesellen. Von ihrer entnervenden Aktenarbeit erholen sie sich — wie die Handwerker, wenn sie bauern — durch Dilettieren in der nächstunteren Berufsklasse. [300]

In gewissem Sinne gehört K. allen Schichten an. Als Landvermesser ist er natürlich Beamter, die Herrenhofwirtin schätzt ihn als ehemaligen Handwerker ein (und als solcher wäre er von ihr vielleicht im weiteren Romanverlauf angestellt worden), als Schuldiener und als Pferdeknecht bei Gerstäcker nimmt er eine Stellung ein, wie sie den Bauern zukommt, die kein Handwerk betreiben. Zum biographischen Hintergrund stimmt auch, daß K. an der Landvermesserei kein Interesse hat, sondern lieber als Knecht bei einem Bauern gearbeitet hätte. So spiegelt die Berufsgliederung im *Schloß* Kafkas Bewertung der drei wichtigsten Berufsstände, insofern er diese als Ideal des eigenen Strebens, als verwandt mit dem ihn Auszeichnenden und als direkte Verkörperung seiner Wesensart empfand.

Schließlich ist noch auf die Szene zu verweisen, wo der Dorfvorsteher die Arbeitsweise der verschiedenen Instanzen erklärt. Er erwähnt von einander unabhängige, aber miteinander korrespondierende Abteilungen, die er A und B nennt. Entsprechend hat Kafka, der A und B auch für miteinander im Streit liegende oder sich verfehlende Partner verwendet, was aber vielleicht schon wieder erzählerische Entfaltung innerer Gegebenheiten darstellt, Milena gegenüber seine Persönlichkeit als drei Kreise vorgestellt, einen innersten A, dann B und schließlich C, den handelnden Menschen, dem von B nichts mehr erklärt, sondern nur befohlen wird, so daß C vertrauen und glauben muß, daß A dem B alles erklärt, B alles richtig verstanden und weitergegeben hat. [301]

Vor langer Zeit schickte die Abteilung A einen Erlaß an den Dorfvorsteher, in dem mitgeteilt wurde, daß ein Landvermesser berufen werden solle; der Dorfvorsteher beantwortet ihn ablehnend. Brunswick, an der Spitze einer Gruppe opponierender Gemeindeglieder jedoch trat, sich an die erste Order der Abteilung A haltend, für die Berufung eines Landvermessers ein, indem er die Behörden, zu denen er auch persönliche Beziehungen hatte, »mit immer neuen Erfindungen seiner Phantasie in Bewegung brachte« und ihre weiteren Erhebungen in Frage stellte. Da der ursprüngliche Akt mit der Antwort des Dorfvorstehers den richtigen Weg verfehlte — »und er muß bei der Vorzüglichkeit der Organisation den falschen Weg förmlich mit Eifer suchen, sonst findet er ihn nicht« —, gelangte er, aber unvollständig, in die Abteilung B und dort an einen wegen seiner Gewissenhaftigkeit berühmten Italiener namens Sordini. Dieser recherchiert — er hat nur einen Aktenumschlag mit einem Vermerk erhalten — und läßt durch seine Beamten täglich protokollarische Verhöre angesehener Gemeindemitglieder im »Herrenhof« stattfinden, weil er »die Beweggründe sowohl der Majorität als auch der Opposition durch die sorgfältigsten Erhebungen zu erforschen suchte«. Auch entwickelt sich eine große Korrespondenz mit dem Dorfvorsteher, der die Angelegenheit jahrelang nicht zur Ruhe kommen läßt. Endlich — die Abteilung A wartet noch immer auf eine Antwort — stellt ein Kontrollamt fest, daß diese Anfrage noch unerledigt war, und wendet sich an den Dorfvorsteher, der daraufhin A mitteilt, daß kein Landvermesser nötig sei. Abschließend äußert dieser K. gegenüber: »Und nun stellen Sie sich, Herr Landvermesser, meine Enttäuschung vor, als jetzt, nach glücklicher Beendigung der ganzen Angelegenheit — und auch seither ist schon wieder viel Zeit verflossen —, plötzlich Sie auftreten und es den Anschein bekommt, als sollte die Sache wieder von vorn beginnen.« R.-M. Ferenczi sieht in diesen Zusammenhängen eine Anspielung auf die europäische Geschichte. Falls man den Landvermesser gewähren lasse im Dorf, werde er die soziale und ökonomische Ordnung umkehren. Die früher vorgeschlagene Berufung ziele demnach auf die Reformen des Jahres 1848, die reaktionären Kräfte hätten aber dafür gesorgt, daß die damals erlangten neuen Rechte nicht angewandt worden seien.

Die Schwierigkeit dieser Deutung liegt einmal im Methodischen. Ferenczi allegorisiert, verläßt also die philologische Basis der Werkinterpretation: Es wäre möglich, ganz andere Zuordnungen vorzunehmen, beispielsweise auch unter Zugrundelegung des umgekehrten politischen Gefälles, ohne daß die Glaubwürdigkeit und Evidenz der so gewonnenen Postulate dabei größer oder kleiner wird, denn es sind keine Normen bekannt, die über Zulässigkeit und Richtung bestimmter Leserassoziationen Auskunft gäben.

Fragwürdig ist das von Ferenczi vorgeschlagene Verständnis der Diskussion zwischen K. und dem Vorsteher aber auch deshalb, weil es in den Lebenszeugnissen Kafkas und auch im weiteren Umfeld, das geistig auf ihn einwirkte, nicht den geringsten Anhalt dafür gibt, daß die Ereignisse des Jahres 1848 und ihre Folgen für die Bewältigung der Gegenwartsprobleme als bedeutsam angesehen worden wären, und es ist unwahrscheinlich, daß er im Hauptwerk seiner letzten Jahre dargestellt haben sollte, was weder ihn noch seine Generationsgenossen und Freunde nach Ausweis der historischen Überlieferung im geringsten interessierte. [302]

Der geschilderte Ablauf läßt sich dagegen ungezwungen auf Kafkas Biographie beziehen. Zunächst einmal tragen die an der Auseinandersetzung beteiligten Figuren deutlich Züge Kafkas. Den an Brunswick dominierenden Wesenszug hat sich Kafka selbst zugesprochen, wenn er von seinem »phantastischen, nur für Arbeit berechneten Leben« spricht. Die »Sonderbarkeiten«, die jenen als einen am Rand der Gesellschaft Stehenden ausweisen, der vom Vorsteher am liebsten aus dem Dorf vertrieben würde, kennzeichnen auch den in vergleichbarer Position lebenden Ich-Erzähler der *Forschungen eines Hundes,* der nur noch in lockerer Verbindung zu seinem Volk lebt, sich aber gleichwohl noch diesem zugehörig fühlt. Der Hund ist aber ein Bild für Kafkas Lebensweise, der durch eine Brunswick entsprechende Wesensart zur Zeit der Abfassung des Romans sich vom Vater ins Grenzland zwischen Einsamkeit und Gemeinschaft gedrängt fühlte. Bezeichnenderweise ist Brunswick nicht etwa Bauer, sondern Handwerker: Kafkas inniger, noch zur Abfassungszeit des Romans bezeugter Wunsch war es, ein Handwerk zu lernen und auszuwandern – in einem kleinen Erzählfragment heißt ein Schneider sogar Franz. [303] Schließlich stellt Brunswicks Frau, wie schon erläutert, einen Aspekt Milenas dar.

Was den Vorsteher betrifft, so ist er wie Kafka Beamter, der sich mit dieser Funktion (wie beim Dichter eine Nebentätigkeit) nicht identifiziert, der Akten verlegt und verliert und durch Krankheit in Arbeitsrückstand kommt (von all dem berichten auch die Lebenszeugnisse), der von einer Frau unterstützt wird (Kafka glaubte zu zeiten während seiner Krankheit mit Ottla in einer Art Ehe zu leben) und der eine Wiederholung des Jahre zurückliegenden Kampfes verhindern will; entsprechend beschloß Kafka im Sommer 1916, sich nicht mehr »zu solchem Kampfplatz zu entwürdigen«.

Vielleicht sind auch Aspekte der Eltern Kafkas in die Darstellung des Vorstehers und seiner Frau eingegangen, ist doch dieser der Herr der Gemeinschaft, der Brunswick aus dem Dorf treiben will und sich gegen die Berufung eines Landvermessers ausspricht, so wie Kafka den Vater als Herrscher über das Gemeinschaftsleben ansah, der seine Entscheidungskraft niedergehalten, seine Eheversuche bekämpft und ihn aus der Sozietät vertrieben habe. Für einen solchen Zusammenhang könnten auch die Art der Krankheit des Vorstehers, das Verhältnis der beiden Eheleute und die Aufgaben sprechen, die Mizzi auszuführen hat. [304]

Der jahrelange Kampf der um Brunswick und den Vorsteher gescharten Bauern spiegelt den fünfjährigen Kampf wider, den Kafka um Felice führte und der jetzt, in der Beziehung zu Milena, wieder aufzuleben drohte. Er selbst, schrieb er über jenen Vorgang, bestehe aus zweien, die in ihm kämpfen, oder richtiger, aus deren Kampf er bis auf einen »kleinen gemarterten Rest« bestehe. Die Personifizierung in zwei Parteien ist also schon auf der Ebene der Lebenszeugnisse vollzogen. Interessant ist ein Brief an Milena, der beweist, daß diese Kategorien auch auf das gegenwärtige Erleben angewendet wurden: »Die zwei in mir, der welcher fahren will und der welcher sich zu fahren fürchtet, beide nur Teile von mir, beide wahrscheinlich Lumpen, kämpften in mir. Ich stand früh auf wie zu meinen ärgsten Zeiten.« Dies bezieht sich auf Kafkas Plan, in ein bestimmtes Sanatorium zu fahren; hätte er ihn ausgeführt, hätte er eine Fahrtroute wählen müssen, auf welcher er mit Milena zusammengetroffen wäre. Um dieses mögliche Zusammentreffen also kämpfte er in der Nacht wie Jahre vorher um Felice. [305]

Das Verwirrende war für Kafka, daß die Kämpfer zeitweilig ihre Masken wechselten, daß also die Ehe und die geplante Verankerung in der Gemeinschaft als Negativum erschienen, weil die Meinung vorherrschte, in der Einsamkeit liege eine höhere Verpflichtung.

Genau dieses geschieht nun auch in der zwischen Brunswick und dem Vorsteher bzw. Sordini geführten Auseinandersetzung, insofern sich ihre Positionen verkehren: Brunswick tritt jetzt K. recht feindlich gegenüber, während der Vorsteher ihn als Schuldiener in der Gemeinde aufnimmt. Wie diese über das Schloß und seine Instanzen voneinander abhängig sind, so die inneren Kämpfer des Dichters, denen ebenfalls ein bürokratischer Apparat übergeordnet ist: »In meiner Kanzlei wird immer noch gerechnet, als fange mein Leben erst morgen an, indessen bin ich am Ende«, schreibt Kafka am 12. Februar 1922, um auszudrücken, daß die inneren Reflexionen um die mögliche Berechtigung des gemeinschaftsfernen Lebens in der Art früherer Jahre sich fortsetzten. Und in einem nach der Arbeit am Roman geschriebenen Brief an Milena heißt es, man sei hinsichtlich derartiger Fragen nur Volk, d. h. man habe Einfluß auf die Ereignisse, weil ohne Volk kein Krieg zu führen sei — dies wirkt wie eine Erklärung dafür, daß sich um die beiden Kontrahenten im Dorf Gruppen von Anhängern, eben Volk, scharen —, aber »wirklich beurteilt und entschieden werden die Dinge doch nur in der unabsehbaren Hierarchie der Instanzen«. Eben davon handelt ja der Bericht des Vorstehers, wofür auch spricht, daß Sordini mit autobiographischem Material gestaltet wurde.

Wegen der vielen nervenzerstörenden Arbeit, die er in dem genannten

Fall leisten mußte, ist er »schwer erkrankt«; ebenso hat Kafka seine Lungenkrankheit als Folge der ihn überfordernden Auseinandersetzung mit Felice
verstanden. Dazu kommt noch, daß der für den Angegriffenen schreckliche,
für dessen Feinde herrliche Anblick Sordinis, der wegen seiner Aufmerksamkeit, Energie und Geistesgegenwart schon gesiegt hat, wenn er den geringsten
Vorteil in Händen hat, in dem herrlichen Anblick wiederkehrt, der entsteht,
wenn die »Hoffnung«, ein gemeinschaftsdienliches Leben zu erreichen, mit
dem »Fluch des Vaters« kämpft, davon ausgeschlossen zu sein. [306]
Außerdem: Die »große Korrespondenz« zwischen dem Vorsteher und Sordini
scheint ein Reflex des ungewöhnlich intensiven Briefwechsels zu sein, den
der Dichter mit Felice — zuzeiten schrieb er mehrmals am Tage —, seinem
»Menschengericht«, führte; und der dauernde Hinweis des Vorstehers, K.s
Fall sei einer der kleinsten und unbedeutendsten, korrespondiert mit Kafkas
Auffassung, er sei sowohl innerhalb der menschlichen Gemeinschaft als auch
in dem von ihm gewählten Bereich der Einsamkeit »der Kleinste und Ängstlichste«. [307]

Die vertretene Auffassung, die Schloßbehörden seien ein Bild für Kafkas
psychische Gegebenheiten, wird besonders deutlich bei der Beschreibung der
Empfindlichkeit des behördlichen Apparates: »Wenn eine Angelegenheit sehr
lange erwogen worden ist, kann es, auch ohne daß die Erwägungen schon
beendet wären, geschehen, daß plötzlich blitzartig an einer unvorhersehbaren
und auch später nicht mehr auffindbaren Stelle eine Erledigung hervorkommt, welche die Angelegenheit, wenn auch meistens sehr richtig, so doch
immerhin willkürlich abschließt. Es ist, als hätte der behördliche Apparat die
Spannung, die jahrelange Aufreizung durch die gleiche, vielleicht an sich
geringfügige Angelegenheit nicht mehr ertragen und aus sich selbst heraus,
ohne Mithilfe der Beamten, die Entscheidung getroffen. Natürlich ist kein
Wunder geschehen, und gewiß hat irgendein Beamter die Erledigung geschrieben oder eine ungeschriebene Entscheidung getroffen, jedenfalls aber
kann, wenigstens von uns aus, von hier aus, ja selbst vom Amt aus nicht
festgestellt werden, welcher Beamte in diesem Fall entschieden hat, und
aus welchen Gründen ... Ich weiß nicht, ob in Ihrem Fall eine solche Entscheidung ergangen ist — manches spricht dafür, manches dagegen ... «

Dieser Passus liest sich wie eine Allegorie auf das Ende seiner Beziehung
zu Felice: Er hat den unvermittelten Ausbruch der Tuberkulose, für die er, in
keiner Weise durch familiäre Disposition dafür veranlagt, auch fast schon
zu alt war, tatsächlich für den überraschenden Abbruch seines Kampfes um
Felice gehalten. Er hat weiterhin metaphorisch (vgl. »Es ist, als hätte ... «)
davon gesprochen, daß Gehirn und Lunge sich ohne sein Wissen darüber
verständigt hätten, die ungeheuere, unerträgliche Spannung des Kopfes dadurch zu mindern, daß die Lunge einen Teil der Last übernahm, so daß der
Kampf tatsächlich sozusagen »ohne Mithilfe der Beamten«, also des Bewußtseins, »zu Ende« war, was in völliger Übereinstimmung zu anderen Stellen
steht, wo davon die Rede ist, solchen Dingen gegenüber gebe es kein Ver-

ständnis, man könne nur raten. Und zur Zeit, als er in Spindlermühle weilte, notierte er ins Tagebuch, es gebe in seiner »Wüste«, der Welt, in der er gezwungen war zu leben, »blitzartige Erhöhungen«, aber auch meerdruckartige tausendjährige Zerschmetterungen, die auf die »Organisation« seiner Verhältnisse zurückgeführt wird — was anders als seelische Verhältnisse soll also der Behördenapparat repräsentieren, vor allem, wenn Kafka ausdrücklich erklärt, der Sinn seines Schreibens sei die Darstellung seines traumhaften innern Lebens? [308]

Nun mußte natürlich der Vorstellungszusammenhang auf Kafkas gegenwärtige Verhältnisse, das Milena-Problem, angewendet werden. Hier war tatsächlich noch in der Schwebe, ob eine dem Ausbruch der Tuberkulose entsprechende Entscheidung gefallen war: Nicht nur, daß zu Beginn der Niederschrift des Romans Kafka noch in Verbindung mit Milena war, sondern auch innerlich schwankte er, wenn er diese Frage erwog. Teils parallelisierte er seine Beziehung zu ihr mit den vorausgehenden Heiratsversuchen, teils widerrief er derartige Aussagen auch wieder. Vor allem aber konnte er ja nicht wissen, ob sich sein Gesundheitszustand, der sich gerade im Jahr 1922 wieder rapide verschlechterte, nicht derart abrupt veränderte, daß er gezwungen worden wäre, dies in einer mit den Verhältnissen des Jahres 1917 vergleichbaren Weise in inneren Zusammenhang zu bringen; möglicherweise spielte auch die Frage der Pensionierung mit, die am 1. Juli 1922 erfolgte und ihn stark berührte; vielleicht befürchtete er, daß sie zu Bedingungen erfolgen würde, die ihm ein vom Vater unabhängiges Leben nicht mehr gestatten würden; auch dies wäre eine endgültige Vernichtung gewesen, die nicht einmal mehr eine vergleichsweise bescheidene Unterstützung Milenas zugelassen hätte, wie sie 1920 erfolgt war. [309]

Interessant ist noch die Begründung, die für den »ungeheuerliche[n] Wellengang« gegeben wird, nämlich ein einmaliges Verfehlen des richtigen Wegs, etwas, was von den ersten Kontrollämtern als Fehler bezeichnet wird, von dem man aber nicht endgültig sagen kann, daß es ein Fehler ist, weil höhere Instanzen vielleicht zu einem ganz anderen Urteil kommen. Dem entspricht auf der Ebene der Lebenszeugnisse einmal, daß die genannte Erklärung der Tuberkulose ausdrücklich Erkenntnis der ersten Stufe genannt wird, die auch ganz falsch sein könne, so daß Kafka, wie die Kontrollämter, dazu gezwungen ist, ohne Unterlaß darüber nachzudenken, zum andern aber ist der unübersehbare Befund anzuführen, daß auch sonst ein einmaliges Abirren oder Verfehlen, eine an sich unbedeutende Kleinigkeit am Quellpunkt einer Entwicklung, Ursache und Beginn schwerwiegender, unaufhaltsamer Entwicklungen darstellt. K. selbst versteht seine gegenwärtigen Verhältnisse durchaus in Übereinstimmung mit einer derartigen Deutung. Er meint später über sein Eintreffen im Dorf: » . . . es war dabei nicht zu vergessen, daß der Empfang vielleicht allem Folgenden die Richtung gegeben hatte.« [310]

6. Kapitel:
Barnabas und seine Familie

a) Amalia

Um völlig zu überzeugen, muß die vorgeschlagene Deutung der bisher erwähnten Romanfiguren und des Schlosses durch eine entsprechende Analyse der Familie des Barnabas ergänzt werden. Ihr Schicksal ist der nächste Parallelfall zu demjenigen K.s. Amalias Geschichte ist nicht nur durch die Bewertungen, die K. in Olgas Bericht einfließen läßt, mit dem Rest des Romans verbunden, wie H. Politzer meint [311], sondern thematisch durch die Tatsache, daß sich diese Familie wie K. in einem Kampf um Anerkennung mit dem Schloß befindet, und formal durch Verweisungszusammenhänge, indem Erzählelemente der K.-Handlung auch Situationen der Barnabasschen kennzeichnen.

Die schwierigste Figur ist natürlich Amalia. Zu ihrer Deutung wurden Gemeinplätze zitiert — entscheidend sei »die zwingende Macht der Sitte«, meint Marthe Robert —, selbstverständliche Einzelmomente ihrer Lage wiederholt — nach H. Politzer führt sie K. die Möglichkeit vor Augen, »in diesem Dorf zu leben, ohne vom Schloß bestätigt oder geduldet zu sein« — oder die Erzählelemente in soziologische und philosophische Terminologie übertragen: Als Verstoßene sei Amalia zwar total außenbestimmt, dann aber, wenn ihr Bewußtsein allein von seiner Lage aus mit seinen Absichten die Welt erfassen könne, weiche diese vor dem Bewußtsein als objektive Größe zurück und wirke nur als ewiger Zweifel an ihr auf den Fragenden zurück [312], eine nicht nur in sich widersprüchliche Spekulation, sondern auch keineswegs an den Aussagen über die undurchdringliche Amalia ablesbar, ganz davon zu schweigen, ob eine solche Haltung überhaupt möglich ist.

Demgegenüber sei hier die Auffassung vertreten, daß Amalia teils aus dem biographischen Material der Beziehung zu Julie Wohryzek gebildet wurde und auf dieser Ebene dann auch als Gegenspielerin Friedas in den Personenkonstellationen des Romans eine entsprechende Stelle einnimmt, teils aber auch ein Bild Kafkas selbst darstellt, und zwar einer Lebensform, die er für sich selber als Ideal formulierte, wenn er Erlebnissen von der Art Amalias ausgesetzt war.

Man könnte fragen, ob nicht die in gewisser Beziehung mit der Milena-Handlung gleichartige Beziehung zu Julie mit der Frieda-Geschichte hinreichend abgedeckt wird, zumal letztere offensichtlich in einigen Momenten auch durch Kafkas dritten Heiratsversuch konstelliert wurde. Immerhin ist Frieda im Gegensatz zu Milena, aber in Übereinstimmung zu Julie in ihrer Gestalt klein und nichtig, auch paßt die Tatsache, daß K., fern der Heimat, und Frieda in einer Kammer des Brückengasthofs ehelich zusammenleben, ziemlich gut zu der Tatsache, daß Kafka in einem tschechischen Vorort

Prags, also in einer ihm, dem Juden fremdartigen Umgebung, eine kleine Einzimmerwohnung für sich und Julie gemietet hatte — die für Felice ausgesuchten Wohnungen waren viel größer — und beabsichtigte, bald für längere Zeit ins Ausland zu gehen. [313]

Man muß aber nicht nur deswegen an einer eigenständigen Vertretung Julies im Roman festhalten, weil die zwischen ihr und Amalia feststellbaren Beziehungen bedeutsamer sind als die Querverbindungen zu Frieda, die ja ebenfalls einen Aspekt der komplizierten Verhältnisse dartun, sondern auch aus dem Grund, weil die beiden Frauen nicht etwa hintereinander, sondern zum Teil gleichzeitig in Kafkas Leben traten, ihn also in eine seelische Spannungslage brachten, auf deren Darstellung in einem solchen Beziehungen gewidmeten autobiographischen Roman nicht gut verzichtet werden konnte. Dazu kommt nun noch als drittes ein Gesichtspunkt, in dem sich eine systematische und eine biographische Komponente überschneiden: Die Beziehung zu den drei genannten Frauen folgte, betrachtet man nur die Frage, von welchem der Partner jeweils die Initiative ausging, jeweils eigenen Gesetzmäßigkeiten. Felice gegenüber trat Kafka als der Werbende auf, dessen Bemühen — Felice entzog sich ihm — nicht von Erfolg gekrönt war. Er begann ja auch den Briefwechsel. Entsprechend ist im *Prozeß*, wie im 3. Kapitel des II. Teils dargelegt, die Szene zwischen K. und Fräulein Bürstner angelegt.

Das Verhältnis zu Milena hatte gerade das umgekehrte Gefälle. Hier begann die Partnerin die Korrespondenz und schenkte Kafka ihre Liebe, ohne daß er sich darum bemüht hätte. Wenngleich dieser nun betont, er allein habe Julie zur Ehe »getrieben«, ausschließlich er habe den »Heiratseinfall« gehabt, so folgt doch daraus mitnichten, daß er der Braut gegenüber von Anfang an aktiver gegenübergetreten wäre als diese ihm. Zwei Formulierungen in dem an die Schwester Julies gerichteten Brief Kafkas lassen vielmehr den Schluß zu, daß hier die Waage im Gleichgewicht, also Verlangen und Zurückhaltung beider Beteiligter gleich groß war. Kafka gebraucht die Wendungen: »daß wir uns von einander ferner hielten« und, über die auf Schelesen folgende Prager Zeit: » ... flogen wir zueinander wie gejagt. Es gab keine andere Möglichkeit, für keinen von uns.« Nur die äußere Führung des Ganzen billigt sich Kafka zu; ein deutlicher Unterschied zu den beiden anderen Frauen ist wahrnehmbar, weil aus den Briefen Kafkas deutlich hervorgeht, daß sich sowohl für Felice als auch für Milena klare Alternativen zu Kafka ergeben hatten.

So lag hinsichtlich Julies also eine ganz andere Beziehungsstruktur vor, die es auch deswegen darzustellen galt, weil es die dritte Grundmöglichkeit für die Verteilung der Aktivitäten bei Liebesverhältnissen darstellt. Erlebnis und Gegenstandsbeschaffenheit wirkten also bei der Konzipierung der Gestalt der Amalia mit. Tatsächlich ist ja ihre Beziehung zum Landvermesser und sein Verhältnis zu ihr dadurch ausgezeichnet, daß sich die beiden voneinander zurückhalten: »wenn ich mich nur irgendwie von ihr fernhalten kann, tue ich es«, sagt K. Amalia aber weigert sich, mit K. über Schloßdinge zu sprechen. Andererseits ist eine Bindung an K. offensichtlich: Amalia läßt K. grüßen, wartet, unfähig, etwas anderes zu tun, den ganzen Tag auf ihn, als sie von seiner Absicht erfährt, die Familie zu besuchen, verjagt den K. nachspionierenden Jeremias von der Haustür und würde, nachdem sie die Besprechungen mit K. über das Schloß abgebrochen hat, »vielleicht ohnmächtig zusammenfallen«, wenn dieser sie dann verließe. Es ist deswegen durchaus denkbar, daß in der Fortsetzung des Romans eine Art Gefühlsbindung K.s an Amalia geplant war. Beeinträchtigt wird die Beweisführung allerdings dadurch, daß über Julie vergleichsweise sehr wenig bekannt ist und daß im Roman nur die Anfangsphase von K.s Beziehung zu Amalia geschildert wird.

Amalia ist die jüngste der drei Geschwister, versteht es, schöne Kleider, auch für andere (aber nur für die Vornehmsten des Dorfes), zu nähen und trägt beim Feuerwehrfest ein auffälliges Granathalsband. Kafka bezeichnet Julie als »junges Mädchen«, das in »Puder und Schleier« verliebt sei – als das *Schloß* entstand, leitete sie einen Modesalon. [314] Er hatte Julie Anfang 1919 in Schelesen kennengelernt, er war »fast« allein mit ihr in der Pension und hielt sich möglichst von ihr zurück; dies gilt auch von Julie, der Kafkas »unverständliche[n] Beängstigungen« fremd waren.

Nicht ganz unwichtig für die Beurteilung ist es, wie man die *Kleinen Erinnerungen an Franz Kafka* von Dora Gerrit einschätzt. K. Wagenbach meint, mit dem dort erwähnten »lebhaften Mädchen undefinierbaren Alters«, das Kafka »viel Allgemeines und Interessantes, aber niemals etwas von sich erzählte«, sei Julie gemeint. Dies kann nicht richtig sein. Man muß wohl davon ausgehen, daß, wie schon Max Brod vermutete [315], dieses Mädchen mit der Schreiberin identisch ist. Einmal handelt der weitaus größere Teil der Erinnerung vor ihr, dann weist das Pseudonym auf Dickens (Kafka las aus dem *Copperfield* vor), ferner kann nur unter dieser Voraussetzung die Erzählerin sagen, Kafkas Gesprächspartnerin habe diesem nichts Persönliches mitgeteilt, und schließlich dürfte ein so intimes Gespräch, das überdies hier in wörtlicher Rede wiedergegeben wird, kaum von einem andern belauscht worden sein können.

Obwohl Kafka Julie in Schelesen vorlas und sie wie die sich Erinnernde schon einmal einen Bräutigam hatte, kann sie nicht die Verfasserin sein. Ein Teil des Textes bezieht sich nämlich eindeutig auf Kafkas zweiten Aufenthalt in Schelesen im November 1919. Schon Max Brod hat gesehen, daß das gegen Schluß genannte junge Mädchen, das »mit schwerem Seelenerbe und leerem Leben belastet« ist, mit Minze Eisner identifiziert werden muß, die Kafka während dieser Zeit kennengelernt hatte. Darauf weist nicht nur die Tatsache, daß Kafka tatsächlich später lange mit ihr korrespondierte und sie sich der Landwirtschaft zuwandte, wie im Text erwähnt wird, sondern auch eine Stelle in einem Brief Kafkas an seine Schwester Ottla, in dem es heißt: »Es sind noch 2 junge Herren hier und ein Mädchen, Eisner, eine Teplizerin.

An und für sich gefällt sie mir gar nicht. Hat auch alle Hysterie einer unglücklichen Jugend, aber ist doch ausgezeichnet.« [316]

Aber auch sie kann nicht die Autorin des Zeitungsbeitrags sein. Einmal ist sie sicher nicht identisch mit dem eingangs genannten Mädchen, von dem gesagt wird, zwischen dem Beginn seiner Liebe zu einem Mann, der »Jugendliebe«, und der Verlobung mit ihm lägen neun Jahre — überhaupt hätten viele um sie geworben —, denn Minze war damals höchstens neunzehn Jahre, auch ist das über sie im Text Gesagte als Selbstcharakterisierung fast undenkbar, und sie hätte über ihre Beziehung zu Kafka gewiß mehr mitzuteilen gewußt als sechs Druckzeilen (etwa Briefzitate); schließlich ist wenig wahrscheinlich, daß Kafka ihr von einem Gespräch so persönlicher Natur mit einer anderen Frau berichtet haben könnte.

Wer aber soll dann den Bericht verfaßt haben, wenn Kafka bei seinem ersten Aufenthalt allein mit Julie war und im folgenden Jahr außer Minze nur noch zwei Männer anwesend waren, die als Verfasser nicht in Frage kommen? Es bleibt nur Fräulein Stüdl, die Pensionsbesitzerin, für deren Urheberschaft auch gewichtige Gründe sprechen: Sie war mit Kafka gut bekannt, half ihm auch in Angelegenheiten Ottlas weiter. Wenn es im Text heißt: »eines Morgens, als sie an seinen Liegesessel trat«, so ist dieser Vorgang bei Kafkas Zurückhaltung bloß wahrscheinlich, wenn es sich eben um die Wirtin handelte.

Gegen Schluß wird gesagt: »Er verteidigte ein Kind, dessen Vergeßlichkeit man rügte«. Am natürlichsten bezieht man diesen Vorgang auf die Führung der Wirtschaft in der Pension, wo es nach Kafkas Aussage 1919 Neuigkeiten und Schwierigkeiten gab. Die Verfasserin geht von einer längeren Erstreckung von Kafkas Aufenthalt aus: »Später einmal . . .« heißt es an einer Stelle; dies könnte bedeuten, daß die beiden Aufenthalte Kafkas in der Erinnerung zusammengeflossen sind, es ist ja auch wahrscheinlicher, daß das Gespräch über ihr Schicksal bei Kafkas erstem Besuch stattfand, denn er schreibt am 6. Februar 1919 an Max Brod: »Auch die Nerven oder was man so nennt, sollten etwas widerstandsfähiger sein, es geschieht mir hier schon gegenüber dem zweiten Menschen.« (Also Julie und Fräulein Stüdl.)

Die Aussage, ein kleiner Cousin der Gesprächspartnerin sei an demselben Leiden verstorben wie der Patient im *Landarzt*, könnte auf die Genannte zutreffen, denn sie hatte eine verheiratete Tante, die ein Bauerngut besaß. Überdies fällt auf, daß die Perspektive dieser Erinnerungen sich vollständig auf die Pension in Schelesen beschränken und daß hier verschiedene Vorkommnisse aus dem Leben der Pension vereinigt sind, die eben ihr als Leiterin bekannt waren. Da sie in Prag eine Wohnung hatte, dort also bekannt war, erklärt es sich, daß der sie in gewisser Weise entblößende Beitrag anonym in der lokalen *Deutschen Zeitung Bohemia* erschien. [317]

Zurück zu Amalia: Es scheint, daß alle drei Frauen, die Kafka in Schelesen kennengelernt hat, zum Bild Amalias beitrugen. Abgesehen davon, daß sie zu der verzauberten Atmosphäre der Pension gehörten, hatten sie auch ein vergleichbares Schicksal. Alle drei standen in unglücklichen Liebesverhältnissen: Fräulein Stüdl wurde von ihrem Bräutigam treulos verlassen, Julie, deren erster Verlobter im Krieg fiel, von Kafka, und Minze (vgl. Abb. 21) fand ihre Bewerber unsympathisch. [318] Hier liegt eine Motivähnlichkeit zu Amalia vor: Olga behauptet, Amalia liebe Sortini, obwohl sie ihn so schroff zurückgewiesen habe. Noch eine weitere bemerkenswerte Übereinstimmung gibt es zwischen Minze und Julie: Die erstere träumt von der großen, weiten Welt, deren »Unendlichkeit« sie zu sehen glaubt, letztere hat »ein verschwommenes Verlangen nach Glanz, Welt und Genießen«; entsprechend sagt Olga über ihre Familie im Vergleich zu den Nachbarn: »ihre Lage ist anders als die unsrige, und sie haben keinen Grund, über ihre Wirtschaft hinauszustreben«. Überhaupt bezeichnet Kafka Julie als eine »gewöhnliche und eine erstaunliche Erscheinung«, weil ihre »Volkszugehörigkeit« schillere. Eben dies fällt K. auch an Amalia auf: »Ich habe ein Landmädchen wie dich noch nicht gesehen ... Stammst du hier aus dem Dorf? Bist du hier geboren?« Amalia bejaht, »so, als habe K. nur die letzte Frage gestellt«. Dies will besagen, daß Amalia nicht ursprünglich zur Dorfgemeinschaft gehört, ein feiner Hinweis darauf, daß das Problem der Familie des Barnabas mit dem Judentum zusammenhängt, genauer mit dem Westjudentum, das sich für Kafka zwangsläufig mit Heimatlosigkeit assoziierte. Ganz zufällig ist es vielleicht auch nicht, daß sich die Mitglieder der Familie nach einer biblischen Figur nennen, deren Name »Sohn der Verheißung« bedeutet. [319]

Sollte Julie wirklich schon um dreißig Jahre alt gewesen sein, als sie Kafka kennenlernte, so wäre Amalias geringes Alter von Minze genommen; und wenn K. von ihr sagt, sie habe »das alterslose Aussehen der Frauen, die kaum altern, die aber auch kaum jemals eigentlich jung gewesen sind«, so mag diese Übereinstimmung mit der Selbstcharakterisierung Fräulein Stüdls ebenfalls nicht zufällig sein, sondern Ausdruck der beobachteten Tendenz Kafkas, typische Attribute eines ihm in verschiedenen Ausprägungen begegnenden Frauentyps ökonomisch in einer Erzählfigur zu verdichten.

Dies gilt etwa auch von dem die Romangegenwart beherrschenden Moment, daß Amalia entsagungsvoll ihre Eltern versorgt, denn es ist überliefert, daß ein Kafka bekanntes Mädchen »monatelang« einen schwerkranken Verwandten pflegte, Minze in vergleichbarer Weise ihren Vater und die Frau des Redakteurs Arne Laurin, der Milenas Feuilletons druckte, vor ihrer Ehe zwei Jahre lang — diese Zeit wird auch für Amalias Dienst angegeben — unter Aufgabe ihrer Persönlichkeit ebenfalls den eigenen Vater. [320]

Damit sind die Beziehungen zwischen der Romanfigur und Kafkas letzter Verlobter aber keineswegs erschöpft, im Gegenteil: Wie Amalia hatte Julie eine Schwester; ihr Vater war Schuster und Gemeindediener, Amalias Vater ist ebenfalls Schuster und hat als dritter Übungsleiter der Feuerwehr eine dem Gemeindediener vergleichbare soziale Funktion im Nebenamt. Da die Schustersfamilie im Roman den Prototyp jüdischer Seinsweise verkörpern soll, war der genannte Beruf auch insofern passend, als Ahasverus, mit dem sich Kafka ja verglich, nach der Überlieferung Schuster war. Julie war »selbstvergessend« und »unbegreiflich uneigennutzig« (Amalia pflegt, ohne an sich zu denken, die Eltern und fördert, wie sie nur kann, Olgas Glück hinsichtlich K.s), »ehrlich« (Amalia steht »Aug in Aug mit der Wahrheit«), »tapfer« (Amalia »fürchtet nichts«), »unwissend« (Amalia kümmert sich nicht um »Schloßgeschichten«, ist in Olgas Pläne nicht eingeweiht und kennt auch Frieda nicht), aber doch von auffallendem Augenblicksverständnis (Amalia ist klug, verachtet aber das widerwillig Verstandene) und »körperlich gewiß nicht ohne Schönheit« (entsprechend sagt K. zu Olga über Amalia: »herrscht sie etwa durch ihre Schönheit, die du manchmal erwähnst . . . wodurch sie sich von euch zweien unterscheidet, ist durchaus zu ihren Ungunsten«). [321]

Die besondere Mischung zwischen Ernst und Lustigkeit, die Kafka an Julie auffiel, kehrt in Amalias Ironie wieder. Er fand in der Umgebung Julies einige Kleinigkeiten, die ihn störten, K. erinnert sich an den »häßlichen Eindruck«, den anfangs die Familie des Barnabas auf ihn machte: »Wie abstoßend war das alles gewesen und noch abstoßender dadurch geworden, daß man den Eindruck gar nicht durch Einzelheiten hatte erklären können, denn die Einzelheiten nannte man zwar, um sich an etwas zu halten, aber nicht sie waren schlimm, sondern anderes, das man nicht benennen konnte.« Man muß bedenken, daß die viel mildere Form der Aussage in den Lebenszeugnissen gewiß mit dadurch bedingt ist, daß es sich hier um einen Brief handelt, der an Julies Schwester gerichtet ist. Kafka erwähnt dort noch, das Verhalten der Familie Wohryzek sei, soweit er es zu fühlen bekam, gleichwohl »fast rührend zart und rücksichtsvoll« gewesen. Auch dies stimmt wieder zum Romanverlauf, wo Olga den mißgestimmten K. bei seinem ersten Besuch bittet, an den Tisch zu kommen, und ihn zum Essen einlädt; bei seinem nächsten Besuch zieht sie ihn freundlich zur Ofenbank, um mit ihm zu reden, auch Amalia empfängt ihn bei dieser Gelegenheit sehr entgegenkommend. Überhaupt besteht schon in der Tatsache, daß Amalia innerhalb ihrer Familie, Frieda aber als Waise gezeigt wird, ein entscheidender Unterschied, der auf verschiedene biographische Gegebenheiten zurückgeht. Milena war Halbwaise und mit ihrem Vater völlig zerstritten, Juli lebte mit ihrer Familie; Kafka kannte die Schwester Julies persönlich und korrespondierte mit ihr. [322]

Weiter besitzt Julie eine »von außen her sehr schwer zu trübende Mischung von Wärme und Kälte« — Amalias Verschlossenheit und Unberührbarkeit wird immer wieder von K. betont und auch in ihren Aktionen unmittelbar sichtbar. Schließlich: Julie weilte in Schelesen krankheitshalber, und Amalia ist krank, als K. zum erstenmal mit ihr spricht; vielleicht ist es auch Absicht, daß Amalia bei der Pflege der Eltern gewöhnlich nur flüstert, denn Kafka erwähnt ausdrücklich die ärgerlich flüsternde Stimme der eben angeführten Bekannten. [323]

Besonders auffällig ist, wie das Schicksal der Familie des Barnabas mit demjenigen K.s verknüpft ist und umgekehrt! Olga und Barnabas erwarten von K. eine Verbesserung ihrer Lage, K. seinerseits findet hier Menschen, »die er zum Teil verstehen, mit denen er aber vor allem fühlen konnte, wie mit Freunden, wie er noch keine sonst im Dorfe hier gefunden hatte«; K. empfindet so, als Olga ihm die Leiden der Familie und die Anstrengungen des Vaters, des Barnabas und ihrer selbst erzählt, Gerechtigkeit vom Schloß zu erlangen. Ähnlich fühlte Kafka, als er Julie kennenlernte. Er schrieb: »Die Aufnahme eines neuen Menschen in sich, besonders seiner Leiden und vor allem des Kampfes, den er führt und von welchem man mehr zu wissen glaubt, als der fremde Mensch selbst — das alles ist ein Gegenbild des Gebärungsaktes geradezu.« [324]

Die genannte Verbindung wird auch durch Erzählzüge veranschaulicht: Von Barnabas abgesehen, der gesondert behandelt wird, sei auf folgendes verwiesen: Wie K. sind die Barnabasschen vollständig arm; wie K. besitzt der alte Schuster nur einen einzigen Anzug; K. nennt sich wegen seiner medizinischen Kenntnisse »das bittere Kraut« — Amalias Kräuterkenntnisse werden hervorgehoben; schneidert diese für die Vornehmen des Orts, so wird K. von der Herrenhofwirtin gefragt, ob er das Schneiderhandwerk erlernt habe. Der Vater des Barnabas erzählt von seinen täglichen Bittgängen vor das Schloß, daß ihn hie und da ein Kutscher erkenne und zum Scherz mit dem Peitschenriemen streife — in einer gestrichenen Passage des Kapitels *Warten auf Klamm* wird im Gegensatz zum endgültigen Erzähltext dargestellt, wie der Schlitten lautlos im tiefen Schnee ohne Glocken und Lichter an K. vorbeifliegt, »der Kutscher hatte im Scherz K. mit der Peitsche gestreift«. Als der Vater noch gehen konnte, begleitete er Olga in den »Herrenhof« und schlief dort im Ausschankzimmer, auf die Neuigkeiten wartend, die Olga ihm vom Stall brachte — am ersten Tag seiner Anwesenheit im Dorf geht K. mit Olga in den »Herrenhof«, sieht dort Klamm und übernachtet im Ausschankzimmer.

Überhaupt kann man sagen, daß der Vater des Barnabas in seinem Schicksal ein Bild K.s und Kafkas darstellt: Der Schuster verliert seinen öffentlichen Wirkungskreis, seine Kundschaft, sein Vermögen, sein Haus, seine Bewegungsfähigkeit und ist schließlich ans Bett gefesselt. Dies wäre auch K.s Schicksal gewesen: Solange er zu Frieda gehörte und Schuldiener war, konnte er mit einem gewissen Recht sagen, er habe während seiner Anwesenheit an Umfang gewonnen und stehe in mannigfachen Gemeinschaftsbeziehungen, dann aber, von der Braut verlassen, seiner Stelle enthoben und heimlich im Bretterverschlag der Mägde übernachtend, hat er sich schon sehr dem Ende seiner Laufbahn genähert, wo er »heruntergekommen«, »vor Entkräftung« im Bett liegend, seinen Tod erwarten sollte. Diesen sich immer mehr radikalisierenden Einschränkungsprozeß, den Kafka schon früh für den Junggesellen charakteristisch fand, hat er in der Spätzeit ausdrücklich und mehrfach auf sich selber übertragen. Die pointierteste Aussage stammt vom Juli 1922, als Kafka sich nicht in der Lage sah, von Planá aus zu einem Besuch seines Freundes Oskar Baum wegzufahren: »... daß ich aus Böhmen nicht mehr hinausfahren darf, nächstens werde ich dann auf Prag eingeschränkt, dann auf mein Zimmer, dann auf mein Bett, dann auf eine bestimmte Körperlage, dann auf nichts mehr.« Und an anderer Stelle: »Vollständige Niederlage. Immer die in Zimmern eingesperrte Weltgeschichte.« [325]

Der schlechte Schlaf der Eltern des Barnabas korrespondiert mit Kafkas eigener Schlaflosigkeit, ihre rheumatisch-gichtische Erkrankung mit der Tatsache, daß Kafkas Eltern gern in Franzensbad kurten, einem Ort, der besonders bei derartigen Leiden Linderung versprach (der Vater litt unter Arterienverkalkung). Über der Schustersfamilie schwebt ein ungreifbarer, juristisch nicht faßbarer Prozeß wie zwischen Kafka und seinem Vater. Die Frau des Schusters ist die Schwächste, »weil sie nicht nur das gemeinsame Leid, sondern auch noch jedes einzelne Leid mitgelitten hat«; entsprechend sagt Kafka über seine Mutter, sie habe »alle Krankheiten der Familie doppelt mitgelitten«, und die ganze Familie habe rücksichtslos auf sie »eingehämmert«. Der alte Schuster ist ungeduldig und brummt böse über angeblich ungenügende Wartung durch die Tochter, Kafka weiß von seinem kranken Vater zu berichten, dessen »aus sich selbst hilfloser, verfinsterter Geist« äußere sich darin, daß er sein Leiden auf die Mutter abwälze und die ihn pflegende Ottla beschimpfe. Und wie sich der Starrsinn des alten Barnabas besonders gegen Olga richtet — »Ich hatte noch nicht zu Ende erzählt, schon war mein Plan verworfen«, berichtet diese K. —, so Hermann Kafkas Herrschsucht speziell gegen seine Jüngste. Kafka schreibt über dieses Verhältnis seinem Vater: »Du verwechselst die Sache mit der Person; die Sache springt Dir ins Gesicht, und Du entscheidest sie sofort ohne Anhören der Person; was nachher noch vorgebracht wird, kann Dich nur weiter reizen, niemals überzeugen.« [326]

Am überraschendsten ist aber wohl, daß Kafka offensichtlich auch seinen mißlungenen Versuch, Julie zu heiraten, im *Schloß* darstellen wollte, und zwar in der Sortini-Episode. Dies scheint zunächst zwar wenig glaubhaft, weil Max Brod darauf hingewiesen hat, daß die Amalia-Handlung durch Božena Němcovás Roman *Großmütterchen* angeregt worden sei, den Kafka, wie man weiß, tatsächlich hoch schätzte. Ist es also wahrscheinlich, daß die einzigen Szenen des umfangreichen Romans, für die bisher eine literarische Quelle ausfindig gemacht wurde, für ein Erlebnis des Dichters stehen, dessen Besonderheit ihn von aller herkömmlichen Erfahrung trennt?

Daß Brod recht hat, daran ist gar kein Zweifel. Hier zum Beweis die beiden Szenen aus dem *Großmütterchen*, die Kafka inspirierten: Bärbel, ihr Freund Mila und eine Freundin fahren am Schloß vorüber. Vor der Pforte steht der jüngste Kammerdiener, ein niedriger, hagerer Italiener. Während der

Wagen an ihm vorbeikommt, erglänzen seine Augen, und er winkt mit der Hand. Als Christel abends sich in ihrer Kammer auszieht, klopft es am Fenster. Draußen steht bittend der Italiener. Christl gerät in Zorn, droht, ihn mit Wasser zu übergießen und schließt das Fenster. Der Vorfall hat Konsequenzen. Mila will, um vom Militärdienst freizukommen, im Schloß für ein Jahr Knecht werden, aber der Italiener und seine Geliebte, die in der Schloßverwaltung tätig ist, möchten dies verhindern, es gibt, wie schon so oft, Verhöre. Später bringt dann die Großmutter die Angelegenheit in Ordnung. [327]

Wenn man bedenkt, daß Sortini Italiener ist, auf dem Feuerwehrfest von Amalia bezaubert wird, am nächsten Morgen einen Boten schickt, der Amalia einen Brief mit eindeutigen, gemeinen Angeboten überreicht, daß Amalia den Brief zerreißt, die Fetzen dem Überbringer durchs Fenster an den Kopf wirft und dieses schließt, daß infolge dieses Vorfalls die Familie sich verstoßen fühlt und Barnabas nicht als Bote in den Schloßdienst aufgenommen zu werden scheint, so steht die Abhängigkeit Kafkas von der großen tschechischen Erzählerin ohne Zweifel fest.

Aber dies ist kein Einwand gegen die eben vorgebrachte These. Auch in anderen Fällen hat sich gezeigt (und wird sich im nächsten Kapitel für weitere Zusammenhänge des *Schloß*-Romans bestätigen), daß Kafka gerade derartige autobiographische Kernerlebnisse in seinem Werk in Gefügen gibt, die von literarischen Vorlagen geprägt wurden. Die Gründe für dieses ungewöhnliche Vorgehen, die an anderm Ort untersucht sind, können hier nicht ausgebreitet werden, doch sei immerhin darauf verwiesen, daß Kafka sich seiner verwirrenden Lage besser an sozusagen schon gestalteten Modellen klarwerden konnte, deren Struktur er dann in Denken und in künstlerischer Darstellung übernahm, und daß er offenbar weithin unfähig oder nicht willens war, Darstellungszusammenhänge selbst zu erfinden. [328]

Die Behauptung, Amalias entscheidendes Erlebnis spiegle Kafkas letzten Heiratsversuch, gründet sich vor allem auf folgende fünf Erzählelemente:

1) Für das bevorstehende, am 3. Juli stattfindende Feuerwehrfest werden die Sonntagskleider neu hergerichtet, »besonders das Kleid Amalias war schön, die weiße Bluse vorn hoch aufgebauscht, eine Spitzenreihe über der anderen, die Mutter hatte alle ihre Spitzen dazu geborgt«.

2) Über den Inhalt des Briefes berichtet Olga: »Der Brief war in den gemeinsten Ausdrücken gehalten, die ich noch nie gehört hatte und nur aus dem Zusammenhang halb erriet. Wer Amalia nicht kannte und nur diesen Brief gelesen hatte, mußte das Mädchen, an das jemand so zu schreiben gewagt hatte, für entehrt halten, auch wenn es gar nicht berührt worden sein sollte.«

3) Das Feuerwehrfest liegt drei Jahre zurück; die negative Entwicklung der Familie des Barnabas, besonders auch die beschriebene des Vaters — die Mutter ist jetzt geistig verwirrt —, setzt erst aufgrund dieses Ereignisses ein.

4) Zur Erklärung für Sortinis Verhalten führt Olga unter anderem an,

der Abstand zwischen einem Beamten und einer Schusterstochter habe irgendwie überbrückt werden müssen.

5) Für ihre gegenwärtige, durch Amalias Verhalten eingeleitete Notlage ihrer Familie macht Olga letztlich die Tatsache verantwortlich, daß sie nicht die Kraft gehabt hätte, sich aus der Briefgeschichte »herauszuarbeiten« — der Begriff ist entscheidend —, was die Dorfbewohner übelnahmen: »Man schloß uns aus jedem Kreis aus.« [329]

Alle fünf Gegebenheiten sind auch entscheidende Konstituenten für Kafkas Beziehung zu Julie Wohryzek. Als Kafkas Vater vom Heiratsplan seines Sohnes erfuhr, habe er sich, wie der Sohn ihm vorhält, etwa so geäußert: »Sie hat wahrscheinlich irgendeine ausgesuchte Bluse angezogen, wie das die Prager Jüdinnen verstehn, und daraufhin hast Du Dich natürlich entschlossen, sie zu heiraten. Und zwar möglichst rasch, in einer Woche, morgen, heute... Gibt es da keine anderen Möglichkeiten? Wenn Du Dich davor fürchtest, werde ich selbst mit Dir hingehn.« Geht man davon aus, daß Kafka in sich und Julie zwei Menschen erblickte, die »voll und stark zusammenstimmen«, daß er, wie gezeigt, aufgrund seiner starken Einfühlungskraft sich in die Lage seines jeweiligen Partners zu versetzen wußte, den er ja in diesem Falle »in sich« aufgenommen hatte, und im konkreten Fall sogar äußeren Anlaß hatte, dies zu tun, weil sein Vater sich rücksichtslos und grob gegen die Wohryzeks verhielt, so kann man ohne Künstelei im Verhalten Sortinis Amalia gegenüber abgebildet sehen, was Hermann Kafka seinem Sohn und dessen Verhältnis zu Julie unterstellte, nämlich plumpste Sexualität, die ja in beiden Fällen durch eine raffinierte Bluse bewirkt worden sein soll. Kafka mußte wegen der Interventionen seines Vaters, und weil er selbst sein Eheversprechen scheinbar grundlos zurückzog, auch Julie für entehrt halten. Kafka fand es »grauenhaft«, daß sich der Vater, den er als Tyrannen von unbeschränkter Macht empfand, so äußerte. In Übereinstimmung damit erklärt K. im Roman: »Vor Sortini also schrecke ich zurück, vor der Möglichkeit, daß es einen solchen Mißbrauch der Macht gibt.« Daß diese Mißachtung Amalia-Juliens im Roman einem Schloßbeamten zugewiesen wird, also einem Vertreter der Instanz, die auch für Kafkas psychisches System steht, bringt zum Ausdruck, wie schwer Kafka mit dieser Aussage gedemütigt wurde und wie der Vater, der durch Beispiel und Erziehung schon in jeder Kleinigkeit überzeugte, erst recht »vor dem Größten, also der Ehe« recht behielt. Wenn Kafkas und K.s Schuld als Schuldbewußtsein zu interpretieren ist [330], so hat der eben erwähnte Sachverhalt auch den Aspekt, daß sich Kafka, auch sonst tief den Wertvorstellungen des Vaters und seiner Welt verhaftet, sich dessen zieh, wessen er angeklagt war. Schwerlich ohne inneren Zusammenhang damit dürfte die Tatsache sein, daß er sich dazu drängte, für den Fall einer Trennung von Julie für die Öffentlichkeit jede Erklärung zu unterschreiben, gleichgültig ob sie ihn »schändlich, lächerlich oder verächtlich« mache. Die Beziehung des Feuerwehrfestes auf ureigenste Angelegenheiten Kafkas wird endlich auch dadurch gestützt, daß der Dichter am 3. Juli Geburtstag hatte. [331]

Zu Punkt drei und vier: Die Hauptursache der Erbitterung des Vaters war wohl, daß die geplante Heirat Kafkas für ihn nicht standesgemäß war, eben die unpassende Verbindung eines Beamten mit einer armen Schusterstochter, die für ihn eine solche »Schande« darstellte, daß er drohte, deswegen auszuwandern. Nicht weniger signifikant ist die Frist, die seit dem entscheidenden Ereignis verstrichen ist. Der *Prozeß* und die *Verwandlung* zeigen etwa, daß Zeitangaben in Erzähltexten durch autobiographische Verhältnisse bedingt sind. So auch hier, denn vom Zeitpunkt der Niederschrift der Amalia-Geschichte aus gerechnet, lagen Kafkas Heiratsabsichten und die Stellungnahme des Vaters knapp drei Jahre zurück, die ernsthafte Bindung an Julie, die erst nach der Rückkehr aus Schelesen im Frühjahr 1919 erfolgte, dreieinviertel Jahre; einmal heißt es im Roman, die entscheidenden Ereignisse lägen etwas mehr als drei Jahre zurück! Auffällig ist, wie zu dieser Zeitbestimmung eine andere gleichsam in Konkurrenz tritt. Die gegenwärtig herrschenden Verhältnisse in der Familie des Barnabas wurden erst nach und nach sichtbar, wenn Olga darauf zu sprechen kommt, gibt sie etwa ein Jahr weniger an. Seit zwei Jahren ist Barnabas Bote, und seit etwas mehr als dieser Zeit geht sie selbst in den »Herrenhof« zu den Knechten Klamms. Dies wieder ein Beispiel dafür, wie überlegt Kafka auch bei der Angabe solcher Details verfährt, und zwar sowohl im Funktionszusammenhang des Romans als auch hinsichtlich seiner Fundierung im Lebensgang des Autors: Da es Olga ist, die das treibende Element in der Familie darstellt und den noch unerfahrenen Bruder zum Schloßdienst ermuntert, ist es richtig, ihr einen gewissen zeitlichen Vorsprung einzuräumen. Auf der anderen Seite ist zu bedenken, daß zum Zeitpunkt, als Kafka Olgas Erzählung niederschrieb, der Bruch mit Julie und die innerlich damit zusammenhängende Aufnahme des Briefwechsels zu Milena etwa zwei Jahre zurücklag, so daß sich auch dieser Zeitabstand mit der Tatsache vereinen läßt, daß die Ereignisse des Feuerwehrfestes Kafkas letzten Heiratsversuch spiegeln. Eben erst seit zwei Jahren traten die inneren Folgen für Kafka richtig in Erscheinung!

Gestützt wird diese Deutung noch dadurch, daß Kafka in dieser Zeit eine der Familie Barnabas vergleichbare Entwicklung durchmachte. Er hatte nämlich, als er Julie kennenlernte, ein »verhältnismäßig glückliches freies ruhiges Jahr« hinter sich und war auch — die Krankheit spürte er kaum — berufstätig. In den folgenden Jahren verschlechterte sich aber sein Gesundheitszustand so stark, daß im Jahr 1922 die Pensionierung unausweichlich wurde. Er litt, wie die Mutter des Barnabas, unter Wahnsinnszuständen und geriet immer mehr in die Isolation von der menschlichen Gemeinschaft. [332]

Vielleicht am eindrucksvollsten ist die Übereinstimmung in dem zuletzt angeführten Punkt. Im *Brief an den Vater* bezieht Kafka die Meinung des Vaters, er solle statt zu heiraten lieber Bordelle besuchen, auf einen etwa zwanzig Jahre zurückliegenden Parallelvorgang. Während eines Familienausflugs, auf dem Kafka von seinen sexuellen Kenntnissen und Erfahrungen sprach, gab ihm der Vater den Rat, wie er »ohne Gefahr diese Dinge werde betreiben können«. Im Kontext hat Kafka diesen Zusammenhang gleichsam formalisiert. A gebe dem B einen offenen, seiner Lebensauffassung entsprechenden, heute üblichen Ratschlag. »Dieser Rat ist für B moralisch nicht sehr stärkend, aber warum sollte er sich aus dem Schaden nicht im Laufe der Jahre herausarbeiten können, übrigens muß er ja dem Rat gar nicht folgen, und jedenfalls liegt in dem Rat allein kein Anlaß dafür, daß über B etwa seine ganze Zukunftswelt zusammenbricht. Und doch geschieht etwas in dieser Art, aber eben nur deshalb, weil A Du bist und B ich bin.« [333]

Kafka behauptet also, und das ist die eine, subjektive Seite, daß das Verhalten des Vaters eine vernünftige Beziehung zum andern Geschlecht verhindere, weil es als Bestrafung alter Schuld zum Leben im Schmutz verurteilt habe. Ob diese Zusammenhänge tatsächlich bestehen, ist für den vorliegenden Zusammenhang ganz belanglos, es kommt nur darauf an, daß Kafka unabhängig von dieser auf den Vater zugeschnittenen Aussage daran glaubte. Diese Sehweise wird auch im nächsten Abschnitt des Briefs direkt bestätigt, wo er die schon angeführten Äußerungen Hermann Kafkas über Julie Wohryzek referiert, die er »an und für sich« viel unschädlicher findet als die bedenkenlose Antwort an den Sechzehnjährigen, »denn wo war da etwas an mir Sechsunddreißigjährigem, dem noch geschadet werden konnte«. Wichtig ist hier, daß für Kafkas Sicht der Dinge bewiesen ist, daß auch der Vater nach vieljähriger weiterer Beobachtung zu dem Schluß gekommen sein muß, daß seine frühere Verachtung rechtens und der Sohn nicht imstande war, den »Schaden«, der möglicherweise in seiner Antwort an den Heranwachsenden lag, zu überwinden, denn Kafka scheint ihm heute »um keine Erfahrung reicher, sondern nur um zwanzig Jahre jämmerlicher«. [334]

Damit ist der Bezug zu dem eben unter Nummer fünf Angeführten deutlich: Der Begriff »herausarbeiten« ist in den Lebenszeugnissen offenbar nur in diesem Text belegt. Im *Schloß* kommt er, außer an der genannten Stelle, wo er in seiner Bedeutung mit der Aussage im Lebenszeugnis identisch ist, nur noch an zwei innerlich damit verwandten Passagen vor. Nachdem der Zustand des Vaters, der durch seine nutzlosen Versuche verursacht wurde, Beamte für seine Angelegenheiten zu interessieren, sich soweit gebessert hat, daß er »vorsichtig und rechts und links gestützt, wieder aus dem Bett sich herausarbeiten konnte«, überläßt Amalia ihn der Pflege der restlichen Familie. Der Ausdruck ist hier gleichsam in seiner ursprünglichen Bedeutung verwendet, veranschaulicht sich sozusagen und macht dadurch sichtbar, wie wenig der Schuster der ihm zukommenden Aufgabe gerecht wird. Er kann gerade das Krankenlager verlassen, mehr nicht; demgegenüber ist die seiner harrende Arbeit, sich aus dem Geschehenen zu befreien, geradezu unendlich groß.

In der Bürgel-Episode, also an viel späterer Stelle des Werks, sagt der Sekretär dann am Schluß zu dem völlig übermüdeten, seine Chance verpassenden K.: »Nun, gehen Sie doch, Sie scheinen sich ja aus dem Schlaf gar nicht herausarbeiten zu können.« Erlangers Klopfen und Bürgels Verabschiedungen bewirken nur nach und nach, daß der Landvermesser mit schmerzendem Körper das Bett seines Gesprächspartners verläßt und das seinen Zielen gar nicht nützende Verhör mit Erlanger beginnen kann. Infolge seiner Passivität hat K. die Möglichkeit vertan, sich durch eine Bitte an Bürgel einen Platz in der Dorfgemeinschaft zu erwerben. Durch die Verwendung des Terminus wird also die bis ins Detail gehende Parallelität zwischen den Lebensläufen des Schusters und des Landvermessers in miteinander korrespondierenden Szenen betont, die beide auf ihre Weise den im *Brief an den Vater* mit Hilfe dieses Vorstellungszusammenhangs akzentuierten Sachverhalt verdeutlichen. Daß der Begriff also in diesem engen Sinne im *Schloß* technisch gebraucht wird, macht die vorgelegte Interpretation der Gestalt Amalias noch plausibler. [335]

Von diesen Zusammenhängen her, die ja, soweit sie den Roman betreffen, nicht in der Erzählergegenwart liegen, sondern in der Vorgeschichte, war es nur ein kleiner Schritt, Amalia, die schon aus künstlerischen Gründen nicht einfach ein Dublette zu K. oder Schwarzer sein durfte – der Kastellanssohn weist ja ebenfalls die erotischen Aggressionen der Schloßherrn zurück –, zu einer Gestalt zu machen, die Erwägungen des Dichters verkörpert, sich besser als geschehen gegen Vorgänge wie die geschilderten zu wehren; sie repräsentiert also eine Lebensform, die Kafka als für sich praktizierbar ansah, eine Möglichkeit, die im Gegensatz zu der in Schwarzer dargestellten, für die das gleichfalls zutrifft, ohne Rücksicht auf einen möglichen Partner realisierbar war.

Am deutlichsten wohl zeigt sich diese Seite Amalias in ihrem Blick; er wird immer wieder erwähnt und kalt, klar, unbeweglich, ernst, gerade, unrührbar und stumpf genannt. Einmal wird er ungewöhnlich ausführlich beschrieben: »Ihr Blick war kalt, klar, unbeweglich wie immer; er war nicht geradezu auf das gerichtet, was sie beobachtete, sondern ging – das war störend – ein wenig, kaum merklich, aber zweifellos daran vorbei, es schien nicht Schwäche zu sein, nicht Verlegenheit, nicht Unehrlichkeit, die das verursachte, sondern ein fortwährendes, jedem anderen Gefühl überlegenes Verlangen nach Einsamkeit, das vielleicht ihr selbst nur auf diese Weise zu Bewußtsein kam. K. glaubte sich zu erinnern, daß dieser Blick schon am ersten Abend ihn beschäftigt hatte, ja, daß wahrscheinlich der ganze häßliche Eindruck, den diese Familie gleich auf ihn gemacht hatte, auf diesen Blick zurückging, der für sich selbst nicht häßlich war, sondern stolz und in seiner Verschlossenheit aufrichtig.« [336]

Leider gibt es keine Aussagen Kafkas über die Augen Julies; daß ansatzweise Übereinstimmungen auch in der Mimik vorhanden sind, sollte gleichwohl nicht geleugnet werden. So kann man etwa die Tatsache, daß Julie sich anfangs von Kafka zurückhielt, im kalten Blick Amalias wiederfinden, ihre Abneigung gegen die Ehe in der Verlangen nach Einsamkeit verratenden

Miene Amalias und ihre von äußeren Sinnesreizen verhältnismäßig unabhängige »Mischung von Wärme und Kälte« — nur der letztere Begriff kennzeichnet auch die Romanfigur — in der in den Augen sichtbaren Verschlossenheit der Partnerin K.s

Aber das reicht zur Erklärung nicht aus, denn die gerade für Amalia bezeichnenden Eigenschaften wie Unbeweglichkeit und Unrührbarkeit können niemals auf Julie zutreffen, der Kafka, sogar in dem schon zitierten Brief an ihre Schwester, nachsagt, sie sei ohne »jeden inneren Halt« gewesen. Wohl aber stellen die herausgestellten Eigenschaften Amalias Forderungen Kafkas an sich selbst dar. Während Olga und Barnabas umherflattern — ein Begriff, den Kafka auch benützte, um seine stagnierende und orientierungslose Lebensweise zu kennzeichnen [337] —, bleibt Amalia »kühl und still«: Kafka wollte schweigen wie Amalia, die gewöhnlich mit ihren Geschwistern nicht spricht und schon gar nicht über ihr Schicksal, und »still« sein, beispielsweise nicht mehr durch Briefe, in denen das unendliche Material der Beziehung reflektiert würde, sich und Milena quälen und seine geringen Kräfte überstrapazieren. Gleichgültig, ohne jede innere Erregung und im Einklang mit den zweifellos vorhandenen Möglichkeiten sollten die Dinge hingenommen werden, nicht Mut, der die Kräfte übersteigt, war vonnöten, sondern Furchtlosigkeit, die ja Amalia in ausgezeichnetem Maße besitzt, »ruhende, offen blickende, alles ertragende«. [338]

Im Gegensatz zu eilig sich hin und her bewegenden Augen, die Lebhaftigkeit und schnellen Wechsel in der Gedankenführung verraten, zeigt sich im ruhigen, unbeweglichen Auge ein dauerndes Verharren bei einem einzigen Vorstellungszusammenhang bis hin zur Lähmung des geistigen Lebens überhaupt. Dies hat man bei Amalia tatsächlich vorauszusetzen, denn sie hört nicht zu, wenn gesprochen wird, wenn aber doch, versteht sie es nicht; Selbstbeobachtung und Berechnung, die Kafka als besonders abträglich für eine innere Ruhe hervorhebt, sind bei ihr unmöglich. Sie ist auch »die Kaltblütigste« (deswegen sind ihre Augen kalt). Während Olga sich nach dem entscheidenden Ereignis am Fenster angstvoll wieder ins Bett verkriecht und das Geschehene meditiert, bleibt Amalia bei der Fensterbank und sieht weiterhin hinaus, »als erwarte sie noch weitere Boten und sei bereit, jeden so zu behandeln wie den ersten«. Dies ein Erzählzug, in dem die offen blickende Furchtlosigkeit — »Angst kennt sie nicht, nicht für sich, nicht für andere«, meint Olga über ihre Schwester — szenisch realisiert worden zu sein scheint.

Und was ihre Leidensfähigkeit betrifft, so erklärt Olga in Übereinstimmung mit den Gegebenheiten: »Ich hätte die Furcht vor dem Kommenden nicht ertragen, das konnte nur Amalia.« Wenn K.s Gesprächspartnerin im folgenden Bericht hervorhebt, ihre Schwester habe nach der entscheidenden Szene mögliche »Auswege« ignoriert und »ohne Vorbehalt« geantwortet, so korrespondiert dies mit ihrem geraden Blick, der weniger auf innere Stärke

geht, sondern eine Direktheit des Wesens vorstellen soll, der Finten und
Winkelzüge, wie sie dem schiefen Blick entsprechen, abgehen. [339]
Anführen kann man in diesem Zusammenhang natürlich auch die Tat-
sache, daß Amalia keine Ungeduld kennt. Für K. ist diese Eigenschaft, wie
sein Verhalten zeigt, dagegen kennzeichnend, er kann beispielsweise die
Rückkehr des Barnabas vom Schloß nicht erwarten; dies bildet dann den
Anlaß, daß sich Frieda von ihm trennt. Auch in diesem Fall stellt Amalia ein
Vorbild Kafkas dar, der in einem Aphorismus alle menschlichen Fehler auf
die Ungeduld zurückführte. [340]
Wie genau Kafkas Beschreibungen auf empirischer Grundlage fußen, zeigt
seine Deutung des an den Objekten vorbeigehenden Blicks Amalias als Verlangen nach Einsamkeit und keineswegs als Verlegenheit oder Unehrlichkeit,
wie der Laie vielleicht meinen könnte. Denn wenn der Blick den Beobachtungsgegenstand nicht voll trifft, divergieren die Augen, die in dieser Stellung nicht fixieren können. Die mimische Forschung hat dieser Augenstellung einen Zustand zugeordnet, in dem der Mensch ganz in sich versunken
ist und seine Aufmerksamkeit nach innen richtet. Dies ist nur ein anderer
Ausdruck für Insichgekehrtheit, die immer mit einem Verlangen nach Einsamkeit einhergeht. Auch in dieser Hinsicht verkörpert Amalia Wünsche
Kafkas. Der Dichter hegte zwar den Wunsch nach besinnungsloser Einsamkeit, konnte schon den Anblick der Menschen nicht ertragen, geschweige
denn eine Bekanntschaft, weil er nicht die dazu nötigen Kräfte in sich
fühlte, aber andererseits hielt er diesen Zustand auch nicht aus, sondern
fühlte sich von der Menschenwelt ungeheuer angezogen, was bei seiner
Empfindlichkeit und Einfühlungsgabe zwangsläufig zu innerer Unruhe führen mußte.
Freilich, hier zeigt sich doch auch wieder eine sehr realistische Einschätzung durch Kafka: Ganz unrührbar durch äußere Eindrücke ist nämlich
Amalia nicht; Olga meint, sicher zu recht, K.s Auftreten habe sie sehr unruhig gemacht; möglicherweise hat auch Julies Schwester Kafka zur Charakterisierung Amalias angeregt, wird diese doch als »beherrscht und kaltblü-
tig, aber auch ein wenig zu trübe« bezeichnet. Jedenfalls war es Kafkas Absicht, eine Figur darzustellen, die besser als er selber mit einer selbstgewähl-
ten und schicksalsnotwendigen Isolation fertig wird. [341]
Wie verhält es sich nun aber mit den scheinbar sich aufhebenden Eigenschaften »klar« und »stumpf«, die Amalias Augen zugesprochen werden?
Zunächst ist hier aber gar kein Gegensatz, die polare Zuordnung zum ersten
Begriff wäre »trübe«, die zum zweiten »leuchtend«; außerdem ist die Stoß-
richtung der beiden Aussagen eine verschiedene. Die Klarheit des Auges
steht für Wahrheit und Klugheit — auch letzteres wird ja von Amalia behauptet —, also für die Fähigkeit, bestimmte Sachverhalte deutlich und richtig zu erkennen und ohne zermürbendes Hin- und Herargumentieren (das
ist das Entscheidende) das innerlich unangefochtene Ziel zu verfolgen. Es
handelt sich auch bei dieser Eigenschaft um eine Stilisierung der Persön-

lichkeit des Dichters selbst, der sich diesen Augenausdruck nur in Situationen zubilligte, wo sein Verhalten, frei von Rechnereien, von unbeirrbarer Entschlußkraft getragen war.

Im Bericht über die Niederschrift des *Urteils*, die für ihn den Durchbruch zur wahren, vollgültigen Schriftstellerei bedeutete, steht die Wendung: »Die immer klaren Augen«, nämlich während des nächtlichen Schreibens. Während seiner *Rede über die jiddische Sprache* bewunderte er an sich, wie er »laut, bestimmt, entschlossen, fehlerfrei, unaufhaltsam, mit klaren Augen, fast nebenbei« handelte: »Da zeigen sich Kräfte, denen ich mich gern anvertrauen möchte, wenn sie bleiben wollten.« Besonders eindrucksvoll noch eine Stelle vom 10. Februar 1922, wo der Übergang von der biographischen Direktaussage zum dichterischen Bild greifbar wird. Es sei »klarer« als irgend etwas sonst, schreibt Kafka, daß sein Weg weder nach links noch nach rechts, sondern nur vorwärts führe, und sei es auch hinter das Leben, also in das von ihm »Wüste« genannte Einsamkeitsland. Daran schließt sich unmittelbar an: »Du führst die Massen, großer langer Feldherr, führe die Verzweifelten durch die unter dem Schnee für niemanden sonst auffindbaren Paßstraßen des Gebirges. Und wer gibt dir die Kraft? Wer dir die Klarheit des Blickes gibt.« [342]

Sonst aber unterliegt Kafka und seine Helden Zuständen, die mit dem Gegenbegriff veranschaulicht werden müssen. Besonders instruktiv eine Stelle aus dem Jahr 1920, weil dort beide Vorstellungen in der Art des eben behaupteten Gegensatzes aufeinander bezogen sind und weil Kafka mit seiner Aussage keinen Augenblickseindruck, sondern dauernd vorhandene Grundverhältnisse zum Ausdruck bringen will: Daß er an Minze keine Photographie von sich geschickt hatte, rechtfertigt er so: »Sind meine Augen in Ihrer Erinnerung, Minze, wirklich klar, jung, ruhig, dann mögen sie dort so bleiben, dann sind sie dort besser aufgehoben als bei mir, denn hier sind sie trüb genug und immer unsicherer geworden ... Sollten meine Augen einmal schöner, reiner werden, dann bekommen Sie ein Bild, aber dann wird es auch wieder nicht nötig sein, denn dann würden sie doch mit der Kraft, die reine Menschenaugen haben, bis nach Karlsbad Ihnen geradeaus ins Herz sehn, während sie jetzt nur mühsam in Ihrem doch aufrichtigen und deshalb lieben Brief herumirren.« Deutlich ist auch hier, daß die Klarheit des Auges mit ungewöhnlicher Kraft verbunden ist, während sich die dazu gegensätzliche Haltung mit unsicherem Urteil assoziiert. [343]

Dieser Verwendungsart entspricht exakt, wenn Kafka in seiner Rezension *Über Kleists ›Anekdoten‹* davon ausgeht, der lebendige Anblick großer Werke schlage stark in die »trüben Augen« des Betrachters. Denn, wie erwähnt, das gelungene Kunstwerk wird vom kläräugigen Autor geschaffen, den Kafka im Jahr 1911 noch nie erreicht zu haben glaubte. Was die Romanhelden betrifft: Karl Roßmann erfüllt eine unbestimmte Furcht, »deren Stöße seine Augen trübten«, Josef K.s Blick trübt sich, weil Titorelli bei seinen Erwägungen von der Unschuld seines Besuchers ausgeht, und im *Schloß* macht

K. das Gefühl, daß ihn im Dorf nur Enttäuschungen erwarten, »ganz trübe«. [344]

Amalia konnte damit, das leuchtet ohne weiteres ein, nichts zu tun haben, wohl aber mit dem stumpfen Blick. Da K. davon ausgeht, daß Amalias Augenausdruck sich während seiner beiden ersten Besuche nicht unterscheidet, das fragliche Adjektiv aber nur bei der Beschreibung des ersten Zusammentreffens vorkommt, nicht aber in dem ausführlich zitierten Eindruck K.s bei seinem folgenden Besuch, muß man davon ausgehen, daß die Stumpfheit dadurch entsteht, daß ihr Blick K. nicht trifft, denn Kälte, Klarheit und Unbeweglichkeit sind von dem genannten Ausdruck völlig verschieden. Dafür spricht auch ein wahrscheinlich aus dem Jahr 1920 stammendes Erzählfragment, das wie ein Kommentar zu dieser Miene wirkt: »Seine Augen sind trübe, man hat oft nicht den Eindruck, daß er den, auf den er die Augen richtet, auch wirklich sieht. Es ist dann aber nicht Zerstreutheit, Beschäftigtsein, das ihn hindert, sondern eine gewisse Stumpfheit... Vielleicht geschieht ihm Unrecht, vielleicht hat ihn das so verschlossen gemacht, vielleicht ist ihm immer Unrecht geschehn. Es scheint jene Art von unbestimmtem Unrecht zu sein, das junge Leute so oft auf sich lasten fühlen, das sie aber schließlich abwerfen, solange sie noch die Kraft dazu haben... «

Man darf das Moment der Trübheit hier nicht berücksichtigen, es ist eingeflossen als Vergleichspunkt mit der im Zusammenhang verwendeten Bildebene »Trinkeraugen« und vor allem, weil es sich um eine Selbstdeutung des Dichters aufgrund der Milena-Erfahrungen handelt. Dem Zitierten geht dies voraus: »Er scheint auf fremde Kosten zu leben. Man könnte sich ihn als ein Tier in der Wildnis denken, das am Abend allein, langsam, bedächtig, schaukelnd zur Tränke geht.« Alle verwendeten Vorstellungselemente sind ja Kategorien, die in den Briefen an Milena verwendet werden. [345]

Davon abgesehen jedoch stimmt die Spezifizierung der Stumpfheit mit der angeführten Augenstellung Amalias überein: Weil jemand verschlossen ist oder ein unbestimmtes Unrecht auf ihm lastet (dies trifft insofern auf Amalia zu, als das Schloß gar nicht strafend eingreift, der Rückzug der Gemeinde von ihr also ohne konkreten äußeren Grund erfolgt), sieht er am Beobachtungsobjekt vorbei (auch hier werden andere, naheliegendere Interpretationsmöglichkeiten abgewiesen). Nur von dieser Ausdeutung her ist es zu verstehen, wenn K. das sich an seinen Eindruck von Amalia unmittelbar anschließende Gespräch mit ihr mit der Frage eröffnet, ob sie etwas quäle, weil sie so traurig sei. Als Begründung für die Verwendung des Begriffs genügt aber nicht der Hinweis, daß dadurch ein Spannungsmoment erzeugt werde (denn Amalia beantwortet diese Frage nicht) oder eine erzählerische Vorausdeutung auf Amalias später dann berichtetes Schicksal erfolge. Man muß vielmehr bedenken, daß damit auch eine Abgrenzung gegenüber Barnabas erreicht werden soll, von dem es heißt, er sei K. mit hellem, offenem Gesicht und übergroßen Augen entgegengetreten. Diese Miene stimmt völlig zu Olgas späterer Ausdeutung, in der sie darauf hinweist, Barnabas sei beim Überbringen seiner Botschaft ganz von der Freude über die Gnade des Schlosses erfüllt gewesen. Ein Glanz erfüllt seither seine Augen, weil ihn Stolz und Zuversicht nicht mehr verlassen haben. [346] Die Augen des Barnabas leuchten, stehen also in Opposition zur Stumpfheit Amalias.

Derartige Augen, die Kafka auch in Wirklichkeit beobachtete, waren für ihn — und das bestätigt mit anderen Argumenten das eben über Amalia Ausgeführte — ein Ausdruck der Freude, der inneren Gespanntheit und des Engagements. Aufgrund ihres Schicksals kann Amalia nicht freudig bewegt sein, sondern nur hoheitsvoll, ernst, traurig und auf dieser Grundlage ironisch.

Was die andern in dieser Miene mitgesetzten Elemente betrifft, so soll ausgesagt werden, daß Amalia jeden Teilerfolg, den ihre Geschwister und K. gegenüber dem Schloß zu erringen glauben, für eine Illusion hält. Auch dies eine auf Amalia projizierte Wunschvorstellung des Dichters. In der gleichen Aufzeichnung, die von der zu erstrebenden Furchtlosigkeit handelt, heißt es einleitend: »Gib dich zufrieden, lerne ... im Augenblick zu ruhn (doch, einmal konntest du es). Ja, im Augenblick, dem schrecklichen. Er ist nicht schrecklich, nur dir Furcht vor der Zukunft macht ihn schrecklich. Und der Rückblick freilich auch.« Amalia verwirklicht dieses Programm, sie erregt und engagiert sich, wenigstens nach außen hin, nicht für Pläne, die die Verhältnisse ändern sollen, sie verharrt im Gegebenen. [347]

b) Barnabas

Die Belege zeigen, daß Kafka hier eine Figur schuf, die K. und damit ihm selbst am nächsten steht. Unter Verwendung von Zügen der Gestalt seiner Freunde Max Brod und Robert Klopstock kam es Kafka darauf an, den Typus des Westjuden darzustellen. Olga sagt zu Barnabas: »... daß dir nichts geschenkt wird, daß du dir vielmehr jede einzelne Kleinigkeit selbst erkämpfen mußt«. Sie stellt also den Bruder unter ein Gesetz, dem, wie gezeigt, auch K. und Kafka unterliegen. Interessant für den augenblicklichen Zusammenhang ist aber, daß Max Brod dadurch von Milena abgehoben wird, daß Kafka seine Verhältnisse ebenfalls nach diesen Denkvorstellungen deutet: »Er aber hat keine Heimat und kann deshalb auch auf nichts verzichten und muß immerfort daran denken, sie zu suchen oder zu bauen, immerfort, ob er den Hut vom Nagel nimmt oder auf der Schwimmschule in der Sonne liegt oder das von Dir zu übersetzende Buch schreibt ... « Diese Aussage bildet sozusagen die Keimzelle der späteren, ausführlicheren, wo er sich als den westjüdischsten unter den charakteristischen Exemplaren von Westjuden beschreibt; bemerkenswert ist aber immerhin, daß in Übereinstimmung mit dieser extremen Bewertung der Freund den genannten Gegebenheiten in etwas milderer Form unterliegt. [348]

Auch die besondere Mischung von Kindlichkeit und Überalterung, die K. gleich bei der ersten Begegnung mit Barnabas auffällt, und »daß die sorgenlosen Jahre, die andere seines Alters erwarteten, für ihn nicht mehr vorhanden waren«, läßt ihn als wesensverwandt mit Kafka erscheinen (auch mit K., dessen Kindlichkeit und damit kontrastierende Müdigkeit mehrfach betont werden), über den Max Brod in dem Roman *Zauberreich der Liebe* schrieb: »Sein Gesicht blieb das eines Jünglings, war schon immer hinter seinen Jahren zurück geblieben, aber das Haar ergraute rasch.« Auch Kafka selbst hat sich, und zwar nicht nur, was sein Äußeres anging, als entwicklungslos jung und gleichzeitig als unendlich alt und deshalb müde bezeichnet und gerade in seinen späteren Jahren auch Erzählfiguren, die die Problematik des Judentums spiegeln, mit diesen in sich widersprüchlichen Attributen ausgestattet. Entsprechend äußerte er einmal gegenüber Max Brod: »Ich werde nie das Mannesalter erleben, aus einem Kind werde ich gleich ein weißhaariger Greis werden.« Veranlaßt wurde dieser Ausspruch wohl durch die Tatsache, daß er im Lauf der Auseinandersetzung mit Felice tatsächlich graue Haare bekam. Und die den Barnabas kennzeichnende Überforderung kehrt in einer Tagebuchnotiz vom 15. März 1922 überspitzt wieder, in der Kafka bedauert, noch nicht geboren und trotzdem schon gezwungen zu sein, auf den Gassen herumzugehn und mit Menschen zu sprechen. Obwohl in dieser Aufzeichnung das Subjekt fehlt und man deshalb und wegen der paradoxen Übersteigerung der Auffassung sein könnte, hier liege nur eine hypothetische Vorstellung vor, ist die Applizierung auf den Autor aufgrund einer als Parallele zu bezeichnenden Briefstelle sicher. Um sein Verhältnis zu den Eltern formulieren zu können, verwendet er im Oktober 1916 Felice gegenüber folgendes Bild: »Es ist, als wäre ich nicht endgiltig geboren, käme immer wieder aus diesem dumpfen Leben in dieser dumpfen Stube zur Welt, müsse mir dort immer wieder Bestätigung holen, sei mit diesen widerlichen Dingen, wenn nicht ganz und gar, so doch zum Teil unlöslich verbunden, noch an den laufenwollenden Füßen hängt es wenigstens, sie stecken noch im ersten formlosen Brei.« Dahinter stehen also Unselbständigkeit und Abhängigkeit des Autors, die ihn immer wieder auf seinen Ausgangspunkt zurückwerfen und eine zielgerichtete Lebenslinie verhindern. In der Erzählung *Josefine* ist dann davon die Rede, daß die Vielzahl der Feinde und die Ungunst der Verhältnisse es nicht gestatten, den jungen Mäusen — sie verkörpern die Juden der Diaspora — eine sorglose Jugend zu geben. Die außerordentlich enge Verbindung zwischen K. und Barnabas — »Wir sind aneinander gebunden, wie eben der Bote an den Adressaten«, sagt K. einmal zu Olga — kommt auch darin zum Ausdruck, daß dem Landvermesser eben dieses Lebensmuster zuerteilt wird, freilich in der indirekten Weise des Vergleichs, was übrigens wieder ein Beleg für die schon mehrfach festgestellte Tatsache ist, daß Vergleichsebene und Struktur eines Bildes häufig genug in innerem Zusammenhang mit der Thematik des Romans stehen. Frieda zitiert — und es ist das einzige Mal, daß K. sich dazu zustimmend äußert! — an einer Stelle eine Aussage Gardenas über K.: »Die Brückenhofwirtin sagt von dir: ›Leiden kann ich ihn nicht, aber verlassen kann ich ihn auch nicht, man kann doch auch beim Anblick eines kleinen Kindes, das noch nicht gut gehen kann und sich weit vorwagt, unmöglich sich beherrschen; man muß eingreifen.‹« Auch hier sind ja Möglichkeiten und Verhalten nicht in Übereinstimmung, das Kind mutet sich mehr zu, als es kann.

Wenn Kafka die Ursachen dieser Diskrepanz zum Ausdruck bringen will, nämlich innere Schwäche, mangelndes Training der Kräfte in früherer Zeit und allgemeine Stagnation, kehrt er die Bildstruktur einfach um, d. h. er nimmt als Bezugspunkt das Erwachsenenleben, das mit den ungenügenden Kräften des jungen Menschen gelebt werden muß. Und auch unter dieser Perspektive ergibt sich eine sehr feine Gleichheit zwischen K., Barnabas und dem Autor. K., der sich übrigens auch selber als Kind betrachtet, wird von der Brückenhofwirtin mit ihrem Mann Hans verglichen, dessen trotzige Kindlichkeit den anstehenden Aufgaben in keiner Weise gewachsen ist und ein besonders jugendliches Aussehen im Gefolge hat. Neben der Tatsache, daß wie im Falle des Barnabas und entsprechend beim Dichter Physiognomie und Lebensalter nicht übereinstimmen, ist besonders hervorzuheben, daß hier ein Erwachsener mit Kinderkräften seine Belange verfolgt. Eben dieses trifft nun auch auf den Boten zu, der nach Auffassung seiner Schwester bisweilen »ein wenig kindlich« sich verhält und nach Meinung K.s sich sogar als Erwachsener »von Kinderspeise« nährt. Diese Erzählfiguren könnten wie der Ich-Erzähler des *Baus* von sich sagen: »Meine Mannesjahre habe ich mit kindlichen Spielen verbracht«. Und dieser ganze Zusammenhang ist ein direkter Ausdruck der Selbsteinschätzung Kafkas, die an zwei Stellen ganz pointiert mit Hilfe eben dieses Vorstellungszusammenhangs artikuliert wird: Max Brod schreibt er im Frühjahr 1921, daß er umherirre »wie ein Kind in den Wäldern des Mannesalters«, und im *Brief an den Vater* heißt es: »Den Kampf um das äußere Leben ... den müssen wir uns erst spät, mit Kinderkraft im Mannesalter erkämpfen.« Barnabas ist also wie K. und der Autor ein Vertreter westjüdischer Unbedarftheit, die sich alle Lebensgrundlagen erst selber erschaffen muß. [349]

Barnabas ähnelt K. besonders darin, daß auch er zum Schloß strebt und zu Klamm vordringen will. Wenn er so weit käme, von den Beamten bemerkt zu werden und mit ihnen ein paar Worte sprechen zu dürfen, könnte »Unabsehbares« für seine Familie erreicht werden. Dies in völliger Übereinstimmung zu K., der meint, durch ein kurzes Gespräch mit Klamm mehr erreichen zu können als sonst durch lebenslange Bemühungen, und Kafka, der Brod und seine Freundin auffordert, ihre schon jahrelang andauernden Lebensschwierigkeiten dadurch zu überwinden, daß sie »alles dem Aug-in-Aug-Sein« überlassen, Brief und Telephon, mit deren Hilfe ja auch K. mit dem Schloß verkehrt, also meiden, denn dann lasse sich ein wenigstens vorläufiger Friede erhoffen. Barnabas ist nur ein bißchen erfolgreicher, insofern er erst knapp vor dem Ziel scheitert. Wie K. eigentlich »Kanzleikollege«, gelingt es ihm doch immerhin im Gegensatz zu jenem, die Büroräume im Schloß wenigstens zu betreten. [350]

Auch die Art seines Lebenswandels ist ein Bild dafür, wie Kafka seinen eigenen sah. Barnabas vernachlässigt seinen Beruf — Brunswick erteilt ihm gelegentlich fast gnadenweise Aufträge — und verbringt seine Tage damit, auf Botschaften und endgültige Anstellung zu warten. Olga meint: »Freilich, dieses nutzlose Dastehen und Warten Tag für Tag und immer wieder von neuem und ohne jede Aussicht auf Veränderung, das zermürbt und macht zweiflerisch und schließlich zu anderem als zu diesem verzweifelten Dastehen sogar unfähig.« Genauso vernachlässigte Kafka nach seiner Meinung die Büroarbeit, die ihn anwiderte, während sein eigentliches Ziel das Schreiben war, dessen Wert- und Sinnlosigkeit er zur Zeit der Niederschrift des *Schloß*-Romans vollständig erkannte, das er aber trotzdem für das Wichtigste auf der Welt hielt, denn, so die Begründung für sein erfolgloses Handeln, er wollte sich wenigstens dauernd bereithalten, dauernd den Teil leisten, den er vermochte, für eine möglicherweise eintretende Erlösung. Daß er durch das Schreiben und was damit zusammenhing, zu anderem unfähig wurde, war seine feste Überzeugung. Natürlich trifft das alles auch auf K. zu, der Frieda und seinen Beruf als Schuldiener vollständig vernachlässigt und nur von dem einzigen Gedanken erfüllt ist, Klamm zu sprechen. [351] Wie man sieht, verbirgt sich hinter der Verschiedenartigkeit des Sujets — Barnabas hat natürlich direkt nichts mit literarischer Produktion zu tun — jeweils eine gleiche Struktur, auch was die möglichen Ergebnisse eines solchen Lebens betrifft.

Manchmal, berichtet Olga, komme es bei der Aufnahme in den Schloßdienst »zur endlosen Ausdehnung des Aufnahmeverfahrens, das dann überhaupt nicht beendet, sondern nach dem Tod des Mannes nur abgebrochen wird«. Dazu paßt, was Kafka einmal, unter Zitierung Bismarcks, an Milena schrieb: Das Leben sei »ein ungeschickt zusammengestelltes Festessen, bei dem man ungeduldig auf die Vorspeise wartet, während im Stillen schon der große Hauptbraten vorübergegangen ist, dementsprechend man sich also einzurichten habe«. Beidesmal also die Vorstellung, daß ein Menschenleben nicht ausreicht, um zur Hauptsache vorzudringen. [352]

K.s Aussage, er könne sich mit der Barnabasschen Familie »in vielem verständigen ... nicht nur in manchem, wie mit Frieda«, erinnert an eine Tagebuchnotiz, wo es heißt, Felice habe vielleicht überhaupt kein Verständnis für ihn, seine Freunde Max Brod und Felix Weltsch verstünden manches, Ottla, die Schwester, sogar vieles. Brod und die Schwester, die Olga Züge lieh, gehörten zum engsten Kreis um Kafka — ihr Lebensschicksal war mit seinem vergleichbar —, nicht aber Felice, die er als jüdisch-preußische Mischung betrachtete, die unzerstörbar war. Sinngemäß war dieser Unterschied auch auf das Verhältnis zwischen Milena und Max Brod übertragbar, denn Milena war Tschechin, gehörte noch viel mehr als Felice einem anderen Volk an, hatte auch Meinungsverschiedenheiten mit Brod hinsichtlich Kafkas, so daß in gewisser Beleuchtung tatsächlich gesagt werden kann, sie und die sie im Roman repräsentierende Frieda, die ja kein Verständnis für K.s

Versuche aufbringt, mit Klamm in Verbindung zu treten, verstehe weniger von Kafka (und K.) als Barnabas. [353]

Wichtig erscheint auch, daß Kafka in den letzten Jahren seine innere Lage immer wieder mit der des Freundes verglich und dabei einerseits einen »Wesensunterschied« leugnete — »ich glaube nicht, daß wir in jener Hauptsache wesensverschieden sind« —, andererseits aber betonte, daß Brod kräftiger sei und Handlungsmöglichkeiten habe, die von Kafka erstrebt, aber niemals erreicht worden seien: »Ich bin vielleicht nur eine Stufe unter Dir, aber auf der gleichen Treppe.« Also keine grundsätzliche Differenz, aber doch ein Unterschied. Kafka versucht ihn in einem Bild — wie könnte es anders sein — näher zu bestimmen: »Du hast eine ungeheure Festung, ein Ring ist vom Unglück eingenommen, aber Du bist im Innersten oder wo Du sonst zu sein Lust hast, und arbeitest, arbeitest gestört, unruhig, aber arbeitest, ich aber brenne selbst, ich habe plötzlich gar nichts, ein paar Balken, stütze ich sie nicht mit meinem Kopf, würden sie zusammenbrechen und nun brennt diese ganze Armut.«

Während Kafka, auf sich selbst eingeschränkt, seine ärmliche Hütte — dies ein übliches Bild seiner Lebensverhältnisse — jeden Augenblick stützen muß, damit sie nicht einfällt, wobei sich die Situation noch dadurch verschärft, daß diese brennt, besitzen Brod und, wie aus anderen Stellen hervorgeht, auch Felix Weltsch das allerdings durch eine Belagerung schon etwas reduzierte Terrain einer großen Festungsanlage, wodurch sie von den Verhältnissen mehr gehalten werden, d. h. Entfaltungsmöglichkeiten besitzen. Kafkas »Armut« und K.s vollständige Mittellosigkeit korrespondieren also mit den entsprechenden Verhältnissen des Barnabas und seiner Familie auch auf der Ebene des Zeichens. Brod als ebenfalls Heimatloser muß wohl auch in jeder Sekunde an seine Verhältnisse denken und versuchen, diese wieder zu gewinnen, man kann aber angesichts der Tatsache, daß er einen so großen Besitzstand hat, der ihm sinnvolle Arbeit erlaubt, nicht sagen, nichts sei ihm geschenkt worden. [354]

Genau diesen Unterschied innerhalb grundsätzlicher Vergleichbarkeit bringt auch K. im Roman zum Ausdruck, wenn er die Arbeit des Barnabas zu würdigen sucht. Er widerspricht der schon zitierten Auffassung Olgas, die im System des Werks für eine Möglichkeit der Selbstdeutung des Barnabas steht und diesen in der Vergeblichkeit seiner Bemühungen so nahe an K. herangerückt hätte, daß beide identisch gewesen wären, indem er Olga vorwirft, sie erkenne nicht, »was Barnabas nicht etwa erreicht hat, aber was ihm geschenkt worden ist«, obwohl sie selber als Interpretationsmöglichkeit zuläßt, die von ihr verantwortete Tätigkeit des Bruders könne erfolgreich genannt werden. Und dann wird das wieder in Bild und Beispiel verdeutlicht: »Er darf in die Kanzleien oder, wenn du so willst, in einen Vorraum; nun, dann ist's also ein Vorraum, aber es sind Türen da, die weiterführen, Barrieren, die man durchschreiten kann, wenn man das Geschick dazu hat. Mir zum Beispiel ist dieser Vorraum, wenigstens vorläufig, völlig unzugänglich.« [355] Hier besteht sogar, wenn man so will, eine Kontinuität im Bildlichen, insofern die Erstreckung und Überwindung dieses Raumes ein Gradmesser für den Umfang der Ausstattung mit Lebensgütern darstellt, nur daß im *Schloß* die Perspektive nicht im Zentrum des vorgestellten Bauwerks liegt, nicht der Blickpunkt des Verteidigers eingenommen wird, sondern der des Eindringlings, der an der Peripherie steht.

Es ist möglich zu konkretisieren, an welchen Bereich des Lebens Kafka denkt, wenn er Max Brods Lebensmuster zu bestimmen sucht; gemeint ist dessen Kampf um seine Berliner Geliebte, die er sowenig wie seine Ehe aufgeben wollte. Kafka schreibt: »Du dringst weiter vor als irgendjemand, den ich kenne, kommst bis knapp ans Ziel, nur knapp heran, nicht ganz ans Ziel, denn das ist ja das Unmögliche«. Auch im Verlauf dieser Auseinandersetzung ist ein großer Unterschied zu Kafkas Fähigkeiten in entsprechenden Geschehnissen wie etwa der Milena-Beziehung: »wie vieles erträgst Du, wovor ich davonlaufe oder das vor mir davonläuft. Hier bin ich wahrscheinlich dazu gekommen, Dich zu überschätzen«. In seinem Roman *Zauberreich der Liebe* läßt Brod Kafka in bezug auf eben diese Vorgänge sagen: »Wie hätte ich je diesen Mut aufgebracht! Ich! Aber du bist so stark... du wirst es durchführen.« [356] Die Tendenz der beiden Aussagen ist so ähnlich, wie es nur möglich ist. Die Tatsache, daß der Vergleich der Freunde von Kafka an der Beziehung zur Frau demonstriert wird und zwar zur gleichen Zeit, wo er am Roman arbeitet, der diesen Komplex thematisiert, erhöht natürlich die Beweiskraft der These, in Barnabas sei die Deutung eingegangen, die der Dichter Max Brod zuteil werden ließ.

Die Interpretationen, die Olga von Barnabas und Kafka (und K.) von sich selber geben, ähneln aber auffallend dem, was Max Brod in seinem Roman *Tycho Brahes Weg zu Gott* über sich selber aussagt. In diesem Werk, das Kafka, dem das Buch übrigens gewidmet ist, als eines der persönlichsten Bücher Brods bezeichnete, als »eine peinigende, selbstquälerische Geschichte geradezu«, schildert der Verfasser in historischer Einkleidung — die Beziehungen Tycho de Brahes zu Johannes Kepler werden dargestellt — eigene schmerzliche Erfahrungen als literarischer Promotor Werfels. [357]

In bestimmter Beleuchtung ist diese Konstellation aber nur eine Projektion und Konkretisierung innerer Konflikte auf äußere Objekte, die sich einigermaßen diesem Schema fügen, dem Kampf nämlich zwischen Verstand und Gefühl in Brods Wesen. In einem Brief an Martin Buber vom 26. November 1913 begründete er die Abfassung des Romans mit folgenden Worten: »Mir schwebt eigentlich seit Beginn meiner Entwicklung irgendeine Versöhnung von Ratio- und Irrationalem vor.« [358] Tycho, hinter dem sich Brod verbirgt, wird nun als einer dargestellt, dem nichts von selbst geht, der hinter allem her sein muß, auch hinter den alltäglichen Verrichtungen, und der in dauerndem aufreibendem Kampf doch nur Unglück erreicht, weil das Zutrauen »zur bloßen Natur, zum glücklichen Lauf der Dinge« geschwunden ist, auch im eigentlichen Beruf; er ist »allein und nackt« und kann selbst unter Aufbietung aller Kräfte die Familie nicht »halten«. Er sagt: »Die Erde will mich nicht mehr tragen«. Und an anderer Stelle: »Man muß wirklich hinter allem her sein — nichts geht von selbst, nichts gedeiht von selbst — immer muß der Herr nach dem Rechten sehen, wenn etwas geschehen soll... In allem muß ich die Menschen unterrichten... Auch einen einfachen Lattenzaun bringen sie nicht fertig ohne mich.« Tycho fühlte sich alt und in einer Einöde, in der er rettungslos umherirrt, Kepler dagegen ist jung, und ihm fügt sich alles ohne Anstrengung zum Guten. Folgende Aussage könnte auch Kafka von sich gemacht haben: »Es ist mein Teil, mich um alles zu kümmern, alles zu erkämpfen oder besser gesagt, im Kampfe um alles zu unterliegen.« Entscheidend ist nun, daß bereits Brod die Beziehung dieses Schicksals zum Westjuden gesehen hat. Seine Aussage, er habe »die im Ausland entwurzelten Typen von Menschen« zu gestalten gesucht, wird im Roman selber noch insofern in die genannte Richtung spezifiziert, als Tycho sich mit Ahasver vergleicht und, vom Rabbi Löw über die Juden das »Volk der Mißerfolge« belehrt, sein Schicksal in Parallele zu diesen begreift: Sie sind »heimatlos und flüchtig wie er... ausgeraubt und verwundet wie er... förmlich... ein Symbol seines eigenen Lebenswandels«. [359]

Erwähnt sei noch, daß Brod gerade unter dem Gesichtspunkt der jüdischen Herkunft eine innere Verwandtschaft zwischen sich und Kafka herstellte und daß er in einer Art »zeitgenössischer Kritik«, die er im Jahr 1917 »schon lange in sich« trug, Kafkas Verfassung als »im Unglück glücklich« definierte, was der Gefühlslage Tychos entspricht, und daß Kafka diese Deutung aufnahm und durch die Formel erläutert, ihm sei »alles zerfallen«, »die Welt zerschlagen«, durch deren Trümmer, die nicht mehr beseitigt werden können, er gejagt werde. Dies ist nur eine andere Perspektive des Sachverhalts, der in den Briefen an Milena in der Formulierung seinen Ausdruck findet, dem Westjuden werde nichts geschenkt. Dort geht der Blick auf die Ursachen, hier auf die Wirkungen.

Kafkas Interesse für *Tycho Brahes Weg zu Gott* — der Roman sei ihm »sehr lieb«, schreibt er an Felice — ist sicher dadurch bestimmt, daß zur Gestalt von Tychos Gegenspieler Kepler der Kafka und Brod gemeinsame Freund Franz Werfel »viel Wesentliches und Schmerzliches« beigetragen hatte. Brod, der in dieser Figur »das vom Glück begünstigte junge Genie darstellen« wollte, »das sich von seinen Anlagen treiben und von äußeren Umständen... wenig beeinflussen läßt«, weicht demgemäß von der Überlieferung stark ab.

Eben diese Thematik mußte auch Kafka fesseln, sah er doch Werfel eben unter diesem Aspekt. Scheinbar nur bewundernd schreibt an an Felice am 12. Dezember 1912: »Der Mensch kann Ungeheueres. Übrigens hat er auch schon seinen Lohn und lebt in Leipzig in einem paradiesischen Zustand als Lektor... und hat in einem Alter von etwa 24 Jahren völlige Freiheit des Lebens und Schreibens. Was da für Dinge aus ihm hervorkommen werden.«

Aufs Ganze gesehen war Kafkas Haltung Werfel gegenüber jedoch recht ambivalent. Eine unveröffentlichte Tagebuchnotiz vom 18. Dezember 1911, die im Zusammenhang mit einer Berlin-Reise Max Brods formuliert wurde, aus der sich eine größere literarische Fehde entwickelte, gibt darüber genauer Auskunft: »Ich hasse W. nicht weil ich ihn beneide aber ich beneide ihn auch. Er ist gesund, jung und reich, ich in allem anders. Außerdem hat er früh und leicht mit musikalischem Sinn sehr Gutes geschrieben, das glücklichste Leben hat er hinter sich und vor sich, ich arbeite mit Gewichten, die ich nicht loswerden kann und von Musik bin ich ganz abgetrennt.«

Dieses »in allem anders« fand Kafka in der Figur des Tycho erzählerisch entfaltet, der sich mit vielerlei Hemmnissen belastet sieht und dem alles ins Ungünstige ausläuft; er konnte deswegen ein Muster des Selbstverständnisses gegenüber der glücklicheren Wesensart Werfels abgeben, der ja besonders auch dadurch ausgezeichnet erscheint, daß er günstigere Startbedingungen hat. Dazu kommt, daß die Personenkonstellation im Roman auch die Schwierigkeiten abbildete, die Brod infolge seines Berliner Eintretens für Werfel hatte, Unzuträglichkeiten, die Kafka durch Beratung seines Freundes zu mildern suchte und die auch der Anlaß dafür waren, seine Haßgefühle gegenüber Werfel zu artikulieren. Gerade die glückhafte Ausstattung Werfels mit Naturgaben und sein dadurch zustande kommender schneller Erfolg waren es also, die seine und Brods Auffassung herauskristallisieren halfen, die eigene Lage sei durch ein Nichts-geschenkt-Bekommen und durch eine damit verbundene dauernde erfolglose Anspannung gekennzeichnet.

Von daher ist auch verständlich, daß Kafka später Werfels *Spiegelmensch*, ein Stück, in dem die Auseinandersetzung des Autors mit seiner Umwelt und besonders auch seinem Vater dargestellt ist, gierig und ohne Unterbrechung verschlang, mußte es doch für ihn faszinierend sein zu sehen, wie Werfel seine Lebensprobleme meisterte. Bei der Lektüre muß ihm aber, wie seine auf dieses Stück bezüglichen Ausführungen in einem Brief an Robert Klopstock zeigen, die Einsicht aufgegangen sein, daß der Erfolgreichere im Grunde unter den gleichen westjüdischen Lebensgesetzen stehe wie er selbst, so daß jetzt, für die Konzeption des *Schlosses*, der dem Eigenen polar entgegengesetzte Typ Kepler nicht mehr berücksichtigt zu werden brauchte, sondern als Bandbreite westjüdischer Lebensmöglichkeiten die zwischen Kafka und Brod bzw. die zwischen K. und Barnabas sichtbar werdende Differenz genügte.

Tatsächlich zeigt sich beim Studium des *Spiegelmenschen* eine ganze Anzahl von Kernmotiven, die sich auch bei Kafka finden und ihm nahelegen mußten, daß tatsächlich auch bei Werfel ein ähnlicher Ausgangspunkt vorlag, trotz aller akzidentieller Begünstigung im Äußeren: Thamal ist gekennzeichnet durch »ungelebtes Leben« (Kafka hat »noch nicht gelebt«) und sagt von sich: »Ich bin kein Erbe. Ich bin selbst Beginn!« (Kafka fühlt sich als »enterbter Sohn« und als »Ende oder Anfang«). Thamal haßt sich »gründlich«, Kafka spricht von methodischer »Selbstverurteilung«. Werfels Protagonist tritt dem Vater, den er schon als Kind »totgeträumt« hat (Kafka fühlte seine Eltern schon immer als »Verfolger«), im »Knabentrotz« gegenüber; dazu stimmt, daß Kafka meint, »durch Erzeugung von Trotz« hätte er gegenüber dem Vater auf eigene Beine gestellt werden können. Thamal, schon in der Schule wegen seiner Schwäche in Mahematik der letzte, bezeichnet sich schließlich als »Nichts« und als »zerlumpt«, wie Kafka, der K. im Schloß eben diese Attribute verleiht und zeitlebens wegen seiner angeblichen Schulschwäche, besonders in Mathematik, großes Aufheben machte. [360]

Die ausgebreiteten Belege reichen für die Beweisführung aus: Jahre früher als Kafka nahm Brod in einem vom Freund als autobiographisch erkannten Roman eine Selbstdeutung vor, die sich dieser in allen Momenten zu eigen macht. Es ist die Vorstellung, allein und unbedarft zu sein, sich alles, auch das Unbedeutendste erkämpfen zu müssen, die Erfolglosigkeit aller dieser Bemühungen, die Tatsache, daß eine augenblickliche Unaufmerksamkeit das Verhängnis herbeiführen kann, der Gedanke der im jüdischen Sinne verstandenen Heimatlosigkeit und schließlich die Erkenntnis, daß das Leben der Freunde in vergleichbaren Kategorien gedeutet werden müsse.

Indem nun aber Kafka diese Vorstellungszusammenhänge rezipierte, nahm er insofern eine Veränderung mit ihnen vor, als er zwischen sich und Brod in der genannten Weise abstufte, also Brods Interpretation zwar auf sich selbst anwandte, aber der Auffassung war, der Freund unterliege diesen Gesetzmäßigkeiten nur in sehr vermindertem Maße. Gerade an diesem Punkt wird vielleicht am überzeugendsten sichtbar, wie genau die Figur des Barnabas diese Überlegungen spiegelt. Denn er selber — erzählerisch repräsentiert durch seine Schwester und Vertraute Olga — neigt dazu, sich in dem radikalen Sinne wie K. zu verstehen; der aber bestreitet dies und billigt dem Barnabas, wie Kafka dem Freunde Max Brod, bei gleichzeitiger Anerkennung der Tatsache, daß beider Verhältnisse grundsätzlich vergleichbar seien, bessere Lebensvoraussetzungen und damit Wirkmöglichkeiten zu.

Freilich gibt es einige Züge in der Gestalt des Barnabas, wie zum Beispiel Aussehen, Größe und Alter, die nicht zu Max Brod passen, wohl aber zu Robert Klopstock, den Kafka 1921 in der Hohen Tatra kennengelernt hatte. Da der Dichter das Lebensmuster dieses Freundes wie dasjenige Brods mit den Gesetzmäßigkeiten in Verbindung brachte, die auch sein eigenes Dasein auszeichneten — nur daß er Klopstock eine erfolgreichere Gestaltung seiner Verhältnisse zubilligte —, ist zu vermuten, daß in der Erzählfigur beide Freunde zum Typ des Westjuden verschmolzen sind, dem Kafka den in Ungarn geborenen Medizinstudenten zurechnete.

Klopstock war wie Kafka an Tuberkulose erkrankt, hatte innere Kämpfe zu bestehen und war von literarischen Meinungen erfüllt. Nicht nur die Tatsache, daß Kafka in Matliary monatelang fast nur mit ihm verkehrte, zeigt die enge Verbundenheit beider, sondern auch Formulierungen in seinen Briefen, wo er sich und Klopstock mit gleichen Kategorien mißt: Beide seien verzweifelte Ratten, die, den Schritt des Herrn hörend, nach verschiedenen Richtungen auseinander laufen, heißt es in einem Schreiben vom Frühjahr 1922, und an anderer Stelle: »... mit uns beiden spielen die Götter«. [361] Die erforderliche Nähe für die Amalgamierung mit der K. und Kafka vergleichbaren Romanfigur war also gegeben.

Barnabas wird als groß dargestellt, denn in diesem Punkt entspricht er K., der, wie Kafka selbst, von beträchtlichem Körperwachstum ist. Auch daß er seinen großen, blonden Schwestern ähnlich sein soll, weist in diese Richtung und suggeriert dazuhin helles Haar. Entsprechend beschreibt Kafka den allerdings im Gegensatz zum Boten kräftigen Klopstock als groß und blond.

Barnabas, der noch sehr jung ist, wird mit einem aufmunternden Lächeln eingeführt, und sein Gesicht »war hell und offen«. Eine traumartige Erregung scheint sich seiner bemächtigt zu haben, denn K. bemerkt: »er fuhr mit der Hand über sein Gesicht, so, als wolle er dieses Lächeln verscheuchen, doch gelang ihm das nicht.« Später heißt es, er sei kindlich. Das ist aber nur die eine Seite seines Wesens, denn gleichzeitig ist er männlich, und die sorgenlosen Jahre, die andere seines Alters erwarten, sind für ihn vorbei. Olga beklagt an ihrem Bruder, »daß er vorzeitig alterte, vorzeitig ein Mann wurde, ja, in manchem ernst und einsichtig über die Mannheit hinaus«. [362]

Genau dieser Gegensatz war auch für den 21jährigen Ungarn bezeichnend. Kafka fand, er habe ein »Jungengesicht«, sei aber dabei »ernst und angespannt und doch auch in Träumen« und deswegen »geradezu schön«. Die gegensätzlichen Elemente der Jugendlichkeit und Reife, verbunden mit einer Art träumerischer Entrückung, sind Klopstock und Barnabas gemeinsam. Dazu kommt, daß Kafka die »Wahrheit und Schönheit« von Klopstocks Blick noch besonders hervorhebt. Analog dazu heißt es im *Schloß* von dem mit innerer Erregung erfüllten Boten, die sich in seinen übergroßen Augen kundtut: »sein Blick, sein Lächeln, sein Gang schien eine Botschaft zu sein, mochte er auch von dieser nichts wissen.« Und hierzu paßt nun wieder, daß Kafka der Meinung war, Klopstock könne, mehr als er es selber wisse, die Menschen führen. [363]

Überhaupt sind die Lebensumstände und Wesenseigenschaften zwischen dem Boten und seinem Vorbild verblüffend ähnlich: Beide sind arm, selbstquälerisch veranlagt und ohne große Familienunterstützung auf sich selber gestellt: Barnabas hat nur seine Schwester, der er sein Inneres nur sehr unvollkommen öffnet, Klopstock nur eine Cousine (mit seinem Bruder, der an unpublizierten Stellen der Briefe Kafkas an ihn erwähnt wird, war er offenbar zerstritten), mit der er sich schwer verständigte. Beide kämpfen, sind ehrgeizig und fähig, sich einer Sache ganz hinzugeben. Kafka schreibt an den Freund: »... beschäftigt Sie anderes in dieser alleinherrschenden Weise, dann hat nichts anderes daneben Platz und Sie und alle anderen haben zu folgen.« Und Olga sagt über Barnabas, er scheine leider manchmal dazu bereit, sich ganz dem Dienst zu opfern. Tatsächlich übt er ihn derart intensiv aus, daß er seine Schusterpflichten stark vernachlässigt. [364]

Als Klopstock einmal das Gefühl hatte, in einer wichtigen Sache versagt zu haben, schrieb ihm Kafka: »Wenn wir auf dem richtigen Wege wären, wäre auch ein solches Versagen grenzenlos verzweifelt, aber da wir doch nur auf einem Weg sind, welcher erst zu einem zweiten führt und dieser zu einem dritten u. s. f. und dann noch lange nicht der richtige kommt und vielleicht gar nicht, wir also ganz der Unsicherheit, aber auch der unbegreiflich schönen Mannigfaltigkeit ausgeliefert sind, ist die Erfüllung der Hoffnungen ... das ... Wunder.« Dies ist im Grunde der gleiche Rat, den K. Olga hinsichtlich des Bruders gibt, der, unsicher in seinem Verhältnis zu anderen Menschen, in »Zweifel, Angst und Hoffnungslosigkeit« die ihm als Bote gegebenen Möglichkeiten nicht ausnützt: »Er darf in die Kanzleien oder ... in einen Vorraum; nun, dann ist's also ein Vorraum, aber es sind Türen da, die weiterführen, Barrieren, die man durchschreiten kann, wenn man das Geschick dazu hat.« [365] Hier ist also ein vergleichbares Wegsystem, das ohne Zögern verfolgt werden soll.

Als Mangel des Barnabas wird außerdem genannt, daß dieser »über den Umkreis des Dorfes nicht hinausgekommen« und deswegen überfordert sei. Ein ähnliches Problem lag bei Klopstock vor, insofern dieser, auch nach Kafkas Auffassung, sein Heimatland und die menschenferne Tatra, wo er sich bisher ausschließlich aufgehalten hat, unbedingt verlassen sollte: »... weil Sie in die Welt müssen ... weil ein Aus-Ungarn-nicht-Hinauskommen unter den gegenwärtigen Verhältnissen den Tod bedeutet.« [366]

Schließlich ist als tertium comparationis das Bemühen beider heranzuziehen, ein ihren Wünschen entsprechendes Betätigungsfeld zu finden: Barnabas will in den Schloßdienst Aufnahme finden. Dabei gibt es nun Möglichkeiten, »wie man auf Umwegen, ohne das schwierige und jahrelang dauernde öffentliche Aufnahmeverfahren in die Schloßdienste kommen kann, man ist dann zwar auch nicht öffentlicher Angestellter, sondern nur ein heimlich und halb Zugelassener, man hat weder Rechte noch Pflichten ... « Dieser Ausweg bietet sich an, weil bei der öffentlichen Aufnahme ein Mitglied einer irgendwie anrüchigen Familie von vornherein verworfen wird. Man kann darin einen Reflex der Tatsache sehen, daß Klopstock an der Prager Universität zugelassen werden wollte, was mit großen Schwierigkeiten verbunden war. So fragt Kafka bei Max Brod an, ob es in diesem Zusammenhang eine Erleichterung bedeute, wenn Klopstock die tschechoslowakische Staatsbürgerschaft erwerbe, denn das »könnte er vielleicht, er hat einen unverfänglichen Namen«, d. h. einen solchen, der seine jüdische Herkunft verschleiert, die demnach bei den Prager Behörden den Aspiranten in ungünstiges Licht setzte. Für diese Deutung läßt sich auch anführen, daß der Familie des Barnabas im Dorf eine Außenseiterposition zukommt, die wegen dem Nichtvorhandensein von Äckern, der ehemaligen geschäftlichen Prosperität der Schusterei, der Geistigkeit der drei Kinder, aufgrund des jüdischen Namens des Boten, nach dem, als dem unschuldigsten Mitglied der Familie, diese benannt wird, und wegen einzelner lebensgeschichtlicher Determinanten als jüdisches Schicksal in der Diaspora gedeutet werden kann:

Man versteht dann, warum es heißt, die Bauernknechte seien die wahren Herren im Schloß, und warum K. zu Frieda sagte, obwohl diese Waise ist: »auch du willst hierbleiben, es ist ja dein Land«. Die Familie bleibt in der Erntezeit zum Müßiggang verurteilt, weil niemand sie mitarbeiten läßt. Dies entspricht der historischen, dem nationalbewußten Kafka natürlich wohlbekannte Tatsache, daß die Westjuden weder in der Landwirtschaft tätig waren noch dort gerne gesehen worden wären. Sie waren zu Kafkas Zeit auf dem Lande Kaufleute und Händler. Der Vater des Barnabas war zunächst der größte und geschickteste Schuster am Ort. Tatsächlich waren die Juden die bedeutendsten und erfolgreichsten Gewerbetreibenden in den Gemeinden, wie die Karriere von Kafkas Vater etwa beweist. Insofern dieses Handwerk die einzige Einkommensquelle darstellt, ist dies, soziologisch betrachtet, typisch für Juden. Beim Boykott dieses Geschäftes, damals eine ebenfalls speziell gegen Juden gerichtete Angelegenheit, bleibt als Existenzgrundlage dann nur das Schmarotzen am Wirtsvolk: Die Familie erhält Lebensmittel von Verwandten, Gnadenaufträge Brunswicks, der sich die Geschicklichkeit des Barnabas zu Nutzen macht und bezeichnenderweise ebenfalls eine Randfigur des sozialen Lebens darstellt. Auch die Geldzuwendungen der Knechte an Olga für erwiesene Liebesdienste sind wohl nicht anders zu bewerten. Geistige Entwurzelung, moralischer Verfall und mangelnde Möglichkeiten, sich vernünftig zu betätigen, verbinden sich im Westjudentum nach Meinung nationaljüdisch Gesinnter. [367]

Als die Einschreibung mißlang, versuchte Kafka, den Freund in einer Druckerei oder vielleicht auch in der Verwaltung einer Institution unterzubringen. Eine solche »Anstellung« paßt nicht nur zu dem im Roman in diesem Zusammenhang verwendeten Begriff des »Angestellten«, sondern auch zu dem des »Halbzugelassenen«, des Gasthörers also, der weder Rechte noch Pflichten hat, denn diese Form des Studiums hatte Kafka bei diesem Plan natürlich im Auge.

Und erst nach jahrelanger Beschäftigung mit einer Materie zeigt sich dann, ob der gewünschte Beruf zur Berufung wird, was Kafka in Klopstocks Falle, wo er eine medizinische Ausbildung empfahl, bejahte, während er sich selber eher in dem Kreis darstellte, der seine Verwerfung erfährt: Der Jurist, so äußerst er sich über seinen eigenen Beruf, müsse erst zu Staub zermahlen werden, ehe er sich im Gemeinschaftsleben nützlich machen könne, was K. ja im _Schloß_ anstrebt. Da er den Fluch des Vaters für diesen ungünstigen Gang der Dinge verantwortlich macht, ist es vielleicht auch nicht zufällig, wenn der unglückliche Botendienst des Barnabas aus einer Verfluchung seiner Familie herauswächst. [368]

c) Olga

Auch Olga läßt sich in den gegebenen Deutungsrahmen einordnen; die Schwierigkeit für den Interpreten besteht aber darin, daß Olga fast nur als

Erzählfigur auftritt, die vorwiegend über ihre Geschwister berichtet, so daß verhältnismäßig wenig Material über sie selbst zur Verfügung steht, und daß sie in verschiedenen Beziehungen gesehen werden muß, als Vertraute des Barnabas, als ihrer Schwester Amalia polar zugeordnete Lebensmöglichkeit und als Fortsetzerin väterlicher Pläne.

Olga ist auf einer ersten, motivlich-genetischen Ebene ein Bild für Kafkas Lieblingsschwester Ottla, freilich nicht im Sinne eines individuellen Porträts, sondern als typische Darstellung für die Problemlage eines westjüdischen Mädchens, weshalb Kafka auch Züge anderer ihm bekannter jüdischen Töchter auf Ottla-Olga übertrug. Daß diese manchmal Schwestern von Kafka nahestehenden Personen waren, erleichterte gewiß die Entstehung der im Roman dargestellten Verwandtschaftsbeziehungen. Nicht nur Julie hatte ein Schwester, mit der Kafka über seine geplante Ehe korrespondierte, sondern auch z. B. Werfel, Max Brod, Robert und Felix Weltsch: Sophie Friedmann und Lise Kaznelson spielten eine gewisse Rolle in seinen Vorstellungen. [369]

Kafka spricht davon, daß Ottla mehr von seinen Problemen verstehe als jeder andere; seine innere Lage schien ihm wesensgleich mit derjenigen von Max Brods Frau Elsa Taussig, die starke literarische Neigungen hatte, und dem ihm durch Lise Weltsch verkörperten westjüdischen Mädchentyp fühlte er sich »auf irgendeinem Umweg« über sich selbst sozial verbunden wie keiner andern Gruppe seiner Umwelt. [370] Diese Tatsachen sprechen dafür, daß die an Olga herausgestellten Eigenschaften wie im Falle Amalias auch eigene Verhältnisse darstellen sollen, nämlich die Gegebenheiten, denen Kafka unterliegt, insofern diese nicht durch die Darstellung des Barnabas abgedeckt waren. Besonders was biographisch nicht auf Ottla applizierbar ist, muß in diesem Sinne gedeutet werden. Dabei ergibt sich eine Abhängigkeit der Kinder von ihren Vätern, die völlig mit den sonstigen Aussagen Kafkas harmoniert und darauf hinausläuft, daß jene an das Wertsystem dieser gebunden bleiben, deren Konflikte sich also auf diese Weise durch die Generationen fortzeugen, und – dies wird in den andern Spätwerken nicht dargestellt – daß umgekehrt auch die Väter von den Lebensschwierigkeiten der Söhne und Töchter ergriffen werden. Hier die Belege im einzelnen: Olga ist die einzige Vertraute des Barnabas, und eine entsprechende Haltung nimmt sie gegenüber K. ein, vor dem sie offen ihre ganze Familiengeschichte ausbreitet; ausdrücklich wird erwähnt, daß auch K. Olga vertraut, die am Ende ihres Berichtes bekennt, aus Angst »zu täuschen, zu lügen, zu betrügen, alles Böse zu tun, wenn es nur hilft«. Man muß auch hervorheben, daß während des langen nächtlichen Beisammenseins zwischen Olga und K. nicht nur einfach erzählt, sondern daß das Vorgetragene von beiden Gesprächspartnern nach allen Seiten hin analysiert wird. Auf ähnliche Weise behandeln Olga und Barnabas Amalias Zusammentreffen mit Sortini und seine Folgen: »Es war ja so natürlich, daß wir immerfort die Briefgeschichte besprachen, kreuz und quer, in allen sicheren Einzelheiten und allen unsicheren Möglichkeiten, und daß wir immerfort im Aussinnen von Mitteln zur guten Lösung uns übertrafen, es war natürlich und unvermeidlich, aber nicht gut, wir kamen ja dadurch immerfort tiefer in das, dem wir entgehen wollten.« [371]

Dies alles spiegelt Kafkas Beziehung zu Ottla. Sie, die er »wahrhaftig, ehrlich, folgerichtig«, aber »im Geistigen rechnerisch« nannte, war tatsächlich die einzige, der er sich rückhaltlos anvertraute — nur sie wußte auch zunächst von seinem komplizierten Verhältnis zu Julie — und mit der er heimlich im Badezimmer die beide betreffenden Familienprobleme besprach; an diesem dunklen, stillen, abgelegenen Ort war man vor dem Vater sicher, der die beiden flüstern, lachen und hie und da sich erwähnen hört.

Diese ganzen Gesprächsvoraussetzungen sind in den Roman mitübernommen: Dort ist Amalia das Familienmitglied, vor dem die Diskussion des Geschehenen verborgen bleiben soll. K. sitzt mit Olga auf der Ofenbank, es ist dunkel, die beiden lachen, flüstern, Amalia hört einmal, daß vom Schloß die Rede ist, und wenn die Eltern und Olga früher die Verhältnisse »genau« besprachen — Barnabas ist noch zu jung, um alles begreifen zu können —, geschah es in einem Winkel, »wie versteckt vor Amalia«.

An andern Stellen wird auffällig darauf hingewiesen, daß sich nach dem entscheidenden Ereignis der Vater und die Mutter apathisch in einen »Winkel« des Wohnzimmers zurückzogen. Entspricht dies auch gut der Badezimmer-Situation des Dichters und verweist das Motiv so auf seine Weise noch einmal darauf, daß die Familie des Barnabas als Ganzes Kafkas Lebensprobleme veranschaulichen soll, so geht seine Bedeutung doch über diesen engen biographischen Bezug hinaus. Denn es ist in den Lebenszeugnissen überhaupt ein Bild für die Resignation und Isolation des Dichters nach seinen Kämpfen um die Ehe. [372]

Dabei ist eine spezifisch jüdische Komponente wohl immer mitzudenken. Denn ein solches Leben im dunklen, schmutzigen Winkel ist nach Kafkas Auffassung und seinem Hang zur Selbstquälerei der Ort, der dem Westjuden billigerweise zustehe.

Wie sehr Olgas Gespräche mit dem Bruder Kafkas Überlegungen mit Ottla entsprechen, zeigt ein Beleg aus dem *Brief an den Vater*, in dem Kafka zu erklären sucht, was er mit Ottla beredete. Er sitze mit der Schwester zusammen, um »mit allen Kräften des Kopfes und Herzens diesen schrecklichen Prozeß, der zwischen uns und Dir schwebt, in allen Einzelheiten, von allen Seiten, bei allen Anlässen, von fern und nah gemeinsam durchzusprechen«. [373] Hier sind nicht nur frappierende Übereinstimmungen in der Formulierung mit der eben zitierten Passage aus dem *Schloß*, wo Olga die Art ihrer Beziehung zu Barnabas darstellt, sondern auch in der Sache, insofern, wie schon gezeigt, die Amalia-Geschichte Kafkas Beziehung zu Julie und damit auch seine Auseinandersetzungen mit Hermann Kafka darstellen soll.

Wie Ottla ist Olga groß und stark — Frieda ist klein und schwach —, und als sie einmal mit einem Arm voll Holz vom Hof hereinkommt, heißt es von ihr: »frisch und gebeizt von der kalten Luft, lebhaft und kräftig, wie verwandelt durch die Arbeit gegenüber ihrem sonstigen schweren Dastehen im Zimmer«. So muß Kafka seine Schwester in Zürau erlebt haben, wo sie die schwersten landwirtschaftlichen Arbeiten verrichten mußte und über dieses naturnahe, tätige Leben glücklich war. [374]

Auch was sonst an Charaktereigenschaften über Olga ausgesagt wird, paßt zu Ottla. Olga ist die sanftere der beiden Schwestern, gutmütig, verlegen und unschuldig, aber ohne die Entschlossenheit ihres Vaters. Ottla erschien Kafka zuzeiten als reinste Darstellung der Ehe zwischen seinen Eltern, wo deren gegensätzliche Wesensmerkmale im Gleichgewicht zu sein schienen. Sie ist scheu, rein und hingebend, einfühlend wie die Mutter, aber eben in sehr vermindertem Maße, hat andererseits aber auch etwas von dem bedenkenlosen Mut und Selbstvertrauen des Vaters. [375] Auch ist Olga »gänzlich« auf sich allein angewiesen, »mit den Eltern konnte sich überhaupt niemand außer Amalia verständigen«. In völliger Übereinstimmung damit heißt es im *Brief an den Vater*: »Ottla hat keine Verbindung mit dem Vater, muß ihren Weg allein suchen, wie ich«. [376] Für Kafka war dies ein Zeitphänomen: Auch Minze E. sieht die Menschen und sich selbst in einem großen Gegensatz, was der Dichter teilweise auf die ungünstigen Lebensverhältnisse seiner Briefpartnerin zurückführt. An anderer Stelle äußert er sich über die »Vereinsamung« von Max Brods Frau, die er auf gesellschaftliche Ursachen zurückführt, denen er selber unterliege. [377]

Eine zweite Gruppe von Erzählmomenten läßt sich auf Kafka selbst beziehen und dokumentiert so, daß beide Schwestern des Boten eigene Lebensformen verkörpern. Da Ottla in allem Geistigen von ihm abhängig war und ihn imitierte, bot diese Übertragung auch schaffenspsychologisch keine Schwierigkeiten. Es handelt sich dabei um folgende Aussagen Olgas:

Sie vertritt die These, man werde, wenn man die kleinste, das eigene Leben betreffende Angelegenheit verstehen wolle, »ein ganzes Leben zu tun haben und nicht zu Ende kommen«. Dafür, daß Ottlas Charakter Ansätze zu einer derartigen Betrachtungsweise zeigte, gibt es Beispiele. Wichtiger ist aber, daß hier Kafkas eigene Auffassung durchschimmert, der in einem Brief einmal erwähnt, das seine Probleme betreffende Material sei im Laufe der Zeit so ungeheuer groß geworden, daß sich das Sprechen darüber fast verbiete. Max Brod war diese Sehweise des Dichters wohlbekannt. Im *Zauberreich der Liebe* schreibt er, alles, was mit Kafka zusammenhänge, sei »so ungeheuerlich schwierig und verwickelt, daß selbst bei langem Erzählen nur die ersten Andeutungen, gleichsam die Voraussetzungen dieser Liebe zum Vorschein kamen«. [378]

Damit läßt sich verbinden, was Olga einleitend über sich und ihre Familie sagt, nachdem K. ihre Frage, ob denn niemand über sie etwas erzählt habe, hat verneinen müssen. Sie sagt: »Natürlich, wie könnte jemand etwas erzählen. Jeder weiß etwas über uns, entweder die Wahrheit, soweit sie den Leuten zugänglich ist, oder wenigstens irgendein übernommenes oder meist selbst erfundenes Gerücht, und jeder denkt an uns mehr, als nötig ist, aber geradezu erzählen wird es niemand, diese Dinge in den Mund zu nehmen, scheuen sie sich. Und sie haben recht darin. Es ist schwer, es hervorzubringen ... « Man fühlt sich hier einmal an die *Forschungen eines Hundes* erinnert, wo von den Mithunden gesagt wird, sie wüßten mehr, als sie eingestünden, »und dieses Verschweigen, dessen Grund und Geheimnis sie natürlich auch noch mitverschwiegen, vergifte das Leben«. Auch der autobiographisch determinierte Ich-Erzähler schweigt, »Widerstand leistend den eigenen Fragen, hart aus Angst«.

Zum andern muß man den *Jäger Gracchus* hier anführen, wo sich der Schwarzwaldjäger für unfähig erklärt, seine Geschichte im Zusammenhang zu erzählen, und auf die Geschichtslehrer und die Lebenserfahrung verweist. [379]

Die Deutung der drei Stellen, die alle in die gleiche Richtung weisen, ist sehr schwierig, immerhin läßt sich zeigen, daß Gracchus ein Bild für Kafkas fehlende Verbindung zu anderen Menschen darstellt, die er, der extrem Bindungslose, einem geselligen Partner, der ihn aufsucht, naturgemäß nicht zusammenhängend artikulieren kann.

Für die Hundegeschichte läßt sich zumindest sagen, daß die Angst Lebensangst, Furcht vor der Wahrheit ist, die das Leben zerstören und aufheben würde. Ähnliches mag im *Schloß* vorliegen. Die schon erwähnte Ausgedehntheit der Verhältnisse macht eine »Überblick« ermöglichende Darstellung schwierig, auch ergibt sich die Schwierigkeit, daß dadurch Hoffnungen Olgas vernichtet werden, insofern sich K. von der Familie wegen des Erfahrenen abwenden könnte. Vor allem aber liegt in solcher Offenlegung der Verhältnisse die Gefahr, daß jede Daseinsmöglichkeit durch die Erkenntnis der Aussichtslosigkeit des Ringens zerstört wird.

Rein formal besteht — um auch kurz den Zusammenhang mit der fünf Jahre älteren Erzählung zu akzentuieren — die Motivverbindung zum *Jäger Gracchus* darin, daß auch dort die fragliche Geschichte repräsentativ für die Gemeinschaft sein soll (im Roman wird dies an der genannten Stelle dadurch angedeutet, daß »jeder« mehr als nötig an die Verachteten denkt, sonst auch durch den Hinweis, daß andere, wären sie, wie leicht möglich, in deren Lage gekommen, sich auch nicht besser geschlagen hätten). Außerdem lebt das außergewöhnliche Schicksal des Jägers im Bewußtsein der Leute als Wahrheit und Gerücht. Entscheidend für die Beweisführung im vorliegenden Zusammenhang ist aber nur, daß in den beiden Paralleltexten Aussagen gemacht werden, die der Auffassung Kafkas entsprechen, so daß man dies auch für Olgas Ausführungen anzunehmen hat.

Um die Folgen zu kennzeichnen, die Amalias Behandlung des Boten für die Familie hatte, gebraucht Olga den Begriff »Fluch«, der freilich merkwürdig fremdartig im Kontext wirkt; denn sie selbst führt das Verhalten der Leute sich und ihrer Familie gegenüber nur auf die Tatsache zurück, daß sie und ihre Angehörigen »die Sache« nicht überwinden konnten und das Vergangene nicht ruhen ließen. Deutlicher werden die Zusammenhänge auf der biographischen Ebene. Das Scheitern seiner Heiratspläne und die in seinem Gefolge auftretende Isolation wurde von Kafka, wie erwähnt, regelmäßig als väterlicher Fluch gedeutet, der sich ja ebenfalls äußerlich gesehen nur so auswirkte, daß er selbst zum Handeln sich unfähig fühlte. [380]

Das Entscheidende an dieser Figur ist aber ihr Verhältnis zur Sortini-Episode und, innerlich damit zusammenhängend, zum Vater. Der grundlegende, zweimal von ihr selbst betonte Sachverhalt ist, daß sie die alten Pläne und Bemühungen ihres Vaters um Rehabilitierung seiner Familie auf ihre Weise fortsetzt. Interessanterweise hat Kafka Ottlas Zürauer Aufenthalt als Wiederholung des väterlichen Lebensmusters unter anderen Bedingungen angesehen – Hermann Kafka protestierte so heftig dagegen wie der alte Schuster gegen die Vorstellungen seiner Tochter –, also in gewissem Sinne in der Art von Olgas Selbstdeutung verstanden. Auch tritt die Abhängigkeit des Dichters von den Wertvorstellungen seines Vaters in seiner Lebensplanung überall deutlich zutage. [381]

Olgas Interpretation ihres Verhaltens läßt sich am Handlungsgang als zutreffend verifizieren. Indem sie die »Wiedergutmachung der Beleidigung des Boten« zu ihrer Maxime erhebt, bleibt sie der Schloßwelt verhaftet, vor deren Instanzen ihr Handeln als Verdienst erscheinen soll. Sie versucht dies nicht durch direkte Anwendung des ius talionis zu verwirklichen, einem für bestimmte Bereiche des unbewußten, selbstquälerischen Seelenlebens gültigen Gesetz, das Kafka großartig in *Urteil*, *Verwandlung* und *In der Strafkolonie* veranschaulicht, wo die Figuren ihre Schuld zu tilgen suchen, indem sie das an sich selbst vergelten, was sie den anderen antaten oder antun wollten [382]; wohl aber durch stellvertretende Demut und Selbstpreisgabe in einem Verhalten, das jetzt im Übermaß zur Verfügung stellt, was bei der Beschuldigung verweigert wurde. Hatte Amalia den Knecht beleidigt, indem sie Sortinis unzüchtiges Angebot abrupt zurückwies, sucht Olga dadurch die Versöhnung, daß sie sich dauernd den gemeinen Schloßdienern im »Herrenhof« hingibt; derselbe Mechanismus ist wirksam, wenn sie in der Person des Barnabas dem Schloß einen neuen Boten anbietet, der den Beleidigten, der sich mit Sortini in die hinteren Kanzleien zurückgezogen hatte, ersetzen und ihm das Vergessen ermöglichen sollte. [383]

Wesensmäßig besteht kein Unterschied zwischen diesen Handlungen und den Bemühungen des Vaters vor den Schloßinstanzen, und Olgas Abhängigkeit von den Reaktionen der Behörden findet sich auch bei ihrem Vater, der überdies ein glühender Verehrer Sortinis war.

Die Art der Handlungsführung ist aus dem Romankontext nicht weiter deduzierbar, jedoch auf der biographischen Ebene als Ausdruck grundlegender Erfahrungen des Dichters verstehbar. Im *Brief an den Vater* aus dem Jahr 1919 berichtet Kafka auch von dem ungerechten und ungezügelten Verhalten des Vaters gegenüber den Angestellten seines Geschäfts, das dazu geführt habe, daß er, Kafka, »notwendig zur Partei des Personals« gehört habe. Schon aus Ängstlichkeit habe er nicht begriffen, wie man einen Fremden so beschimpfen konnte, und darum aus Ängstlichkeit das seiner Meinung nach fürchterlich aufgebrachte Personal irgendwie mit dem·Vater, mit der Familie schon um seiner eigenen Sicherheit willen aussöhnen wollen: »Dazu genügte nicht mehr gewöhnliches, anständiges Benehmen gegenüber dem Personal, nicht mehr bescheidenes Benehmen, vielmehr mußte ich demütig sein, nicht nur zuerst grüßen, sondern womöglich auch noch den Gegengruß abwehren. Und hätte ich, die unbedeutende Person, ihnen unten die Füße geleckt, es wäre noch immer kein Ausgleich dafür gewesen, wie Du, der Herr, oben auf sie loshacktest. Dieses Verhältnis, in das ich hier zu Mitmenschen trat, wirkte über das Geschäft hinaus und in die Zukunft weiter... etwas Ähnliches, aber nicht so gefährlich und tiefgreifend wie bei mir, ist zum Beispiel auch Ottlas Vorliebe für den Verkehr mit armen Leuten, das Dich so ärgernde Zusammensitzen mit den Dienstmädchen und dergleichen«. [384]

Die Zusammenhänge mit der Olga-Handlung sind mit den Händen zu greifen. Auffällig ist doch, daß Kafka, um seine Mitmenschen mit der Ungerechtigkeit des Vaters zu versöhnen — das elterliche Geschäft wird ausdrücklich als symptomatischer Beispielfall für eine dann in Kafkas späterem Leben allgemein wirksame Gesetzlichkeit angesehen —, stellvertretend für die Familie die Haltung unterwürfiger Demut einnahm. Besonders aufschlußreich ist, daß er gerade in diesem Punkte eine Wesensverwandtschaft mit Ottla sieht, die im Sinne dieser stellvertretenden Kompensation die Verachtung des Vaters für gesellschaftlich Niederere und seine auf die Kinder lächerlich wirkende Verehrung höherer Beamter, die auch Amalias Vater auszeichnet (dem diese deswegen Vorhaltungen macht), durch freundlichen Umgang mit Bediensteten auszugleichen suchte; denn die auch Ottla repräsentierende Olga sitzt doch zweimal in der Woche mit Klamms Dienerschaft zusammen, zunächst unter dem heftigen Protest ihres Vaters. Sogar in diesem Nebenpunkt gibt es eine schon angeführte, überraschende Übereinstimmung mit Ottlas Biographie. Kafkas Vater sagte über sie: »Man kann ja mit ihr gar nicht sprechen, sie springt einem gleich ins Gesicht«, was Kafka wie folgt interpretiert: »die Sache springt Dir ins Gesicht«. Und Olga erzählt: »Als ich meinen Plan dem Vater erzählte, wurde er zuerst sehr ärgerlich... Ich hatte noch nicht zu Ende erzählt, schon war mein Plan verworfen«. [385] Vor allem aber fußt Olgas Verhalten — sie handelt wie Kafka für die Familie — auf dem gleichen seelischen Mechanismus wie das entsprechende des Dichters.

Man kann den Vergleich unter dieser speziellen Optik noch weiter treiben und in Amalia auch Momente Hermann Kafkas verkörpert sehen: Olga will ja die Behörden mit Amalias Verhalten versöhnen, dem auf der biographischen Ebene dasjenige des Vaters entspricht, der ja auch, wie gezeigt, hinter der Botschaft Sortinis steht. Man könnte in diesem Zusammenhang anführen, daß die besinnungslose Wut Hermann Kafkas, mit der er etwa Waren vom Tisch warf, die ein Angestellter dann aufheben mußte, in Amalias Verhalten dem Knecht Sortinis gegenüber wiederkehrt; denn sie wirft empört dem auf Antwort wartenden Mann die Fetzen des zerrissenen Briefes ins Gesicht; bezeichnenderweise steht in der Familie die Beleidigung dieses Boten im Mittelpunkt und nicht etwa Sortinis mögliche Reaktion; die vermutete Beziehung wird dadurch natürlich wahrscheinlicher.

Außerdem hat Amalia die geistige Führung der Familie inne, obwohl nominell Barnabas das Familienoberhaupt ist; die Abhängigkeit Olgas von Amalia, die doch jünger ist, wird ausdrücklich betont, Kafka hebt entsprechend die »geistige Oberherrschaft« seines Vaters über die Familie hervor, von der er und natürlich Ottla, die sich mit den Augen des Vaters anzusehen vermochte, sich nicht befreien konnten. Man erinnere sich auch, daß Amalia schon in einem andern Zusammenhang funktionsmäßig Hermann Kafka vertrat. Ihr Geschick ist der Inhalt der Gespräche zwischen Olga und Barnabas bzw. K., und auf der Vergleichsebene handeln Kafkas und Ottlas Gespräche vom Vater; in bezug auf Julie Wohryzek und Kafkas Beziehung zu Menschen ist beides auch sachlich identisch. Schließlich könnte man in diesem Zusammenhang Amalias bisher nicht gedeutete Haupteigenschaft anführen, nämlich ihre Herrschsucht, die der Deutung Hermann Kafkas im *Brief an den Vater* entspricht. Er ist dort der Herr, der Tyrann, der über allen andern stehend die Geschichte der Familie lenkt. Daß Amalias Eigenschaften für Kafka eine Art Ideal darstellten, wäre aus dierser Optik noch durch die Tatsache determiniert, daß das väterliche Wertsystem vom Sohn nicht verlassen werden kann. [386]

Dieser Gedanke wird ja in Olgas Verhalten in den Mittelpunkt gestellt, und er liegt ganz ausdrücklich Kafkas Deutung des Generationenkonflikts zugrunde: In seinen letzten Lebensjahren war der Vater für Kafka nur ein älterer Bruder, »auch ein mißratener Sohn«, der kläglich versucht, seinen jüngeren Bruder, der ebenfalls bald in die Lage des älteren kommt, zu beirren. An anderer Stelle ist davon die Rede, das Generationenproblem betreffe eigentlich nicht den unschuldigen Vater, sondern dessen Judentum: »Mit den Hinterbeinchen klebten sie noch am Judentum des Vaters und mit den Vorderbeinchen fanden sie keinen neuen Boden.« Der *Brief an den Vater* zeigt, daß Kafka sich in diese Kritik einschließt, auch wird die gleiche Bildstruktur — und das zeigt, daß feste, geprägte Vorstellungszusammenhänge vorliegen — noch an einigen anderen Stellen in gleicher Bedeutung verwendet, bezeichnenderweise auch von dem ihm nahestehenden westjüdischen Mädchentypus, den Olga verkörpert. Als Lise Weltsch, die ihre Prager Umgebung verlassen und selbständig in Berlin arbeiten wollte, über Familienzwistigkeiten klagte, schrieb er: »windet sich doch nur wie eine festgenagelte Schlange. Ihr ist nicht zu helfen«. [387] Dies alles kann nur heißen, daß die Söhne und Töchter die Lebensformen der Väter nicht verlassen können, möglich ist, wie das Gegenbeispiel Amalia zeigt, die schroffe Zurückweisung, die negativ auf die väterlich-männliche Welt des Schlosses bezogen bleibt, unglücklich, aber innerlich fester und ruhiger macht als die Lebensformen Olgas und ihres Bruders.

7. Kapitel:
Pepi und ihre biographisch-literarischen Vorbilder

Als unerwartet komplex erweist sich die Figur der Pepi. Vier wichtige Aspekte müssen unterschieden werden: Erstens sind bedeutende und zahlreiche Verbindungslinien zu Frieda nachweisbar. Die ganze Erzählung des Zimmermädchens ist ja auf ihre Vorgängerin im Ausschank und deren Verhältnis zu K. bezogen. Offensichtlich wollte Kafka aber überdies durch ausgesprochene Parallelen zwischen den beiden Mädchen zum Ausdruck bringen, daß, bei allen Unterschieden des Niveaus und der eingeschlagenen Lebenswege, ein gleiches Strukturmuster, ein ähnliches Schicksal zugrunde liegt:

Frieda und Pepi haben den gleichen beruflichen Ausgangspunkt, denn sie haben eine Zeitlang zusammen in einem Bett geschlafen, beide werden Ausschankmädchen, denen Gäste nachstellen, lieben K. und überreden ihn zu einem unerlaubten nächtlichen Aufenthalt im »Herrenhof« und zu einem gemeinsamen Leben. Frieda gibt ihre Stelle als Bedienung um K.s willen auf, Pepi will und würde es tun, und beide verstehen diese Tat als Opfer. Beide sind klein, unvorteilhaft gekleidet, dazu sind Friedas und Pepis Blusen tief ausgeschnitten; und überdies trägt jene einen seidenen Unterrock, diese am Kleid eine Masche aus diesem Material.

Beide sind praktisch ohne Besitz, denn Friedas Habe besteht in einem kleinen Wäschebündel, Pepis Sachen haben in einem Rückenkorb Platz. Beide verachten Amalia, behandeln K. bei seinen Aufenthalten im Ausschank zunächst hochmütig, weinen später über sein Verhalten ihnen gegenüber, liegen und sitzen mit ihm im Dunkel des Ausschanks, und bringen ihm zu essen, während sie ihm klagen und erzählen.

Pepi betont die Ausdruckskraft ihrer Augen, die K. bei Frieda hervorhebt, und Friedas Verhältnis zu Klamm entspricht, daß Pepi auf diesen wartet und in dem Schreiber Bratmeier einen Verehrer hat; geht Frieda nach dem letzten Gespräch mit K. zusammen mit Jeremias weg, so Pepi mit Bratmeier. Schließlich vergleicht K. selber die beiden. Frieda ist »ein um seine Existenz kämpfendes Mädchen wie Pepi auch« und wegen mutmaßlicher Schloßbeziehungen für K. mit Frieda vergleichbar. In einer gestrichenen Partie heißt es über K.s zweiten Besuch im »Herrenhof«: »Und doch, da K. sie hier sitzen sah, auf Friedas Sessel ... vielleicht heute noch Klamm beherbergte, die kleinen dicken Füße auf dem Fußboden, auf dem er mit Frieda gelegen war ... mußte er sich sagen, daß er, wenn er statt Frieda Pepi hier getroffen und irgendwelche Beziehungen zum Schloß bei ihr vermutet hätte ... das Geheimnis mit den gleichen Umarmungen an sich zu reißen gesucht hätte, wie er es bei Frieda hatte tun müssen.« [388]

Auf einer zweiten Ebene repräsentiert Pepi einen bestimmten Frauentyp, der zu Kafkas Urerfahrungen gehörte und durch Frieda, Olga, Amalia und Gisa nicht im Roman vertreten wird. Der Dichter berichtet davon, daß sein Geschlecht ihn häufig quälte, so daß der Körper jedes zweiten Mädchens ihn lockte; gegen Ende seines Meraner Aufenthalts begegnete ihm z. B. ein »sehr williges Mädchen«, das ihm eindeutige Angebote machte. Dafür, daß in Pepi derartige Erfahrungen Gestalt geworden sind, sprechen folgende Gegebenheiten:

1) Die durch Pepi vorgestellte Möglichkeit, mit dem andern Geschlecht zu kommunizieren, hat in den eben erwähnten lebensgeschichtlichen Gegebenheiten ein genaues Äquivalent, das als einziges der in den Briefen und Tagebüchern angeführten Beziehungsweisen zu Frauen im Roman noch nicht vertreten ist.

2) Kafka mußte sich die Worte des Meraner Mädchens »gewissermaßen« erst in seine Sprache übertragen, um sie überhaupt verstehen zu können, so unverblümt und direkt waren sie. In Übereinstimmung damit erklärt Pepi, K. zu lieben wie noch nie jemanden, ihn wahre Liebe – »das Allernächste, das Allerbeste, das Allerschönste« – lehren zu wollen; sie faßt ihn bei den Schultern, so schon von ihm Besitz ergreifend, um ihm mehrfach nachdrücklich ein gemeinsames Leben mit ihren Freundinnen vorzuschlagen, die K. gefallen würden. In ihrer dunklen Kammer ist es »warm und eng«, »und wir drücken uns noch enger aneinander«. Auch über diese Worte könnte man sagen, man müsse sie erst »übersetzen«, um Sinn und Tragweite zu erfassen.

3) Die zeitliche Reihenfolge, in der Kafka 1919 und 1920 seine Partnerinnen kennenlernte, muß lauten: Julie – Milena – Meraner Mädchen. In entsprechender Abfolge treten die ihnen zugeordneten Romanfiguren auf: Amalia – Frieda – Pepi. In gewisser Weise sind im Roman die Beziehungen K.s zu diesen drei Frauen aber auch gleichzeitig. Ebenso betrachtete Kafka seinen Meraner Aufenthalt als zeitliche Einheit.

4) Im gleichen Satz, in dem er von der eben erwähnten Meraner Begegnung berichtet, erwähnt er auch, während der ersten Meraner Zeit habe er gegen seinen »offenen Willen« Tag und Nacht Pläne gemacht, wie er sich eines »Stubenmädchens« bemächtigen könne; Pepi hat den gleichen Beruf.

5) K. wird von Pepi verlockt wie der Dichter von dem Meraner Zimmermädchen. K. will eine ihrer Maschen öffnen, hält ihre Hand zwischen den seinen, streichelt ihre Wange und sieht sie so gierig an, daß er für ein Weilchen seine Augen bedecken muß. Der Satz: »Niemals hätte K. Pepi angerührt« hat in der zitierten Willenserklärung des Dichters hinsichtlich seiner ersten Meraner Zeit seine Parallele (»gegen meinen offenen Willen ... «). [389]

6) Neben den vielen angeführten Gemeinsamkeiten zwischen Frieda und Pepi gibt es auch entscheidende Unterschiede. K.s Überlegung, daß ihn auch eine Umarmung Pepis »aufmuntern« könne für seinen schweren Weg zu Klamm und zum Schloß, setzt sich wie folgt fort: »Dann war es vielleicht nicht anders als bei Frieda? O doch, es war anders. Man mußte nur an

Friedas Blick denken, um das zu verstehen.« Die erlebnismäßige Grundlage dafür ist unter anderem die Tatsache, daß Kafka die genannten Meraner Vorgänge im Zusammenhang und Vergleich seiner erotischen und geistigen Faszination durch Milena sieht: Sie wirkt auf ihn so ein, daß der sonst häufig bei ihm wirksame Zwang, sich sexuell zu betätigen, daß seine »Sehnsucht nach Schmutz«, die auch jene Meraner Mädchen in ihm hervorriefen, durch ihre körperliche Nähe und Ausstrahlungskraft, besonders der Augen, aufgehoben wurde.

Man kann davon ausgehen, daß Kafkas Erfahrungen zeittypisch waren. Dafür wenigstens einen Beleg. Anfang 1921 reichte der Fachverband der Kaschauer Caféhausbesitzer beim zuständigen Ministerium einen Antrag ein, in welchem gefordert wird, weibliche Bedienung in Café- und Wirtshäusern zu verbieten. Dabei konnte darauf verwiesen werden, daß die meisten Hoteldienstboten Prostituierte seien, daß viele das 14. Lebensjahr noch nicht erreicht hätten und täglich 14–16 Stunden arbeiten müßten. Außerdem wird die Bedienung durch Zechkellnerinnen abgelehnt, die nur schon betrunkene Gäste zur Vergeudung animierten. Die Nähe der hier geschilderten Verhältnisse zu Pepi und ihrer Arbeit ist unverkennbar.

Offensichtlich kam es Kafka darauf an, die psychisch stärkere Figur von der undifferenzierten, nur im Sinnlich-Sexuellen verharrenden dadurch abzusetzen, daß er dieser eine pralle und gefällige Leiblichkeit zuordnete, deren einzelne Komponenten bei jener bewußt ins Gegenteil verkehrt sind, so daß die Überlegenheit Friedas ganz ausschließlich als Folge innerer Fähigkeiten und Kräfte erscheint, während Pepi scheitert, die die Durchsetzung ihrer Ziele mit rein körperlichen Mitteln versucht: Denn ist diese jung, rundlich, rot, im Besitz üppigen Haares und auf anziehende Kleidung aus, so wird ihre erfolgreichere Konkurrentin als ältlich, mager, gelblich, mit schütterem Haar behaftet und als schlampig gezeigt. Es besteht also ein sozusagen systematischer Unterschied zwischen den beiden vergleichbaren Romanpersonen, der auf die unterschiedlichen Erfahrungen zurückgeht, denen Kafka hinsichtlich der Anziehung durch das andere Geschlecht in dieser Zeit unterlag.

Die Art und Weise, wie Pepi durch Kokettieren mit ihrem Äußeren — K. beanstandet besonders ihre Kleidung — die Männer im Ausschank zu gewinnen sucht, scheint außerdem auch durch Erfahrungen Kafkas in Matliary beeinflußt. In einem an Ottla gerichteten Brief vom Anfang des Jahres 1921 berichtet Kafka von einem jungen, kleinen Mädchen, das ihn »ein wenig beschäftigt« habe. Es habe beispielsweise abends im Speisesaal zwei Offiziere sitzen sehen, sei auf sein Zimmer gelaufen, habe sich dort geschmückt und frisiert und sei dann in seinem »schönsten Kleid« wiedergekommen. Da die Offiziere inzwischen weggegangen waren, mußte Kafka sie trösten.

Er wolle, fährt Kafka in dem eben erwähnten Bericht fort, nicht beschreiben, warum dieses Mädchen unmöglich begehrenswert sein könne, immerhin: »Von einem hat sie auch schon einen Brief bekommen, aber wie wenig ist das gegenüber dem, was wahrscheinlich in dem Marlittroman, den sie liest, jeden Tag zu geschehen pflegt.«

Nicht nur Alter und Körpergröße, das Sich-zur-Geltung-bringen-Wollen (so Pepi über sich selbst) und die Art des Erfolgs (der erwähnte Brief kann dem Kettchen parallelisiert werden, das Bratmeier dem Schankmädchen schenkt) erinnern an die Romanhandlung, sondern eben auch das Inadäquate des Vorgehens, das bei Kafka Mißbilligung hervorruft, und das Schwelgen in Jungmädchenträumen, scheint doch Pepis Aussage, K. sei ihr als »Held« und »Mädchenbefreier« erschienen, der ihr »den Weg nach oben« freigemacht habe, unmittelbar den Kategorien des erwähnten Trivialromans zu entsprechen. [390]

Auf einer weiteren Ebene läßt sich Pepi als Kafkas Verständnis eines Mädchens deuten, mit dem der verheiratete Max Brod 1920 eine Liebesbeziehung eingegangen war. Die damit gegebenen Probleme bilden, neben Kafkas Krankheit, das Hauptthema in seinen Briefen an den Freund seit diesem Jahr. Aber natürlich erfuhr er auch, wenn er in Prag war, mündlich alle Einzelheiten des Falles. In einem an die Freundin Brods gerichteten Brief vom August 1922 heißt es: »Herzlichen Dank für Karte und Brief, sie haben mich gar nicht überrascht, es war mir als wäre es gar nicht der erste Brief, so viel habe ich schon von Ihnen gehört und so vertraut ist mir Ihr Name. Nur daß ich Sie noch nicht gesehn und gehört habe ist ein Mangel, aber auch der ist nicht immer fühlbar, so sehr leben Sie in Maxens Erzählungen.« Literarisch behandelt Max Brod diesen Konflikt unter anderem in seinen Büchern *Franzi oder Eine Liebe zweiten Ranges* und *Leben mit einer Göttin*, was natürlich auch Kafka wußte. Anfang August 1922 schreibt er an Brod über dessen Geliebte: »Ich kenne sie als die wunderbare Freundin nach dem, was Du von ihr erzählst, ferner kenne ich sie als die zwar unverständliche, aber niemals anzuklagende Göttin der Novelle . . . «

Weitere Stellungnahmen Kafkas zu diesem Buch sind nur zu verstehen, wenn man die Einzelheiten der Beziehung Brods kennt. Ihre Tendenz zielt darauf ab, die in Brods Werk liegende Selbstquälerei, an der Kafka zu partizipieren glaubte, etwas zu mildern. [391] Schließlich hat Brod in seinem 1958 erschienenen Buch *Mira. Ein Roman um Hofmannsthal* eine ziemlich ausführliche, zusammenhängende und jedenfalls viel unverschlüsseltere Darstellung dieser Ereignisse gegeben als in den mit ihnen gleichzeitigen Romanen. Dieses Werk wird im Folgenden ebenfalls als Quelle herangezogen, weil Kafka, wie die Zitate zeigen, mit allen Phasen der den Freund betreffenden Geschehnisse vertraut war. [392]

Zunächst sollen die Einzelzüge aufgezählt werden, die Kafkas Abhängigkeit in der Darstellung Pepis von Brods Liebesverhältnis und dessen literarischen Deutungen beweisen. In einem zweiten Schritt wird dann versucht, Kafkas von Brod unterschiedene Sehweise der Gegebenheiten herauszustellen. Ein erster Punkt betrifft Name und Herkunft Pepis und ihres Vorbildes.

Brods Freundin war Stubenmädchen in einem Berliner Hotel, in dem er übernachtete, weil er in seiner gewohnten Unterkunft kein Zimmer frei fand; an diesem Abend tobte ein Schneesturm. Entsprechend ist auch Mira, also die Titelgestalt des autobiographischen Romans von 1958, Stubenmädchen; im Roman wird berichtet, sie sei vorher Kellnerin gewesen; sie stammt vom Land, ihr Vater war Gärtner bei einem Fürsten. Entsprechend ist Franzi zunächst Kindermädchen, später in Bars und Tanzlokalen angestellt. Nicht nur, daß auch Pepi Zimmermädchen und Kellnerin ist, fällt auf, sondern auch die Tatsache, daß ihre ländliche Herkunft betont wird — sie ist »rot« —, daß sie nicht in dem Gasthaus beschäftigt ist, wo K. zunächst wohnt, und daß dieser später — draußen herrscht Schneetreiben — bei ihr im Ausschank und in der Kammer Unterschlupf sucht, nachdem er von »Brückenhof« und Schule vertrieben ist. Über das gegenseitige Verhältnis sagt der Ich-Erzähler des *Lebens mit einer Göttin*, er sei der Geliebten »durch Länder und Meere und Jahrtausende entrückt«. Und an anderer Stelle meint er: »Unmöglich, zu ihr zu gelangen. Es war nicht meine Welt.« Mira ist mit den Tiefen der Natur verbunden, er, der Städter, ihr entfremdet, was eine nur leicht verschlüsselte nationaljüdische oder antisemitische Argumentationsweise darstellt. Statt umständlicher Beweise in diesem Zusammenhang nur zwei Zitate. Das eine aus einem Brief Kafkas an Max Brod vom Juli 1922, wo er über das Kapitel *Unser Land* in Friedrich von der Leyens *Deutschen Dichtung in neuer Zeit* schreibt: »... die Menge ... dichterischer Männer ... nach Landschaften geordnet, deutsches Gut, jedem jüdischen Griff unzugänglich, und wenn Wassermann Tag für Tag um 4 Uhr morgens aufsteht und sein Leben lang die Nürnberger Gegend von einem Ende zum andern durchpflügt, sie wird ihm nicht antworten ... « Das andere von Kafkas und Brods vertrautem Freund Felix Weltsch, der in einer Rezension des *Lebens mit einer Göttin* ausführt: »Es steht wohl nirgends ausdrücklich; aber der Held dieses Romans ist offenbar Jude und die Heldin Christin. Er ist Berliner, Fabrikant, Großstadtmensch, sie ist die Tochter eines dem Bauernstande entsprossenen Münchner Professors.« Und immer wieder wird seine Unruhe, Hast und Nervosität gegenüber ihrer in sich ruhenden Sicherheit hervorgehoben. [393]

Zu diesen Zusammenhängen paßt es dann, daß Kafka, als er zum erstenmal von Brods neuer Liebe erfuhr, sich darüber wundert, daß Brod nicht daran denke, was er für das Mädchen bedeute: »Ein Fremder, ein Gast, ein Jude sogar, einer von den Hunderten, denen das schöne Stubenmädchen gefällt ... « Entsprechend ist dann K. gegenüber der von allen Gästen verehrten Pepi ebenfalls ein Gast — sie bedient ihn, als er zum erstenmal in den Ausschank kommt — und Fremder, dessen Handlungsweise sie überhaupt nicht versteht; umgekehrt wird K. des öfteren von seinen Geschäftspartnern vorgehalten, daß er die Verhältnisse der Einheimischen nicht verstehe. Daß er einer anderen Welt als Frieda angehört, wurde schon in anderem Zusammenhang erwähnt.

Mira hat zwei Schwestern, denen sie helfen will, nachdem sie durch die

Liebe des Erzählers in bessere äußere Verhältnisse kommt. Sie lebt eine Zeitlang in der »Henriettenstraße« einer deutschen Stadt. In Wirklichkeit hieß Brods Freundin Emmy und hatte drei Schwestern, von der allerdings eine verheiratet und gegen Brod eingestellt war; deswegen wohl wird sie in *Mira* übergangen. Franzi, die in Wirklichkeit Josephine heißt, hat ebenfalls Freundinnen, mit denen sie zuweilen lesbisch verkehrt. Schließlich ist zu erwähnen, daß die weibliche Hauptfigur von Brods 1907 erschienener Erzählung *Das tschechische Dienstmädchen* Pepi heißt. William, der dumpfe Indifferente, in dem die Prager Zionisten eine jüdische Figur zu erkennen glaubten, wird durch seine Liebe zu der einfachen Tschechin dem Leben zurückgegeben. Der auf persönlichen Erlebnissen beruhende Roman wollte zwischen Deutschen und Tschechen vermitteln. [395] Diese Zusammenhänge sind alle ins *Schloß* eingegangen. Die Kurzform von Josephine ist Pepi, deren Zimmergenossinnen Henriette und Emilie heißen — Emmy ist die Kurzform von Emilie. Kaum hat Pepi die neue Stelle eingenommen, die sie K. verdankt, will sie ihren Freundinnen helfen. Und einen Nachklang der geschlechtlichen Beziehungen zwischen Franzi und ihren Freundinnen kann man in Pepis Aussage über sich und Frieda sehen: »immer haben wir zusammen in einem Bett geschlafen.« Dies wieder zurückprojiziert auf die biographische Ebene müßte bedeuten, daß Milenas Beziehung zu ihren Freundinnen überaus eng gewesen sein könnte. Tatsächlich hatte Milena lesbische Züge, obwohl M. Buber-Neumann es abstreitet. [396] Unter dieser Voraussetzung wird aber Kafkas Eifersucht auf diese Freundinnen überhaupt erst sinnvoll und verständlich. [397]

Dann gibt es Übereinstimmungen im Aussehen zwischen Pepi und Brods Freundin beziehungsweise deren literarischen Porträts: Emmy hat kastanienbraunes Haar, Franzi eine rotlockige Bandfrisur; letztere hat Frisiertalent und war sogar eine Zeitlang als Friseuse tätig. Sie brennt sich die Haare mit einer »Kulmschere«, und zwar so, daß die Löckchen als »Halbkreise ins blasse Gesichtchen hinein« ragen, auch trägt sie Stirnbänder und benützt, wie auffällig hervorgehoben wird, Parfüm. Pepi besitzt üppiges, rötlichblondes Haar, das sich »rund um das Gesicht« kraust, ihre Haare sind der Stirn entlang und an den Schläfen sorgfältig gebrannt, eine »Fülle« von Maschen und Bändern windet sich durch diese Lockenpracht; unter ihren Utensilien werden Bürste, Kamm, Brennschere und Parfümflasche hervorgehoben: »Fürs Frisieren hat sie eine besondere Anlage, einmal hat die Wirtin sogar sie kommen lassen, ihr die Frisur zu machen«. Andererseits wird erwähnt, daß Pepi einen Zopf habe — Franzis Zweitfrisur ist ein schlichter Haarknoten —, was ihre Einfachheit, vielleicht auch ihren Stand bezeichnen soll: Kafka erwähnt in einem Brief an Milena, er habe im Traum drei nett angezogene Gepäckträgerinnen gesehen, eine davon habe einen Zopf gehabt. [398]

Pepi wird einmal als »augenblitzend« vorgestellt, Franzis Augen funkeln. Mira ist schön gewachsen, die Geliebte im *Leben mit einer Göttin* zeichnet sich durch eine »sehnsuchterweckende Kindlichkeit ihrer Arme, ihrer Hüften«

aus, im Lauf der Ereignisse wird ihre Gestalt »voller« und »gesünder«. Franzi hat eine volle Wangenform und damit ein rundes Gesichtchen. All dies drängt zur Löschung des Durstes, »zu Begier und Besitzergreifung«. [399] Offenbar amalgamierte sich nun mit dieser Gestalt Kafkas Bild von einem ihm verwandten Mädchen, das ihn um Hilfe angegangen hatte. Er war der Meinung, sie warte noch immer auf eine innere Erfüllung ihres Lebens, obwohl die dazu notwendigen Voraussetzungen längst schon vorüber seien. Dementsprechend habe sie sich einzurichten. Eine solche Situation liegt etwa auch bei Emilie vor. Pepi und der Herrenhofwirt vertreten ihr gegenüber im Roman Kafkas Position. Das Äußere dieser Verwandten scheint teilweise auf Pepi übergegangen zu sein, denn sie besitzt ein übergroßes, rotbackiges, rundes Gesicht und einen kleinen, vollen Leib.

Pepi ist außerdem »klein, rot, gesund«, K. sieht den ein wenig rundrückigen Körper gierig an. [400]

Franzi trägt zuerst ein braunes, tiefausgeschnittenes Taftkleid, also ein für damalige Verhältnisse wertvolles, schimmerndes Seidengewebe; später trägt sie einmal einen glänzenden Schlafrock. Eine Zeitlang volontiert sie in einem Schneiderinnen-Atelier. Der Geliebte sagt zu ihr an einer Stelle: »In einfachen Kleidern bist du schöner.« Mira trägt ein tiefausgeschnittenes schwarzes Taftkleid beim ersten Rendez-vouz mit dem Erzähler, es ist, wie sie gleich gesteht, ihr »bestes und einziges«. Pepi trägt eine weitausgeschnittene Bluse aus wertvollem, »grauglänzendem Stoff« mit einem Seidenband, was man nicht nur mit Friedas seidenem Unterrock, sondern auch dem Aufzug der Herrenhofwirtin und mit Frau Brunswick in Verbindung ›bringt, die, als K. sie sieht, ein Schein »wie von Seide« umgibt. Abhängigkeit von der Quelle und werkimmanenter Verweisungszusammenhang – die mit dem Schloß in Verbindung Stehenden zeichnet dieses Glänzen aus, also z. B. auch Barnabas – harmonieren miteinander. In der Farbgebung herrscht insofern Übereinstimmung mit den Quellen, als die drei genannten Farben alle unter den gemeinsamen Oberbegriff »dunkel« fallen. Über den Staat der Herrenhofwirtin heißt es: »es waren meist dunkle, graue, braune, schwarze Kleider«; das Grau ist die zu Pepi passende jugendliche Spielart dieser damals im bäuerlichen Bereich üblichen Dreiheit. Es ist Pepis einziges Kleid, das sie selbst geschneidert hat, es scheint ihr gelungen, als ob es Amalia, die beste Schneiderin des Ortes, angefertigt hätte. Über ihren Aufzug sagt K. mißbilligend, wenn sie im einfachsten Kleid komme, werde sie im Ausschank alle gewinnen. [401]

Drittens gibt es verblüffende Analogien hinsichtlich der gegenwärtigen Lebensweise von Pepi und Emmy. In dem dunklen, engen Zimmer des »Herrenhofes« herrscht dumpfe Luft, weil immer geheizt wird, in der kleinen Dachkammer Miras steht ein schadhafter Ofen, dessen Dämpfe sie nachts zu ersticken drohen. Franzis letzter Posten, den sie wegen eines Cousins des Erzählers, der das alter ego des Autors repräsentiert, mit dem eines Animiermädchens vertauschte, war schlecht. Sie mußte oft bis Mitternacht arbeiten,

das neue, sich daran anschließende und sich bis in den frühen Morgen hin-
ziehende Leben war gleichfalls »zum Sterben erschöpfend«; sich einmal ausschlafen zu können, ist ihr höchster Wunsch. Und Mira klagt, ihr Beruf sei
»unleidlich, eine einfach nicht zu überstehende Prüfung«.

Das Zimmermädchen Pepi ist »eigentlich immer müde. Den einen freien
Nachmittag in der Woche verbringt man am besten, indem man ihn in
irgendeinem Verschlag in der Küche ruhig und angstlos verschläft«. Pepi
als Schankmädchen, die ihre Funktion auch in der Weise des entsprechenden
Berufs Franzis versteht — »die Eingänge waren durchschnittlich sogar etwas
größer als zu Friedas Zeit«, erklärt sie stolz K. —, sagt über ihren neuen
Posten: »Viel Abend- und Nachtarbeit ist hier, das ist sehr ermüdend, ich
werde es kaum ertragen«. Sie ist ja auch im Ausschank, als K. um fünf Uhr
morgens von den Verhören dorthin kommt. [402]

Auch gibt es Ärger mit den Vorgesetzten: Der Hoteldirektor stellt Mira
nach, dringt schimpfend und fluchend in ihr Zimmer ein und zerstört mutwillig ihr Eigentum. Auch Franzi berichtet von Nachstellungen, denen ein
schönes Mädchen ausgesetzt ist, auch von seiten ihres Chefs, der ihr angeblich mangelndes Geschäftsinteresse anprangert. Außerdem: Franzi hat einen
Nachschlüssel zum Schreibtisch des Cousins, wichtige Akten fehlen, die der
Erzähler dann in ihrem Wäscheschrank findet. Das alles hat Kafka geschickt verwertet: Als Zimmermädchen hatte Pepi entsetzliche Angst, »wenn
es nämlich in tiefer Nacht ... manchmal vor der Tür der Zimmermädchen
herumzuschleichen anfängt«. Sonst droht ebenfalls Gefahr, es ist »Leicht-
sinn«, die Zimmer der Schloßherren in sauberen Kleidern zu betreten.

Immer gibt es auch Vorwürfe, »daß beim Aufräumen Akten verloren-
gegangen sind«. Kommissionen durchwühlen dann die Betten der Mädchen,
wo sie allerdings nichts finden; deswegen lassen sie durch den Wirt
»Schimpfworte und Drohungen« vermitteln. Was Franzi tat, wird also Pepi
unterstellt, ob zu Recht oder Unrecht, ist nicht überprüfbar. [403]

Ein vierter Gesichtspunkt betrifft die Umstände, unter denen die Mädchen mit ihren Partnern zusammentreffen. Der Ich-Erzähler in *Franzi* besucht die Titelfigur, die er am Vorabend kurz gesehen hatte, am nächsten
Vormittag. Er verfällt in einen Ohnmachtskrampf, erwacht erst in der Abend-
dämmerung, ohne sich gleich zurechtzufinden; als Ursachen werden über-
mäßiger Alkoholgenuß in der vergangenen Nacht und zerrüttete Gesundheit
genannt. Franzi hat schon Kaffee vorbereitet. Miras Partner berichtet, an dem
Abend, an dem er in ihrem Hotel übernachtet habe, habe in Berlin ein
Schneesturm getobt. Im Zimmer des Gastes ist die Tischlampe verdorben, so
daß dieser um eine andere bittet.

Dieses Moment mußte Kafka an ein eigenes Erlebnis erinnern, das er
während seiner Reise nach Friedland hatte. Für das Arbeiten im Hotelzimmer hatte er sich eine stärkere Glühlampe einsetzen lassen. Es kommt zu
einer Unterhaltung mit dem Stubenmädchen über die herrschenden Licht-
verhältnisse. Es gibt einige Elemente, die dazu beitragen konnten, daß auch

diese Erfahrungen in die Gestalt Pepis eingehen konnten. Das Mädchen war »bald abweisend, bald überraschend anhänglich« und hatte trotz der Kälte freien Hals und Brustansatz; draußen tobte ein Schneesturm; aus dienstlichen Gründen blieb er dort zwei Wochen, im dauernden Anblick des Schlosses, dessen Beschreibung im Tagebuch in Einzelheiten an das im Roman beschriebene erinnert. Auch in Spindlermühle beklagte er das schlechte Licht beim Tisch des Hotelzimmers. [404]

Nun die Parallelsituationen im Roman: K., der seine Müdigkeit während der Verhöre mit Überanstrengung und grundsätzlicher Schwäche zu erklären versucht, kommt am frühen Morgen zu Pepi in den Ausschank, die er schon am Abend des vorvorigen Tages kennengelernt hatte; an jenem Abend und jetzt in der Frühe wieder wütet ein Schneesturm. Als K. ihr erstmals im Ausschank begegnet, ist es dort dunkel; er zündet ein Streichholz an, wodurch die schlummernde Pepi erschreckt wird, dann knipst sie für K. das elektrische Licht an. Auch in diesem Fall ist aber die Anregung, die Kafka aus seinen Quellen empfangen hat, funktionsträchtig geworden: Bald darauf löscht Pepi das Licht wieder, und auch beim zweiten Zusammentreffen der beiden am Abend des übernächsten Tages wird ausdrücklich erwähnt, daß die schwache Glühlampe, die am frühen Morgen über den Bierhähnen noch gebrannt hatte, erloschen war. Hier ist eine Parallele zu Frieda, deren Vereinigung mit K. im Dunkel der Nacht erfolgte. Pepi als die gleichsam nur Erotische muß sozusagen ganz in der Finsternis bleiben, K. bezeichnet ihre Ausführungen dann auch folgerichtig als Ausgeburten des Dunkels.

Nach den Verhören schläft K. erschöpft bis zum Abend — die Wirtin meint sogar, er schlafe seinen Rausch aus —, wo er sich nicht gleich zurecht findet. Pepi, im Gegensatz zur ersten Zusammenkunft jetzt sehr zuvorkommend, bringt Kaffee, Kuchen und Zuckerdose. [405]

Ein weiterer Vergleichspunkt zwischen Roman und Brods Verhältnis ist Pepis sich jetzt anschließende Lebensgeschichte, die wegen ihrer 24 Druckseiten Umfang an sich schon für ihren Stand sehr ungewöhnlich ist und als Erzählung einmalig scheint. Sie behandelt im wesentlichen ihre Laufbahn als Zimmermädchen und die vier Tage im Ausschank mit ihren Voraussetzungen und Konsequenzen. Hier ist vielleicht die auffälligste Übereinstimmung mit *Franzi*. Denn dort lauscht der Erzähler, nachdem er sich von seinem Ohnmachtsanfall erholt hat, den »unendlichen Erzählungen« seiner Partnerin, die sich, freilich mit Zwischenfragen ihres Zuhörers, über fünfzehn Druckseiten hinziehen. Franzi erzählt »entzückend, anschaulicher, als der größte Dichter es vermöchte«, »nie biographisch, sondern sprungweise« — diese Kennzeichnung paßt durchaus auch auf Pepi —, und gleitet »ganz leicht in eine Menge von Geschichten«, besonders die nahe Vergangenheit betreffend. Die Idee Kafkas, Pepi vor allem durch lange Reden zu kennzeichnen, stammt also von Brod.

Auch die Gesamtbewertung Brods über das Leben seiner Freundin kehrt in K.s Urteil über Pepi wieder. In *Mira* heißt es: »unser Beisammensein ...

blieb lange Zeit . . . Kampf um Miras Existenz, um eine menschenwürdige
selbständige Arbeit, die ihrer Begabung entsprechen würde«, und Franzi
»kämpfte mit rührender Beharrlichkeit um ihr Anständigsein, um ein ehr-
liches aufrechtes Leben, kämpfte im Grunde mit unzulänglichen Mitteln, von
niemandem belehrt, unvernünftig und ungeschickt«. Die gleiche Perspektive
liegt zugrunde, wenn es im *Schloß* heißt, Frieda sei »ein um seine Existenz
kämpfendes Mädchen wie Pepi auch, nur eben älter und erfahrener«. [406]

Als sechstes kann Pepis Charakter mit Emmys Wesen in Verbindung gebracht werden. Erstere scheint zunächst überheblich, hochmütig und stolz,
Gerstäcker nennt sie einen Fratzen. K. versteht ihre Erzählung, die von Weinen begleitet wird, als Ausgeburt ihrer Phantasie und hält sie nur zum geringsten Teil für wahr. Erwiesen ist, daß sie zu Übertreibungen neigt: Bei
der ersten Zusammenkunft mit K. sagt sie, sie habe schon seit Jahren »immer«
mit Frieda in einem Bett geschlafen, in ihrer Erzählung ist es nur noch »eine
Zeitlang«. Auch ihre intellektuellen Fähigkeiten sind begrenzt, denn vieles,
was K. sagt, versteht sie nicht.

Auch Franzi ist boshaft und stolz und mischt in ihre Erzählung manche
Hochstapelei, einiges von dem, was ihr Geliebter sagt, faßt sie falsch auf;
sie wird ebenfalls als Fratz bezeichnet und weint gelegentlich. Pepis Unerfahrenheit wird genauso betont wie diejenige Franzis. [407]

Endlich ist hervorzuheben, daß die Trauer beider Mädchen nur sehr verhalten ist. Zwar sagt Franzi zum Erzähler: ». . . glauben Sie nicht, daß es
mir etwa gut geht, daß ich selbst nicht auch einen Rat brauchen könnte, um
weiterleben zu können«, aber diese Selbstdeutung stimmt nicht so recht zu
den Feststellungen ihres Freundes. Danach nimmt Franzi »niemandem etwas
übel«, weil sie das Leid, das durch andere entstand, zu ihrem Dasein rechnet, mit dem sie »im Einverständnis« zu sein scheint. Deswegen hat ihre
Erzählung nur »einen traurigen Unterton«, so daß ihrem Zuhörer »das Böse,
von dem sie selbst gerade sprach, nur wie ein anmutiges und rührendes, aber
im Grunde ungefährlich harmloses Spiel erschien«. Ein solcher Wesenszug
ist Pepi ebenfalls eigen, hindert sie doch ihr Los nicht, sich am letzten Tag
ihrer Tätigkeit als Ausschankmädchen besonders auffallend herauszuputzen.
Auch glaubt K. ihrer Haltung entnehmen zu können, sie habe während ihres
Berichts gar nicht an ihr eigenes Unglück gedacht, werde dieses vielmehr
tragen »und brauche hierzu weder Hilfe noch Trost irgend jemandes und K.s
am wenigsten, sie kenne trotz ihrer Jugend das Leben, und ihr Unglück sei
nur eine Bestätigung ihrer Kenntnisse«. Also kein Aufbegehren gegen das
von den Verhältnissen aufgezwungene Leben und kein Vorwurf gegen K.,
dem sie die Schuld an ihrer Misere gibt; die Selbstaussage der ratsuchenden
Franzi wird von Kafka in einer dem Stolz beider Männer besser entsprechenden Weise modifiziert. [408]

Ein weiterer Punkt ist die Haltung der Mädchen zu ihren Partnern. Franzi
fühlt sich durch das Verhalten des Cousins »ins Elend gestürzt« und betrogen, denn dieser, der einen negativen Aspekt des Erzählers darstellt, einen

Schatten, der vom Bösen völlig beherrscht wird, hatte sie in ihre neue, sozial höhere Stellung gebracht und dann verlassen. So hält sie den Geliebten für einen »Schicksalsgenossen«, der ebenfalls von seinem Vetter verraten und ausgebeutet wurde.

Dazu kommt als zweites, daß Mira den Geliebten auffordert, sich von seiner Frau zu trennen. Emmy forderte dies auch von Brod, was Kafka ungeheuerlich fand. [409] Bei der Übertragung dieser Gegebenheiten auf das *Schloß* muß man natürlich davon ausgehen, daß der Vetter auf K. projiziert ist und Frieda an die Stelle der Ehefrau des Geliebten tritt.

Pepi behauptet, K. habe, weil er durch seine Verbindung mit Frieda Pepis scheinbaren Aufstieg ermöglichte, »häßlich« an ihr gehandelt und sie unglücklich gemacht. Aber wie sie selbst sei auch er in seinem Handeln »mißbraucht und betrogen« worden. Zum andern aber kritisiert sie, daß er jetzt noch zu Frieda zurückkehren will, und fordert ihn auf, mit ihr zusammenzuleben. Und wenn Franzi erklärt, der Cousin habe ihr »Ungeheuerliches von seinen ausländischen Beziehungen, seiner Allmacht ›vorgeschwafelt‹ « und diesen falschen Versprechungen sei sie auf den Leim gegangen, so ist dieses Motiv insofern auch von Kafka verwendet worden, als Pepi behauptet, K. sei »in die gröbste Falle« geplumpst, weil er Friedas Prahlereien hinsichtlich ihres Verhältnisses zu Klamm geglaubt habe.

Die Situation muß die Männer zur Zustimmung verlocken: Franzi erklärt: »Noch nie, daß mich irgendwer lieb gehabt hätte. Von Herzen lieb, meine ich. Sie aber – Sie würden mich liebhaben, das fühle ich, nicht wahr?« Dann fragt sie den neuen Freund, wer ihn so schwer geschlagen habe, daß er bei ihr, der Schutzlosen, Schutz suche – er bleibt dann auch zwei Tage und Nächte ununterbrochen in ihrem Zimmer –, worauf der Erzähler ihre Hand umklammert und ihre Finger liebkost.

Auch K. ist schutzlos und geschlagen, Frieda hat ihn sozusagen den Schlägen des Lehrers ausgesetzt und ihn dann verlassen, so daß er kein Nachtquartier mehr hat. Nach den Verhören im Ausschank angelangt, sagt er sich: »Von hier wieder weggetrieben zu werden schien ihm ein alles bisher Erlebte übersteigendes Unglück zu sein«; Pepi bestätigt, daß er nirgends ein »Unterkommen« hat. Er beschließt, in ihrer Kammer zu leben und ihr »Helfer und Schutz« zu sein. Während dieser Überlegungen hält er ihre Hand zwischen seinen Händen. [410]

Der achte und letzte Vergleichspunkt betrifft den männlichen Gegenspieler Brods, die den Rivalen verkörpernden Figuren und K.s Konkurrenten bei Pepi. Brod hatte nämlich einen in der Ausgabe der Briefe Kafkas an ihn W. genannten Konkurrenten bei Emmy, den Kafka wegen seiner Herkunft aus dem Bayrischen Wald und wegen seines Berufs, den seine literarische Entsprechung im *Leben mit einer Göttin* ausübt, auch den Bergmenschen oder den Mechaniker nennt. In einem Brief vom 16. August 1922 – schon Ende Juli bemerkt er, Brod habe aus Angst und Selbstquälerei W. »hoch aufgebaut« – versucht er eine systematische Analyse dieses Dreiecksverhältnisses, die freilich wegen verschiedener Umstände nur ein nebelhaftes Bild der Wirklichkeit ergeben könne: W. habe kein Übermacht über den Freund, er könne Emmy nicht helfen und zur Mutter machen: »Wenn er es könnte, hätte er es schon getan und es hätte sich Dir gegenüber viel gewalttätiger angekündigt. Er liebt E. und Du liebst sie«. Jener hat die Gestalt und Lockung der Jugend für sich, Brod aber männliche Liebe und Hilfe, die Emmy erwarte: »Sie flüchtet ja ganz zu Dir, wenigstens wenn Du bei ihr bist«. [411]

Im *Leben mit einer Göttin* ist W. ein Jugendfreund der Titelgestalt, ein ehemaliger Assistent und Diener ihres Vaters, der ein Laboratorium für Analysen von Nahrungsmitteln unterhält. Der Mechaniker ist durch »Einfachheit, ländliche Stille« mit seiner Jugendfreundin »tief innerlich verbunden«, weil er wie ihr Vater aus den Tiefen des Bayrischen Waldes kommt und in ihr »Kindheitserinnerungen« erweckt. [412]

Folgerungen für Kafkas Roman ergeben sich aus diesem Sachverhalt in dreierlei Hinsicht. Erstens was Pepis mögliche Herkunft betrifft, über die in den vollendeten Teilen des Romans nichts gesagt ist. Rekonstruieren könnte man vielleicht dies: Die außerordentlich zahlreichen Übereinstimmungen zwischen Pepi und Frieda deuten darauf hin, daß auch eine vergleichbare Jugendgeschichte vorliegt. Frieda hat aber ihre Kindheit am Abhang unterhalb des Schlosses verbracht. Nun war Miras Vater »Ober-Hofgärtner des Fürsten Bülow auf einem seiner Güter.« Natürlich erinnert das an die Gärtnerei des Bertuch, der in seinem unterhalb des Schlosses liegenden Grundstück Gemüse zieht und ins Schloß liefert. Dazu kommt noch, daß Amalias Vater und Bertuch befreundet waren, was auf ähnliche Strukturen in der Familiengeschichte beider deutet.

Tatsächlich gibt es auch zwischen Pepi und Amalia eine Reihe von Übereinstimmungen, von denen noch die Rede sein wird. Bertuch könnte also ein Onkel oder Vormund Pepis sein, bei dem sie ihre Kindheit verbracht hat, Frieda ist ja Waise; und Pepi, noch sehr jung, obwohl schon einige Jahre im Dienst, muß fast noch als Kind von zu Hause weggegangen sein, was von Mira und Franzi ebenfalls berichtet wird.

Ein weiteres Indiz für diese Zusammenhänge liefert der Beruf des Mechanikers, der in einer orthopädischen Heilstätte arbeitet. Indem er derart eng durch Herkunft und Ausbildung mit dem Vater der »Göttin« verbunden ist, konnte dieser in Kafkas Einbildungskraft leicht in den Vorstellungsbereich der Orthopädie geraten. Ist es da wirklich nur ein Zufall, daß Bertuch einen verkrüppelten Fuß besitzt, für den nur sein Freund geeignete Schuhe anpassen kann? [413]

Zweitens muß auf ein Moment hingewiesen werden, das möglicherweise den Zuordnungsprozeß von Emmy—Pepi und Milena—Frieda auslöste, der dann freilich, einmal vorgenommen, in grundsätzlichen Überlegungen Kafkas seine Rechtfertigung fand. Über Franzis Lebensziel heißt es: »Es zeigte sich, daß eigentlich Franzis ganzes Leben nichts anderes vorstellte als eine einzige große jahrelange Rückkehr zu ihrem Vater.« Am Ende des Romans ist dieses Ziel auch erreicht, das natürlich gleichzeitig die schmerzliche Trennung des Ich-Erzählers von Franzi bedeutet. Diese Rückbeziehung auf den eigenen Ausgangspunkt ist selbstverständlich mit der Darstellung der Beziehung zwischen der Gärtnerstochter und dem Bergmenschen innerlich identisch, beides sind ja nur dichterische Bilder für einen einzigen ihnen zugrunde liegenden realen Sachverhalt.

Gerade zu der Zeit, als Kafka von diesen Zusammenhängen erfuhr, erhielt er auch Kenntnis von der ihm unbegreiflichen Tatsache, daß Milena sich mit ihrem Vater versöhnt habe und zu ihm nach Prag zurückgekehrt sei, über dessen Beruf – Kiefernorthopädie – eine zusätzliche Assoziation zwischen Franzi und der Göttin möglich wurde. Eine Distanzierung von Ernst Polak war damit mitgegeben. Die verlassenen Männer, Brod und seine literarischen Vertreter einerseits, Kafka andererseits, waren beide Andersrassige, Juden, ausgeschlossen aus dem Volk der Deutschen und Tschechen. So konnte Kafka – und damit wird der Schluß der Frieda-Handlung in neuer Weise beleuchtet –, auch weil eine Rückkehr Klamms zu Frieda mit dessen Figur und der parallelen Gardena-Geschichte nicht recht vereinbar gewesen wäre, die Rückkehr Friedas zu ihren Ursprüngen dadurch darstellen, daß er das in Brods *Leben mit einer Göttin* bereitliegende Motiv der Jugendfreundschaft auf Frieda übertrug: Jeremias ist ja ebenfalls ein »Assistent«, der in Vertretung Klamms K. geschickt wurde, und gehört als Schloßbewohner »gleichsam zu derselben großen Familie«; zudem ist er, wie W., noch sehr jung und erweckt in Frieda Erinnerungen an ihre Kindheit. [414]

Drittens endlich mußte Kafka dafür sorgen, daß auch hinsichtlich des eben beschriebenen Motivs Pepi mit Frieda vergleichbar bleibt und daß Pepi, wie ihr Vorbild Emmy, zwischen zwei Männern steht. Dies geschieht mit der Gestalt des Schreibers Bratmeier – in den Drucken steht irrtümlich Bartmeier [415] –, dessen Abhängigkeit von dem Mechaniker sich in folgenden Einzelpunkten dokumentiert:

a) Die Diskussion um W. trifft zeitlich genau mit der Niederschrift der Erzählung Pepis zusammen, die höchstwahrscheinlich in der zweiten Augustwoche 1922 erfolgte; in unmittelbarer Fortsetzung dieses Berichts findet sich im Manuskript anstelle der in den Ausgaben gedruckten Gegenrede K.s eine acht Seiten lange, von Kafka wieder gestrichene Variante, in der unter anderem die während Pepis Vortrag im Ausschank stattfindenden Vorgänge dargestellt werden. Bratmeier betritt in dieser Zeit den Raum und geht nachher zusammen mit Pepi weg. Kafkas Brief, in dem er Brods Beziehung zu Emmy und W. analysiert, trägt den Poststempel vom 16. August; die in ihm geäußerten Gedanken mag er schon einige Zeit mit sich herumgetragen haben, wenn sie auch durch ein eben eingegangenes Schreiben Brods ausgelöst wurden.

Ob die verworfene Passage vor oder nach der Niederschrift des Briefes entstand, läßt sich natürlich nicht entscheiden, auf jeden Fall muß sie in unmittelbarer zeitlicher Nähe zu Kafkas theoretischen Überlegungen stehen.

Sollte die Briefstelle jünger sein, könnte die Streichung nicht nur aus ästhetischen Gründen erfolgt sein, sondern sogar aufgrund der im Brief formulierten Erkenntnisse. Da derartige Dichtungen für Kafka und Brod auch Anschauungsmaterial zur Lösung ihrer Lebenskonflikte waren, wäre durch das Weggehen Bratmeiers und Pepis sozusagen ein Übergewicht des Schreibers entstanden, zu einem Zeitpunkt, wo dieser kaum in Pepis Leben getreten war, während nach Meinung Kafkas die Waage, deren Gewichte Brod und W. bildeten, so sorgfältig austariert war, daß alle gequält wurden. [416]

b) Der Name Bratmeier verweist über die zu assoziierenden Würste auf Bayern. Vielleicht darf hier angeführt werden, daß Kafka im April 1921 großes Aufsehen von einem als Aprilscherz gemeinten Zeitungsartikel machte, der neuartige Heilung von der Tuberkulose versprach. In dem dort fingierten Gelehrtenstreit treten der Berliner Professor Wehrgeist und der Münchner Professor Kropfmeier auf. [417] Bratmeier ist offenbar eine Analogiebildung zu dem letztgenannten Namen.

c) Bratmeier ist Schreiber, also Gehilfe oder Assistent der Schloßbeamten und damit in einer mit dem Beruf des Jeremias oder W. vergleichbaren Stellung.

d) Der Baron in *Franzi* — es ist der dem Mechaniker entsprechende Verehrer der Titelfigur — ist überhöflich und durch dauernd sich wiederholende Ausdrucksbewegungen gekennzeichnet. Bratmeier betritt den Ausschank, »den Hals immer wieder weich auf und abbewegend, was ein fortwährendes Bestreben gefällig zu sein ausdrückte«. Außerdem ist er schüchtern, ängstlich, empfindlich und hinsichtlich des Körperbaus »schmal«. Entsprechend ist der Mechaniker unansehnlich und klein, das Gegenteil des bayrischen Holzfällers, und hat ein mageres Gesicht. [418]

e) Gemäß den biographischen Voraussetzungen lieben Bratmeier und K., dessen Nähe zur Barnabas—Brod eine solche Übertragung leicht zuließ, das Schankmädchen. Der Schreiber schenkt ihr ein Kettchen, dessen Anhängsel sein Bild enthält, der Landvermesser sieht sie gierig an und streichelt ihr Hand und Wange. Emmy steht zwischen den beiden Männern: »wer will hier entscheiden, da nicht einmal E. völlig es kann«, schreibt Kafka an Brod. Entsprechend verhält sich Pepi. Bratmeiers Geschenk wird zwar getragen, aber es bleibt eine Keckheit, K. wird zum gemeinsamen Leben zwar aufgefordert, das Öffnen einer Haarmasche wird ihm aber verwehrt.

Auffällig sind auch die räumlichen Zuordnungen der drei Figuren während Pepis Bericht: Sie sitzt zunächst bei K. Nachdem sie aber Bratmeier ein Bier eingeschenkt hat, begibt sie sich zum Weitererzählen in dessen Nähe. Gegen Ende ihrer Darstellung geht sie zu K. zurück und zieht ihn zum Pult, wo beide gemeinsam stehen bleiben. Schließlich entsteht eine vergleichbar wenig feste Bindung, wenn sie mit Bratmeier den Raum verläßt. Anderseits kann man aus der Szene ablesen, daß sie trotz ihrer Zwischenstellung Bratmeier gegenüber distanziert auftritt. Das wird auch im *Leben mit einer Göttin* so dargestellt, wo der Erzähler einmal die Möglichkeit hat, die Geliebte und den

Mechaniker gemeinsam zu beobachten. Die beiden gehen einen Schritt voneinander entfernt, sitzen sich durch eine Tischecke getrennt gegenüber und
auch im Eisenbahnabteil »nicht direkt beisammen, nicht Hand in Hand«. [419]
f) Kafka hebt W.s Schwäche hervor, die sich gegen Brod nicht gewalttätig
durchsetzen könne. Auch dieses Moment ist auf Bratmeier übergegangen.
Er duldet es aus der Ferne mit gesenkten Augen, wie K. Pepi tröstet und ihr
die Wange streichelt.

g) Schließlich ist die offensichtliche Ambivalenz, die Emmys Verhalten
Brod gegenüber kennzeichnete, auf sehr feine Weise in Kafkas Roman übernommen. Einerseits wird ja behauptet, daß zwischen dem Mechaniker und
der Geliebten des Erzählers eine gleichsam im Anthropologischen ver-
ankerte Übereinstimmung herrsche. Dieser Gleichklang im Volkstum bewirkt aber nach Kafkas Auffassung »Wärme«. Andererseits werden der Jugendfreundin des Mechanikers aristokratische Neigungen zugesprochen, die
es wahrscheinlich machen, daß sie sich kaum »für einen ehemaligen Diener
mehr als flüchtig und ganz von oben herab interessieren würde«. Franzi
hat, sogar dem Geliebten gegenüber, ähnliche Neigungen, empfängt sie ihn
doch manchmal »kalt«, oder sie gibt sich unzugänglich.

Nun Pepi: Einerseits erzählt sie, die seine Liebe doch hervorlockt, in der
Nähe Bratmeiers zwar »noch ausführlicher, fast behaglich, wie erwärmt von
dem Blick des jungen Mannes«, andererseits jedoch gibt sie sich bei seinem
Eintritt recht hochmütig, nickt ihm nur zu, »nicht als Gruß, sondern so, als
müsse sie ihm dadurch zeigen, daß sie ihn bemerkt habe, und als würde er
ohne dieses Zeichen es nicht zu glauben wagen«. Ähnlich von oben herab
behandelt sie K., als er nach seinem vergeblichen Warten auf Klamm wieder
den Ausschank betritt: »Pepi aber schien K. überhaupt erst zu bemerken,
als er zum Ausschankpult trat und einen Cognac bestellte.« Und doch läßt
sie sich von ihm wieder liebkosen. [420]

Die Fülle der ausgebreiteten Beziehungen enthüllt unwiderleglich Kafkas
literarische Abhängigkeit von der Figur der Franzi und den hinter ihr stehenden Gegebenheiten aus dem Leben seines intimsten Freundes. Sie fordert
natürlich die Frage heraus, wie dieser ganz ungewöhnliche Sachverhalt zu
deuten sei. Denn die für manche Erzählungen des Dichters zutreffende Erklärung, er habe, unfähig zur Erfindung des kleinsten Details, auch wo es um
die Darstellung persönlichster Probleme geht, seine Erzählwelt aus vor-
geformten Bausteinen verschiedenartigster Herkunft zusammenschweißen
müssen, etwa in dem Sinne, der seiner Selbstdeutung der Genese des
Urteils entspricht — diese Interpretation also scheidet hier aus, weil nicht
disparate Splitter, sondern ein homogener Zusammenhang als Ganzes und
in seiner Strukturierung übernommen wurde, so daß man gar nicht sagen
kann, Brods Leben und Werk habe als bloßer Steinbruch gedient, dessen Teile
dann neu behauen und in ganz anderen Zusammenhängen als Bedeutungsträger hätten verwendet werden können. [421] Es war demnach Brods Pro-

blem selbst, das in diesem einen Aspekt Pepis dargestellt werden sollte. Inwieweit es auch dasjenige des Dichters selbst war, inwiefern er Modifikationen vornahm und andere Lösungen propagierte und in welcher Weise diese
wohl komplexeste Gestalt des Romans außer den erwähnten noch andere Vorstellungen auf sich vereinigt, soll jetzt geklärt werden.

Über *Franzi* schrieb Kafka an Klopstock Ende Januar 1922: »Maxens Roman hat für mich große Bedeutung gehabt. Schade, daß ich nicht imstande
bin einiges (z. B. die Spionagegeschichte, die Jugendtagebuchgeschichte) vor
Ihren Augen wegzuziehen, damit Sie in die Tiefe des Buches sehen können.
Wenigstens meiner Meinung nach hindern das jene Geschichten, aber für
den Roman, das ist eben seine Schwäche, sind sie doch nötig. Geben Sie sich
Mühe hindurchzusehn, es steht dafür.« Die beiden erwähnten Komplexe bilden gleichsam den äußeren Rahmen, in den die eigentliche Liebesgeschichte
des Erzählers, also die Franzi-Handlung, eingebettet ist; dieser galt also Kafkas Interesse. Unter welcher Optik er sie las, läßt sich aus einem Brief an
Milena erschließen, die um ein Exemplar des Buches gebeten hatte. Von
kleineren Ausnahmen abgesehen, meinte er, werde es ihr nicht gefallen: »Es
ist·durch meine Theorie zu erklären, daß lebende Schriftsteller mit ihren
Büchern einen lebendigen Zusammenhang haben. Sie kämpfen durch ihr
bloßes Dasein für sie oder gegen sie.« Das bedeute, auf *Franzi* angewandt,
»daß das Buch des lebenden Schriftstellers wirklich das Schlafzimmer ist am
Ende seiner Wohnung, zum Küssen, wenn er zum Küssen ist, und entsetzlich
im andern Fall. Es ist kaum ein Urteil über das Buch, wenn ich sage, daß es
mir lieb ist . . . « [422]

Diese Aussage ist wohl so zu verstehen: Zwangsläufig versteht der zeitgenössische Leser, wozu auch der Autor selbst gezählt werden muß, ein literarisches Werk extrem autobiographisch: die dort dargestellten Liebesszenen
sind seine eigenen; warum dies entsetzlich sein kann, erklärt Kafka in einem
Brief, der sich hauptsächlich mit Brods Stück *Eine Königin Esther* befaßt, in
dem der Autor einen gleichartigen Konflikt dargestellt hat wie im *Leben mit
einer Göttin*, nur daß dieser einige Jahre früher lag und nicht Emmy, sondern
ein anderes Liebesverhältnis Brods betraf. Kafka spricht da von der künstlerischen Notwendigkeit, Figurenkonstellationen so zu geben, wie es Brod tatsächlich auch tat, aber dadurch »ergeben sich . . . gewisse das Kunstwerk sogar stärkende, schwer zugängliche Irrwege, die ich nicht gehen kann und
die . . . etwas in mir zu gehn sich weigert, weil sie ein der Kunst gebrachtes
Opfer« und Brods Schaden sind. Im Werk wird, auch wenn die einzelnen Figuren Ausfaltungen der Autorpersönlichkeit sind, »eine gewisse künstlerische Gerechtigkeit« verlangt, eine Ausgewogenheit in den Beziehungen der
Gestalten, die dann Folgerungen entstehen lassen, die auf der biographischen
Ebene, wo »nur entschiedenes Dasein« verlangt wird, unwahr werden. Eine
derartige Fixierung der eigenen Lebensprobleme bedeutet unnötige, entsetzliche Selbstquälerei. [423]

Das besondere Interesse und die Liebe, die Kafka *Franzi* entgegenbrachte, muß darin begründet sein, daß die dort pointiert vorgetragene Lösung — die »Tiefe« des Buches, die, weil das Biographische genau spiegelnd, offenbar seine darstellerische Schwäche bedingte — auch ein Beitrag zur eigenen Lebensgestaltung war, der zur Auseinandersetzung aufforderte, denn zwischen seinem problematischen Verhältnis zu Milena und Brods gleichermaßen schwieriger Beziehung zu Emmy gibt es auffällige Parallelen, die ihm *Franzi* als Darstellung seines Falles erscheinen lassen mußte: Mit Brods finanzieller Unterstützung gelang es dem ehemaligen Zimmermädchen, als Schauspielerin Karriere zu machen. Kafka bot Milena, die als Gepäckträgerin arbeitete, Geld an und gab für sie Zeitungsanzeigen auf, die ihr eine ihr gemäße Beschäftigung ermöglichen sollten; Milena hatte eben zu schreiben begonnen und wurde bald eine angesehene Journalistin. In beiden Fällen gab es einmal Schwierigkeiten, weil die Frauen Bedenken hatten, solche Unterstützungen anzunehmen.

Und weiter: Kafka wollte mit Milena zusammenleben, die von Wien weggehen sollte, Brod mietete Emmy Wohnungen in deutschen Provinzstädten, wo er sie besuchte, wenn ihn Vortragsreisen in die Nähe führten. Beide Frauen waren Nichtjüdinnen und werden von ihren Prager Freunden, beides Juden, als mit ihrem Volk verwurzelt bezeichnet. [424]

Beide Frauen haben auch Verehrer, Emmy den W., Milena ihren Mann, den Kafka als heiratswilligen Bräutigam bezeichnet. Andererseits stehen sie jedoch in Konkurrenz zu den Ehepartnerinnen der Freunde: Brod war verheiratet, Kafka hatte mit Julie, die er noch liebte, unmittelbar vor der Ehe gestanden. Als es Schwierigkeiten gab, schrieb jeweils die Geliebte an den Freund ihres Partners, um der Lage Herr zu werden, also Emmy an Kafka und Milena an Brod. Wegen der räumlichen Trennung zwischen den Liebenden gab es in beiden Fällen einen ausgedehnten Briefverkehr, der bei Kafka und Brod Verzweiflung und Selbstquälerei wuchern ließen. Solche Übereinstimmungen sind wohl besonders dafür verantwortlich zu machen, daß Barnabas—Brod so eng an K. und Kafka herangerückt wird. In den Briefen Kafkas ist Brods Liebesgeschichte mehrfach der Anlaß, der Kafka zu Vergleichen zwischen sich und dem Freund veranlaßt. [425]

Die Lösung, die in *Franzi* gegeben wird, lautet so: »Das Böse, das Böse ist es, was lebendig macht. Immer nur Richtiges, Verantwortbares tun heißt: steril bleiben. Wer sich für alles, was er treibt und läßt, verantwortlich fühlt, büßt dies mit Verdorrung bei lebendigem Leib.« Aufgabe des Menschen ist es, mit der Sünde zu leben; sie muß freilich klein gehalten werden. Obwohl der Erzähler lügt, betrügt, intrigiert, schlägt ihm alles zum Guten aus; und Franzi ist zwar bloß eine Liebe zweiten Ranges, aber nur durch derartige »Seitenschliche« wird die Seele gerettet.

Besonders mußte sich Kafka durch die folgende Passage angesprochen fühlen: »Die Lungenkranken, die Buckligen, die Morphinisten, die Epileptiker, die Blinden — das, o Menschheit, sind die Dichter deiner Seele.« Kafka selbst war schwer lungenkrank, störte sich an jeder Unvollkommenheit im

Äußeren, so daß er etwa eine unvollkommene Bildung einer Fußzehe beklagte, und betonte jederzeit seine persönlichen Mängel; Brod war bucklig, der von Kafka als Mensch und Schauspieler hochverehrte Jizchak Löwy Morphinist, Kafkas Freund Oskar Baum blind. Epileptiker waren Dostojewski und sein »Idiot«. Im Kontext der Romanstelle werden, um negative Charakterzüge des Russen hervorzuheben, Strachoffs Erinnerungen genannt, die eine Hauptquelle für Kafkas Dostojewski-Kenntnis waren. [426]

In gewisser Weise stellt Brods Sehweise eine Bekehrung zu Kafkas Ansichten dar. Im Tagebuch hat sich der Bericht über eine Diskussion mit dem Freunde erhalten, wo Brod Dostojewski vorwarf, er lasse zu viel Geisteskranke auftreten, und Kafka Figuren wie den Idioten mit dem Hinweis verteidigte, gerade durch die beschriebene Ausrichtung ihres Charakters seien solche Gestalten zu ihren Höchstleistungen fähig; eben das behauptet auch Brod in *Franzi*. Im *Leben mit einer Göttin*, einem Werk, an dem Kafka besonders auch das Ende der Handlung interessierte, wird das Problem des Bösen in gleicher Weise beschrieben: Reiche dem Teufel den Finger und verweigere ihm die Hand, so lautet dort die Maxime. Eine Herausforderung an den skrupulösen, Vollkommenheit noch im kleinsten Detail suchenden Dichter war das auf jeden Fall.

Ende Juli 1922 schrieb er an Max Brod über den zuletzt genannten Roman: »Es würde mich, ohne daß ich jetzt eine genaue Vorstellung davon hätte, wie dies zu tun wäre, locken, einen Kommentar zur Novelle einmal zu schreiben.« Dazu ist es freilich bei dem zu wissenschaftlicher Polemik unfähigen Kafka nicht gekommen, aber wenige Tage später gab er doch seine Antwort auf Brods Position, und zwar in dichterischer Form, in der Gestalt Pepis, die seine Sicht der ihn und Brod betreffenden Dinge darstellt. [427]

Ein erster wichtiger Sachverhalt in diesem Zusammenhang ist die Tatsache, daß Brod seine Göttin als Jorinde bezeichnet, und zwar mit der Begründung, es bestünden zwischen der Romanhandlung und dem Grimmschen Märchen tiefe Zusammenhänge: Jorinde und Joringel schreiten gemeinsam dem Zauberwald zu, um vertraut miteinander reden zu können. Sie kommen aber dem Schloß der alten Waldhexe zu nahe, die Jorinde einfängt und als Vogel auf der Hand fortträgt, während Joringel festgebannt auf seinem Platz steht, »wehrlos und fremd«. Als im *Leben mit einer Göttin* die Geliebte zu weinen beginnt, weil sie intuitiv den unglücklichen Ausgang ihrer Beziehung zum Erzähler ahnt, wird sie für diesen wahrhaftig Jorinde, die zu weinen und zu klagen anfängt, weil sie die beginnende Verzauberung fühlt, und zwar noch bevor sie bemerkt, »daß sie sich schon zu nahe an das Schloß herangewagt haben«. [428]

Anlaß für diese Zuordnung sind hier und in *Mira* Glocken, so daß man annehmen kann, daß Brod wirklich Geschehenes berichtet, das Kafka schon durch mündliche Berichte des Freundes bekannt war. Während des ersten gemeinsamen Theaterbesuchs fragt Jorinde ihren Partner, ob er nicht die Glocken auf der Bühne gehört habe und ob sie nicht auch ihm wie Totenglocken geklungen hätten. In *Mira* geschieht es am Morgen nach dem ersten Beisammensein, daß der Wind von fern Klänge von Kirchenglocken heranweht, als die beiden die Straße betreten. »Das sind meine Hochzeitsglocken«, sagt Mira, »unendlich traurig«. Später als Jorinde und der Mechaniker gemeinsam im Bahnabteil sitzen, hat der sie beobachtende Geliebte die Empfindung, man trage sein Glück vor seinen Augen davon wie im Märchen. [429]

Als literarische Vorlage für das *Schloß* die Geschichte von *Jorinde und Joringel* anzunehmen, scheint plausibler als den gelegentlich beigebrachten literarischen Zeugnissen einen Einfluß auf die Genese des Werks einzuräumen, weil teilweise ungewiß ist, ob Kafka sie überhaupt gekannt hat. Die ganze Märchenstruktur, soweit sie Brod im Roman erzählt und mit der Fabel parallelisiert, kehrt ja in Kafkas Werk wieder: Als K. bei seinem ersten Ausflug dem Schloß zu nahe kommt, versagen ihm, grundlos, wie es scheint, die Kräfte, er kann die Beine nicht mehr bewegen, und er spielt mit dem Gedanken an Verzweiflung. Während er von Gerstäcker zurückgefahren wird, erklingt vom Schloß ein Glockenton, »fröhlich beschwingt, eine Glocke, die wenigstens einen Augenblick lang das Herz erbeben ließ, so, als drohe ihm — denn auch schmerzlich war der Klang — die Erfüllung dessen, wonach er sich unsicher sehnte«. Die beiden Aspekte, die die Glocken bei Brod kennzeichneten – glückliche Erfüllung und Drohung –, sind hier genauso wahrnehmbar wie die Grundsituation des vor dem Schloß erstarrenden Joringel. Eine vergleichbare Müdigkeit überfällt K., als Frieda ihn endgültig verläßt und mit Jeremias im Zimmer verschwindet. Die Geliebte ist ihm entführt worden, er möchte am liebsten niedersinken und schlafen. [430]

Unter dieser motivgeschichtlichen Optik ist auch noch Franzi, die Tochter eines Adligen ist, zu berücksichtigen. Denn als sie von zu Hause ausriß, hatte sie »vorher noch auf dem Boden des väterlichen Schlosses Feuer gelegt. Das Schloß brannte ab«. Diese Vorstellung, leicht entsprechend ihren andern Lebensverhältnissen modifiziert, übernahm Kafka als Wunschbild Pepis: » . . . wer die Kraft hätte«, erklärt sie K., »den ganzen Herrenhof anzuzünden und zu verbrennen, aber vollständig, daß keine Spur zurückbleibt, verbrennen wie ein Papier im Ofen, der wäre heute Pepis Auserwählter.«

Kafka übernahm aber nicht nur das Motiv aus dem Märchen, sondern er pointierte auch die Deutung, die Brod seinem Verhältnis zu Emmy gegeben hatte, und stellte K.s Verhältnis zu Frieda und Pepi unter dieses Gesetz. Hier die Einzelbelege: In Brods Roman heißt es: »Von Jorinde entfernt führte ich nur ein Traumleben, und war ich mit ihr beisammen, so war ich doch niemals satt von ihr. Unerreichbar blieb mir ihre Seele, unerreichbar eigentlich auch ihr Leib, mochte ich ihn auch noch so oft (wie der dumme Ausdruck sagt) ›besessen‹ haben. Von einer schönen Frau wird man nämlich niemals satt . . . « Da jedoch Frieden »nur im Schoß der Geliebten« sich realisiert, ist Verzweiflung die Folge, denn es ist unmöglich, einander festzuhalten; das geht über Menschenkraft hinaus. [431]

Aufgrund dieses Materials gibt Kafka folgende Gesamtinterpretation, und

zwar in einem vom 31. Juli 1922 datierten Brief an Max Brod. Den Erzähler
störe die Unschuld Jorindes, und Unschuld hieße hier Unzulänglichkeit: »Er
ist, wie Du es übrigens gewiß auch gesagt hast, förmlich auf der Jagd nach
etwas, was Jorinde nicht besitzt, zu dem sie vielmehr nur die versperrte
Tür darstellt, und wenn er an ihr rüttelt, so tut er ihr auch sehr weh, denn
sie kann doch nicht geben, was sie nicht besitzt, er aber freilich kann nicht
nachlassen, denn er will das, was sie versperrt und von dem sie selbst gar
nichts weiß und auch von niemandem, auch von ihm nicht, bei größter Anstrengung und Belehrung etwas erfahren könnte.« Es kommt im vorliegenden
Zusammenhang nicht so sehr darauf an, dieses Bild aufzulösen und die ihm
zugeordnete Sachebene mit konkreten Inhalten zu füllen, wichtig ist vielmehr, daß auch K. bei seiner zweiten Vereinigung mit Frieda sich deren Un-
erreichbarkeit bewußt wird: »Sie suchte etwas, und er suchte etwas, wütend,
Grimassen schneidend, sich mit dem Kopf einbohrend in der Brust des anderen, suchten sie, und ihre Umarmungen und ihre sich aufwerfenden Körper
machten sie nicht vergessen, sondern erinnerten sie an die Pflicht, zu suchen;
wie Hunde verzweifelt im Boden scharren, so scharrten sie an ihren Körpern; und hilflos, enttäuscht, um noch letztes Glück zu holen, fuhren manchmal ihre Zungen breit über des anderen Gesicht.« Hier geschieht keine Sättigung, kein Frieden stellt sich ein. Den Vorgang kennzeichnet vielmehr ein
verzweifeltes, unablässiges Suchen K.s, wobei das Rütteln des Türbildes nur
auf eine andere Vergleichsebene übertragen wurde, wo es als Hundescharren
erscheint; dieses hat nicht nur in der »Tiergöttin« Jorinde ein gewisses Vorbild, sondern soll auch die niedrige, verächtliche und animalische Seite des
Geschehens bezeichnen. Es ist ganz folgerichtig, daß dieser Vorstellungszusammenhang auch zur Deutung der Beziehung zur Geliebten verwendet
wird: »Warum, Milena, schreibst Du von der gemeinsamen Zukunft, die
doch niemals sein wird ... Schon als wir einmal abend in Wien flüchtig
davon sprachen, hatte ich das Gefühl, als suchten wir jemanden, den wir
genau kannten und sehr entbehrten und den wir mit den schönsten Namen
riefen, aber es kam keine Antwort; wie konnte er denn antworten, da er
doch nicht da war, im weitesten Umkreis nicht.« Man kann natürlich nur
Vermutungen darüber anstellen, welche Eigenschaften die beiden bei ihrem
Wiener Zusammentreffen vermißten. Wenn man aber, wie hier Kafka, davon ausgeht, daß es sich um eine Bedingung sine qua non für eine Lebensgemeinschaft handeln muß, könnte man an das Gefühl denken, in der erotischen Vereinigung Frieden zu finden. Dieses war ja ein Problem, das Milena in einem Brief an Max Brod in Zusammenhang mit dieser Zusammenkunft artikulierte. Aber auch wenn man eine solche Auffassung ablehnt,
bleibt doch als übereinstimmendes Moment der Sachverhalt, daß Kafka die
Geschlechtsgemeinschaft in theoretischer Deutung, im eigenen Erleben und
in erzählerischer Entfaltung mit dem Element des vergeblich Suchens ausgestattet hat. [432]

Mit ähnlichen Kategorien wird Pepi betrachtet: Obwohl sie selbst sich rühmt, ein Mann, der wolle, könne in ihren Augen alles, was er suche, bis zur völligen Sättigung finden — im Bereich des Sinnlichen, muß man ergänzen —, ist K. der Auffassung, daß eine Vereinigung mit Pepi ihr »den Besitz nicht entreißen«, ihn aber »rühren« und »aufmuntern« könne. Die Übereinstimmung mit der auf Jorinde bezüglichen Terminologie, die übrigens auch in dem Begriff Sättigung spürbar wird, geht hier sehr weit. Denn auch der Nebengedanke, daß Jorinde nichts von dem weiß, was sie ihrem Partner vorenthält, und keine Belehrung dies ändern kann, findet sich bei der Beschreibung Pepis wieder: »ohne von ihrem Besitz zu wissen, verschlief sie hier die Tage«, reflektiert K. Und als er ihr durch einen Vergleich mit seinen eigenen Verhältnissen klarzumachen sucht, wie sicher sie doch im Leben stehe, versteht sie kaum. [433]

In der Erstfassung der eben zitierten Passage ist von ihrem »Geheimnis« die Rede, das K., hätte er Pepi an Friedas Stelle getroffen, an sich zu reißen gesucht hätte, »wie er es bei Frieda hatte tun müssen«. Diese Aussage unterstützt die gegebene Auslegung der zweiten Vereinigung Friedas und K.s und beleuchtet noch einmal von anderer Seite die Übereinstimmung zwischen Kafkas und Brods Verhältnissen. Denn offenbar ist es ihr zu verdanken, daß Frieda und Pepi so eng aufeinander bezogen sind und daß, wie auch die Gestalt des tierisch-lüsternen Jeremias verdeutlicht, Details, die entstehungsgeschichtlich betrachtet, Pepi zugehörten, nachträglich auf ihre Konkurrentin übertragen wurden.

Man kann verstehen und muß es in gewisser Beleuchtung sogar für richtig halten, daß Max Brod in seiner Deutung des Romans das Schloß als Ort göttlicher Gnade ansetzte, denn innerhalb seines Systems würde, wer in der Beziehung zum anderen Geschlecht im »Göttlich-Intermittierenden« ruhen könnte, wie er in Übereinstimmung mit dem *Leben mit einer Göttin* an Kafka schrieb, dieser Heilszuwendung tatsächlich teilhaftig. Obwohl Kafka den geschlechtlichen Bereich grundlegend anders bewertete, ging sein Streben doch auf ein Gemeinschaftsleben hin, dessen Garant und Paradigma ihm die Ehe war. Und diese hinwiederum interpretiert er eindeutig als Teilhabe am Göttlichen: » . . . niemand ist hier, der Verständnis für mich im ganzen hat. Einen haben, der dieses Verständnis hat, etwa eine Frau, das hieße Halt auf allen Seiten haben, Gott haben.« Legt man also die Kafka geläufigen Denkvorstellungen zugrunde, wo sich Religiöses als Diesseitiges, Weltimmanentes erweist, läßt sich nichts gegen diese Auffassung der Dinge einwenden. [434]

Ein zweiter wichtiger Punkt, der Kafkas Beurteilung des ganzen Komplexes klar gezeigt hätte, wäre das Ende der Beziehung zwischen Pepi und K. gewesen, über das nur Vermutungen angestellt werden können. Zunächst ist seine Aussage heranzuziehen, er wolle Pepi trotz ihrer sexuellen Ausstrahlung nicht anrühren. Da Kafka Überraschungen im Erzählablauf nicht schätzt, sondern versucht, durch Vorausdeutungen und Hinweise ein organisches Erzählgefälle zu erreichen [435], ist es fast undenkbar, daß es zwischen den beiden noch zu einer Intimbeziehung kommen sollte. Andererseits lassen die vielen Detailübereinstimmungen zwischen Frieda und Pepi den Schluß zu, daß auch Pepi von K. enttäuscht worden wäre, wahrscheinlich, weil er die Bedingungen, unter denen ihm Unterschlupf gewährt wurde, gebrochen hätte. Dies entspräche auch insofern Kafkas Meinung über Brods Verhältnisse, weil er Ende 1917, als der Freund in vergleichbarer Lage war, die These vertrat, Brod ruhe in keiner der beiden Frauen, und daraus den Schluß zieht: »Könnte man das nicht so deuten, daß Du überhaupt aus diesem Kreis verwiesen wirst. Natürlich trägt diese Deutung allzusehr mein Zeichen.« [436]

Anders lautete sein Vorschlag hinsichtlich Emmys. Brod solle, so meint er, mit ihr und seiner Frau Elsa eine Ehe zu dritt führen, weil ein Verhältnis über große räumliche Distanz hinweg neben der Ehe her Emmy entwürdigen müsse und die Beziehung zerstören werde. Dies sei dann noch eine Steigerung gegenüber dem schon märchenhaften Graf von Gleichen, der wenigstens keine Ehe über das Mittelmeer hinweg geführt habe.

Kafka hat in einem Fragment, das frühestens vom Spätherbst 1920 stammen kann, einen solchen Dreierbund auf makaber-ironische Weise zu gestalten gesucht. Und ein Reflex solcher Überlegungen scheint in Pepis Vorschlag nachzuwirken, K. solle mit ihr und ihren Freundinnen zusammen den Winter verbringen. In Kafkas Werk ist natürlich auch die Bezugsgröße verändert. Bei Brod besteht ein Gegensatz zwischen häuslicher, pflichtgemäßer Liebe und ungebunden sich wegschenkender, bei Kafka die Entscheidung zwischen der die Fülle des Lebens und Beherrschung der Sexualität repräsentierenden Frieda und dem Weibchen Pepi. K. entscheidet sich bedenkenlos für Frieda, nicht wie Brod für die Liebe zweiten Ranges, für das mit dem Bösen Vermischte und für das Nur-Erotische.

Besonders deutlich wird der Unterschied der beiden Mädchen, wenn man ihr Verhalten gegenüber Klamms Knechten betrachtet. Frieda ist Herrin über diese chaotischen Triebe, Pepi ist ihnen schutzlos preisgegeben. [437]

Aber Pepi ist mit dieser Charakterisierung doch nur sehr unzureichend beschrieben. Sie ist in gewissem Betracht nicht nur eine Bezugsgröße zu Frieda, sondern auch eine Gegenfigur Amalias. Beide Mädchen sind sehr jung, stolz und auch durch das Schneidern aufeinander bezogen. Beide erschrecken, als K. plötzlich bei ihnen auftaucht und sie im Schlummern stört. Vielleicht muß man in diesem Zusammenhang auch ein Wort zur Haarfarbe sagen. Wie Pepi und Frieda sind die Schwestern des Barnabas Blondinen. Daß Amalia später als schwarz bezeichnet wird, was sich eigentlich nur auf die Haarfarbe beziehen kann, wird leicht als Unstimmigkeit empfunden. Indessen bietet sich für die zweite Aussage über Amalia eine Erklärung an, die auf der Annahme beruht, den Haarfarben bei Kafka komme ein ähnlicher Funktionswert zu wie der entsprechenden Augenzeichnung. Amalias dunkles Haar, das mit der Bezeichnung Blondine sogar vereinbar ist, wäre dann ein

Ausdruck für ihre Gefühlsstärke und ein Hinweis auf die in ihr dargestellte jüdische Komponente. Statt umständlicher Belege nur ein Zitat aus *Franzi*, wo der Ich-Erzähler, der die Titelfigur noch nicht gesehen hat, äußert: »Niemals eine Blondine, merk' dir's. Ich kann nur eine Jüdin lieben.« [438]

Vor allem aber spielt bei beiden Mädchen ein Halsband eine Rolle, das wohl durch ein vergleichbares Moment in Brods Beziehung zu Emmy sein Vorbild hat. In *Mira* wird diese »Halsbandgeschichte« so dargestellt: Als der Ich-Erzähler seiner Freundin ein Brillanthalsband schenken will, verbietet diese sich derartige entwürdigende Gaben. Auch Jorinde fühlt sich als Dirne, weil sie Geld vom Geliebten nimmt. Franzi dagegen nimmt das Geld ohne Ziererei, der Erzähler wundert sich darüber und stellt sich einen möglichen Szenenverlauf vor, der im *Leben mit einer Göttin* beschrieben und auf den eben verwiesen wurde. [439]

Ein Reflex dieses Motivs ist, daß der in Pepi vernarrte Bratmeier ihr ein Kettchen mit Anhängsel verehrt, in dem sich sein Bild befindet. Pepi trägt es, obgleich sie sein Bild als Keckheit betrachtet. Der Vorgang ist ihr Beleg dafür, daß sie, vor allem auch wegen ihrer Kleidung, zu der die beiden Freundinnen so viel beigetragen hatten, in einem Meer von Freundschaft schwimmt. Die antithetische Parallele zu Amalia ist offensichtlich. Auf dem Feuerwehrfest hatte Olga den Eindruck, jeder müsse sich vor ihrer Schwester beugen. Auch für dieses Ereignis waren die Kleider von langer Hand vorbereitet worden, die dafür notwendigen Spitzen borgte die Mutter, das Halsband aus böhmischen Granaten leiht ihr Olga; also sind hier ebenfalls drei Frauen an der Ausstattung beteiligt, und wie Pepi trägt Amalia ein Halsband. In Sortini erhält sie dann einen Verehrer, dessen Auftreten allzu kühn ist.

Man kann übrigens die besondere Art der Ablehnung auf seinen Antrag, das Zerreißen des Briefes, in *Franzi* vorgebildet sehen. Der schon erwähnte Verehrer Franzis, der Baron, also die Bratmeier und Sortini entsprechende Figur, läßt dem Erzähler durch Franzi einen Brief zukommen, in dem er erklärt, aus patriotischen Gründen auf eine Ehrauseinandersetzung mit dem Briefempfänger um das Mädchen verzichten zu wollen. Die Reaktion des Betroffenen: »Ich fühlte mich gedemütigt, aufs tiefste gedemütigt gerade durch das, was mir Genugtuung schaffen sollte ... Mit einem Griff riß ich Franzi das Papier aus der Hand, zerfetzte es wütend in kleine Stücke, die ich auf den Tisch hinwarf. ›Das da kannst du deinem Baron ausrichten.‹« [440]

Dieses Motiv auf Amalia zu übertragen, war deswegen für Kafka schaffenspsychologisch nicht schwierig, weil diese ja auch ein Bild seiner selbst ist wie die Erzähler in Brods Romanen. So fühlt sich also Amalia entehrt, zerreißt den Brief des Boten Sortinis und wirft ihm die Fetzen ins Gesicht. Der Rahmen zu dieser Szene kann natürlich trotzdem aus dem Roman der Božena Němcová stammen.

Die Frage, warum Pepis Fall anders verläuft, ist nicht leicht zu beantworten. Man hat wohl davon auszugehen, daß ihre bessere Verwurzelung in der Gemeinschaft ihr Kräfte zuführt, über die Amalia als auf sich selbst ge-

stellte Westjüdin nicht verfügen kann. Pepi ist rot und gesund, gut durch-
blutet sozusagen, vielleicht wegen ihrer zu vermutenden Verbindung zum
Land und seiner Kultivierung, der Kafka einen hohen Lebenswert zubilligte.
Amalia — ihre Familie hat keine Äcker — kränkelt. Für diesen Unterschied
spricht auch der Begriff, der in den jeweiligen Selbstcharakterisierungen das
Lebensgesetz der Mädchen auf einen Nenner bringt. Bei Amalia ist es die
Unfähigkeit, sich aus den bestehenden Verhältnissen herauszuarbeiten, bei
Pepi die Fähigkeit durchzubrechen, also die Kraft, den scheinbar vorgegebe-
nen Lebensrahmen wenigstens augenblicksweise zu sprengen.

Auch dieser zuletzt genannte Terminus kann lebensgeschichtlich verifiziert werden. In einem Brief an Jizchak Löwy, in dem er bedauert, daß der
Schauspieler immer noch keinen Ausweg aus seiner bedrängten Lage und
noch keine adäquate Beschäftigung als Künstler gefunden hatte, meint Kafka,
er und Löwy seien viel hoffnungsvoller gewesen, als sie beide in Prag zusammen waren: »Ich dachte damals, Sie müßten irgendwie durchbrechen und
zwar mit einem Schlag.« Löwy war gewiß für Kafka der in seinem Volk ver-
wurzelte, engagierte Künstler, der heiße, also feurige und vitale Künstler,
dem es gelingen sollte, ungünstige Ausgangsverhältnisse zu überwinden.

Noch ein besseres, weil der Entstehungszeit des Romans näheres Beispiel
findet sich in einem Brief Kafkas, den er im März 1921 an Max Brod richtete. Er schildert ausführlich seine Lage und bittet den Freund, für ihn im
Büro eine Urlaubsverlängerung zu erreichen. Dann heißt es: »Das wäre also
die Aufgabe. Wenn ich daran denke, daß ich zu Deiner vielen Arbeit noch
derartiges hinzufüge, habe ich mich — glaube mir — nicht sehr gern, aber
man ist von Bedenken eingekreist, irgendwo muß man durchbrechen«. Die
anschauliche Komponente, die diese Vorstellung enthält, ist hier noch ganz
unmittelbar zu greifen. Und als Ausgangspunkt stellt sich eine existentielle
Zwangslage dar, aus der die Befreiung erfolgen soll. Schließlich zeigt das
Beispiel, daß Kafka den Begriff des Durchbruchs auf sich selber anwendet
und damit die Überwindung eigener innerer Hemmnisse meint.

Und schließlich kann man hier auf eine Stelle der *Forschungen eines Hundes* verweisen, wo der Ich-Erzähler erklärt, sein eingeborenes Wesen sei
durch das Konzert der sieben Musikhunde durchgebrochen. Der Begriff meint
also äußere Durchsetzung der vorhandenen Anlagen und Entfaltungsmöglichkeiten. Daß hinter dem erwähnten fiktiven Erlebnis der richtungswei-
sende Eindruck steht, den Kafka durch das jiddische Theater und seinen
Freund Jizchak Löwy empfing, bindet die späte Erzählung an die eben zitierte
Briefstelle zurück und dokumentiert so, daß es sich um eine profilierte, fest
umgrenzte Vorstellung in Kafkas Denken handelt.

Hier ergaben sich natürlich Parallelen zu den Künstlerkarrieren Emmys
und Milenas, die die Anwendung des Begriffs auf Pepi rechtfertigten. Sie
erklärt in Hinblick auf den neuen Posten: »... und nun bin ich doch
durchgebrochen«. Zwar gelingt Pepi der Aufstieg nicht endgültig, so wenig
wie zunächst Löwy, der, wie Kafka erfuhr, erst im Jahr 1917 große Erfolge

hatte, und Emmy, die erst vergeblich eine Laufbahn als Sängerin einschlagen wollte. Diese Entwicklungsmöglichkeit bleibt nach K.s Meinung Pepi erhalten. Sie war für den Posten eines Schankmädchens nicht geeignet und muß nun auf die nächste Gelegenheit warten, sich zu verwirklichen. [441]

Neben den Ähnlichkeiten zwischen Frieda und Pepi, neben den Übereinstimmungen zwischen dem Serviermädchen und bestimmten erotischen Erfahrungen Kafkas, besonders in seiner Meraner Zeit, und den Verbindungslinien, die zu Brods Vita führen, bedarf noch ein vierter Gesichtspunkt gesonderter Beachtung und genauer Betrachtung, nämlich Pepis Alter. Sie ist für Kafka in einem ganz bestimmten Sinn die Repräsentantin der Jugend schlechthin. Die Projektion dieses Vorstellungszusammenhangs gerade auf Pepi wurde Kafka gleichsam durch verschiedene Vorlagen suggeriert. Fast noch als Kind verläßt Franzi ihr Elternhaus und lernt ihren Geliebten mit 19 Jahren kennen; Mira wurde im Alter von 16 Jahren von ihrem Vormund zur ersten Stelle gebracht. Auffällig wird in Kafkas Roman Pepis Jugend betont, besonders in der gestrichenen Erstfassung von K.s Beurteilung ihrer Erzählung. Pepi habe im »Jugendfeuer« am Ausschank gearbeitet und ist überhaupt »jung und frisch«. Ihr Putz ist freilich ein »Fehler der Jugend«, auch habe sie fälschlicherweise geglaubt, die neue Stelle werde »alle Träume der Jugend« verwirklichen; schon beim ersten Zusammentreffen bezeichnet sie K. als »junges Mädchen«.

Ihr wirkliches Alter wird nirgends direkt genannt, aber durch auffällige Hinweise einigermaßen eruierbar. Pepi berichtet K. über ein Gespräch mit dem Wirt, in dem sie die Zukunftsaussichten ihrer Zimmergenossinnen besprochen hatte: »Hinsichtlich Henriettes war der Wirt nicht ganz unnachgiebig, für Emilie, die viel älter als wir ist, sie ist etwa in Friedas Alters, gab er mir allerdings keine Hoffnung.« Hier scheint nun eine gewisse Unstimmigkeit darin zu bestehen, daß Frieda im Roman ebenfalls als junges Mädchen eingeführt wird. Dies ist insofern folgerichtig, als der im Jahr 1920 38-jährige Kafka die 25jährige Milena als Mädchen und als ausgesprochen jung empfand. Doch im Vergleich mit Pepi ist sie eben nicht jung und frisch, sondern ältlich und verwelkt, also tatsächlich doch wohl schon dem Alter des über 30jährigen K. angenähert. Pepi also ist sehr viel jünger, was auch aus K.s Aussage hervorgeht, sie sei fast »allzu jung, um sich in die Welt zu schicken«. Da sie aber schon einige Jahr dient, muß sie wie Franzi fast noch im Kindesalter ihr Zuhause verlassen habe. Auch dies ein Indiz dafür, daß ihre Biographie derjenigen Emmy–Franzis geähnelt hätte, wenn sie zur Darstellung gekommen wäre. [443]

Die Position des Wirts aber, daß nur die Jugend vorankommen könne, war Kafkas ureigenste Überzeugung. Er äußert sie nicht nur im *Brief an den Vater*, wo er die günstige Persönlichkeitsentfaltung seiner ältesten Schwester Elli seit ihrer Heirat darauf zurückführt, daß sie noch in jungen Jahren von zu Hause weggegangen sei (Elli ging im Alter von 21 die Ehe ein), sondern auch anläßlich eines 1921 und 1922 in Briefen an Robert Klopstock verhandelten Falls, der Kafka sehr beschäftigte. Es handelte sich dabei darum, daß ein dem Briefpartner bekanntes Mädchen aus der Tatra an einer Kunstakademie studieren wollte, obwohl es nach Kafkas Auffassung keinerlei Talent dafür, wohl aber »menschliche, künstlerische, allseitige Unerfahrenheit« besaß.

Trotzdem vermittelte er auf Klopstocks Wunsch Empfehlungsschreiben und fühlte sich verantwortlich, das Mädchen so ins Leben hinauszutreiben. Als Fräulein Irene — die deutsche Entsprechung dieses griechischen, dem Humanisten Kafka in seiner Bedeutung natürlich bekannten Namens ist Frieda — tatsächlich angenommen wurde, schrieb er: »... es ist ein wahnwitziges Unternehmen, so wahnwitzig, daß es nicht einmal schön ist zuzuschauen. Ich werde entzückt sein, wenn es halbwegs gut ausgeht, ich werde nicht nur im Einzelfall widerlegt sein, mein ganzes Weltbild wird beeinflußt sein ... Ich denke ja bei dem Ganzen sehr an mich, es ist so, wie wenn ich etwa heute meinem Traum nachgeben und mich bei einer Skauttruppe zehnjähriger Jungen anmelden wollte.« Der letzte Satz kann gar nicht anders verstanden werden, als daß Kafka der Meinung war, Irene lebe vor, was er selbst als Jugendtraum in sich trage, aber wegen seines Alters nicht mehr verwirklichen könne. Als Begründung für seine Auffassung führt er an, daß man freilich auch ohne Begabung etwas Brauchbares erreichen könne, »das alles aber nur in früher Jugend, im Alter Frl. Irenes nicht mehr«. Glücklicherweise ermöglicht eine Nachschrift zu diesem Brief eine exaktere Bestimmung: »Eben sehe ich, daß Frl. Irene nicht 28 Jahre alt ist, wie ich dachte, sondern 26, diese Kleinigkeit gibt doch vielleicht ein wenig Hoffnung.« [444]

Kafka band also tatsächlich die Verwirklichung hochstrebender Lebenspläne an ein bestimmtes Alter, in dem sie ausgeführt werden müßten; die äußerste Grenze kann man bei 25 Jahren ansetzen. Es ist natürlich, daß er sich in diese Sache »verflochten« fühlte — der Begriff erscheint auch im *Schloß*, wo er die Art der Beziehung fixiert, die zwischen der Familie des Barnabas und der Briefgeschichte obwaltet —, schien er hier doch offensichtlich in seiner Theorie widerlegt zu werden. Den Altersangaben im *Schloß* und den entsprechenden Verhältnissen in Kafkas Umgebung kommt also eine hohe Bedeutung zu. Milena war 22 Jahre alt, als sie heiratete und ihren Vater verließ, ihre Frische und Jugend, die »Vordringen« bedeuten, konnten auf Pepi übergehen, da Frieda den diesen Eigenschaften zugeordneten Aspekt im Roman nicht zu verkörpern hat, ebenso Löwys inneres Feuer, verließ er doch im Alter von 17 seine Heimatstadt; als er im Alter von 24 Kafka kennenlernte, erwartete dieser einen schnellen Durchbruch oder gar keinen. Sich selber gab der Dichter im Alter von 29 bis 31 die allerletzte Chance — gemeint ist sein Plan, 1912 und dann 1914 nach Berlin zu gehen und dort eine selbständige Laufbahn als Journalist und Schriftsteller einzuschlagen (also wieder eine Parallele zu den schon mehrfach beigezogenen Künstler-Lebensläufen) —, wodurch auch die auf K. bezügliche Altersangabe genauer interpretierbar wird: Es bleibt ein letzter, verschwindender, eigentlich gar nicht mehr vorhandener Rest an Hoffnung. [445] Und insofern Irene erfolgreich war — Kafka erfuhr es, bevor er Pepis Erzählung zu schreiben begann —, also eben doch noch jung und in gewisser Weise hoffnungsvoll, konnte ihre allseitige Unerfahrenheit auch Pepi zieren.

Wenn man weiß, daß Kafka zur Zeit der Niederschrift des Romans sich deutlich und zum erstenmal endgültig bewußt wurde, daß seine Selbständigkeitsversuche restlos gescheitert waren, versteht man es besser, daß eine Figur wie Pepi, die einfach den in ihm noch lebendigen Aspekt der Jugend vertritt, im Roman eine so wichtige Rolle spielt und große Ähnlichkeiten zu K. aufweist: In ihren Fehlern hätten sie eine Art Gemeinschaft, erklärt ihr K., auch klagt er sich selbst unnützer, schädlicher Träume an — man vergleiche Kafkas Wunsch, sich einer Pfadfindertruppe anzuschließen — und bringt seinen Kampf um den Posten eines Landvermessers mit Pepis Anstrengungen, sich in der neuen Stellung zu bewähren, in Verbindung. [446]

Dafür gibt es auch vom Bewußtsein der Beteiligten unabhängige Indizien: Beider Besitz findet in einem Rucksack Platz, beide warten vergeblich auf das Erscheinen Klamms, Pepi im Ausschank, K. im Hof des »Herrenhofes«. Ist das Ausgeführte richtig, dann bleibt freilich die Frage, warum es Amalia nicht gelingt, mit leichter Hand wie Pepi mit der Verführung, die von ihrer Weiblichkeit ausgeht, fertig zu werden; denn tatsächlich ist sie in einem Pepi vergleichbaren Alter, und zwar als einzige der Romanfiguren. Einerseits ist sie nämlich jünger als ihre Geschwister, andererseits wird gesagt, daß bei dem drei Jahre zurückliegenden Feuerwehrfest Barnabas, der noch als Bote sehr jung und seiner Aufgabe nicht voll gewachsen ist, Prügel bekam — wieder eine Verbindungslinie seiner Familie zu Pepi. Legt man die damals üblichen und Kafka bekannten bäuerlichen Erziehungspraktiken bei der Berechnung seines Alters zugrunde und berücksichtigt die anderen Determinanten, die im Roman gegeben sind, kann er höchstens 16 Jahre alt sein, Amalia nur wenig jünger, also ungefähr 15. Denn nach anderen Aussagen scheint es fast wieder, als sei Barnabas der Jüngste, überdies kann Amalia, wenn sie so gut schneidert, nicht dreizehn oder vierzehn Jahre alt sein, auch zur Faszination durch Sortini dürfte das zu Kafkas Zeiten, wo die Pubertät viel später einsetzte als heutzutage, nicht recht passen. Immerhin entsteht so eine Pepi vergleichbare Jugendlichkeit. [447]

Man muß jedoch bedenken, daß Amalias Jugend sich sozusagen selbst verleugnet, nicht nur wegen ihrer Abgespanntheit, inneren Schwäche und mangelnden Vitalität. Vor allem nämlich wird ihre jugendliche Schönheit im Roman selbst wiederrufen. K. sagt zu Olga: Amalia ist zwar die Jüngste, »aber davon merkt man nichts in ihrem Äußeren, sie hat das alterslose Aussehen der Frauen, die kaum altern, die aber auch kaum jemals eigentlich jung gewesen sind. Du siehst sie jeden Tag, du merkst gar nicht die Härte ihres Gesichtes«. Warum sieht aber Amalia so aus, und warum wird dann trotzdem ihre große Jugend betont? Darauf gibt es mehrere, teilweise schon dargestellte Antworten: Einmal muß sie als Gegenfigur Pepis jung sein, dann aber auch als Repräsentant des 16jährigen Kafka, der von seinem Vater auf die ihn tief verletzende Weise ins Leben, in die Beziehung zum andern Geschlecht eingeführt wurde.

Der entscheidende, Amalias Jugend vernichtende Unterschied zwischen den beiden Mädchen besteht jedoch darin, daß Amalia durch die über sie hereinbrechenden Ereignisse überfordert war, daß sie zu jung war — dies ist die andere Seite der Jugend, die gefährdende nämlich —, um sich zu behaupten. Olga sieht das deutlich an Barnabas, der nach dem Feuerwehrfest erkannte, »daß die sorgenlosen Jahre, die andere seines Alters erwarteten, für ihn nicht mehr vorhanden waren«. Er verliert also eine natürliche Jugendentwicklung, ein nach Kafkas Auffassung für das Westjudentum symptomatischer Vorgang, der auch, wie schon erwähnt, in *Josefine* dargestellt ist und den er für sich selber im März 1922 auf die Formel brachte: »Noch nicht geboren und schon gezwungen zu sein, auf den Gassen herumzugehen und mit Menschen zu sprechen.« Kafka fühlte sich also wegen seines Judentums und trotz seines sehr jugendlichen Aussehens, das für ihn seine Entwicklungslosigkeit dokumentierte, unendlich alt. [448]

K.s an Amalia bemerkter Gesichtsausdruck ist nur die Übertragung auf eine weibliche Figur, denn aus der Beschreibung lassen sich die beiden zentralen Momente Jugendlosigkeit und fehlende Entwicklung ablesen. Während also Amalia sozusagen noch als schwaches Kind und vielleicht, was hätte noch erzählt werden können, durch ihre Erziehung wie Kafka entscheidend geschwächt, dem übermächtigen Leben ausgesetzt wurde und sich aufgrund ihrer als Jüdin sowieso ungünstigen inneren Ausstattung und der Neigung zu bedingungslosem Entweder-Oder doppelt so schlecht dagegen wehren konnte, bleibt Pepi von einer solchen Prüfung verschont. Sie erhält als noch junges Mädchen durch K. eine Chance, sich zu bewähren, und sie ist schon etwas älter, als das andere Geschlecht ernsthaft fordernd, aber lange nicht so aggressiv, in ihr Leben tritt.

Man kann sogar in diesem Unterschied noch ein Spiegelbild von Reflexionen Kafkas über seine innere Verfassung sehen. Einerseits wollte er sein Schicksal nicht vollständig von dem der andern Menschen abtrennen, weshalb auch beispielsweise der Erzähler der autobiographischen *Forschungen eines Hundes* behauptet, er selbst sei keine Fingerbreite außerhalb des Hundewesens, andererseits sah er doch einen so großen quantitativen Unterschied zwischen sich und andern, daß eine grundsätzliche Kluft entstehen mußte. So heißt es z. B. im Oktober 1921 im Tagebuch: »Ich glaube nicht, daß es Leute gibt, deren innere Lage ähnlich der meinen ist, immerhin kann ich mir solche Menschen vorstellen, aber daß um ihren Kopf so wie um meinen immerfort der heimliche Rabe fliegt, das kann ich mir nicht einmal vorstellen.« Diese entscheidende Differenz ist in der unterschiedlichen Gestaltung Amalias und Pepis akzentuiert worden. [449]

Angesichts der aufgezeigten Zusammenhänge kann man nur darüber lächeln, auf welche groteske Weise die Gestalt der Pepi seither in der Forschung mißverstanden wurde. W. Kudszus beispielsweise sieht Pepi als Gegenfigur zur Herrenhofwirtin, und zwar aufgrund der Tatsache, daß jene sich verbal äußert, diese aber vorwiegend visuell, nämlich durch das Vorzeigen ihrer Kleider. In einer Art allegorischer Deutung, für die es keinerlei Begründung gibt, wird dieser angebliche Gegensatz als Ausdruck von Kafkas Zerrissenheit zwischen literarischer Tradition und nichtliterarischer Zukunft ausgedeutet. Aber nicht nur, daß es für eine solche Antinomie in den Lebenszeugnissen keinerlei Hinweis gibt; die vorgenommene Zuordnung kann auch keinen Vergleich mit den vielartigen, differenzierten Zuordnungen aushalten, die Pepi mit Frieda und Amalia verbinden und die Kudszus übergeht. Außerdem ist seine Position der Ausdruck einer ganz bestimmten, unsinnigen Theorie über den Fragment-Charakter von Kafkas Romanen, die innerlich auf Nichtvollendbarkeit angelegt seien. Es ist immer mißlich, Interpretationen auf fragwürdigen Thesen aufzubauen. [450]

8. Kapitel:
Personifikationen:
Momus. Lehrer. Gehilfen. Herrenhofwirtin

Sieht man von denjenigen Gestalten ab, die, wie etwa Galater, Seemann, Lasemann oder der Herrenhofwirt, im erhaltenen Textbestand nicht näher expliziert sind, so bleiben an zur Analyse fähigen Erzählfiguren die im Untertitel dieses Kapitels Genannten. Das über sie im Roman Gesagte reicht gerade aus, um sie in das Koordinatensystem der vorliegenden Deutung einbeziehen zu können.

Was den Dorfsekretär betrifft, so wird seine Aufgabe und Arbeitsweise aus dem 9. Kapitel hinreichend deutlich. Er hat, so wird dort berichtet, für die Klammsche Dorfregistratur eine genaue Beschreibung des eben ablaufenden Nachmittags zu geben. Im Mittelpunkt des Kapitels steht nun die Frage, inwieweit dieses Protokoll des Sekretärs in seinen Folgen dazu führen könnte, daß K. vor Klamm erscheinen darf. Wenn solche Zusammenhänge bestehen, ist K. bereit, ergänzende Fragen zum Protokoll zu beantworten. Die von der ebenfalls anwesenden Brückenhofwirtin gegebene Erklärung — der Vorgang vollzieht sich im Ausschank des »Herrenhofes« — läßt sich wie folgt zusammenfassen: Der einzige, amtliche Weg, der K. »wenigstens in der Richtung zu Klamm« führe, gehe durch die Protokolle des Sekretärs. Freilich handelt es sich hier um eine »letzte, kleinste, verschwindende, eigentlich gar nicht vorhandene Hoffnung«. [451]

Es ist naheliegend, in Momus und seiner Tätigkeit ein Bild für Kafkas Schreiben zu sehen. Die Indizien, die für eine solche Auffassung sprechen, sollen jetzt vorgestellt werden:

1) Es ist unwahrscheinlich, daß in einem derart komplizierten und differenzierten System von Romangestalten und deren Konstellationen, die Kafkas Vorstellungswelt abbilden, das literarische Schaffen des Dichters nicht an markanter Stelle repräsentiert worden sein sollte. Da die übrigen profilierten Figuren, auch die noch zu würdigenden, funktionsmäßig anderen Lebensbereichen zugeordnet sind, bleibt für Kafkas literarische Aktivität nur Momus, der sich als Sekretär in einer dem Schriftsteller vergleichbaren Lage befindet, insofern er K.s Leben in einem Bericht fixiert. Wie er ausdrücklich erklärt, ist dies auch seine Arbeit. Denn es handelt sich überhaupt nicht nur darum, den einen Nachmittag festzuhalten, sondern K.s gesamtes Leben im Dorf. Wenn Kafka im *Schloß* ein Bild seiner Versuche gibt, im Gemeinschaftsleben Fuß zu fassen, so ist das von der Sache her das gleiche Unternehmen. Zwar tut Momus so, als handle die angelegte Akte nur von den gerade zurückliegenden Stunden, aber das kann höchstens so verstanden werden, daß die Ereignisse dieser Zeitspanne, nämlich K.s vergebliches Warten auf Klamm, innerlich mit allem andern zusammenhängen. Als K. nämlich später Einblick in das Blatt Nr. 10 dieser Niederschrift erhält, liest er

dort von seinen allerersten Aktionen im Dorf, denen also in dieser Darstellung noch etwas vorausgegangen sein muß, vielleicht die Vorgeschichte seiner angeblichen Berufung. Dort wird auch ausdrücklich vermerkt, der Schreiber habe sich vorgenommen, K.s Spuren, »von der Ankunft angefangen«, genau aufzuzeigen. Als K. vom Hof kommend in den Ausschank eintritt, schreibt Momus noch am Protokoll, offenbar um die letzten, eben geschehenen Ereignisse nachzutragen. Deutlicher kann man die Parallele zwischen dieser Akte und der Niederschrift des Romans kaum zum Ausdruck bringen. [452]

2) Kafka führte jahrelang Tagebücher in der Art von protokollarischen Berichten, er hielt, wie gezeigt, abends den Ablauf des Tages fest. Als größere, zusammenhängende Beschreibung seines Lebens, die einer höheren Instanz zur Beurteilung vorgelegt werden sollte, kann der *Brief an den Vater* gelten, dessen Adressat als Ehemann und letzte richterliche Instanz in Kafkas Augen eine Bedeutung zukommt, die derjenigen entspricht, die Klamm für K. hat. Nimmt man Kafkas literarische Produktion hinzu, die er selbst als autobiographisch bezeichnet — seine Geschichten sähen ihm so ähnlich, meint er in einem Brief an Felice —, zeigt sich eine weitere Übereinstimmung: Schreibt Momus seiner Funktion gemäß für Klamm, so Kafka für seinen Vater, dem er gesteht: »Mein Schreiben handelte von Dir, ich klagte dort ja nur, was ich an Deiner Brust nicht klagen konnte.« Beider Bemühungen scheinen aber vergeblich. Klamm liest nämlich überhaupt keine Protokolle: »Bleibt mir vom Leibe mit euren Protokollen!« pflegt er zu sagen. Für die Ablehnung, die Hermann Kafka den literarischen Ambitionen des Sohnes entgegenbrachte, zitiert der Dichter die zwischen ihm und Ottla berühmt gewordene Begrüßung seiner Bücher durch den Vater: »Legs auf den Nachttisch!« [453]

3) Im Kontext der fraglichen Romanszene erscheinen in K.s Bewußtsein Barnabas (Judentum), Schuldienerstelle (Beruf), Frieda (Ehe) und Protokoll (Schreiben) als mögliche und von K. ja auch begangene Wege, Klamm zu sprechen, d. h. Anerkennung zu finden und sich im Gemeinschaftsleben einzubürgern. Der gleiche Vorstellungszusammenhang leitet weitgehend die Konzeption des *Briefs an den Vater*, wo die genannten Komplexe als Selbständigkeitsversuche beschrieben werden, die Kafka seinem Gegner ebenbürtig machen sollten.

4) Wenn die Niederschriften des Sekretärs den einzigen rechtmäßigen Zugang zu Klamm darstellen, den K. verwirft, würde das ja bedeuten, daß Kafka in sich einen Kampf um das Schreiben geführt hat, daß er es einerseits als die einzige Möglichkeit ansah, selbständig zu werden, sich Anerkennung zu verschaffen und Kräfte für ein Gemeinschaftsleben zu gewinnen, daß er aber andererseits wieder von solchen Versuchen gar nichts gehalten haben müßte.

Tatsächlich ist diese ambivalente Selbsteinschätzung des literarischen Schaffens in den Lebenszeugnissen nachweisbar. Für den ersten Teil der Alternative könnte man anführen, daß Kafka, nachdem Heirat und der Versuch, Prag zu verlassen, gescheitert waren, sofort sein Schreiben als Mittel einsetzte, seinem gemeinschaftsfernen Leben einen Sinn abzugewinnen, und daß er zuzeiten im Schreiben die ergiebigste Richtung seines Wesens sah, die alles andere verkümmern ließ, so daß er es z. B. überhaupt nur in einer Phase gelingender Arbeit wagte, die Verbindung mit Felice aufzunehmen, weil er der Meinung war, sonst nichts zu sein.

Für die Spätzeit aber, die ja im *Schloß* und K.s Vorstellungswelt repräsentiert ist, gilt diese Rangfolge nicht mehr. Als Kafka mit dem *Schloß* und den andern großen Erzählungen der letzten Jahre nach längerer Pause das Schreiben wieder aufnahm, hielt er es zwar für das Wichtigste auf Erden, war jedoch von dessen vollständiger Wertlosigkeit überzeugt. Die Waffe im Kampf um die Repräsentanten des Lebens war stumpf geworden. Von 1917 bis 1920 hatte er sich zudem gar nicht als Schriftsteller gefühlt. Während des ersten halben Jahres, wo er um Milena kämpfte, war er also bewußt und willentlich unschöpferisch. [454]

5) Die Tendenz des K. bekanntgewordenen Protokollauszugs zeigt diesen in einem sehr ungünstigen Licht, insofern seine Handlungen als Ausdruck seiner Ich-Bezogenheit und moralischen Minderwertigkeit erscheinen: K. will sich im Dorf festsetzen, treibt sich sinnlos herum, verbreitet Unfrieden in der Umgebung, macht sich an Frieda heran und verführt sie auf berechnende Weise. Diese Darstellung entspricht deutlich Kafkas Neigung, sich bei der Beurteilung seines Verhaltens herunterzusetzen. An Brod schreibt er einmal zur Zeit der Konzeption des Romans, der Freund verstehe ihn nur deshalb nicht, weil er in seinem Verhalten etwas Zartes oder Edles suche, was nicht vorhanden sei. Demgemäß schreibt er sich auch in den Lebenszeugnissen die eben aus dem Protokoll zitierten Begriffe oder Sachverhalte selber zu. [455]

Interessant ist in diesem Zusammenhang auch eine Tagebuchnotiz aus dem Jahr 1915: »Wäre ich ein Fremder, der mich und den Verlauf meines Lebens beobachtet, müßte ich sagen, daß alles in Nutzlosigkeit enden muß ... schöpferisch nur in der Selbstquälerei. Als Beteiligter aber hoffe ich.« Das Protokoll stellt ja nun gerade eine solche Lebensbeschreibung K.s aus fremder Optik dar, freilich wird dort betont — und damit kommt das masochistische Element ins Spiel —, man müsse sich, um K. erkennen zu können, ganz in seinen Gedankengang hineinzwingen: »Hierbei muß man sich nicht beirren lassen, wenn man auf diesem Weg zu einer von außen her unglaublichen Schlechtigkeit gelangt, im Gegenteil ... dann erst ist man am richtigen Ort.« Nur in der Formulierung und in der Intensität ist diese Passage von der eben erwähnten Briefstelle unterschieden, wo Kafka seinen Freund auffordert, ihn unter eben dem Gesichtswinkel zu betrachten.

Der zitierte Protokollteil bezieht sich nun ausschließlich auf Milena, und man mag die Frage erheben, ob es tatsächlich denkbar ist, daß Kafka — angenommen die Frieda-Handlung spiegelt tatsächlich diesen Erlebniskomplex

— derart herabsetzend von einer Beziehung sprach, die ihn erschütterte wie wenig in seinem Leben. Daß dies möglich ist, ja sogar zwangsläufig eintreten muß, beweist eindeutig eine Tagebuchstelle vom Oktober 1921, die also zeitmäßig gar nicht weit vom Beginn der Niederschrift des Romans abliegt und direkt ein Indiz dafür darstellt, daß sich Milena hinter Frieda verbirgt (denn natürlich erscheint in etwas indirekterer Weise durch sein Verhalten und das, was man ihm vorhält, K. auch im Handlungsgang des Romans in recht negativer Beleuchtung). Die Stelle, die sich auf das Tagebuchführen, also Protokollieren bezieht, lautet: »Über M.[ilena] könnte ich wohl schreiben, aber auch nicht aus freiem Entschluß, auch wäre es zu sehr gegen mich gerichtet, ich brauche mir solche Dinge nicht mehr umständlich bewußt zu machen ...« [456] Die Selbstverurteilung war allgegenwärtig und bildet den Hintergrund des Romans.

6) Unter der über zehn Druckseiten langen gestrichenen Partie des Kapitels *Kampf gegen das Verhör* findet sich eine sehr seltsame Passage. Auf die Ausführungen des Sekretärs — dies war in Kafkas Laufbahn als Beamter einer der ihm zukommenden Titel —, alle Papiere in seiner Mappe handelten von den Ereignissen des Nachmittags selbst, schließt sich unmittelbar folgende, offenbar als Reflexion K.s zu deutende Aussage an: »Hat man die Kraft, die Dinge unaufhörlich, gewissermaßen ohne Augenschließen, anzusehen, sieht man vieles; läßt man aber nur einmal nach und schließt die Augen, verläuft sich alles gleich im Dunkel.« K. glaubt also, aus dem Protokoll bessere Einsichten über sich erlangen zu können als durch eigenes Nachdenken, weil Momus die Möglichkeit habe, ihn unaufhörlich zu beobachten, unaufhörlich zu schreiben. Natürlich spiegelt sich hier Kafkas erkenntnistheoretische Position, die etwa auch den Stücken *Auf der Galerie* und der *Brücke* zugrundeliegt, die Auffassung nämlich, daß Situationsverhaftetheit und Endlichkeit des Wahrnehmungsvermögens die Erkenntnis der Wahrheit verhindern, obwohl sie Voraussetzung dafür sind.

Außerdem steht hinter dieser unablässigen Objektfixierung wohl auch Unsicherheit und Angst. Im Februar 1913 schrieb Kafka an Felice: »Früher, als ich noch weniger Überblick über mich selbst hatte und glaubte, keinen Augenblick die Welt außer acht lassen zu dürfen, in der kindischen Annahme, dort sei die Gefahr und das Ich werde sich schon von selbst ohne Mühe und Zögern nach den Beobachtungen einrichten ...« Man sieht hier, nebenbei bemerkt, wie sich diese Vorstellung vorzüglich dem im ersten Kapitel dieses Teils der Arbeit herausgestellten Begriff der Unbedarftheit fügt, die also in der Art der Wahrnehmung Kafkas eine Entsprechung hat. Jedenfalls spricht die Konstanz der Metapher über viele Jahre hinweg dafür, daß er in der Spätzeit den im Brief erwähnten Zustand keineswegs überwunden hatte. Das literarische Werk ermöglicht aber auf einer höheren Ebene trotzdem eine sachgemäße Übersichtbeobachtung, weil es als Organismus gleichsam eine Destillation des unübersehbaren Lebens darstellt, aus der sogar noch in der Zukunft liegende Lösungen ablesbar sind, was Kafka erwiesenermaßen auch immer wieder tat. [457]

Als speziellere Determinante wäre noch anzuführen, daß für Kafka das künstlerische Gelingen in hohem Maße davon abhängig war, inwieweit ihm die Niederschrift im Zusammenhang, also »gewissermaßen ohne Augenschließen«, oder, wie es an anderer Stelle heißt, als Durchrasen der Nächte möglich war; jede zeitliche Unterbrechung schadete seiner Ansicht nach dem Werk. [458]

7) Als unvereinbar mit der gegebenen Deutung könnte vielleicht erscheinen, daß K. keine Einsicht in die Protokolle gewährt werden soll; erst bei leichter Gewaltanwendung K.s rückt Momus mit dem erwähnten Blatt heraus. Tatsächlich läßt sich aber auch dieses Handlungsmoment innerhalb des vorgeschlagenen Rahmens plausibel deuten. Kafka empfand nämlich die im Entstehen begriffenen literarischen Werke als selbständige Partner, die, wenn das Schreiben nicht gelingen wollte, ihn auswerfen, ab- oder zurückweisen. Eine sehr plastische Stelle, den *Amerika*-Roman betreffend, findet sich in einem Brief an Felice: »er will mir noch immer nicht folgen, ich halte ihn, aber er wehrt sich mir unter der Hand und ich muß ihn immer wieder über ganze Stellen hinweg loslassen«. Man sollte derartige Aussagen nicht als aufputzenden Zierat verstehen, sondern als Hinweis auf die Tatsache, daß der Schaffensvorgang nicht der Überwachung durch das Bewußtsein Kafkas unterlag, sondern autonom war und in einem »Kampf« unter Kontrolle gebracht werden mußte.

Was die Lebenszeugnisse betrifft, so ist bekannt, wie ihn die Lektüre eigener Niederschriften erregte, so daß er einmal bemerkt, es wäre besser, sich von solchen Dingen zurückzuhalten. Er las aus dem gleichen Grund, aus dem K. Kenntnis des Protokolls verlangt, nämlich um eine »Art Ahnung der Organisation eines solchen Lebens« zu bekommen. Der Widerstand des Sekretärs ist also nur die szenische Veranschaulichung einer inneren Auseinandersetzung in Kafka, die eintrat, wenn er Geschriebenes fortsetzen oder wieder lesen wollte. [459]

Es ist möglich, auch den Lehrer und seine Funktion im Romangefüge auf Kafkas Lebensprobleme zu beziehen: Die Kenntnis folgender Gegebenheiten erleichtert das Erkennen der Zusammenhänge. Auf dem Vorsatzblatt zum zweiten Manuskriptheft findet sich von Kafkas Hand eine stichwortartige Inhaltsübersicht der ersten beiden Romankapitel. Zwischen den dort artikulierten Erzähleinheiten »Weg mit Barnabas« und »In der Familie des Barnabas« heißt es »Heimatserinnerung«, was zeigt, daß diese dann eine Druckseite umfassende Passage von vornherein in der Konzeption verankert und damit bedeutsam war. [460] Wegen der »Mühe«, die ihm das Gehen verursachte — K. meint, Barnabas führe ihn in der Nacht zum Schloß —, verwirren sich K.s Gedanken, statt »auf das Ziel gerichtet zu bleiben«, und wenden sich der Heimat zu: »Auch dort stand auf dem Hauptplatz eine Kirche, zum Teil war sie von einem alten Friedhof und dieser von einer hohen

Mauer umgeben.« Nebenbei: Die früher schon vorgetragene Vermutung, K.s Heimat werde nach Zürauer Erinnerungen gestaltet, bestätigt sich hier, denn die Beschreibung entspricht den dortigen Gegebenheiten. [461] Obwohl schon oft von der Mauer »abgewiesen«, gelingt es K. eines Vormittags, sie zu besteigen, ein tiefes Erfolgserlebnis. Der zufällig vorüberkommende Lehrer vertreibt ihn »mit einem ärgerlichen Blick«; beim Absprung verletzt sich K., so daß er nur »mit Mühe« nach Hause kommt.

Sokel hat erkannt, daß der Lehrer des Schloßdorfes genau dieselbe Rolle spielt, wie der eben erwähnte des Heimatorts in K.s Kindheit. Denn nach dem Gespräch mit jenem ist K. ebenfalls »zerstreut« und fühlt »wirkliche Müdigkeit«. Der sich anschließende Versuch, das Schloß gehend zu erreichen, mißlingt kläglich. Wie in seiner Kindheit wird K. vom Lehrer, der ihn »schon von der Ferne ins Auge gefaßt« hatte, gleich am Anfang seines Aufenthalts im Dorf entscheidend besiegt. In der Erstniederschrift wird dies noch deutlicher gesagt. In einer von Kafka dann gestrichenen Stelle stand zunächst, daß K. als Folge der Unterhaltung »nicht mehr zum Schloß hinaufgehen wollte«; ebenfalls getilgt wurde K.s Gedanke, er habe »vor dem Lehrer die Prüfung nicht bestanden«. [462] Hinzufügen darf man noch, daß in der erwähnten Inhaltsübersicht der Erzählteil zwischen dem Gespräch mit dem Lehrer und dem Besuch bei Lasemann durch den Begriff »Müdigkeit« abgedeckt wird. Auch später kann sich K. nicht vor dem Lehrer bewähren. Bei der ersten Gelegenheit entläßt dieser ihn als Schuldiener. Zwar gelingt es ihm nicht, von sich aus die Kündigung durchzusetzen, aber bezeichnenderweise (denn es stimmt genau zum bisher Gesagten) verhält sich K. im weiteren Verlauf der Handlung so, daß seine Stellung als Schuldiener sowieso gegenstandslos wird. [463]

Offensichtlich stellen diese Szenen eine erzählerische Ausfaltung der von Kafka besonders in der Spätzeit verwendeten Lehrer-Schüler-Metapher dar, die einen ganz bestimmten Aspekt seines Lebensverständnisses zum Ausdruck bringen sollte. Denn mehrfach vergleicht er ja seine innere Lage mit einem Schüler, der sein Klassenziel nicht erreicht hat. Anfangs 1921, nach drei vergeblichen Heiratsversuchen auf den Ausgangspunkt seiner Bemühungen zurückgeworfen und in der Erkenntnis, auch seine Zukunft nicht erfolgreicher gestalten zu können, erklärt er, er verhalte sich zu der Möglichkeit, vollgültige Liebesbeziehungen herzustellen, wie ein achtmal durchgefallener Gymnasiast zum Klassenziel. Im Februar 1922, vor dem Beginn der Niederschrift des Romans, schrieb er an Max Brod: »Mir geht es wie im Gymnasium, der Lehrer geht auf und ab, die ganze Klasse ist mit der Schularbeit fertig und schon nachhause gegangen, nur ich mühe mich noch damit ab, die Grundfehler meiner mathematischen Schularbeit weiter auszubauen und lasse den guten Lehrer warten.« Nicht nur, daß K. im *Schloß* sich an zwei Stellen pointiert als Schüler fühlt, sondern er verhält sich auch im Sinne des Bildes. Obwohl der Lehrer ihm mit der Schuldienerstelle Wohnung und Beschäftigung und damit Integration in die Dorfgemeinde anbietet, läßt der unhöfliche K. ihn warten und dreht ihm den Rücken zu, und im Schulhaus kommt er seinen Schuldienerpflichten nur sehr unvollkommen nach. Geht man davon aus, daß K. an die Erfüllung seiner Hoffnungen selbst nicht glaubt — so wenig wie Kafka, der oft nur aus Pflicht gegen sich selbst den Kampf mit seinen gegensätzlichen Neigungen fortsetzte —, so erscheinen seine Pflichtversäumnisse, auch hinsichtlich Friedas, als Gegebenheiten, die seinen Ausschluß aus der Gemeinschaft, und damit Kräfteverfall und Tod, nur beschleunigen. Es wäre also ganz verkehrt, innerhalb des Romankontextes nach konkreten Momenten zu suchen, die für K.s entstandene Müdigkeit verantwortlich wären. Es handelt sich vielmehr dabei um die plastische Verdichtung immer wieder eingetretener Lebenserfahrungen, um die Einsicht also, sich im mitmenschlichen Verkehr nicht bewähren, keine Klarheit über seine innere Situation erlangen zu können, und schließlich um das Gefühl, stagnierend im Anfangspunkt einer möglichen Entwicklung verharren zu müssen. [464]

Schwieriger sind die Gehilfen zu deuten. Zunächst fällt auf, daß derartige Begleiter nicht nur im *Schloß* erscheinen. Kafka hatte Artur und Jeremias vergleichbare Figurenpaare bereits 1911 in jiddischen Theaterstücken gesehen, die einen tiefen Eindruck in ihm hinterließen. [465] Er gab dann Blumfeld, der Hauptfigur in der gleichnamigen Erzählung, zwei »Praktikanten« bei, deren Faulheit, Ungeschick und kindisch-larmoyantes Betragen sehr an die Gehilfen K.s erinnert. Dann erscheint in einem auf Milena sich beziehenden Traum Kafkas vom Frühjahr 1920 eine kleine Gesellschaft als Sekundanten des Dichters: »Wären sie nur ruhig gewesen, sie redeten aber immerfort, wahrscheinlich über meine Angelegenheit, miteinander, ich hörte nur ihr nervös machendes Murmeln, verstand aber nichts und wollte auch nichts verstehn.« Schließlich wird in einem während der Niederschrift des *Schlosses* entstandenen Fragment, das zum Poseidon-Themenkreis gehört, die Tatsache, daß die Hauptfigur ihre Macht nicht ausüben kann, darauf zurückgeführt, daß die vorhandenen Gehilfen nicht auf ihrem Posten sind. Ihre nähere Beschreibung könnte auch auf Artur und Jeremias zutreffen: »Flatterhaft sind sie, überall, wo sie nicht hingehören, treiben sie sich herum, von überall her sind ihre Augen auf mich gerichtet«. [466]

Die Begleitfigur als solche scheint also ein festes Requisit der dichterischen Vorstellungswelt Kafkas zu bilden. In den genannten Fällen handelt es sich um von einer Zentralfigur abhängige Gestalten, die deren Beruf mitvertreten sollen. Sie nehmen aber ihre Aufgabe nicht ernst, sondern stören ihren Herrn, besonders auch, indem sie ihn auffällig beobachten und grimassieren. Es liegt nahe, an von der Persönlichkeit des Helden abgespaltene Teilpsychen zu denken, an eine Art Weiterentwicklung des Kafka schon aus der Literatur bekannten Doppelgängermotivs, wobei die Zweiheit und Gleichartigkeit der Gestalten, psychologisch gesehen, auf relativ undifferenzierte Seelenkräfte verweise. Eine solche Auslegung ist insofern plausibel, als sich Kafka die Eigenschaften, die Blumfelds und Poseidons Helfer kennzeichnen, auch selber zuerkannte und sowohl Meeresgott als auch Junggeselle Figurationen des Eigenen sind. [467]

Mit einem gewissen Recht hat man auch auf die Begleiter Karl Roßmanns im *Verschollenen* und die Wächter und Henker im *Prozeß* verwiesen. [468] Josef K. unterscheidet Franz und Willem wenig, die beiden schwarzgekleideten Herren, die er zunächst für komödienspielende Schauspieler hält, gar nicht. Für Robinson ist wie für K.s Gehilfen Clownerie, Weinerlichkeit und die Unfähigkeit bezeichnend, seinen Dienerpflichten nachzukommen. Er und vor allem Delamarche sind überdies von sexueller Begierde erfüllt und stehen dadurch in Opposition zu dem in dieser Hinsicht noch unschuldigen Karl. Und beide salutieren vor Brunelda wie die Gehilfen vor K.

Diese Eigenschaft steht bei K.s Gehilfen geradezu im Mittelpunkt. Ihre dunkle Gesichtsfarbe, ihre Bärte, daß sie K.s Geschlechtsverkehr beobachten und Frieda nachstellen, macht sie zu Vertretern einer zwar noch zum Teil kindlichen, aber doch ungezügelten Sexualität, die Kafka selber, jedenfalls nach seiner Meinung, auszeichnete und die er bekämpfte. Der sinnliche Ausdruck für diese Gegebenheit ist eine besondere Art von Fleischlichkeit. In diesem Punkt liegt eine eindeutig biographische Determinierung vor, die am deutlichsten in einem Brief Milenas zum Ausdruck kommt, in dem sie Max Brod von den vier Tagen berichtet, die sie gemeinsam mit Kafka in Wien verlebt habe. Die Angst des Dichters beziehe sich nicht nur auf sie, Milena, selbst, heißt es dort, »sondern auf alles, was schamlos lebt, auch beispielsweise auf das Fleisch. Das Fleisch ist zu enthüllt, er erträgt nicht, es zu sehen«. [469]

Wie trefflich das beobachtet ist, läßt sich aus einem Brief Kafkas an Max Brod ablesen, der Anfang August 1922 in Planá entstand. Er vergleicht die dortigen Sommerfrischler und Prager Frauen — eben war er aus seiner Heimatstadt zurückgekehrt — mit den einheimischen. Sind diese »trocken« und immer vollständig angezogen, so jene halbnackt, so daß man sich kaum gegen sie wehren kann: »Es ist leichtes, viel-Wasser-haltiges, hart aufgedunsenes, nur ein paar Tage lang frisches Fleisch ... wie kurz muß das Menschenleben sein, wenn solches Fleisch, das man wegen seiner Hinfälligkeit, wegen seiner nur für den Augenblick modellierten Rundung ... kaum anzurühren getraut ... « [470]

Schon der Umfang dieser Überlegung — insgesamt eine ganze Druckseite — spricht für sich. Die Übereinstimmung mit der Aussage Milenas liegt darin, daß Kafka offensichtlich gerade von der Weiche, Frische und Zartheit der menschlichen Haut und Muskelbildung abgestoßen wurde. Unter diesem Gesichtswinkel betrachtet, zeigen die Begleiter der Hauptfiguren in den Romanen ein fast einheitliches Gepräge. Von Delamarche, der als junger, dunkelhäutiger und einen unordentlichen Bart tragenden Mann eingeführt wird — alle diese Attribute kommen auch K.s Gehilfen zu —, heißt es an späterer Stelle: »Sein dunkles, glatt rasiertes, peinlich reines, von roh ausgearbeiteten Muskeln gebildetes Gesicht sah stolz und respekteinflößend aus.« Es ist der

Franzose als Liebhaber, der so gezeigt wird, also mit auffällig hervorgehobenen, glatten Fleischpartien im Gesicht. Daß hier kein Zufall waltet, lehrt ein Blick auf die beiden Henker im Schlußkapitel des *Prozeß*-Romans. Diese Herren sind fett, haben ein schweres Doppelkinn und derartige Fleischpolster im Gesicht, daß ihre Augenbrauen unabhängig von den Bewegungen des Gehens auf und ab wippen. Bezeichnend ist K.s Reaktion auf das Aussehen seiner Besucher: »Er ekelte sich vor der Reinlichkeit ihrer Gesichter. Man sah förmlich noch die säubernde Hand, die in ihre Augenwinkel gefahren, die ihre Oberlippe gerieben, die die Falten am Kinn ausgekratzt hatte.« [471] Die Übereinstimmung mit der Passage aus dem *Verschollenen* liegt darin, daß beidesmal die Reinlichkeit starker und üppiger Partien des Hautgewebes und der Muskeln betont wird. Da die beiden schwarzgekleideten Besucher Josef K. sozusagen im Namen der Gemeinschaft umbringen – der Roman thematisiert ja Kafkas Selbstverurteilung wegen seiner Unfähigkeit, die Ehe mit Felice einzugehen –, kann ihr Äußeres als Ausdruck des vitalen, sexuellen Lebens verstanden werden.

Es wundert also nicht, wenn die Gehilfen im *Schloß* ebenfalls in ihrer Fleischlichkeit gezeigt werden, und zwar in Formulierungen, die besonders mit der zitierten Briefstelle Kafkas übereinstimmen. Um ihm Frieda zu entreißen, meint K., sei nicht der Eingriff eines Mächtigen nötig gewesen, »es genügte auch dieser nicht sehr appetitliche Gehilfe, dieses Fleisch, das manchmal den Eindruck machte, als sei es nicht recht lebendig«. Die in dem Schreiben an Max Brod zum Ausdruck kommende Hinfälligkeit des unbekleideten Körpers, seine mangelnde Frische, ist hier nur durch eine andere sprachliche Wendung ausgedrückt worden. Noch deutlicher ist eine andere Stelle, wo Jeremias wie ein aus dem Spital entflohener Kranker erscheint, »die dunklen Wangen gerötet, aber wie aus allzu lockerem Fleisch bestehend, die nackten Beine zitternd vor Kälte ...« [472] Die gedunsene, unfeste äußere Form der städtischen Frauen in der Briefpassage ist darin wiederzuerkennen.

Daß die Gehilfen, die in K. eine unangenehme Empfindung hervorrufen, eine Verkörperung sexueller Kräfte vorstellen, geht auch aus den Benennungen hervor, die K. auf sie anwendet. Sie stellen nicht nur Frieda, sondern auch anderen Frauen nach, sind hündisch lüstern, Raubtiere und Klamms hurenden Stallknechten vergleichbar, voller Unzucht und Schmutz, dies letztere eine sehr bezeichnende Charakterisierung, weil Kafka selber seine eigene Geschlechtlichkeit mit diesem Ausdruck belegt. [473]

Von daher ergibt sich die Funktion dieser Figuren im Roman mit geradezu logischer Stringenz. Da das Geschlecht für Kafka das Vehikel für das erstrebte Gemeinschaftsleben darstellt – Vereinigung mit einem andern Menschen und Zeugung weiterer Glieder der Sozietät –, muß es sich im Werk in dem Augenblick manifestieren, wo der um mitmenschliche Anerkennung Ringende dargestellt wird.

Warum aber erscheinen diese Kräfte in so lächerlicher, kindischer Gestalt, und warum erfüllen sie ihre Aufgabe so schlecht? Warum »erheitern« sie K.

nicht, wie Galater es ihnen auftrug? Dies ein Begriff, der offenbar mit der Ermunterung verwandt ist, die K. von einer Vereinigung mit Frieda oder Pepi für seinen schweren Weg ins Schloß erhofft. Warum also führen die Gehilfen K. nicht dorthin? Warum sind sie die Ursache gerade für K.s gemeinschaftsfeindliche Trennung von Frieda?

Die Antwort gibt eine Briefstelle vom 29. Januar 1922, in der Kafka seine Unfähigkeit zu lieben reflektiert: »... ich bin zu weit, bin ausgewiesen, habe, da ich doch Mensch bin und die Wurzeln Nahrung wollen, auch dort ›unten‹ (oder oben) meine Vertreter, klägliche ungenügende Komödianten, die mir nur deshalb genügen können (freilich, sie genügen mir gar nicht und deshalb bin ich so verlassen), weil meine Hauptnahrung von andern Wurzeln in anderer Luft kommt ... « [474]

Diese Stelle mutet wie eine Keimzelle für die Artur-Jeremias-Handlung an. Die Kräfte, die Kafkas Liebesfähigkeit tragen, werden in einer Weise personifiziert, die der Darstellung der Gehilfen entspricht, die bezeichnenderweise immer anwesend sind, wenn K. sich geschlechtlich betätigt oder Botschaften vom Schloß erhält! Die beiden lustigen Gesellen sind sozusagen K.s Gemeinschaftsfunktion: Sie haben Zugang zu den Akten des Vorstehers, sind Vertraute Gardenas und dürfen im »Herrenhof« und Schloß wohnen. Indem K. Frieda vernachlässigt, nur seine »Wanderungen« wichtig nimmt, genügt ihm die Bindung zum andern tatsächlich nicht, er entläßt die Gehilfen, denn er, in einer andern Welt lebend, bezieht auch seine Lebenskraft nicht von den »Hiesige[n]« des Romans.

Innerhalb dieses Bezugsrahmens ist es dann auch ganz natürlich, daß K. selber zunächst vorgeben muß, Gehilfen zu haben, und daß das Schloß, der Sitz des männlich-erotischen Prinzips, diese aussendet, die einen Hauch Klamms, des Frauenhelden, um sich verbreiten. In gleicher Weise zwingend ist dann die Koppelung zwischen Friedas Abkehr von K. und der Tatsache, daß er die Gehilfen entläßt. Denn ohne Zärtlichkeit und erotische Bezauberung ist Frieda, die wie Gardena Klamms Anruf ohne Zögern folgte, nicht zu halten.

Die beschriebene Handlungsführung hat genaue Parallelen in Kafkas Verhältnis zu Milena. Denn sie selber bekennt — und der Dichter unterstellt es ihr auch —, daß Kafkas Askese, seine mangelnde Männlichkeit, der Grund dafür gewesen sei, daß sie nicht bei ihm habe bleiben können. [475]

Allerdings hatte die Begegnung mit Kafka ihr Leben so sehr verändert, daß sie am liebsten nicht mehr zu ihrem Mann zurückgekehrt wäre, der krank und pflegebedürftig und auch in beruflichen Schwierigkeiten war, so daß sie ihn im Augenblick nicht verlassen konnte. Sie wollte am liebsten »auf einem dritten Weg fortlaufen«, der weder zu ihm noch zu Kafka zurückführte. Er nahm noch vor dem Beginn der Niederschrift des Romans schärfere Konturen an. Milena begann, sich mit ihrem Vater zu versöhnen, also Jugendbindungen wieder zu reaktivieren. [476]

Der Handlungsgang des Romans bringt diese Verhältnisse genau zum

Ausdruck: Frieda kehrt nicht zu Klamm zurück, jedoch vereinigt sie sich mit einem in mehrfacher Hinsicht mit diesem verbundenen Jugendfreund, der leidend ist und von ihr betreut werden muß. Sie ist, wie auch K. weiß, ihrer Heimat treu geblieben. Des Opfers, das sie K. bringen wollte, war dieser nicht würdig. Umgekehrt meinte Kafka, als nichtiger Jude der Hingabe der Geliebten, die er ebenfalls als Opfer bezeichnete, nicht würdig zu sein. [477]

K. will, wie er Pepi erklärt, Frieda zurückgewinnen, und selbst als ihm dies nicht gelingt, würde er noch gern zu ihr zurückkehren. Man könnte in diesem Punkt eine Diskrepanz zur Biographie des Dichters sehen, weil er Milena bat, ihm keine Briefe mehr zu schreiben, diese aber über Max Brod versuchte, weiterhin mit ihm Kontakt zu halten. In Wirklichkeit besteht sie aber nicht. Friedas Haltung K. gegenüber während des nächtlichen Abschiedsgesprächs ist dadurch gekennzeichnet, daß sie trotz der eingegangenen neuen Bindung immer wieder für kleinere Zeitspannen in liebende Zuneigung für K. zurückfällt. Genauso verhielt sich Milena, nachdem sie sich entschlossen hatte, nicht für dauernd mit Kafka zusammenzuleben. Was Kafka betrifft, so begründete er seinen Wunsch nur damit, daß er bei weiterhin bestehendem Briefwechsel nicht mehr schlafen könne. Er bedauerte, daß sie ihm unerreichbar war, äußerte, daß sie ihn verlassen habe, und bat noch gegen Schluß der Beziehung, dies nicht zu tun. [478]

Was die Herrenhofwirtin angeht, so ist diese Gestalt zu wenig expliziert, als daß man bündige Schlüsse hinsichtlich ihrer Bedeutung ziehen könnte. Es ist jedenfalls nicht möglich, sie, wie es R.-M. Ferenczi tut, nur aufgrund ihrer altmodischen Kleidung für eine Vertreterin eines überalterten Feudalsystems zu halten, das ums Überleben kämpft, und ihr den Landvermesser als einen Schneider des Bodens entgegenzustellen, der das Recht und die Autonomie des Individuums gründe: »A la distinction et à la différenciation des individus et des classes sociales, il oppose le nivellement, l'égalisation des conditions sociales fondés sur la répartition juste, exacte, calculée et vérifiable des terres.« Aber K. ist eben gar kein Landvermesser, erstrebt, wie er einmal Pepi bekennt, gar nicht diesen Posten, hält Ehrfurcht den Behörden gegenüber für berechtigt und will sich nach seinem ursprünglichen Plan ja durchaus den im Dorf herrschenden Gesetzen unterwerfen. Berücksichtigt man indessen die Motivik und zieht auch die bisher unpublizierten Passagen des Romans heran, so ergibt sich wenigstens so etwas wie ein Rahmen, in den diese Figur gestellt werden kann. Auf der einen Seite ist zu vermuten, daß das Schicksal der Herrenhofwirtin demjenigen Gardenas ähnlich sein sollte, entsprechend dem Gesetz des Romans, daß Problemzusammenhänge in mehreren Spielarten und auf verschiedene Personen verteilt erscheinen sollten, die unterschiedliche Phasen eines Vorstellungskomplexes verkörpern. Wenn K. und Barnabas, die um Aufnahme in den Schloßdienst kämpfen, unter gleichen Kategorien gesehen werden, Olga und Amalia, Schwestern, polar dem gleichen Bereich zugeordnet sind — sie zeigen Extrempositionen, sich gegen sexuelle Aggressivität zu verhalten — und wenn die beiden Schankmädchen, die durch viele Erzähldetails aufeinander verweisen, bei gleichem äußeren Ausgangspunkt unterschiedliche Stufen beruflicher und lebensmäßiger Bewährung vorstellen, so führt Analogiedenken darauf, daß der Lebensverlauf der beiden Wirtinnen in vergleichbarer Weise aufeinander bezogen ist.

Tatsächlich gibt es auffällige Parallelen zwischen den beiden Frauen: Jede dominiert in ihrem Betrieb; für die Herrenhofwirtin wird das darin deutlich, daß Klamm offenbar ihr seine Wünsche mitteilt, daß die Initiative, die zur Planung eines Wartegebäudes führt, von ihr ausgeht, und daß ihr Mann eigentlich nur Flur und Ausschank überwacht, bei dem derart großen Gasthaus eine sehr merkwürdige und geringfügige Arbeit. Sozial gesehen sind die beiden Wirte ihren Frauen unterlegen: Gardena ist die Tochter des Schmieds, Hans jedoch nur Pferdeknecht. Im anderen Fall wird der Unterschied schon an der Kleidung deutlich, der Herrenhofwirt sieht »nur bäuerlich festlich« aus, seine Frau aber wird in »feinen städtischen Kleidern« gezeigt. [479]

Dann kann man vielleicht davon ausgehen, daß eine Friedas Verhältnis zur Brückenhofwirtin entsprechende Freundschaft auch einmal zwischen Amalia und der Herrenhofwirtin bestand. Denn wenn jene für die Vornehmen des Orts schneiderte, so geschah das doch gewiß auch für die Herrenhofwirtin, der K. an einer wieder gestrichenen Stelle unterstellt, eine Schneiderin zu haben. Und da nun Gardena früher mit Amalia und ihren Eltern bekannt war, ist das für die Herrenhofwirtin um so wahrscheinlicher, als der Schuster und seine Töchter zur Oberschicht des Dorfes gehörten. Eine solche Bekanntschaft ergäbe dann eine Strukturparallele zu der Tatsache, daß Frieda früher im »Brückenhof« beschäftigt war. [480]

Schließlich sollten sich, wenigstens nach Kafkas ursprünglicher Intention, die beiden Wirte in gleicher Weise gegen K. verhalten: Verdankt es K. der Nachlässigkeit Hansens, daß er überhaupt im Dorf Fuß fassen konnte, so ermöglicht in der zweiten Nacht mangelnde Kontrolle des Herrenhofwirts, daß K. die Nacht über im Ausschank bleibt. Später soll K. nach Hansens Meinung das Haus verlassen, weil sich Gardena zu sehr über K. erregt hatte, ein Befehl, der aber von seiner Frau als unrichtig zunächst wieder zurückgenommen wird, und entsprechend sollte der Herrenhofwirt in der Szene im Ausschank nach den nächtlichen Verhören dem Landvermesser unerwartet streng die Tür weisen — Ehestreit, die Reinlichkeit des Hauses betreffend, droht auszubrechen — und seine Frau dann doch K.s weitere Anwesenheit erlauben. Dazu kommt noch, daß beide Wirtinnen K. sehr pointiert mit einem Kind vergleichen. [481]

Von diesen Gegebenheiten her kann man zu der Auffassung gelangen, die Herrenhofwirtin, die in einer gestrichenen Stelle als jung bezeichnet wird, verkörpere eine frühere und erfolgreichere Variante der durch Liebe zu einem Schloßbeamten gegebenen Lebensmöglichkeit, die aber letztlich doch Scheitern bedeutet. Jedenfalls sind auf diese Weise bei den vergleichbaren Personengruppen Differenzierungen und Gleichordnungen vorgenommen.

Daneben nun — und das ist gleichsam in andere Koordinate für das Verständnis dieser Figur — sollte die Herrenhofwirtin offenbar zusammen mit Frieda und Pepi ein Grundphänomen des Weiblichen in seiner Totalität durch drei Modifikationen darstellen. Die hier herrschenden Motivverknüpfungen gehen also nicht ins Horizontale, beziehen sich nicht auf andere Familien und analoge Institutionen, sondern zielen aufs Vertikale, auf die schon ausführlich gewürdigte Stufung innerhalb des »Herrenhofs« selbst.

Alle drei Frauen nämlich sind unpassend angezogen. K. sagte es von Frieda, Pepi und der Herrenhofwirtin, deren Kleider weder ihren Jahren noch ihrer Gestalt angemessen sind. Außerdem wird in einer unpublizierten Passage das Kleid der Wirtin, in dem K. sie zuerst sieht, als gelbbraun bezeichnet, was ganz zu der gelblichen, cremefarbigen Bluse paßt, die Frieda anhat. Ausdrücklich sei auch darauf verwiesen, was über den Seideanteil in der Kleidung der drei Genannten schon ausgeführt wurde. [482]

Weiterhin heißt es von Frieda, sie habe, freilich — und das ist bezeichnend — nicht sofort, nach dem ersten Zusammentreffen mit dem Landvermesser spielerisch ihre Bluse geordnet; in gleicher Weise rückt die Herrenhofwirtin nutzlos an ihrem Kleid, »dessen Unordnung ihr erst jetzt zu Bewußtsein gekommen war«; da es nicht richtig gebunden und geknöpft ist, muß es wie ein tief ausgeschnittenes wirken. K. sagt denn auch zu ihr: »machst es durch Zuknöpfen nicht besser«. Warum ist K. aber nach Meinung der Wirtin grob, wenn er darauf verweist, warum will sie ihm mit verzerrtem Lächeln das Wort verbieten? Und ist es richtig, daß sie sich dieses Kleid, wie sie behauptet, nur zufällig und eilig überwarf, als sie K.s wegen in den Gang der Sekretäre berufen wurde? Vielleicht spricht aus ihrem Verhalten nicht nur Schüchternheit und Wahrheit. Ihr Mann ist ja korrekt angezogen, wie immer »zugeknöpft«, auch war dazu lange Zeit, denn die Wirtsleute waren von der Dienerschaft längst verständigt, wagten aber nicht einzugreifen, solange nicht geläutet wurde. Freilich könnte man dagegen sagen, daß die Wirtin überhaupt nachlässig arbeitet. Es wird im »Herrenhof« nicht genügend geputzt, so daß Bierlachen und schlechter Geruch vorkommen.

Wichtiger ist aber etwas anderes: Frieda ordnet ihre Bluse doch, um mögliche Spuren ihres letzten Beisammenseins mit Klamm zu tilgen. Und hier ist nun auch eine Parallele zu Pepi: Durch Band und Masche ihres Kleides schon ergibt sich eine Beziehung zur Machart desjenigen, das die Herrenhofwirtin trägt. Unordnung entsteht an ihrer Aufmachung, wenn K. eine Haarmasche zu öffnen versucht oder die Knechte sie um Bier drängen, denn dadurch wird »das Kleid sogar vorn an der Brust zerrissen, so daß das Hemd freilag«. Und allgemein gilt ja, daß die Bekleidung der drei Frauen nicht frisch und sauber ist: Pepis Aufzug ist »verdrückt und ein wenig fleckig«, Frieda ist schlampig angezogen, und die Herrenhofwirtin geht in »abgenützten« Kleidern einher. Eben dies konnte für Kafka ein Bild schmutziger Geschlechtlichkeit sein. [483] Von daher gesehen besteht zumindest eine gewisse Wahrscheinlichkeit dafür, daß die Wirtin im Blick auf Sexualität mit ihren Angestellten Gemeinsames hat.

Damit sind die Beziehungen zwischen den drei Frauen aber noch nicht erschöpft. Hatte Kafka K. zunächst sagen lassen, die Herrenhofwirtin glaube, in ihren Kleidern »einen Schatz zu haben«, so paßt dazu, daß der Kleiderstoff, den Pepi und ihre Freundinnen verarbeiten, ebenfalls mit diesem Begriff belegt wird. Und dann ist natürlich ihr Verhältnis zu K. gleichartig. Frieda will mit K. sprechen, nachdem sie ihn kennengelernt hat, die Herrenhofwirtin will K. am nächsten Tag rufen lassen, wenn sie ein neues Kleid erhält, und Pepi erzählt, schon lange von Sehnsucht nach K. erfüllt, ungefragt diesem ihr Leben. Und die beiden Wirtinnen bitten den Landvermesser jeweils bei der zweiten Zusammenkunft in ihre Privaträume: Gardena ins kleine Schlafgemach, von dem aus sie die Küche überwacht, die Herrenhofwirtin ins Kontor, von dem aus Gang und Ausschank beobachtet werden können. Überdies sollte die Herrenhofwirtin K. gegenüber »feierlich und stolz« erscheinen, ein Moment, worin sich Friedas Hochmut und Pepis Stolz wiederholt. Endlich sind alle drei noch jung. [484]

Von diesen Einzelmomenten abgesehen, erscheint auch die Basis des Verhältnisses, das die drei Bewohnerinnen des »Herrenhofs« K. gegenüber einnehmen, in gewisser Hinsicht in einheitlicher Beleuchtung. Gleich bei ihrem ersten Zusammentreffen ist es K., der dem Schankmädchen gegenüber eine unpassende Bemerkung gemacht hat, so daß Frieda ihre Haltung ihm gegenüber ändert: »es war, als hätte er Frieda aus einem ihm günstigen Schlummer geweckt«. Als sie später nachts im Gang der Sekretäre K. bemerkt, haben ihre Augen »den verschleierten Ausdruck des mühsam Sich-Erinnerns«. Eine Selbstaussage des Mädchens zeigt, daß diese Formulierungen nicht nur dekorativer Natur waren, äußert sie doch K. gegenüber: »deine Nähe ist, glaube mir, der einzige Traum, den ich träume«. Bei Pepi ist dieser Gesichtspunkt etwas indirekter dargestellt, er ist aber deutlich wahrnehmbar. Sie starrt K. bei der ersten Begegnung »mit mühsam geöffneten, schlaftrunkenen Augen an«, und in ihren Mädchenträumen erscheint K. als Held und Befreier. Am deutlichsten ist dieser Sachverhalt bei der Herrenhofwirtin. Als K. sich vor ihr verbeugt, um den Ausschank zu verlassen, ruft er bei seiner Partnerin folgende Reaktion hervor: »Die Wirtin sah ihn an, mit einem Blick, als träume sie. Durch den Blick wurde K. auch länger festgehalten, als er wollte. Nun lächelte sie auch noch ein wenig, und erst durch K.s erstauntes Gesicht wurde sie gewissermaßen geweckt; es war, als hätte sie eine Antwort auf ihr Lächeln erwartet und erst jetzt, da sie ausblieb, erwache sie.« [485]

Alle diese Beziehungen führen doch wieder darauf, auch bei der Herrenhofwirtin eine den Dreiecksverhältnissen in Pepis und Friedas Lebensgang analoge Personenkonstellation anzunehmen. Wenn die Gleichung gilt, daß sich K. — Pepi — Bratmeier, K. — Frieda — Jeremias und K. — Herrenhofwirtin — Herrenhofwirt entsprechen, so mag es im Leben der Wirtin auch ein Analogon zu der Rolle geben, die Klamm für die beiden Schankmädchen spielt. Man könnte hier an eine frühere Liebe zu dem Grafen Westwest denken, der, wie K. gleich im ersten Kapitel vom Lehrer indirekt erfährt, ein Klamm vergleichbarer Frauenheld ist. Kafka liebte keine blinden Motive, ein Funktion muß also dieser an pointierter Stelle eingeführte Sachverhalt haben. Anführen läßt sich für eine solche Hypothese immerhin, daß die altmodischen Kleider der Wirtin, die nach einer wieder gestrichenen Stelle einmalig im Dorf sind, vor allem aus dem Schloß stammen, als Bezahlung für Dienstleistungen gegeben werden, früher vielleicht Geschenke für Liebesdienste darstellten, man denke daran, daß Gardena von Klamm sich Tuch und Häubchen erbeten hatte. Dazu würde auch passen, daß in einer früheren Variante zum Anfang des Romans im Gasthaus, wo der Fremde ankommt, ein »Fürstenzimmer« vorhanden ist und daß eine Verbindung zwischen der Herrenhofwirtin und dem Grafen genau der hierarchischen Stufung entspräche, die sonst im »Herrenhof« zu beobachten ist: Pepi, das Zimmermädchen, wird von einem Schreiber verehrt, Frieda, das eine Etage höher wohnende Ausschankmädchen, von einem Bürovorsteher, die im ersten Stock wohnende Wirtin folgerichtig vom Grafen. Derartige Analysen werden noch wahrscheinlicher, wenn man weiß, daß Kafka auch im *Verschollenen* sehr stark mit derartig aufeinander bezogenen Figurenkonstellationen arbeitet.

Im vorliegenden Zusammenhang läßt sich noch die Frage aufwerfen, wie denn das auffällige Hervortreten weiblicher Kleidung im Roman zu erklären sei, wo es doch an detaillierter äußerer Kennzeichnung der Figuren nach Aussehen, Gestalt und Habitus durchaus mangelt. Gerade bei der Herrenhofwirtin hätte Kafka gewiß, wäre die Arbeit noch weitergeführt worden, zusätzliche Informationen über deren Garderobe gegeben. Denn schon in einer wieder verworfenen Stelle ist ihr Kleid sehr genau beschrieben. Es ist gefältelt und mit Rüschen versehen, auch an den Seiten bis zu den Achselhöhlen hinauf, K. deutet es als Abendkleid.

Allgemeine Anregungen zu diesem Punkt erhielt Kafka gewiß von den vielen Modeartikeln Milenas, die regelmäßig in der Modebeilage der *Tribuna* erschienen; Kafka las sie zunächst heimlich, dann mit Billigung der Geliebten. In dieser Rubrik der Zeitung finden sich auch häufig Modezeichnungen, die unwillkürlich den Blick auf sich ziehen und die Phantasie anregen. Manchmal findet man sogar Übereinstimmungen im einzelnen zwischen Milenas Beiträgen und Aussagen im Roman.

Wenn Pepi z. B. äußert, jungen, gesunden Mädchen passe ja alles — sie selbst ist ja fast noch ein Kind –, so erinnert das an Milenas *Vorschlag für Kinderkleider*, wo die gleiche Auffassung vertreten wird: »Eigentlich sind das formlose Säckchen, wenn sie im Schrank hängen«, heißt es da über die Kleidung der jungen Mädchen, und dann: »Es ist keine Linie erforderlich«. Das erinnert an den Aufzug des Schankmädchens: Ihr Kleid fällt hemdartig glatt und ungeschickt herunter nach K.s Meinung.

Was den Vater des Barnabas betrifft, so wird seine Fähigkeit, fußgerechtes Schuhwerk herzustellen, besonders hervorgehoben. Nun heißt es in einem *Schuhe* überschriebenen Feuilleton Milenas: »Nur der Schuster mit Geschmack und Intelligenz versteht, einen guten Schuh zu machen.« Schließlich ist im Blick auf die Kleidung der Herrenhofwirtin erwähnenswert, daß die Frühjahrs- und Sommermode des Jahres 1922 — braun und gelb waren bevorzugte Farben, die auch von Milena in ihren Artikeln mehrfach erwähnt werden — dadurch ausgezeichnet war, daß überall, an Ärmeln, Kragen, Manschetten, Taschen und auf dem Rock schmale, gerade Säumchen wie Paspullchen (Biesen) aus Stoff angebracht wurden, die viel Arbeit machten. Der antiquierte Eindruck, der dadurch entstehen kann, ist mit K.s Auffassung vom Aufzug der Wirtin wohl vergleichbar.

Als weitere reale Anregung für die Kleidung der Herrenhofwirtin — in gestrichenen Passagen wird sie, wie erwähnt, ausdrücklich als jung vorgestellt — kommt eine Erfahrung Kafkas in Matliary in Frage, die, wie schon kurz ausgeführt, auch die Konzeption Gardenas beeinflußt haben mag. Kafka lernte damals eine junge, liebe — in einer getilgten Passage ist die Herrenhofwirtin »zu sanft« — Bauersfrau kennen, Galgon mit Namen, nach derem Befinden er sich auch noch nach seiner Rückkehr nach Prag in Briefen an Robert Klopstock mehrfach erkundigt. Sie ist auf einer Gruppenphotographie abgebildet, die Kafka seinen Eltern aus Matliary als Ansichtspostkarte schickte. Aus Kafkas Begleittext geht hervor, daß die in der Bildmitte sitzende Frau mit Kopftuch Frau Galgon darstellt. Auf der Abbildung ist deutlich zu erkennen, wie sie sich durch ihre altmodischen, dunklen Kleider von den sie umgebenden Mädchen abhebt. Kafka spricht in einem Brief von »ihrer dunklen Tracht, mit dem hin und her wehenden Ballerinenrock«. Diese Aussage und die Photographie passen gut zu den von der Herrenhofwirtin bevorzugten gedeckten Farben. Die von Kafka erwähnte Art des Rokkes kehrt ebenfalls im Roman wieder: Die Wirtin hat ein »breitröckiges« Kleid an und kommt damit »herangerauscht«. Außerdem sei noch darauf verwiesen, daß die damals in der Zips übliche Tracht für verheiratete Frauen einen stark gefälteten schwarzen Rock einschloß. [486]

Natürlich handelt es sich bei der Darstellung der Herrenhofwirtin nicht einfach um eine Dublette zu den Schicksalen ihrer Untergebenen. Sie wird nämlich im Roman mit folgenden Attributen bedacht: fein, schlank, flink, zierlich, sanft und ängstlich. [487] Die Adjektive lassen sich grob unter dem Begriff der Zartheit zusammenfassen, die von Friedas Nichtigkeit und Pepis Kräftigkeit gleich weit entfernt ist. Die Bewährung eines solchen Charakters, der für den empfindlichen Kafka offensichtlich ein bestimmter Typus war, im Erotischen und Beruflichen darzustellen, hatte er sich wohl vorgenommen.

Abschließend noch ein Blick auf die Methode, die in dieser Untersuchung zur Deutung des *Schlosses* angewendet wurde. Sie zeichnet sich durch drei Besonderheiten aus:

1) Die Sinngebungen beruhen auf sehr detaillierten Zuordnungen von Ausdrucksbewegungen, Bildern, Begriffen, Eigenschaften, Handlungszügen und Figurenkonstellationen, deren Fülle jede zufällige Übereinstimmung zwischen an sich voneinander unabhängigen Bereichen übersteigt. Dies ist ein großer Vorzug gegenüber der seither üblichen Interpretationsweise, wo gewöhnlich nur einzelne Momente, und dazu voneinander isoliert, unter Allgemeinbegriffe gebracht werden, die dann das Koordinatensystem der Deutung bilden. Wie beweiskräftig die aufgewiesenen Beziehungen tatsächlich sind, ergibt sich deutlich auch im Vergleich mit einem Versuch A. L. Livermores, Motivähnlichkeiten zwischen dem *Schloß* und Stendhals *De l'Amour* aufzudecken. Obwohl der Franzose sehr viele Dreiecksbeziehungen anekdotenhaft berichtet und überhaupt sehr verschiedenartige Partnerbeziehungen vorführt, findet sich zwischen diesem sehr umfangreichen Material und den Gruppierungen und Problemen im *Schloß* nicht die allergeringste Analogie, und sei sie auch noch so äußerlich. Was der Verfasser in seiner umfangreichen Studie an Entsprechungen aufgefunden haben will, entbehrt jeder Grundlage. [488] Die Möglichkeiten bloßer Parallelenjägerei ohne entsprechenden Kausalzusammenhang sind also offenbar begrenzt.

2) Die Deutungsgrundlage bildet nicht irgendein beliebiges oder modisches Interpretationssystem oder eine Weltanschauung, sondern Kafkas eigene Auffassung von Dichtung. Wo er in der Betrachtung literarischer Werke, fremder und eigener, nicht ästhetisch wertet, sondern Sinndeutungen vornimmt, interpretiert er biographisch, so etwa Werke Grillparzers, Hamsuns, Max Brods, Oskar Baums und Franz Werfels; an eigenen Werken beispielsweise die *Verwandlung* und den *Landarzt*. [489]

Speziell die in dieser Untersuchung zugrunde gelegte Technik, einen ambi- oder polyvalenten Problemzusammenhang in mehrere Erzählfiguren aufzufächern, also Partnerinnen und Liebesverhältnisse in Romanen zu porträtieren, setzt Kafka in seinen ausführlichen Analysen einzelner Werke Max Brods als selbstverständlich voraus und würdigt sie auf dieser Grundlage. Eine andere Dichtungsauffassung läßt sich für Kafka und seinen Freundeskreis quellenmäßig nicht belegen. Wer also die Grundsätze der vorliegenden Analyse bestreitet, hat die Dokumente gegen sich und muß begründen, warum er gegen bewährte philologische Grundprinzipien verstoßen will.

3) Es ist verhältnismäßig leicht, aus einem sehr umfangreichen Material, also etwa einer Dichterbiographie, Momente auszusondern, die als Erlebnissplitter, Stoff oder Lektürespur, kurz, als bequemes, bereitliegendes Baumaterial, künstlerischen Tendenzen, welcher Art auch immer, dienstbar gemacht werden. Derartiges gibt es wohl bei jedem Dichter seit der Goethezeit, und zu besagen braucht das für Thematik und Interpretation eines Werkes nur

sehr wenig, wenngleich im Falle Kafkas Dichtungstheorie und Praxis auf die Bedeutsamkeit des Lebensgeschichtlichen verweisen.

Entscheidend ist aber etwas anderes, nämlich der folgende erstaunliche Sachverhalt: Die *Briefe an Milena* sind sozusagen vollständig in den Roman eingegangen, d. h. es gibt dort keinen einigermaßen profilierten Sachverhalt, der nicht für die Deutung des *Schlosses* hätte herangezogen werden müssen. In etwas geringerem Maße gilt diese Aussage auch vom *Brief an den Vater*, soweit dieser eben nicht Kafkas Kindheit betrifft, den Tagebüchern der Jahre 1920 bis 1922 und den Briefen an die Freunde, also allen denjenigen Zeugnissen, die Kafkas Lebensproblematik in der Spätzeit reflektieren. Die vorgelegte Interpretation ist also nicht eklektisch. Es gibt keine Überstände in den Briefen und Tagebüchern, die im Roman fehlten, und im Roman gibt es keine Passagen, die sich nicht durch biographische Aussagen absichern ließen. Und dieser Sachverhalt ist nur so zu verstehen, daß die sich in den genannten Lebensdokumenten artikulierenden Probleme auch tatsächlich mit der Thematik von Kafkas letztem Roman identisch sind: Das *Schloß* ist ein autobiographisches Werk.

Anhang

1. Exkurs:
»Als ob« in der literarischen Umwelt Kafkas

Naturgemäß interessiert die Frage, ob die bei Kafka feststellbare Verwendung der Als-ob-Form auch abgesehen vom *David Copperfield*, der als direkte Quelle zum *Verschollenen* anzusehen ist, im Sprachzustand seiner Zeit Vorläufer oder Parallelen hat. Bei einer solchen Überprüfung, die natürlich nur in Stichproben geschehen kann, darf, wenn tatsächlich ein Zusammenhang mit der indirekten Rede besteht, der landsmannschaftliche Gesichtspunkt bei der Auswahl der Autoren nicht unterschlagen werden. Es wurden also Werke ausgesucht, deren Verfasser in unterschiedlicher räumlicher und innerer Entfernung von dem als Mittelpunkt angesetzten Prag stehen. Außerdem sollte ein größerer Zeitraum berücksichtigt werden. Hugo Salus (geb. 1866) und Paul Leppin (geb. 1878) repräsentieren dabei die beiden letzten Halbgenerationen vor Kafka in Prag, die Folie gleichsam, auf der man den Prager Dichterkreis zu Kafkas Zeit sehen muß (dazu M. Brod, *Der Prager Kreis*, S. 67 ff.), dessen Sprachduktus an Romanen Max Brods dokumentiert sei. Untersucht wurden *Jüdinnen* (1911 erschienen), die eine Quelle für den *Verschollenen* darstellen (vgl. dazu meine Arbeit »Motiv und Gestaltung bei Franz Kafka«, S. 253 ff.), *Tycho Brahes Weg zu Gott* (1915) und *Franzi* (1922); die beiden zuletzt genannten Werke waren Vorlagen für das *Schloß* (vgl. den III. Teil dieser Arbeit). Paul Adler (geb. 1878) ebenfalls heranzuziehen, ist deswegen sinnvoll, weil er, bis 1912 in Prag lebend und der expressionistischen Bewegung zugehörig, zwar Zeitgenosse der genannten Schriftsteller-Gruppe war, aber doch nur einen sehr losen Kontakt zu ihr hatte (M. Brod, *Der Prager Kreis*, S. 82 f.).

Rilkes Roman *Die Aufzeichnungen des Malte Laurids Brigge* (1910) wird in die Betrachtung einbezogen, weil der Verfasser seine Jugend in Prag zwar verbrachte (bis 1896), dann aber anderen sprachlichen Einflüssen unterlag. Vor allem war auch zu erwarten, daß der geborene Lyriker die in der Als-ob-Form liegenden Möglichkeiten, Metaphern zu bilden, gerne aufgreifen und differenziert einsetzen würde. H. Hesses Roman *Gertrud* verkörpert süddeutsche Sprachgebung, und A. Döblins *Die drei Sprünge des Wang-lun* (1915) scheint sprachlich am weitesten an der Peripherie, weil Döblin zur Zeit der Niederschrift des Romans immerhin schon einige Jahre in Berlin zugebracht hatte (er ist in Stettin geboren und weilte nur während seines Studiums einige Zeit im süddeutschen Raum). Schließlich sollte auch das zur Übersetzung des *David Copperfield* Bemerkte auf eine etwas breitere Materialbasis gestellt werden. Es empfahl sich Dostojewskis *Rodion Raskolnikoff* (deutsche Übersetzung 1908), besonders auch deshalb, weil dieser Autor Erzählungen und den *Prozeß*-Roman beeinflußte (vgl. K 189 ff.) und Kafka überhaupt dessen deutsche Gesamtausgabe genau studierte.

Die konservativste Sprachgebung hat zweifellos Paul Adler. In seinem 1916 erschienenen Roman *Die Zauberflöte* (Dresden-Hellerau) finden sich überhaupt nur sehr wenige Beispiele, obwohl sich der Verfasser keineswegs einer nüchternen Sprachgebung befleißigt und pretiöse Wortgebilde schätzt, denen diese Vergleichssätze gemäß sein können:

> Es ist mir, als wäre dies der Busch, wo Morde vorfallen und wo der Weg zu den Inseln der Einbalsamierer führt (S. 30)

> Meine Weiche fühlte ich in meinen Fingern, es war, als ob sich eine süße Hyazinthe im Wachsen hielte (S. 31)

Immerhin gibt es einen Fall, wo die hinter einer Körperhaltung stehende Bewußtseinslage im Vergleichssatz aufscheint:

> jetzt ließ sie sich zu seinen Lippen nieder, als ob sie Taminon Zärtliches anzuvertraun hätte (S. 170)

Ausnahmslos ist der Konj. II verwendet. Eine gewisse Modifizierung zeigt sich bei Hugo Salus, der auch stark als Lyriker beachtet wurde. Es finden sich nämlich auffällige Formen des Konj. I, obwohl Salus, wie die beiden folgenden Beispiele zeigen sollen, die vollklingenden Umlautformen des Konj. II zu lieben scheint:

> Ihr aber, ihr Seltsamen, schauet mich an, als ob ich die Finsternis brächte statt des Lichtes *(Christa. Ein Evangelium der Schönheit,* [5. Tsd.], [Leipzig 1911], Kapitel *Christa und die Krämer)*

> seine Stimme klang trocken und schrill, als wenn sie aus Felsklüften sich losränge (Kapitel *Ankunft in der Hauptstadt)*

Wie sind also diese beiden Verbformen zu erklären:

> mir ist, als ob der Sonnenschein auf diesen Blättern liegen bleibe (Kapitel *Kindheit Christae)*

> Und da war mir's, als hebe sich das Sterbelager meines Vaters mit mir hoch in die Luft wie auf einen Sockel *(Sommerabend. Neue Prosa,* Leipzig 1916, S. 56)

Im zweiten Fall will Salus offensichtlich die Form »höbe« vermeiden, denn im Gegensatz zu *Christa,* wo es sich um ein religiöses Sujet handelt, das in einer sehr gewählten, stilisierten Sprache behandelt wird, herrscht im *Sommerabend* ein sehr umgänglicher, alltäglicher Ton vor, der durch die Präteritalform gesprengt würde.

Anders ist das erste Zitat zu bewerten. Man kann an lautliche Gegebenheiten denken, dann hätte Salus einen unreinen Binnenreim vermeiden wollen (»liegen bleibe«). Für diese Deutung sprechen auch die beiden übrigen vergleichbaren Belege bei diesem Autor:

> Da war dem jungen König, als er nun Christa kommen sah in ihrer Schönheit, als öffneten sich zwei Tore vor seiner Brust und sie schreite geradenwegs in sein Herz *(Christa,* Kapitel: *Ankunft in der Hauptstadt)*

es war ihr und den Mädchen im Zimmer, daß der Tod sein grausam-düsteres Aussehen verliere und ein Jüngling ward mit Rosen im Haar, der sich mild über die Verlorene beugte und ihr die Augen schloß (Kapitel *Christa bei der Sterbenden)*

Im ersten Fall ergäbe sich bei Befolgung der Regel wieder eine Doppelung des I-Klangs (»sie schritte«), im zweiten entstünde die Lautkombination ö — o (»verlöre« — Verlorene), die vielleicht vermieden werden sollte. Möglich ist auch im ersten Beispiel, daß unter dem Einfluß der lateinischen Grammatik eine Art Zeitenfolge beachtet werden soll. Es gibt auch bei Max Brod Beispiele, die sich schlecht anders erklären lassen:

Doch wie sie sie wieder zur Hälfte öffnet, lauern sie mir boshaft entgegen wie Katzenaugen, funkelnd, als sei hinter dem schmalen Spalt der ganzen Länge nach nur das Weiße da (*Franzi oder Eine Liebe zweiten Ranges*, München [1922], S. 123)

Denn es ist, als seien wir beide fest eingeschlafen. Doch es ist kein Schlaf (S. 132)

Zwar entfernt er seine gespreizten Finger von Franzis Brüsten und mir ist, als sehe ich eine Zeichnung wie zwei Akanthusblätter auf dem Kleid zurückbleiben (S. 236)

In allen drei Fällen besteht das im Vergleichssatz Berichtete nicht direkt als Sachverhalt (zum ersten Beleg vgl. auch S. 287: »Ihr Auge glänzte so, daß sogar das Weiße darin einen besonderen Schimmer ausstrahlte«, daher also das Dominieren des Augapfels im Eindruck des Betrachters), und in solchen Fällen verwendet Brod regelmäßig Konj. II, allerdings nur, wenn das übergeordnete Verb im Präteritum steht.

Interessanter als die Verhältnisse beim starken Verb, die kaum größere Veränderungen im Gebrauch von Konj. I und II herbeiführten, sind die Belege für schwache Verben, die sich bei Salus finden. Diese Verben werden zuerst von der Tendenz ergriffen, daß im Als-ob-Satz auch Konj. I stehen kann.

es war ihnen, als ob ein heißer Odem ihre Gesichter umlodere (*Christa*, Kapitel *Das Kloster)*

Offensichtlich ist dies ein Verdeutlichungs-Konjunktiv, der für eine Form gesetzt wird, die mit dem Indikativ identisch wäre.

Diese Einsicht genügt aber keineswegs zur Erklärung aller derartiger Fälle, denn es sind bei schwachen Verben auch dann Konj.-I-Formen belegt, wenn sich der Konj. II vom Indikativ des Präteritums gut abhebt:

es war ihm, als dürfe er dies Mädchen, das so vor allen Leuten daheim als tugendhafte Jungfrau ausgezeichnet worden war, nicht mehr umarmen, fast zurechtweisend wirkte das Bewußtsein ihrer anerkannten Reinheit auf seine Leidenschaft (*Sommerabend*, S. 98)

Hier drängt sich der Konj. I offenbar auf, weil der Inhalt des Als-ob-Satzes offensichtlich tatsächlich direkt Bewußtseinsinhalt ist, der also gewissermaßen referiert wird, so daß sich der Berichtsmodus einstellt. Daß dies so ist, beweist neben dem mitzitierten Nachsatz auch die vorher berichtete Geste, die Ausdruck der genannten Vorstellung ist: »er ließ während des Lesens die Rechte von ihrer Schulter sinken«. Es ist bezeichnend, daß der Konj. I gerade hinter der Formel »jemandem war, als ob« eintritt, denn hier steht etwa bei Hesse dann ganz regelmäßig diese Form, sogar nach der 1. Person sing., die nach dem Sprachgefühl besonders mit dem Indikativ verwechselbar ist:

> Es war mir merkwürdig wohl und frei zumute, als habe ich alles Unangenehme überwunden und hinter mir (*Gertrud*, Berlin [1927], S. 73)

Daß aber die Entwicklung zur stärkeren Berücksichtigung von Konj.-I-Formen nicht ganz folgerichtig verläuft, daß also bei einem Autor verschiedene Phasen nebeneinander vorkommen, zeigen folgende Belege:

> Der Führer der Schar... griff sich an die Stirn, als ob er sich besinnen müßte (*Christa*, Kapitel *Christa und die Jäger)*
>
> ich tat so, als ob auch ich mich an die Fortsetzung des mir so geläufig gewesenen und nun aus der Versenkung emporsteigenden Vaterunser nicht erinnern könne (*Sommerabend*, S. 56)

Im ersten Fall wäre Konj. I angemessen, denn ein Wunder ist geschehen, das der Vorstellungswelt des Jägers zu schaffen macht, er muß also wirklich nachdenken. Und im zweiten Beispiel schießt der Autor sozusagen über sein Ziel schon hinaus, denn er simuliert ja, und in solchen Fällen hätte bei Kafka, Brod und Hesse Konj. II zu stehen. Eine gewisse historische Erklärung für den Unterschied liegt darin, daß der erste Text älter ist und im Stilniveau höher, und das heißt doch, konservativer sich darstellt. Interessant sind auch die beiden folgenden Textstellen:

> Sie... blickte in die Fensterscheiben mit blöden, bunten und verglasten Augen, als suche sie etwas für ihre heimliche und verhaltne Wut (P. Leppin, Daniel Jesus, Berlin, Leipzig 1905, S. 44)
>
> Da war es ihm, als ob er heute zum erstenmal in ihre Augen schaute (S. 65)

Die näheren Attribute der Augen im ersten Beleg schließen aus, daß hier ein forschender Blick beschrieben werden sollte; der Inhalt des Als-ob-Satzes kann also formaliter nicht direkt den Bewußtseinsinhalt der beschriebenen Figur spiegeln (wenn dies tatsächlich insofern doch geschieht, als die Dargestellte realiter zornig ist, so zeigt dies mangelnde künstlerische Fähigkeiten des Verfassers), die Form »suche« nur aus formalen Gründen zustande gekommen sein (es sei denn, Leppin fand, daß die »Wut«, die ja wirklich besteht, das Formende der Passage sei). Daß sich das zweite Beispiel resistenter gegen die Ersetzung durch »schaue« erweist, liegt daran, daß tatsächlich der hier beschriebene nicht der allererste Blick war, nur die Stimmung der männlichen Figur entspricht einem Zustand, wie er aufzutreten pflegt, wenn ein derartiges In-die-Augen-Sehen geschieht. Man vgl. auch folgende Parallelen:

der Mann . . . beleuchtete sich selbst mit der Kerze, als sähe er selbst zum erstenmal seinen Zustand (P 201 f.)

Plötzlich erschrak er, als würde ihm erst jetzt klar, wie tief er sich gestern herabgelassen hatte (M. Brod, Tycho Brahes Weg zu Gott, [16.–25. Tsd.], Leipzig 1917, S. 114)

sah dem Ankömmling entzückt ins Gesicht, als bemerke er ihn so richtig erst jetzt (S. 33)

Es war ihm, als sehe er sie zum erstenmal (S. 292)

Im dritten Fall ist anzunehmen, daß Tycho de Brahe wirklich den ankommenden Kepler erst richtig in sich aufnimmt, als er ihm Aug in Aug gegenübersteht. An der letzten Stelle wird berichtet, wie Tycho heimlich seine Tochter Elisabeth beobachtet und sich, anders als bei früheren Zusammenkünften der beiden, plötzlich schämt und ratlos fühlt. Da ihm sein Kind in neuem Licht erscheint, nicht nur sein Blick mit einer Augenstellung verglichen wird, die sich üblicherweise bei einer Erstbeobachtung einstellt, ist Konj. I angemessen.

Für die gegebene Vermutung, daß die Verbreitung von Konj. I in den Als-ob-Sätzen tatsächlich vom schwachen Verb ausgeht und in der Verwendung der Form als Bewußtseinsdarstellung gründet, gibt es noch ein interessantes Indiz im vorliegenden Belegmaterial, und zwar bei Rilke. Man muß wissen, daß er in dem beigezogenen Roman in einer schwer zu begreifenden Weise den Konjunktiv II bevorzugt. Die zahlreichen indirekten Reden spotten jeder grammatischen Norm und sind für einen Süddeutschen ganz ungewöhnlich, nur erklärbar aus stilistischen Rücksichten, aus Freude an vollen Formen:

Wir fanden, wenn alles mit natürlichen Dingen zuginge, so wäre das immer am wunderbarsten (R. M. Rilke, Werke in drei Bänden, Bd. 3. Prosa, [Frankfurt/M. 1966], S. 199)

Sieversen erzählte bis an ihr Ende, wie ich umgesunken wäre und wie sie immer noch weitergelacht hätten . . . aber dann wäre ich doch immerzu liegengeblieben und hätte nicht geantwortet (S. 209)

So verwundert es auch nicht, daß in den zahlreichen Als-ob-Sätzen regelmäßig Konj. II verwendet wird, auch bei schwachen Verben:

Und Sophie wußte eine Menge über die Schlechtigkeit der Jungen im allgemeinen, als kennte sie einen ganzen Haufen (S. 200)

Er tat, als bändigte ers (S. 285)

In einer verschwindenden Minderzahl von Belegen jedoch steht Konj. I; es handelt sich vor allem um folgende:

Mir schien es überhaupt, als ob an seiner in gewissen Momenten so scharfen und doch immer wieder aufgelösten Persönlichkeit kein bestimmter Name haften könne (S. 133)

Ja es kam mir . . . vor, als handle es sich um ein ganz junges Mädchen in Weiß, das jeden Augenblick bei uns eintreten könne (S. 135)

Eine Weile später schien es mir, als trete man bei meinem Nachbar ein (S. 274)

Es kam mir vor, als nähere er sich (S. 274)

es sah aus, als sei alles entzwei (S. 207)

Und der gute Graf Schulin fühlte sich, als ob er mit allen diesen Frauen verheiratet sei (S. 238 f.)

Nur dort, im letzten Teppich, steigt die Insel ein wenig auf, als ob sie leichter geworden sei (S. 227)

Die vier ersten Belege haben zunächst gemeinsam, daß sie durch die Wendung »scheinen, als ob« oder sinnähnliche Äquivalente eingeleitet sind, die naturgemäß mit dem schon erwähnten »sein, als ob« innerlich verwandt sind. In allen Fällen, und das ist das Entscheidende, ist es, wie der Kontext lehrt, so, daß die Als-ob-Sätze direkte Bewußtseinsinhalte sind. Ist dies also beim schwachen Verb der Fall und dokumentiert sich das besonders auch durch die Art des übergeordneten Ausdrucks, dann, darf man schließen, verwendet sogar ein Autor den Konj. I, der ihn sonst strikt meidet.

Die Passagen mit dem Verbum »sein« sind zunächst deswegen überraschend, weil in der indirekten Rede, wie die Zitate zeigen, auch »sei« gemieden wird. Aber auch hier findet sich eine naheliegende Erklärung. Im ersten Fall sieht der Erzähler seine schlimmsten Befürchtungen bestätigt. Porzellanpapageien sind zerschlagen, eine Dose ist in zwei Hälften zerfallen, Bonbons sind zerstreut, und ein Flacon ist in tausend Scherben zerschellt. Tatsächlich ist also alles entzwei; es wäre also ganz unsinnig, durch ein »wäre« einen Vorbehalt, eine Distanzierung des Berichtenden zu seiner Wahrnehmung anzubringen, durch eine Konj.-II-Form darauf hinzuweisen, das Gesagte gelte nur vergleichsweise. Ähnlich ist es im nächsten Beispiel, während im letzten wieder Zeitenfolge wirksam zu werden scheint.

Wenn man die Verwendungsart der Als-ob-Sätze betrachtet, nicht ihre grammatische Form, so interessiert vor allem der Befund bei Paul Leppin, ist doch sein Roman *Daniel Jesus* ein Werk, das an üppiger Metaphorik, an Kostbarkeit des Ausdrucks, an Häufung stilistischer Mätzchen und überhaupt an feierlicher Sprache schwer zu überbieten ist. Hier wäre also eine mächtige Entfaltung der Vergleichssätze denkbar. Überraschenderweise ist das Ergebnis mit einem Dutzend Belege recht dürftig. Es gibt nur eine einzige Stelle, wo sich die Form prachtvoll verbreitert, aber auch nur so, daß der Bildreichtum des Satzes gar nicht eigentlich von der Als-ob-Form selber getragen, sondern nur eingeleitet wird:

... eine jauchzende Tanzmusik lockte, sehnsüchtig und wundervoll, heiter und träumerisch, als ob bunte Perlen von den Fiedelbogen zur Erde rollten, schmerzlich und schwärmend, Liebeslieder, in denen Glut und Andacht und Verlangen brannte und die süß waren wie die Küsse einer Frau (S. 105)

Die schon angeführten Beispiele zeigen, daß die Form nur sehr ansatzweise zur mimisch-gestischen Beschreibung eingesetzt wird, und wenn Inneres zur Sprache kommt, dann klischeehaft und ohne Beziehung auf Körperhaltung und Gesichtsausdruck:

Daniel Jesus war es, als ob eine eisige Hand über seinen Buckel führe (S. 17)

Im Grunde genommen ist es doch so, daß die Form als Mittel gesehen wird, Metaphern zu bilden:

> (über Augen) Sie hatten einen Grund wie ein Bach mit kleinen Kronen und winzigen Zacken, als hätte dort jemand einen goldnen Lack verstreut (S. 85)

Wie-Vergleich und Vergleichssatz wirken hier in einer Weise zusammen, daß eines das andere ersetzen kann. Da gerade bei ausgedehnter Verwendung Wie-Vergleiche und ihre Abarten syntaktisch viel leichter handhabbar sind als Vergleichssätze, deren Bogen leicht überspannt scheint, fristet die Form bei Leppin wie bei seinen Vorgängern Adler und Salus ein unbedeutendes Schattendasein. Anders bei Rilke, wo sich die Als-ob-Sätze sehr eigenartig ausprägen. Zunächst fällt auf, wie wenig Rilke ein Interesse hat, seelische Vorgänge an Ausdrucksbewegungen durch Vergleichssätze zu koppeln, wie gering er die Form zur Darstellung von Bewußtseinsphänomenen anschlägt, an deren direkter Repräsentation ihm kaum liegt. Deswegen sind auf Inneres bezügliche Vergleichssätze manchmal banal:

> (über ein Gesicht) ... weil es so täuschend lächelte, als wüßte es (S. 179)
> Zweimal sah er sich nach uns um, als ob er fragte (S. 191)

Dazu gehört auch, daß die Form zuweilen wirklicher Inhalte entkleidet und zur Einleitungsformel für anderes verkürzt wird:

> Mir ist, als entsänne ich mich, daß sie auf dem Kamin stehn, die beiden, die die Büchse ausmachen (S. 276)

> Es kommt mir vor, als wäre das das Entscheidende: ob einer es über sich bringt, sich zu dem Aussätzigen zu legen und ihn zu erwärmen mit der Herzwärme der Liebesnächte, das kann nicht anders als gut ausgehen (S. 175)

Wenn sich Vergleichssätze auf Körperhaltungen beziehen, dann ist Rilke nur an ihrer bildhaften Veranschaulichung, nicht ihren seelischen Hintergründen gelegen:

> Der vordere senkte seinen Kopf mit einem Ruck, als hätte er Hörner und wollte stoßen (S. 252)

> ... dann verbreitete sich ein Lachen auf seinen bartlosen Wangen, als wäre es darauf verschüttet worden (S. 169)

In den gleichen Zusammenhang gehört es, daß eine deutliche Verlagerung des Interesses von den Körperhaltungen zu Handlungen statthat:

> ... nahm mit den großen, frisch gewaschenen Händen ihr Kleid an sich, als wäre Wasser vergossen oder als wären wir nicht ganz reinlich (S. 223)

> Er hielt einen Mantel von sich ab und schüttelte ihn, als sollte etwas herausfallen (S. 289)

> (Glastür) ... Öffne sie, als ob ich zuhause wäre (S. 145)

Wie nicht anders zu erwarten, sind es besonders die Dinge, das Wort im weitesten Sinn genommen, deren Wesen durch Als-ob-Sätze erläutert wird.

> Die Bäume standen da, als wüßten sie nicht weiter im Nebel . . . Zwischendurch fing es an, still weiterzuschneien, und nun wars, als würde auch noch das Letzte ausradiert und als führe man in ein weißes Blatt (S. 237)

Dabei ist auffällig, daß auch Gegebenheiten wie etwa ein Haus auf diese Weise spezifiziert werden, ein Vorgang, der bei Kafka ganz ungewöhnlich wäre:

> Das lange, alte Herrenhaus war zu klein für diesen Tod, es schien, als müßte man Flügel anbauen (S. 115)

> (Haus) Es war ein paar Stunden lang, als gehörte es nun dem Geheimrat und seinen Assistenten und als hätten wir nichts mehr zu sagen (S. 211)

Vergleicht man den Gebrauch der Als-ob-Sätze bei den vor 1880 in Prag geborenen oder dort um die Jahrhundertwende lebenden Autoren, so ergeben sich wenig Gemeinsamkeiten mit der Verwendung der Form bei Kafka. Mit Rilke verbindet ihn nur die Intensität des Gebrauchs, nicht aber Bauform und Verwendungsart. Bei Adler, Salus und Leppin finden sich zwar hinsichtlich des Konjunktivs Ansätze, die auf Kafkas Praxis von Ferne hinweisen, aber keine vergleichbare Bedeutung. Und die Art und Weise, wie die Form bei den Genannten gebraucht wird, verrät, daß die in ihr liegenden Möglichkeiten noch gar nicht erkannt wurden und daß sie nur ganz vereinzelt auf Ausdrucksbewegungen bezogen wird, was bei Kafka doch im Zentrum steht.

Ganz anders wieder sieht die Sache bei Döblin und Dostojewski aus, die von der Ausgangsbasis her insoweit vergleichbar sind, als sie natürlich nicht einer Sprachzone entstammen, wo der Gebrauch der indirekten Rede in der oben im Text beschriebenen Weise geregelt ist. Hinsichtlich der grammatischen Form repräsentieren beide Autoren einen ähnlichen Entwicklungsstand. Auch zeigt sich, was auch linguistische Untersuchungen berücksichtigen sollten, wie bei einem großen Schriftsteller die Gestalt eines Werks die Art solcher Kleinformen, wie es die Als-ob-Sätze darstellen, durchaus mitprägt. Döblins Erzählen ist in diesem Roman nicht durch einen strengen personalen Erzählerstandort gekennzeichnet, außerdem rafft er in der Regel die Geschehnisse sehr stark, so daß es oft nicht zu szenischen Detaillierungen im einzelnen kommt. Die Folge dieses Ansatzes ist natürlich, daß eine Vielzahl von Beispielen sich zwar auf Körperbewegungen bezieht, aber doch in summarischer, lockerer Form. Es ist der gefühlsmäßige Gesamteindruck wichtig, nicht die Anschaulichkeit der Einzelbewegung:

> der ungeschlachte Bursche hatte jetzt etwas Hölzernes Ungelenkes in seinem Wesen, sprach abgerissen, war stark gebunden in seiner Haltung, als wäre er plötzlich versunken, fände sich in seiner Haut nicht zurecht (*Die drei Sprünge des Wang-lun*, Berlin 1920, S. 88)

Dies ist für Döblin schon ein sehr diffenziertes Bild, wie folgende Stellen zeigen mögen:

> Als er nach Stunden aufstand, fand er sich ruhig. Wie wenn in seinem Brustkorb irgend etwas eingeschlafen sei, umstellt von hohen Spinden und Tischen (S. 46)

Sie benahmen sich leise, als wären sie in einem Totenhause und geboten sich Ruhe (S. 47)

(Mädchen) das mußte betteln, als hätte es keinen Käsch (S. 21)

Viel mehr als etwa bei Rilke werden aber auch konkrete Einzelgesten Gegenstand der Vergleichssätze:

der große Mensch nickte dazu, als hätte er dies und jenes schon erwartet (S. 57)

Und obwohl er vielfach seine Gestalten im Undurchdringlichen läßt, sie vorwiegend handelnd, allenfalls noch redend zeigt, gibt es doch einige Stellen, wo Seelisches im Als-ob-Satz thematisiert wird:

Es kam manchen Bündlern vor, als sei ihnen verhängt, sich nach dem erduldeten Leiden noch selbst zu zerfleischen (S. 239)

Auch Dinge werden natürlich so beschrieben: Felder, Bäume, Töne, ein Schleier, eine Puppe, eine Stupa, ein Dach.

Ganz anders ist der Befund bei Dostojewski, handelt es sich doch in seinen Romanen meist darum, daß bestimmte Probleme gesprächsweise erörtert werden. Das beschreibende Element tritt zurück. Das bedeutet nicht nur, daß gegenüber Rilke und Döblin die Zahl der Belege, die Dingliches zum Gegenstand haben, sehr viel geringer ist, sondern auch, daß Handlungen und Haltungen überhaupt als Romanbestandteile zurücktreten. Werden sie aber einmal beachtet, so geht Dostojewskis Interesse sowohl auf die Art eines Bewegungsablaufs als auch auf den seelischen Hintergrund einer Ausdrucksbewegung:

Raskolnikoff ... ging von einer Ecke in die andere, als hätte er die Enge seiner Kammer vergessen (F. M. Dostojewski, Rodion Raskolnikoff [Schuld und Sühne], 2. Teil, München und Leipzig 1908, S. 276)

K., der, seinen Gedanken hingegeben, im Vorzimmer so, als wäre es sein eigenes Zimmer, laut auf und ab ging, flüchtete hinter seine Tür (P 34)

Und Ssonja ergriff unbewußt seine beiden Hände, als ob es an ihm läge, dies zu verhindern und als könnte sie das von ihm erflehen (S. 67)

Der Karrenführer streckte erstaunt die Hände aus, als wollte er sagen: »Das mein' ich doch auch« (Die drei Sprünge des Wang-lun, S. 223)

Vor allem aber dominieren bei Dostojewski Beispiele, wo die Art des Redens und Schauens, beim Gespräch das wichtigste, genauer dargestellt werden sollen. So werden z. B. die Ursachen schnellen Antwortens herausgestellt:

»Ach, ja, es ist soviel!« beeilte sie sich zu sagen, als wäre es ein Ausweg (S. 61)

... sagte Porphyri Petrowitsch, als hätte er Eile und erst nachdem er das gesagt hatte, nahm er das Schriftstück und sah es durch (S. 89)

... antwortete Nikolai schnell, als hätte er sich vorher vorbereitet (S. 121)

... fragte sie ihn schnell, als wäre sie plötzlich zur Besinnung gekommen (S. 216)

In allen vier Fällen geben die Als-ob-Sätze den seelischen Hintergrund des Redeverhaltens. Tonfall, Lautstärke und Bewußtheitsgrad einer Antwort sind weitere bevorzugte Anwendungsbereiche der Form. Wie sehr dies alles dem Gebrauch bei Kafka ähnelt, sollen die beiden folgenden Gegenüberstellungen veranschaulichen:

> erst nach einigen Minuten merkte Raskolnikoff aus einigen Anzeichen eine gewisse Bestürztheit, als sei er plötzlich aus dem Konzept gebracht, oder als hätte man ihn auf etwas verstecktem und geheimem ertappt (S. 88)

> Dann dachte Hans mit starrem Blick ein Weilchen nach, ganz wie eine Frau, die etwas Verbotenes tun will und eine Möglichkeit sucht, es ungestraft auszuführen (S 216)

> Sjonja schwieg lange, als könnte sie nicht antworten. Ihre schwache Brust hob und senkte sich in heftiger Aufregung (S. 74)

> Ihm gegenüber der Herr schwieg noch, so, als hätte er für das zu Sagende nicht genug Atem in seiner überbreiten Brust (S 153)

Einen bei anderen Autoren nicht feststellbaren formalen Beleg für die Tatsache, daß der Russe die Vergleichssätze bewußt als Mittel zur Charakterisierung des Inneren einer Figur einsetzt, bilden Beispiele, in denen der Als-ob-Satz auch syntaktisch von der Ausdrucksbewegung abgehoben ist, die mit dem in ihm vorgestellten Bewußtseinsinhalt korreliert:

> ... sagte er unerwartet, indem er ihn fast dreist anblickte, und als empfände er einen Genuß von seiner Dreistigkeit (S. 90 f.)

> ... begann er dann streng, aber als rede er ihr immer noch im Guten zu (S. 187)

Was endlich den Konjunktivgebrauch betrifft, so ist beim schwachen Verbum in jedem Einzelfall zu entscheiden, ob Ersetzungen vorliegen bzw. noch nicht vorgenommen wurden, obwohl eine Tendenz dahin besteht:

> ... sich scheinbar ereifernd, behielt jedoch das lustigste und spöttische Aussehen bei, als kümmerte es ihn wenig, welch eine Meinung Herr Raskolnikoff über ihn habe (S. 113 f.)

Da Porphyri Petrowitsch Raskolnikoffs Sicht der Dinge tatsächlich gleichgültig ist, hier also seine wirklichen Gedanken mitgeteilt werden, konnte hier aus sachlichen Gründen Konj. I eintreten. Anders ist es in dem Beispiel, in dem davon die Rede ist, wie Sonja ihre beiden Hände nach Raskolnikoff ausstreckt. Entweder ist hier gar nicht von Sonjas Denken die Rede, sondern nur von der Art der Geste, dann wäre nur aus formalen Gründen das »könnte« in »könne« umzuwandeln, genauer aus Analogiegründen, und weil »könnte« auch indikativisch und als Verb der direkten Rede empfunden wird, eine an sich vom Indikativ (konnte) unterschiedene Form an Parallelfälle anzugleichen. Dies geschähe aber nur bei Kafka, nicht etwa bei Brod und Hesse. Oder man faßt den Satz als Ausdruck von Sonjas seelischer Verfassung, die aber dann ein Irren darstellt, denn selbstverständlich kann ihr Gesprächspartner nicht aufhalten, daß Katerina Iwanowna an Schwindsucht zugrunde geht. In diesem Fall ist aus sachlichen Gründen ein Distanzierungskonjunktiv zu erwarten, also Konj. II: Der Bericht betont die Unrichtigkeit von Sonjas Hoffnungen. Selbstverständlich ist auch Konj. I doppeldeutig:

... flüsterte sie abgerissen und streng und blieb unbeweglich, zur Seite gekehrt, stehen, ohne zu wagen und als schäme sie sich, die Augen zu ihm zu erheben (S. 81)

Natürlich eine Reduktion auch aus sachlichen Gründen, denn (wie schon die Kopfhaltung zeigt) die Sprecherin schämt sich wirklich. Anders im folgenden Beispiel:

Ssonja hörte mit Anstrengung zu, aber sie schien nicht alles zu begreifen, es war als erwache sie aus einer Ohnmacht (S. 205)

Der Bewußtseinszustand ist nur mit einem schlafähnlichen Zustand verglichen, wie im *Schloß* die Verfassung der Herrenhofwirtin:

es war, als hätte sie eine Antwort auf ihr Lächeln erwartet und erst jetzt, da sie ausblieb, erwache sie (S 452)

Dies ist nur ein Ersetzungskonjunktiv, wie er bei Kafka, aber nur bei ihm, wo die Anlehnung an die indirekte Rede am engsten ist, zur Regel wird. Ein vergleichbarer grammatischer Zwischenzustand herrscht bei Döblin. Seine Herkunft aus dem norddeutschen Raum zeigt sich in folgenden, bei Hesse, Brod oder Kafka ganz undenkbaren Beispielen:

... fuchtelte sonderbar in der Luft, als ob er Fliegen fange (S. 79)

Er fuhr mit der Hohlhand sachte von oben über die Perle, als wenn er Fliegen fing (S. 382)

Dann treffen sie immer zusammen, prallen voneinander zurück, als wenn man ins Wasser sinkt (S. 284)

es scheint, als ob sie in einem der bemalten Häuser am Kanal erst Küchendienste tat (S. 343)

Stockend redete sie, wobei ihr wurde, als ob auch sie aus durchsichtiger Jade war (S. 493)

es schien ihr, als ob sie die ganze Nacht in die Höhe stieg (S. 493)

Richtig sagt S. Jäger (»Der Konjunktiv in der deutschen Sprache der Gegenwart«, S. 309, Anm. 211): »In Norddeutschland scheinen Beispiele mit Indikativ in der Umgangssprache geläufig zu sein. Auch Ulvestad fand die meisten seiner Beispiele bei norddeutschen Schriftstellern, ohne daß sie bei süddeutschen gänzlich fehlten.« Indikativ ist bei Kafka gar nicht belegt (auch bei Hesse und in den drei umfangreichen Romanen Brods nicht), ein Konj. I könnte bei einem starken Verbum nie stehen, wenn nur der Bewegungsablauf geschildert wird, wohl aber beim schwachen Verb:

manchmal warf er den Arm in die Luft, als karikiere er jemanden (P 52)

Wie bei Dostojewski gibt es bei Döblin beim schwachen Verbum beide Arten der Reduktion auf Konj. I, das starke Verb bleibt, von »sein« abgesehen, stabil:

... seine Sache hersagte, wie wenn es sich um eine Schale Reis handle (S. 97)

Er sprach, als ob es ihn nicht beträfe (S. 102)

Die Töne kamen näher, gingen ferner, stiegen aus allen Orten auf, es schien als ob die Stadt von ihnen umstellt sei (S. 240)

Alle drei Beispiele sind sachlich gleichwertig, die beiden ersten Belege meinen sogar bedeutungsmäßig das gleiche. Da im dritten Beleg laut Kontext die Posaunen auf den Hauptstraßen der Stadt blasen, liegt hier eine Metapher vor. Bezogen auf ein fiktives Bewußtsein könnte bei Kafka gleichwohl der Konj. I stehen. Bei Dostojewski und Döblin herrschen die Konj.-II-Formen eindeutig vor, außerdem findet sich Konj. I bei starken Verben nur sehr vereinzelt, gelegentlich einmal bei »sei« und in Bildungen bei Vollverben, die altmodische Flexionsformen ersetzen sollen:

... fragte er sie aus vollem Herzen, als bedenke er seine Worte nicht und erwäge sie nicht (*Rodion Raskolnikoff*, S. 391)

Es kann kein Zufall sein, daß der in Danzig geborene Günter Grass in seinem Roman *Die Blechtrommel* nur Konj. II im Als-ob-Satz verwendet und auch in H. Bölls *Ansichten eines Clowns* — Böll ist in Köln geboren — der Anteil des Konj. II über 80 % beträgt. Natürlich stellt die Verwendungsart bei Grass eine ganz bewußte Sprachregelung dar — bei spontanem Schreibverhalten würden bei der herrschenden Wahlfreiheit vereinzelt Konj.-I-Formen mitunterlaufen —, aber daß diese überhaupt in dem genannten Sinne möglich ist, stellt schon ein Indiz dar: das Sprachgefühl eines süddeutschen Autors ließe derartige Normierung gar nicht zu. Statistische Auszählungen durch S. Jäger haben ergeben, daß in der Gegenwartssprache in Als-ob-Sätzen in gut zwei Dritteln der Fälle Konj. II steht. (»Der Konjunktiv in der deutschen Sprache der Gegenwart«, S. 225; S. 227 die Angaben über Grass und Böll.) Doch ist dieses Ergebnis insofern wenig aussagekräftig, als weder nach regionalen Gesichtspunkten differenziert, noch auch zwischen starken und schwachen Verben unterschieden wurde. Auch semantische Gesichtspunkte, die, wie sich zeigte, die Art des verwendeten Konjunktivs sehr stark mitbestimmen, wurden nicht berücksichtigt.

Stellt man den beschriebenen Befunden gegenüber, wie Max Brod Als-ob-Sätze einsetzt, drängt sich die Vermutung auf, daß ein Zusammenhang mit der Verwendungsart bei Kafka bestehen müsse, so sehr ähneln sich die Passagen mit Vergleichssätzen. Es fragt sich allerdings, welcher Art diese genetische Beziehung ist. Könnte es nicht sein, daß der ein Jahr jüngere Max Brod, der Kafka von früh an bewunderte und als den Größeren anerkannte, diesen imitierte, zumal sich eine derartige Abhängigkeit in einzelnen Fällen tatsächlich zu ergeben scheint (vgl. S. 562 f. dieser Arbeit)? Genauere Überlegung führt allerdings zu dem Schluß, daß es sich umgekehrt verhalten muß. Man hat doch zu bedenken, daß Max Brod sehr früh zu literarischen Ehren gelangte und, wie die Lebenszeugnisse Kafkas zeigen, von seinem Freund deswegen sehr gerühmt wurde. Diese Haltung war gewiß keine Höflichkeit, sondern aufrichtig; sie ist von Felix Weltsch auf folgende Weise überzeugend erklärt worden: »Es war einfach so, daß ihm die kleinste positive Leistung des Freundes bewundernswert erschien, weil er sie mit den Augen des Freundes sah, und mit der Vorstellung verglich, die er von seiner eigenen Leistung hatte, die er mit den Augen des Feindes sah.« (»Religion und Humor im Leben und Werk Franz Kafkas«, Berlin-Grunewald [1957], S. 17) Auch war sich Kafka bewußt, daß er seinen Freund gelegentlich nachahmte (T 142). Das Gesagte ist ganz verständlich, wenn man bedenkt, daß Max Brod schon mehrere Romane veröffentlicht hatte, als Kafka an den *Verschollenen* ging, während umgekehrt jener Kafkas Schreibversuche häufig nur vom Hören kannte. Vor allem aber ist zu bedenken, daß die Verwendung des Konjunktivs im Vergleichssatz eine über Max Brod hinausgehende Entwicklungsstufe voraussetzt, so daß die Annahme plausibel erscheint, Kafka habe von seinem Freund und anderen Zeitgenossen, die schon einen entsprechenden Sprachzustand erreicht hatten, Anregungen empfangen. Wenn man das über die vor 1880 in Prag geborenen Autoren Gesagte berücksichtigt, hat man sich den Vorgang wohl so vorzustellen, daß Prag, als eine vom lebendigen Sprachgebiet isolierte Insel des Hochdeutschen, erst mit einer gewissen Verspätung Anschluß an die vom süddeutschen Raum ausgehende Bewegung fand, die den Konj. I in der oratio obliqua bevorzugte, und zwar durch Rezipierung süddeutscher Autoren durch Prager Altersgenossen Kafkas, die sich ja bewußt von Adler, Salus und Leppin abwandten.

Zunächst fällt auf, daß jetzt häufig starke Verben im Konj. I stehen, und zwar auch dann, wenn die entsprechenden Konj.-II-Formen an sich gebräuchlich sind:

> unbeweglich schaute sie Hugo ins Gesicht, als sehe sie ihn zum erstenmal, als entziffere sie ein Rätsel (*Jüdinnen*, München [1922], S. 205)

> Sie atmete tief, von Zeit zu Zeit hatte sie trotzdem ein gequollenes Gesicht, als vergesse sie zu atmen (S. 305; vgl. auch die schon zitierten Motivparallelen von Leppin, Dostojewski, Kafka und Max Brods Roman *Tycho Brahes Weg zu Gott*)

> Und erzürnt sah sie auf Hugo, als trage er mit die Schuld an diesen fremden Schicksalen (*Jüdinnen*, S. 177)

> »Das Fräulein kommt oft spät nach Hause«, sagte K. und sah Frau Grubach an, als trage sie die Verantwortung dafür (P 32)

Nicht anders bei Hesse:

> mir schien, es sei ein feiner, grauer Schleier von meinen Augen gefallen und die Welt liege für mich im ursprünglichen göttlichen Lichte da (*Gertrud*, S. 186)

Hier ist nun aber keine Willkür, sondern eine völlige Entsprechung zu Kon.-I-Formen beim schwachen und modalen Verb. Diese sind immer funktional eingesetzt und bringen zum Ausdruck, daß der Inhalt des Als-ob-Satzes als solcher eine Empfindung oder einen Gedanken einer fiktiven Figur darstellt. Aus diesem Grunde steht auch nach »jemandem sein, als ob« und vergleichbaren Wendungen wie bei Kafka regelmäßig bei beiden Autoren Konj. I; es handelt sich um so viele Fälle, daß dies kein Zufallsergebnis sein kann.

Liegt jedoch funktionsmäßig ein klassischer Vergleichssatz vor, wo Inneres, Ausdrucksbewegung oder Dingliches in seiner Ausprägung und besonderen Art mit einem parallelen Phänomen näher erläutert werden soll, steht grundsätzlich Konj. II:

> vielmehr mußte sie dem Vater gegenüber eben nur an den Vater und sein Wohl denken, als ob es gar keinen Tengnagel gäbe, und Tengnagel gegenüber so, als ob es keinen Tycho gäbe (*Tycho Brahes Weg zu Gott*, S. 112)

> Es war wirklich, als gäbe es keinen Heizer mehr (A 46 f.)

Tengnagel, Tycho de Brahe und Heizer sind für die Figuren, von denen hier gehandelt wird, durchaus nicht verschwunden, nur sind sie von einem Zustand beherrscht oder wollen ihn erreichen, der einer Verfassung gleicht, wo störende Partner nicht existieren. Wie die starken Verben verhält sich auch »haben«:

> Hagecius kicherte immer noch vor sich hin, als habe Kepler mit seiner letzten Bemerkung einen Witz gemacht (*Tycho Brahes Weg zu Gott*, S. 69 f.)

> Das Mädchen lächelte auch, schlug aber dem Mann leicht mit den Fingerspitzen auf den Arm, als hätte er sich mit K. einen zu starken Spaß erlaubt (P 88)

> Nun drängte ihn Tycho desto heftiger, je mehr in ihm eine halbe Ahnung aufstieg, als habe er vorhin in seiner überquellenden Art nicht das Rechte gemacht (S. 63)

> Robinson legte erschrocken die Hand an die Wange, als habe Karl etwas Schlimmes angerichtet (A 339)

> Er wisse nicht, sagte er so mild, als hätte er die gewaltige Aufregung schon gänzlich niedergekämpft ... (*Tycho Brahes Weg zu Gott*, S. 104)

> »Kommen Sie mit!« wiederholte K. jetzt schärfer, als habe er endlich den Gerichtsdiener auf einer Unwahrheit ertappt (P 84)

Die Beispiele sprechen für sich: Kepler, laut Kontext, erlaubte sich tatsächlich einen Scherz, und der zugeordnete Beleg aus dem *Prozeß* verdeutlicht, daß der Auskunftgeber nicht unangemessen reagierte. Der Erzähler will sagen, der Spaß war nicht zu stark. Die beiden folgenden Fälle vermitteln Einsichten Tychos und Robinsons; deswegen steht Konj. I. In den letzten Beispielen wird die Sprechart beidesmal mit angenommenen Situationen verdeutlicht, trotzdem steht bei Kafka Konj. I, weil betont werden soll, daß K., der Perspektivträger, von der Unwahrheit seines Gegenüber überzeugt ist. Gerade an dieser Stelle zeigt sich nun aber, daß hier, auch für Kafka und Brod, ein Ermessensspielraum vorliegt, der die Setzung beider Konjunktive erlaubt, denn der Erzähler kann, wie in der indirekten Rede, Stellung zu seinem Bericht beziehen, situationsübergreifendes Wissen anbringen oder zurückhalten. Daraus erklären sich einige Einzelfälle, die man bei statistischer Betrachtung als »Ausnahmen« deklarieren müßte:

> Kepler schwieg noch eine Weile und es schien, als habe er die Frage gar nicht gehört. Als aber der Wagen an einer Biegung scharf aufschüttelte, brach es aus seiner Ecke hervor ... (*Tycho Brahes Weg zu Gott*, S. 9)

> es schien ihm, als hätte der sonst überzeugende Gedanke, daß auf dem leeren Schiff seine Sachen am besten zu finden sein würden, einen verborgenen Haken (A 12)

Beidesmal entsteht ein Anschein, aber im ersten Fall identifiziert sich der Erzähler mit der Optik der auf der Szene Anwesenden, die zunächst der Meinung sein müssen, daß Kepler die Frage im Fahrgeräusch überhört hat. Der sein Schweigen erläuternde Als-ob-Satz kann deswegen im Konj. I stehen. Anders in dem Beleg aus dem *Heizer*. Karl, immer zur falschen Zeit mißtrauisch oder Vertrauen zeigend, glaubt zwar an eine Schwierigkeit, diese ist aber, wie der weitere Erzählverlauf zeigt, tatsächlich nicht vorhanden. Darauf weist der Konj. II hin.

Aber nur bei Verwendung des starken Verbs (und bei »sein«) besteht kein Unterschied im Konjunktiv-Gebrauch zwischen Kafka und Brod bzw. Hesse:

Scham befiel mich, als säße ich entkleidet da vor den prüfenden Blicken meines Cousins. Doch plötzlich: ein Stolz, eine Zone, in die er nicht hereinreichte. Es war mir, als ziehe ich mich in die unberührbare Tiefe meines Lebens zurück... Eine eherne Pforte fiel hinter mir zu (*Franzi*, S. 102 f.)

mir ist manchmal, als verdünne sich mein Fell, als könnte ich bald mit bloßem, kahlem Fleisch dastehen und in diesem Augenblick vom Geheul meiner Feinde begrüßt werden (B 183)

Aus der Höhe streute ich sie über Franzis nackte Brust und Hüften hin, als wollte ich sie ganz einhüllen in die langen metallgrünen Papierstreifen (*Franzi*, S. 180)

Plötzlich war es mir einen Augenblick lang, als lebte ich in beiden Welten zugleich (*Franzi*, S. 299)

... näherte sich dem Bild, als wolle er es in den Einzelheiten studieren (P 175)

Er redete von mir, als sei ich taub oder als verstünde ich seine Sprache nicht (T 391)

ohne etwas fertigzubringen wache ich aus alter Gewohnheit, als ob ich auf den ausbleibenden Himmelsregen warte (F 293)

Brods Gebrauch ist folgerichtig: Da der Nackte sich vor anderen zu schämen pflegt, kann ein derartiges Gefühl durch die angenommene, nicht wirklich bestehende Situation des Unbekleidetseins illustriert werden. Dieser Zustand wird nun aber — der dem Als-ob-Satz vorhergehende und folgende Passus beweist es — von dem Gedanken an die eigene Unberührbarkeit abgelöst, die der Scham entgegengesetzt ist; es erfolgt also wirklich ein Rückzug des Erzählers ins eigene Innere, der als Bewußtseinsregung und damit im Konj. I gegeben wird; die ihr zugehörige Metapher steht außerhalb des Als-ob-Gefüges. Wäre dies nicht der Fall, müßte es heißen, »... als fiele eine eherne Pforte hinter mir zu«. Wie Hesse verwendet Brod auch bei der 1. Person sing. in den Fällen Konj. I, wo dies bei schwachen und modalen Verben geschieht. Kafka dagegen regelt hier jeden Fall individuell. In dem Zitat aus dem *Bau* läßt er Konj. II stehen, vielleicht weil sich diese Form vom Indikativ gut abhebt. Im letzten Beleg, wo er metaphorice spricht, ersetzt er, obwohl Gleichklang mit dem Indikativ des Präsens die Folge ist. Im vorletzten Beispiel wieder scheint ihn gerade dies zu stören, so daß er die Form benützt, die formale Differenzierung vom Indikativ gestattet.

In der dritten Person sing. jedoch ersetzt er in aller Regel die Konj.-II-Formen der schwachen und modalen Verben (»verdünne« und »wolle«), während Brod diese bei modalen Verben dann stehen läßt, wenn sie Inneres nicht direkt spiegeln: Selbstverständlich überhäuft der Ich-Erzähler in *Franzi* nicht seine Geliebte mit Geld, weil er sie bedecken, sondern weil er sie dadurch beherrschen will. Und K. will durchaus nicht Titorellis halbfertiges Gemälde studieren, sondern nur den Maler durch scheinbare Anteilnahme für sich gewinnen. Hesse schließt sich hinsichtlich der 3. Person sing. Kafka an. Man vgl. die folgenden, motivlich aufeinander abgestimmten Belege mit dem sehr häufigen Verb »wollen«:

> »Ist es eine schlimme Nachricht?« rief er ihnen entgegen und machte unwillkürlich einige Schritte, als wollte er sie wieder hinausdrängen (*Tycho Brahes Weg zu Gott*, S. 52)

> Unwillkürlich hatte K. einen Schritt gegen die Tür gemacht, als wolle er den Fabrikanten hinausbegleiten, dieser aber sagte ... (P 162)

> Es schien, als ob er noch etwas sagen wolle ... Dann lachte er und ließ es ungesagt (*Gertrud*, S. 360 f.)

> ... eine Bewegung, die auf mich den Eindruck machte, als wolle er sagen, daß er auch meine Angelegenheit mit Marianna vollständig verstehe (*Franzi*, S. 86)

Im zweiten und dritten Beispiel erhellt aus dem mitzitierten Kontext, daß die im Als-ob-Satz mitgeteilten Intentionen tatsächlich bestehen (was aber für den Konjunktivgebrauch im Beispiel aus dem *Prozeß* belanglos ist). Im ersten Fall wird eine Gewohnheit Tychos beschrieben, routinemäßige Abwehr, nicht aber eine Bewußtseinshaltung, die ja auch im Widerspruch zu der geäußerten Frage stünde. Dieser Unterschied im Konjunktiv-Gebrauch bei Modalverben besteht jedoch nicht bei den schwachen Verben. Da beispielsweise auch Oskar Baum der Brodschen Praxis folgt, Paul Adler sich noch viel konservativer gibt, kann vermutet werden, daß Kafka in Prag sich allein der fortschrittlicheren süddeutschen Verwendungsart anschloß:

> Sie sah ihn mit großen erstaunten Augen an, als erwache sie (O. Baum, Zwei Erzählungen, Leipzig [1918], S. 6; vgl. die schon zitierten Motiventsprechungen bei Dostojewski und Kafka)

> Er blickte dabei die Wände entlang nach allen Seiten, bohrend bis in die Schatten der Winkel, als ob er durch die Decke, durch den Boden sehen könnte (S. 20)

Nicht leicht zu durchschauen sind auch die Verhältnisse beim verbum substantivum. Es gibt einerseits bei Hesse, Brod und Kafka Belege im Singular und Plural, die den Schluß nahelegen könnten, als sei die Verwendungsart dieses Verbs nicht von starken Vollverben unterschieden:

> Der Zug fuhr durch die Nacht, blind in blödsinnigem Eifer, genau so dumpf und gewissenhaft wie ich, als ob etwas zu versäumen oder etwas zu retten wäre (*Gertrud*, S. 253)

> Ich nahm die Stücke meiner Oper in die Hände, als wären es die Trümmer meines früheren Lebens (S. 280)

und nun das verwirrend lächelnde Gesicht, mit dem Franzi auf mich zukam; deutlich so als wären wir in etwas unterbrochen worden, woran ich doch kaum noch dachte (*Franzi*, S. 132)

Überdies bestanden die Wände der Portierloge ausschließlich aus ungeheueren Glasscheiben, durch die man die im Vestibül gegeneinanderströmende Menschen menge deutlich sah, als wäre man mitten unter ihnen (A 220)

In allen Fällen findet der Inhalt des Als-ob-Satzes auf die genannten Figuren nur vergleichsweise eine Anwendung. Eigentlich gilt dies doch aber auch für die folgenden Zitate:

Vielmehr wandte er sich wieder, als sei das Mädchen gar nicht vorhanden, mit ungezwungen gleichgültiger Miene an Hagecius (*Tycho Brahes Weg zu Gott*, S. 23)

... küßte ihn wild, als sei niemand sonst im Zimmer (S 71)

Er ballte die Faust, als sei Elisabeth in ihr drinnen, in der Gestalt eines kleinen Vögleins etwa, das ihm davonfliegen wolle (*Tycho Brahes Weg zu Gott*, S. 28)

... wie die Frau seine Sachen mit beiden Händen packte und mit einer Kraft in den Koffer warf, als seien es irgendwelche Tiere, die man zum Kuschen bringen mußte (A 120)

Im zweiten Belegpaar ist die metaphorische Redeweise offensichtlich, im ersten logisch kein Unterschied zu den schon zitierten beiden Beispielen feststellbar, wo Brod und Kafka die Form »gäbe« verwenden. Trotzdem überwiegen Konj.-I-Formen bei beiden Autoren sehr stark. Man muß dies so verstehen, daß »sein« auf dem Wege ist, sich dem Gebrauch bei den schwachen Verben anzugleichen. Was speziell Kafka betrifft, so zeigt das schon im zweiten Teil dieser Arbeit Ausgeführte, daß man hier von einer Feinabstufung ausgehen kann. Wenn in irgendeiner Form eine Beziehung auf ein Bewußtsein sichtbar ist — die Frau mag die drei Gesellen für eine Art Tiere ansehen, Frieda sich allein im Zimmer fühlen —, verwendet er den Konj. I, wenn dies offensichtlich unmöglich scheint — die Glasscheiben trennen eben doch —, wird der Vergleichscharakter des Ganzen auch morphologisch betont.

Insgesamt kann man also die Entwicklung des Konjunktivgebrauchs wie folgt zusammenfassen: Klangliche Gründe, Aus-der-Mode-Kommen einzelner Formen und, vor allem bei verbum substantivum, die Tatsache, daß im Als-ob-Satz direkt Bewußtseinsinhalte repräsentiert werden können, führen in vereinzelten Fällen dazu, daß Konj.-II-Formen des starken Verbs ersetzt werden. Der zuletzt genannte Grund ist bei schwachen und modalen Verben ein viel stärkeres Motiv dieser Tendenz, die in diesem Bereich noch dadurch unterstützt wird, daß im Singular mit dem Indikativ formgleiche Bildungen vermieden werden sollen. So kommt es zunächst zu einem unsystematischen Nebeneinander von Konj. I und Konj. II, die jeweils sachlich und formal motiviert sein können. Ein erschließbarer, unter den ausgewählten Autoren nicht belegter nächster Entwicklungsschritt wäre ein Zustand, wo der

Konj. II bei »sein«, »haben«, den modalen und schwachen Verben im Singular (bei »sein« auch im Plural, weil sich dieser vom Präteritum unterscheidet) dann durch Konj. I ersetzt wird, wenn der Inhalt des Als-ob-Satzes direkter Ausdruck des Innenlebens einer Figur ist, d. h. in der Regel nicht durch *bewußtseinsfremde* Hilfsvorstellungen artikuliert wird. Bei Brod (und Baum) ist dieser Zustand nur bei den drei zuerst genannten Verbgruppen bewahrt, bei den schwachen Verben, wo sonst grundsätzlich Konj. I steht, nur in der 1. Person Singular. Durch Analogieeinwirkung und Einfluß der indirekten Rede verhält sich jetzt auch das starke Verbum wie das schwache. Im Anschluß an die süddeutsche, außerprager Entwicklung, von der Kafkas Heimatstadt als Sprachinsel zunächst isoliert bleibt, werden bei ihm jetzt auch die Modalverben wie schwache behandelt, also regelmäßig im Konj. I gebraucht, auch wenn Formengleichheit mit dem Indikativ gar nicht aufträte.

Abschließend soll die Verwendungsart der Vergleichssätze bei Max Brod mit deren Gebrauch bei Kafka verglichen werden. Als Ausgangspunkt mögen die folgenden Belege dienen:

> Und während er bisher immer noch, voll von Jugendmut, das Gefühl gehabt hatte, als beherrsche er die Welt, als geschehe alles darin, wie er es wolle, und als laufe nur deshalb das Böse und Kleine manchmal mit unter, weil er das so dulde, weil er gleichsam aus Nachsicht oder Unachtsamkeit hie und da die Augen schließe, — jetzt fiel ihm wie mit einem Ruck die ganze Welt aus der Hand (*Jüdinnen*, S. 203)

> Kepler sprach so leichthin und selbstverständlich, während Tycho jedes Wort nachdrücklich betonte, gern auch einzelne Sätze wiederholte, als könne er an das stille Fortwirken eines fallen gelassenen Wortes nicht glauben, als müsse er nach seinem Grundsatz auch hier »selbst mit Hand anlegen« und gleichsam den Sinn der Worte zum Zuhörer hinübergeleiten, da er eben in allem das Zutrauen zur bloßen Natur verloren hatte (*Tycho Brahes Weg zu Gott*, S. 115)

> Es war, als wolle er mit den Händen, die er wie kurze Flügel bewegte, alle Vorstellungen und Begrüßungen abwehren, als wolle er auf keinen Fall die anderen durch seine Anwesenheit stören und als bitte er dringend wieder um die Versetzung ins Dunkel und um das Vergessen seiner Anwesenheit (P 127 f.)

Hier ist wohl die auffälligste Übereinstimmung zwischen Kafka und Brod dokumentiert, nämlich die Tatsache, daß beide eine ausgesprochene Vorliebe für mehrgliedrige Als-ob-Sätze haben, die natürlich in ganz anderer Weise als bei einfacher, womöglich nicht einmal durch untergeordnete Sätze entfalteter Verwendungsart Differenzierungen gestatten. Mag auch bei andern Autoren sehr selten einmal ein zweigliedriger, aber im Ganzen doch sehr einfach gehaltener Vergleichssatz vorkommen — in dieser Weise gibt es Belege nur bei Kafka und Brod, und zwar häufig.

An sich ist dieser Befund bei Brod gar nicht so erstaunlich; es ist seine Flaubert-Nachfolge, die ihn zur Beobachtung des menschlichen Äußern bringt, und dabei stellt sich eben der Vergleichssatz als besonders geeignete Darbietungsform fast zwanglos ein:

Ihr Lächeln zog den Mund schief, die eine Hälfte des Mundes ging in die Wange empor, während die andere sich eher herabzusenken schien. Nicht gerade die Miene der Verachtung war von dieser zweiten Wange abzulesen, aber immerhin etwas Zurückhaltendes, eine Reserve, etwas, was über das Lächeln der einen Wange zu lächeln schien. Oder, als ob Irene über etwas ganz anderes lächle, als man nach dem Gange des Gespräches voraussetzen mochte, und als ob sie zugleich mit einem gewissen Stolz andeuten wolle: Ja, wenn ihr wüßtet, worüber ich lächle, das ist nicht so einfach, das ist nicht so was für euch... Eigentümlich war es auch, daß sie den Mund beim Lächeln nicht öffnete, keine Zähne sehen ließ, sondern eher noch die Lippen fester aneinanderpreßte, so daß sie noch schmäler und blässer schienen als sonst... Hugo war ganz gefesselt, indem er sie betrachtete... (*Jüdinnen*, S. 12 f.; die Punkte bei Brod)

Dieses Beispiel zeigt freilich auch, daß nicht nur der Wunsch nach Akribie allein solche Beschreibungen hervorbringt, sondern auch eine ganz bestimmte perspektivtechnische Gestaltungsweise. Hugo ist hier in einer Ausschließlichkeit Wahrnehmungsträger, wie man es sonst nur von Kafka kennt, und diese Tatsache suggeriert eben dann die Als-ob-Sätze, die es leicht ermöglichen, von fiktiven Personen Wahrgenommenes als solches darzustellen. In der Feinheit der mimischen Beobachtung wäre in gewissem Betracht allenfalls Dostojewski heranzuziehen. Kafka, der die *Jüdinnen* sehr sorgfältig studierte, rezensierte und für den *Verschollenen* benützte, mußte zum Beispiel sehr angetan davon sein, wie vielschichtig Brod die Geste des Lächelns, die er selbst gerne gebrauchte (vgl. Anm. II, 299), in diesem Roman einsetzt:

Als sei jetzt ihr tieferes Wesen an den Tag gekommen, lächelte sie glückselig, beruhigt, ohne eine Spur von Eitelkeit (*Jüdinnen*, S. 23)

»Ich will Sie lieber etwas fragen«, lächelte sie scharfsinnig, und auch ihre Listigkeit hatte jetzt etwas Liebevolles, mit diesen zu einem Spalt verengerten Augen, als schaue sie wie in grelles Licht in ihr eigenes leuchtendes Nachdenken (S. 28)

Sie sah ihn schroff an, fast beleidigt, dann mitleidig lächelnd, als könne er die Tiefe der von ihr erlebten Liebe gar nicht würdigen (S. 56 f.)

Und dabei lächelte sie harmlos, als ob sie ihm nicht weh tun, ja ihm nicht einmal das Recht zusprechen wollte, ein Weh zu fühlen, enttäuscht zu sein. Sie schien zu sagen: Ja, was haben Sie sich denn eigentlich eingebildet (S. 192)

Direkt vergleichbar aus dem *Verschollenen* ist folgende Passage, wo berichtet wird, wie Karl eine Photographie seiner Eltern betrachtet:

Die Mutter dagegen war schon besser abgebildet, ihr Mund war so verzogen, als sei ihr ein Leid angetan worden und als zwinge sie sich zu lächeln (A 117)

Man ist nicht nur von der Kunst der Beobachtung an sich beeindruckt, sondern auch davon, daß die jeweiligen Inhalte der Als-ob-Sätze keine umläufigen Allgemeinvorstellungen sind, sondern individuelle, situationsbezogene Aussagen; und dies gilt ganz allgemein.

Wie eng Kafkas Verfahrensweise sich an diejenige seines Freundes anschließt, sollen die beiden folgenden Belegpaare verdeutlichen:

Nun erst bemerkte Tycho, daß sie wie auch die älteren Kinder ein verdrießliches Gesicht hatte, als drohe allen ein Unheil (*Tycho Brahes Weg zu Gott*, S. 54 f.)

Karl, der aufhorchte, als drohe etwas (A 71)

Dann sehe ich, wie er Fräulein Fuhrmann wegschickt, als sei sie ein Dienstmädchen (*Franzi*, S. 83)

mit einem Wink, als sei er ein Angestellter (A 112)

Wie bei Dostojewski schenkt Brod der Art des Sprechens besondere Aufmerksamkeit:

Er sprach schnell, als würde er sonst die Gelegenheit für immer versäumen (*Jüdinnen*, S. 216)

Auffällig ist — es steht in einem gewissen Gegensatz zu Kafkas Usus —, daß nur sehr selten der Bezugspunkt zwischen Vergleichssatz und übergeordnetem Ausdruck nicht sehr eng ist:

Er las weiter, als müsse durch eifriges Suchen doch auch etwas Freundliches in der Schrift zu finden sein (*Tycho Brahes Weg zu Gott*, S. 182)

In der Regel handelt es sich also bei den Als-ob-Sätzen um Interpretationen sehr konkreter mimisch-gestischer Details, Redeweisen und sich an Eindrücke anschließender Gefühle (»sein, als ob«). Die Profilierung gerade dieses Bereichs — Brod verwendet die Form unverhältnismäßig häufig in allen drei untersuchten Romanen — mußte für Kafka, dem es, wie gezeigt, auf die Konkretisierung und Verleiblichung alles Abstrakten ankam, eine große Hilfe, ein Vorbild für eigene Gestaltungsabsichten darstellen.

2. Anmerkungsteil

Hinsichtlich des Anmerkungsteils dieser Arbeit beachte man:

Zitate sind entweder vorausgestellt, und zwar in der Reihenfolge ihres Auftretens im Text (sie sind also nicht nach steigenden Seitenzahlen der Werke geordnet, in denen sie erscheinen), wobei dann die indirekten Verweisungen im Zusammenhang auf die gleiche Weise folgen, eingeleitet durch ein »vgl.«; bei der andern hier gebrauchten Art des Belegens werden die Sinnzitate vorausgestellt, die sich anschließenden wörtlichen Anführungen durch einführendes »Zitat[e]« gekennzeichnet. Direkt zu einzelnen Anführungen Gehöriges wird öfters unmittelbar dahinter in runden Klammern angefügt.

In den auf Mimik und Gestik bezüglichen Teilen der Untersuchung sind jeweils möglichst zahlreiche Parallelstellen zu den einzelnen Ausdrucksbewegungen verzeichnet, damit der Leser eine Art Synopse zu den einzelnen Phänomenen herstellen kann. Die Anmerkungen im dritten Teil sollen die biographischen Bezüge, in denen das *Schloß* steht, bis in ihre feinsten Verästelungen hinein verfolgen.

Bei Querverweisen innerhalb des Anmerkungsteils ist, um Verwechslungen auszuschließen, den Ordnungszahlen in römischen Ziffern jeweils die Nummer des entsprechenden Teils der Arbeit vorausgestellt (»vgl. Anm. II, 268« heißt also, man möge Anmerkung 268 des zweiten Teils dieser Studie ergänzend heranziehen).

Die Werke Kafkas sind durchweg in einer sehr abgekürzten Form zitiert, über die ein Verzeichnis S. 648 Auskunft gibt. Dabei ist besonders zu beachten, daß von der Edition des *Schlosses* innerhalb der *Gesammelten Werke* zwei verschiedene Paginierungen existieren.

Andere Quellen und Untersuchungen werden bei der Erstnennung innerhalb jedes Teils bibliographisch vollständig erfaßt, bei wiederholter Anführung nur mit Kurztiteln. In Zweifelsfällen vgl. man das Literaturverzeichnis S. 651 ff.

a) Belege und Erläuterungen zur Einleitung

1 »Franz Kafka«, Bonn, Frankfurt/M. 1958.
2 »Reflexion und Wirklichkeit. Untersuchungen zu Kafkas Roman ›Das Schloß‹«, Tübingen 1966.
3 »On Kafka's Castle. A Study«, London (1973).
4 »Das stumme Sein und das redende Nichts. Ein Aspekt des Kafkaschen Schloß-Romans«, in: W. B., Aufschlüsse. Studien zur deutschen Literatur, Zürich (1976), S. 369 ff.
5 »Das Alte im Neuen. Von Don Quichotte zu Franz Kafka«, München (1968, zuerst Paris 1963), S. 152 ff., vgl. H. *Hillmann*, Franz Kafka. Dichtungstheorie und Dichtungsgestalt, 2. A., Bonn 1973, S. 32 f. u. meine Arbeit »Motiv und Gestaltung bei Franz Kafka«, Bonn 1966, S. 26 ff.
6 »Beschreibung einer Form. Versuch über Franz Kafka«, (Frankfurt/M., Berlin, Wien 1972, zuerst als masch. Diss. Tübingen 1952), vgl. F. *Beißner*, Der Erzähler Franz Kafka. Ein Vortrag, Stuttgart 1952.
7 »Franz Kafka — Tragik und Ironie. Zur Struktur seiner Kunst«, München, Wien (1964), S. 391 ff.
8 J. *Rolleston*, Kafka's Narrative Theater, University Park and London (1974),

S. 112 ff. u. W. *Kudszus*, Erzählhaltung und Zeitverschiebung in Kafkas »Prozeß« und »Schloß«, in: Deutsche Vierteljahrsschrift für Literaturwissenschaft und Geistesgeschichte 38 (1964), S. 192 ff.

9 Vgl. z. B. L. *Fietz*, Möglichkeiten und Grenzen einer Deutung von Kafkas »Schloß«-Roman, in: Deutsche Vierteljahrsschrift für Literaturwissenschaft und Geistesgeschichte 37 (1963), S. 71 ff.

10 »On Kafka's Castle«, S. 19 ff.

11 H. *Politzer*, Franz Kafka, der Künstler, (Frankfurt/M. 1965, zuerst Ithaca, New York 1962), S. 179 ff. u. W. *Jahn*, Kafkas Roman »Der Verschollene« (»Amerika«), Stuttgart (1965).

12 München (1976).

13 »Über Franz Kafka: Franz Kafka, eine Biographie. Franz Kafkas Glauben und Lehre. Verzweiflung und Erlösung im Werk Franz Kafkas«, (Frankfurt/M. 1966), S. 163 ff. u. 191 ff., vgl. unten Anm. III, 88.

14 Vgl. z. B. H. *Richter*, Franz Kafka. Werk und Entwurf, Berlin 1962, S. 252 ff. u. J. *Bauer*, Kafka und Prag, (Stuttgart 1971), S. 98 ff.

15 R.-M. *Ferenczi*, Kafka. Subjectivité, Histoire et Structures, Paris 1975, S. 45 ff. u. 137 ff. u. C. *Stölzl*, Kafkas böses Böhmen. Zur Sozialgeschichte eines Prager Juden, (München 1975), S. 67 ff., vgl. S. 377 f. dieser Arbeit.

16 »Streitbares Leben 1884–1968«, München, Berlin, Wien (1969).

17 W. *Benjamin*, Franz Kafka, in: Franz Kafka, hg. v. H. *Politzer*, Darmstadt 1973, S. 143 ff. (erschien zuerst 1934), F. *Martini*, Franz Kafka: »Das Schloß«, in: F. M., Das Wagnis der Sprache. Interpretation deutscher Prosa von Nietzsche bis Benn, 4. A., Stuttgart (1961), S. 298 f. u. 330 (zuerst 1954), u. Th. W. *Adorno*, Aufzeichnungen zu Kafka, in: Prismen. Kulturkritik und Gesellschaft, Berlin, Frankfurt/M. (1955), S. 308 f.

18 »Kafkas Roman ›Der Verschollene‹«, S. 41 ff.

19 »Franz Kafka«, S. 130 ff., Zitat: S. 134.

20 J. *Kobs*, Kafka. Untersuchungen zu Bewußtsein und Sprache seiner Gestalten, hg. v. U. *Brech*, Bad Homburg v. d. H. (1970), S. 399 ff.

21 Vgl. K. J. *Kuepper*, Gesture and Posture as Elemental Symbolism in Kafka's The Trial, in: Mosaic 3 (1970), bes. S. 144.

22 Vgl. v. allem J. *Born*, Franz Kafka und Felice Bauer. Ihre Beziehungen im Spiegel des Briefwechsels 1912–1917, in: Zeitschrift für deutsche Philologie 86 (1967), S. 176 ff., H. *Politzer*, Franz Kafkas vollendeter Roman. Zur Typologie seiner Briefe an Felice Bauer, in: Das Nachleben der Romantik in der modernen deutschen Literatur. Die Vorträge des Zweiten Kolloquiums in Amherst/Massachusetts, hg. v. W. *Paulsen*, Heidelberg (1969), S. 192 ff., J. *Urzidil*, Epilog zu Kafkas Felice-Briefen, ebenda, S. 212 ff., E. *Canetti*, Der andere Prozeß. Kafkas Briefe an Felice, 3. A., (München 1970) u. F 9 ff.

23 W. *Giesekus*, Franz Kafkas Tagebücher, Bonn (Masch. Diss. 1954).

24 Saarbrücken 1955, vgl. bes. S. 64, 66 u. 68.

25 A. *Gräser*, Das literarische Tagebuch, S. 74.

26 Vgl. zu diesem Punkt meinen Aufsatz »Kafkas literarische Urteile. Ein Beitrag zu seiner Typologie und Ästhetik«, in: Zeitschrift für deutsche Philologie 86 (1967), bes. S. 227 ff.

27 Ed. by A. *Flores* and H. *Swander*, Madison 1958, S. 195 ff.

28 Der Aufsatz erschien im »Wirkenden Wort« 9 (1959), S. 84 ff., Zitat: S. 90 f.

29 Vgl. z. B. T 284 (»Nichts, weder im Bureau, noch zu Hause«).

30 F. *Beißner*, Der Schacht von Babel. Aus Kafkas Tagebüchern. Ein Vortrag, Stuttgart (1963), S. 8 u. 7, J. *Demmer*, Franz Kafka der Dichter der Selbstreflexion. Ein Neuansatz zum Verständnis der Dichtung Kafkas. Dargestellt an der Erzählung Das Urteil, München 1973, S. 201, 95 u. O 79, vgl. 72, 11 ff.,

Anm. I, 227, F 66 (»gewiß hätte ich in einer Zeit matten Schreibens niemals den Mut gehabt, mich an Sie zu wenden«), O. F. *Bollnow*, Wahrhaftigkeit, in: Wesen und Wandel der Tugenden, Frankfurt/M., Berlin 1958, S. 138 ff., den in Anm. 26 genannten Aufsatz, bes. S. 242 ff., T 293 (»wie sich die Geschichte vor mir entwickelte«), F 394 (ebenfalls über das *Urteil:* »Als ich mich zum Schreiben niedersetzte, wollte ich ... einen Krieg beschreiben ... dann aber drehte sich mir alles unter den Händen«), H. *Hillmann*, Kafkas »Amerika«. Literatur als Problemlösungsspiel, in: Der deutsche Roman im 20. Jahrhundert, hg. v. M. *Brauneck*, Bamberg (1976), S. 135 ff. u. J. *Morand*, Le Journal de Kafka ou L'irréductible Intériorité, in: Europe. Revue Littéraire Mensuelle 49 (1971), bes. S. 97 u. 109.

31 F 184, 555, 461, 37 f., 65, 94 u. 308.

32 Br 336 f. u. F 397.

33 T 305, H 203, Br 237, Zitat: T 206.

34 Br 453 u. 238.

35 M 21, meine Arbeit »Motiv und Gestaltung bei Franz Kafka«, S. 50 ff. u. 98 ff., zur Entstehung der *Verwandlung* meinen Aufsatz »Kafka und seine Schwester Ottla. Zur Biographie der Familiensituation des Dichters unter besonderer Berücksichtigung der Erzählungen ›Die Verwandlung‹ und ›Der Bau‹«, in: Jahrbuch der Deutschen Schillergesellschaft 12 (1968), S. 411 ff., F 320, G. *Janouch*, Gespräche mit Kafka. Aufzeichnungen und Erinnerungen. Erweiterte Ausgabe, (Frankfurt/M. 1968), S. 74, Br 160 u. 434.

36 Vgl. z. B. Br 164 mit *Forschungen eines Hundes* u. M 165, 223 u. Br 415 mit dem *Bau;* zur Anaphorik: Vgl. B 189 f. u. 270 f. mit Br 222 u. F 439; s. auch das erste Kapitel des II. Teils.

37 Vgl. S. 55 ff. dieser Arbeit.

38 Vgl. Br 169, M 38, 109, 166, T 57, F 88, 737 u. 744.

b) Belege und Erläuterungen zum ersten Teil

1 Vgl. z. B. W. *Haas*, der in seinem Beitrag »Meine Meinung« berichtet, Kafka habe einmal seine Höflichkeitsfrage, wie es gehe, »mit jener ernsten Sorgfalt und Genauigkeit« behandelt, »mit der andere Menschen nur die schwersten Gewissensfragen erledigen ... und zwar derart blank geputzt, geschliffen und definitiv, daß jedes Wort der Teilnahme unmöglich gewesen wäre« (*Die literarische Welt* 2, Nr. 23 [4. 6. 1926], S. 2), und M. *Brod*, der noch Jahre nach Kafkas Tod über dessen Wesensart staunte. Für den Freund gab es »keinen Alltag«; »immer und überall« drückte er sich »mit der ihm eigenen Gabe prägnanter Beobachtung und Vergleichung« aus. (FK 41)

2 O 11.

3 O 27, vgl. H 191, 231 f., M 70, 120 f., T 548, F 757 u. FK 296.

4 Vgl. z. B. F 169 f., 198.

5 Freundliche Mitteilung Hugo *Bergmanns* in einem Brief an den Verfasser vom 2. 12. 1970.

6 F 128, vgl. 127.

7 Br 81.

8 Vgl. Br 79, nach O 38 Abbildung 9 u. 16 u. Br 88.

9 So lautet etwa ein Schreiben des Dichters an Ottla aus Reichenberg (datiert auf den 25. 2. 1911) wie folgt: »Es wird Dich doch liebe Ottla interessieren, daß ich in dem Hotel zum Roß auf der andern Seite einen Kalbsbraten mit Kartoffeln und Preiselbeeren, hierauf eine Omelette gegessen und dazu und hierauf eine kleine Flasche Apfelwein getrunken habe. Unterdessen habe ich

mit dem vielen Fleisch, das ich bekanntlich nicht zerkauen kann, teilweise eine Katze gefüttert, teilweise nur den Boden verschweinert. Dann setzte sich die Kellnerin zu mir und wir sprachen von des ›Meeres und der Liebe Wellen‹, zu denen abends zu gehn wir unabhängig von einander uns entschlossen hatten. Es ist ein trauriges Stück.« (O 14 f.)

10 F 318 u. 414.

11 M 154; F 118, 341 u. 426; M 131, vgl. 112 u. 121.

12 F 269, vgl. 251 u. T 530 Z. 6 ff.

13 M 149; F 131 u. 173, vgl. 151, 155, 211 u. 554.

14 F 147, 161 u. 177.

15 F 196 vgl. 510 u. K 195 f.

16 F 89; M 67, vgl. T 375.

17 M 131, F 482, 503, M 270, F 562 u. M 189, vgl. 55, 71, 223 f., 247 f., 250 u. 58.

18 F 73; M 208; F 45.

19 Br 161; F 91; M 40.

20 F 306 u. 650.

21 Br 27.

22 M 56.

23 Br 164.

24 Br 267 (eine Abbildung in meinem Aufsatz »Kafka und die Skulpturen«, in: Jahrbuch der Deutschen Schillergesellschaft 16 [1972], S. 641); M 158, vgl. 122.

25 F 317.

26 F 274 f., 400 u. FK 70 f.

27 Br 392.

28 F 624.

29 M. *Marache*, La Métaphore dans L'Œuvre de Kafka, in: Études Germaniques 19 (1964), S. 34, W. *Emrich*, Die Bilderwelt Franz Kafkas, in: Franz Kafka, hg. v. H. *Politzer*, Darmstadt 1973, S. 287 u. 296, vgl. 294 (der Aufsatz erschien zuerst 1960) u. O 40, vgl. A. P. *Foulkes*, The Reluctant Pessimist. A Study of Franz Kafka, The Hague, Paris 1967, S. 57 ff., B. *Beutner*, Die Bildsprache Franz Kafkas, München 1973 u. meine Arbeit »Motiv und Gestaltung bei Franz Kafka«, Bonn 1966, S. 38 ff.

30 F 617 u. 756, vgl. J. *Born*, »Daß zwei in mir kämpfen...« Zu einem Brief Kafkas an Felice Bauer, in: Literatur und Kritik 6 (1968), H. 22, S. 105 ff.

31 Br 161, 318 u. 447, vgl. meinen Aufsatz »Kafka und Napoleon«, in: Festschrift für Friedrich Beißner, hg. v. U. *Gaier* u. W. *Volke*, (Bebenhausen 1974), S. 38 ff.

32 Br 314; T 554 u. 575; H 273; vgl. Br 320 u. 374.

33 H 206; in Österreich war Prima die unterste, Oktava die höchste Gymnasialklasse (Br 513).

34 Br 222.

35 M 241, vgl. 145 f.

36 T 353.

37 Br 290.

38 H 206 u. 41.

39 Br 370 f., vgl. F 478.

40 M 47, vgl. 148.

41 M 228, vgl. 168 u. 244.

42 Z. B. Br 161, 164 u. 196; M 198.

43 Vgl. T 536 u. F 594.

44 T 550, vgl. Br 364 Z. 22; H 45.

45 T 187 u. 216 f.; F 305.

46 H 98 Z. 1 f.; M 30 f., 151; F 73 u. 92 f.; Br 268; zur rhetorischen Terminologie vgl H. *Lausberg*, Handbuch der literarischen Rhetorik, München 1960.

47 Ein Beleg für diese Hypothese ist L. *Hardts* »Erinnerungen an Franz Kafka« zu entnehmen. Bei der Rezitation des Satzes: »Es entzückt, ihn in Fechterstellung zu sehen« (aus *Elf Söhne*), sah Kafka förmlich vor sich, wie das Schwert gezückt wurde (Dic Fähre 2 [1947] S. 77).

48 M 49, vgl. 55 u. 159; F 217, 334, 341 u. 748.

49 Br 285.

50 Br 374.

51 Br 179.

52 Br 366.

53 Br 208 u. 353.

54 M 266.

55 M 117.

56 F 755 f.; Br 429 f.

57 Br 200; F 306.

58 F 400, vgl. meinen »Kafka-Kommentar zu sämtlichen Erzählungen«, München (1975), S. 277.

59 Br 203 u. 279; F 650.

60 F 296 u. 299.

61 Br 297 u. 303.

62 Vgl. Br 342 ff. mit dem *Brief an den Vater*.

63 Vgl. Br 337 mit H 202 u. M 174.

64 Oskar Baum war von den Freunden Kafkas derjenige, der diese Besonderheit am deutlichsten erkannte (vgl. M. *Brod*, Der Prager Kreis, Stuttgart [1966], S. 129).

65 Hebbels Briefe. Ausgewählt und biographisch verbunden von K. *Küchler*, Jena 1908, S. 35 u. 128; F 274 f.; wie aus einem Vergleich von F 272 mit dem genannten Werk (bes. S. 161, 163, 166 u. 170) hervorgeht, benutzte Kafka diese Ausgabe.

66 F 368, 307 f. u. M 147.

67 Briefe vom 15. 6. u. 8. 7. 1872; Kafka besaß, las und schätzte Fontanes Korrespondenz (vgl. K. *Wagenbach*, Franz Kafka. Eine Biographie seiner Jugend 1883–1912, Bern [1958], S. 255; F 680 u. Br 312).

68 F 178, 231 u. 296; M 47 u. 231, vgl. 14 u. 72, Zitat: M 88.

69 M 111, 148, 168 u. 228; 106, 128, 154 u. 155; 50, 51, 81, 134, 148 u. 159.

70 F 132 u. 170; M 139; Br 349; Zitat M 51, vgl. Br 296 u. F 601.

71 F 50, vgl. 326 f. u. Br 198 f.; Br 213 u. 240, vgl. F 280.

72 Br 197, 236, 326, 330, 331 f., 338 u. 402 ff.

73 Br 263; vgl. F 70 Z. 20 u. Br 234 Z. 22 ff.

74 F 357 u. 504, vgl. 400.

75 F 149, vgl. 309.

76 F 179, 634, 639 u. 643, vgl. K 418 (auch in der *Er*-Reihe spricht Kafka von sich, aus vergleichbaren Gründen, in der dritten Person).

77 M 140, vgl. F 251, 287 u. 643.

78 Eine Würdigung dieses Sachverhalts versuchte J. *Čermák* mit seiner Studie »Franz Kafkas Ironie«, in: Philologica Pragensia (47) 8 (1965), S. 391 ff.

79 Br 285; M 134 u. 267; vgl. Br 202 u. 275.

80 F 142, vgl. 308 u. 543; M 87, vgl. Br 373.

81 M 125, vgl. 137, 252 u. F 192; M 81, vgl. 47, 154 u. F 566; F 257 u. 320, vgl. M 37 u. 157.

82 F 76, vgl. 81 u. M 26, 108; M 226, vgl. 39, 57, 138, 181, 213 u. H 214; complexio als Großform M 179.

83 Br 372, vgl. F 88, 194, 223, 425, 624, M 37 u. 254; M 42, vgl. Br 206 Z. 15 ff.; M 39, vgl. 81 u. 129. Näheres zu Kleist K 384 ff.

84 M 12 f., vgl. 125 u. Br 200, 234 f.

85 F 101, 194 u. 376; M 41, 78, 87, 115, 125, 127, 135, 139 u. 173; M 137 ff., 144.

86 Br 240 u. 283; Br 430, vgl. 270, 387, M 81, 145 u. F 191, 369.

87 M 150; F 543; M 110; Isokolie und Parallelismus kennzeichnen auch das Briefschaffen des jungen Goethe, vgl. E. *Beutler*, Goethes Jugendbriefe, in: E. *B.*, Wiederholte Spiegelungen. Drei Essays über Goethe, Göttingen (1957), S. 17 ff.

88 M 144, 169 u. Br 221, 383.

89 M 178, vgl. 149 Z. 25 f.

90 F 143, vgl. 203 u. M 116, 125, 150 f., 181 f. u. 217.

91 T 168 f.

92 F 376.

93 M 215, vgl. 136 u. F 519.

94 M 236; Br 253.

95 M 238; Br 283, 291, 306 ff. u. 323.

96 F 306, 341, 343 u. 534.

97 Br 201 u. 242; M 110 u. 229; T 531 Z. 7 f.

98 Br 195.

99 M 78; Br 265; vgl. Br 174 Z. 26 f., 302 Z. 11 f. u. 383; M 81, 105 Z. 2 f. u. 198.

100 M 149, vgl. 151, 182 u. Br 297.

101 F 306.

102 Br 163 f.

103 Br 235 u. 161; vgl. H 72.

104 Br 405 ff.

105 M 197 f.

106 Br 195; M 73 f. u. 113.

107 Vgl. dazu meinen Aufsatz »Kafkas Briefscherze. Sein Verhältnis zu Josef David«, in: Jahrbuch der Deutschen Schillergesellschaft 13 (1969), S. 536 ff.

108 So mit Recht A. *Schöne* in seiner Untersuchung »Über Goethes Brief an Behrisch vom 10. November 1767«, in: Festschrift für Richard Alewyn, Köln, Graz 1967, bes. S. 214.

109 »Der Erzähler Franz Kafka. Ein Vortrag«, Stuttgart 1952, zur Korrektur dieser Auffassung vgl. K 34 ff.; Zitate: E 314, F. *Sternheim*, Die Geschichte des jungen Oswald. Ein Roman in Briefen, München 1910 (recte 1909), S. 21 u. 25, F 296. Näheres zu diesem Buch K 377 ff.

110 Ausführliche Begründung K 426 f.

111 M 80 (vgl. T 282 u. 511 f.) u. 101.

112 M 81, 117 f., 161 f., 241; F 649; Br 431, 444.

113 F 559, 446 u. 479.

114 Br 369; F 485, 194, 206 u. 251, Zitate: 204 u. Br 320 (vgl. 349 u. 418).

115 F 448, vgl. 534, 583 u. 624; Br 102 u. 424.

116 F 401; Br 452, vgl. 163; M 262.

117 M 148.

118 M 249 f. (vgl. F 755) u. B 340; vgl. Br 242, 428, 445 u. 452; T 585. S. auch u. S. 94 ff.

119 FK 95, vgl. 94 u. F. *Middelhauve*, Ich und Welt im Frühwerk Franz Kafkas, Freiburg 1957 (Masch. Diss.), S. 292.

120 T 12 (vgl. 14 u. 27), F 254 (Kafka war auch sonst nicht immer sicher in der Datierung länger vergangener Gegebenheiten des eigenen Lebens, vgl. z. B. F 151 u. Br 506, Anm. 2), F. *A.*, Das russische Ballett, in: *Deutsche Zeitung*

Bohemia 82, Nr. 143 (25. 5. 1909, Morgen-Ausgabe), S. 6 u. Dr. *v. B.*, (Petersburger Ballett), in: *Prager Tagblatt* 33, Nr. 143 (25. 5. 1909), S. 8; vgl. *Deutsche Zeitung Bohemia* 81, Nr. 142 (23. 5. 1908, Morgen-Ausgabe), Beilage S. 2. Das Divertissement begann mit einer mimischen Szene, die, ebenso wie das dritte Stück dieser Reihe, eine mimische Eifersuchtsszene, von E. Eduardowa und der Pawlowa getanzt wurde. Der Czárdás war die vorletzte Nummer der acht Bilder umfassenden Folge; es handelte sich dabei um einen pas de deux, den E. Eduardowa mit dem Tänzer A. Schirajeff tanzte. Am 25. Mai 1909, dem zweiten und letzten Tag des Gastspiels, den Kafka nicht versäumt haben wird, wurde das Stück *Pachita* von Delvedes und *Die Rast der Kavallerie* (eine Charakteristik von M. Petipa, Musik von J. Armsheimer) gegeben (vgl. a. *st.*, Russisches Ballett II. [Die Rast der Kavallerie. – Pachita.], in: *Deutsche Zeitung Bohemia* 82, Nr. 144 [26. 5. 1909, Morgen-Ausgabe], S. 8). In dem zuletzt genannten Stück tanzte die Eduardowa die Tochter der männlichen Hauptfigur (die genauen Angaben über die Besetzung wurden entnommen dem Aufsatz »Un Grand Ami de la Danse. Edouard Fazer« von S. de *Knorring* – in: *Archives internationales de la danse* [1] [1933], Nr. 4 [15. 10.], S. 161; Fazer war der Leiter des Balletts während der beiden Auslandtourneen im Jahre 1908 und 1909).

121 Vgl. das Faksimile der ersten Manuskriptseite in *The Diaries of Franz Kafka 1910–1913*, ed. by M. *Brod*, London 1948, gegenüber S. 9.

122 T 9, 695 (vgl. 17 ff. u. 691 ff.), a. *st.*, Russisches Ballett II., S. 8 (hier ist auch von den »sprühenden, wetterwendischen Blicken der Eduardowa« die Rede), F. *A.*, Das russische Ballett, S. 6, F 255 u. 257, vgl. a. *st.*, Russisches Ballett, in: *Deutsche Zeitung Bohemia* 86, Nr. 18 (19. 1. 1913, Morgen-Ausgabe), S. 11. Über die Wirkung, die E. Eduardowa und A. Pawlowa auf den Tourneen 1908 und 1909 ausübten, vgl. man auch noch den folgenden zeitgenössischen Bericht: »Dann stürmt plötzlich die Eduardowa hinein. Ein Sprühteufel, ein Steppenmädchen. Sie wirbelt, und man kann kaum die Schnelligkeit dieses katzenhaften Körpers verfolgen. Die Pawlowa ist Eleganz, reife Kultur und die Leidenschaft glüht unter gebändigtem Feuer. Das macht das Edle ihrer Bewegungen aus. Sie ist Kultur. Die Eduardowa ist Natur; sie ist Ursprünglichkeit, Wildheit. Man ahnt die ungeheuren Gebiete der russischen Ebenen hinter ihr, die von jauchzender Musik und heißen Gesängen erfüllt sind. Sie gibt sich ganz aus und hält nichts zurück. Die Pawlowa begeistert. Die Eduardowa entfesselt. Ihr Temperament perlt wie Sekt; es ist etwas Urgesundes, Ungebrochenes darin, und man ahnt, wie Tanzkunst eine ursprüngliche Kunst sein konnte. Das ist eine Auflösung, eine Selbstaufgabe – und plötzlich steht sie aufatmend still und lächelt mit blitzenden Zähnen.« (E. *Schur*, Der moderne Tanz, München 1910, S. 113 f.) Zur Biographie von E. Eduardowa hat sich Folgendes ausfindig machen lassen: Sie wurde als Tochter eines am Zarenhof bediensteten Russen 1882 in St. Petersburg geboren und erhielt ihre Ausbildung in der dortigen kaiserlichen Ballettschule, deren Programm auch das volle Pensum eines normalen Gymnasiums umfaßte. Vom 1. Juni 1901 an zählte sie zum Petersburger kaiserlich-russischen Ballett und stieg nach dem Tod der Tochter von Marius Petipa zur ersten Charaktertänzerin auf; sie wirkte auch in Opernaufführungen mit. Im Jahr 1911 wechselte sie zur Moskauer Ballettgruppe über. Dies war der Grund, daß sie 1913 nicht in Prag mit dabei war (Kafka meinte irrtümlich: »sie wurde wohl auch nur für eine nebensächliche Dame angesehn« – F 254). Nach der russischen Oktoberrevolution (1917) emigrierte sie wie viele ihrer Kollegen und Kolleginnen und lebte in Finnland, Deutschland (in Berlin, wo sie sich von 1918–1938 aufhielt, leitete sie eine damals bekannte Ballettschule), Frankreich, Marokko und den Vereinigten Staaten (seit 1946).

Im Jahr 1960 starb sie in New York. (Unter anderem wurden Informationen von J. D. Lewitan, New York, verwertet, der dankenswerterweise auch die Abb. zur Verfügung stellte.)
Man geht wohl kaum fehl in der Annahme, daß diese russische Tänzerin in die Gestalt der Elsa im *Prozeß* eingegangen ist, von der es einmal heißt: »Es war eine Momentphotographie, Elsa war nach einem Wirbeltanz aufgenommen, wie sie ihn in dem Weinlokal gern tanzte, ihr Rock flog noch im Faltenwurf der Drehung um sie her, die Hände hatte sie auf die festen Hüften gelegt und sah mit straffem Hals lachend zur Seite; wem ihr Lachen galt, konnte man aus dem Bild nicht erkennen. ›Sie ist stark geschnürt‹, sagte Leni... So große, starke Mädchen wissen oft nichts anderes, als sanft und freundlich zu sein!« (P 133 f., vgl. T 10: »Die breite Gestalt mit hoher Taille in allzu faltigen Röcken – wem kann das gefallen«) Vgl. auch T 271!

123 Vgl. K. *Ramm*, Reduktion als Erzählprinzip bei Kafka, (Frankfurt/M. 1971), S. 97, Anm. 11 (Literatur und Reflexion, hg. v. B: *Allemann*, Bd. 6).

124 T 11, 160, H 348 u. T 29.

125 Unpubliziert (nach T 11 Z. 24 einzufügen; vgl. Br 79, 20, 39, E 37 f. u. 43 f.), T 11 (vgl. 588), 14 (vgl. 453).

126 Vgl. *The Diaries of Franz Kafka*, S. 14 ff. u. T 685 ff.

127 T 14, vgl. 558, Br 361 (»In früheren Jahren pflegte mein Vater, wenn ich irgendeine scheinbare Dummheit, in Wirklichkeit aber die Folgerung aus einem Grundfehler machte, zu sagen: ›Der ganze Rudolf!‹, womit er mich mit einem für ihn äußerst lächerlichen Stiefbruder meiner Mutter verglich... die quälende Wiederholung des Vergleiches, die fast körperliche Schwierigkeit, einem Weg, an den man früher gar nicht dachte, nun um jeden Preis auszuweichen, und schließlich des Vaters Überzeugungskraft oder, wenn man will, seine Verfluchung, brachten es doch zustande, daß ich mich dem Onkel wenigstens näherte.« Vgl. auch Br 40 f.), M 64 ff. (vgl. J. P. *Hodin*, Kafka und Goethe. Zur Problematik unseres Zeitalters, London, Hamburg [1968], S. 16), F 721 f., T 540, M 145 f. u. 120 f.

128 M. *Pasley*/K. *Wagenbach*, Datierung sämtlicher Texte Franz Kafkas, in: J. *Born* u. a., Kafka-Symposion, Berlin (1965), S. 60 u. T 724 f.

129 Vgl. F 408, Br 79 f.

130 T 162 (vgl. Br 33, H 207, T 440, 329, 478 u. FK 58, wo Kafka in einem ganz frühen Brief im Blick auf eigene Arbeiten von »Heften« spricht), 278, 181, Br 22 u. B 293 f.

131 T 39, H 203, T 196, 225, Br 18, F 322, 201 u. 385, vgl. F 155, Br 340 ff., H 206, H. S. *Bergman*, Erinnerungen an Franz Kafka, in: Exhibition Franz Kafka, 1883–1924. Catalogue, Jerusalem 1969, S. 6, FK 21, Br 18, 32 u. M 180 ff.

132 E. H. *Erikson*, Identität und Lebenszyklus. Drei Aufsätze, (Frankfurt/M. 1966), S. 140 ff.

133 E. H. *Erikson*, Identität und Lebenszyklus, S. 95, vgl. H 173 (»... daß Du, der für mich so ungeheuer maßgebende Mensch, Dich selbst an die Gebote nicht hieltest, die Du mir auferlegtest. Dadurch wurde die Welt für mich in drei Teile geteilt, in einen, wo ich, der Sklave, lebte, unter Gesetzen, die nur für mich erfunden waren und denen ich überdies, ich wußte nicht warum, niemals völlig entsprechen konnte, dann in eine zweite Welt, die unendlich von meiner entfernt war, in der Du lebtest, beschäftigt mit der Regierung, mit dem Ausgeben der Befehle und mit dem Ärger wegen deren Nichtbefolgung, und schließlich in eine dritte Welt, wo die übrigen Leute glücklich und frei von Befehlen und Gehorchen lebten... Deine Befehle... galten ja nur für mich...«) u. Br 344 (»Der Grund der unbedingten Unmöglichkeit einer soforti-

gen Ausgleichung... innerhalb dieses Familientieres ist die Unebenbürtigkeit
seiner Teile, nämlich die ungeheuerliche Übermacht des Elternpaares gegenüber
den Kindern während vieler Jahre«).

134 Vgl. E. H. *Erikson, Identität und Lebenszyklus,* S. 98 ff. u. H 204.
135 Vgl. E. H. *Erikson,* Identität und Lebenszyklus, S. 149 f. u. E. H. *Erikson,*
    Jugend und Krise. Die Psychodynamik im sozialen Wandel, Stuttgart (1970),
    S. 184, vgl. H 238, als Argument unter der Rubrik »Verheiratet sein«: »Desto
    mehr für (in) dich vernarrt. (Grillparzer, Flaubert)«.
136 Vgl. E. H. *Erikson,* Identität und Lebenszyklus, S. 106 ff., 127, 153 ff. u. E. H.
    Erikson, Jugend und Krise, S. 161 f. u. 220, zur Bedeutung des Jahres 1911 für
    Kafkas innere Entwicklung vgl. meinen Aufsatz »Kafka und seine Schwester
    Ottla«, bes. S. 409 ff., zum Sozialismus K. *Wagenbach,* Franz Kafka, S. 61 f.,
    Br 12 (Ende August 1902 über ein Gespräch mit seinem Madrider Onkel
    Alfred Löwy: »Kurz vor seiner Ankunft hatte ich den wunderlichen Einfall,
    ihn zu bitten, nein nicht zu bitten, zu fragen, ob er mir nicht zu helfen wüßte
    aus diesen Dingen, ob er mich nicht irgendwohin führen könnte, wo ich schon
    endlich frisch Hand anlegen könnte«), H 207 (»vierzehntägiges Chemiestudium,
    halbjähriges Deutschstudium«); beide Disziplinen wollte er nach dem Vorbild
    von Klassenkameraden ergreifen. Max Brod schreibt: »daß auch Kafka mit
    vierzehn Tagen Chemie begann, geschah wohl Pollak zuliebe, auf dessen beson-
    dere Führereigenschaften auch Franzens Briefe an ihn hinweisen.« (FK 54)
    Freilich ist in diesem Punkt Hugo Bergmanns Einfluß, der ebenfalls Chemie
    studieren wollte, viel wahrscheinlicher. (Vgl. H. S. *Bergman,* Erinnerungen an
    Franz Kafka, S. 5 f.) Was die Germanistik betrifft, so widmete sich ihr Kafka
    neben kunstgeschichtlichen Vorlesungen, die er besuchte, in seinem zweiten
    Semester im Sommer 1902 (K. *Wagenbach,* Franz Kafka, S. 99 f.). Ende Okto-
    ber dieses Jahres fuhr er für einige Tage nach München (vgl. J. *Bauer* u. a.,
    Kafka und Prag, [Stuttgart 1971], S. 62), um zu sondieren, ob sich sein Plan,
    mit Paul Kisch dort Germanistik zu studieren, ausführen ließe; Kafka war
    nämlich vom Prager Lehrstuhlinhaber August Sauer enttäuscht (vgl. FK 43 u.
    Br 12). Seine Kenntnisse in Germanistik waren also gering und in keiner
    Weise mit denen seines Studienfachs Jura zu vergleichen. Dieser Tatsache sollte
    man auch in der Darstellung seines Lebensgangs Rechnung tragen. Es ist miß-
    verständlich, wenn man liest, der Dichter habe in Prag Germanistik und Jura
    studiert (so z. B. in: Deutsche Geschichten. Anbruch der Gegenwart. 1900 bis
    1918, hg. v. M. *Reich-Ranicki,* München [1971], S. 523). Die in den genannten
    Berufswünschen zutage tretende innere Orientierungslosigkeit und die Abhän-
    gigkeit von Kameraden ist typisch für ein Individuum, das unsicher über seine
    endgültige Rolle in der Gemeinschaft ist, also einer Identitätsdiffusion unter-
    liegt; zum Anarchismus vgl. K. *Wagenbach,* Franz Kafka, bes. S. 162 ff. u.
    270 ff. u. J. *Bauer* u. a., Kafka und Prag, S. 98 ff., Zitat: F 178.
137 Vgl. E. H. *Erikson,* Identität und Lebenszyklus, S. 153 ff. u. E. H. *Erikson,*
    Jugend und Krise, S. 170 ff.; Br 195, Anm. III, 262, H 197, 188, T 32, 34 u. 43,
    Zitat: 39.
138 P 289, B 250 f., E 279 f. u. T 16, vgl. 695.
139 T 577 (vgl. u. S. 438), Br 23, T 27, Br 36 f. u. T 11, vgl. F 559.
140 Br 27 u. 30.
141 T 686 f.
142 T 28.
143 T 33 f. u. Anm. III, 351.
144 Vgl. dazu meinen Aufsatz »Kafkas literarische Urteile«, S. 228 f.
145 T 268, 724, 58 u. 61.
146 K. *Wagenbach,* Franz Kafka, S. 168, F 52, Br 82 ff. (die aus den Lebenszeugnis-

sen Kafkas nicht hervorgehenden Titel wurden aus den im *Berliner Tageblatt* veröffentlichten Theaterspielplänen [Nr. 601 v. 26. 11. u. Nr. 614 v. 3. 12. 1910] ergänzt). Am 16. 12. 1910 notiert Kafka ins Tagebuch: »Hebbel lobt Justinus Kerners ›Reiseschatten‹. ›Und solch ein Werk existiert kaum, niemand kennt es.‹« (T 28) Dies bezieht sich auf einen Tagebucheintrag Hebbels vom 14. 9. 1839 (F. *Hebbel*, Tagebücher, Bd 1. 1835–1839. Hamburg-Heidelberg-München-Hamburg, Berlin 1903, S. 370; Kafka besaß diese vierbändige, von R. M. *Werner* besorgte Ausgabe, die innerhalb der historisch-kritischen Gesamtedition erschien – vgl. K. *Wagenbach*, Franz Kafka, S. 257).

147 T 34, 26 u. 595, vgl. 638 ff., F 421, T 295, 330, Br 62, T 39 ff., 596, 594, F 71 u. O 56.

148 T 589, vgl. M. *Pasley*/K. *Wagenbach*, Datierung sämtlicher Texte Franz Kafkas, in: J. *Born* u. a., Kafka-Symposion, S. 60 (H 301 Z. 16–27 findet sich inmitten der Tagebucheintragungen).

149 Vgl. T 41 f. (»Mittellos . . . Prag« wurde von Kafka selbst im Manuskript wieder gestrichen), vgl. 43 f. u. 294.

150 F 426, T 311, F 221, FK 111, T 131, F 250, 412, T 146 (vgl. 486 f.) u. 440, vgl. F 332, T 133 f., 654 ff., E. H. *Erikson*, Identität und Lebenszyklus, S. 114 ff. u. 156 ff., E. H. *Erikson*, Jugend und Krise, S. 138 ff., T 364 ff., 510, 460, 505, Anm. I, 194 u. F 485.

151 T 592, vgl. die ausführliche Würdigung dieser Stelle in meinem Aufsatz »Kafkas literarische Urteile«, S. 212 ff.

152 W. *Benjamin*, Berliner Kindheit um Neunzehnhundert, (5–8. Tsd., Frankfurt/ M. 1962), S. 16 u. 14; auch in Prag gab es natürlich eine solche Einrichtung, vgl. J. *Urzidil*, Die verlorene Geliebte, München (1956), S. 87.

153 T 593, W. *Benjamin*, Berliner Kindheit um Neunzehnhundert, S. 15 u. T 593 f.

154 Dazu W. *Jahn*, Kafka und die Anfänge des Kinos, in: Jahrbuch der Deutschen Schillergesellschaft 6 (1962), S. 353 ff.

155 Dazu meinen Aufsatz »Kafka und die Skulpturen«, S. 623 ff.

156 T 592, Br 87.

157 Unter den Ansichtspostkarten, die Ottla an ihren späteren Mann Josef David richtete, findet sich auch eine, die das Friedländer Schloß von der erwähnten Brücke aus zeigt.

158 Vgl. die Reproduktion in M. *Brod*, Der Prager Kreis, gegenüber S. 65 u. O 14.

159 S 14.

160 S 15.

161 Br 87, M. *Brod*, Streitbares Leben, München, Berlin, Wien (1969), S. 23 u. M. *Brod*, Zauberreich der Liebe, Berlin, Wien, Leipzig 1928, S. 77.

162 T 592 f.

163 Vgl. meinen Aufsatz »Kafka und seine Schwester Ottla«, bes. S. 437, Br 12 u. T 467.

164 Vgl. z. B. T 408 (»Trauriger Kontrolleur . . . Beim Anblick solcher Leute immer diese Überlegungen: Wie kam er zu dem Amt, wie wird er gezahlt, wo wird er morgen sein, was erwartet ihn im Alter, wo wohnt er, in welchem Winkel streckt er vor dem Schlaf die Arme, könnte ich es auch leisten, wie wäre mir zumute?«), P 267 (»Er ekelte sich vor der Reinlichkeit ihrer Gesichter. Man sah förmlich noch die säubernde Hand, die in ihre Augenwinkel gefahren, die ihre Oberlippe gerieben, die die Falten am Kinn ausgekratzt hatte«) u. C. G. *Jung*, Psychologische Typen, 9. A., hg. v. M. *Niehus-Jung*, L. *Hurwitz-Eisner* u. F. *Riklin*, Zürich und Stuttgart (1960), S. 414 ff.

165 Vgl. »Prag und Umgebung. Praktischer Führer«, 14. A., neu bearbeitet v. H. *Milrath*, Berlin 1908/09, S. 83 (Griebens Reiseführer, Bd. 26), *Janouch*, Gespräche mit Kafka, S. 168 u. 248, T 488, FK 101 (»Kafka. Über Soziales. Stadtpark«) u. H 21.

166 P. *Wiegler*, Das Haus an der Moldau, Wedel (1948), S. 29 (»Indes sie dem Talgrund des Baumgartens sich näherte, der Landschaft der blassen Hängeweiden, Birken und Lärchen, dem Schwanenteich und seinen Stegen, dem Rosarium«), vgl. *Janouch*, Gespräche mit Kafka, S. 252, T 539, F 558 u. 571 (»treibe mich am liebsten in Parks und auf den Gassen herum«); P. *Wiegler*, Das Haus an der Moldau, S. 31 (»Sie betraten den Garten von Troja, dessen Wiese vom Laub der Obstbäume gesprenkelt war . . .«) u. FK 70 u. 149 (»oft Sophieninsel, Badeanstalt mit ihm. Auch Troja«); zum Chotek-Park vgl. Anm. I, 163.

167 Vgl. dazu K.-H. *Fingerhut*, Die Funktion der Tierfiguren im Werke Franz Kafkas. Offene Erzählgerüste und Figurenspiele, Bonn 1969.

168 FK 70 (vgl. T 607 [Esel und Eidechsen], 609 [Bienen, Kuh und Eidechsen], 611 [Pferd] u. Br 491, 484 u. 485) u. T 607 (vgl. 608).

169 F 332 f.

170 T 644, vgl. 607 (»Gerüst für Tuchbespannung auf den Booten wie bei Milchwagen«) u. 608 (»Schwarzer Mann im Boot in der Umrahmung der Reifen stehend, über die Ruder gebeugt«). Der fragliche Eindruck war also durch vorhergehende ähnliche Wahrnehmungen schon vorbereitet.

171 Br 58 u. F 71, vgl. T 594 f., (Oskar Baum schreibt in seinen Erinnerungen an Kafka: »Er kam dann an einer Buchhandlung vorbei, wo eine neue Shakespeare-Ausgabe im Schaufenster ausgelegt stand. Der Anfang des *Hamlet* war als Druckprobe aufgeschlagen, und da las er täglich die Rede des Horatio und seiner Freunde bis zu der Zeile, die das darunter stehende Buch verdeckte.« — zitiert bei M. *Brod*, Der Prager Kreis, S. 131), B 296, 352, H. *Bergman*, Erinnerungen an Franz Kafka, S. 8 u. T 590 f.

172 T 589 u. 322, vgl. H 17, 26, 25, E 296 ff., Br 425 (»ich kann nur allein essen«), Anm. I, 9, T 127 f., F 119 u. 259 f.: »Mein Verhältnis zu den Speisen und Getränken, die ich selbst niemals oder nur in Not essen oder trinken würde, ist nicht so, wie man es erwarten sollte. Ich sehe nichts lieber essen als solche Dinge. Wenn ich an einem Tische mit 10 Bekannten sitze und alle trinken schwarzen Kaffee, habe ich bei diesem Anblick eine Art Glücksgefühl. Fleisch kann um mich dampfen, Biergläser können in großen Zügen geleert werden, diese saftigen jüdischen Würste (wenigstens bei uns in Prag sind sie so üblich, sie sind rundlich wie Wasserratten) können von allen Verwandten ringsherum aufgeschnitten werden (die gespannte Haut der Würste gibt beim Aufschneiden einen Klang, den ich noch von den Kinderzeiten her im Ohre habe) — alles das und noch viel Ärgeres macht mir nicht den geringsten Widerwillen, sondern tut mir im Gegenteil überaus wohl. Es ist ganz gewiß nicht Schadenfreude (ich glaube gar nicht an die absolute Schädlichkeit schädlichen Essens, wen es zu diesen Würsten zieht, wäre ein Narr, wenn er dem Zug nicht folgte), es ist vielmehr die Ruhe, die gänzlich neidlose Ruhe beim Anblick fremder Lust und zugleich die Bewunderung eines in meinen nächsten Verwandten und Bekannten wohnenden, für mich aber gänzlich phantastischen Geschmacks.« Diese Stelle beweist nicht nur, wie bewußt dem Dichter diese von ihm bevorzugte Wahrnehmungskategorie war, sondern auch, daß die Wurzeln dieses Interesses in Kafkas Kindheitsentwicklung zu suchen sind; dem entspricht vollkommen, daß Kafka im *Brief an den Vater* indirekt sagt, seine Beurteilung der Welt habe von der Beobachtung der väterlichen Tischsitten abgehangen (vgl. H 172: »Da ich als Kind hauptsächlich beim Essen mit Dir beisammen war« u. 181: ». . . fing ich bald an, kleine Lächerlichkeiten, die ich an Dir bemerkte, zu beobachten, zu sammeln, zu übertreiben«).

173 A 72 ff., 257 ff., F 109, 115, 439 u. H 172 f. Psychoanalytisch untermauert wird dieselbe Auffassung vertreten von H. C. *Buch* in seiner Arbeit »*Ut pictura poesis*. Die Beschreibungsliteratur und ihre Kritiker von Lessing bis Lukács«,

München (1972): Kafkas Speisenscheu läßt auf ein gestörtes Verhältnis zur Sexualität schließen, die auf infantilen Entwicklungsstufen oral fixiert ist. (S. 242 f., vgl. auch K 119 f.) Für die Auffassung, daß Kafka Verhaltensmuster der frühen Kindheit auch in späteren Jahren bewahrt habe, gibt es in den Lebenszeugnissen viele Hinweise, vgl. u. S. 136 u. Anm. II, 55.

174 P. *Demetz*, René Rilkes Prager Jahre, Düsseldorf (1953), S. 107 f., M. *Brod*, Stefan Rott oder Das Jahr der Entscheidung, Berlin, Wien, Leipzig 1931, S. 276. (Vgl. auch M. *Brod*, Zirkus auf dem Lande, in: Die Schaubühne 5 [1. 7. 1909], S. 33: »Wir erschraken, als wir zum erstenmal ein enges, schrilles Geräusch hörten, das aus den grünweißen strahlenden Villen dieser Nacht zu dringen schien. Es waren wohl Grillen. Wir sind Städter, wir wissen das nicht . . .« (S. a. Br 70) u. C. *Bezzel*, Natur bei Kafka. Studien zur Ästhetik des poetischen Zeichens, Nürnberg 1964, S. 101 (Erlanger Beiträge zur Sprach- und Kunstwissenschaft, Bd. 15), vgl. M. *Brod*, Der Prager Kreis, S. 37 f.

175 Einzelnachweise in meinen Untersuchungen »Kafka und seine Schwester Ottla«, S. 452 f. u. »Kafka und die Skulpturen«, S. 625 ff., Zitat: T 599.

176 T 607, vgl. 1. Kapitel des II. Teils, T 603, 11, Br 36 f. u. K. *Baedeker*, Oberitalien mit Ravenna, Florenz und Livorno. Handbuch für Reisende, 18. A., Leipzig 1911, S. 173 ff.

177 T 607; vor dem Belvedere-Lustschloß der Königin Anna im Chotek-Park, der Kafkas Lieblingsort in Prag war (T 467), befand sich ein sehr schöner Brunnen (Abb. in: J. *Urzidil/*A. *Jaenicke*, Prag – Glanz und Mystik einer Stadt, Krefeld 1966, S. 84 f.), vgl. auch F 601 (». . . nur paar Zeilen, in einem schönen Park geschrieben, das Rauschen eines Springbrunnens und den friedlichen Lärm der Kinder im Ohr«); die Abb. 5 zeigt, daß die genannte Skulptur Canovas sich tatsächlich durch eine auffällige, technisch schwierige Darstellung der langen, sich noch auf der Bodenplatte hinschlängelnden Haare Psyches auszeichnet, ein besonders eindrucksvolles Beispiel dafür, wie der Dichter von Einzelheiten affiziert war, die dann so autonom seinen Wahrnehmungshorizont erfüllten, daß ein Gesamteindruck des beobachteten Zusammenhangs nicht aufkommt.
Ein weiteres Beispiel für Kafkas vorgängig geprägtes städtisches Wahrnehmungsraster bietet eine Eintragung vom 28. 8. 1911: »zwei Loggien in der Axenstraße (Max dachte sich hier mehrere, weil man auf Photographien immer diese zwei sieht)« (T 605). Daß der Dichter den fraglichen Bildausschnitt schon kannte und daß sich Max Brod dessen Umgebung falsch ergänzte, ist nicht der Hauptgrund, warum Kafka diesen von Felsen überwölbten Straßenabschnitt, der in Abb. 8, und zwar nach einer Ansichtspostkarte, die der am 29. August 1911 von Flüelen aus an Ottla geschickten ähnlich ist (vgl. O 15), reproduziert ist, bemerkenswert fand, denn das Zitierte bildet den Abschluß einer chronologisch gemeinten Aufzählung, in der notiert wird, was an diesem Tage bemerkenswert war; und dazu gehörten eben Loggien, die Kafka von Prag her vertraut waren, er fand sie am »Altstädter Ring«, an dem diesem nahegelegenen Ungelt-Haus und auch, und besonders ausgeprägt, an dem erwähnten Lustschloß im Chotek-Park (vgl. T 467: »In den Chotekanlagen gesessen. Schönster Ort in Prag. Vögel sangen, das Schloß mit der Galerie . . .«).

178 T 607 (eine Seitenansicht der Villa ungefähr aus der Perspektive des Ufers findet sich in: Das goldene Buch der italienischen Seen, hg. v. W. *Amstutz*, [München 1938], Abb. Nr. 13); die hier und im Folgenden zitierten Passagen aus Max Brods ungedruckten Reisetagebüchern wurden dankenswerterweise von Ilse Ester Hoffe (Tel-Aviv) aus ihrem Besitz zur Verfügung gestellt und für die vorliegende Veröffentlichung freigegeben. Der Verfasser weiß sich ihr deswegen, und aufgrund anderweitiger Hilfe, zu großem Dank verpflichtet.

179 T 604, 505 u. 604 f.

180 T 604, 605 u. 609, vgl. 603, 604 f. u. 601 (Max Brods Paralleleintragungen muten fast wie eine »Nichtbeschreibung« an. Zürcher See: »Anblick des Sees. Ohne Hintergrund« u. »Fahrt am See, den bald die Häuser ganz umgeben werden. Mißfällt mir.« Der Zuger See erscheint ihm »menschenleer. Still«).

181 C. Valerius *Catullus*, Gedichte. Vollständ. Ausgabe. Deutsch von M. *Brod*, mit teilweiser Benützung der Übertragung von K. W. *Ramler*, München und Leipzig 1914, S. 2 (»Einleitung«). Vgl. T 617, O 16 u. F. *Braun*, Das Licht der Welt. Geschichte eines Versuches als Dichter zu leben, Wien (1949), S. 658 (über Max Brod, den er 1908/09 in Prag besuchte): »Flaubert war sein geliebter Dichter. Ihm wollte er es gleichtun in Präzision des Blicks und des Worts, in der Vollständigkeit der Aufzeichnung. Er hatte sich vorgenommen, mit einem Notizbuch durch die Straßen zu gehen, um nichts, auch nicht das Geringste, das ihm begegnete, zu versäumen oder zu vergessen.« Die gleiche Haltung, das darf man voraussetzen, bildet auch den Hintergrund der nur wenig jüngeren Reisetagebücher der beiden Freunde.

182 T 606. Daß man die Reisetagebücher auch unter der Voraussetzung zu würdigen hat, daß Kafka ein Freund der Erdbeschreibung war, läßt sich aus folgenden Angaben wahrscheinlich machen:

1. Kafka betont seine diesbezüglichen Kenntnisse: Br 35 (»Liebhaber der Geographie«) u. 125 (»Nur muß ich, da Du mir keine instruktive Ansichtskarte des Genfer Sees geschickt hast, mich ganz auf meine Geographiekenntnisse verlassen, wenn ich an Dich denke. Diese sind allerdings im allgemeinen vorzüglich, im Detail aber wieder nur auf die vorzügliche Allgemeinheit gestützt«).

2. Das fragliche Interesse Kafkas wird auch sichtbar, wenn er, wahrscheinlich mit Hilfe eines Lexikons, dem er aber wohl nicht alle Details entnehmen konnte, sich einen Ort, in dem seine Briefpartnerin Minze Eisner arbeiten sollte, als geologische Formation veranschaulichte (Br 278).

3. Es hat etwas zu bedeuten, wenn sich in dem nüchternen und einfach eingerichteten Zimmer des Dichters in der Niklasstraße 36 ein Globus befand (T 79).

4. Wenn man davon ausgehen kann, daß in der von einem Menschen verwendeten Metaphorik die comparata bevorzugte Inhalte seines Erfahrungsrahmens darstellen (dazu bes. Kapitel 1 des II. Teils dieser Arbeit), dann läßt sich auch auf diesem Wege zeigen, daß die Geographie zu den von Kafka beachteten Gegenstandsbereichen zählte:

ich ... wäre, wenn schon nicht nach Palästina übersiedelt, doch mit dem Finger auf der Landkarte hingefahren (Br 237).

Manchmal stelle ich mir die Erdkarte ausgespannt und Dich quer über sie hin ausgebreitet vor. Und es ist mir dann, als kämen für mein Leben nur die Gegenden in Betracht, die Du entweder nicht bedeckst oder die nicht in Deiner Reichweite liegen (H 217).

Mit dem Stundenplan hast Du mir Freude gemacht. Ich studiere ihn wie eine Landkarte (M 243).

Wahrhaftig, wenn wir durch Erdteile getrennt wären und Du irgendwo in Asien lebtest, wir könnten nicht weiter auseinander sein (F 101).

Im übrigen sind wir durch Erdteile getrennt (T 477).

5. Schließlich darf man die Tatsache, daß Kafka gern Reisebeschreibungen las und genau über verschiedene volkstümliche Reihenwerke dieser Art informiert war, als Ausdruck seines Interesses an fremden Ländern nehmen (vgl. F 738, Br 484, T 605, M 40 u. K. *Wagenbach*, Franz Kafka, S. 263).

Diesen Sachverhalten gegenüber hat das Zeugnis von Kafkas Mitschüler Hugo *Hecht* wenig Gewicht, der behauptet, die Realwissenschaften — Hecht erwähnt auch ausdrücklich die Geographie — hätten Kafka nicht behagt (»Zwölf Jahre

in der Schule mit Franz Kafka«, in: Prager Nachrichten 17, Nr. 8 [1966], S. 3).
Nicht nur scheint wenig glaubwürdig, daß Hecht, der gar nicht näher mit
Kafka befreundet war, nach so langer Zeit die Schulleistung des Autors in
einem einzigen Fach genau abschätzen kann (die überdies für Kafkas Wertschätzung des Gebiets, besonders in späterer Zeit, gar nicht ausschlaggebend
gewesen zu sein braucht, vgl. H 204: »Ich hatte, seitdem ich denken kann, solche tiefste Sorgen der geistigen Existenzbehauptung, daß mir alles andere
gleichgültig war«), sondern es ist wohl auch wahrscheinlich, daß Hecht nur
Kafkas Schwerpunkt in den humanistischen Fächern, sein geringeres Interesse
für die Naturwissenschaften und sein Versagen in Mathematik erinnerte und
dann, gleichsam für den Leser und ohne spezifische Einzelkenntnis mehr, die
Realfächer explizierend aufschlüsselte.
Eine mögliche Erklärung für die genannte, scheinbar mit Kafkas sonstigen
Interessen nicht zusammenpassende Vorliebe ist wohl darin gegeben, daß sich
der Dichter an Prag und bestimmte Gegebenheiten seines inneren Lebens gefesselt fühlte und deswegen seine Sehnsüchte nach Freiheit und Lebensverwirk-
lichung auf Äußeres, nämlich andere Länder, projizierte (vgl. Br 18: »die Pläne,
denn die sind Länder für den, der sie hat, und Sand für die andern«).

183 T 606, o. S. 39, T 520, vgl. 42, 63, 160, 233, 359, Anm. II, 113, F 732 u. meinen
Aufsatz »Kafka und seine Schwester Ottla«, S. 437 f.

184 Vgl. dazu etwa R. *Alewyn*, Eine Landschaft Eichendorffs, in: Interpretationen.
Deutsche Erzählungen von Wieland bis Kafka, hg. v. J. *Schillemeit*, (Frank-
furt/M. 1966), S. 87 ff.

185 F 677, 641 ff., M 37, Br 274 u. F 551 f.

186 T 162 f. (vgl. 286: »Das Bild der Unzufriedenheit, das eine Straße darstellt, da
jeder von dem Platz, auf dem er sich befindet, die Füße hebt, um wegzukom-
men« u. Br 375: »Zuerst, auf der Fahrt hatte ich Angst vor dem Land. In der
Stadt soll nichts zu sehen sein, nach Blüher? Nur in der Stadt ist etwas zu sehn,
denn alles, was an dem Waggonfenster vorbeidrängte, war Friedhof oder hätte
es sein können, lauter Dinge die über den Leichen wachsen, während sich doch
die Stadt sehr stark und lebendig davon unterscheidet«), K. *Wagenbach*, Franz
Kafka, S. 169 u. M. *Brod*, Der Wert der Reiseeindrücke, in: *Frankfurter Zeitung 55*, Nr. 85 (26. 3. 1911), 4. Morgenblatt, S. 2 u. 3.

187 T 600, 601, 602 u. 616 f.

188 Vgl. FK 46, 49 u. Anm. II, 299.

189 T 16 (vgl. FK 91, T 245, 265, 315, 322, K. *Wagenbach*, Franz Kafka, S. 19,
T 43, 191), E 307 (T 78 f., 591 u. F 508: »Wie ist es aber möglich, bei Ihrer
Lebensweise Kopfschmerzen abzuhalten, da Sie ... bei geschlossenem Fenster
schlafen, in der Nacht Gaslicht brennen lassen ...«) u. K. *Wagenbach*, Franz
Kafka, S. 169 (Max Brod vermerkte in sein Reisetagebuch: »In der Nacht
schlafe ich sehr gut. Es scheint wirklich, als könnte ich nur noch im Koupée
gut schlafen«, vgl. T 63 (»... einer ... zeigte ... auf den Mond, der sie leicht
überraschte«) u. M. *Brod*, Stefan Rott oder Das Jahr der Entscheidung, Berlin,
Wien, Leipzig 1931, S. 117 (»Jeder Prager braucht nur an den die ganze Stadt
teilenden Quai zu treten, um sehr viel Himmel geradeaus gegenüber vor sich
zu haben«). Zur Entstehungsgeschichte von *Richard und Samuel* vgl. meinen
»Kafka-Kommentar zu sämtlichen Erzählungen«, S. 90 ff.

190 T 599, vgl. P 294 f.

191 F 291 f. u. T 341.

192 H. v. *Kleist*, Sämtliche Werke und Briefe, Bd. 2, (hg. v. H. *Sembdner*), Darmstadt 1962, S. 9 u. 10 (vgl. 12), A 124, W. *Jahn*, Kafkas Roman »Der Verschollene« (»Amerika«), S. 55 u. 35, A 121, 131 u. 139.

193 Vgl. T 603, F. *Machaczek*, Elf Brücken spannen den Weg ..., in: Prager Nach-

richten 4 (1953), Nr. 11/12, S. 6 u. Nr. 10, S. 13 (»Die Weiterführung der neuen Eisenbahn über Aussig nach Bodenbach verlangte auch in Prag einen Moldauübergang. Hierfür wurde bis 1846 ein 1111 m langes Bauwerk geschaffen, das vom Staatsbahnhof [spätere Masarykbahnhof] ausgehend, zunächst im Bogen über *Karolinenthal* als *Viadukt* hinwegführt, den Nebenarm und die beiden Hauptarme der Moldau zwischen der Rohanschen und der *Hetzinsel* in einer Geraden als *Brücke* übersetzt und schließlich in den Bubnaer Bahnhof übergeht. Es ist eine zweigleisige, aus Sandsteinquadern gemauerte Eisenbahnbrücke, deren Tragwerke Halbkreisbogen und bei der Überbrückung breiterer Straßen auch Segmentbogen sind.«) Vgl. T 162 (über eine Fahrt in Prager Vorstädte: »Mauern durchfahrener Viadukte«) mit H 24: »Der Zug fuhr so langsam an, daß man sich die Umdrehung der Räder vorstellen konnte, gleich aber jagte er eine Senkung hinab und ohne Vorbereitung wurden vor den Fenstern die langen Geländerstangen einer Brücke auseinandergerissen und aneinandergepreßt, wie es schien.«

194 T 723, vgl. FK 42 f.: »Daß aus seinen Büchern und vor allem aus den Tagebüchern ein so gänzlich anderes, viel trüberes Bild gewonnen werden kann, als wenn man zur Korrektur und Ergänzung die Eindrücke des täglich mit ihm verbrachten Lebens heranzieht: — das ist mit ein Grund, der mich zum Niederschreiben dieser Erinnerungen veranlaßt. Das im Gedächtnis unseres Kreises aufbewahrte Lebensbild Kafkas tritt neben seine Schriften und heischt Einbezug in die Gesamtbeurteilung.« Vgl. F 618: (»... komme mit niemandem zusammen, auch mit meinen Freunden nicht, nur mit Max für ein paar Minuten auf dem Nachhauseweg aus dem Bureau«), 744 (Anfang Dezember 1916 über seine Münchner Rezitation: »Ich habe ... den phantastischen Übermut gehabt, öffentlich vorzulesen, während ich seit 1 ½ Jahren in Prag meinen besten Freunden nichts vorgelesen habe«), Br 443: »Lieber Max, sehr gerne würde ich ein paar Worte darüber hören, wie Du lebst und arbeitest. Die trübe Notiz über das Zurückkehren habe ich gelesen, sie bedeutet hoffentlich nichts Allgemeines. Über mich ist nichts zu sagen ...« Diese Aussage bezieht sich auf einen Artikel des Freundes, in dem dieser beklagt hatte, bei seiner Heimkehr von einem mehrwöchigen Meeresurlaub gehe eine Welle der Verdrossenheit vom Beruf aus; das Altgewohnte wirke wie ein Nervenschock (M. *Brod*, Es ist nicht leicht..., in: *Prager Abendblatt* 57, Nr. 192 [25. 8. 1923], S. 4). Über die letztvergangene Zeit seines besten Freundes erfuhr Kafka also Näheres damals nur durch die Zeitung, Br 452 (»Lieber Max, es ist wahr, ich schreibe nichts, aber nicht deshalb, weil ich etwas zu verbergen hätte ... und noch viel weniger deshalb, weil ich nicht nach einer vertrauten Stunde mit Dir verlangen würde, einer Stunde, wie wir sie, so scheint es mir manchmal, seit den oberitalienischen Seen nicht mehr gehabt haben«) u. F 559 (»Mit Max komme ich natürlich zusammen, sogar jeden Tag. Nur sind wir, wenn ich genau zusehe, einander nicht so nahe, wie wir es früher, zeitweise allerdings nur, gewesen sind«). Brod selber war dieser Sachverhalt durchaus bewußt, er schrieb in seiner Autobiographie: »Kafka war im Gegensatz zu mir eine in sich verschlossene Natur, die niemandem, auch mir bei weitem nicht immer, Einblick in seine Seele gewährte; ich wußte sehr gut, daß er manchmal Wichtiges zurückhielt.« (»Streitbares Leben«, S. 64 f.)

195 F 478 u. T 240; ein Beispiel für die extreme Partnerbezogenheit des Dichters in meinem Aufsatz »Kafkas Briefscherze. Sein Verhältnis zu Josef David«, S. 556 f.; über *Brods* Art und Weise, die Dinge zu sehen, vgl. man seine Selbstaussagen im »Streitbaren Leben«, S. 32 (»Das eigentlich Böse aber war noch nicht in meine Sicht getreten. Willy Haas sagte mir, sehr früh und damals beinahe richtig: ›Ihnen fehlt der schwarze Blick.‹ Ich war gänzlich unpolemisch

gestimmt. Daher schrieb ich ›Über die Schönheit häßlicher Bilder‹«), 37 (»Die Theorie ging so: Die Welt und der Trieb des Menschen in ihr ist böse. Schopenhauer hielt mich mit Eisenklammern in diesem Punkt als Schüler fest, wie sehr ich mich in anderer Hinsicht schon selbständig neuen Durchblicken und Ausblicken zugewandt hatte. So in Hinblick auf den Trieb zum Guten, zur Liebe, den ich damals als schon vollwertigen und beseligenden Miterbauer des Menschenherzens anerkannte«) u. 41 (»Es gehört zu meinen Schwächen, daß ich oft in meinem Leben der Meinung war, es könnte jemand, der mit mir das Verständnis für solche durchdringend reale Schönheit teilt, keiner feindseligen oder auch nur kaltsinnigen Handlung gegen mich fähig sein«).

196 T 304 u. F 376, vgl. z. B. T 310 mit F 459 u. T 12 mit F 341, Br 114 mit F 356.

197 F 445 u. T 316, vgl. 305, 327, 336, 346.

198 So M. Brod T 723.

199 T 315, F 391 (vgl. 387) u. T 305.

200 M 68 (»Denke auch daran, daß vielleicht die beste Zeit deines Lebens, von der du eigentlich noch zu niemandem richtig gesprochen hast, vor etwa zwei Jahren jene acht Monate auf einem Dorf gewesen sind, wo du mit allem abgeschlossen zu haben glaubtest... frei warst, ohne Briefe, ohne die fünfjährige Postverbindung mit Berlin...«), T 529, 534, Br 161, H 131; Br 188 f., H 77 u. 80; Br 196 f., H 83; Br 212, H 94; Br 222 ff., H 98 f.; Br 197 ff. (Gerade das Erlebnis mit den Mäusen ist wie kein zweites aus der Zürauer Zeit geeignet, als Grundlage methodologischer Erwägungen zu dienen. Während nämlich sonst kaum eine Kontrolle der von Kafka aus Zürau berichteten Gegebenheiten möglich ist, unerhörte Übertreibung oder understatement in den Briefberichten des Dichters immerhin denkbar wären, läßt sich in diesem Fall beweisen, daß dieser Angelegenheit tatsächlich der Ernst zukam, mit dem sie von Kafka behandelt wird. Das Ereignis wird nämlich auch in entsprechender Weise in einem Brief Ottlas an ihren späteren Mann Josef David erwähnt, vgl. meinen Aufsatz »Kafka und seine Schwester Ottla«, S. 449, Anm. 96.)

201 H 83, Br 196, T 529, H 71, 120.

202 T 537, H 74, H 82 u. 83. Es ist durchaus denkbar, daß Th. *Taggers* Streitschrift nicht ohne Einfluß auf die Art und Weise der wenig später beginnenden biographischen Eintragungen in den Oktavheften war. Der Verfasser wendet sich gegen die Konfliktbewältigung in der expressionistischen Literatur, besonders im Drama und bei Sternheim: »Armseligkeit treibt die Hände suchen, und sie hetzt zu Metaphern, denn alles andere können Hände nicht begreifen.« (*Das neue Geschlecht. Programmschrift gegen die Metapher*, Berlin 1917, S. 7) Und: »Jedes Leben ist Einmaligkeit: aber die es einzwängen wollen, vergröbern es zu einem Körper, der läuft, während es Ereignis ist, das sich vollführt.« (S. 7) Das einmalige Ereignis ist wortlos, und wer Worte dafür sucht, muß erklären, daß es sich nur um Worte handelt: »Das Leben geht vorüber, hinter ihm jagen mit den Peitschen und ihren Messern die Beschreiber und Erklärer.« (S. 8) Dann wendet sich Tagger gegen Ideologie und Psychologismus: »Öffnet sich ein Mund nach Hilfe verzweifelt, ist immer genug Weisheit da, ihn zu verstopfen. Es ist aber niemand da, der Hilfe geben könnte. Wir stehn alle in dieser Hölle eingeschlossen, und der Einfältige ist weit...« (S. 12) »Was wäre auch den Psychologen und den Kritikern widerlicher, als die Aufforderung, einem Gedanken die Kindheit nicht zu rauben, ihn langsam zu erziehen und dann erst gereift anzubieten?« (S. 14) Die Literaten, so klagt der Verfasser weiter an, haben »ein Dasein der Berechnung eingeführt und sind ihm längst unterlegen«. (S. 27) Dann lehnt er die expressionistische Pointierung des Generationenkonflikts ab: »Das ist der widerliche Anblick einer Schlacht, die mit der Metapher vom Kampf der Jugend gegen die Alten, der Söhne gegen die

Väter längst und falsch klischiert worden ist. Doch keinem Geistigen kommt der Gedanke, gegen die Väter aufzustehen, und die Verehrung für die Väter bleibt unnachgiebig, und selbst ein Reichtum. Es ist befriedigte Glückseligkeit, leben mit einem Vater, der der Vater ist.« (S. 29 f.) Die Forderung dem gegenüber: Das neue Geschlecht kennzeichnet die Pflicht eines heroischen Einsatzes (S. 35): »So setzt es Leben für das Beispiel ein und tritt aus seiner Stummheit schon gefaßt heraus. Stolz und unbefriedigt, überaufgefüllt und unerlöst, platzt einmal geistige Entscheidung aus ihm auf, schmerzlich und donnernd, aber durchdringend zu der großen Unbedingtheit: Menschlichkeit.« (S. 36)

Kafkas Urteil über dieses Pamphlet: »›Das neue Geschlecht‹ von Tagger, elend, großmäulig, beweglich, erfahren, stellenweise gut schauern von Dilettantismus. Was für Recht hat er aufzutrumpfen? ist im Grunde so elend wie ich und alle.« (T 533) Wäre dies aber die ganze Wahrheit, hätte Kafka nicht zwei Tage lang so innerlich erregt zu sein brauchen. Diese Gemütsverfassung läßt sich nur so erklären, daß der Dichter bei der Lektüre eben doch viel Verwandtes fand und bei seiner Skrupelhaftigkeit deshalb ernsthaft prüfen mußte, ob Tagger nicht etwa rechtzugeben sei. Vielleicht kann man auf derartige geistige Abläufe beziehen, was der Dichter am 19. 10. 1917 notierte: »Sinnlosigkeit (zu starkes Wort) der Trennung des Eigenen und Fremden im geistigen Kampf.« (H 70) Drei oder vier Tage vor dem Studium der Broschüre (Kafka war am 21. September durch einen Besuch Felicens in Zürau, und weil er an diesem Tag erfuhr, daß seine Krankheit doch viel schlimmer war, als er ursprünglich vermutet hatte, sowieso übermäßig erregt – T 531 u. Br 168) träumte er von seinem Vater in einer Weise, die ihm eine Ausdeutung im Sinne der psychoanalytischen Theorie nahelegen mußte (T 532 f., vgl. Br 196 f.: »Wenn ich jetzt noch hinzufüge, daß ich vor einiger Zeit Werfel im Traum einen Kuß gegeben habe, falle ich mitten in das Blühersche Buch hinein. Es hat mich aufgeregt, zwei Tage lang mußte ich deshalb das Lesen unterbrechen. Im übrigen hat es das mit allem Psychoanalytischem gemein, daß es im ersten Augenblick erstaunlich sättigt, man aber kurz nachher den gleichen alten Hunger wieder hat. Psychoanalytisch ›natürlich‹ sehr leicht zu erklären: Eil-Verdrängung. Der Hofzug wird am schnellsten befördert.«) Und es ist doch auch auffällig, daß er nur ein paar Tage nach dem Lesen des *Neuen Geschlechts* notiert: »Dem Tod also würde ich mich anvertrauen. Rest eines Glaubens. Rückkehr zum Vater. Großer Versöhnungstag.« (T 534)

Ein Traum vom 10. November, der die auch für Tagger zentrale Kampfmetaphorik aufzunehmen scheint, schildert, wie in der Schlacht am Tagliamento eine Kompagnie preußischer Garde still und entschlossen durch ihr Eingreifen das Kriegsglück zu wenden sucht. Auf Kafka wirkte das »gleichzeitig rührend, erhebend und siegverbürgernd«. Er erwachte erlöst durch das Eingreifen dieser Männer. (T 538) Es fällt schwer, hier nicht an einen genetischen Zusammenhang mit dem von Tagger propagierten heroischen und ungeschwätzigen Einsatz anzunehmen.

Weiter: Ist es Zufall, daß Kafka am 12. November schreibt: »Du bist die Aufgabe. Kein Schüler weit und breit« (H 83)? Dies ist doch nur eine Radikalisierung der Position Taggers. Am 19. Oktober hatte es geheißen: »Psychologie ist Ungeduld.« (H 72) Und am 1. Februar 1918: »Zum letztenmal Psychologie!« (H 107) Kafka will sich also von einer Betrachtungsweise distanzieren, die Tagger als dem Menschlichen nicht entsprechend ablehnt. Der Satz: »Die innere Welt läßt sich nur leben, nicht beschreiben« (H 72) könnte auch bei Tagger stehen, der schrieb: Für Gott war »Leben einfachste Aufrichtigkeit des Daseins, Glück der Aufrichtigkeit, und dazu schuf er die Menschen. Ihnen aber ist Leben eine Geschichte. Anhäufung kräftiger Schlagworte, ein Aufstel-

len von Bildern, und dazu schufen sie sich Gott.« (S. 25) Sinngemäß passen dazu wieder die beiden folgenden Aphorismen Kafkas: »Psychologie ist wahrscheinlich in der Gänze ein Anthropomorphismus« (H 72) und: »Von außen wird man die Welt mit Theorien immer siegreich eindrücken und gleich mit in die Grube fallen, aber nur von innen sich und sie still und wahr erhalten.« (H 74)
Bedenkt man diese Zusammenhänge, wird man ohne weiteres zugeben, daß auch die bekannte Bemerkung über die Erzählung *Ein Landarzt,* die am gleichen Tag wie die eben zitierte Kritik an Tagger formuliert wurde, mit dessen Programmschrift innerlich zusammenhängt: »Zeitweilige Befriedigung kann ich von Arbeiten wie ›Landarzt‹ noch haben . . . Glück aber nur, falls ich die Welt ins Reine, Wahre, Unveränderliche heben kann.« (T 534) Hier wird doch offensichtlich einer unpsychologischen, gleichnishaften, Lebensphänomene in ihrer Unbedingtheit ins Licht stellenden Darstellungsweise das Wort geredet, die der Dichter in dem genannten Stück offenbar noch nicht voll erfüllt sah und die in ihrer Feindlichkeit gegenüber gängigen Erklärungsschemata Tagger verpflichtet ist.
In innerer Verbindung damit wird man auch die Aussage vom 8. Oktober 1917 über Dickens' Roman *David Copperfield* sehen: »Diese Klötze roher Charakterisierung, die künstlich bei jedem Menschen eingetrieben werden und ohne die Dickens nicht imstande wäre, seine Geschichte auch nur einmal flüchtig hinaufzuklettern. (Walsers Zusammenhang mit ihm in der verschwimmenden Anwendung von abstrakten Metaphern.)« (T 536)
Es ist doch auffällig, daß Kafka nur zwei Wochen nach dem ihn aufwühlenden Studium der Kampfschrift Taggers die Verwendung von Metaphern zur Personendarstellung beanstandet, weil diese sich zu weit von der Unmittelbarkeit der Phänomene entfernten. Denn in Taggers *Programmschrift gegen die Metapher* wird gerade betont, daß durch die von den zeitgenössischen Autoren gebrauchte Bildlichkeit begrifflich-abstrakte Typisierungen entstünden, die ein inadäquates Kleid der darzustellenden Ereignisse seien. (»Wie ließe sich ein Lebenslauf beschreiben ohne die Worte, die ihn zu Typen trocknen?«– S. 7)
Zehn Tage nach dieser Niederschrift beginnen die erwähnten datierten lebensgeschichtlichen Eintragungen in dem offenbar zu diesem Zweck angelegten dritten Oktavheft. (Die zeitlich vorhergehenden Hefte enthalten zwar auch ganz gelegentlich biographische Notizen, doch handelt es sich dabei immer um undatierte Erkenntnisse, die äußere Ereignisse nicht direkt thematisieren.) Man kann also wegen der auffälligen zeitlichen Übereinstimmung (zwischen der Lektüre Taggers und dem Beginn des 3. Oktavhefts hatte Kafka keine Gelegenheit für Fixierungen, weil er Lebenserinnerungen J. Löwys stilistisch bearbeiten mußte, vgl. Br 173 mit H 154 ff. u. M. *Pasley,* Beschreibung, Reihenfolge und Datierung der acht blauen ›Oktavhefte‹, in: J. *Born* u. a., Kafka-Symposion, S. 76 ff.) vermuten, die Reduktion der lebensgeschichtlichen Aussagen auf das vieldeutige Phänomen könnte durch Tagger zumindest mitveranlaßt sein. Denn Kafka enthält sich in diesen Aufzeichnungen ja möglichst der Ausdeutung und der begrifflichen Einordnung des Vorgefallenen, sondern läßt, wie Tagger es fordert, die Sachverhalte in ihrer ursprünglichen Unvermitteltheit stehen.

203 H 100, 83, 91, 90, 93, 109, 82 (vgl. 99 f.), 95, 104 (vgl. 108, 123, 88 u. 89), 80, 96, 97 u. 98, vgl. 118, 132, Br 195 u. 200 f.
204 T 305, H 82 u. 112.
205 H 87, 72, 77, 78, 80, 82, 83, 91, 108, 104, 112, 120, 123, T 466 f., F 101, 364, 55 u. E 76, vgl. Br 200, P 28, 122 ff., S 87 ff., 372 ff. u. F 586.

206 Br 224, H 98 u. 89 (vgl. Br 204).
207 Vgl. T 725, 542, P 317 f. u. FK 208, wo ein nach Kafkas Tod verfaßter Brief
Milenas abgedruckt ist, in dem es heißt:»Seine Manuskripte und Tagebücher
(ganz und gar nicht mir bestimmt, sondern aus der Zeit stammend, bevor er
mich kannte, ungefähr fünfzehn große Hefte) liegen bei mir und sind Ihnen,
falls Sie sie brauchen, zur Disposition. Es ist so nach seinem Wunsch, er hat
mich gebeten, es niemandem außer Ihnen zu zeigen und erst dann, bis er
stirbt.« (Vgl. 190, wo Brod erwähnt, daß Milena auch die Manuskripte vom
Verschollenen und vom *Schloß* in Verwahrung hatte.) Wenn die Erinnerung
der letzten Lebensgefährtin Kafkas, Dora Diamant, nicht trügt, führte der
Dichter während seiner Berliner Zeit noch Tagebücher, die zusammen mit
damals entstandenen Werken und an Dora gerichteten Briefen Kafkas später
von der Gestapo beschlagnahmt wurden und als verloren gelten müssen (vgl.
J. P. *Hodin,* Kafka und Goethe, S. 31). Bei dieser Gelegenheit sei darauf hingewiesen, daß die Rettung des Nachlasses Franz Kafkas vor dem Zugriff der
Nazis allein Max Brod zu verdanken ist, der die Manuskripte seines Freundes
in seinem Handgepäck auf der Flucht von Prag nach Palästina mitnahm, während er eigene Skripten auf eine weniger sichere Art in sein neues Domizil
befördern ließ (vgl. M. *Brod,* Franz Kafka als wegweisende Gestalt, St. Gallen
[1951], S. 47). Es ist also irreführend, wenn C. *Worrmann* behauptet, Felix
Weltsch sei bei der Rettung dieser Handschriften beteiligt gewesen (»German
Jews in Israel: Their Cultural Situation since 1933«, in: Year Book of the
Leo Baeck Institute 15 [1970], S 97). Tatsächlich bestand der Anteil Felix
Weltschs an der Tradierung des Nachlasses Kafkas darin, daß er sich später
zusammen mit Max Brod um eine sichere Aufbewahrungsstelle der wertvollen
Manuskripte kümmerte.
208 Zu Kafkas Krankheit vgl. J. *Loužil,* Dopisy Franze Kafky dělnické úrazové
pojišťovně pro čechy v Praze, in: Sborník. Acta Musei Nationalis Pragae
8, Nr. 2 (Series C) (1963), S. 70 u. Br 248 (an Max Brod:»Während meines
Fiebers warst Du mir etwas wie die Bürgschaft des Lebens. Mögest Du wenigstens vor den kleinen Nachleiden bewahrt bleiben, die bei mir hinter der
Grippe herkamen«), vgl. Br 246 f. u. 252 f.
209 Vgl. FK 190:»Es ist möglich, daß er damals die gerade auf diese große
Liebesepisode bezüglichen Teile vernichtet hat.« Dieser Vermutung widerspricht die schon zitierte Aussage Milenas (Anm. I, 207), die davon ausgeht,
daß die der Geliebten überlassenen Tagebücher alle frühere Lebensphasen des
Dichters beträfen, und eine das 13. Quartheft eröffnende Notiz Kafkas:»Alle
Tagebücher, vor einer Woche etwa, M. gegeben . . . Über M. könnte ich wohl
schreiben, aber auch nicht aus freiem Entschluß, auch wäre es zu sehr gegen
mich gerichtet.« (T 542) Aus dieser Aussage muß man doch schließen, daß
Kafka im Oktober 1921 noch nichts über Milena fixiert hatte. Das gleiche
folgt aus Milenas Bemerkung, weil Kafka ihr doch sämtliche Tagebücher
übergab; es wurde demnach in dieser Zeit nichts vernichtet.
210 Vgl. M. *Pasley/K. Wagenbach,* Datierung sämtlicher Texte Franz Kafkas, S. 68
u. K 417 ff.
211 T 539, H 419 (vgl. M 240 u. 248), B 300 u. H 421.
212 M 228, T 559, Br 165 (»aufstehn, springen, niederwerfen«) u. T 329 (»hinausspringen . . . zurückspringen«).
213 B 295 (vgl. T 511, Br 277, 512, T 570, B 295 f., 300) u. 293.
214 B 293, 299, M 208 (vgl. T 379), 206, 207, 154, 155, 107, Br 279, vgl. M. [ilena]
J. [esenská], Výkladní skříň [Schaufenster], in: *Tribuna* 2, Nr. 197 (21. 8. 1920),
S. 2, FK 114 (Kafka zu Brod über den Schlußsatz des *Urteils:* »Ich habe dabei
an eine starke Ejakulation gedacht«), T 241, F 50, 105 (»Gerade setzte ich mich

zu meiner gestrigen Geschichte mit einem unbegrenzten Verlangen, mich in sie auszugießen«), 117, T 486 (»... fühlte das schon so oft erfahrene Unglück des verzehrenden Feuers, das nicht ausbrechen darf, erfand, um mich auszudrücken und zu beruhigen, den Spruch ›Freundchen, ergieße dich‹...«), u. S. 354 ff., T 715 (»Das zwölfte Heft der Tagebücher... besteht nur aus einigen lose im Umschlag liegenden Blättern. Hier ist vom Autor viel herausgerissen und vernichtet worden«), M. *Pasley/K. Wagenbach*, Datierung sämtlicher Texte Franz Kafkas, S. 68 ff., M. *Brod*, Streitbares Leben, S. 71 (»Meine erste Aufgabe aber nach Kafkas Tod sah ich darin, ihn bekannt zu machen, nicht durch den Schleiervorhang eines minutiösen pedantischen, dabei prinzipiell unrichtigen, unfundierten Wissenschaftsbetriebs zu verhüllen«), F 82 (»Ich kann das Briefpapier jetzt um 1/2 1 in der Nacht nicht holen, es ist nebenan im Zimmer, dort aber schläft meine Schwester«), 103 (»Das Briefpapier meiner Schwester habe ich vor paar Tagen ausgebraucht und selbst habe ich kaum jemals welches besessen. So reiße ich aus meinem diesjährigen Reisetagebuch ein Blatt nach dem andern heraus und bin unverschämt genug, es Dir zu schicken«), H 301 ff., M 229 (vgl. 226), 91, O 92, M 109 f., T 267, 283 f. u. 481.

Für die im Text mehrfach formulierte Behauptung, Kafka sei zwischen 1917 und 1920 eigentlich gar nicht Schriftsteller gewesen und sein diesbezügliches Selbstverständnis sei erst im Sommer 1920 bzw. im Winter 1921/22 reaktiviert worden, sind auch die beiden Testamente Kafkas ein schöner, unter diesem Gesichtspunkt bisher nicht recht ausgewerteter Beleg. Der eine, mit Tinte geschriebene Zettel hat folgenden Wortlaut: »Liebster Max, meine letzte Bitte: Alles, was sich in meinem Nachlaß (also im Buchkasten, Wäscheschrank, Schreibtisch, zu Hause und im Büro, oder wohin sonst irgend etwas vertragen worden sein sollte und Dir auffällt) an Tagebüchern, Manuskripten, Briefen, fremden und eignen, Gezeichnetem und so weiter findet, restlos und ungelesen zu verbrennen, ebenso alles Geschriebene oder Gezeichnete, das Du oder andre, die Du in meinem Namen darum bitten sollst, haben. Briefe, die man Dir nicht übergeben will, soll man wenigstens selbst zu verbrennen sich verpflichten. Dein Franz Kafka.« (P 316 f.)

Folgende Gründe sprechen dafür, daß Kafka dies zwischen 1919 und 1921 verfaßte:

1) Am 16. Dezember 1918 schrieb er an Brod: »Übrigens liegt in meiner Brieftasche schon seit längerer Zeit eine an Dich adressierte Visitenkarte mit ähnlicher sehr einfacher Verfügung (allerdings auch in Geldsachen).« (Br 248) Hier handelt es sich offenbar um die erste Niederschrift seines letzten Willens, die aber mit der zitierten, die also jünger sein muß, nicht identisch sein kann, weil bei dieser von finanziellen Belangen nicht die Rede ist und weil es sich um keine Karte, sondern um einen zusammengefalteten Zettel handelte (P 316).

2) Andererseits muß dieses mit Tinte geschriebene Testament 1921 noch gültig gewesen sein, also damals schon bestanden haben, denn Kafka zeigte es Brod in diesem Jahr (P 318).

3) Im Text wird davon ausgegangen, daß Manuskripte auch im Büro liegen könnten. Dies ist eigentlich nur denkbar zu einer Zeit, als Kafka noch einigermaßen regelmäßig dorthin ging, also bis Ende 1920, allenfalls bis Herbst 1921.

Das bedeutet nun aber, daß der von Brod angeführte Bleistiftzettel, den dieser irrtümlicherweise für den älteren der beiden erhaltenen Testamente hält, der jüngere sein muß, wird dort doch der 1922 (wahrscheinlich im Juli) entstandene *Hungerkünstler* erwähnt. Wahrscheinlich wurde diese letztgültige Fassung im Winter 1922/23 formuliert. Der erste Satz lautet: »Lieber Max, vielleicht stehe ich diesmal doch nicht mehr auf, das Kommen der Lungenentzündung ist nach dem Monat Lungenfieber genug wahrscheinlich, und nicht einmal, daß ich es niederschreibe, wird sie abwehren, trotzdem es eine gewisse Macht hat.« (P 317) Es handelt sich also hier um einen Brief. Deswegen die Unterschrift Franz (auf der Visitenkarte »Franz Kafka«) und deswegen auch die Verwendung des Bleistifts, denn Kafka lag zum Zeitpunkt der Niederschrift noch im Bett. Als es ihm wieder besser ging, schickte er das Schreiben nicht ab, und das ist überhaupt der Grund, daß jetzt zwei Testamente vorhanden sind.

Dauer und Art der Krankheit helfen den Zeitpunkt fixieren, an dem sie statthatte. In einem Brief an seinen Direktor — er ist auf 20. Dezember 1923 datiert — gibt er die Gründe an, die ihn zur Übersiedlung nach Berlin veranlaßten. Über seine körperliche Verfassung im vorhergehenden Winter heißt es da nun: »Das Lungenfieber und die Krämpfe waren die Ursache dafür, daß ich einige Monate lang das Bett fast nicht verlassen habe.« (K. *Hermsdorf*, Briefe des Versicherungsangestellten Franz Kafka, in: Sinn und Form 9 [1957], S. 647) In diesem Winter also, und nur in diesem, traf es zu, daß Kafka wochenlang mit Lungenfieber darnieder lag.

Dieses Ergebnis hat nun einmal Konsequenzen für die Datierung des *Hungerkünstlers*. Es ist nicht möglich, die Erwähnung dieser Erzählung nicht auf deren Publikation in der *Neuen Rundschau* im Oktober 1922 zu beziehen, sondern auf die Manuskript-Fassung, wie M. Spann das tut (»Die beiden Zettel Kafkas«, in: Monatshefte für deutschen Unterricht, deutsche Sprache und Literatur 47 [1955], S. 321 ff.), denn die Erzählung war bereits veröffentlicht, als der letzte Wille formuliert wurde. Aussagen über die Entstehungszeit des *Hungerkünstlers* läßt das Testament also nicht zu (vgl. S. 352 ff. dieser Arbeit).

Auch in dieser Fassung der Nachlaßverfügung bittet der Dichter seinen Freund, sein Werk zu vernichten, aber er nimmt einiges davon aus: »Von allem, was ich geschrieben habe, gelten nur die Bücher: Urteil, Heizer, Verwandlung, Strafkolonie, Landarzt und die Erzählung: Hungerkünstler.« (P 317) Eine derartige Differenzierung fehlt in der früheren Niederschrift. Hier spricht ein Schriftsteller, wenn auch sehr kritisch. Ein Bewußtseinswandel gegenüber den vorhergehenden Jahren, wo das gedruckte Werk gar nicht der Erwähnung im Testament für wert befunden wurde und gleichsam mit dem Ungedruckten vernichtet werden sollte, hat also stattgefunden, eine Wandlung, die mit der Tatsache zu erklären ist, daß Kafka, als er 1922 ernsthaft mit dem Schreiben neu einsetzte, sich in ganz anderer Art und Weise auch mit seinen früheren Arbeiten identifizierte als dies in den vorhergehenden Jahren der Fall sein konnte.

215 Vgl. Br 358, 359, 360 u. 363.
216 T 542 u. 411.
217 T 566 (vgl. 572), 547 u. 545.
218 Vgl. z. B. M 226 f.: »Du hast auch recht, wenn Du das, was ich getan habe, in eine Reihe stellst mit den alten Dingen ... Anders ist nur, daß ich schon Erfahrung habe, daß ich mit dem Schreien nicht erst warte, bis man die Schrauben zur Erzwingung des Geständnisses ansetzt, sondern schon zu schreien anfange, wenn man sie heranbringt, ja schon schreie, wenn sich in der Ferne etwas rührt, so überwach ist mein Gewissen geworden ...« Vgl. auch S. 306 ff. dieser Arbeit.
219 T 553, 556 u. 557.
220 T 558, 559, 560 u. 562 (die mit den Worten »Traurig mit Grund« beginnende Eintragung ist im Manuskript auf den 25. datiert).
221 Belege für diese Auffassung Anm. I, 11.
222 T 558, 563 u. 585 (Ergänzung nach dem Manuskript), vgl. Br 433, M 267 (»Was weitere Reisen betrifft, so bin ich vielleicht durch diese eine etwas reisefähiger

geworden... Nur fürchte ich erstens die Kosten... und zweitens fürchte ich
— zweitens — Himmel und Hölle. Abgesehn davon steht mir die Welt offen«),
M 266 u. meinen Aufsatz »Kafkas Hebräischstudien. Ein biographisch-interpretatorischer Versuch«, in: Jahrbuch der Deutschen Schillergesellschaft 11 (1967),
bes. S. 538 ff. (Es ist zu vermuten, daß Puahs Absicht, nach Berlin überzusie-
deln, in Kafka ähnliche, lang verhaltene Wünsche kräftig wieder aufleben ließ
und ihn in Unruhe versetzte; für diese Vermutung spricht auch der eben
zitierte Text der an Milena aus Dobřichovice gerichteten Postkarte.)

223 T 585 (vgl. M 270: »jeder Federstrich, alles, was ich dann schreibe, scheint mir
dann zu großartig, im Mißverhältnis zu meinen Kräften«; bezieht sich wohl
auf seine Berliner Zeit, wo er sich ebenfalls seinen »alten Leiden« unterworfen
fühlte, vgl. Br 451), »Kafkas Hebräischstudien«, S. 534 (vgl. Br 436: »der Wald
und der Strand voll Gesang«, 438: »Böse heutige Nacht«, 437 u. 439) u. H 71.

224 Vgl. »Kafkas Hebräischstudien«, bes. S. 533 f.

225 Vgl. Anm. I, 207, Br 350 (»Mir geht es gesundheitlich nicht sehr gut; wenn ich
nicht gleich nach der Rückkehr aus dem Bureau mich ins Bett legen würde
und dort schon bliebe, könnte ich nicht bestehn«), E. H. *Erikson*, Identität
und Lebenszyklus, S. 117 f. u. E. H. *Erikson*, Jugend und Krise, S. 141 f.

226 Vgl. S. 309 u. S. 319 ff., Br 415 f. (»Bezeichnend ist es übrigens, daß mir in leeren
Wohnungen so wohl ist, aber doch nicht in ganz leeren, sondern in solchen,
welche voll Erinnerungen an Menschen sind und vorbereitet für weiteres
Leben, Wohnungen mit eingerichteten ehelichen Schlafzimmern, Kinderzim-
mern, Küchen, Wohnungen, in die früh Post für andere eingeworfen, Zeitung
für andere eingesteckt wird. Nur darf niemals der wirkliche Bewohner kommen, wie es mir letzthin geschehen ist, denn dann bin ich schwer gestört«),
T 548, 564, Br 303, 311, M 107, 238, T 560 u. H 205, Zitat: Br 430.

227 Vgl. Br 201 (»Da... ich ja gar nicht schreibe«; Ende November 1917 aus
Zürau), meinen Aufsatz »Kafka und seine Schwester Ottla«, S. 445 (Ottla an
Josef David über den Bruder am 23. November 1917: »Falls möglich, kann er
bis zum Ende des Krieges in Zürau bleiben und dann sich ein kleines Häuschen
kaufen, irgendwo auf dem Dorf und dazu eine kleine Landwirtschaft. Vielleicht
nur einen Garten und ein Feld für Kartoffeln, damit er eine Beschäftigung
hat. Das ist tatsächlich alles, was er sich jetzt wünscht«), Br 237, 374, Zitat:
Br 431 (zur Umdatierung dieses Briefes s. u. S. 346 ff.).

228 T 501, 275, vgl. 161 Z. 12 ff., 561; 156, 169, 181, 203; 60, 119, 160, 213, 275 u.
407.

229 T 304, vgl. 106, 145, 181, 279 f., 306, 314, 338, 354, 355, 361, 404 u. 465.

230 T 204, 228 u. 419, vgl. 149 u. 229 f.

231 T 278, 243 u. 287, vgl. 106, 244 u. 304; Aufzählungen: 103, 148, 175 u. 277 f.

232 T 218 u. 284, vgl. 252, 263 u. 282.

233 T 351 u. 503, vgl. 173, 350, 351 u. S. 117 f. dieser Arbeit.

234 FK 340; Gefüge: 181, 185, 187 u. 344; T 70, 127, 137, 205 f.; T 234, 26, 266,
343; vgl. T 349 (»Meine Gesundheit ist mehr von Blei als von Eisen«), 350 (»Er
wirft den Feind wie eine Tonne«), 668 (»Wartet, ich werde euch diese Dardanel-
len sperren«), Br 446 (»es rieselt im Gemäuer, wie Kraus sagt«), M 28 (»es hätte
so ausgesehn, wie vor dem Jüngsten Gericht«), 89 (»Lange kann der Kampf
mit dem Vorzimmer nicht dauern«), 142 (»jemand hat einmal gesagt, daß ich
wie ein Schwan schwimme«), F 59 (»Der Vergleich mit einer Gazelle, den
Frau Brod zweimal machte, gefiel mir aber nicht«), 192 (»man sagt Dir zum
Spaß und meint es doch im halben Ernst, Du sähest aus wie eine Leiche auf
Urlaub«), 197 (»Kind, wie schreibst Du nur heute so sonderbar! Fahnenflüchtig
könnte ich werden?«) u. 656 (»Außerdem müssen Sie doch wegen Ihrer Stellung und Laufbahn nicht die geringste Sorge haben, ich aber hatte in meinen

Anfängen Feinde, die mir sogar diesen Lebensast ansägen wollten«, vgl. T 499).
235 T 436 u. 474, vgl. 70, 135, 205; Familienangehörige: T 139, 216, 287 f., 288, 297 u. 449.
236 Redeanfänge: 26, 266 u. 343, vgl. 99; situationstypische Floskeln: 82, 93, 133 f., 151, 197, 243, 421, 436 u. 477; vgl. T 25, 26 f., 44, 113, 139, 175 ff. u. 205, vgl. 95 ff., 133 ff. u. 229 f.; T 55 (Referat eines Vortrags von Dr. Steiner: »Wir leben in einer entscheidenden Zeit. Der Versuch des Dr. Steiner wird gelingen, wenn nur die ahrimanischen Kräfte nicht überhand nehmen«), 107 f. (»Sie war nicht aus Radotin, sondern aus Chuchle (die nächste Station gegen Prag), was sie nicht vergessen lassen wollte«), 158 u. 255 (Bericht über ein Gespräch mit dem Rezitator Reichmann [vgl. 268]: »wenn er da rezitiert, so macht das besonders auf die Mädchen einen riesigen Eindruck. Also das ist ja selbstverständlich«); vgl. meine Arbeit »Motiv und Gestaltung bei Franz Kafka«, S. 220 ff.
237 T 317, 244 u. 285, vgl. 48, 211, 216, 244, 270, 272 f., 285, 351, 411, 477, 553 u. 583.
238 So z. B. E. *Heller* in der »Einleitung« der *Briefe an Felice*: »Ein ›leeres Gesicht, das seine Leere offen trug‹, so beschreibt Kafkas Tagebuch Felice nach der ersten Begegnung; leer: also ist da so viel Platz wie auf einer leeren Seite für die Ausbreitung der Einbildungskraft. Und diese beginnt auch sogleich zu lieben« (F 30). Typisch für den gegenwärtigen Diskussionsstand scheint auch, daß auf dem Umschlag von E. *Canettis* Buch »Der andere Prozeß. Kafkas Briefe an Felice«, 3. A., (München 1970) eine Umrißzeichnung von Kafkas Verlobungsphoto reproduziert ist, auf der Felicens Gesicht als leere Fläche erscheint.
239 T 339, F 419 u. 148 f., vgl. 42 (»flaches, leeres altes Gesicht«), 68 (»Abgeschabtes Gesicht«), 72, 93 f., 107, 131, 183, 243 u. 579; s. a. u. S. 143 f.
240 T 38, vgl. 68, 82, 107, 110, 252; 105, 109 u. 345.
241 A 43 f., 219, P 131, T 152, A 46, 287, T 471; T 270, P 54, 123, S 56; T 95, A 244, P 228, 278; S. 386 u. M. *Pasley*, Franz Kafka Mss: Description and select inedita, in: Modern Language Review 57 (1962), S. 57, Zitat: T 149. Vgl. Anm. II, 288. Die Bedeutung, die Kafka bei der Beobachtung anderer den Ausdrucksbewegungen beimaß, ist von R. G. *Collins* in seinem Aufsatz »Kafka's Special Methods of Thinking« genau so erkannt worden wie die Tatsache, daß der Dichter auch in seinem Werk bei der Personencharakterisierung entsprechend verfährt. Man könne sagen, die äußeren Details seien »made up of the involuntary, the secondary physical characteristics that define a person *most* intimately because they are the *least* conscious. Kafka's fascination with physical mannerisms is much greater than is his interest in objective description of a person's appearance, or in what a person alleges to believe. Time after time Kafka painstakingly recorded such physical impressions of people who were talking to him, lecturers to whom he was listening, or actors performing on the stage . . . What is suggested is a fusion of simple physical qualities and the inner truth of a thing, a possibility that we find echoed time and again in the novels.« (in: Mosaic. A Journal for the Comparative Study of Literature and Ideas 3 [1969], H. 4, S. 53 f.)
Gleichwohl hält die Untersuchung nicht, was der Titel verspricht. Collins betont nämlich — Hauptuntersuchungsgegenstand ist das literarische Werk —, daß Kafka sorgfältig »all referents of meaning« vermeide (S. 46), »the ambiguous nature of human experience« schaffe (S. 47), daß er nicht an eine Welt »of definite characteristics and principles« glaube (S. 48) und daß ihn überhaupt in seinen Äußerungen Widersprüchlichkeit, Paradox und Antithese auszeichne (S. 56). Dies alles beschreibt natürlich tatsächlich einen richtigen

Befund bei Kafka insofern, als seine typologische Prägung ihn zur Ambivalenz prädestinierte (vgl. Anm. III, 281) und die Originalität und eine von herkömmlichen Wahrnehmungs- und Beurteilungskategorien fast unberührte Optik seiner Beobachtung ihn zu Aussagen führten, die mit den von Collins verwendeten Begriffen charakterisiert werden können (mit Ausnahme der Antithese, die der Verfasser mit der streng davon zu unterscheidenden Antinomie verwechselt; antithetisches Denken läßt sich bei Kafka nicht nachweisen, vgl. F 318 u. T 168 f.). Es fehlt aber bei Collins die Verifikation an den Lebenszeugnissen; was er herausstellt, könnten Manierismen literarischer Gestaltung sein, die ihn und sein Denken gar nicht zu tangieren brauchten. Auch bleibt unklar, welcher Darstellungsmodi und sprachlicher Form sich ein derart strukturiertes Bewußtsein vornehmlich bedient.

242 A 103, 128, 135, 209, vgl. 12, 297 u. 300; P 22, S 114, 160 u. 354, vgl. 13, M 220 u. Anm. II, 118.

243 Vgl. z. B. T 273, 283, 339, 473, 474, 478, 479, 569.

244 T 43, 569 (vgl. M 182 u. 208) u. 129; zur Vorstellung des Gespenstischen s. u. S. 402 ff.

245 T 13.

246 T 443 u. F. *Thieberger*, Erinnerungen an Franz Kafka, in: Eckart 23 (1953), S. 52 f.

247 T 178, M. *Brod*, Das kranke Italien, in: *Magdeburgische Zeitung* 1911, Nr. 511 (7. 10., Morgen-Ausgabe), S. 9 (vgl. 616) u. 54 (H 324, T 193 u. 163); vgl. T 206, 53, 91, 168, Br 212 f., 417, F 50, 101, 264, 356, 367, 615, H 194 u. 343; T 27, 296, Br 100 u. F 736.

248 M 174, F 232, H 190, vgl. 396; F 78, Zitate: M 251 (vgl. F 137, 301, 452; T 560 u. H 252), H 107 u. T 320.

249 F 336, 464 u. 46, vgl. T 664 (7. Juli 1912: »Nach dem Abschied von dir, mich noch lange nicht allein gefühlt.« Hier ist Max Brod angeredet, der von Weimar aus direkt nach Prag zurückfuhr, während Kafka noch einige Zeit in einem Naturheilsanatorium blieb – vgl. FK 110 u. T 720), Br 95 (am 9. 7. 1912 an Max Brod: »... hier ist mein Tagebuch. Wie Du sehen wirst, habe ich, weil es eben nicht nur für mich bestimmt war, ein wenig geschwindelt, ich kann mir nicht helfen, jedenfalls ist bei einem solchen Schwindel nicht die geringste Absicht, vielmehr kommt es aus meiner innersten Natur und ich sollte eigentlich mit Respekt da hinunterschaun«) u. T 555 f. (19. 1. 1922; Kafka redet hier Milena an, was darauf hindeuten könnte, daß er ihr dieses Heft zeitweilig überlassen wollte oder sie bei ihrem nächsten Besuch – er fand wenige Tage später statt [T 560] – darin lesen ließ). Es wäre jedoch ein Irrtum zu glauben, die nur für den Schreiber selbst bestimmten Partien seien objektiver. Anfang November 1911 notiert sich Kafka: »Ich hatte gehofft durch den Blumenstrauß meine Liebe zu ihr ein wenig zu befriedigen, es war ganz nutzlos. Es ist nur durch Literatur oder durch den Beischlaf möglich. Ich schreibe das nicht, weil ich es nicht wußte, sondern weil es vielleicht gut ist, Warnungen oft aufzuschreiben.« (T 146) Aus dieser Passage kann man herauslesen, daß vorwiegend und gewöhnlich dasjenige ins Tagebuch Eingang fand, was für den Autor eine neue Erkenntnis darstellte, was sonst dem Vergessen anheimgefallen wäre und was sonst wegen seiner Kompliziertheit nicht hätte artikuliert werden können. Für eine solche Auffassung spricht einmal die schon zitierte Stelle, wo die Überflüssigkeit, über Milena zu schreiben, damit motiviert wird, daß die Strukturen dieser Beziehung überdeutlich im Bewußtsein Kafkas vorhanden seien (T 542), zum andern aber eine tagebuchartige Aussage in einem Schreiben an Felice: »Die Frage des Tagebuches ist gleichzeitig die Frage des Ganzen, enthält alle Unmöglichkeiten des Ganzen ... Es ist unmöglich, alles

zu sagen und es ist unmöglich, nicht alles zu sagen.« (F 464) Die Ambivalenz der Kafka affizierenden Geschehnisse verhinderte deren bündige Beurteilung in einer einzigen, für alle Zukunft gültigen Tagebuchaussage. Es gibt einen sehr schönen Indizienbeleg für die Tatsache, daß das Selbstverständliche nicht Gegenstand dieser Eintragungen wird. Es finden sich in den Quartheften an vielen Stellen Beschreibungen des Äußeren von Personen, die Kafka gerade kennengelernt hatte oder mit denen er nur flüchtig bekannt war. Über seine engen Freunde gibt es keine vergleichbaren Äußerungen, sieht man davon ab, daß Kafka eine gelegentliche typische Pose festhält. Durch den dauernden Umgang etwa mit Brod, Baum und Felix Weltsch waren diese ihm so vertraut, daß es der schriftlichen Fixierung nicht mehr bedurfte.

Noch bemerkenswerter ist vielleicht ein anderes Beispiel. Obwohl sich beweisen läßt, daß Kafka Werke E. T. A. Hoffmanns für sein eigenes Schaffen als Vorlagen benützte (dazu meine Arbeit »Motiv und Gestaltung bei Franz Kafka«, S. 147 ff.), und aus den Erinnerungen Dora Diamants bekannt ist, daß er etwa sehr gerne den *Kater Murr* vorlas (vgl. J. P. *Hodin*, Kafka und Goethe, S. 28), wird dieser Autor *nie* in Kafkas Briefen und Tagebüchern erwähnt. Dessen Werk muß ihm so fraglos klar gewesen sein, daß sich seine Analyse erübrigte.

250 T 420 u. 419, vgl. F. *Beißner*, Kafkas Darstellung des »traumhaften innern Lebens«. Ein Vortrag, (Tübingen 1972), S. 12 f.: »Viele Kafka-Ausleger verkennen, dünkt mir, die kardinale Bedeutung dieses Zeugnisses, seinen aufschließenden Wert für das Kafka-Verständnis. Einige sind geneigt, es für ein beiläufiges, nicht uninteressantes Aperçu anzusehen, das sie dann auf sich beruhen lassen; andre hören in erster Linie oder gar ausschließlich die damit verbundenen negativen Feststellungen heraus, die weniger das eigentliche Schaffen, das *Schreiben*, des Künstlers als seine Biographie betreffen. Zweifellos besteht ein Zusammenhang zwischen den darin auch zum Ausdruck kommenden Angstgefühlen und der am 12. Juli, dreieinhalb Wochen zuvor, geschehenen Lösung des Verlöbnisses. Aber alles, was davon durchschimmern mag, ist doch sekundärer Natur. Worauf in dieser Tagebuchnotiz alles ankommt, das ist die authentische Definition des eigenen und besondren Stils.« Die engen Kontext-Bindungen sind hier so wenig gesehen wie der Vorbehalt, daß Vorzeichen gleichsam, unter dem ganze, freilich auf Kafkas Schreibart und -fähigkeit zielende Aussage formuliert wurde; s. a. T 500 (11. 5. 1916: »Ich werde an Folgendem festhalten: Ich will zum Militär, diesem zwei Jahre verhaltenen Wunsch nachgeben«; bei Kriegsausbruch, als die fragliche Notiz verfaßt wurde, bestand also eben dieser Sachverhalt, vgl. T 511).

251 Tagebucheintrag vom 26. 3. 1780. (»Tagebücher 1775–1809«, hg. v. P. *Boerner*, [München 1963], S. 79)

252 »Bemerkungen zu den Tagebüchern und Briefen Franz Kafkas«, in: Maß und Wert 1 (Sept./Okt. 1937), S. 323.

253 T 440, vgl. 28, 267 u. 283 f.

254 F 336, T 303 u. 362, vgl. F 407 u. T 422 (15. 8. 1914: »So ganz geschützt und in die Arbeit eingekrochen, wie ich es vor zwei Jahren war, bin ich heute nicht«), zu Stoeßl K 37.

255 T 478, 489, 202, 196 u. 488.

256 T 422 u. 325, vgl. den Abschnitt »Tagesläufe« in meinem Aufsatz »Kafka und seine Schwester Ottla«, S. 421 ff. u. T 241, 272, 286 f. u. 323; 282, 348 u. 361.

257 T 323, vgl. Br 121 ff. u. F 463 ff.

258 T 436, 358, 511 u. 280, vgl. 485; 269 u. 491. Erinnerungen an länger Zurückliegendes: T 321 f., 363 u. 485.

259 T 345, 247, vgl. 510 ff., 137, 360, 364 u. 331: »Dieses Voraussagen, dieses sich nach Beispielen richten, diese bestimmte Angst ist lächerlich. Das sind Kon-

struktionen...« Daß gerade im Tagebuch Kafka sich in der Regel solcher Berechnungen enthielt — auch dies wieder ein Beispiel dafür, daß die Hefte sein Bewußtsein in gewisser Weise nur unvollkommen spiegeln —, beweist eine Notiz vom Vortage: »Mich ergreift das Lesen des Tagebuchs. Ist der Grund dessen, daß ich in der Gegenwart jetzt nicht die geringste Sicherheit mehr habe? *Alles erscheint mir als Konstruktion.*« (T 329) Hier ist doch vorausgesetzt, daß die Eintragungen im Tagebuch festes, unspekulatives Material an die Hand geben, an das man sich halten kann, wenn einen die Ambivalenz der auf wichtige Lebensbereiche sich beziehenden Gefühle orientierungslos zu machen droht.

260 T 252 u. 436, zur Perseveration vgl. Br 414.

261 T 241, vgl. 195, 548, 155, 168 u. 230.

c) Belege und Erläuterungen zum zweiten Teil

1 M 73.

2 T 358.

3 H 272 u. T 473.

4 Vgl. z. B. S 52, B 243, 245, 248, 273, E 270, 274, 275, 283 u. H. v. *Kleists* Aufsatz *Über die allmähliche Verfertigung der Gedanken beim Reden.*

5 Vgl. z. B. B 173, 174, 178, 185, 187, 197, 202 u. 214; vgl. zu den genannten Stilphänomenen auch meine Arbeit »Motiv und Gestaltung bei Franz Kafka«, Bonn 1966, S. 324 ff.

6 Br 288, H 326 u. B 111, vgl. Br 432, F 55, 160, 216, 406 u. 490.

7 Vgl. Be 89, W. *Burns*, »In the penal colony«: Variations on a theme by Octave Mirbeau, in: Accent 17 (1957), H. 2, S. 45 ff., O. Mirbeau, Le Jardin des Supplices, Paris 1925, (104. Tsd.), S. 186 ff. u. meinen »Kafka-Kommentar zu sämtlichen Erzählungen«, München (1975), S. 54.

8 Vgl. meine Arbeit »Motiv und Gestaltung bei Franz Kafka«, S. 40 ff.

9 Br 119, F 462, 263, B 315 u. 71 f.

10 *Die Sagen der Juden*, gesammelt und bearbeitet von Micha Josef *bin Gorion*, Bd. II. Die Erzväter, Frankfurt 1914, S. 62 f. (»Der Turm in der Höhe Gottes«).

11 Vgl. B 348. (Anm. M. Brods: »Anregendes Motiv mag für Kafka mit gewesen sein, daß seine Heimatstadt Prag eine geballte Faust im Wappen führt.«)

12 H 82, vgl. B 94 f. u. S. 392 dieser Arbeit.

13 H 387, vgl. M. *Pasley/K. Wagenbach*, Datierung sämtlicher Texte Franz Kafkas, in: J. *Born* u. a., Kafka-Symposion, Berlin (1965), S. 74 u. S. 387 ff. dieser Arbeit.

14 P. *Wiegler*, Das Haus an der Moldau, Wedel (1948), S. 50.

15 T 192, vgl. 718, einen Brief an Ottla vom 20. 12. 1909, aus dem hervorgeht, daß er ihr ein »Nicologeschenk« zukommen ließ (O 12), und ein Schreiben an Felice, wo von »Nicolozuckerzeug« die Rede ist (F 745).

16 T 601 u. S 269. Wie sehr die Erinnerung an den Christmarkt eine Besonderheit Kafkas war, zeigt auch die Tatsache, daß sich im Paralleltagebuch Max Brods, wo, wie im ersten Teil dieser Arbeit gezeigt wurde (S. 62 ff.), gewöhnlich eine Kafka vergleichbare Beobachtungsrichtung herrscht, gerade in diesem Fall ganz andere comparata finden: »Briefträger tragen längliche Holzkassetten, alte, braune; Farbe alter Zimmereinrichtungen, längs des Bauchs passend gebogen — da sind doch unsere Taschen praktischer.«

17 A 51 u. T 72.

18 Vgl. T 293.

19 S 107, vgl. F 91 f., 527, 541, Br 113 (»... wie ich überhaupt vor dem Apparat

immer geradezu alles vergesse«), F 264 (»ich werde... nur träumen. Wie gestern z. B., wo ich im Traum... zwei Telephonhörmuscheln... ergriff und an die Ohren hielt und... aus dem Telephon nichts und nichts zu hören bekam, als einen traurigen, mächtigen, wortlosen Gesang und das Rauschen des Meeres. Ich begriff wohl, daß es für Menschenstimmen nicht möglich war, sich durch diese Töne zu drängen, aber ich ließ nicht ab und ging nicht weg«), S 32 (»Aus der Hörmuschel kam ein Summen, wie K. es sonst beim Telefonieren nie gehört hatte. Es war, wie wenn sich aus dem Summen zahlloser kindlicher Stimmen – aber auch dieses Summen war keines, sondern war Gesang fernster, allerfernster Stimmen –, wie wenn sich aus diesem Summen in einer geradezu unmöglichen Weise eine einzige hohe, aber starke Stimme bilde, die an das Ohr schlug, so, wie wenn sie fordere, tiefer einzudringen als nur in das armselige Gehör. K. horchte, ohne zu telefonieren...«) u. 107 (»Dieses ununterbrochene Telefonieren hören wir in den hiesigen Telefonen als Rauschen und Gesang«).

20 S 32 f.
21 S 421, vgl. Br 385 (»den Funken habe ich nicht zum Feuer gemacht«), F 335 (»Aber vielleicht muß so ein Gehirn eintrocknen und hart werden, damit man einmal zu seiner Zeit einen Funken daraus schlagen kann«), 707, meinen Aufsatz »Kafka und seine Schwester Ottla«, in: Jahrbuch der Deutschen Schillergesellschaft 12(1968), S. 427, O 32 f., S 187 u. 193 ff.
22 Br 181 u. T 529, vgl. S. 388, 29, 60, 83, 232, 294, 324, 409 u. S. 315 ff. u. 323 dieser Arbeit.
23 S 496, 498 u. 408.
24 S 83 u. 170 f.
25 Vgl. K.-H. *Fingerhut*, Die Funktion der Tierfiguren im Werke Franz Kafkas. Offene Erzählgerüste und Figurenspiele, Bonn 1969, S. 232 f., S 60 u. 371, Zitate: 294, Br 238 u. S 307.
26 Vgl. A. P. *Foulkes*, The Reluctant Pessimist. A Study of Franz Kafka, The Hague, Paris 1967, S. 77 ff., S. *Corngold*, Kafka's *Die Verwandlung:* Metamorphosis of the Metaphor, in: Mosaic 3 (1969), Nr. 4, S. 91 ff. (»*The Metamorphosis* projects into its center a sign which absorbs its own significance... and thus aims in an opposite direction from the art of the symbol« – S. 103) u. meinen Aufsatz »›Der Jäger Gracchus‹. Zu Kafkas Schaffensweise und poetischer Topographie«, in: Jahrbuch der Deutschen Schillergesellschaft 15 (1971), S. 413 ff., Zitate: S 466 u. 397.
27 F 403, Br 313 u. O 126.
28 Vgl. M 98 (»Mutter Milena«) und O 139 (»Hier solltest Du eigentlich auch raten, große Mutter« – Ottla hatte damals freilich schon zwei Kinder).
29 Anm. III, 279 u. 262, Br 194 f., 283 Z. 29 f., 373 Z. 3 f., 413, M 263 (vgl. S. 418 dieser Arbeit), H 204, 206 u. S. 10 ff. dieser Arbeit, Zitat: Unpubliziert, hinter M 76 Z. 6.
30 S 476 u. 521, vgl. 169, 357, 383 f., 448 u. 455 (für die Gegenfiguren S. 404 f. dieser Arbeit).
31 S 209, vgl. 521.
32 Vgl. J. *Loužil*, Ein unbekannter Zeitungsabdruck der Erzählung »Josefine« von Franz Kafka, in: Zeitschrift für deutsche Philologie 86 (1967), bes. S. 318.
33 FK 179 f.
34 Br 50.
35 H. v. *Kleist*, Sämtliche Werke und Briefe, Bd. 2, (hg. v. H. *Sembdner*), Darmstadt 1962, S. 14.
36 Br 408 u. F 495.
37 F 483 u. P 230, vgl. 176.

38 Br 180, 295, 319, 338, Zitat Br 247 (vgl. Anm. III, 316).
39 F 600 u. Br 261.
40 M 131 u. 236.
41 F 637 u. Br 183.
42 B 315 u. 78, vgl. T 564 u. F 668.
43 S 378, 435 u. 489, vgl. A 99 Z. 13 f.
44 M 100, 185, H 225, 166, T 358 u. 359. Die Beobachtung des möglichen Ausdrucksgehalts im Sprechen tritt hinter demjenigen von Mimik und Gestik schon deswegen zurück, weil Kafkas mangelnde Musikalität und die Dominanz seiner optischen Eindrucksfähigkeit differenzierte Wahrnehmung erschwerten. Dazu kommt aber noch, daß ganz allgemein beim Menschen die akustische Merk- und Unterscheidungsfähigkeit gegenüber dem Auge sehr gering ausgeprägt ist. Es ist fast unmöglich, Töne oder Geräusche miteinander zu vergleichen, wenn längere Zeit zwischen den einzelnen Sinneswahrnehmungen liegt. Dem entspricht es, daß der Begriffsapparat zur Beschreibung etwa der Art und Weise, wie eine menschliche Stimme klingt, relativ undifferenziert ist. Immerhin gibt es Hinweise dafür, daß Kafka doch auch sehr auf die Sprechweise der ihm Begegnenden achtete, besonders auch, weil sie ihm ein Indiz dafür war, wie jemand mit seinem Volkstum zurechtkam (so hielt er ja die Adaption der deutschen Hochsprache durch die Juden für eine selbstquälerische Anmaßung eines fremden Besitzes, für einen Diebstahl, »auch wenn nicht der einzigste Sprachfehler nachgewiesen werden könnte« – Br 336). Dafür zwei Beispiele aus der Zeit in Matliary, wo er z. T. in einem ganz fremden Sprachgebiet lebte (slowakisch und ungarisch, vgl. auch Br 270 f.). So fiel ihm dort ein junger Ungar auf – »hat erst hier Deutsch gelernt, von Slowakisch keine Spur« –, unter dessen Charakteristika auch angeführt wird, daß ihm alles »interessant, interessant« sei, was der Dichter als Ausdruck inneren Feuers interpretiert (Br 286). Noch bemerkenswerter ist ein Brief vom 21. 5. 1921, in dem Kafka seiner Schwester Ottla seine ersten Eindrücke aus Matliary mitteilt. So ist es doch bezeichnend, daß er über die Besitzerin – »keine Jüdin« – nur zu berichten weiß, daß sie zunächst einen Samt- oder Pelzmantel angehabt habe (Kafka war dieses Kleidungsstück widerlich, vgl. F 582 f.), den sie dann am nächsten Tag nicht mehr trug, und daß ihr ein »unangenehmes Ungarisch-Deutsch, süßlich aber hart« eigne. (O 96) Sprache und Aufzug beherrschten also in diesem Falle, zumal es sich um eine körperlich große Frau handelte, seinen Eindruck gegen die Norm.
Noch auffälliger vielleicht ist, was Kafka Ottla über die Bahnfahrt nach Matliary schreibt, auf der er scharf beobachtete, ob irgendwer gut slowakisch rede. Er bemerkte nur zwei junge Mädchen, »sie sprachen sehr eifrig und rein, bis dann allerdings die eine auf eine erstaunliche Mitteilung hin, welche ihr die andere machte, ausrief: oioioioï!« (O 99) Dies sollte heißen, daß die beiden Jüdinnen waren und die eine in der Erregung gleichsam in ihre Muttersprache, in den Jargon zurückgefallen war.
Tatsächlich ist im Jiddischen das vielmalige »oi« als Ausdruck des Erstaunens typisch. Nur unter dieser Voraussetzung eigentlich versteht man es, wenn Kafka im Juni 1921, also noch in Matliary weilend, als Urteil über *Literatur oder Man wird doch da sehn. Eine magische Operette* (Wien 1921) von Karl Kraus schreibt: »Er ist etwas wie der Großvater in der Operette, von dem er sich nur dadurch unterscheidet, daß er statt bloß oi zu sagen, auch noch langweilige Gedichte macht. (Mit einem gewissen Recht übrigens, mit dem gleichen Recht, mit dem Schopenhauer in dem fortwährenden von ihm erkannten Höllensturz leidlich fröhlich lebte.)« (Br 337) Das genannte Werk ist eine Art Parodie auf F. Werfels *Magische Trilogie Spiegelmensch*, wo in der siebten Szene des zwei-

ten Teils, *Die Höhle des Ananthas* betitelt, die Hauptfigur Thamal die »heilige weltumspannende Silbe« Om mit letzter Kraft hervorstößt (S. 122); bekanntlich war der Autor gerade mit dieser Szene, die er umarbeiten wollte, nie zufrieden (vgl. A. *Mahler-Werfel, Mein Leben,* [Frankfurt/M.] 1960, S. 125), so daß sich Kafkas Urteil, *Spiegelmensch* sei nur »an einer Stelle ein wenig angekränkelt« (M 239), auf diesen Teil des Werkes beziehen dürfte. Dieses pervertiert nun Karl Kraus, der seinerseits schon in Werfels Stück als Spiegelmensch lächerlich gemacht worden war (S. 186 ff.), indem er den erwähnten Großvater, der die ganze Zeit über geschwiegen hatte, am Schluß die Augen aufschlagen und die heilige, weltumspannende Silbe »oi« aussprechen läßt (S. 78). Kafka meint also, daß Kraus, wiewohl er mit geschärftem Ohr Jargonanklänge seiner schreibenden Zeitgenossen aufs Korn nimmt, selber mauschle, gezwungenermaßen, weil bloße Erkenntnis noch nicht von den Leiden der gegenwärtigen Generation befreie. Vgl. z. B. auch M 134 u. E 173 f.

45 F 559 f. u. M 286.

46 F 465.

47 K. v. d. *Steinen,* Bei den Indianern am Schingu. Aus dem bei D. *Reimer* (E. *Vohsen*) in Berlin erschienenen Reisewerk *St.* über die 2. Schingu-Expedition 1887–1888. Mit Federzeichnungen v. P. *Neuenborn,* J. *Gehrts* u. nach W. v. d. *Steinen,* Köln (1912) (*Schaffstein's Grüne Bändchen,* hg. v. N. *Henningsen,* Nr. 20).

48 E 71 u. 140. Für die Abb. 10 und Informationen, die im Text verwertet wurden, hat der Verfasser Frau Klara Thein (New York) herzlich zu danken. Vgl. Anm. II, 90.

49 Vgl. F 582 f.

50 T 358.

51 T 519 (die Auflösung des Namens erfolgte nach der Handschrift der Tagebücher).

52 Br 116 f. u. J. *Urzidil,* Da geht Kafka, erweiterte Ausgabe, (München 1966), S. 51. Die biographischen Angaben nach Briefen von Alice Mašata, der Schwester von Gertrud Kanitz, an den Verfasser. (7. 3. u. 4. 7. 1972)

53 Neben Rezensionen über Gertrud Kanitz, die dem Verfasser vorlagen, aber nicht genau bibliographiert werden konnten, wurden folgende Besprechungen beigezogen: W. *H.,* Gustav Essmann: Vater und Sohn, in: *Neue Berliner Zeitung. Das 12 Uhr Blatt* 5, Nr. 137 (15. 6. 1923), S. 3, F. *Zielesch,* Max Brod: Die Fälscher, in: *Berliner Volkszeitung* 70, Nr. 98 (27. 2. 1922), S. 2 und A. *M.,* G. E. Lessing: Emilia Galotti, in *Vossische Zeitung* 79 (1923), Nr. 160 (5. 4., Abend-Ausgabe), S. 2.

54 Br 266 u. 268.

55 A 55 u. E 276, vgl. B 87, 152, 154, 172 u. T 134. Über die Soldaten in dem Stück *Die Abweisung* weiß der Ich-Erzähler, ein Kind, zu berichten: »am auffallendsten ist an ihnen das starke Gebiß, das förmlich allzusehr ihren Mund füllt, und ein gewisses unruhig zuckendes Blitzen ihrer kleinen schmalen Augen. Durch dieses sind sie der Schrecken der Kinder, allerdings auch ihre Lust, denn immerfort möchten die Kinder vor diesem Gebiß und diesen Augen erschrecken wollen, um dann verzweifelt wegzulaufen. Dieser Schrecken aus der Kinderzeit verliert sich wahrscheinlich auch bei den Erwachsenen nicht, zumindest wirkt er nach.« (B 87) Daß hier eigene Erfahrungen Kafkas nachklingen, die gewiß dafür mitverantwortlich sind, daß besonders Mund und Lippen so stark von ihm beachtet wurden, beweist ein Brief des Dichters an Milena: »Als Kind, wenn ich etwas sehr Schlechtes angestellt hatte . . . dann war ich sehr erstaunt, daß . . . die Großen . . . um mich herumgingen und ihr Mund, dessen Ruhe und selbstverständliche Geschlossenheit ich seit meiner

frühesten Kindheit immer von untenher bewundert habe, auch weiterhin geschlossen blieb. Aus dem allen schloß ich, nachdem ich es ein Weilchen lang beobachtet hatte, daß ich doch offenbar nichts Schlimmes, in keinem Sinn, gemacht haben könne . . .« (M 231 f.)

56 H 282 u. B 75.

57 F 339 u. 474, vgl. 402 (bzw. 222 u. 292), Br 125, 127, 128 f. u. 450 f. Weitere Beispiele für die Augen-Nase-Relation: F 180, 688, T 364, 370, 519, 519, 612, 629, 671, Br 321 u. M 119 (»Ein wahrscheinlich schönes melancholisches Judengesicht, gepreßte Nase, schwere Augen . . .«).

58 Vgl. T 245, 340, 372, 412, 471, H 398, M 9 f., 134, Br 11, F 570, 654 u. Be 64 (s. a. T 193 u. 345).

59 Vgl. meinen Aufsatz »Kafkas literarische Urteile. Ein Beitrag zu seiner Typologie und Ästhetik«, in: Zeitschrift für deutsche Philologie 86 (1967), S. 211 ff.

60 Br 188, Vgl. F 294, FK 68 (dort der Text eines Schreibens, das auf der »schönsten Ansichtskarte« Kafkas überliefert ist; die auf den 21. 11. 1908 datierte Postkarte zeigt den Fudschijama von Hiroshige – vgl. K. *Wagenbach*, Franz Kafka. Eine Biographie seiner Jugend 1883–1912, Bern [1958], S. 217) u. B 347.

61 H 73 (vgl. H 49 u. 102), F 553, 561 (vgl. Br 182) u. M 124, vgl. F 514, M 225 u. S. 245 f. dieser Arbeit.

62 A 24 u. 218, vgl. Br 276 u. M 156; weitere Beispiele: A 27, 36, 151, B 110, 217 (»alles ringsherum scheint mir erregt, scheint mich anzusehen, scheint dann auch gleich wieder wegzusehen, um mich nicht zu stören, und strengt sich doch wieder an, von meinen Mienen die rettenden Entschlüsse abzulesen«), 330, P 200 f. (»Saß aber der Advokat K. gegenüber und wurde er von der Kündigung überrascht, so würde K., selbst wenn der Advokat sich nicht viel entlocken ließ, aus seinem Gesicht und seinem Benehmen alles, was er wollte, leicht entnehmen können«), 22, 189, 225, E 15, 133, 173, 214, 227, 234, 247, 265, 267, S 54, 355 f., T 46 (»bewegte aber sein Gesicht, als rede er noch«), 193, F 191 (»man sah Dir doch die Gesundheit von den Wangen und Augen ab«), 334 f., 598 f., H 384 u. 422 (»solange manche unter Ihnen eine solche Angst vor dem Jargon haben, daß man es fast auf Ihren Gesichtern sieht«).

63 S 355, vgl. Br 26 Z. 9 ff. u. 187 Z. 27 ff.

64 Zur erlebten Rede vgl. meine Arbeit »Motiv und Gestaltung bei Franz Kafka«, S. 201 ff.

65 T 554, Br 316, B 314, S 491 u. H 45 (= 91), vgl. Br 260, 263, H 352 u. M 73; offene Augen als Metapher für Aufmerksamkeit: A 17, 171 u. B 236.

66 Be 134, vgl. 62 u. 126.

67 T 194 (vgl. Br 403 f. »bei meiner . . . völligen Beziehungslosigkeit zu Menschen«), Be 90, 89 (vgl. Br 29), *Janouch*, Gespräche mit Kafka, S. 251 u. F 275.

68 B 101, 128; Be 112, H 25, T 629 u. Br 43; Be 50, H 371 u. F 330.

69 H 26, 57, 340, 361, E 255, S 146 u. 331.

70 T 188, 268, 672, E 72, 120, 134, A 74, 252, 303, H 317, F 108, 152 u. B 312.

71 Br 482, vgl. 260 Z. 17 f., M 226 Z. 4 ff., F 413, B 194 u. 205 (»wie ich mit geschlossenen Augen . . . mir eingestehe«). Motivlich gehört in diesen Zusammenhang noch eine andere Stelle des *Baus*: »zwischen Hindämmern und bewußtlosem Schlaf vergehen mir die Stunden, die ich nach meinem Belieben dafür wähle.« (B 176) Darin spiegeln sich Erfahrungen wieder, die Kafka in der Spätzeit an sich selber machte. Über die durch lange Liegekuren bestimmte Zeit in Matliary schreibt er: ». . . dagegen dürfte ich oft in einem vollständigen Dämmerzustand gelegen haben, ähnlich dem wie ich ihn als Kind an meinen Großeltern angestaunt habe. Die Tage vergingen dabei, von mir unbeachtet, sehr schnell . . .« (Br 311, vgl. 303)

72 S 404.

73 Vgl. Be 119, A 219, 274, S 394, H 383 u. P 294.

74 Unveröffentlicht (hinter M 207 Z. 23 einzufügen), vgl. S 77, H 244, 315, 316, T 460, B 192, 277, E 30, 215, 218, F 88, 201, 419 u. 734.

75 Vgl. *Janouch*, Gespräche mit Kafka, S. 187, 252, T 411, 641 u. 663 (als Empfindlichkeitsphänomen: B 147 f. u. P 246); T 45, E 226, Zitate: Br 340, F 697 u. A 241, vgl. T 188, H 60 u. 143.

76 B 314. Vgl. auch Be 19: »Er zwinkerte mit den Augen wegen irgendeines Einverständnisses, an das ich offenbar vergessen hatte« u. Br 40.

77 Vgl. Br 286, S 116, B 75, P 98, A 237, T 481 u. 505.

78 Vgl. F 77, 579, M 73, A 255 u. B 152. Müdigkeit: E 61.

79 S 159, 311, 368 u. 386, P 293, Br 315, F 281, 495 u. S. 137 dieser Arbeit; T 105, 159 u. 242.

80 A 184.

81 J. P. *Hodin*, Erinnerungen an Franz Kafka, in: Der Monat 8/9 (1949), S. 91, vgl. FK 70.

82 *Janouch*, Gespräche mit Kafka, S. 33.

83 Zitiert bei M. *Brod*, Der Prager Kreis, Stuttgart, Berlin, Köln, Mainz (1966), S. 130, 130 f., 129, u. T 481.

84 Vgl. S. 247 ff. dieser Arbeit u. Anm. II, 381.

85 N. *Oseretzky*, Über die Mimik bei verschiedenen Konstitutionstypen, in: Monatsschrift für Psychiatrie und Neurologie 83 (1932), S. 104 u. 122.

86 N. *Oseretzky*, Über die Mimik bei verschiedenen Konstitutionstypen, S. 117.

87 J. P. *Hodin*, Erinnerungen an Franz Kafka, S. 91, M 17, 47, 61, 125, F 381.

88 T 219, vgl. 71 (»... daß ich für meinen Teil eine starke Verwandlungsfähigkeit habe«).

89 N. *Oseretzky*, Über die Mimik der verschiedenen Konstitutionstypen, S. 104 u. 117. Dort ist auch betont, daß bei den Schizothymikern die mimische Darstellung nicht automatisch, sondern willentlich erfolge, so daß im Alltag bei diesen Personen ein Erstarren in einem Gesichtsausdruck und ein stoßweiser Übergang zu einer andern Ausdruckshaltung erfolgen könne (S. 119). Dazu stimmt bei Kafka, daß die Kategorie des Erstarrens bei ihm eine Rolle spielt (vgl. S. 342 ff. dieser Arbeit) und daß er sich der Bewußtheit und Gespieltheit seiner diesbezüglichen Äußerungen bewußt war (T 481 u. 561).

90 Vgl. z. B. W. *Haas*, Die literarische Welt. Erinnerungen, München (1957), S. 33. Ähnlich äußerte sich Klara Thein (vgl. Anm. II, 48) gegenüber dem Verfasser (Brief v. 10. 2. 1972).

91 M 64, F 704 u. E 247, vgl. Br 142 Z. 2 ff. u. Anm. II, 55.

92 F 559 f. (vgl. 357, 400 u. 504), H 114 (vgl. F 495, 553 [»Den irgendwie verdächtigen Blick der Frau hatte ich immerfort auf mir, wäre ich an ihrer Stelle gewesen, hätte ich allerdings noch viel verdächtigere Blicke gemacht, ich mache sie sogar an meiner Stelle«], 593, T 228 [über Max Brod: »... daß ich mit seinen Augen mich in den Heften immer wieder nutzlos blättern sah«], F 84, 97, 407 u. H 132) u. F 453.

93 Vgl. F. *Brentano*, Psychologie vom empirischen Standpunkt, Bd. 1, hg. v. O. *Kraus*, Leipzig 1924, S. 55.

94 Vgl. W. *Haas*, Die literarische Welt, S. 33 u. F 254 (»Ich war wohl schon ein Jahr lang nicht im Theater und werde wieder ein Jahr lang nicht gehn«), s. aber auch S. 50 ff. dieser Arbeit.

95 F 252 f., vgl. T 105 f.

96 T 192 u. 112.

97 Vgl. O. *Fischer*, Mimische Studien zu Heinrich von Kleist, in: Euphorion 15 (1908), S. 508 ff.

98 Vgl. R. *Baumann*, Studien zur Erzählkunst Heinrich von Kleists, Hamburg 1928, S. 51 ff.

99 H. v. *Kleist*, Sämtliche Werke und Briefe, Bd. 2, S. 45, 46 (vgl. P 20: »der Aufseher . . . verschob dabei mit beiden Händen die wenigen Gegenstände, die auf dem Nachttischchen lagen, die Kerze mit Zündhölzchen, ein Buch und ein Nadelkissen, als seien es Gegenstände, die er zur Verhandlung benötigte« u. 137: »K . . . verschob langsam einige Gegenstände auf dem Tisch«), 47 u. 48, vgl. 87. D. E. *Smith* vertritt die These, »that Kafka pursued a complex analytic technique oriented to the subconscious will of his central character, Josef K., while in Kleist's work gestures serve basically to reveal unverbalized inner feelings of the characters in the course of a linear characterological development.« (»The Use of Gesture as a Stylistic Device in Heinrich von Kleists ›Michael Kohlhaas‹ and Franz Kafkas ›Der Prozeß‹«, Masch. Diss., Stanford University, Abstract) Die Anfechtbarkeit dieser Position zeigt sich unter anderem darin, daß die in ihr vorausgesetzte Zuordnung umkehrbar ist. Zu recht hat die Forschung immer wieder darauf verwiesen, wie sich in den Ausdrucksbewegungen Kleists Unbewußtes, gegen die Ratio Gerichtetes manifestiert, während andererseits die vorliegende Untersuchung zu dem Ergebnis kommt, daß Kafkas Gesten in sehr direkter, ungebrochener Weise die Gefühlswelt der Figuren spiegeln und in den Romanen auch großräumig und zuweilen im Sinne eines unumkehrbaren Erzählgefälles miteinander verfugt sind.

100 T 536; M. *Spilka*, Dickens and Kafka. A mutual Interpretation, London (1963), S. 29, 175, 188, 243 u. 255 versteht die von Kafka erwähnte Methode nur als die groteske Darstellungsweise der Lebensreise Karls, die einen Reifungsprozeß darstelle. Kafka bediene sich dafür einer infantilen Perspektive, die Schrecken und Unsinnigkeiten äußerer und innerer Intrigen und Täuschungen spiegle und so das Spiel des bewußten, unschuldigen Gefühls ermögliche, dem unbewußte Sündhaftigkeit entspreche, die für Karls Handeln verantwortlich ist.

101 Welche Ausgabe des Dickensschen Romans Kafka benützt hat, läßt sich nicht sicher sagen. Da er sich jedoch erst seit dem Sommer 1910 für diesen Autor interessiert zu haben scheint (T 60 u. 77) und da er Editionen liebte, denen eine biographische Darstellung über den Lebensgang des Autors beigegeben war (vgl. auch Anm. I, 65), dürfte es sich wohl um die von Richard Zoozmann besorgte zweibändige Übersetzung handeln (Leipzig 1910), die eine sehr umfangreiche Würdigung des Engländers als Einleitung enthält (»Charles Dickens. Sein Leben und Schaffen«). Nach dieser Ausgabe wird also im Folgenden zitiert (Zitate: Bd. 1, S. 161, 197, 229, 412, Bd. 2, S. 250 u. 26, vgl. Bd. 1, S. 139 u. 192 f.).

102 T 457 (vgl. z. B. F 311, T 189 f., 241, 286) u. Br 402 (vgl. B 269).

103 Vgl. A 282 f. u. H 262 f. (Opernglas), H 225 (»wie man aus einem kleinen Haus durch das Fernrohr über den See schaut oder gar in das Gebirge und die bloße Luft«; dieser Metapher mag in Anlehnung an eine Reiseerinnerung gebildet sein. Am 28. 8. 1911 fuhr Kafka zusammen mit Max Brod auf den Rigi, das Tagebuch vermerkt unter anderem: »Fernrohr. Jungfrau weit, Rotunde des Mönches, schwankende heiße Luft bewegt das Bild« – T 605), B 297 (»ohne Rücksicht auf die Schiffe und ihre schwachen Fernrohre«), T 12, E 167 (optischer Meßapparat, vgl. Anm. III, 304 zum »Landvermesser«), T 593 f. (Kaiserpanorama), S 466, H 73, 331 u. T 383 (Kaleidoskop), E 20 u. M 103 (Panoptikum), P 121, S 50 f., 160, 171, H 302, Br 310 u. F 742 (Guck-, Schlüsselloch und Ritze) u. T 74 f., 180, 629, A 317, F 559, P 220, H 64, 203, 391, 403, Br 38, B 233 (Brille, Zwicker u. Monokel) u. E 247 (Lupe).

104 F 317, *Janouch*, Gespräche mit Kafka, S. 240, J. *Urzidil*, Begegnungen mit Franz

Kafka, in: Neue literarische Welt 3, Nr. 2 (25. 1. 1952), S. 3, M 49, T 12 u. Br 399, vgl. T 548, M 29 u. H 232 (Gesichtskreis: P 144, S 84).
105 Vgl. S 268, 269 u. 288 u. P 176; Br 339, H 299, 341, 344 u. A 185 (Ungeübtheit und Schwäche der Augen), F 297 (Augenkrankheiten), T 428 (Augentäuschungen), Be 128 (Sehschärfe), Br 262, vgl. Be 66 (Weitsichtigkeit) u. Lichtempfindlichkeit (E 229, M 53, 187, T 71, F 371 u. 591). Zitat: Ph. *Lersch*, Gesicht und Seele. Grundlinien einer mimischen Diagnostik, 3. A., München, Basel 1951, S. 42.
106 A 161, B 213 u. F 338, vgl. T 21, E 213, A 104, 21 u. 125.
107 M 233; Be 83; P 145 u. H 315; F 616, P 113, 168, B 224, E 82 u. 226; E 67, 263, Br 62, H 380, S 524, P 221, B 137, M 241 f., F 292, 438, 553 u. 595, vgl. 443, Br 196, 373 u. 391; S 54, 334, B 196, P 10, 309, H 393, F 121 u. T 307; S 434 u. H 153.
108 Vgl. P 96, A 162 u. M 194, vgl. B 67 u. Br 256; H 193, 196, 214, S 30, 186, 334, F 457, 555 u. T 569.
109 B 289, vgl. 186 u. S 83.
110 F 299, vgl. E 118; über eine Begegnung mit Otto Groß nachts in einem Schnellzug schreibt Kafka an Milena: »... unaufhörlich verlangte er meine Zustimmung. Ich nickte mechanisch, während er mir fast vor den Augen vergieng« (vgl. Anm. III, 257).
111 O 42 u. T 456.
112 Br 237 u. B 82.
113 Br 25 u. H 301; wie die Art der Aussicht von Kafkas Zimmer in der elterlichen Wohnung die Motivik seines Frühwerks prägt, ist überzeugend dargelegt bei K. *Krolop*, Zu den Erinnerungen Anna Lichtensterns an Franz Kafka, in: Germanistica Pragensia 5 (1968), bes. S. 28 ff. (Einzelkorrekturen in meinem »Kafka-Kommentar zu sämtlichen Erzählungen«, München [1975], S. 58 ff.) Erwähnenswert in diesem Zusammenhang ist, daß der Dichter im *Urteil* zunächst einen jungen Mann beschreiben wollte, der »aus seinem Fenster eine Menschenmenge über die Brücke herankommen« sieht (F 394), konnte doch Kafka von seinem Zimmer aus die sogenannte »Čechbrücke« überblicken, welche in Verlängerung der Niklasstraße die Moldau überquerte. Nicht weniger typisch ist es, wenn Georg Bendemann direkt von seinem Schreibtisch aus den Fluß, die Brücke und die Anhöhen des jenseitigen Moldauufers wahrnehmen kann (E 53), denn der Dichter hatte aufgrund der besonderen topographischen Lage der elterlichen Wohnung die Lieblingsvorstellung entwickelt, er würde am liebsten am Tisch bei einem großen Fenster sitzen, mit einer weiten Gegend davor (F 574). Während der Zeit, die Kafka im Sommer 1920 in der Wohnung einer seiner Schwestern verbrachte (vgl. S. 91 f. dieser Arbeit), war seine Lieblingsbeschäftigung, vom Sitzen aus seine Augen ins Weite schweifen zu lassen. In einem Brief an Milena heißt es: »Wenn ich nicht etwa Dir schreibe, liege ich in meinem Lehnstuhl und schaue aus dem Fenster. Man sieht viel genug, denn das gegenüberliegende Haus ist einstöckig. Ich will nicht sagen, daß mir bei dem Hinausschauen besonders trübselig wäre, nein gar nicht, nur losreißen kann ich mich nicht davon.« (M 107 f., vgl. 97, 100 u. Br 231) So ist es kein Zufall, wenn in demTagebuchbericht über ein Gespräch, das er mit Rudolf Steiner führte, betont wird, er, Kafka, sei »mit dem Blick zum Fenster« am Tisch gesessen, sein Gesprächspartner aber links von ihm (T 56). Er mag es als auffällig empfunden haben, daß der Anthroposoph, dessen Weltdeutung so stark vom Licht und seinen Kräften bestimmt war, sich in seinem Hotelzimmer nicht nach diesem orientierte. Unter dieser Perspektive ist es fast selbstverständlich, daß Josef K.s Schreibtisch in seinem Büro so steht, daß er von dort ohne Kopfwendung nach draußen schauen kann (P 113, vgl. F 46).

Und Rotpeter resümiert seine bisherige Entwicklung mit folgenden Worten: »Die Hände in den Hosentaschen, die Weinflasche auf dem Tisch, liege ich halb, halb sitze ich im Schaukelstuhl und schaue aus dem Fenster.« (E 195) Wie für Kafka ist das für den Ich-Erzähler ein Zustand, in dem weder zu Klage noch zu Zufriedenheit Anlaß ist.

Schon sehr früh wurde von der Forschung herausgestellt, daß Szenen in Kafkas Werk, wo Figuren aus dem Fenster sehen, ein Zeichen dafür sind, daß so Agierende die Räume, in denen sie sich aufhalten, als etwas Drückendes empfinden, ohne sie jedoch verlassen zu können (vgl. F. *Martini*, Das Wagnis der Sprache. Interpretation deutscher Prosa von Nietzsche bis Benn, 4. A., Stuttgart [1961], S. 291 ff.).

Besonders häufig taucht das Motiv im *Prozeß* auf, wo es, z. B. in der Szene im Atelier des Malers und am Schluß des Romans, auf die Isolierung der auf der Erzählbühne anwesenden Gestalten vom Gemeinschaftsleben verweist (vgl. K. J. *Fickert*, The Window Metaphor in Kafka's ›Trial‹, in: Monatshefte für deutschen Unterricht 58 [1966], S. 345 ff.). In diesem Punkt sind aber noch differenziertere Aussagen möglich. Jahrelange Gewöhnung an den weiten Ausblick aus seinem Zimmer und optische Sensibilität führten dazu, daß sich Kafka unglücklich fühlte, wenn der ungehinderte Blick unmöglich war: »Ohne freiere Aussicht, ohne die Möglichkeit, ein großes Stück Himmel aus dem Fenster zu sehn und etwa einen Turm in der Ferne, wenn es schon nicht freies Land sein kann, ohne dieses bin ich ein elender, gedrückter Mensch, ich kann zwar nicht angeben, was für ein Teil des Elends dem Zimmer anzurechnen ist, aber es kann nicht wenig sein« (F 630 f.). Schon die Tatsache also, daß im *Prozeß* etwa regelmäßig dieser ins Weiträumige gehende Blick fehlt, hat Zeichencharakter. Von seiner Pension aus sieht K. nur die Häuser der gegenüberliegenden Straßenseite (P 9 u. 266), in den Kanzleien sind nur Dachluken, durch die Ruß hineinfällt (P 86), aus Titorellis Dachfenster kann man nur »das mit Schnee bedeckte Dach des Nachbarhauses« sehen (P 174), und K. ist vor Augen lediglich »ein kleiner, dreieckiger Ausschnitt«, »ein Stück leerer Häusermauer zwischen zwei Geschäftsauslagen.« (P 113) Hier wird ein durchgehender Verweisungszusammenhang sichtbar, der gleichsam sinnlich die Eingesperrtheit K.s, sein Verhaftetsein, sinnfällig macht.

Ein Gegenbeispiel findet sich im *Schloß*. Nach dem Feuerwehrfest glaubt der Vater des Barnabas zunächst, er werde als Berater für die zu erwartende Neuorganisation der Schloßfeuerwehr ausgewählt: »Davon sprach er nun, und wie es so seine liebe Art war, sich bei Tisch recht auszubreiten, saß er da, mit den Armen den halben Tisch umfassend, und wie er aus dem offenen Fenster zum Himmel aufsah, war sein Gesicht so jung und hoffnungsfreudig« (S 293); Stimmungslage und Raum entsprechen sich also, für Kafka so sehr, daß er eine vergleichbare Konstellation auf einem Bild ausdrücklich hervorhebt (T 578, vgl. auch E 25 f.).

Aufgrund der Tatsache, daß sich Kafka durch freie Aussicht ins Weite getragen fühlte (H 301), ist es verständlich, daß es von Gregor Samsa heißt, er habe sich zuweilen, in den Sessel gestemmt, ans Fenster gelehnt, »offenbar nur in irgendeiner Erinnerung an das Befreiende, das früher für ihn darin gelegen war, aus dem Fenster zu schauen«. (E 104) Der Verwandelte ist ja in noch extremerer Weise als Josef K. auf sein Zimmer begrenzt.

Vor allem aber gehen die Erzählfiguren zum Fenster, wenn sie innerlich erregt sind und, der Sammlung bedürftig, sich über eine undurchsichtige Sache Klarheit verschaffen wollen: »Überkommt mich Lust zu Vorwürfen, schaue ich aus dem Fenster«, heißt es in einem kleinen autobiographischen Erzählfragment aus dem Jahr 1910 (T 690). Gregor, noch im Bett liegend und sich daran erin-

nernd, ruhigste Überlegung sei in seiner augenblicklichen Situation das beste, richtet seine Augen möglichst scharf auf das Fenster, findet aber im Anblick des Morgennebels, der sogar die andere Straßenseite verhüllt, wenig Zuversicht und Munterkeit (E 77, vgl. 71), und der Onkel, ungeduldig darüber, daß sein Neffe noch nicht ausgehbereit ist, bleibt hie und da bei seinen Rundgängen durchs Zimmer K.s auch vor dem Fenster stehen (P 116). Der Prokurist selbst wendet sich in allen schwierigen Situationen zum Fenster. War er in der *Prügler*-Szene zunächst nur zum Hoffenster getreten, um die herbeieilenden Diener über die wahre Ursache des Schreis zu täuschen, den der Wächter Franz ausstößt, und um sich in kein Gespräch mit ihnen einlassen zu müssen, so bleibt er später unabhängig von diesen Anlässen dort, um das Geschehene zu überdenken und sich zu beruhigen (P 107 ff.). In dem Fragment *Fahrt zur Mutter* heißt es: »Er trat zum Fenster, um seine Gedanken ein wenig zu sammeln« (P 278), und dies geschieht auch im 7. Kapitel, wo K., nachdem der Fabrikant mit dem Direktor-Stellvertreter in dessen Büro gegangen war, allein zurückbleibt: »Er ging zum Fenster, setzte sich auf die Brüstung, hielt sich mit einer Hand an der Klinke fest und sah auf den Platz hinaus ... Lange saß er so, ohne zu wissen, was ihm eigentlich Sorgen machte ...« Er wäscht sich mit kaltem Wasser und kehrt dann zu seinem Fensterplatz zurück. (P 159) Weitläufige Reflexionen darüber setzen ein, ob die Verteidigung des Falls dem Advokaten entzogen werden soll (vgl. A 33 u. 74 ff.). Ist die innere Verwirrung geringer, genügt es, nur den Blick zum Fenster zu wenden, so als Frau Grubach plötzlich zu weinen anfängt (P 95, zum Motiv vgl. auch T 312 u. H 384). Anregung war Kafka hier gewiß zunächst das beobachtete eigene Verhalten. Am 14. Dezember 1911 beispielsweise notierte er sich im Tagebuch: »Mein Vater machte mir mittags Vorwürfe, weil ich mich nicht um die Fabrik kümmere. Ich erklärte, ich hätte mich beteiligt, weil ich Gewinn erwartete, mitarbeiten könne ich aber nicht, solange ich im Bureau sei. Der Vater zankte weiter, ich stand am Fenster und schwieg.« (T 190) Und an Felice schrieb er im April 1913: »Ich wusch mir heute draußen im dunklen Gang die Hände, da überkam mich irgendwie der Gedanke an Dich so stark, daß ich zum Fenster treten mußte, um wenigstens in dem grauen Himmel Trost zu suchen.« (F 353) Die innere Bewegung, die sich nicht im Gespräch entladen konnte, setzte sich in Motorik und Reflexion um. Ähnlich verhielt sich Kafka, als eines Nachts der erste Blutsturz eintrat. Er berichtet darüber Milena: »Ich stand auf, angeregt wie man durch alles Neue ist ... natürlich auch etwas erschreckt, ging zum Fenster, lehnte mich hinaus, ging zum Waschtisch, ging im Zimmer herum, setzte mich aufs Bett — immerfort Blut.« (M 12, vgl. auch den Parallelbericht O 39) Vielleicht in innerem Zusammenhang mit diesem Sachverhalt steht ein Feuilleton Milenas, in dem sie analoge eigene Erfahrungen beschreibt: »Wie sich ein Seekranker an das Geländer stellt, um mit größerer Fassung das Erbrechen abzuwarten, rührte auch ich mich nicht vom Fenster hinter mir, um zu ihm hinaus mein Leben zu erbrechen falls alles versagen sollte.« Sie begründet diese Aussage mit großer psychologischer Einfühlungsgabe und wacher Beobachtung: »im Augenblick, da du von jemandem, den du liebtest, beleidigt wurdest, im Augenblick, da dir jemand starb, im Augenblick, da du voll Spannung auf einen Brief wartetest, der nicht eintraf, im Augenblick, da du dich schmerzhaft furchtbar schämtest, sahst du nach dem Fenster ... das in die Welt führte. Die Tür ist kein Ausgang, aber das Fenster ist einer. Es war immer der Blick aus dem Fenster, der mich beruhigte, zur Besinnung brachte ...« (M. *Jesenská*, Okno [Fenster], in: *Národní listy* 61, Nr. 265 [27. 9. 1921], S. 1 f.)
Ein gewisses Vorbild für seine Verfahrensweise konnte der Dichter auch bei

Dostojewski und in Kleists *Michael Kohlhaas* finden, seinem Lieblingswerk, das er bis Anfang 1913 wohl schon zehnmal, darunter öffentlich, gelesen hatte (F 291 u. T 291). So tritt dort der Kurfürst von Sachsen erregt und verlegen ans Fenster, als Christiern von Meißen darstellt, daß der Kämmerer des Herrschers selbst parteiisch in die Angelegenheiten des Pferdehändlers verwickelt ist. Und als der Freiherr von Wenk, ein Bekannter des Kämmerers, der ihn beauftragt hatte, Kohlhaas zur Identifizierung seiner Pferde holen zu lassen, vom Großkanzler über die Rechtslage belehrt wird, wendet er sich, über das ganze Gesicht rot, gleichfalls zum Fenster, um seines Unmuts und seiner Befangenheit Herr zu werden. (H. v. *Kleist*, Sämtliche Werke und Briefe, Bd. 2, S. 51 u. 61)

114 FK 41, P 143 (wo über die Auskunftwilligkeit der Beamten gesagt wird: »das, was sie zwischen vier Augen gesagt haben, ist eben auch nur zwischen vier Augen gesagt« und läßt keine öffentliche Folgerung zu), S 480 (K. will ein Gespräch mit Klamm erreichen, »das jedenfalls nur zwischen vier Augen geführt werden müßte«), A 205 u. H 214, vgl. S. 246 f. dieser Arbeit, T 461 u. F 135. Es ist abwegig, wenn J. *Kobs* (»Kafka. Untersuchungen zu Bewußtsein und Sprache seiner Gestalten«, hg. v. U. *Brech*, Bad Homburg v. d. H. [1970], S. 399) in der Nachfolge H. *Brinkmanns* (»Die deutsche Sprache. Gestalt und Leistung«, Düsseldorf [1962], S. 204 f.) die Auffassung vertritt, der Präposition »zwischen« eigne »stets« das Moment des Trennenden. (»Wer zwischen zwei Lagern steht, wer sich zwischen zwei Stühle gesetzt hat, befindet sich in einer fatalen Isolierung.«) Das einigende Band zwischen Figuren müsse dagegen durch die Präposition »unter« zum Ausdruck gebracht werden. Kobs meint deswegen, Karl Roßmann, der im *Heizer* einmal zwischen Onkel und Kapitän steht (A 41, vgl. S. 257 ff. dieser Arbeit), dränge sich störend in die unausgesprochene Übereinstimmung der beiden Genannten ein.

Dagegen muß betont werden, daß Kafka etwa bezüglich der Augen beide Präpositionen gebraucht, »unter vier Augen« noch zweimal im *Prozeß* (P 113 u. 168), in der *Verwandlung* sogar in einem Sinne, der nach Kobs und Brinkmann eindeutig »zwischen« forderte (der Prokurist ruft mit erhobener Stimme: »Ich hatte ursprünglich die Absicht, Ihnen das alles unter vier Augen zu sagen, aber da Sie mich hier nutzlos meine Zeit versäumen lassen, weiß ich nicht, warum es nicht auch Ihre Herren Eltern erfahren sollen« – E 82). Andererseits betont die Stelle aus dem *Schloß*, trotz der Verwendung von »zwischen«, gerade die vertrauliche Übereinstimmung der beiden Gesprächspartner. Außerdem ist bei einer »zwischen« vier Augen geführten Auseinandersetzung gar nicht die Situation gegeben, daß der durch diese Präposition Lokalisierte eine von zwei sich gegenüberstehenden Partnern isolierte Mittelstellung einnimmt.

115 S 56 f. u. 156, vgl. 383.

116 Vgl. F 107, 142, 153, 164, 607, E 135, 177, Br 108, 411 u. M 119.
Natürlich ist auch im Bereich der Gestik zu beobachten, daß starre Formelhaftigkeit vermieden und die ursprüngliche Bildhaftigkeit der Wendungen artikuliert wird. Dafür ein instruktives Beispiel. In einem Brief an Felice berichtet Kafka, er habe an der Frau Max Brods die Kostbarkeit eines Schmuckstücks bewundert: »Sie antwortete mit wegwerfender Handbewegung: ›Aber es ist ja billig wie alles.‹« (F 431) Diese Handgeste findet sich auch im *Heizer*. Auf die Frage der Titelfigur, warum er denn nach Amerika habe fahren müssen, erwidert Karl: »›Ach was!‹ ... und warf jetzt die ganze Geschichte mit der Hand weg.« (A 13) Die in dieser Formulierung zum Ausdruck kommende »Auffrischung« der Floskel muß Max Brod beeindruckt haben, denn er verwendet sie einmal in seinem Roman *Tycho Brahes Weg zu Gott*: Als Kepler seinem Gastgeber

Tycho gegenüber sich für die Unruhe, die sein Auftreten verursacht habe, entschuldigt und dabei auch erwähnt, Tengnagel, der Verehrer einer der Töchter Tychos, habe das Haus verlassen, wird ihm folgende Entgegnung zuteil:»›Um so besser‹, rief Tycho und warf die ganze Geschichte mit einer Handbewegung weg.« (16.–25. Tsd., Leipzig 1917, S. 114)

117 Vgl. oben S. 102 f. u. u. S. 180.

118 F 681, vgl. 55 ff., 107, 209, T 407 (»Sie fährt mit den Händen in die Haare«), 438 (»ich denke an meinen Widerwillen bei ihrem Anblick ... als sie ... mit der Hand ... in die Haare fuhr«), A 135 (Von der Oberköchin heißt es: »Dabei arbeitete sie fortwährend mit der Haarnadel in ihrer Frisur herum«), 209 (über Therese: »... die wie gebannt den Oberkellner anstarrte und immer wieder entweder irgendwelche Haare aus der Stirn strich oder diese Handbewegung um ihrer selbst willen machte«) u. 128 (über die Kellnerin in dem kleinen Wirtshaus, wo Karl mit den Vagabunden übernachtet:»Ihr Haar ging ihr von den Seiten ein wenig lose in Stirn und Wangen, und sie strich es immer wieder zurück, indem sie mit den Händen darunter hinfuhr«). Vgl. Anm. I, 242. Vgl. auch die Deutung, die E. *Canetti* dem Brief zuteil werden läßt, in dem Kafka ausführlich die Details ausbreitet, die er vom ersten Zusammentreffen mit Felice erinnert. Obwohl der Verfasser nicht auf die entscheidende Bedeutung der mimisch-gestischen Phänomene eingeht, bestätigt seine Auffassung das im Text Ausgeführte:»Im Ganzen bekommt man von Felice das Bild einer bestimmten Person, die sich rasch und offen zu den verschiedensten Menschen stellt und sich ohne Stockungen über alles Mögliche äußert.« (»Der andere Prozeß. Kafkas Briefe an Felice«, [München 1969], S. 15)

119 F 235.

120 F 78 u. 127, vgl. 557 u. 219 (s. auch 303).

121 Vgl. E 165 ff., 172 ff., T 169, 369 u. S. 158 ff., 308 ff. u. 399 ff. dieser Arbeit.

122 P 221 (vgl. 68 u. 241) u. B 111 (vgl. P 250).

123 H 265, vgl. T 590, F 382 u. A 77; S 279 u. 450, vgl. F 237.

124 A 198, vgl. S 372, 388, A 253, 255 u. 278; P 130, 199, 237, S 203, H 64 f., Br 108, F 220 u. 357.

125 M 144, vgl. Br 323, F 76, 280, 456, 517, E 173, H 53 (= 119). Eine Analogie aus dem Bereich der Gestik wäre die Metaphorik der Schritte:»Woher ist das alles eingebrochen zwischen uns? Man sieht ja kaum einen Schritt weit.« (M 185) »Da schrie der Geistliche zu K. hinunter: ›Siehst du denn nicht zwei Schritte weit?‹« (P 254) »K. glaubte, die kleinen Schritte zu sehen, mit denen die Besucher zu dem gewaltigen Schreibtisch vorrückten.« (P 130) »Und dieses Stärkerwerden scheint ein Näherkommen, noch viel deutlicher als man das Stärkerwerden hört, sieht man förmlich den Schritt, mit dem es näher kommt.« (B 209) »Die Menschengeschichte ist die Sekunde zwischen zwei Schritten eines Wanderers.« (H 74)

126 Vgl. H 367, Br 95, F 191, M 21, 162, F 263, B 250, 209, 289, 92, M 199, 246 (=H 335); B 112, A 19, S 145, H 323, Br 304 u. F 244.

127 F 208, 252, 299, 659, Br 25, 76, 226, 369, T 216 f., 296 f., 339, 580, H 431, E 314 u. 315.

128 S 278, 287, 149, 131 u. 184.

129 S 361, 371 u. 468, vgl. auch S. 283 f. dieser Arbeit.

130 Vgl. z. B. E 72 f. u. 83, wo Gregors innere Verfassung durch die Art seiner Rede und bestimmte Assoziationsabläufe seiner Reflexionen veranschaulicht wird. Im Grunde genommen ist der ganze zweite Teil der Erzählung *Der Bau* auf diesem Prinzip aufgebaut. Die Überlegungen des Tieres, das nach und nach verschiedene Hypothesen über das von ihm wahrgenommene unbekannte Geräusch aufstellt, versinnbildlichen nichts weiter als dessen ungeheure Angst

vor einem übermächtigen Gegner. Die »Hilfskonstruktionen« (Br 224) des Ich-Erzählers werden vom Leser sofort als physikalisch unmöglich und damit als Selbstschutzmechanismen erkannt, die im Verlauf des dargestellten Prozesses allmählicher Selbsterkenntnis immer mehr zurückgenommen und der schrecklichen Wahrheit Schritt für Schritt angenähert werden. Der Hauptfigur selber bleibt dieser Vorgang verborgen, zumindest findet sich in den Inhalten seines Denkens kein Hinweis, daß sie darum weiß (vgl. B 197 ff.).

131 F 276 u. 263, vgl. 136, 593, Br 22, 42 u. T 134 f.

132 F 432 u. 468.

133 Vgl. z. B. F 121 (»Ich kann gar nicht genug Dinge in die Hand bekommen, die Du in der Hand gehalten hast und kann Dir gar nicht genug Dinge schicken, die mich etwas angingen«), 151 u. M 127.

134 F 279, 191, 268 u. M 133.

135 E 160, B 191, H 160, P 62, vgl. S 403 u. F 652.

136 Belege Anm. II, 107.

137 F 140 u. Br 26, vgl. F 135 (dazu auch M 133).

138 Be 124, vgl. F 573, 584 u. S. 243 ff. dieser Arbeit.

139 M 136 u. 260, vgl. 90 (auch 35), 135, 214, 47 f. u. S 218.

140 F 111 (»mein Zimmer ist ein Durchgangszimmer oder besser eine Verbindungsstraße zwischen dem Wohnzimmer und dem Schlafzimmer der Eltern«) u. Br 43 (». . . ohne mich aufrechtzusetzen sehe ich vom Bett aus das Belvedere«; dies ist nur möglich, wenn die Schlafstelle in der behaupteten Weise im Zimmer steht, vgl. auch Anm. II, 113).

141 K. *Krolop*, Zu den Erinnerungen Anna Lichtensterns an Franz Kafka, S. 37 f.

142 Vgl. E 74 f., 100, 130, 73, 127 u. 102, Zitate: 80 u. 95.

143 Vgl. E 107, 104, 84, 75 u. 115, Zitat: 116.

144 Vgl. z. B. A 37, 285, 288 u. 295.

145 Vgl. A 17, 38, 77, 135, 246 u. 317.

146 Vgl. E 87, 91, 92 f., 109 u. 113 (vgl. F 163 u. M 55), Zitat: 114.

147 Vgl. E 115, 91, 119 (». . . daß immer gegen Abend die Wohnzimmertür, die er schon ein bis zwei Stunden vorher scharf zu beobachten pflegte, geöffnet wurde, so daß er, im Dunkel seines Zimmers liegend, vom Wohnzimmer aus unsichtbar, die ganze Familie beim beleuchteten Tische sehen und ihre Reden . . . anhören durfte«), Br 136 (»Wenn ich für eine Illustration selbst Vorschläge machen dürfte, würde ich Szenen wählen, wie: die Eltern und der Prokurist vor der geschlossenen Tür oder noch besser die Eltern und die Schwester im beleuchteten Zimmer, während die Tür zum ganz finsteren Nebenzimmer offensteht«), T 241 (». . . in meinem Zimmer schlief ich. Die Tür dieses Zimmers war aus Rücksicht auf mein Alter geschlossen. Außerdem war durch die offene Tür angedeutet, daß man Felix noch zur Familie heranlocken wollte, während ich schon abgeschieden war«) u. 115 (». . . wie die Mutter trösten kann, wenn sie zum Beispiel aus dem beleuchteten Wohnzimmer in die Dämmerung des Krankenzimmers kommt«).

148 E 119 f., F 85 (Kafka am 11. 11. 1912 über seine Mutter: »sie ist den ganzen Tag im Geschäft, schon seit 30 Jahren jeden Tag«), 193 (»So habe ich sehr lange allein gelebt und mich mit Ammen, alten Kindermädchen, bissigen Köchinnen, traurigen Gouvernanten herumgeschlagen, denn meine Eltern waren doch immerfort im Geschäft«), T 35 u. 169 f.

149 E 127, 128 u. 137.

150 E 132, 89 f., 127 f., 90, 72 f. u. 122; vgl. auch K. *Sparks*, Drei schwarze Kaninchen: Zu einer Deutung der Zimmerherren in Kafkas »Die Verwandlung«, in: Zeitschrift für deutsche Philologie 84 (1965), Sonderheft »Moderne Dichtung«, bes. S 76 f.

151 E 128 u. 130, Zitat: T 399, vgl. E 154, 219 u. Br 139.

152 E 133, 134 f., 138 u. 139.

153 E 139 u. 141, vgl. 140, 79 u. 82.

154 R. *Baumann*, Studien zur Erzählkunst Heinrich von Kleists, S. 47.

155 K. H. *Ruhleder*, Die theologische Dreizeitenlehre in Franz Kafkas »Die Verwandlung«, in: Literatur in Wissenschaft und Unterricht 4 (1971), S. 108, vgl. 107.

156 E 87, zur Bitthaltung vgl. S. 251 dieser Arbeit, s. auch P 127 u. T 101 Z. 24 ff.

157 Belege zur geballten Faust S. 245 f. u. Anm. II, 379 dieser Arbeit.

158 P 61, vgl. 311, E 203, 229, A 279, 294 u. H 288.

159 H 57 u. S 259, vgl. 148.

160 P 229 u. M. *Pasley*, Franz Kafka Mss: Description and select inedita, in: Modern Language Review 57 (1962), S. 57, vgl. E 151, H 155, F 498, 426 (vgl. 456, Br 247 f. u. T 289) u. M 159.

161 F 196, 235, 553 f., 647, 663, T 505 u. K. *Wagenbach*, Franz Kafka. In Selbstzeugnissen und Bilddokumenten, (Reinbek 1964), S. 101 (»Aber schön der Blick ihrer besänftigten Augen, das Sichöffnen frauenhafter Tiefe«).

162 F 365 (vgl. 84, 86, 97 u. 487), 370 u. 46, vgl. 87 (s. auch 126, 136, 139, 138, 164 u. 656), 43, 47, 51, 65 u. 76.

163 G. *Janouch* erzählte Kafka einmal von Ausflügen als Kind: »Das Fräulein trug braune, schon etwas altersmürbe Glacéhandschuhe ... Ihre Berührung verursachte mir immer ein lustvolles Frösteln im Rücken. Deshalb bettelte ich vor jedem Spaziergang: ›Bitte, Fräulein, nehmen Sie Ihre alten Glacéhandschuhe. Da ist das Bei-der-Hand-Halten ein Streicheln.‹ – Als ich das zum erstenmal sagte, lachte das Fräulein: ›Du bist ein Genießer!‹ – Und das war ich auch. Ich habe später nie mehr so eine tiefe Lust und Freude erlebt wie damals, als ich an der Hand des Kinderfräuleins im Stadtpark die Enten füttern durfte.« (»Gespräche mit Kafka«, S. 169), vgl. H 166.

164 F 317, 418, 424, 448; E 185, F 565, 592, Br 279 u. 442; F 220, 224, vgl. 202 u. S. 242 ff. dieser Arbeit.

165 Br 122, vgl. M 149, 182, T 311 u. 315.

166 A 266, 18 u. P 73, vgl. 133, M 93, S 355, F 210, H 260, S 469, 186, F 190 u. M 66 f. (»Meine Geliebte ist eine Feuersäule, die über die Erde zieht. Jetzt hält sie mich umschlossen«); Taille als Metapher: T 614.

167 F 95 u. 352, vgl. 520 u. 565. Im Beziehungsgrad zwischen den beiden Körperzuordnungen liegt das koordinierte Beieinanderstehen. So schreibt Kafka in Bezug auf ein früheres Liebeserlebnis Felicens: »Liebste, hätte ich Dich doch damals gekannt! Wir wären nicht so weit von einander entfernt, glaube ich. Wir würden an einem Tische sitzen, aus einem Fenster auf die Gasse sehn.« (F 196) Es ist also gewiß kein Zufall, wenn es im *Verschollenen* über die gegenseitige Stellung der Gesprächspartner heißt, als die Sekretärin der Oberköchin ihrem Freund vom Tode der Mutter erzählt: »Karl stand neben ihr beim Fenster und sah auf die Straße« (A 170). Daß eine den bloß äußeren und äußerlichen Tatbestand übergreifende Denkvorstellung solchen Aussagen zugrunde liegt, beweist auch folgendes Zitat: »Du würdest also mitfahren, wir wären dort beisammen, wir würden nebeneinander am Geländer des Meeres stehn, nebeneinander auf einer Bank unter Palmen sitzen, alles was geschehen würde, wäre ein ›Nebeneinander‹.« (F 308)

168 Vgl. Br 143 (»Auf dem Rückweg treffen wir zwei andere Juden ... sie gehn wie Verliebte neben einander, schauen einander freundlich an und lächeln ... Fest Arm in Arm«), P 287 (»Wenn er sich nicht getäuscht habe, so sei K. Arm in Arm mit dem Staatsanwalt Hasterer gegangen«), F 508 (»wir gehen eingehängt durch alle Gassen wie die glücklichsten Verlobten«, vgl. T 366 u. 422),

E 139 (»Grete drückte bisweilen ihr Gesicht an den Arm des Vaters«), 113 (»Grete hatte den Arm um die Mutter gelegt und trug sie fast«), A 74 (»›Sehen Sie nur das Mädchen an, wie traurig es ist‹, fuhr er fort und griff Klara unters Kinn… Vergebens suchte sich Karl das Benehmen Herrn Pollunders zu erklären. Der… duldete… daß Green, dieser alte, ausgepichte New Yorker Junggeselle, mit deutlicher Absicht Klara berührte…«), T 470 f. (»Das alte Ehepaar, das unter Tränen Abschied nimmt… Familienmäßiges Verhalten ohne Rücksicht auf die Umgebung. So geht es in allen Schlafzimmern zu… Greift in wehmütigem Schmerz der alten Frau ans Kinn. Was für eine Zauberei darin liegt, wenn einer alten Frau unter das Kinn gegriffen wird«); vgl. (Arm in Arm) Br 143, H 260 f., M 94, F 176 u. 450.

169 Vgl. M 98, 147 u. 212 f. mit 88, 114 u. 223 f.

170 F 66, M 31, vgl. S. 265 ff. u. 308 ff. dieser Arbeit.

171 M 23 (vgl. 14 u. 21), 42, 117, 36 (vgl. 253), 44 u. 60.

172 M 92 (vgl. 97 u. 227), vgl. M 102, 148, 163 u. 234.

173 Zu diesem Punkt vgl. auch meinen Aufsatz »Kafka und seine Schwester Ottla«, S. 419 ff.

174 P 36 u. 38 f., vgl. E 299, T 615, F 182 (»Die Hand an der Hüfte, die Hand an der Schläfe, das ist Leben«)u.Anm. II, 187.

175 E 130 (vgl. 97, F 102, 113, 208, 351 f. u. T 366) u. P 38 (vgl. 35 ff. u. Anm. II, 167), vgl. F 226.

176 P 42 (vgl. 38 u. 40) u. 41 (vgl. 42).

177 S 177, vgl. 112, P 163, 211, 251, 253, A 27, 208; E 139, B 116, A 222; S 49, 75, 80, 145, 210, T 142 u. 469.

178 Vgl. P 323 u. »Franz Kafka (1883–1924). Manuskripte. Erstdrucke. Dokumente. Photographien«, (Berlin) 1966, S. 70, wo eine Seite aus dem Prozeß-Manuskript faksimiliert ist, auf der die genannten Initialen zu finden sind.

179 Zuerst durch M. Brod (vgl. FK 130 f.).

180 P 35 u. F 56, vgl. 52: »Sie schreiben mir von Ihren Theaterbesuchen und das interessiert mich sehr, denn erstens sitzen Sie dort in Berlin an der Quelle aller Theaterereignisse, zweitens wählen Sie Ihre Theaterbesuche schön aus… und drittens weiß ich selbst vom Theater nicht das geringste. Aber was hilft mir dann wieder die Kenntnis Ihrer Theaterbesuche, wenn ich nicht alles weiß, was vorherging und was folgte…«
Außerdem läßt sich erschließen, daß Felice beim ersten Zusammentreffen mit Kafka eine weiße Bluse trug. F 210: »Du hast doch, Liebste, Deiner Schwester nicht am Ende jene Bluse geschenkt, die Du damals in Prag getragen hast?« F 209: »die Bluse in Prag war doch weiß« (vgl. 163 u. 219).
Entsprechendes hat man wohl auch von Fräulein Bürstner anzunehmen, denn an dem Morgen, an dem K. verhaftet wird, hängt am offenen Fenster ihres Zimmers eine weiße Bluse (P 19 u. 39), die das Fräulein gewiß am Vorabend während ihres Theaterbesuchs anhatte und jetzt gelüftet wird.
Außerdem wird erwähnt, Fräulein Bürstner habe einen »kleinen, aber mit einer Überfülle von Blumen geschmückten Hut« getragen (P 36). Felicens Kopfbedeckung scheint zwar an jenem ersten gemeinsamen Abend von anderer Art gewesen zu sein, nämlich groß, unten schwarz und oben weiß (F 59 f. u. 64), doch besaß sie auch einen Hut, dessen Oberseite von einem auffälligen Gebinde geziert war (vgl. die Abb. gegenüber F 177).
Schließlich sei darauf verwiesen, daß die K. widerwillig und fast unwissentlich zum Küssen überlassene Hand des Fräuleins in einem Bild seine genaue Entsprechung hat, mit dem der Dichter am 1. 4. 1913 sein Verhältnis zu Felice zu beschreiben sucht: »Daß ich im günstigsten Falle darauf beschränkt bleiben werde, wie ein besinnungslos treuer Hund Deine zerstreut mir überlassene

Hand zu küssen, was kein Liebeszeichen sein wird, sondern nur ein Zeichen der Verzweiflung des zur Stummheit und ewigen Entfernung verurteilten Tieres.« (F 351 f., vgl. P 42: »K.... küßte sie auf den Mund und dann über das ganze Gesicht, wie ein durstiges Tier mit der Zunge über das endlich gefundene Quellwasser hinjagt.«)

181 Vgl. F 56 ff., 382; Kafka bekam Felicens ersten Brief am 28. 9. 1912, den zweiten erst am 23. des Folgemonats (vgl. F 44 ff.), vgl. F 466 f.

182 P 39.

183 Vgl. meinen Aufsatz »Kafkas literarische Urteile«, S. 227 ff.

184 F 56 u. P 42.

185 F 615.

186 F 514 (vgl. T 438, F 382, 510) u. F 182 (vgl. T 366).

187 F 182 (vgl. T 469: »sie bleich, nicht ganz jung, fast hohlwangig, oft die Hand an die vom Rock gepreßten Hüften«, Br 144: »Der Anblick seines Rückens, der Anblick der Hand, die auf der Hüfte liegt, der Anblick der Wendung dieses breiten Rückens – alles das gibt Vertrauen«, ein Brief Kafkas an seine Schwester Ottla aus Meran: »Er ist 63 Jahre alt, hat aber eine so schlanke, straffe, beherrschte Gestalt, daß er z. B. im Halbdunkel des Gartens, im kurzen Überzieher, die eine Hand an der Hüfte, die andere mit der Zigarette am Mund, wie ein junger Wiener Lieutenant aus den alten österreichischen Zeiten aussieht« [O 91], M. *Brod*, Der Sommer, den man zurückwünscht. Roman aus jungen Jahren, [Zürich 1952], S. 188: »... die Hände in die Hüften gestützt, in den unbezweifelbar festen Erdboden eingepflanzt«, H. *Strehle*, Analyse des Gebarens, der über den Hüftstütz S. 135 sagt: »Auch ihm entspricht der Wunsch nach Festigung. Andern Menschen gegenüber bedeutet er, daß man sich in einen Zustand erhöhter Widerstandsfähigkeit versetzt hat und bereit ist, sich mit ihnen auseinanderzusetzen« u. P 23) u. P 38 f.; vgl. auch die Beschreibung der Photographie Elsas (P 133 f.); vgl. Anm. I, 122 u. II, 174.

188 Vgl. z. B. F 352, 624; 91 u. 155 (vgl. M 71).

189 P 66, vgl. 132 u. T 152.

190 P 67, vgl. 68 f. mit 71 Z. 26 f., 72 u. 74. Beim erotischen Blick wird das Oberlid aktiv gesenkt, »indem der Augapfel mit der Regenbogenhaut überstark von oben her überdeckt wird. Das ist am ersten dann möglich, wenn das Auge nach oben blickt.« (K. *Leonhard*, Ausdruckssprache der Seele. Darstellung der Mimik, Gestik u. Phonik des Menschen, Berlin, Tübingen [1949], S. 230 f.), vgl. auch T 60 Z. 21 ff.

191 P 122, 123 u. 130 ff.

192 Vgl. M 182 f., T 183, 69, 72, F 387 f.

193 Vgl. FK 104 u. M. *Brod*, Der Prager Kreis, Bildseite gegenüber S. 49.

194 H 303, Br 419; F 48, 481, 593, T 535 u. 633; A 40, S 16, 40, 58, 36, 174, Zitat: A 19.

195 P 102, 157, 300, S 143, 452, Be 104, E 89 u. 206, vgl. A 238.

196 T 426, H 60, 140, 336, A 91, 115, S 146, 454, P 48, 52, 167, 220 u. 292.

197 S 183, 193, 207, 244 ff., P 167 f., A 77, 91, 157 u. 160.

198 A 37, 42, 102, 157, 319, 345, P 14, 79, 126, 182, 204, S 413, B 227 u. H 395; es kommt kommt selten vor, daß Kafka zunächst eine Blickzuwendung beschreibt, die dann von der betreffenden Erzählfigur wieder aufgehoben wird (vgl. z. B. H 66 u. S 405).

199 S 418 u. 443, vgl. 17, 126, 159, 461, A 214, P 177, 253, E 61, 139, 225, H 8, 308, 321 u. 357.

200 P 12, 24, 71, 95, 135, 157, 287, A 224, E 12, 64, 134, 210, B 284, T 193, 344; F 128, E 63, P 42, 155, 203, 245, S 278, H 381 u. 385. Zur Blickverweigerung, die in Selbstsicherheit gründet, vgl. Anm. III, 117, zum pointierten Ansehen

nach vorherigem Vor-sich-Hinschauen T 183: »Nach Verlegenheiten im Gespräch bedeutet ein freies Heben des Kopfes, daß ein Ausweg gefunden ist.«

201 K. *Leonhard,* Ausdruckssprache der Seele, S. 274 f., vgl. A 235, P 158, S 6 u. 381.
202 K. *Leonhard,* Ausdruckssprache der Seele, S. 286 f., H. *Strehle,* Mienen, Gesten und Gebärden. Analyse des Gebarens, München, Basel 1954, S. 121 f. u. H. *Strehle,* Analyse des Gebarens. Erforschung des Ausdrucks der Körperbewegung, Berlin 1935, S. 113: »Sich so weit aufzudecken, ist man nur bereit, wenn man nichts zu verheimlichen hat.«
203 T 135, 286, 612, 638, F 415 u. 432.
204 E 113, T 388, A 193, 263, 335, P 36, 167, H 160, 226, 282, 290, 373; vgl. F 231 mit A 302.
205 M 129, vgl. Br 107, F 292, T 135, 147 u. 590; M 107 u. H 47 (=327).
206 S 246 u. E 142; E 180, 182 f. u. P 59; H 149, 406, P 14 u. 304; E 178 u. P 299; T 111, 133 ff. u. 147 f.
207 M. *Pasley,* Asceticism and Cannibalism. Notes on an unpublished Kafka Text, in: Oxford German Studies 1 (1966), S. 104 f.
208 A 266, 276, 300, P 170, S 56, E 200, H 422, Br 329, T 344, 391, 414, vgl. 519 u. 572.
209 A 42, P 14, 133, 219, S 20, B 154, H 321 u. F 347, vgl. T 67 u. 327.
210 A 285, S 504 u. H 374; A 143, E 89, vgl. T 659.
211 T 133 u. H 68; A 105, P 38, 130, S 203, E 138, B 330, vgl. 158, A 14 u. H 364.
212 T 56, 179, F 195, Br 278, vgl. 279, S 145 u. 157.
213 S 452.
214 A 24, 148, 195, 244, P 32, 84, 126, 175, 181, 218, 230, S 167, 202, H 143, 148 u. 383, vgl. L 35 u. A 47.
215 T 202, H 354, P 56, S 127, 57 (vgl. E 210) u. K. *Leonhard,* Ausdruckssprache der Seele, S. 253.
216 F 718, vgl. 163 f.
217 Vgl. K 215 f.
218 P 11 u. 241 (vgl. S 91), vgl. A 28 u. E 120.
219 A 77, vgl. P 162 u. E 209 f.
220 T 40, M 181, P 102, 123 u. B 153.
221 A 309, S 239, E 59, 145 u. 192.
222 S 54 (vgl. 5, 30 u. 39) u. 320 (vgl. 321, 285, 260, 261 f.).
223 S 174, 322 f., Zitat: 150.
224 F 514 (vgl. 276, M 139, S 306; E 10 u. T 392) u. P 278; vgl. auch A 138 u. E 43.
225 P 133 f., F 164, 163 (vgl. 150 u. 235) u. 208 (vgl. 141 u. M 132). Th. W. *Adorno* deutet die in Kafkas Werk vorkommenden Photographien richtig als erstarrte Momentaufnahme, verewigte Gestik. (»Aufzeichnungen zu Kafka«, in: Prismen. Kulturkritik und Gesellschaft, Berlin, Frankfurt/M. [1955], S. 333)
226 A 117 f. (der Zusammenhang mit den Lebenszeugnissen wird auch herausgestellt von H. C. *Buch, Ut pictura poesis,* S. 226), 31, 37, 38 u. 80, vgl. 82, 148, 156, 160 u. 159. Zum Motiv des Würgens vgl. auch H 329 (»Alles fühlt den Griff am Hals«) u. M 113 (über die Angst Kafkas: »ihre innern Gesetze kenne ich nicht, nur ihre Hand an meiner Gurgel kenne ich und das ist wirklich das *Schrecklichste, was ich jemals erlebt habe oder erleben könnte«).*
227 A 157, vgl. M 149, 180 ff. u. T 325 Z. 21 ff.
228 A 154 u. 138, vgl. 119 f., 145 ff., 150, 230, 240 u. 76.
229 A 47, 144 u. 243.
230 A 76.
231 A 170, 38, 36, 118, 15, 171, 175, 173, 174, 15, Zitate: A 118 u. 51.
232 K. *Leonhard,* Ausdruckssprache der Seele, S. 227 f. u. 267.

233 A 32, 220, P 158, S 155 u. 192; A 60, 322, 341, P 23, 73, 170, 203 u. T 372; E 92,
   P 60 u. S 34; A 92, P 234, vgl. 238, A 135 u. P 102.
234 E 136, vgl. F 554, A 252, P 219, S 159 u. 291.
235 P 20 u. 23, vgl. Br 397, T 569, F 208, H 73, E 145, 241 u. P 235; A 300, E 219
   u. S 35, Zitat: 355.
236 S 274, P 90, S 355, F 308 (vgl. 513 f. u. T 161) u. E 218.
237 P 219 u. S 145, vgl. H 250, Br 84 u. M 181; T 301 u. F 278; B 183, 330 u.
   P 287, vgl. T 179, A 211 u. 251; Be 132, T 109 f., 147, 468, vgl. 666; A 291 u.
   S 130, vgl. H 399.
238 F 559 f. u. T 325.
239 P 63, 157, Br 415 (vgl. 342 ff.) u. P 158.
240 E 9, T 40, 101, A 44, 239 u. H 28, vgl. S 45 u. F 414.
241 A 137, P 29, 127, 128, 250, 271, E 165 u. B 100, vgl. 111 u. H 341.
242 E 136, S 87, 35 u. 64, vgl. 69.
243 S 161 u. 294.
244 A 68, P 94, vgl. A 21, 236, B 158, S 45, P 55 u. 235, vgl. 53 u. F 524.
245 A 294, 296, P 84, 218, 249, S 67, 284, H 148 u. 353.
246 A 12, 201, 215, P 204, 245, 267, S 49, 52 u. 79, vgl. H 40 u. 390; A 309, P 27,
   35, 159, 270, S 53, 156, 406, E 91, T 503 u. H 21, Zitat: S 13 (Gardena bekennt
   später, sie habe ihrem Mann gesagt, er solle sich von K. fernhalten − S 78).
247 E 219, vgl. 139, 216, A 337 (auch 122), S 177, 510, B 287, T 15, 289, 299, 438
   u. F 576; K. *Leonhard*, Ausdruckssprache der Seele, S. 249.
248 B 270.
249 B 328, vgl. T 369 f. u. S 293, vgl. P 310, Br 326 u. Anm. II, 268.
250 Be 62, S 77, E 181, T 9, 373, 617, Br 177, 220 (vgl. H 79) u. 262.
251 A 144, 324, P 62, S 384, Be 36, B 134, E 43, 274, H 31, 82 u. 243, vgl. F 116 u.
   223.
252 A 16, 151, 289, P 71, 181, S 152, 403, 499, E 167, 199 u. T 335, vgl. 203 u. B 154.
253 P 48, vgl. 25 u. H 286; P 167 u. S 173; P 162 u. S 499; P 175, 176 u. S 12 f.;
   P 157, 161 u. S 397 ff., vgl. 56; P 14, 181 u. S 403, vgl. F 108; P 75, 248 u. S 355.
254 A 321, P 248 u. S 353, vgl. M 133.
255 A 9, E 165, H 35, 416 u. T 339; A 49, B 131, M 267, T 336, Br 27, 187, F 99,
   427, 486, P 295, 291 u. A 317. Gern wird auch betont, wie die Art des Blicks
   durch die Beschaffenheit der beobachteten Objekte modifiziert wird: A 25, 49,
   124, P 199, 229, H 27 u. T 614.
256 F 248 u. E 175, vgl. P 163, 211, 253, A 27, E 157, T 403, auch B 172; K. *Leonhard*, Ausdruckssprache der Seele, S. 299 u. H. *Strehle*, Analyse des Gebarens,
   S. 118 u. 120.
257 T 142 (vgl. 264 u. 469), S 210 u. 209; K. *Leonhard*, Ausdruckssprache der Seele,
   S. 305 u. H. *Strehle*, Analyse des Gebarens, S. 117.
258 S 80 (vgl. 75) u. 200.
259 T 383, vgl. K. *Leonhard*, Ausdruckssprache der Seele, S. 244 f.
260 A 222 (vgl. 208), P 193, 251, 292, E 95, 139, 199, 219, 255 (vgl. 132) u. T 509.
261 A 24, H 320 f., 355, 359, T 253, 299, 371 u. 469, vgl. 307.
262 P 282, S 40, H 159, A 74, S 174, E 222, S 418, H 250, P 138 u. H 148.
263 T 403.
264 A 182, 311, P 294, B 287 u. H 273.
265 E 91, A 193 u. S 163, vgl. A 207, 321, H 14, 57, 60 u. T 276; vgl. auch H.
   Strehle, Analyse des Gebarens, S. 120.
266 F 382, T 183, P 179 u. E 177. Dazu jetzt auch G. *Deleuze*/F. *Guattari*, Kafka.
   Für eine kleine Literatur, (Frankfurt/M. 1976), S. 7 ff.
267 H. *Strehle*, Analyse des Gebarens, S. 111 f.
268 P 294, H 296 u. T 285, vgl. Anm. II, 118 u. K. *Leonhard*, Ausdruckssprache der

Seele, S. 246: »Wenn der Mensch einen Gedanken oder ein Erlebnis hat, das ein freudiges Gefühl mit sich bringt, dann gehen seine *Augen nach oben*«. S. a. o. S. 102 f. u. 144.

269 S 158 u. 174 (vgl. K. *Leonhard, Ausdruckssprache der Seele*, S. 287 f. u. H. *Strehle, Analyse des Gebarens*, S. 114), Zitate: S 165, A 337 (vgl. S 77, 221, auch 170 u. 499; I. *Eibl-Eibesfeldt*, Grundriß der vergleichenden Verhaltensforschung, 2. A., München [1969], S. 415 ff.) u. Be 112 (vgl. H. *Strehle, Analyse des Gebarens*, S. 116).

270 T 342, vgl. T 26, 126 (auch 105, H 232 u. E 163), M 125, Br 119, *Janouch*, Gespräche mit Kafka, S. 33, 46, 68, 79, 185 u. M 141. Auf einer Zeichnung, Karrikatur seines Vaters, hat Kafka die Brauen auffällig hervorgehoben (vgl. FK 397).

271 K. *Leonhard, Ausdruckssprache der Seele*, S. 35 ff.

272 P 54 u. S 273.

273 H 22, P 178 u. A 43, vgl. K. *Leonhard, Ausdruckssprache der Seele*, S. 216.

274 F 167, T 484 f., H 249 u. A 327, vgl. Br 15, A 56 u. H 401.

275 Vgl. Br 31 u. F 145 f. (hier Anspielung auf Th. Manns Erzählung).

276 *Janouch*, Gespräche mit Kafka, S. 31, 33, 42, 53 u. 91 u. J. *Bauer*, Kafka und Prag, (Stuttgart 1971), S. 112, vgl. Anm. II, 48 u. 283 (Ende).

277 P 121, 122, 51, 67, A 163, E 116 u. 118, vgl. T 519.

278 T 103, 245, 317, 340, 419, 476, vgl. H 159.

279 F 229, vgl. Br 184, H 240, 293, T 400 u. E 160.

280 Br 319, 406, 435, F 718, H 226, 252, E 147 u. S 130, vgl. Br 345, M 92, 257, T 177, 504, 681 u. H 365.

281 S 250 u. A 214, Zitate: T 624, S 507 u. T 681, vgl. E 227.

282 H 15 (vgl. 17), S 11, 24 u. 207 (vgl. 22).

283 Br 205 (vgl. 207), B 87 u. A 237, vgl. B 108, E 276, B 276, E 156 f., S 205, 204 u. 23. Soll eine dieser Verfassung polar entgegengesetzte Haltung durch eine Augenfarbe veranschaulicht werden, so bleibt nur das stumpfe, unaggressive Grau, das Kafka bezeichnenderweise zur Charakterisierung der Lehrerin im *Schloß* benützt: »Dabei liebte ihn Gisa vielleicht gar nicht; jedenfalls gaben ihre runden ,grauen, förmlich niemals blinzelnden ... Augen auf solche Fragen keine Antwort« (S 239). Sie ist ja diejenige Figur im Roman, die Kafkas Liebesideal, das sexueller Besitzergreifung entgegengesetzt war, in besonderer Weise verkörpert (vgl. S. 335 ff. u. 432 f. dieser Arbeit). Dies wird eben auch an ihren Augen deutlich, in denen kein Triebfeuer leuchtet und deren Unbeweglichkeit auch auf innere Reglosigkeit verweist. Gestützt wird eine solche Auffassung dieser Farbe noch durch ein ganz frühes Erzählfragment, das Kafka in einem Brief an Oskar Pollak mitteilt. Dort wird eine verlegene, schamhafte Figur, die ein Abbild seiner persönlichen Gegebenheiten vorstellen soll, als grauäugig bezeichnet (Br 15 f.).

284 F 758 (vgl. H 336, E 145 f., M 92 u. 224), E 248, 250, 247 (vgl. M 64, E 244, T 624 u. 245) u. 250.

285 F 298, E 89 u. S 55; vgl. H. *Strehle*, Mienen, Gesten und Gebärden, S. 108, Ph. *Lersch*, Gesicht und Seele, S. 116 f. (Kinnladen werden auseinandergestellt, die Oberlippe wird gehoben, und die Unterlippe etwas nach unten umgestülpt) u. K. *Leonhard, Ausdruckssprache der Seele*, S. 140 (die Lippen rücken von der Seite her zusammen und werden dadurch rüsselförmig nach vorn gedrängt).

286 F 445, S 59 (vgl. 53), 361, E 230 (vgl. F 308), P 116 u. Ch. *Dickens*, David Copperfield, Bd. 2, S. 287, vgl. F 706, M 210, Br 150, 325 u. E 150.

287 P 210, vgl. H 355, Br 17, F 211 u. 758.

288 Vgl. S 386, H 56, 364, Be 31, E 177 u. M. *Pasley*, Franz Kafka Mss, S. 57 (über Bartmeier: »Er saß dort, den Ellbogen leicht auf ein Nachbarfaß gestützt, die rechte Hand beim Munde, die linke im Schoß, und hörte ernst zu«). Wenn

ein unerwarteter Ansturm verwirrender Reize auf eine Person einstürmt, so
erfolgt gleichsam ein Rückfall auf die Erfahrungsstufe der frühen Kindheit
und man steckt einen Finger in den Mund oder legt ihn zumindest an die
Lippen. Es ist ein Zustand diffusen Ausgeliefertseins an die Wahrnehmungen
(H. *Strehle*, Analyse des Gebarens, S. 137 f.); vgl. auch Anm. I, 241.

289 Vgl. K. *Leonhard*, Ausdruckssprache der Seele, S. 51 f. u. o. S. 118.

290 Vgl. K. *Leonhard*, Ausdruckssprache der Seele, S. 261.

291 Vgl. Ph. *Lersch*, Gesicht und Seele, S. 67.

292 Vgl. H. *Strehle*, Analyse des Gebarens, S. 128.

293 S 373, vgl. 12 f.

294 F 354, T 412 u. 519; B 160, S 162, E 148; E 267 u. P 272, vgl. 277 u. B 127 f.

295 B 285, H 15 u. 17, P 67 u. 68 (vgl. T 477), Br 432 u. E 176 (vgl. T 535).

296 T 392, 548 u. H 226.

297 T 264, B 152, H 339, F 223 f., Be 92, H 261, 366 u. T 145.

298 Zum fragenden Blick vgl. K. *Leonhard*, Ausdruckssprache der Seele, S. 252 u.
P 37, 86 u. H 266; zum aufmerksam-forschenden K. *Leonhard*, Ausdruckssprache der Seele, S. 218 u. T 629, 583, 562, M 73, E 116, 265, H 326, B 285, T 269
u. 326; A 185, Zitat: S 50, vgl. Ph. *Lersch*, Gesicht und Seele, S. 47 f.

299 T 134, vgl. Be 94, S 373, F 196, T 351 (traurige Augen: Be 10, A 278, S 54 u.
H 266), K. *Leonhard*, Ausdruckssprache der Seele, S. 69; öfters belegt ist in
Kafkas Werk auch das Lächeln (E 16, H 140, S 141, P 167, A 218 u. T 376),
Merkmal des Dichters selbst (vgl. *Janouch*, Gespräche mit Kafka, S. 33: »Wo
er das Wort durch eine Bewegung der Gesichtsmuskeln ersetzen kann, tut
er es. Ein Lächeln, Zusammenziehen der Augenbrauen, Kräuseln der schmalen
Stirne, Vorschieben oder Spitzen der Lippen – das sind Bewegungen, die
gesprochene Sätze ersetzen«, R. *Fuchs*, Erinnerungen an Franz Kafka, in: FK
368: »Selbst als ihn schon seine Krankheit quälte, behielt er seinen lächelnden
Gesichtsausdruck. Es war etwas ägyptisch Rätselhaftes in seinem Ausdruck«
u. E. *Utitz*, Erinnerungen an Franz Kafka, in: K. *Wagenbach*, Franz Kafka,
S. 268: »Er lächelte nur freundlich und still, dasselbe Lächeln, das ihn aus seiner
Knabenzeit her begleitete«). Nach Kafkas Selbstdeutung war es ein Ausdruck
seiner dauernden Verlegenheit. Milena schreibt er, von sich in der dritten
Person redend, über die geplante Zusammenkunft in München: »Dann wird
dort ein langer magerer Mensch stehn, freundlich lächeln (das wird er immerfort tun, er hat das von einer alten Tante, die auch immerfort gelächelt hat,
beide aber machen es nicht aus Absicht, nur aus Verlegenheit)« (M 69). Dem
Lächeln fehlt die Explosivität des Lachens, es ist lautlos und gedämpft, und
es fehlt ihm die grobe Affektladung und eruptive Unvermitteltheit. Sein Wesen
ist Zartheit und korrespondiert mit der Art der es hervorrufenden verschiedenartigen Gefühle. (H. *Plessner*, Philosophische Anthropologie. Lachen und
Weinen. Das Lächeln. Anthropologie der Sinne, hg. u. mit einem Nachwort v.
G. *Dux*, [Frankfurt/M. 1970], S. 176 f.)
Da Kafka jedes abrupte Verhalten zuwider war – deshalb bekämpfte er beispielsweise den Begriff »heftig« (vgl. M. *Brod*, Streitbares Leben, S. 189; vgl.
auch Br 104: »... überraschen will ich Sie nicht, es gibt keine angenehmen
Überraschungen«) – und als Bewertungskategorie deshalb ganz folgerichtig
die Vorstellung der Zartheit deutlich artikuliert (T 67, 109, 148, 266, 270, 353
u. 373), paßt das Lächeln als sanfte, gedämpfte Ausdrucksform zur ästhetischen
Konzeption Kafkas. Mit seiner Persönlichkeit ist es zusätzlich dadurch verbunden, daß es »die Distanziertheit des Menschen zu sich und seiner Umwelt«
ausdrückt (H. *Plessner*, Philosophische Anthropologie, S. 183), die ihn vorzüglich auszeichnet. Kafka setzt es aber sehr differenziert ein; es kann Ausdruck der Verbindlichkeit, überlegener Selbstzufriedenheit, des leisen Spotts

oder auch der freundlichen Zuwendung sein (A 36, 271, 298, P 167, 290, S 92, 234 u. 273, vgl. T 243).
Es sei jedoch nicht verschwiegen, daß Kafka zuzeiten auch ein großer Lacher war. Max Brod schreibt: »Es ist ein neues Lächeln, das Kafkas Werk auszeichnet, ein Lächeln in der Nähe der letzten Dinge, ein metaphysisches Lächeln gleichsam — ja manchmal, wenn er uns Freunden eine seiner Erzählungen vorlas, steigerte es sich, und wir lachten laut heraus.« (»Der Dichter Franz Kafka«, in: *Juden in der deutschen Literatur. Essays über zeitgenössische Schriftsteller*, hg. v. G. *Krojanker*, Berlin 1922, S. 57) Und: »... ja, er lachte gern und herzhaft und wußte auch seine Freunde zum Lachen zu bringen.« (FK 42)
Kafka selber schrieb anläßlich eines Berichts über eine Unterredung mit dem Präsidenten der Arbeiter-Unfall-Versicherungs-Anstalt, bei der er sich durch Lachen so unmöglich gemacht hatte, daß er sich brieflich entschuldigen und durch den Sohn des Präsidenten, mit dem er befreundet war, die Angelegenheit in Ordnung bringen mußte: »ich bin sogar als großer Lacher bekannt, doch war ich in dieser Hinsicht früher viel närrischer als jetzt.« (F 237, vgl. 578) Noch aus Matliary schrieb er an Ottla, er habe »gewiß den halben Nachmittag mit Lachen verbracht... mit einem gerührten, liebenden Lachen«. (Br 325) Auch bei andern beobachtete er diese Miene (vgl. z. B. Br 341 u. T 144). Im literarischen Werk spielt das Lachen, im Gegensatz zum Weinen, keine große Rolle, es sind gewöhnlich die Gegenfiguren der Helden, die zuweilen auf diese Weise ihre Überlegenheit zum Ausdruck bringen, wobei in den Belegen auffällig betont wird, wie sich die Lacher von ihren Gesprächspartnern abwenden (vgl. B 115 mit Be 115, dazu A 74, 78 u. 319).

300 K. *Leonhard*, Ausdruckssprache der Seele, S. 39 ff., vgl. F 312, S 11, 178, 183, 195, vgl. E 209 u. B 283 (verwandt ist der gespannte Blick: T 585: »so ängstlich und gespannt du mich ansiehst«, vgl. P 234 u. S 449).

301 T 317, 438, S 399, 523, A 278, vgl. 337. Mehrfach belegt sind auch böse (T 420, 690, A 193, vgl. P 230), begehrliche (F 211, B 286 u. S 400) und ungeduldige (E 218, P 82 u. S 454) Blicke.

302 Vgl. z. B. P 85, 97, E 222, S 219 u. H 326.

303 Br 111, 415, T 364, 370, E 165, A 115 u. P 25.

304 T 188, 426, E 99, 193, B 128 u. P 122.

305 F 158, A 266, S 235 u. 324.

306 T 373, P 62, S 5, 50, H 154, 249, 259, 356 u. 363.

307 B 279, vgl. K. *Leonhard*, Ausdruckssprache der Seele, S. 203, Ph. *Lersch*, Gesicht und Seele, S. 94 u. H. *Plessner*, Philosophische Anthropologie, S. 74 f.; zu *Schopenhauer* vgl. »Die Welt als Wille und Vorstellung«, Viertes Buch, § 67.

308 F 136 (vgl. T 277, 283, 295 u. 704), T 295 (vgl. F 157), 344 u. F 736. Über den fraglichen Vorgang im Dezember 1917 schreibt *Brod*: »... plötzlich begann er zu weinen. Es war das einzige Mal, daß ich ihn weinen sah. Ich werde diese Szene nie vergessen, sie gehört zu dem Schrecklichsten, was ich erlebt habe... Die Tränen liefen ihm über die Wangen, ich habe ihn nie außer diesem einen Male fassungslos, ohne Haltung gesehen.« (FK 147 f.) Die Zuverlässigkeit dieses Berichts wird durch einen Brief Kafkas an Ottla bestätigt, in dem er über den genannten Sachverhalt berichtet: »... am letzten Vormittag habe ich mehr geweint als in allen Nach-Kinderjahren« (O 47).

309 Br 109. Aufgrund allgemeiner Erwägungen zum Schaffensprozeß kommt H. *Hillmann* zu dem Schluß, daß Kafka im *Verschollenen* den Versuch unternimmt, eigene Lebensmöglichkeiten in einer modernen Gesellschaft außerhalb Prags zu erproben. (»Kafkas ›Amerika‹. Literatur als Problemlösungsspiel«, in: *Der deutsche Roman im 20. Jahrhundert*, hg. v. Manfred *Brauneck*, Bamberg [1976], S. 138 ff.)

310 E 68 (F 397) u. T 574.
311 F 136, vgl. 181, 221, 246 f., 718, T 219, 408, 663, vgl. M 101.
312 S 493 (vgl. T 471) u. F 137.
313 T 219.
314 K. *Leonhard*, Ausdruckssprache der Seele, S. 212 u. 220, Zitat: A 270, vgl. 183, 231, 259 u. 346.
315 Vgl. u. S. 326 u. Anm. III, 149.
316 H 245 (vgl. S 481), S 71 (vgl. 56 f.), S 183 (vgl. 113 u. 493), 500 (vgl. 195 f.) u. 230; zu den Kapitelüberschriften vgl. M. *Pasley*, Zur äußeren Gestalt des ›Schloß‹-Romans, in: J. *Born* u. a., Kafka-Symposion, Berlin (1965), S. 181 ff.
317 S 498, 450 u. 443.
318 A 27, 104, 176, E 312, B 183, B 121, E 252 u. 155, vgl. B 143, H 321, E 98 u. A 207.
319 Vgl. z. B. A 49, 231 u. P 91.
320 Ch. *Dickens*, David Copperfield, Bd. 1, S. 58 u. 97, Bd. 2, S. 125 u. 92. Vgl. auch den Exkurs S. 507 ff.
321 Ch. *Dickens*, David Copperfield, Bd. 2, S. 381 (vgl. S. 8: »er sah mich an, als ob er erwache«) u. S 452; Bd. 1, S. 107 u. P 124; Bd. 2, S. 536 u. A 220; Bd. 1, S. 470 (vgl. 339 u. Bd. 2, S. 379) u. A 110 u. 13 (vgl. 319 und Anm. II, 116); Bd. 2, S. 301 u. S 407; Bd. 2, S. 540 u. P 68; Bd. 2, S. 129 u. A 251; Bd. 1, S. 239 u. A 25.
322 T 536.
323 Ch. *Dickens*,David Copperfield, Bd. 1, S. 141, Bd. 2, S. 40, 65, 151 f. u. 285; Zitat: Bd. 2, S. 262, vgl. Bd. 1, S. 58, Bd. 2, S. 61 u. 193.
324 Ch. *Dickens*, David Copperfield, Bd. 2, S. 107, Bd. 1, S. 429; P 52, A 58 u. S 179; Bd. 1, S 161 u. 314; P 84; Bd. 2, S. 279 u. A 123; Bd. 2, S. 291, S 193 u. P 32.
325 T 471 f., Ch. *Dickens*, David Copperfield, Bd. 1, S. 610 (vgl. 208 u. Bd. 2, S. 389), S 209, 81, A 10, 94 u. S 278.
326 Vgl. J. *Erben*, Abriß der deutschen Grammatik, Berlin 1958, S. 133, I. *Dal*, Kurze deutsche Syntax, Tübingen 1952, S. 153 ff., W. *Schneider*, Stilistische deutsche Grammatik, Basel, Freiburg, Wien 1959, S. 241 ff. u. H. *Brinkmann*, Die deutsche Sprache, S. 357: »Es gehört zum Wesen der *als ob*-Sätze, daß sie eine Vorstellung mitteilen, die außerhalb des Gegebenen liegt.« Zitate: B. *Beutner*, Die Bildsprache Franz Kafkas, München 1973, S. 33 u. H. *Hillmann*, Franz Kafka. Dichtungstheorie und Dichtungsgestalt, 2. erweiterte Auflage, Bonn 1973, S. 141.
327 Vgl. zu diesem Punkt S. *Jäger*, Der Konjunktiv in der deutschen Sprache der Gegenwart. Untersuchungen an ausgewählten Texten, (München, Düsseldorf 1971), S. 225 ff. u. 309 (»Eine Erhebung an Material aus der Goethezeit [Goethe, Schiller, Hölderlin, Kleist, eine Zeitung] ließ den Konjunktiv I in irrealen Vergleichssätzen fast völlig vermissen. Vereinzelt tritt er aber schon früher auf. Möglicherweise wird hier eine sehr junge Entwicklung sichtbar«).
328 So vor allem W. *Flämig*, Zum Konjunktiv in der deutschen Sprache der Gegenwart. Inhalte und Gebrauchsweisen, Berlin 1959, S. 98 ff. Für ihn sind Komparativsätze syntaktisch entfaltete Umstandsbestimmungen (S. 95). Obwohl ihm der Konj. II dafür steht, daß die Vergleichsaussage nur in der Vorstellung des Sprechers hypothetisch gesetzt ist (S. 97), muß er zugeben, daß sich ein systematischer Gebrauch von Konj. I und II in den Als-ob-Sätzen nicht beobachten lasse (105). Vgl. Ch. *Dickens*, David Copperfield, Bd. 2, S. 406: »Ob meine Tante in diesem Augenblick glaubte, daß Uriah ihr Vermögen in seinem Halstuch versteckt habe, weiß ich nicht; aber sie zerrte jedenfalls so derb daran, als ob sie es glaube.«

329 Zum Historischen vgl. W. *Lang,* Der Konjunktiv im Deutschen und sein
Widerspiel, in: Der Deutschunterricht 13 (1961), H. 3, S. 26 ff. Vgl. auch
Nossacks Roman *Unmögliche Beweisaufnahme* (erschienen 1959), wo Konj.
I und II in einer sonst nicht beobachtbaren Willkürlichkeit durcheinandergehen.

330 Vgl. die Belege bei W. Flämig und seine Zusammenfassung des Befundes auf
S.101 der genannten Arbeit.

331 Vgl. W. *Lang,* Der Konjunktiv im Deutschen und sein Widerspiel, bes. S. 37 f.
u. 48 f. u. (zur konjunktivlosen oratio obliqua) meine Arbeit »Motiv und
Gestaltung bei Franz Kafka«, S. 220 ff.

332 Vgl. S. 31 ff. der zitierten Arbeit.

333 Außer bei W. Lang, der W. Flämigs irrige Meinung widerlegt, der coniunctivus obliquus diene zur »Bezeichnung der syntaktischen und logischen Abhängigkeit« (S. 47 f., dazu Lang, S. 49, Anm. 38 seiner Untersuchung), findet sich
die richtige Auffassung auch bei H. *Brinkmann,* Die deutsche Sprache, S. 353.

334 A 346, S 186 u. 184; weitere Beispiele: Kafka über seinen Versuch, bei Ausbruch der Tuberkulose durch ein Gespräch mit seinem Direktor wenigstens
zeitweilig vom Büro loszukommen: »Ich antwortete, der Urlaub hätte niemals
zu meinen wesentlichen Hoffnungen gehört, er helfe mir fast nichts und ich
könne auf ihn verzichten.« (F 656 — Konj. II, weil der Dichter tatsächlich
mit diesem Jahresurlaub nichts anfangen konnte, »helfe«, weil »hülfe« zu
altmodisch und im Kontext zu hart wäre, »könne«, um die Verwechslung mit
dem Indikativ des Präteritums zu vermeiden.) Über das erste Zusammentreffen
mit Felice: »Auch fälschst Du die historische Wahrheit, wenn Du sagst, ich
hätte Dich nicht ins Hotel begleitet, das habe ich doch mit Herrn Dir. Brod
getan.« (F 681 — schon im Referat wird zum Ausdruck gebracht, daß das
Berichtete unstimmig ist; auch mag mitspielen, daß die Form »habe« mit dem
Indikativ der 1. Person identisch wäre, vgl. a. S. 220 ff. dieser Arbeit.) Olga im
Schloß erzählt K. über den Mißerfolg, den die Recherchen ihres Vaters hatten:
»Da man für die Überzahlungen in Wirklichkeit nichts Außerordentliches leisten konnte, versuchte manchmal ein Schreiber wenigstens scheinbar, etwas zu
leisten, versprach Nachforschungen, deutete an, daß man gewisse Spuren schon
gefunden hätte, die man nicht aus Pflicht, sondern nur dem Vater zuliebe ver-
folgen werde«. (S 311 — Konj. II steht, weil das gemachte Versprechen deutlich als sinnlos zu erkennen ist, das »werde« zeigt, daß Konsequenz in diesem
Punkt nicht herrscht [freilich entstünde bei Verwendung von »würde« der
Eindruck eines irrealen Gefüges], es scheint vor allem beim Verbum »haben«
Kafka so verfahren zu sein, wie auch das nächste Beispiel zeigt.) Über den
»Graber« reflektiert der Erzähler des *Baus:* »... er glaubt, er hätte mir inzwi-
schen genug Zeit gelassen, mich für seinen Empfang einzurichten. Aber auf
meiner Seite ist alles weniger eingerichtet, als es damals war ...« (B 216 —
schon während des Berichts wird die unterstellte Behauptung also durch Konj.
II zurückgewiesen.) Vgl. S 452 (Konj. II deutet an, daß K. lügt), M 28. Zum
Irrealis vgl. S. *Jäger,* Der Konjunktiv in der deutschen Sprache der Gegenwart,
S. 158 ff. (dort wird der Konj. II in der indirekten Rede auch richtig als Mittel
zur Distanzierung gewürdigt).

335 Dazu S. *Jäger,* Der Konjunktiv in der deutschen Sprache der Gegenwart, S.
30 ff. u. 278.

336 S 402 f. u. 208.

337 S. *Jäger,* Der Konjunktiv in der deutschen Sprache der Gegenwart, S. 231 u.
233.

338 Vgl. z. B. A 31 Z. 21 ff., 257 Z. 20 u. S 153.

339 S 417, P 66 u. A 55 (vgl. P 97 u. Ch. *Dickens,* David Copperfield, Bd. 2, S. 459).

Zum Verhältnis zwischen Erzählpräteritum und Tempussystem vgl. K. *Hamburger*, Die Logik der Dichtung, 2. A., Stuttgart (1968), bes. S. 56 ff., zu Kafkas Perspektivgestaltung meine Untersuchung »Motiv und Gestaltung bei Franz Kafka«, S. 188 ff.

340 S 185, A 230 f. u. P 91; A 244 u. P 119; S 198 u. 39, vgl. 60, A 24, 49 (das mächtige Licht erscheint dem betörten Auge Karls so körperlich, »als werde über dieser Straße eine alles bedeckende Glasscheibe jeden Augenblick immer wieder mit aller Kraft zerschlagen« – da hier eine situationsübergreifende Hilfsvorstellung vergleichsweise eingeführt ist, würde man eigentlich Konj. II erwarten, aber da das Bild in Karls Bewußtsein Realität ist, wird die Passage sozusagen zum Gedankenreferat, unterliegt den Gesetzen der oratio obliqua und wird im Konj. I gegeben), 221, 353 u. Br 139: »Mir scheint wirklich, nun sei die Ratte in ihrem allerletzten Loch.« (Dies ein Bild für eine Reihe schrecklicher Tage und Nächte, die der Dichter in Marienbad mit Felice verlebte. Auch hier ist nicht entscheidend, daß eine Metapher überhaupt verwendet wird, sondern die Tatsache, in welcher Beziehung diese zum Sprecher steht. Da sich Kafka, wie auch sonst [Br 368 u. 431], wirklich als Ratte fühlt, konnte dies im Konj. I berichtet werden.)

Gerade daß Tiere als Hilfsvorstellung verwendet werden, ist bei Kafka noch mehrmals belegt. Die Zimmerfrau in dem kleinen Wirtshaus, in dem Karl zusammen mit Robinson und Delamarche übernachtet, packt am Morgen Karls Sachen mit einer Kraft, »als seien es irgendwelche Tiere, die man zum Kuschen bringen mußte«. (A 120; weil es sich aber hier um das Verbum »sein« handelt, sind, sowenig wie in den in dieser Anmerkung zitierten vergleichbaren Fällen, sichere Rückschlüsse auf das Bewußtsein der Frau möglich, weil der Konjunktivgebrauch sich nach dem bei schwachen Verben richten kann; wenn dies nicht zutrifft, soll der Satz dem Leser einen vorausdeutenden Hinweis auf Karls Behandlung durch Delamarche geben, der ihn wie ein Tier, das man beiseite schaffen will, gegen einen Schrank wirft [A 35 u. 291], vgl. auch Anm. II, 342.) Weitere Beispiele: P 168: »... wenn er nicht jetzt in seinem Zimmer den Direktor-Stellvertreter erblickt hätte, wie er im Bücherständer, als wäre es sein eigener, etwas suchte.« (Der Kontrahent kann ja nicht der Meinung gewesen sein, K.s Bücherständer gehöre ihm selbst, er macht nur solche Bewegungen, als hantiere er an eigenem Besitztum; der Prokurist glaubt das wenigstens.) A 19: »... bei Betrachtung ihrer fröhlichen Bewegung schlug ihm das Herz, als hätte er nicht fünf lange Tage das Meer ununterbrochen gesehen.« (Schon die zeitliche Erstreckung des im Vergleichssatz Mitgeteilten macht es unmöglich, daß es sich um einen Bewußtseinsinhalt Karls handelt; dieser besteht vielmehr in einer den Verhältnissen fast nicht mehr gemäßen inneren Erregtheit, deren Grad eben dadurch zum Ausdruck gebracht wird, daß auf diese Inadäquatheit verwiesen wird: er sieht das Meer wie zum erstenmal.) Direkt vergleichbar ist folgende Stelle aus dem siebenten Kapitel des Romans (A 257): »Wie unvorsichtig war er gewesen, alle Ratschläge der Oberköchin, alle Warnungen Theresens, alle eigenen Befürchtungen hatte er vernachlässigt, saß hier ruhig auf dem Balkon Delamarches und hatte hier gar den halben Tag verschlafen, als sei nicht hier hinter dem Vorhang Delamarche, sein großer Feind.« Die Parallele ist offensichtlich. In beiden Fällen wird die Art der Seelenlage Karls (Erregung – Ruhe) in ihrer Erstaunlichkeit durch einen negierten Als-ob-Satz veranschaulicht, dessen Inhalt darauf verweist, daß Bestehendes gerade nicht das genannte Gefühl Karls konstituiert. Wäre also nicht auch beidesmal Konj. II zu erwarten und, da dies nicht der Fall ist, auf die Willkürlichkeit der Setzung des Konjunktivs gerade bei sehr ähnlichen Beispielen zu verweisen? Diese Skepsis wäre nicht berechtigt, denn bei der Stelle aus der Balkonszene handelt es sich um eine einzige erlebte Rede, also um Gedanken Karls, die sich auch im Als-ob-Satz fortsetzen. Die Hauptfigur selber ärgert und wundert sich über ihre Nachlässigkeit und erinnert sich an den in der Wohnung befindlichen Franzosen, den sie genau so wie die vorher genannten Personen infolge ihrer Übermüdung ganz vergessen hatte! A 30: »die Luft verkehrte durch die offenen Mund, als gäbe es innen keine Lungen mehr, die sie verarbeiteten«, S 153: »Ihm gegenüber der Herr schwieg noch, so, als hätte er für das zu Sagende nicht genug Atem in seiner überbreiten Brust.« (Gewiß sind Heizer und Dorfsekretär wegen der jeweils bestehenden Situation sprachlos, aber subjektiv haben sie keineswegs das Gefühl des Luftmangels und vorhandener Atembeschwerden, es wird nur mit solchen Zuständen verglichen, also Konj. II.) A 101: »sie war ganz anders als vorher, so als wäre sie irgendwie aufgestiegen in die Kreise Pollunders und weiterhin Macks.« (Da Karl dies über Pollunders Tochter reflektiert, kann damit niemals eine direkte Deutung von Klaras Innenleben gemeint sein, sondern nur der Sachverhalt, daß jetzt erst ihr Verhalten ihrer Herkunft und ihrem Lebenskreis entspricht.)

341 Vgl. dazu H.-H. *Krummacher*, Das ›Als ob‹ in der Lyrik. Erscheinungsformen und Wandlungen einer Sprachfigur der Metaphorik von der Romantik bis zu Rilke, Köln, Graz 1965.

Die Arbeit, der als freilich etwas dürftiger Materialsammlung ein gewisser Wert zukommt, krankt vor allem daran, daß Form und Leistung der Als-ob-Sätze nicht zureichend analysiert werden. Der Verfasser kommt schließlich zu dem Ergebnis, der von der romantischen Lyrik erstrebte Einklang von Innen und Außen, von Ich und Natur, lasse sich mit Hilfe des Als-ob-Satzes besonders eindringlich und kennzeichnend fassen. Bei Eichendorff erreicht die Fähigkeit der Figur, schwebend-bildhafte Sprachbeziehungen herzustellen, einen Höhepunkt und macht Zustände der Sehnsucht, des Traums und der Erinnerung gegenwärtig. (S. 214) Auch in Tiecks Prosa bezeuge die Form die zwischen menschlichem Innern und der Fülle der Welt herrschenden Beziehungen sowie das Bewußtwerden dieses Zusammenhangs. (S. 37)

342 A 38, 97 u. S 177; P 88; P 62, S 452 u. 52; A 12, S 16 u. A 62; vgl. 111, 302 u. P 68. Der erkannte Zusammenhang ermöglicht eine Feinzergliederung vieler sonst nicht näher deutbarer Stellen, wie folgende Beispiele verdeutlichen mögen: Im ersten Kapitel des *Prozeß*-Romans heißt es vom Aufseher, er habe mit beiden Händen die wenigen Gegenstände verschoben, die auf dem Nachttischchen lagen, nämlich eine Kerze mit Zündhölzern, ein Buch und ein Nadelkissen, »als seien es Gegenstände, die er zur Verhandlung benötige«. (P 20) Würde nur angedeutet, daß dieses Arrangement sein wichtigtuerischen Mienen und Gesten vollziehe, hätte Konj. II nahegelegen (vgl. jedoch S. 222). Es soll offenbar aber gesagt werden, daß K. der Auffassung ist, der andere brauche realiter die genannten Requisiten zur Gesprächsführung. Daß dies tatsächlich der Fall ist, zeigt der Verlauf der Szene, in dem deutlich wird, daß jeder Verhandlungsschritt durch eine Umgruppierung der Gegenstände markiert wird; diese sind also ein integraler Bestandteil der Erzähleinheit. In der Szene mit Block heißt es von diesem: »... der Mann ... beleuchtete sich selbst mit der Kerze, als sähe er selbst zum erstenmal seinen Zustand.« (P 201 f.) Dies ist natürlich nicht der Fall, denn er weiß gewiß von seiner mangelhaften Bekleidung. Aber seine Unterwürfigkeit, sein Mangel an Übersicht und überhaupt seine Lächerlichkeit werden auch darin sichtbar, daß er sich beschaut in einer Haltung, die der erwähnten ähnlich, vergleichbar ist.

Am Schluß des *Blumfeld*-Fragments heißt es: »Tatsächlich blickt Blumfeld an seinem Guckfenster auf, als sei er erst jetzt aufmerksam geworden, strenge und prüfend faßt er jeden ins Auge« (B 172). Wie ist es zu verstehen, daß Konj. I benützt wird, also suggeriert wird, der Junggeselle bemerke wirklich erst jetzt das Treiben der Praktikanten, wo doch zweimal vorher schon darauf hingewiesen wird, daß er von den Vorgängen Notiz nimmt (B 169 u. 171)? Offenbar — und für diese Deutung spricht auch der erläuternde zweite Satz im Indikativ — soll betont werden, daß Blumfeld jetzt erst amtlich und offiziell die Sache zur Kenntnis nimmt, ein Vorgang, dem gegenüber heimliches Beobachten als nichts erscheinen kann, besonders bei einem Mann, der sich und seinen Dienst so wichtig nimmt wie der Junggeselle. Welch vorläufigen Charakter derartige Überlegungen haben, zeigt eine Stelle aus dem *Bau*, wo der Ich-Erzähler über die Distanz spricht, die das ehemals auftretende Geräusch vom gegenwärtigen Lärm trennt: »Zwischen damals und heute liegt mein Mannesalter; ist es aber nicht so, als läge gar nichts dazwischen?« (B 216) Hier erwartet man Konj. I, weil das Tier fortfährt: »Noch immer mache ich eine große Arbeitspause und horche an der Wand...«, so daß tatsächlich die beiden Vorfälle auch erlebnismäßig aneinander anschließen. Tatsächlich zeigt nun auch die Handschrift diese Verbform (vgl. F. *Kafka*, Der Heizer. In der Strafkolonie. Der Bau, with introduction and notes by J. M. S. Pasley, Cambridge 1966, S. 148). Gewiß finden sich auch an andern Stellen der aus dem Nachlaß herausgegebenen Romane und Erzählungen ähnliche Fehler, die eine stringente Beweisführung hinsichtlich der Verwendungsart der Als-ob-Form etwas erschweren.

Ganz vereinzelt gibt es auch Fälle, wo die beschriebene Gesetzmäßigkeit verletzt scheint, Textverderbnis, Läßlichkeit oder vielleicht doch besondere Erzählabsicht können die Ursache sein: »jedenfalls bückt er sich, allerdings sehr vorsichtig, als greife er nach einem Tier und nicht nach einem Besen, nimmt den Besen...« (B 172) Der im Text gegebene Beleg mit diesem Verbum, der doch nur wenige Monate älter ist, bezeugt, daß Kafka den Konj. II nicht als altmodisch empfand. Warum wird er dann hier nicht verwendet, wo es doch klar ist, daß es sich um einen Besen handelt, der Vergleichssatz also nur das Wort »vorsichtig« in seiner Äußerungsweise näher expliziert? Als mögliche Erklärung käme in Betracht, daß Kafka den Praktikanten als so kindlich oder komödiantisch darstellen wollte, daß er ihm gleichsam unterstellt, er halte den genannten Gegenstand für ein gefährliches Lebewesen. Ebenso kritisch ist eine Stelle aus dem *Schloß*, wo der Landvermesser Klamms Aufenthaltsraum im »Herrenhof« beobachtet: »da die Randleiste des Tisches hoch war, konnte K. nicht genau sehen, ob dort irgendwelche Schriften lagen, es schien ihm aber, als wäre er leer.« (S 56) Vielleicht genügt hier schon die Tatsache, daß K. nicht vollwertig beobachten kann, daß das Erschlossene auch nicht als echte Wahrnehmung und damit als Bewußtseinsinhalt im Konj. I erscheint. Schließlich heißt es im Tagebuch am 27. November 1910: »aus Langweile über die Art des Vorlesens gingen die Leute trotz schlechter Spannungen der Geschichte immerfort einzeln weg mit einem Eifer, als ob nebenan vorgelesen werde.« (T 26) Tatsächlich kann das Verhalten nicht durch den genannten Sachverhalt determiniert sein, sondern nur durch B. Kellermanns Verhalten beim Rezitieren; es müßte also »würde« heißen. Hier hat man wohl anzunehmen, daß Kafka in seiner Frühzeit seinem späteren Gesetz noch nicht ausnahmslos folgt (vgl. auch die unten gegebenen Belege aus *Beschreibung eines Kampfes*).

Ähnlich schwierig ist B 247: »... sah ich doch den kleinen Hund... öfters nach mir hinschielen, so als hätte er viel Lust, mir zu antworten, bezwänge sich aber, weil er es nicht dürfe.« Da der Erzähler seine Fragen »laut und fordernd« hinausgerufen hatte (B 246), darf die Reaktion des tanzenden Hundes als adäquater Ausdruck innerer Regungen verstanden werden, der aber Konj. I erforderte. Die Fortsetzung des Zitats lautet auch ganz in diesem Sinne: »Aber warum durfte es nicht sein...« Wenn gleichwohl der Autor, indem er Konj. II setzt, derartige Rückschlüsse auf den Bewußtseinszustand des tanzenden Hundes verbietet, so mag das einmal daran liegen, daß die Beobachtungsbasis etwas schmal ist, aus einem bloßen Schielen also Lust, die vom Gehorsam bezwungen wird, nicht direkt ablesbar scheint, dann aber auch an der Grundkonzeption der *Forschungen eines Hundes*, die unter anderem darauf beruht, daß der Forschende seine Mithunde nicht erkennt und diese sich ihm verweigern. Die sieben Musikanten tun, als »wäre« der Beobachtende gar nicht anwesend (B 246), obwohl sie ihn gesehen haben müssen. Und später wird ausdrücklich betont, daß auf die Fragen des Ich-Erzählers nur »stumpfe Mienen, schiefe Blicke, verhängte, trübe Augen« geantwortet hätten, die das Wesentliche verschwiegen (B 255 f.). Es ist also doch letztlich folgerichtig, wenn das Innere des beobachteten Tänzers nur als Verglichenes sich darstellt.

Zum Gebrauch des Konj. beim schwachen Verbum: P 135: Der Onkel stößt K. gegen das Haustor, »als wolle er ihn dort festnageln«. (Da dies sicher nicht seine Absicht war, nur seine Bewegung mit einer Handlungsweise verglichen wird, der eine solche Intention zugrunde liegt, hat man von einem »wollte« interpretatorisch auszugehen.) S 409: K. blieb, Verbote und Takt mißachtend, nach den Verhören im Gang der Sekretäre stehen, »die Hände in den Taschen, so, als erwarte er, daß, da er sich nicht entfernte, der ganze Gang mit allen Zimmern und Herren sich entfernen werde«. (Konj. I für »erwartete«, weil K. natürlich keine derartigen Gedanken hegt.)

Natürlich gibt es auch echte Konj.-I-Formen von schwachen Verben, vgl S 32, 145 u. B 216. Vereinzelt kommt es sogar vor, daß in der 3. Person sing. intendierte Konj.-II-Formen bewahrt werden (vgl. T 26: »Als er fertig wurde, stand alles auf, es gab etwas Beifall, der so klang, als wäre mitten unter allen den stehenden Menschen einer sitzengeblieben und klatschte für sich«). Weil in der 1. Person sing. der schwachen Verben sich der Konj. vom Indikativ nicht gut abhebt, ersetzt Kafka nicht immer präsentische Formen durch präteritale: »Mir war, als sei ich ein Spatz, übe auf der Treppe meine Sprünge und sie zerzause mein weiches flockiges graues Gefieder.« (H 60, vgl. E 26: »... so sah ich aus, als schaue ich ins Gebirge oder in die bloße Luft«) Ersetzungen: »es ist schon fast so, als sei ich der Feind und spionierte die passende Gelegenheit aus, um mit Erfolg einzubrechen.« (B 190) Es ist also formal doppeldeutig, wenn es im *Bau* heißt: »ich... erhebe mich und jage, als hätte ich mich hier statt mit Ruhe mit neuen Sorgen erfüllt« (B 216 f., vgl. T 101). Handelt es sich um einen Ersetzungs-Konjunktiv, dann soll gesagt werden, daß das Tier realiter neuerlich von inneren Ängsten geplagt wird. Ähnlich ambivalent sind auch die Pluralformen bei den schwachen (und starken) Verben: »K. ... legte die Hand auf die Augen, als schmerzten sie ihn infolge der Anstrengungen, sich zurechtzufinden« (P 311, vgl. A 346, die Formen stehen beidesmal für Konj. I).

343 S 116, P 170; S 351, 355, P 176, S 80 f.; A 23; Ch. *Dickens*, David Copperfield, Bd. 2, S. 67, Bd. 1, S. 236 u. Bd. 2, S. 32 (vgl. Bd. 2, S. 30 u. Bd. 1, S. 70 u. 233); P 62, 97 f., S 15, 57 f., 206, 32 u. 230; Ch. *Dickens*, David Copperfield, Bd. 1, S. 70, 525 u. Bd. 2, S. 459 (vgl. Bd. 1, S. 106 u. 110 u. Bd. 2, S. 11 u. 25).

344 J. *Kobs*, Kafka, S. 406 f. u. 410 ff.

345 J. *Kobs*, Kafka, S. 393 u. *Dantons Tod* 1. Akt, 1. Szene.

346 A 292, 338, 15 u. Ch. *Dickens*, David Copperfield, Bd. 2, S. 247, vgl. J. *Kobs*, Kafka, S. 412 f., A 176 u. M 97.

347 A 27.

348 J. *Kobs*, Kafka, S. 412.

349 A 98, vgl. 39 u. S 207 (vgl. Anm. III, 316).

350 A 92 u. 26 (vgl. 28).
351 J. *Kobs*, Kafka, S. 401, P 311, P 228, A 319, T 17, 370 u. E 21, vgl. K. *Leonhard*, Ausdruckssprache der Seele, S. 43 ff.
352 A 14.
353 Br 192, A 44 u. P 135, vgl. J. *Kobs*, Kafka, S. 406 f.
354 S 386, M. *Pasley*, Franz Kafka Mss, S. 57, Br 274, S 489 u. Ch. *Dickens*, David Copperfield, Bd. 2, S. 111; vgl. H 120.
355 A 12, 73 (vgl. 72), P 183, 18, A 339, 338, P 272 (vgl. das Faksimile der Schlußsätze in H. *Politzer*, Ein Kafka-Autograph, in: Die Schrift 1 [1935], S. 97), Ch. *Dickens*, David Copperfield, Bd. 2, S. 127, S 454, Bd. 2, S. 224 u. 199.
356 S 449 f., 185, P 133, A 304, F 116, 419; Be 18, 19, 44, 45, 16, 17, 20, 21, 26, 27, 94, 95, 71, 90, 91; A 63 f., P 11, 113, S 163, A 44, S 355, 6, P 175, 176, 82, 162, 85, 88, 97, S 409, 398, P 48 (vgl. 52), 46 u. 47.
357 P 56, A 251, P 34, S 18, E 104, P 83, E 74, vgl. »Motiv und Gestaltung bei Franz Kafka«, S. 286 ff.
358 E 130, vgl. P 184 u. S 63.
359 E 205 f., S 92, A 89, S 356, 72, P 187, Ch. *Dickens*, David Copperfield, Bd. 2, S. 423 (vgl. Bd. 1, S. 319, 323, 339, 356, 441 u. Bd. 2, S. 8, 55 u. 97), Bd. 2, S. 26, 40, 289, Bd. 1, S. 475, vgl. 600 ff. u. Bd. 2, S. 16 ff.
360 S 391, P 189 u. S 173; A 142 u. 247, vgl. 247, 285; 142, 238; 255; 282; 120, 128, 130 u. 138. Kafka schätzt die Ausdrucksbewegung auch sonst, vgl. A 180, 217, P 11, 270, S 351 u. T 238. Steerforth klopft David immer wieder auf die Schultern (Ch. *Dickens*, David Copperfield, Bd. 1, S. 426, 604 u. 615, Bd. 2, S. 426 u. 427; auch bei anderen Personen kommt die Geste vor: Bd. 1, S. 182 u. 461, Bd. 2, S. 117, 216 u. 548). In M. *Brods* Roman *Tycho Brahes Weg zu Gott* findet sich Vergleichbares. Für Kepler ist dort typisch, daß er sich mit zwei Fingern über die Stirne fährt (S. 194, 244 u. 341). B. *Beutners* Untersuchung des Nominalvergleichs und des Vergleichssatzes enttäuscht durch die Spärlichkeit der Ergebnisse: Sie beschäftigt sich vor allem mit der Art der von Kafka gewählten Bildebenen. Als Unterschied zum Als-ob-Satz, bei dem eine »innigere Beziehung zwischen Bildspender und Bildempfänger« herrsche, weil die beiden Bildkomponenten voneinander abhängig gemacht würden, sei für die andere Form eine »gewisse Scheu vor jedem allzu endgültigen Ausdruck« kennzeichnend, die in dem häufigen Gebrauch von Vergleichspartikeln und ähnlicher Zusatzwörter sichtbar werde. (»Die Bildsprache Franz Kafkas«, S. 32 u. 30) Diese an konkreten Textbefunden nicht näher belegte Auffassung ist um so verwunderlicher, als nach landläufiger Ansicht die Verhältnisse genau umgekehrt liegen.
361 P 42, S 381, 152, P 202, S 69, 367 u. 397.
362 A 64 (vgl. 39), 198, P 32, A 319.
363 A 250, S 79, 231, vgl. Anm. III, 149.
364 S 199, B 159, S 376, 370, A 323, 90, A 25 (vgl. J. *Kobs*, Kafka, S. 408), S 395, 244, 163, A 249, P 26, 187 u. A 219.
365 Dazu H. *Hillmann*, Bildlichkeit der deutschen Romantik, (Frankfurt/M. 1971), S. 13 ff.
366 H 272 u. B 183, vgl. 212, 218, E 151, 163 u. 245, F 418 (»Denkst Du noch an meine lange, knochige Hand mit den Fingern eines Kindes und eines Affen?«, vgl. 698) u. J. P. *Hodin*, Erinnerungen an Franz Kafka, S. 91 (Kafkas Geschicklichkeit für Schattenbilder), vgl. T 162, 241, 289 u. 345.
367 T 106, 295, Br 93 u. E 145.
368 Br 336 u. 396, vgl. 111, T 646, P 241.
369 A 29, F 199 u. E 43, vgl. I. *Eibl-Eibesfeldt*, Liebe und Haß. Zur Naturgeschichte elementarer Verhaltensweisen, München (1970), S. 138 ff.

370 F 574, vgl. 557 u. M 78.

371 F 603 u. 432, vgl. 601.

372 F 276, 228, FK 64, Zitate: T 109 u. I. _Eibl-Eibesfeldt_, Liebe und Haß, S. 194.

373 E 185.

374 E 34, F 294 (vgl. auch Kafkas Zeichnung dort) u. 300 (vgl. die Abb. gegenüber 593).

375 F 606, F 152, 212 u. M 174, vgl. Br 49.

376 I. _Eibl-Eibesfeldt_, Liebe und Haß, S. 139.

377 T 162, Be 89, T 419, F 571 u. T 581.

378 T 245, Br 90 u. F 463, vgl. C. G. _Jung_, Psychologische Typen, 9. A., Zürich und Stuttgart 1960, S. 434.

379 Br 284, F 130, M 167 u. F 311, vgl. F 587 f. u. S. 153 f. dieser Arbeit. Im 4. Kapitel des _Verschollenen_ heißt es von Delamarche: »Auf dem Gange mußten sie lange hin und her gehen, und besonders der Franzose, der sich in Karl eingehängt hatte, schimpfte ununterbrochen, drohte, den Wirt, wenn er sich vorwagen sollte, niederzuboxen, und es schien eine Vorbereitung dazu zu sein, daß er die geballten Fäuste rasend aneinander rieb.« (A 121) Durch solches Arrangement wird die durch viele Einzelzüge hervorgehobene Parallelität zwischen dem 1. u. 4. Kapitel (dazu W. _Jahn_, Kafkas Roman »Der Verschollene« (»Amerika«), Stuttgart [1965], S. 12 ff.) verstärkt, wird doch im Eingangsteil berichtet, daß der Heizer Karl an der Hand nimmt, um gemeinsam mit ihm beim Kapitän (also dem »Wirt« des Schiffes) vorzusprechen, daß er rücksichtslos diesem seine Meinung sagen will, daß er im Gehen »mit Seitwärtsstoßen des Fußes eine den Weg kreuzende Ratte niedertreten« möchte (A 17 f. – sein Zorn äußert sich also in einer Delamarches Handgeste vergleichbaren Weise) und daß er beim Erscheinen Schubals die Fäuste an den gestrafften Armen ballt (A 29). Vgl. auch H 41, 45, 99, T 161.

380 S 170, B 73, F 701 u. A 243, vgl. Br 256 (vgl. 259), F 282, T 168, 511, 545, 585, vgl. 547.

381 E. _Kretschmer_, Körperbau und Charakter. Untersuchungen zum Konstitutionsproblem und zur Lehre von den Temperamenten, 25. A., hg. v. W. _Kretschmer_, Berlin, Heidelberg, New York 1967, S. 193 (vgl. Br 182: »... einmal gelangweilt ... einmal überempfindlich ... einmal in Angst ... einmal beruhigt...«, F 553: »ich war... gleichzeitig zerstreut und überwach (einer meiner häßlichsten und häufigsten Zustände)«, F 561 u. M 17: »stumpf wie ein Klotz und dabei unruhig wie ein Waldtier«, 194 f., F 465, 418, E. _Kretschmer_, Körperbau und Charakter, S. 210 (vgl. auch S. 313 ff. mit Anm. II, 85 ff.), FK 53 u. 43 u. M. _Brod_, Streitbares Leben, S. 184 f., E. _Kretschmer_, Körperbau und Charakter, S. 73 u. E 31 (vgl. Br 52, F 140, 210, 282, 299, 335, 382, dazu 350 u. 463). Vgl. T 194 (»Ich bin von allen Dingen durch einen hohlen Raum getrennt, an dessen Begrenzung ich mich nicht einmal dränge«), Br 452, T 112, F 401 (über sein Verhältnis zu Brod: »ich kann mich nicht erinnern ... ein großes, zusammenhängendes, mein ganzes Wesen heraushebendes Gespräch mit ihm geführt zu haben, wie es doch selbstverständlich sich ergeben müßte, wenn zwei Menschen mit ihrem großen Umkreis eigentümlicher und bewegter Meinungen und Erfahrungen aneinandergeraten«), 385 (seit sieben oder acht Jahren, meint Kafka im Mai 1913, sei er »von allem losgelöst« und »immer mehr und mehr« auf sich beschränkt), S. 134 dieser Arbeit, F 425, K. _Wagenbach_, Franz Kafka, Abb. gegenüber S. 129, Anm. III, 90 u. FK 254. (vgl. auch J. _Kobs_, Kafka, S. 173 ff.).

382 A 239 ff. (vgl. 144), S 409 (vgl. 150: »Die Hände in den Taschen, vorsichtig sich umschauend, nahe an der Mauer, umging K. zwei Seiten des Hofes, bis er beim Schlitten war«), F 376, E 37, 138 u. T 253 f., vgl. Be 102, T 378 u. 385.

383 F 277 u. S 80, vgl. F 117, M 27 u. E 124.
384 F 324, Be 136, B 171, 334, E 87, 211, T 433, A 187, P 95, 181, 232 u. S 203.
385 S 203, Br 75, 28, T 251, E 155 u. S 6, vgl. A 244.
386 P 63, A 251, P 219 u. H 87 (J. *Kobs*, Kafka, S. 407 f. mißversteht diesen Aphorismus gründlich), vgl. P 52, B 106 u. 169.
387 A 111 u. S 383, vgl. P 219.
388 F 171, Br 28 u. A 314, vgl. S 375, P 177.
389 S 159, 297 u. 394; P 284 u. A 197; A 126, 337 u. S 69; A 329, 331, P 22 u. S 154 f.; A 13, 28, 110, 273, 283 u. P 129; P 182 u. A 322; P 40 u. S 405; A 239 u. P 244, vgl. 321; A 314, S 375.
390 P 23 (vgl. 57, 236, 282, S 67 u. 160), F 95 u. 156, A 319 (vgl. 323), vgl. A 243, P 117, Br 111, F 91, 92, 101, 163 u. S. 237.
391 Vgl. Anm. II, 379 u. A 17, 21, 135, 317 u. 324.
392 A 46, 287 u. W. *Jahn*, Kafkas Roman »Der Verschollene« (»Amerika«), S. 48; A 74, P 198, 137 u. die Darstellung in FK 396; A 229 u. S 176, vgl. 244, F 101 (»Da möchte man sich vor den Kopf schlagen«) u. 468 (». . . daß mich jede Wirklichkeit so gegen die Stirn schlägt, daß ich wieder zur Besinnung komme«); A 91, Zitat: S 218.
393 T 341, 413, S 40, T 15, Br 24 u. 91, vgl. T 342, 184, 133, 303, 583, 479, 314, 413 f. u. 47 f.
394 Vgl. G. *Frey*, Der Raum und die Figuren in Franz Kafkas Roman »Der Prozeß«, 2. A., Marburg 1969, bes. S. 170 ff. u. W. *Staroste*, Raum und Realität in dichterischer Gestaltung. Studien zu Goethe und Kafka, Heidelberg (1971), S. 123 ff. (»Der Raum des Menschen in Kafkas ›Prozeß‹«).
395 S 95 u. 486, vgl. P 284 u. S 79. Wie sehr auch solche kleinste Einheiten lebensgeschichtlich vorgeformt sind, möge folgendes Beispiel verdeutlichen. Am 11. August 1914 heißt es im Tagebuch: »Vorstellung, daß ich in Paris geblieben bin, Arm in Arm mit dem Onkel, eng an ihn gedrückt durch Paris gehe.« (T 422) Im ungefähr zwei Monate jüngeren sechsten Kapitel des *Prozeß*-Romans heißt es nun: ». . . der lebhafte Straßenverkehr nahm sie auf. Der Onkel, der sich in K. eingehängt hatte, fragte nicht mehr so dringend nach dem Prozeß, sie gingen sogar eine Zeitlang schweigend weiter.« (P 117 f.) Die Abhängigkeit der letzteren Stelle von der ersteren ist offensichtlich; vgl. auch Anm. II, 168.
396 A 70 u. 77.
397 A 64, vgl. 13 u. 156.
398 A 128, vgl. 39 u. 44.
399 Vgl. K 93, 134, 136 f. u. Anm. II, 299.
400 Vgl. A 192 ff. mit 110, W. *Jahn*, Kafkas Roman »Der Verschollene« (»Amerika«), S. 48 u. besonders K 93 u. 132 ff. Das Motiv der unordentlichen Kleidung ist wohl durch die Tatsache konstelliert, daß Kafka, der für jede körperliche Unvollkommenheit einen wachen Sinn hatte (vgl. FK 97), auch derartige Dinge mißfielen, vgl. N. *Engel*, Erinnerungen an Franz Kafka, in: *Neue Zürcher Zeitung* 193, Nr. 256 (17. 9. 1972), S. 53: »Im Jahre 1916 traf ich Kafka zufällig in Marienbad . . . Meine Freundin, die bei dieser Begegnung zugegen war, erinnerte sich, daß sich Kafka, ohne die Konversation zu unterbrechen, plötzlich zu mir niederbeugte und den Gürtel meines Sommerkostüms, der lose zu beiden Seiten herunterhing, behutsam anfaßte und zusammenschnallte. Scheinbar hat ihn die Unordnung in der Kleidung irritiert.«
401 A 197, 208 u. 210.
402 A 217, vgl. Anm. II, 360.
403 Vgl. A 211 ff., Zitat: 215.

d) Belege und Erläuterungen zum dritten Teil

1 M 247 f., vgl. 221.

2 Vgl. z. B. M 43, 45 ff., 57 u. 286.

3 M 229, s. auch u. S. 377 ff.

4 Vgl. M 50, 51, 81, 134, 148 u. 159 (»Auf diesen Briefen war das Trotzdem wirklich nötig; ist es aber nicht auch als Wort schön? Im ›trotz‹ stößt man zusammen, da ist noch ›Welt‹ da, im ›dem‹ versinkt man, dann ist nichts mehr«).

5 T 566; zu Kafkas Einschätzung des Volklichen vgl. meinen Aufsatz »Franz Kafka und die Wochenschrift ›Selbstwehr‹«, in: Deutsche Vierteljahrsschrift für Literaturwissenschaft und Geistesgeschichte 41 (1967), bes. S. 289 ff.

6 M. *Jesenská,* Franz Kafka, in: *Národní listy* 64, Nr. 156 (6. 6. 1924), S. 5, vgl. M. *Buber-Neumann,* Kafkas Freundin Milena, München (1963), S. 96 f. mit M 120 f.

7 M. *Jesenská,* Dábel u krbů [Der Teufel am Herd], in: *Národní listy* 63, Nr. 16 (18. 1. 1923), S. 1 f., vgl. M 256 Z. 27 u. 266.

8 Vgl. Br 317, M 113, 116 u. 177, H 216 u. T 542.

9 S 73, 490, 439 u. 465, vgl. 42 u. meinen in Anm. III, 35 genannten Aufsatz, bes. S. 419 f.

10 T 560 u. M. *Pasley,* Franz Kafka Mss: Description and Select Inedita, in: Modern Language Review 57 (1962), S. 59.

11 M. *Pasley,* Franz Kafka Mss, S. 59 u. 58.

12 S 206 f., T 560 u. 559.

13 S 467, 365, 243, M 68, B 259 u. H 204, vgl. S 501. Eine ebenfalls in diesen Denkzusammenhang gehörige Aussage in einem an Felice gerichteten Brief ist Anm. II, 381 dieser Arbeit zitiert. Schon Max Brod hat deutlich gefühlt, in welcher Richtung Thematik und Problematik des Romans zu suchen sind: »Das Wort ›Jude‹ kommt im ›Schloß‹ nicht vor. Dennoch ist mit Händen zu greifen, daß Kafka im ›Schloß‹ aus seiner jüdischen Seele hervor in einer schlichten Erzählung über die Gesamtsituation des heutigen Judentums mehr gesagt hat, als in hundert gelehrten Abhandlungen zu lesen ist.« (FK 164) Die einzelnen Elemente dieser jüdischen Argumentationsbasis herauszuheben und zu beschreiben, ist eine der Aufgaben der folgenden Untersuchung.

14 S 448 (vgl. Br 444 Z. 5 ff.); auch in der getilgten Variante dieser Handlungseinheit kommt dieses Moment zur Geltung, sagt K. dort doch zu seiner Gesprächspartnerin: »Aber auch er mache sich wahrscheinlich übertriebene Vorstellungen von dem zu Erreichenden, und seine Bemühungen gingen gerade deshalb fehl.« (M. *Pasley,* Franz Kafka Mss, S. 59)

15 S 432, vgl. 433 f.; zeitgeschichtliche Einbettung des Zusammenhangs K 286 ff.

16 K. zu Pepi: »Nur sei seine Lage noch schlimmer als die ihre. Sie hätte wenigstens für vier Tage erreicht, wonach sie strebte . . . Er aber, K., wie weit sei er von allem entfernt, was er wollte . . .« (M. *Pasley,* Franz Kafka Mss, S. 59)

17 S 432 u. 433, vgl. 454, 449, 540 ff., 363 Z 17 ff., 457, 221 Z. 16 (K. zu Hans: »Also übermorgen.« Den folgenden Tag verbringt K. auf den Fässern im Ausschank des »Herrenhofs«, zu Anfang der dann beginnenden Nacht bricht der Roman ab). S 66 (»der vierte Tag seines Aufenthalts im Dorf«, zwischen diesem Zeitpunkt und K.s Ankunft liegen zwei Nächte), 467.

18 Im Folgenden wird die von Kafka intendierte Kapiteleinteilung zugrunde gelegt, die aus der Handschrift ablesbar ist, vgl. M. *Pasley,* Zur äußeren Gestalt des ›Schloß‹-Romans, in: J. *Born* u. a., Kafka-Symposion, Berlin (1965), S. 181 ff. u. K 278 ff.; Beginn von Kapitel zwei (Titel: *Barnabas*) S 29 Z. 19, v. Kapitel zehn (Titel: *Auf der Straße*) S 170 Z. 22.

19 S 158 Z. 2 (*Kampf gegen das Verhör*) u. S 355 Z. 2 (ohne Titel), vgl. S 66 mit 68.

20 S 449, M 118 u. S 289, vgl. 290 u. T 19, wo es über den Junggesellen heißt: »Denn ohne einen Mittelpunkt zu haben, ohne einen Beruf, eine Liebe, eine Familie, eine Rente zu haben, das heißt ohne sich im Großen gegenüber der Welt, versuchsweise natürlich nur, zu halten, ohne sie also durch einen großen Komplex an Besitztümern gewissermaßen zu verblüffen, kann man sich vor augenblicklich zerstörenden Verlusten nicht bewahren.«

21 S 11 u. 140, vgl. 540 ff.

22 T 21, 180 f., 555 u. 558 f., vgl. Br 164 u. F 445.

23 T 181 (als Erzählparallelen kommen der *Jäger Gracchus* [die Hauptfigur liegt bewegungslos auf einer Holzpritsche in einer leeren Kabine] und die *Erinnerungen an die Kaldabahn* [der Ich-Erzähler — »meine Hütte, die mein einziger Besitz war« — T 432 — liegt am Schluß krank auf seiner »Pritsche« und erwartet sein Ende; zum Titel dieses Bruchstücks vgl. man T 453] in Frage).

24 T 180.

25 Vgl. S 60 Z. 9 u. 29 f., 157 Z. 5, 249, 307 u. 541, vgl. 24 Z. 19 u. 506 Z. 20. Als stoffliche Anregung für die im Text geäußerte Vermutung, Kafka habe beabsichtigt, den Landvermesser zum Pferdeknecht in Gerstäckers Stall herabsinken zu lassen, mag eine Mitteilung von Minze Eisner gedient haben, die für Kafka eine typische Repräsentantin des Westjudentums war (vgl. Br 261, 281 f. mit 333). Im März 1921 antwortet er ihr auf einen Brief, in dem sie ihm von ihrer augenblicklichen Arbeit in der Landwirtschaft berichtet hatte: »Es ist zwar schön und merkwürdig und hat einen Schein von Großartigkeit, daß Minze dort im kalten Norden ihr Brot selbst verdient und am Abend des schweren Tages in Pferdedecken eingewickelt auf dem Strohsack liegt und Lisl [gewiß ein Pferd] nebenan schläft schon und draußen schneit es und es ist naß und kalt und morgen kommt wieder ein schwerer Tag — das alles ist schön vom Balkon einer Tatra-Villa aus . . .« (Br 310) Jahreszeit, berufliche Selbständigkeit, Art der Unterbringung und das Schlafen bei den Pferden ist Minze und der erschlossenen Lebensphase K.s im Dorf gemeinsam.

26 S. 5, 7, 8, 63, 36 f., 183, 415 f. u. 417 (Z. 7 »Bett« ist nach der Handschrift in »Brett« zu ändern; in der Erstfassung dieser Szene wird ausdrücklich erwähnt, daß K. aus einem Winkel ein Brett holt, das er für den genannten Zweck schon früher ins Auge gefaßt hat, und dann seinen Rock auszieht, den er als Kissen unter dem Kopf zusammenlegt); vgl. Anm. III, 149.

27 Br 430 (zur Umdatierung dieses Briefs vgl. unten den Beginn des 3. Kapitels), vgl. 284 (datiert auf den 31. 12. 1920), wo der Dichter an Max Brod schreibt: »Hat mich denn von Berlin etwas anderes abgehalten als große Schwäche und Armut«, und M 117, wo es heißt, wenn Milenas Mann Kafka liebe, »so ist es die Liebe des reichen Mannes zur Armut«.
Ein weiterer wichtiger Beleg findet sich in dem an Julies Schwester gerichteten Brief Kafkas: »... daß ich selbst an den Tatsachen gemessen nur ein armer Mensch und infolge der Armut aufs Glückspiel angewiesen aber kein Lügner war.« (K. *Wagenbach*, Julie Wohryzek, die zweite Verlobte Kafkas, in: J. *Born* u. a., Kafka-Symposion, S. 52) Wie bei diesem Begriff ist natürlich auch bei der schäbigen Körperlichkeit der Figuren Kafkas eine ganz reale Komponente mitzudenken. So schreibt Kafka Anfang 1921 an Max Brod anläßlich der Tatsache, daß er selbst an den Liegestuhl gefesselt ist, während andere Ski laufen und der Freund die schwere Rückgratskrümmung seiner Kinderzeit vollständig überwunden hatte (vgl. dazu M. *Brod*, Streitbares Leben 1884–1968, München, Berlin, Wien [1969], S. 118 ff.): »Vergleichen wir einander in diesem: Beide haben wir ein Hindernis der Körperlichkeit. Du hast es herrlich überwunden.« (Br 296) Zu möglichen sozialpsychologischen Determinanten

vgl. C. *Stölzl,* Kafkas böses Böhmen. Zur Sozialgeschichte eines Prager Juden, (München 1975), S. 130.

28 S 8, 131, 46 (vgl. 512 Z. 7 ff.), 543, 142, 433, Br 84, T 579 ff., Br 112, FK 200, B 349 f., O 144 f., FK 46; als einzige Erinnerung an Kafka bewahrte Otto Stoeßl, daß sein Prager Kollege außerordentlich elegant gekleidet gewesen sei. (Freundliche Mitteilung Marthe Roberts) Und Dora Diamant wußte zu berichten, daß für Kafka beispielsweise der Kauf einer Krawatte eine große Angelegenheit gewesen sei. (Hinweis von Marianne Steiner an den Verfasser) Zitate: S 512, F 409, 150, 340, B 183, O 113 f. u. A. X. *Nessey* [Milena *Jesenská*], Tanec nad propastí. Dopis z Vídně [Tanz überm Abgrund. Brief aus Wien], in: *Tribuna* 2, Nr. 259 (5. 11. 1920), S. 2. Erwähnenswert ist noch, daß auch Friedas Armut — sie besitzt nur ein kleines Wäschebündel (S 65) — eine reale Entsprechung hat. Zur Darstellung ihrer äußeren Lage zitiert Milena Kafka gegenüber folgenden, vielleicht einem Volkslied entstammenden Vers: »Ich habe zwei Kleider und sehe doch nett aus.« (M 61) Wegen der dargestellten Zusammenhänge muß W. H. *Sokels* existentialistische, sich ebenfalls auf Kafkas Selbstdeutung in den *Briefen an Milena* berufende Deutung des *Schloß*-Romans verworfen werden. K.s Freiheit, Fremdheit, Nichtssein und seine Täuschungsmanöver erscheinen in einer solchen Sehweise als Existenzform, wo der jeweilige Augenblick den Menschen nicht definiert und wo das Dasein als grund-, sinn- und zwecklos gegeben scheint. (»Kafka und Sartres Existenzphilosophie«, in: Arcadia. Zeitschrift für vergleichende Literaturwissenschaft 5 [1970], S. 262 ff., bes. S. 268 u. 272 f.) Kafka betont demgegenüber jedoch gerade, wie der Westjude durch den jeweils gegenwärtigen Einzelmoment bestimmt ist, und das Vorhandensein tragfähiger und erstrebenswerter Lebensgrundlagen wird im Roman stillschweigend vorausgesetzt bzw. in Kafkas Denken nur insofern problematisiert, als der Autor selbst glaubte, nicht die notwendigen Kräfte zur Verfügung zu haben, die ihm zur Verwirklichung eines menschenwürdigen Lebens notwendig schienen.

29 M 42 f., 182, *Janouch,* Gespräche mit Kafka, S. 217 f., Zitate: M 154 u. S 242.

30 S 439, 444, 17, vgl. 102, 110 u. 88. J. *Winkelman* verweist darauf, daß Friedhof, Glockenläuten, Winter und Nacht eine Anspielung auf den Bereich der Unterwelt und die Brücke, über die K. zum Dorf gelangt, ein Bild für den Grenzbereich zwischen Tod und Leben sei, den K. nach langer Lebensreise überqueren müsse; und wenn er am ersten Tag seines Aufenthalts in der Gemeinde sich anläßlich seines Steckenbleibens im Schnee selber versichert, er sei freiwillig hier, so wird darin ein Hinweis auf seinen Selbstmord gesehen. (»An Interpretation of Kafka's ›Das Schloß‹«, in: Monatshefte. A Journal Devoted to the Study of German Language and Literature 64 [1972], S. 115 ff.) Eine ähnliche Auffassung vertritt W. G. *Sebald,* der im Roman eine Todeslandschaft dargestellt findet, weil das Wirtshaus im Volksglauben ein Symbol der Unterwelt darstelle, Pepi im »Herrenhof« »unten« wohne und die Schloßbehörde eine Registratur der Verstorbenen darstelle, da ihre Organisation lückenlos sei. (»Thanatos. Zur Motivstruktur in Kafkas ›Schloß‹«, in: Literatur und Kritik 66/67 [1972], S. 399 ff.) Beide Forscher mißverstehen die angeführten Details, die in der vorliegenden Darstellung aufgrund ihres Stellenwerts im Gesamtgefüge des Textes gedeutet werden, weil sie die einzelnen Gegebenheiten viel zu isoliert und eklektizistisch betrachten.

31 S 366, M. *Pasley,* Franz Kafka Mss. S. 58 u. T 564, vgl. 565 ff.

32 M 223 f., vgl. 42, 164 f. u. T 567: »Wenn . . . M.[ilena] plötzlich hierher käme, es wäre schrecklich . . . ich wäre abgestürzt in eine Welt, in der ich nicht leben kann.«

33 Vgl. dazu auch K 290.
34 H 239; das zum Rußland-Komplex des *Urteils* motivähnliche Bruchstück ist
   abgedruckt bei M. *Pasley,* Franz Kafka Mss, S. 55.
35 Vgl. dazu meinen Aufsatz »›Der Jäger Gracchus‹. Zu Kafkas Schaffensweise
   und poetischer Topographie«, in: Jahrbuch der Deutschen Schillergesellschaft
   15 (1971), S. 420 ff.
36 S 451 f.
37 S 370 u. Br 474, vgl. 31, F 145 f. (*Tonio Kröger*) u. S 18 (»Menschenleere«), 23
   (»es zeigten sich in diesem Dorf also doch noch Menschen auf der Gasse!«) u.
   177.
38 T 19 u. 294.
39 H 100 u. T 22.
40 S 467, 241, T 554, 562, S 242.
41 Br 430, 384 u. T 557 f.
42 Br 297 u. 303, vgl. Br 174 Z. 13 ff.
43 Dazu Br 222 ff.
44 Über die Folgen eines inneren Zusammenbruchs äußerte Kafka einmal: »...
   zuviel ist herauf beschworen, das jetzt aus Eigenem schon lebt und nicht mehr
   mit einem Wort zu beruhigen ist, sondern schon einen gewissen Zeitablauf
   benötigt.«
45 Br 382 u. S 242, vgl. H 39 Z. 7 ff.
46 So in einem Brief an Max Brod, in dem sich auch der gleichfalls auf Kafka
   bezügliche Satz findet: »Er ist wie ein Nackter unter Angekleideten« (FK 200),
   der die Problematik des *Schloß*-Romans wie ein Brennspiegel zusammenfaßt.
47 4. Kapitel: *Erstes Gespräch mit der Wirtin,* 6. Kapitel: *Zweites Gespräch mit
   der Wirtin* (vgl. M. *Pasley,* Zur äußeren Gestalt des ›Schloß‹-Romans, S. 185);
   S 70 u. 131.
48 S 17; die Variante ist bei W. H. *Sokel* mitgeteilt. (»Franz Kafka – Tragik und
   Ironie. Zur Struktur seiner Kunst«, München, Wien [1964], S. 407)
49 S 10, vgl. 19, 68, 152 f., 361 u. 371; eine kurze Würdigung des Sachverhalts
   unter ästhetischen Gesichtspunkten findet sich in meinem Aufsatz »Kafkas
   literarische Urteile. Ein Beitrag zu seiner Typologie und Ästhetik«, in: Zeitschrift für deutsche Philologie 86 (1967), bes. S. 236 f.
50 S 152, vgl. 153 u. 159.
51 S 392, 355, 376, 371 (vgl. 361), 416 u. 468.
52 Vgl. S 392.
53 Bürgel sagt über das unerwartete Erscheinen einer Partei in der Nacht: »Sie ist
   ja ihrer Meinung nach wahrscheinlich nur aus irgendwelchen gleichgültigen,
   zufälligen Gründen – übermüdet, enttäuscht, rücksichtslos und gleichgültig
   aus Übermüdung und Enttäuschung – in ein anderes Zimmer gedrungen, als
   sie wollte« (S 390); vgl. S 18, 437 (Pepi erklärt: »in diesen vier Tagen kam
   Klamm, obwohl er während der ersten beiden Tage im Dorf war, in das Gastzimmer nicht herunter«), 371 u. 347.
54 Br 398, vgl. T 544 u. 563.
55 S 17, 90, 153 ff. u. 406 ff.; Näheres zur Herrenhofwirtin im 8. Kapitel.
56 S 152 u. 376, vgl. 20 f.; H 47 Z. 19 ff., vgl. S 11, 150, 360, 78 u. T 329; wie
   sehr für Kafka schon Angegessenes den Charakter des eigentlich dem Menschen
   nicht Zukommenden hatte, beweist auch die Tatsache, daß er, wenn er Früchte
   weitergab, von denen er schon gekostet hatte, sorgfältig die Spuren tilgte, die
   das Geschenk als bloßen Speiserest hätten aussehen lassen; wäre dieses Verhalten
   zu Lebzeiten des Dichters die Norm gewesen, hätte sich einer seiner Bürokolle-
   gen wohl kaum daran erinnert (vgl. *Janouch,* Gespräche mit Kafka, S. 120 u.
   A 346).

57 S 352, 22, 407 u. 16; vgl. 22 Z. 8 f., 162 Z. 17 u. 376 Z. 2 f.; 22 u. 407; 149
    (»Wie still und schön es hier war!«) u. 370 (»Erst jetzt merkte K., wie still es
    auf dem Gang geworden war«); 150 Z. 10 u. 409 Z. 5. (Die Geste verweist, wie
    gezeigt [S. 249 dieser Arbeit], auf distanzierte, kommunikationsunwillige Beob-
    achtung und ist als solche ein Ausdruck des Junggesellentums, vgl. T 180: »Er
    geht . . . umher . . . die Hände in den hohen Rocktaschen . . .«)
58 S 349, 149 u. 50, vgl. 454 Z. 19 f. (Eine gestrichene Variante zu dieser Stelle
    lautet: »Sie gingen quer über den Flur in ein Zimmer, aus dem K. schon früher
    einmal den Wirt hatte kommen sehn. Es war das Privatkontor des Wirts, es
    stand auch draußen angeschrieben, wie K. jetzt merkte.« [Diese Stelle nicht
    in den Drucken, sie verweist übrigens auf 171 Z. 14 ff. zurück.] Der Text ist
    insofern interessant, als das Motiv des Türschilds in Olgas Erzählung wieder-
    kehrt. Sie berichtet, der kindliche Barnabas pflege hinsichtlich seiner Zweifel
    an der Identität des Bürovorstands zu sagen: »Der Beamte sieht ja Klamm sehr
    ähnlich; würde er in einer eigenen Kanzlei sitzen, am eigenen Schreibtisch,
    und wäre an der Tür sein Name – ich hätte keine Zweifel mehr.« [265]
    Dieses Handlungselement zeigt nicht nur eine noch durch viele andere Details
    zu stützende Parallelität der Bestrebungen K.s und der Familie des Barnabas
    [dazu unten das 6. Kapitel], sondern vor allem auch, daß die Beschreibung
    des »Herrenhofs« diesen als Abbild des Schlosses erweisen soll.), 50, 291 Z. 16 f.
    u. 61.
59 S 55, 53, 146, 437 f., 427 Z. 2, 435 Z. 14 u. 442 Z. 18 f.
60 S 149, 150 u. 483 Z. 22.
61 S 352, 36, 149, 349 Z. 3, 437 Z. 29, 438 Z. 6, 254 Z. 4, 346 Z. 11, FK 196, F 68
    u. 211. Von ganz besonderem Interesse ist die Sprachregelung im *Ver-
    schollenen* und im *Prozeß*: Die langen Flure der großen Bank, in der K.
    beschäftigt ist, werden als Korridore bezeichnet (P 108), das Vorstadthaus
    dagegen, in dem der Advokat wohnt, besitzt nur einen kleinen Gang (121), und
    das gleiche Wort erscheint, wenn von den Kanzleien auf dem Dachboden die
    Rede ist, die K. von Titorellis Atelier aus betritt (P 198). Ähnlich im *Amerika*-
    Roman: Auf dem Schiff gibt es einen »schmalen Gang« (A 17), im Landhaus
    bei New York sind ebenfalls Gänge (83 ff.), in dem riesigen Hotel jedoch
    Korridore (163)!
62 S 465, 397 u. 150, vgl. 50, 150, 352, 437 u. 422.
63 S 352, 465 u. 346, vgl. 372, 394 f., 521 ff., 98 u. 394. Als Anregung, Bett, Wasch-
    tisch und Kasten Erlangers, der mehrere Räume gleichsam als Dienstwohnung
    benützt, durch eine »Holzrollwand« vor K.s Augen zu verbergen, mag für
    Kafka zweierlei in Frage gekommen sein: Derartige Raumteiler sind eine
    Erfindung Ostasiens, und als solche wurden sie ihm auch bekannt: »Dann ging
    sie an die Papierwand, die nach der Straße hin das Fenster bildete, und rollte
    eine Holzwand vor, die keinen Lichtstrahl mehr durchließ«. (J. Dittmar, Im
    Neuen China. Reiseeindrücke, hg. v. N. Henningsen, Köln 1912, Schaffstein's
    Gründe Bändchen Nr. 24, die Reihe gehörte zu Kafkas Lieblingslektüre, vgl.
    F 738. Dittmar hat die Konzeption von *Vor dem Gesetz* mitbeeinflußt, vgl.
    K 245 f.) Die Art der Verwendung erinnert an *Dostojewkis* Roman *Rodion
    Raskolnikoff*, der eine der Hauptquellen zum *Prozeß* bildet (vgl. K 189). Das
    Büro des Untersuchungsrichters ist nämlich durch eine Scheidewand von seinen
    Amtsräumen getrennt, die aber durch eine in ihr befindliche Tür zugänglich
    sind. (München und Leipzig 1908, S. 88 u. 116)
64 S 155 f., 358 u. 360.
65 S 419 Z. 16 (vgl. 443 Z. 20), 423, 449 u. 468, vgl. 423 u. 400 Z. 15 f.; in einem
    gewissen Gegensatz zum vorliegenden Textbefund steht eine von Kafka aller-
    dings unmittelbar nach ihrer Niederschrift wieder getilgte Passage aus dem

Gespräch zwischen K. und der Herrenhofwirtin im Ausschank, das sich an die Antwort des Landvermessers auf Pepis Erzählung anschließt. In der unpublizierten Erstfassung dieser Szene ging der Dichter davon aus, daß das Schankmädchen zusammen mit Bratmeier (so ist dieser Name mit der Handschrift zu lesen) den Raum verläßt, bevor ihre Herrin eintritt (vgl. M. *Pasley*, Franz Kafka Mss, S. 59). Diese fragt dann nach Pepi, so daß K. sich anbietet, sie zu holen; Frieda ist offenbar unwohl und kann ihren Dienst nicht antreten. Die Wirtin lehnt diesen Vorschlag aber ab, weil Pepi »oben« gebraucht werde. Richtig müßte es »unten« heißen, was aber auch wieder insofern nicht sehr sinnvoll wäre, als doch jetzt in der Person des Jeremias eine zusätzliche Kraft zur Verfügung steht. Vielleicht strich deswegen Kafka den Satz wieder durch, vielleicht hatte er jedoch augenblicksweise die Absicht, Pepi jetzt zu einer Art Assistentin der im Obergeschoß wohnenden Wirtin (456) zu machen.

66 S 360 f., 370 u. 422, 522, 254, vgl. 54 Z. 22, 70 Z. 20 f. u. 422.

67 S 422, 494 u. 52; Kleidung: 51, 406, 394, 257, 52 Z. 13 f. u. 5 Z. 21; Zitate: 435, 20, 34, 147 (vgl. 413 [»seidenartig knisterndes... Kleid«] u. 438), 54, E 244 u. S 146; daß das Kleid der Herrenhofwirtin tatsächlich aus dem genannten Material bestehen sollte, erhellt aus einer unpublizierten Variante des sich um diesen Gegenstand drehenden Gesprächs zwischen dieser Figur und K., es ist dort »aus Seide«. Die Änderung ist aus perspektivtechnischen Erwägungen erfolgt: Der vollständig übermüdete (S 396) und in Kleidersachen doch nicht besonders fachkundige (455 f.) K. kann ja unmöglich das Material des Kleides erkennen, wohl aber Farbe und das Geräusch, das bei den Bewegungen der Herrenhofwirtin entsteht.

68 S 442 u. 65.

69 Nach K.s Ankunft im »Brückenhof« heißt es: »Die Lampe wurde ausgelöscht« (S 10), für die im »Herrenhof« spielenden Teile verwendet Kafka eine andere Terminologie: »schon hatte Frieda das elektrische Licht ausgedreht« (62), und Pepi »drehte das elektrische Licht an« (S 146); wird letzteres dennoch »angezündet« (S 149), dann deshalb, weil Kafka die Wiederholung des Wortes »andrehen« vermeiden will; außerdem erhellt der Kontext die Art der Beleuchtung eindeutig; auch Amalia sagt im Hinblick auf ihre winzige Petroleumlampe: »auslöschen werde ich müssen« (299). Die Terminologie scheint nicht nur gesetzmäßig, sondern auch ein Reflex der bei diesen Gelegenheiten wirklich vorzunehmenden Handlungen (eine Flamme kann nicht angedreht, eine Glühbirne nicht gelöscht werden; wie genau Kafka im Grunde die möglicherweise noch in einem Begriff liegende Anschauungskomponente beachtet, läßt sich etwa aus einer Briefstelle erschließen, wo er die Unterschiede im Wortgebrauch zwischen »schleppen«, »ziehen«, »bewegen« und »Spur hinterlassen« diskutiert, wobei ihn die zuletzt genannte Wendung »zu sehr an kriechende Raupen« erinnert (Br 458; vgl. auch F 249).

70 S 50, 112 f., 240, 5, 36, 136 u. 347; 50, 14, 454, 153, 432 Z. 20 ff., 423, 431, 434, 36 (vgl. 121), 61 u. 321, Zitate: 355 u. M. *Pasley*, Zur äußeren Gestalt des ›Schloß‹-Romans, S. 182 (dort Faksimile); vgl. Anm. III, 277.

71 S 145 u. 146 (vgl. 15) u. 157.

72 Vgl. T 566 Z. 18 ff. u. S. 118 f. dieser Arbeit.

73 S 75 f., 259, 265, 394 (vgl. 179: »K. hatte in Selbstvergessenheit gesprochen, so, als stehe er vor Klamms Tür und spreche mit dem Türhüter«), Zitat: 466.

74 So R. *Gray*, Kafka's »Castle«, Cambridge 1956, S. 132.

75 Dies behauptet Max *Brod* im Nachwort zur dritten Ausgabe des Romans (S 541 f.).

76 S 455, 72 f. u. 415; 541 (vgl. 24), Zitat: 467.

77 S 135, vgl. 17. Daß die Figur, die K. gleich bei seiner Ankunft in der Gemeinschaft so entscheidend schwächt, daß dieser glaubt, sein Ziel nicht mehr erreichen zu können, bei einem Metzger eingemietet ist, kann kaum als Zufall
gelten. Kafka bringt seine Mechanismen der Selbstquälerei unter anderem mit
diesem Bereich in Verbindung: »Vorstellungen wie z. B. die, daß ich ausgestreckt auf dem Boden liege, wie ein Braten zerschnitten bin und ein solches
Fleischstück langsam mit der Hand einem Hund in die Ecke zuschiebe... sind
die tägliche Nahrung meines Kopfes.« (Br 114 f.) »Immerfort die Vorstellung
eines breiten Selchermessers, das eiligst und mit mechanischer Regelmäßigkeit
von der Seite her in mich hineinfährt und ganz dünne Querschnitte losschneidet,
die bei der schnellen Arbeit fast eingerollt davonfliegen.« (T 305) Und zu einer
Zeichnung, die seine masochistischen »Beschäftigungen« illustrieren soll, bemerkt er, das Folterinstrument sei keine Originalerfindung, sondern bloß dem
Fleischhauer abgeschaut, »der das ausgeweidete Schwein vor seinem Laden aus-
spannt«. (M 230) Dieser Vorstellungsbereich hinwiederum dürfte nicht unabhängig von der Tatsche sein, daß der Vater Hermann Kafkas in dem Dorf Wossek diesen Beruf ausübte (K. *Wagenbach,* Wo liegt Kafkas Schloß?, in: Kafka-
Symposion, S. 174) und das Vegetariertum des Dichters bei den Eltern auf
wenig Gegenliebe stieß (»Monatelang mußte mein Vater während meines Nacht-
essens die Zeitung vors Gesicht halten, ehe er sich daran gewöhnte« – F 79,
vgl. 109 u. 115). Dieser Zusammenhang wird von Kafka selber angedeutet,
wenn er an Milena schreibt: »mein väterlicher Großvater war Fleischhauer in
einem Dorf bei Strakonitz, ich muß soviel Fleisch nicht essen als er geschlachtet
hat« (unveröffentlicht, hinter M 76 Z. 6, vgl. K 256). Wenn der Lehrer also in
Untermiete beim Fleischhauer wohnt, so soll damit wohl eine gewisse Nähe zu
den familiären Vorgängen hergestellt werden, die Kafkas Persönlichkeitsentfaltung verhinderten. Vgl. auch H 211.

78 S 526 f.

79 S 86 u. 392, vgl. 377, 405, 401, 373 u. 378.

80 S 10, 289, M. *Pasley,* Franz Kafka Mss, S. 59 (»also sogar um diese Stelle, die er
sowenig haben wolle, wie sie die Stelle des Zimmermädchens, ja die er noch
viel weniger wolle, sogar um diese Stelle müsse er noch kämpfen«), 92 u. 340;
107, M. *Pasley,* Franz Kafka Mss, S. 59 (»nur das Recht seines Anspruches für
sich kämpfen lassen«).

81 M. *Walser,* Beschreibung einer Form. Versuch über Franz Kafka, (Frankfurt/M.,
Berlin, Wien 1972), S. 81, J. *Rolleston,* Kafka's Narrative Theater, University
Park and London (1974), S. XV f. (vgl. S. 112 ff.) u. S 241, vgl. K.-P. *Philippi,*
Reflexion und Wirklichkeit. Untersuchungen zu Kafkas Roman »Das Schloß«,
Tübingen 1966, S. 35 ff. u. K 22 f.

82 Der Begriff des Sich-Verkriechens ist häufig: vgl. z. B. M 56, 76, 211, 223,
225 (vgl. 192), H 162 u. T 542, Br 299 (vgl. 292), 316, 318, FK 201 (vgl. M 250
u. 254), u. Br 303 (vgl. 311).

83 Der Brief ist Br 411 f. abgedruckt; die Handschrift befindet sich heute im
Schiller-Nationalmuseum in Marbach/N., seinem Direktor, Herrn Prof. Dr. B.
Zeller, sei für die Erlaubnis, das Bruchstück zu zitieren, herzlich gedankt.

84 S 444, M 223 (vgl. S 344 u. unten das 8. Kapitel dieser Arbeit) u. S 392: Bürgels
Aussage bezieht sich auf das bevorstehende Verhör K.s mit Erlanger, der befiehlt,
Frieda müsse unverzüglich in den Ausschank zurückkehren. Ist es da ein
Zufall, wenn Kafka in einem auf Herbst 1920 zu datierenden Brief an Milena
(dieser Ansatz ergibt ein Vergleich von Br 283 mit M 241 und die Tatsache,
daß das hier genannte Kind am 27. 3. 1921 geboren wurde, vgl. dazu auch
Br 323 f.), in dem er an keine gemeinsame Zukunft mit der Geliebten mehr

glaubt, formuliert: »Gewiß gibt es noch andere gemeinsame Möglichkeiten, die Welt ist voll Möglichkeiten, aber ich kenne sie noch nicht«? (M 242), vgl. 395.

85 T 563 u. E 146 u. 147.

86 S 25, M 243, F 65 (»ich bin der magerste Mensch, den ich kenne«), Zitate: T 567 u. 569.

87 S 57, 210, 121 f., 274, 296 f. u. 275.

88 »Im Roman vom ›Schloß‹ kann man die Liebesbeziehung Kafkas zu Milena mit seltsamer Skepsis und in pejorativer Weise widergespiegelt finden, eine eigenartige heftige Deformation der Geschehnisse, die vielleicht allein ihn aus der Krise retten konnte. Milena, im Roman in höchst karikierter Gestalt als ›Frieda‹ auftretend, tut entscheidende Schritte, um Kafka (K.) zu retten; sie verbündet sich mit ihm, begründet mit ihm einen Hausstand in Armut und Entsagung, aber fröhlich und entschlossen, sie will für immer die Seine sein und ihn gerade dadurch in die Naivität und Unmittelbarkeit des wahren Lebens zurückführen, – aber sowie K. einschlägt, die dargebotene Hand ergreift, melden sich die früheren Bindungen, die die Frau beeinflussen (das ›Schloß‹, das Volkstum, die Gesellschaft, vor allem aber der geheimnisvolle Herr Klamm, in dem man ein übersteigertes und dämonisiertes Schreckbild des legalen Gatten zu sehen hat, von dem Milena innerlich nicht loskam), das erträumte Glück findet ein rasches Ende, da K. für Halbheiten nicht zu haben ist und seine Frieda als Ehefrau für sich allein haben will, ohne daß sie ständig von den Sendboten des ‹Schlosses›, den rätselhaften Gehilfen, und von Klamm beherrscht wird. Sie aber verrät ihn, wendet sich zur Sphäre des ›Schlosses‹ zurück, aus der sie kam. Es wird klar, daß in K. der Wille zur integralen Rettung weit kompromißloser aufgeflammt ist als in Frieda, die sich mit einer Art Strohfeuer begnügt oder doch zu rasch der Enttäuschung Raum gibt. Mündlich hat Milena mir mitgeteilt, daß ihr Mann, als er erfuhr, daß Kafka sein Rivale sei und sie heiraten wolle, sich aufs neue für sie zu interessieren begann.
Die Parallele zwischen Roman und Erlebnis ließe sich noch viel weiterführen, wobei der selbstquälerische Zug in K. stark hervortritt. Im Roman sieht er sich selbst als einen Schwindler, der eine Einladung, eine Berufung auf einen Posten fingiert. Die Freundinnen Milenas, die abraten, haben im Roman eine gewaltige Steigerung zur mythischen, ja parzenhaften Figur der ›Wirtin‹ erfahren. Sie vertritt gewissermaßen den Chor der antiken Tragödie. Die seltsame Eifersucht und Verachtung Friedas gegenüber Olga (im Roman) erweist sich als Gegenstück zu der Haltung, die laut den Briefen Milena gegenüber J. W. einnahm, mit der Kafka damals verlobt war. Sie verlangte kategorisch, daß Kafka sich von W. und ihrer Familie völlig löse. Sie war in dieser Forderung scharf und sogar ungerecht, wie Kafka selbst einwendet, der ihr dabei gehorcht. Auch das Pariahafte der Olga-Familie läßt sich durch Entsprechungen in der Wirklichkeit belegen. Und von derartigen realistischen Bausteinen ist im ›Schloß‹ noch allerlei aufzufinden... Die Wichtigkeit des biographisch erlebten Details für die Genese eines Kunstwerkes soll gewiß nicht überschätzt werden; aber wenn man sie völlig minimalisiert, gelangt man allzu leicht zu falschen Aspekten.« (FK 192 f.)
Der Forschung hätte es gut angestanden, diese Ausführungen eines auch mit Milena Vertrauten mehr zu beachten (W. H. *Sokel* bildet mit seinem Kafka-Buch eine rühmliche Ausnahme), enthalten sie doch wesentliche Gesichtspunkte für jede gründliche historische Deutung des Werks.

89 Br 96, M 16 u. 86.

90 F 139, 196, S 420 u. 440, vgl. F 755, M 247, 249, F 135, M 31, F 460, S 445 f., F 381, M 223, 117, F 352, 191, M 89, 88, 221, F 267, 220, M 93, F 414, M 234, F

195, M 128, 130, F 325, M 22, F 349, M 218, S 463, T 438, M 51, S 81, F 402 f., 530, Br 275, S 54 f., S 199 f., 466, Br 491, F 271, 511, S 228 u. T 532; M. _Buber-Neumann_, Kafkas Freundin Milena, S. 12, 52 u. 40; S 54, 57, 420 u. 446; 146 u. 148; Gewiß ist es kein Zufall, daß Klamm, Erlanger und die Amtsdiener (55, 246 u. 522 f.) wie Pepi dick sind. Offenbar soll dieses Moment auf einen gewissen Besitzstand verweisen, auf eine Lebensform, die sich von der des unbedarften Junggesellen unterscheidet. In diesem Zusammenhang ist wichtig, daß Pepi von K. in einer unpublizierten Stelle als »kräftiges Menschenkind« bezeichnet wird, daß K. an »Umfang« gewonnen zu haben glaubt, weil er Wohnung, Beruf und Braut hat (289), daß Kafka den Junggesellen durch schäbige Körperlichkeit (T 19) und überhaupt Magerkeit gekennzeichnet sieht (T 180) und daß er selbst überschlank war: »ich bin der magerste Mensch, den ich kenne« (F 65), »Mein Körper ist zu lang für seine Schwäche, er hat nicht das geringste Fett zur Erzeugung einer segensreichen Wärme, zur Bewahrung inneren Feuers« (T 171), vgl. M 45, F 695, T 229 u. Br 98; zu diesem Punkt vgl. auch E. _Canetti_, Der andere Prozeß. Kafkas Briefe an Felice, (München 1969), S. 27 ff.

91 Br 252 (»körperlich ... so nichtig ... wie etwa eine Mücke, die gegen mein Lampenlicht fliegt«), T 285 (»steifes reizloses Haar«) u. M. _Pasley_, Zur äußeren Gestalt des ›Schloß‹-Romans, S. 185 (das 3. Romankapitel beginnt schon S 50 Z. 13), Zitate: M 43, 42 (vgl. 223 f. u. S 55).

92 S 366, M 224 u. 227 (»Ich lebte von Deinem Blick«), vgl. 117: Wenn Polak Kafka liebt, so ist das die Liebe des reichen Mannes zur Armut, »wovon ja auch in Deinem Verhältnis zu mir etwas ist«. M. _Buber-Neumann_ schreibt: »Man wurde gefangengenommen von den starken, blauen, durchdringenden Augen, die ... aus sich heraus strahlten ... Sie wirkte selbständig und überlegen ...« (»Kafkas Freundin Milena«, S. 86 f.) Vgl. dazu, daß Frieda durch einen Blick »von besonderer Überlegenheit« überrascht. (S 54, vgl. 446: »im Dienst war sie vielerfahren, kühl und beherrscht ... das war schon fast der Blick einer Wirtin ...«) S. a. S. 56 f.

93 FK 203, vgl. M 92, 149 u. Br 316.

94 Br 317 (vgl. M 243), M 148 f. (»Da ich Dich liebe ... liebe ich die ganze Welt und dazu gehört auch Deine linke Schulter ... und Dein Gesicht ... und das Ruhn an Deiner fast entblößten Brust. Und darum hast Du recht, wenn Du sagst, daß wir schon eins waren, und ich habe gar keine Angst davor«), S 148 u. 437.

95 FK 203 (die entsprechende Romanstelle lautet: »Dort vergingen Stunden, Stunden gemeinsamen Atems, gemeinsamen Herzschlags, Stunden, in denen K. immerfort das Gefühl hatte, er verirre sich oder er sei so weit in der Fremde, wie vor ihm noch kein Mensch, einer Fremde, in der selbst die Luft keinen Bestandteil der Heimatluft habe, in der man vor Fremdheit ersticken müsse und in deren unsinnigen Verlockungen man doch nichts tun könne als weiter gehen, weiter sich verirren« – S 63) u. M 81, vgl. 9 Z. 13 ff., 11, 88, 214 u. Br 382. Es gibt noch weitere Beziehungen zwischen der Bildlichkeit des Romans und Kafkas Beziehung zu Milena: Der Friedhof übte auf sie eine magische Anziehungskraft aus (vgl. M. _Buber-Neumann_, Kafkas Freundin Milena, S 44), hatte wie Kafka einen »Sterbe-Wunsch« (M 145), und dieser besuchte in Prag die Gräber ihrer Familie (M 99 u. 123). Von daher gesehen ist es verständlich, wenn der Dichter formuliert, es scheine ihm manchmal, »daß wir statt zusammenzuleben, uns nur gut und zufrieden zueinander legen werden, um zu sterben« (M 103); auf die Frage, ob er mit Milena in Spindlermühle glücklich werden könnte wie mit Felice in Marienbad, antwortet er sich: »Was früher ein trennendes Band war, ist jetzt eine Mauer oder ein Gebirge oder richtiger: ein

Grab.« (T 567) Und die Gedanken, die Kafka befallen, wenn er daran denkt, wie fehlerhaft er sich gegenüber Milena verhielt und wie wenig sie an ihm Genügen haben kann, stellt er so dar: »manchmal, wenn man früh aufwacht, glaubt man, die Wahrheit sei knapp neben dem Bett, nämlich ein Grab mit paar welken Blumen, offen, zum Aufnehmen bereit.« (M 222 f.) So ist es nicht zufällig, wenn Frieda zu K. sagt: »... daß hier auf der Erde kein ruhiger Platz für unsere Liebe ist ... und ich mir deshalb ein Grab vorstelle, tief und eng; dort halten wir uns umarmt wie mit Zangen, ich verberge mein Gesicht an dir, du deines an mir« (S 203); Pepi sagt, über der in der Schule weilenden Frieda habe sich förmlich schon das Grab zu schließen angefangen (441 f.). Vgl. auch Anm. III, 132.

Kafka schreibt: »Wurde mir der Liebespfeil in die Schläfen geschossen, statt ins Herz?« (M 213) K. sagt zu Pepi über Frieda: »Nein, Pepi, selbst wenn sie solche Pfeile hätte, auf so kleine Entfernung könnte sie sie nicht abschießen.« (S 448; vgl. T 557) K. hat sich im Dorf »festgehakt« (S 289; der Begriff auch im M. *Brod, Tycho Brahes Weg zu Gott,* S. 353), Kafka ist ganz in Felicens Wesen »eingehakt« (F 257, vgl. 535). Die Familie des Barnabas hat sich in die »Briefgeschichte« (S 305) »verflochten« (S 304), Kafka, der seine Korrespondenz mit Milena in einer bestimmten Phase einmal als »Briefgeschichte« bezeichnete (M 262), fühlte sich in die u. S. 482 dargestellten Lebensprobleme Fräulein Irenes »mit hinein verflochten« (Br 356; Tycho sagt zu Kepler über Ursus, seinen Feind: »Nun bist Du ... in diese ärgerliche Sache mitverflochten« — *Tycho Brahes Weg zu Gott,* S. 192).

K. wollte Klamm wie durch einen »Handstreich« nehmen (S 490) und findet sein Verhältnis zu den Behörden durch den Grundsatz »Gewalt gegen Gewalt« ausgedrückt (S 496), Kafka fühlte sich Milena gegenüber als »›Retter‹ und Gewalttäter« (M 109). Das Bild der Rettung — Kafka unterstellte Milena gleich in einem der ersten Briefe, daß sie »sich selbst ein wenig zu retten« suche (M 23) — erscheint auch sonst:

Milena empfand Kafka als ihren »Retter« (M 113), so wie Pepi K. als »Mädchenbefreier« erscheint (S 419). Der Dichter stellt sich den Zusammenhang sofort bildlich vor: »Wenn einer den andern vom Ertrinken rettet, so ist das natürlich eine sehr große Tat« (M 135), er, der Milena in Wien festhalte, habe sie gewiß nicht ausgeführt (M 113). Demnach gehört in den gleichen genetischen Zusammenhang, wenn es im *Schloß* über die Gehilfen heißt, deren gerade erfolgte Entlassung Frieda in die Arme Klamms sozusagen zurücktreibt: »›Zurück zu dir, Herr!‹ riefen sie, als wäre K. das trockene Land und sie daran, in der Flut zu versinken.« (S 198) Da die Gehilfen einen Aspekt K.s darstellen und ihre Entlassung den Verlust Friedas und damit einer entscheidenden Möglichkeit, sich in der Gemeinschaft zu verankern, zur Folge hat, ist es verständlich, daß die Vorstellung des Ertrinkens, die in den Lebenszeugnissen als Selbstprädikat gebraucht wird, im Roman auf Artur und Jeremias übertragen wird, die Kafkas Geschlechtsgier verkörpern (vgl. das letzte Kapitel dieser Arbeit): »ich ertrinke nicht vor aller Augen und niemand muß mich retten und auch sie sind so freundlich, nicht zu ertrinken« (Br 323), schreibt er aus Matliary, um die Art seines gelockerten Gemeinschaftsbezugs dort zu veranschaulichen, der nicht auf Verbindungen mit dem anderen Geschlecht beruhte. Und 1920 berichtet er Milena: »Und es ist mir gerade jetzt, als hätte ich Dir einiges Unsagbare, Unschreibbare zu sagen ... nicht um etwas Ertrunkenes zu retten, sondern um Dir etwas tief begreiflich zu machen, wie es mit mir steht ... Mir ist manchmal, als hätte ich solche Bleigewichte, daß es mich in einem Augenblick ins tiefste Meer hinunterziehn müßte und der, welcher mich fassen oder gar ›retten‹ wollte, es bleiben ließe.« (M 199 f., vgl. auch Anm. III, 166)

96 M 9 f., S 61 u. 63, Zitate: Br 329 (»gegenüber einem Mädchen von ihrer Art«),
   M 71 (»Du bist für mich keine Frau, bist ein Mädchen, wie ich kein Mädchen-
   hafteres gesehen habe, ich werde Dir ja die Hand nicht zu reichen wagen,
   Mädchen . . .«) u. S 61.

97 Für eine solche Vermutung könnte Folgendes sprechen: Offensichtlich stimmt
   die Reihenfolge nicht, für die Willy Haas sich entschied, der wohl in der still-
   schweigenden Annahme die Briefe ordnete, die Korrespondenz müsse von Kafka
   ausgegangen sein: Die beiden Briefe, die als Kopf Kafkas Meraner Adresse
   tragen, müssen logischerweise die ersten sein, die er aus Italien an sie richtete.
   Dabei muß der in der Ausgabe als jünger erachtete Brief (M 11) selbstverständlich der ältere sein, denn dort wird nicht beklagt, daß Milena nicht antwortet, auch wird eine kleine Beschreibung der augenblicklichen Verhältnisse
   gegeben (»Ich lebe hier recht gut . . .«), und vor allem lenkt der Brief zurück
   auf die Zusammenkunft in Prag. Zudem muß der Eingangssatz so gedeutet
   werden, daß kein unmittelbarer Gegenbrief vorlag (»eben hat der zwei Tage
   und eine Nacht dauernde Regen aufgehört . . . immerhin ein Ereignis, wert
   gefeiert zu werden, und das tue ich, indem ich Ihnen schreibe«).
   Daß diese Aussage vom dritten Tag des Aufenthalts in Meran stammen muß,
   wird nahegelegt durch einen wenige Tage später geschriebenen Brief an Max
   Brod und Felix Weltsch, wo Kafka, ungefähr den Bereich einer Woche über-
   schauend, schreibt, bisher seien eineinhalb Sonnentage gewesen, sonst aber Regen
   (Br 271); bewiesen aber wird es durch ein an Ottla gerichtetes Schreiben, das
   offensichtlich am gleichen Tag verfaßt wurde wie das an Milena: »Was hältst
   Du z. B. von der Ottoburg, dem einzigen brauchbaren Ergebnis des Nachmittags – des dritten Meraner und des ersten unverregneten Nachmittags –
   Preis 15 Lire . . .« (O 77. Kafka hatte zunächst in einem Hotel gewohnt, das
   ihm nicht behagte.) Ist diese Zuordnung richtig, kann der Dichter natürlich
   nicht vorher noch zweimal aus Meran geschrieben haben, der den Briefwechsel
   einleitende Text muß also nach dem eben zitierten entstanden sein, und der
   jetzt an zweiter Stelle stehende, nicht mit einem Briefkopf versehene, muß
   mit dem »Zettel« identisch sein, den er noch von Prag aus an Milena gesandt
   hatte.
   Dafür spricht auch, daß er nur von Prager Verhältnissen ausgeht, Meran also
   gar nicht erwähnt ist, daß von Milenas Übersetzer-Tätigkeit die Rede ist, die
   Ursache der gegenseitigen Bekanntschaft war (M 271), und daß Kafka tatsächlich wegen des Inhalts dieses Schreibens der Meinung sein konnte, seine Briefpartnerin »irgendwie verletzt« zu haben (M 9), denn er erwähnt dort eine
   Begegnung mit Milenas Mann in einer Weise, die zu Mißverständnissen Anlaß
   geben konnte (M 10), was ja später hinsichtlich Ernst Polaks auch wirklich der
   Fall war. Demnach wäre der Beginn des Schriftwechsels vollständig erhalten,
   denn Kafka schreibt in seinem nach der Umdatierung zeitlich an dritter Stelle
   stehenden Brief: ». . . von Prag schrieb ich Ihnen einen Zettel und dann von
   Meran. Antwort bekam ich keine.« (M 9) Daraus geht nun wieder hervor, daß
   dem Prager Schreiben des Dichters mindestens zwei an ihn gerichtete Mitteilungen Milenas vorhergegangen sein müssen (»Nach Ihrem letzten und vorletz-
   tem Brief« – M 10 u. »Als damals Ihr erster Brief kam« – M 52), in denen
   sie von ihren Schwierigkeiten in Wien geschrieben hatte (M 11), so daß Kafka
   ihr in seinem zweiten Meraner Brief empfahl, ihren Mann zeitweilig zu verlassen und ihn, Kafka, eventuell in Meran zu besuchen (M 9). Daß Kafka hier
   für ein regelrechtes Schreiben das Wort »Zettel« gebraucht, ist kein Hinde-
   rungsgrund für die vorgeschlagene Identifizierung, denn an einer späteren
   Stelle des Briefwechsels bezeichnet er seinen Anteil am regelmäßigen Schriftverkehr mit eben diesem Wort (M 109: »ich schreibe Dir, wenn Du willst,

jeden Tag auch weiterhin einen Zettel«). Demnach muß M. *Buber-Neumanns* Bericht über den fraglichen Vorgang ungenau sein, denn sie schreibt: »Milena deutete in Ravensbrück an, wie ihre Liebe zu Kafka begann. Sie sandte eine Übersetzung an den Verlag und erhielt eine persönliche Antwort des Autors.« (»Kafkas Freundin Milena«, S. 95) Hier muß der Kurt-Wolff-Verlag in Leipzig gemeint sein, in dem Kafkas Werke erschienen waren. Daß sich Milena dorthin gewandt hatte, ist wahrscheinlich, denn in Kafkas erstem Schreiben an sie heißt es: »Von Wolff dürften Sie wohl schon einen Brief bekommen haben, wenigstens schrieb er mir schon vor längerer Zeit von einem solchen Brief. Eine Novelle ›Mörder‹, die in einem Katalog angezeigt gewesen sein sollte, habe ich nicht geschrieben, es ist ein Mißverständnis« (M 10). Aus dem zweiten Satz geht noch einmal hervor, daß dieser Brief Kafkas eine Antwort auf eine an ihn gerichtete Anfrage Milenas darstellt (sie bezieht sich wohl auf den *Brudermord*), das also vorausgegangen sein muß. Wahrscheinlich hatte Milena den Verlag um ein Übersetzungs-Exemplar der *Betrachtung* gebeten, vielleicht auch gewünscht, daß ihr ausdrücklich das (ausschließliche) Recht für die Übertragung der Werke Kafkas ins Tschechische eingeräumt würde. Als Parallele kommt hier in Frage, daß Kurt Wolff später Kafkas Freund Robert Klopstock die Rechte der Übersetzung ins Ungarische vorbehielt (vgl. Br 421); außerdem sei daran erinnert, daß Milenas Übersetzung des *Berichts für eine Akademie* (in der *Tribuna* vom 26. September 1920, S. 1–4) den Vermerk trägt, es handle sich um eine autorisierte Übersetzung.

Daß Milena ihre Übersetzung an den Kurt-Wolff-Verlag sandte, ist äußerst unwahrscheinlich: Abgesehen von der Tatsache, daß der Anfang des ersten Briefes Kafkas erkennen läßt, daß Milena noch gar nicht fertig war (»Sie mühn sich mit der Übersetzung inmitten der trüben Wiener Zeit«) – was sollte der Verlag mit dem tschechischen Text? Man sieht also, daß Buber-Neumanns Bericht, der möglicherweise bis auf einen Punkt exakt spiegelt, was Milena ihr erzählte, nur in zweierlei Hinsicht mißverständlich ist. Tatsächlich stimmt ja die angegebene Chronologie: Milena schrieb zuerst an den Verlag, erhielt zunächst keine Antwort, wandte sich dann schriftlich an Kafka mit der Bitte, ihr die Autorisation vom Verlag zu vermitteln, und mit der Frage nach einer ihr noch unbekannten Novelle. Wenn nun Kafka nach einiger Zeit mit dem Hinweis antwortet, er habe vom Verlag mitgeteilt bekommen, daß man der Übersetzerin in diesem Sinne geantwortet habe, so konnte Milena mit einem gewissen Recht sagen, sie habe auf ein Schreiben an Kafkas Verlag eine freundliche Antwort erhalten. Kafka selber sieht es ja ähnlich, wenn er kurz nach dem Beginn des Briefwechsels davon ausgeht, Milenas Übersetzungstätigkeit habe zwischen ihnen »vermittelt« (M 14). Nur hatte Milena in ihrem Bericht gegenüber der Freundin vergessen (bzw. Buber-Neumann erinnerte sich nicht mehr an dieses Moment oder verstand es falsch), daß Kafkas erster Brief *auch* ein Antwortschreiben auf eine schriftliche Anfrage von Milena selber war. Damit steht fest, daß der Briefwechsel von Milena begonnen wurde, was auch zu der Tatsache stimmt, daß sie einen derartigen Schriftverkehr auch mit andern Persönlichkeiten des geistigen Lebens ihrer Umgebung zu initiieren pflegte (freundliche Mitteilung von J. Vondráčková, Prag).

98 M 211 (vgl. S 58 f., 55 u. das Ende der vorigen Anm.), S 56 f. (vgl. 59), 431 (vgl. 55 Z. 4 ff., 226 Z. 6 u. 231 f.; s. auch S. 155 u. 266 dieser Arbeit), M 30 u. 40.

Frieda gegenüber wirbt K. für sich, es sei keine Schande für sie, wenn sie sich der Hilfe eines »kleinen, einflußlosen, aber ebenso kämpfenden Mannes« versichere (S 58), und entsprechend bestätigt er dem Brückenhofwirt: »mächtig bin ich … wirklich nicht.« (S 13) Damit kommt überein, daß Kafka in einem

Brief an Robert Klopstock ausführt, der Freund habe gleich die Machtlosigkeit des Dichters erkannt (Br 432).

Und wenn K. behauptet, aus Friedas Augen spreche »nicht so sehr der vergangene, als der zukünftige Kampf« (S 58), so erinnert das daran, daß der Dichter Milenas Jugendfrische und Mut als »Vordringen« und daher »Verkleinerung des Drucks« deutet, der durch innere Ängste bewirkt wird (M 56).

99　S 57, F 508 u. 514, vgl. M 23, 43, 151, S 80, 230, 147, 427, 420 u. F 619.

100　Zitat und andere Tatsachen sind einer unveröffentlichten Passage der Briefe an Milena entnommen, die nach M 255 Z. 6 einzufügen wäre. Kafka geht davon aus, daß die Geliebte im Herbst 1920 im dritten Jahr verheiratet war (vgl. M. *Buber-Neumann*, Kafkas Freundin Milena, S. 82). Ihre Entwicklung zu einer Persönlichkeit, die selbständig einen Beruf ausübt, vollzieht sich also im gleichen Zeitraum wie Friedas Laufbahn vom Dienstmädchen zur vollwertigen Vertreterin der Arbeitgeberin (S 291 u. 446).

　　　Vgl. Milena *[Jesenská]*, Zástěry do práce [Arbeitsschürzen], in: *Tribuna* 4, Nr. 55 (28. 5. 1922, Modní revue Nr. 22), S. 3 f. u. FK 203 (Milena an Max Brod: »In mir aber ist eine unbezwingbare Sehnsucht ... nach einen Leben mit einem Kinde«). Da Klamm im Roman für Milenas Mann steht, ergibt sich eine weitere Beziehung: Die Tatsache, daß Polak kein Geld herausrückte, ist auch für den Bürovorstand kennzeichnend (S 117: »Klamm selbst gibt nichts«), das innerlich damit zusammenhängende Moment, daß Frieda als bedürfnislos erscheint (S 438), fand Kafka an Milena auffallend (»Frauen brauchen nicht viel« – M 135; Zitat aus einem an Kafka gerichteten Brief einer Verwandten, vgl. M 33, 125, 147 u. 168 f.).

101　A. *Kuh*, Der unsterbliche Österreicher, München (1931), S. 95 u. 23, vgl. S. 18 ff. u. S 50, 122, 146, 149 f., dazu M. *Buber-Neumann*, Kafkas Freundin Milena, S. 77; vgl. Anm. III, 277. Daß Kafka die Wiener Verhältnisse in Augenschein genommen hatte, ist recht wahrscheinlich. Als er im Juli 1917 von einer Reise aus Budapest zurückkam, fuhr er über Wien, wo er, wie Rudolf Fuchs sich erinnert, auch das Café Central besuchte. (FK 369)

102　S 56, M 9 f., M. *Buber-Neumann*, Kafkas Freundin Milena, S. 77 u. S 63 f. (vgl. M 148: »das Ruhn an Deiner fast entblößten Brust«).

103　H 213 (vgl. auch das gegenüber F 592 abgebildete Verlobungsfoto) u. S 434, vgl. K 200.

104　M. *Buber-Neumann*, Kafkas Freundin Milena, S. 53, 86, M 24 u. S 147 (vgl. 80).

105　Vgl. Anm. 88 dieses Teils der Arbeit u. W. H. *Sokel*, Franz Kafka – Tragik und Ironie, S. 417 (dort ist erwähnt, daß Klamm teilweise Funktionen Hermann Kafkas übernimmt, dargestellt, wie groß der Rangunterschied zwischen Kafka-K. und Polak-Klamm sich artikuliert und daß K.s Wunsch, den Vorsteher zu sprechen, ein Äquivalent in Kafkas Beziehung zu Milenas Mann hatte, endlich, daß die Andersartigkeit der Liebe Kafkas zu Milena im Verhältnis zu derjenigen ihres Mannes in den analogen Verhältnissen des Romans wiederkehrt).

106　S 206, 284 (vgl. 119), 287 u. 466, vgl. 75 u. 179.

107　FK 200, M 196 (vgl. 179: »Wenn Du sagst, daß Du (wie es ja auch wahr ist) Deinen Mann so liebst, daß Du ihn nicht verlassen kannst ... so glaube ich es und gebe Dir recht«), 29, 69, 57, E. *Szittya*, Das Kuriositäten-Kabinett, Konstanz 1923, S. 292, vgl. M 95, wo Kafka über Polak sagt: »Er hatte eine ungeheure Aufgabe übernommen, hat sie zum Teil im Wesen, vielleicht zur Gänze in Ehren durchgeführt« mit S 394 (»Klamms Arbeit ist freilich die größte«).

108　M 43 u. 29, vgl. Br 275, M 31 u. 227.

109　S 60, 74, 170, 260 ff., F. *Kafka*, Dopisy Mileně, (Praha) 1968, S. 209 (E. Polak wurde 1886 geboren), S 118, 265 u. 75, Zitate: 55 u. 480.

110 Vgl. oben S. 122 f. dieser Arbeit.

111 S 480 f., 394, 83, 170, 29 u. M 42 (»plötzlich wird alles Lüge und die Verfolgten würgen den Jäger«), Zitate: M 117 u. S 466 f.; vgl. auch W. H. *Sokel*, Franz Kafka – Tragik und Ironie, S. 417. Daß Kafka Milena tatsächlich als Königin ansah, läßt sich auch aus einem seiner an sie gerichteten Briefe erschließen. Er spricht dort von der inneren Verschwörung gegen ihn und seiner Angst, die es ihm unmöglich zu machen schien, die Geliebte für sich erobern zu wollen. Als Begründung wird angeführt: »... daß ich, der ich im großen Schachspiel noch nicht einmal Bauer eines Bauern bin ... auch noch den Platz der Königin besetzen will – ich der Bauer des Bauern, also eine Figur, die es gar nicht gibt, die gar nichts mitspielt – und dann vielleicht gleich auch noch den Platz des Königs selbst oder gar das ganze Brett, und daß, wenn ich das wirklich wollte, es auf andere unmenschlichere Weise geschehen müßte.« (M 73 f.; vgl. 117 f.)

112 Vgl. dazu K 254 f., S. 455 dieser Arbeit, K.-H. *Fingerhut*, Die Funktion der Tierfiguren im Werke Franz Kafkas, S. 137 ff. u. 239 ff., F 450, 424, 453, Br 298, Zitate: F 196 u. S 67.

113 S 170.

114 Br 295 u. 317.

115 Anm. III, 88, S 394 f. (vgl. 524), M 198 (vgl. 179 u. 204) u. 46 (vgl. 247 u. 57); vgl. auch Erlangers Aussage über Klamm (»mein Herr... ist in den letzten Tagen ein wenig unruhig«, so daß wichtigste Büroarbeit gefährdet wird – S 524) mit Kafkas Aussage über Polaks Situation (»... weiterzutragen scheint er mir nicht fähig... weil er durch das, was bisher geschehen ist, zu sehr belastet, zu sehr bedrückt, zu sehr um die Koncentration gebracht ist, die dafür nötig ist«; gleichzeitig wird im Kontext seine ungeheuere kräftemäßige Überlegenheit gegenüber Kafka betont – M 95), vgl. u. S. 407 f.

116 M 160, S 127, 163, M 57 (»Könnte ich mit ihm sprechen!«), M 95 (»Warum soll ich ihm nicht schreiben?«), S 71 (»›Ich muß mit Klamm sprechen.‹ – ›Das ist unmöglich‹, sagte Frieda«), M 245 (»Dein Wunsch, ich solle nicht mit Deinem Mann zusammenkommen, kann unmöglich stärker sein als der meine«, vgl. 95), S 75 (vgl. M 69), Zitate: S 479 (vgl. M 43, 117 u. 57), M 93 u. 30 (vgl. S 77 u. 251), vgl. auch W. H. *Sokel*, Franz Kafka – Tragik und Ironie, S. 417.

117 M 41 (vgl. S 55 u. 58 ff.) Möglicherweise ist bei Friedas Augenstellung noch eine andere seelische Komponente beteiligt. Als Ottla dem Bruder im Mai 1920 nach Meran schrieb, sein Direktor habe sie bei einem Gespräch gar nicht angeschaut, antwortet er ihr: »Es ist das eher ein rhetorischer Effekt oder richtiger ein Verzicht auf das Auskosten der Wirkung. Der gute Redner oder der, welcher es zu sein glaubt, verzichtet in seinem Selbstbewußtsein auf das Ablesen der Wirkung vom Gesicht des andern, vielmehr er muß gar nichts ablesen, ist tief von der Wirkung überzeugt, braucht diese Anregung nicht.« (O 90) Ausdrücklich wird ja im Roman erwähnt, daß das Schankmädchen wegen seiner Laufbahn und als Geliebte Klamms hochmütig geworden sei.

118 M 62 u. S 356. Klamms Positur am Tisch und sein später erwähntes wechselndes Aussehen (S 257 f.) scheinen durch reale Wahrnehmungen des Autors veranlaßt (vgl. F 237 f., H 180, T 67).

119 S 57 (vgl. M 68: »Natürlich, Milena kennt dich nicht, ein paar Geschichten und Briefe haben sie verblendet«), S 59, M 11 u. 149, vgl. M. *Jesenská*, Der Teufel am Herd: »Einen Menschen zu erkennen, ist eine phantastisch schwere Sache. Ich glaube nicht zu übertreiben, wenn ich sage, daß es möglich ist, einen Menschen zum erstenmal während einer halbstündigen Unterhaltung und zum zweitenmal nach einem zehnjährigen Zusammenleben zu erkennen.«

120 S 60, M 29 (vgl. 27 u. M. *Buber-Neumann*, Kafkas Freundin Milena, S. 86), M 57, S 125 u. 429, vgl. Anm. III, 92.

121 M 22 (vgl. 39) u. 44 (vgl. 25).

122 M 208 f., Br 295, T 542, 550, 567 u. 571.

123 Vgl. etwa den Beginn eines im 8. Oktavheft überlieferten Fragments: »Vor einer Mauer lag ich am Boden, wand mich vor Schmerz, wollte mich einwühlen in die feuchte Erde. Der Jäger stand neben mir und drückte mir einen Fuß leicht ins Kreuz. ›Ein kapitales Stück‹, sagte er zum Treiber, der mir Kragen und Rock durchschnitt, um mich zu befühlen.« (H 160)

124 M 117, vgl. T 566 (»ich kann nicht lieben, ich bin zu weit, bin ausgewiesen, habe, da ich doch Mensch bin und die Wurzeln Nahrung wollen, auch dort ›unten‹ . . . meine Vertreter«), 567 (vereinte er sich geschlechtlich mit Milena, wäre er »abgestürzt« in eine Welt, in der er nicht leben könnte, weil es atembare Luft nur »hinter dem Leben« [572] gebe) u. M 251.
Lockt Frieda im Roman K. an (vgl. auch S 250 Z. 9), so heißt es in einem Brief des Dichters an Milena über die dann im Wiener Treffen verwirklichte Möglichkeit, eine Intimbeziehung zur Geliebten herzustellen: »es lockt maßlos« (M 51).

125 S 62 f., vgl. P 130 (auch die Szenen mit Pepi spielen im Dunkeln: »Es muß ja nicht angezündet sein« [S 149] u. »alle Wände in Finsternis, die eine Glühlampe über den Bierhähnen erloschen, auch vor den Fenstern Nacht« − 417), M 149 (der Geschlechtsverkehr ist eine »Angelegenheit der Nacht«, wo man »eilig, schweratmend, hilflos, besessen« durch Zauberei erwischen will, was jeder Tag den offenen Augen gibt . . . Sieh mir in die Augen!«), 204 (»Ich wollte immer wieder einen andern Satz hören, als Du, diesen: jsi můj [übersetzt: »Du bist mein« − H. B.]. Und warum gerade den? Er bedeutet doch nicht einmal Liebe, eher Nähe und Nacht.«), 229 (»die Nacht . . . kämpft um alles«), S 476 f. u. M 93.
Die Übereinstimmungen mit den Kategorien des Romans gehen bis ins einzelne: Tatsächlich bedeutet dort geschlechtliche Einheit nicht Liebe, auch für Jeremias nicht (S 345), sondern Mittel zum Zweck (S 482), und wenn Frieda »Mein süßer Liebling! Mein süßer Liebling!« flüstert (S 62), so äußert sie, was Milena von Kafka hören will, der jedoch die ihn im *Schloß* verkörpernde Figur die fragliche Szene nur als »Nähe und Nacht« verstehen läßt.
»eilig«: »K. . . . zog Frieda näher zu sich und küßte sie auf den Nacken, so daß sie zusammenzuckte und an ihm hochsprang und beide dann zu Boden glitten und einander durchwühlten in Eile, ohne Atem . . .« (S 502)
»schweratmend«: »Stunden gemeinsamen Atems . . . in denen K. immerfort das Gefühl hatte . . . er sei so weit in . . . einer Fremde . . . in der man vor Fremdheit ersticken müsse« (S 63, vgl. 502 »ohne Atem« und die im Briefverkehr mit Milena von Kafka verwirklichte distanzierte Beziehung, die als »gutes, tief atmendes Beisammensein« [M 214] gedeutet wird).
»hilflos«: ». . . und hilflos, enttäuscht, um noch letztes Glück zu holen, fuhren manchmal ihre Zungen breit über des anderen Gesicht« (S 69, vgl. A 38 »eine entsetzliche Hilfsbedürftigkeit«).
»besessen«: »Sie suchte etwas, und er suchte etwas, wütend . . . suchten sie, und ihre Umarmungen und ihre sich aufwerfenden Körper machten sie nicht vergessen, sondern erinnerten sie an die Pflicht, zu suchen« (S 69).
Kennzeichnend für den Geschlechtsverkehr ist bei Kafka noch die Durst-Metaphorik: Die breit über das Gesicht des andern fahrenden Zungen haben im 1. Kapitel des *Prozeß*-Roman eine genaue Entsprechung: »K. . . . küßte sie auf den Mund dann über das ganze Gesicht, wie ein durstiges Tier mit der Zunge über das endlich gefundene Quellwasser hinjagt.« (P 42) Wenn in der *Schloß*-Passage deutlich zum Ausdruck kommt, daß der Trieb keine Befriedigung findet, so ist gerade dieses Moment in der Art vorgebildet, in der Kafka seine

Beziehung zu Milena auffaßte: »Die täglichen Briefe schwächen statt zu stärken; früher trank man den Brief aus und war gleichzeitig . . . zehnmal stärker und zehnmal durstiger geworden«. (M 210, dabei darf man, wie eben zitiert, ja nicht vergessen, daß stimmige Korrespondenz von ihm als »Beisammensein« aufgefaßt wird!)

126 Milena [*Jesenská*], Od člověka k člověku [Von Mensch zu Mensch], in: *Národní listy* 64, Nr. 12 (12. 1. 1924), S. 1 f., vgl. M 210.

127 S 63, vgl. M 180 ff., 208 u. 229 u. 235.

128 M 224 (vgl. S 425 f.), S 200 (vgl. 226 u. M. *Pasley*, Zur äußeren Gestalt des ›Schloß‹-Romans, S. 186: Das Kapitel reicht von S 198 bis einschließlich 217) u. 227; im Kontext der zuletzt genannten Stelle berichtet Frieda die Meinung Gardenas, K. sei zwar »kindlich offen«, sein Wesen jedoch so verschieden von dem der Dorfbewohner, daß diese sich, selbst wenn er offen spricht, nur schwer überwinden können, ihm zu glauben (225). Frieda, die auch sonst die Beurteilungen der Brückenhofwirtin teilt (vgl. 502), hatte deswegen beim Gespräch zwischen K. und dem kleinen Hans zunächst den Eindruck, als käme K. gerade in den Ausschank, »zutunlich, offenherzig« (230). In vergleichbarer Weise schätzt Kafka seine eigenen Aussagen Milena gegenüber ein: »Nun sehen Sie, Milena, ich spreche offen. Sie sind aber klug, Sie merken die ganze Zeit über, daß ich zwar die Wahrheit (die volle, unbedingte und haargenaue) spreche, aber zu offen.« (M 70) Ähnlich noch gegen Ende der Beziehung: »Nun sind aber meine Briefe wahr oder wenigstens auf dem Wege zur Wahrheit« (M 249).

129 Vgl. A 80, 278 u. 280; H 335 f. (= M 246 f.); T 529 u. M 13, Zitate: H 329 u. M 113.

130 M 174, S 502 u. Br 324, vgl. 230 u. 229.

131 T 536, S 120 u. 122. Die Tatsache, daß Klamm im Roman als Liebhaber Friedas und Gardenas auftaucht, hat auch insofern ein Vorbild in den realen Gegebenheiten, als Polak zu der Zeit, als er Milena kennenlernt, eine Liebesbeziehung »zu einer sehr schönen, intellektuell unbedeutenden Frau« eingegangen war, die ihrerseits »mit einem andern liiert oder verheiratet war«. (FK 195) Vgl. auch Anm. III, 88 u. 149, S 118, FK 199 u. 177, S 122, 11, 130, 13 (»Er war wirklich ein Junge mit seinem weichen, fast bartlosen Gesicht«) u. 125 (»dieser hübsche, verständige Junge«), Zitate: F 403 u. Br 140. Es gibt noch einen weiteren, sehr bezeichnenden Punkt der Übereinstimmung zwischen Kafka und Hans. K. sagt von letzterem: »er wäre mit einem einfachen Mädchen, dessen erste große Liebe er gewesen wäre, gewiß viel glücklicher geworden« (S 125). Hier kommt nun in Betracht, daß Felice schon eine Jugendliebe hinter sich hatte, die offenbar sehr stark nachwirkte, daß Milena ihren Mann aus Liebe nicht verlassen wollte und daß auch Julie schon einmal einen Bräutigam gehabt hatte (F 196, 538, M 101 f. u. Br 253).

132 M 36, 94 u. 96, Zitate: M 103 (unveröffentlicht, auf Z. 19 folgend, wo es auch über Staša heißt: »sie streckt eben aus ihrem Grab die Arme nach Dir aus«; vgl. die gleichfalls ungedruckte Passage nach 105 Z. 27: »Leerer, abscheulicher Unsinn war, was Staša geschrieben hat, wie kannst Du glauben, daß ich ihr recht gebe?« Die hieraus zu erschließende Haltung Milenas der Aussage ihrer Freundin gegenüber wird im *Schloß* zu Friedas Position: »es war das erstemal in meinem Leben, daß ich ihre Meinung ganz und gar verwarf.« — 229), Br 330 u. M 112.

133 S 71 (vgl. M 95 u. 111), 113 (vgl. 71 u. 122), 115 u. Br 330 (vgl. S 72 ff.). Gardenas Lebensgeschichte bleibt nicht ohne Wirkung auf den Landvermesser: »K. fühlte sich unbehaglich gegenüber diesen Geschichten, sosehr sie ihn auch betrafen.« (S 117) Ähnlich urteilt Kafka über Aussagen Stašas, die ihr eigenes

Schicksal und das einer anderen Freundin Milenas reflektierten: »... Doch haben solche Frauengeschichten niemals großen Eindruck auf mich gemacht oder vielmehr allzugroßen« (Br 330), und wenig vorher schreibt er an Max Brod über dessen Frau: »Eine Verlobungsgeschichte Deines Schwagers regte sie zwar ein wenig auf, regte sie aber unzweifelhaft auch ein wenig an, wie es eben solche Sachen, ich fühle das an mir auch, immer tun.« (Br 280) Eine gewisse Erklärung für dieses Verhalten bietet, neben den eigenen Erfahrungen mit Felice und Milena, eine Aussage in einem an Milena gerichteten Brief, die sich (vgl. M 158 Z. 24 ff.) auf ihm übermittelte Vorkommnisse aus Milenas Lebensumkreis bezieht, vielleicht sogar auf Staša (wie der Kontext des Schreibens): »Mit den Geschichten ist es merkwürdig. Nicht deshalb bedrücken sie mich etwa, weil sie jüdisch sind und weil, wenn einmal diese Schüssel auf den Tisch gestellt ist, jeder Jude seinen Teil zu nehmen hat aus der gemeinsamen abscheulichen, giftigen, aber auch alten und im Grunde ewigen Speise« (M 122). Als Erklärungsmöglichkeit für Kafkas Sensibilität in dieser Richtung, die aber für den vorliegenden Fall bestritten wird, verweist er auf die grundlegende Unmöglichkeit des Westjuden, in moderner Zeit menschliches Gemeinschaftsleben zu verwirklichen (vgl. M 134 f., FK 147, Br 417 u. *Forschungen eines Hundes).*

134 S 225, vgl. T 475, Br 323 u. F 262; M 232 u. A 117.

135 M 122; eine Photographie, die Milena und Staša aneinandergeschmiegt zeigt, findet sich in: Franz Kafka, Dopisy Mileně, Abb. 13 (nach S. 254), vgl. S 229, wo Frieda sagt, sie verehre die Wirtin, 502, wo sie äußert: »die Wirtin weiß alles, und man muß ihr glauben«, Anm. III, 149; vgl. auch M 95, 98, 102, 119 f. u. S 128.

136 S 366 f., vgl. 231, 228, 225, 357. Das Kapitel *Friedas Vorwurf* reicht v. S 218 bis 236.

137 M 260, vgl. 262, 226 u. 229. Vielleicht ist der von Kafka häufig verwendete Begriff (s. auch unten S. 349 f. u. 403) zeitgenössisches Gedankengut. Anton *Kuh* nennt z. B. Prag die Stadt der »Tag-Gespenster« (»Der unsterbliche Österreicher«, S. 34).

138 M 231, vgl. 175 (über Max Brod): »nichts, auch der Beste nicht, soll sich zwischen uns mischen.«

139 S 229 (vgl. 203 u. 201: »Willst du mich behalten, müssen wir auswandern, irgendwohin, nach Südfrankreich, nach Spanien«), 366 (vgl. 229), M 223 (vgl. Anm. III, 95), M 234, 108 f., 111, 134 u. 117: »... daß Du, wenn Du zu mir gehen wolltest, wenn Du also ... die ganze Welt aufgeben wolltest«, entsprechend sagt Gardena: »Und nun, da ... Frieda alles, was sie hatte, eingetauscht hat für das Glück, auf Ihrem Knie zu sitzen« (S 81).
Schon Th. W. *Adorno* fiel auf, daß in einem derart hermetisch geschlossenen Roman geographische Eigennamen genannt sind (»Aufzeichnungen zu Kafka«, in: Th. W. *A.,* Prismen. Kulturkritik und Gesellschaft, Berlin u. Frankfurt/M. [1955], S. 319). J. *Kobs* meint, diese Tatsache erhalte ihre prägnante Bedeutung dadurch, daß ein Pendant dazu in einem kleinen Bruchstück existiere, in dem es heißt: »Don Quixote mußte auswandern, ganz Spanien lachte über ihn, er war dort unmöglich geworden. Er reiste durch Südfrankreich ...« (H 409) Frieda schlage K. vor, eben diesen unbarmherzigen, kräfteverzehrenden Weg zurückzugehen, was dieser ablehnen müsse, habe er doch wie Don Quichote dort keine Lebensmöglichkeit mehr (»Kafka«, S. 307 f.). Diese Erklärung bleibt an der Oberfläche des Phänomens. Gewiß bestehen Beziehungen zwischen beiden Texten: Das Erzählfragment ist nur wenige Monate jünger als die Romanstelle und wurde in Planá konzipiert, wo Kafka noch am Roman arbeitete (zur Datierung des sogenannten braunen Quarthefts, in dem der Text

tradiert ist, vgl. unten S. 356 ff.). Vor allem aber ist Don Quichotes Reise mit derjenigen Abrahams parallelisierbar, der, wird er in Kafkas Sinne gedeutet, dem göttlichen Befehl nicht nachkommen kann, weil er von zu Hause nicht fort kann: »er ist unentbehrlich, die Wirtschaft benötigt ihn, immerfort ist noch etwas anzuordnen, das Haus ist nicht fertig« (Br 333). Hier findet sich also das gleiche Strukturmuster wie hinsichtlich Kafkas (Junggeselle und Spaziergänger) und K.s, so daß von da aus klar wird, warum der Landvermesser Friedas Vorschlag ablehnt, es fehlt ihm der über augenblicklichen Lebenserhalt hinausgehende notwendige Kräfteüberschuß für eine solche Unternehmung. Dafür läßt sich auch anführen, was Kafka über seine innere Einstellung zu einem Ende 1920 anstehenden Sanatoriums-Aufenthalt Milena gegenüber bemerkt: »... auch erhebe ich mich zu der Reise förmlich wie ein Volk, immerfort fehlt noch etwas hier und dort an Entschlußkraft, der und jener muß noch aufgemuntert werden, schließlich warten alle und können nicht fortreisen, weil ein Kind weint. Auch fürchte ich mich fast vor der Reise« (M 243). Die Spielart Don Quichote unterscheidet sich davon nur durch das Moment der Lächerlichkeit – er fürchtet, die Welt werde sich bei seinem Anblick totlachen –, die unter anderem darin besteht, daß Unbedarftheit an Auszeichnung und menschliche Erfüllung glaubt (Br 333 f.).

Zu diesen Vorstellungszusammenhängen kommen nun ganz reale biographische Fakten: Es war Kafkas Herzenswunsch in seinen letzten Jahren, in ein »fremdes südliches Land« auszuwandern (Br 315): »Es scheint ein Traum zu sein, den mancher träumt«, heißt es von der Möglichkeit, sich am Gardasee landwirtschaftlich zu betätigen (Br 420, damit ist zu vergleichen, was Kafka am 2. Februar 1922 ins Tagebuch notiert: »Der ›Kampf‹ würde beim Erlernen eines Handwerks wahrscheinlich entsetzlich sein« [T 570], also zuviel Kräfte kosten, und dabei wäre das erst die Voraussetzung der Auswanderung). Und schließlich ist zu erwähnen, daß Milena dem Dichter vorschlug, für längere Zeit nach Davos zu übersiedeln, was Kafka entsprechend seiner Argumentation hinsichtlich Abrahams mit dem Hinweis auf seine Unfähigkeit, sich von zu Hause zu lösen, ablehnen mußte: »Gewiß, das Wohnen bei den Eltern ist sehr schlecht, aber nicht nur das Wohnen, das Leben, das Hinsinken in diesen Kreis der Güte, der Liebe, ja Du kennst den Vaterbrief nicht, das Rütteln der Fliege an der Leimrute ... einer kämpft eben bei Marathon, der andere im Speisezimmer« (M 174, vgl. 134, 150 u. 170).

140 M 196 f., 178, 214, 249, 218, 36, 38, 68, 94, 89, 105, 132 u. 184, Zitate: 209 u. 254.

141 S 228 (Frieda zu K.: »aber du bist auch bereit, Komödie zu spielen; wird es vorteilhaft sein, so wirst du vorgeben, mich zu lieben«; vgl. auch Anm. III, 125), S 227 (vgl. 88, wo K. zum Vorsteher sagt, als er erfährt, es werde kein Landvermesser gebraucht: »Das wirft alle meine Berechnungen über den Haufen«, 233 (vgl. 463 u. M 218: »Ist hier, Milena, das, was Du geschrieben haben willst, die Hauptsache und nicht doch das Vertrauen?«) u. 227 (»Eifersucht kennst du nicht«); vgl. auch S 227 (Frieda zu K.: »Du hast keine Zärtlichkeit«) mit M 32 (»ich sage auch nicht tausend Narrheiten, sie sind nicht in mir«) u. 127. D. *Pearce* vertritt die Auffassung, Frieda verkörpere K.s anima im Sinne der Psychologie C. G. Jungs, denn das Streben des Landvermessers gehe auf psychische Integration, die ihm in der Vereinigung mit dem Schankmädchen – K.s only happy moment« – zuteil werde (»The Castle: Kafka's Divine Comedy«, in: Franz Kafka Today, ed. by A. *Flores* and H. *Swander*, Madison 1958, S. 161 ff., Zitat: S. 170). Dies ist insofern eine Fehldeutung, als, wie gezeigt, K. während der geschlechtlichen Vereinigung mit Frieda gerade unglücklich ist und seine Bindung an sie als Mittel zum Zweck erscheint, was dem unterstellten seelischen

Vorgang widerspricht. Dagegen trifft die Auffassung von Pearce, Gardena verkörpere K.s Gewissen, insofern etwas Richtiges, als deren Einwendungen mit Selbstzweifeln Kafkas hinsichtlich Milenas identisch sind; nur ist der gewählte Begriff insofern mißverständlich, als der Dichter die durch diese Figur personifizierten inneren Gegebenheiten ethisch negativ beurteilt (vgl. M 251).

142 M 252, 150 f., 128, S 200, 224, 235, 220, M 199, 206 f. u. 212, Zitate: M 213 u. 123.

143 Vgl. dazu unten Anm. III, 399 u. 489.

144 Auch Kafkas eigene Urteile über die Erzählung weisen in diese Richtung: »hätte sie nicht innere Wahrheit ... sie wäre nichts« (F 156), »Der Freund ist die Verbindung zwischen Vater und Sohn, er ist ihre größte Gemeinsamkeit« (T 296) und: »Die Geschichte steckt voll Abstraktionen ... Der Freund ist kaum eine wirkliche Person, er ist vielleicht eher das, was dem Vater und Georg gemeinsam ist. Die Geschichte ist vielleicht ein Rundgang um Vater und Sohn« (F 396 f.).

145 S 135, 231, 20, 22 u. 207 ff., Zitat: 213.

146 M 14, 212 f., 98, Br 294, M 92 u. M. *Buber-Neumann*, Kafkas Freundin Milena, S. 86.

147 M 12 f., 9, S 215 u. M 24.

148 S 211 (vgl. 100, wo K. sich nach Hansens Mutter erkundigt: »›Sie stammt wohl aus dem Schloß?‹ Das war halb fragend gesagt. Der Vorsteher sah auf die Uhr, goß Medizin auf einen Löffel und schluckte sie hastig« u. 475), 22 u. M. *Buber-Neumann*, Kafkas Freundin Milena, S. 79 ff.

149 Vgl. M. *Buber-Neumann*, Kafkas Freundin Milena, S. 48: »Jarmilas Neigung zu Milena ging so weit, daß sie sie beinahe sklavisch nachahmte. Sie trug dieselben Kleider ... sprach im gleichen Tonfall wie Milena, bemühte sich um denselben Ausdruck und bewegte sich genauso schwebend wie ihr Vorbild ... Sie brachte es sogar fertig, sich Milenas merkwürdige und sehr prägnante Handschrift bis zur letzten Vollendung anzueignen.« (Dadurch dürfte sich die in M 185 von Willy Haas erwähnte »seltsame Prager Affäre« erklären: »mehrere Personen bekamen Briefe in Milenas unverkennbarer Handschrift, aber nicht von ihr geschrieben.«) Natürlich spiegelt sich der Sachverhalt auch darin, daß Frieda und Gardena bis ins Sprachliche hinein im Gleichklang gezeigt werden, vgl. z. B.: »›Wo denn? Wo denn?‹ riefen Frieda und die Wirtin, so gleichzeitig und so begierig, als hätten sie die gleichen Beweggründe für ihre Frage« (S 79); und: »›Sehen Sie‹, rief die Wirtin, und sie tat es so, als spreche sie nicht selbst, sondern leihe nur Frieda ihre Stimme, sie rückte auch näher und saß nun knapp neben Frieda ...« (S 80 f.) u. Anm. III, 135.
Aber nicht nur Staša und Jarmila, sondern auch Frau Kohler, Milenas Wiener Vertraute, mit der Kafka korrespondierte (M 97, 102 u. 149 f.) und der er für Milena Geld schickte (das geht aus einer nach M 106 Z. 23 einzufügenden unpublizierten Passage hervor), und seine Wirtin in Matliary scheinen Gardena Züge geliehen zu haben. Bei der Direktrice des Sanatoriums in Matliary handelt es sich um Jolan Forberger (vgl. Br 283: »Badedirektion Forberger«). Aus einem Brief Kafkas an seine Schwester Ottla, in dem er dieser beschreibt, was sich bei seiner Ankunft in der Tatra alles ereignete, bezeichnete Kafka Frau Forberger als »eine große Frau«, zu der er sehr »grob« war, weil das vorbereitete Zimmer in keiner Weise seinen Erwartungen entsprach. (O 96) Personen, die sich an das Ehepaar Forberger erinnern, wissen zu berichten, daß die Frau in der Wirtschaft das Regiment geführt habe. Frau Forberger war eine Enkelin des Gründers von Matliary und Erbin eines Teils des Sanatoriums. Neben der an sich schon wichtigen Tatsache, daß die Genannte tatsächlich für viele Monate Kafkas Wirtin war, gibt es noch einige auffällige Übereinstimmungen zwischen

ihr und der Brückenhofwirtin: Beide haben, bezogen auf Kafkas Milieu, einen seltenen Vornamen (S 113: »K. hörte zum erstenmal den Namen der Frau«), beide sind groß (S 70: »die Wirtin ... zog Friedas Kopf, die stehend nur bis zur Schulter der sitzenden Wirtin reichte, an sich«), werden von ihrem Gast unhöflich behandelt (S 82: »Was die Wohnung betrifft, die Sie mir gewähren – Sie können damit nur dieses abscheuliche Loch meinen ...«), haben Manner, die ihnen unterlegen sind (S 122: »bei seiner Arbeit – Pfeiferauchen, den Gästen zuhören, dann die Pfeife ausklopfen und manchmal ein Bier holen –, bei dieser Arbeit altert man nicht«), und sind begüterter als ihre Männer (S 120: »Hans ... der Pferdeknecht bei einem Großbauern war« und 121: »ich, des Schmiedes Tochter«; um besser motivieren zu können, warum sich Gardena im Lauf der Jahre krank arbeitet, wird im Roman davon ausgegangen, ein Onkel des Mannes sei der Vorbesitzer des Gasthauses »Zur Brücke« gewesen; vgl. auch o. S. 324 f.).

Es scheint, daß sogar die Zimmereinrichtung, die Kafka in Matliary vorfand, und die Deutung, die er seinem Empfang dort gab, in den Roman Eingang fanden. Kafka berichtet Ottla: »... das Zimmer schien mir zu arg. Sie immer überfreundlich, aber ohne jede Lust oder Fähigkeit zu helfen. Hier ist Dein Zimmer, hier wohne ...« Und: »Was ist hier vorbereitet ... Ein Eisenbett, darauf ohne Überzug ein Polster und eine Decke ... wie es mir überhaupt vorkommt, daß ›durch alle Fugen der Wind heult‹.« Zwar ist eingeheizt worden, aber der Ofen »stinkt mehr als er wärmt«. (O 96 u. 95) Es handelt sich um ein Zimmer, dessen Balkon ärmlich und baufällig ist (Br 300); die spärliche Einrichtung wird noch dadurch gemindert, daß die Schranktür zerbrochen ist. Nachdem Kafka dem ihn einweisenden Mädchen sein Mißfallen gezeigt hat, kommt die Wirtin selber zur Begrüßung in das im 1. Stock liegenden Zimmer herauf.

Einige Motive übernahm Kafka für den ersten Ansatz des Romans, der jetzt im Anhang als Variante des Beginns überliefert ist. Dort gelangt der Gast in ein im ersten Stock liegendes Balkonzimmer, dessen »Kahlheit« hervorgehoben wird. Außerdem ist der Tragbalken des Balkons brüchig. Die wenigen Möbelstücke sind merkwürdig dünnfüßig, »man hätte glauben können, sie seien aus Eisen«. Ein Mädchen zeigt das Zimmer. (S 461) Der Gast äußert sich darüber: »Ich habe nichts anderes erwartet als ein schmutziges Loch und ein widerliches Bett.« (S 462)

Die andern Elemente finden sich dann im endgültigen Text des Romans: »Eigentlich hatte man nichts anderes getan, als die Mägde weggeschafft, das Zimmer war sonst wohl unverändert, keine Bettwäsche zu dem einzigen Bett, nur ein paar Polster und eine Pferdedecke in dem Zustand, wie alles nach der letzten Nacht zurückgeblieben war ... Nicht einmal gelüftet war worden, offenbar hoffte man, der neue Gast werde nicht lange bleiben, und tat nichts dazu, ihn zu halten.« (S 36 f.) Jede Einzelheit ist durch Kafkas Empfang in Matliary determiniert, denn die dumpfe Luft hat in dem stinkenden Ofen von Kafkas Behausung sein Pendent. Und wenn dieser nicht wärmt, so ist K.s Zimmer direkt ungeheizt; später nämlich wird ausdrücklich erwähnt, daß Frieda eingeheizt habe (S 68). Und kaum ist K. mit ihr dort eingezogen, erscheint Gardena, um mit ihm zu sprechen (S 69 f.). Zwar ist dieser Raum nicht im Zugwind, aber als K. von Frieda durch eine Seitentür auf den dem Zimmer benachbarten Dachboden gezogen wird, bemerkt er, daß dieser »scharf von kalter Luft durchzogen« wird (S 138). Was Frau Kohler betrifft, so sah Kafka sie vielleicht in Wien, kannte möglicherweise auch Milenas Feuilleton über sie, in dem es heißt (A. X. *Nessey* [Milena Jesenská], Moje přítelkyně [Meine Freundin], in: *Tribuna* 3, Nr. 22 [27. 1. 1921], S. 1 f.): »... meine Freundin ist

meine Hausmeisterin, Frau Kohlerová ... Damals waren wir das, was man eine
Bohême-Gesellschaft nennt. Keiner hatte etwas Richtiges zu essen, und da es
bei uns zu Hause etwas weniger kalt war als auf dem Bahnhofsbänkchen,
geschah es, daß irgendein verzweifeltes Mitglied dieser kleinen Gesellschaft das
enge Kabinett hinter unserer Küche bewohnte ... Frau Kohlerová war mit
allen unseren Freunden, mit allen diesen Menschen in rührender Kameradschaft
befreundet. In ihren mütterlichen Händen ordneten sich wieder die abgerisse-
nen Knöpfe, zerrissenen Schuhbänder, zerfransten Krägen und schmutzigen
Schuhe zu einem glatten, anständigen Äußeren ... Sie ärgerte sich, wenn sie
weggingen, ohne wenigstens etwas schwarze, aufgekochte Zichorie herunter-
geschluckt zu haben, die sie für sie auf den Tisch gestellt hatte ... Mit aufrich-
tiger Freude verfolgte sie unsere Fortschritte ... Aber wenn wir beide uns allein
fühlen und traurig sind, gedenken wir gemeinsam jener, die aus dieser Gruppe
von Freunden der damaligen Not erlagen und gestorben sind. Drei sind es. Es
gelang ihnen nicht, sich ›einzubürgern‹. Die Äuglein der Frau Kohlerová
füllen sich mit Tränen, und durch die Dämmerung des Raumes trompetet ihr
mitfühlendes, lautes Schneuzen ...«
Frau Kohler war demnach, aufgrund der erwähnten Vereinsamung Milenas in
Wien, tatsächlich deren einzige Freundin dort, wie es im *Schloß* in der Beziehung zwischen Gardena und Frieda vorausgesetzt ist. Auch entspricht das Verhältnis von Hausmeisterin und ärmlicher Halbwelt, das drei Jahre zurückliegt,
dem gleich alten zwischen Wirtin und Magd (S 291), wobei noch hinzukommt,
daß auch Frau Kohler tatsächlich bewirtet (sie ist übrigens Witwe und hat Verehrer, was zur Beziehung Gardenas zu Klamm und zu der Tatsache paßt, daß ihr
Mann Hans ein Versager ist)! Auch scheint die Art der Behausung der Frau Kohler in Gardenas Wohnung wiederzukehren. Da Milena 1918 mit ihrem Mann nur
ein möbliertes Zimmer bewohnte (M. *Buber-Neumann*, Kafkas Freundin Milena,
S. 82 u. Milenas Aussage in dem eben zitierten Artikel: »... Frau Kohlerová,
die jeden Tag um sieben Uhr früh mit liebevollem Ausdruck im Gesicht und
mit dem Besen in der Hand herumtrippelt, bis ich das Zimmer verlasse, damit
sie aufräumen kann«), muß die im Text erwähnte Küche und das dahinter-
liegende kleine Kabinett, in dem jetzt Holzvorräte aufbewahrt werden, zu den
Räumen der Hausmeisterin gehören. In Analogie dazu gibt es nun im Roman
einen »durch eine leichte Bretterwand von der Küche abgetrennten, fensterlosen Verschlag«. (S 112 f.) Dazu kommt, daß die Brückenhofwirtin Friedas
Weg mit Stolz verfolgt (S 74), mit einem Strickstrumpf gezeigt wird (69), mit
ihrer ehemaligen Bediensteten zusammen weint (71) und, allein mit ihr, über
K. spricht, dem ja ebenfalls die Einbürgerung in die Gemeinde nicht gelingt.
Vor allem auch eignet ihr wie Frau Kohler das Moment der Mütterlichkeit
(Frieda äußert einmal: »›Es ist gewiß so, wie Mütterchen sagt ...‹« – S 77).
150 M 224, unpublizierte Stelle nach 202 Z. 27 (dort heißt es auch: »Wie kann sie
jemanden getötet haben, die selbst so tot ist. Und wann hat sich ein Mann
wegen einer Frau getötet und nicht vielmehr um seiner selbst willen«), ebenso
nach 155 Z. 11, vgl. Be 315, M 201, unveröffentlichte Passage folgend auf 130
Z. 16, 200 ff. (dazu eine von W. Haas nicht gedruckte Stelle nach 200 Z. 24),
s. auch die vorige Anm.
Der tragische Selbstmord wurde Kafka durch einen Brief Max Brods vom
9. 6. 1920 bekannt, den der Dichter auszugsweise Milena mitteilte (folgt auf
M 71 Z. 18, unveröffentlicht, vgl. 285 f.). Ganz ähnlich schildert Willy *Haas*
selber die Zusammenhänge (»Die literarische Welt. Erinnerungen«, München
[1957], S. 74 ff.). Die Ereignisse wirkten auf diejenigen, denen sie bekannt
wurden, außerordentlich stark: Max Brod erzählt Kafka die Geschichte vielleicht nur, weil er und Kafka unter demselben »Dämon« litten, so daß es eigent-

lich das eigene Lebensmuster sei, das sich hier manifestiert habe, und Kafka kommentiert: »Was für eine schreckliche Geschichte. Ich hatte einmal einen Maulwurf gefangen und trug ihn in den Hopfengarten. Als ich ihn abwarf stürzte er sich wie ein Wütender in die Erde, wie wenn er im Wasser tauche, verschwand er. So müßte man sich vor dieser Geschichte verstecken« (ebenda). Staša bezog diese Dreieckskonstellation offensichtlich auf die Beziehung Milena-Polak-Kafka, denn Kafka schreibt an Max Brod über sie: »Wenn ich solche Geschichten höre, wie: sie ist prachtvoll, er ist nicht prachtvoll, er liebt sie, sie liebt ihn, sie ist untreu, er müßte sich vergiften...« (Br 330). Gleich nach den Geschehnissen hatte Kafka selber zunächst ähnliche Übertragungen auf seinen Fall vorgenommen: Milena sollte unverzüglich aus Wien wegfahren, weil er befürchtete, Polak könne durch Kafkas Liebe zu seiner Frau, vorsichtig gesagt, in seinen Lebensmöglichkeiten beschnitten werden, wofür der Skrupulöse nicht die Verantwortung übernehmen mochte. Als er sah, wie die Geliebte über seine Aussagen erschrak, leugnete er aus Angst jede Möglichkeit, die beiden Verhältnisse miteinander zu parallelisieren: »Es ist ein Fall, wie ich in den gegenseitigen Verhältnissen von uns drei keinen kenne, deshalb muß man auch nicht ihn mit Erfahrungen aus andern Fällen (Leichen – Qual zu dritt, zu zwei[t] – auf irgendeine Art verschwinden) trüben. Ich bin nicht sein Freund, ich habe keinen Freund verraten...« (M 92, dazu ungedruckte Stellen bei M 73 Z. 17 u. 86 Z. 6)

151 W. *Haas* brach in Prag sein Studium ab, wollte durch Flucht und Ehe eine zerbröckelnde Existenz zusammenhalten; er wurde in Berlin Filmkritiker in Alfred Weiners Tageszeitung *Filmkurier* (»Die literarische Welt«, S. 77); Polak, Anreger und Mentor vieler Schriftsteller, studierte in Wien Philosophie (M. *Buber-Neumann*, Kafkas Freundin Milena, S. 75 u. 83).

152 S 20 (ein Teil der Beschreibung lautet: »Aus einer großen Lücke... kam... bleiches Schneelicht und gab dem Kleid einer Frau... einen Schein wie von Seide.« Das erinnert an ein Urteil Kafkas über ein Bild Jarmilas, das Milena ihm überlassen hatte: »Jarmila sieht Dir doch nicht ähnlich, höchstens in irgendeinem Licht, irgendeinem Schein, der über ihr Gesicht geht wie über Deines.« – unpubliziert bei M 99), 212 (vgl. W. *Haas*, Die literarische Welt, S. 76 [über Jarmila nach dem Tod ihres ersten Mannes]: »Sie wagte sich weder in die Wohnung, in der sie mit ihm, dem toten Geliebten gelebt hatte, noch auf die Straße.« Kafka erzählt: »... daß sie fortwährend zuhause sitzt – ihr Gesicht bezeugt es – mit niemandem spricht...« – M 202), 213, S 100 u. S 99 f. u. Br 315.

153 S 207 (Hans hat braune Augen!) u. 278. Neben den genannten Einzelpunkten, der Tatsache, daß der Vorsteher die Brunswicks aus der Gemeinde »ausschließen« will (S 100) und daß das Leben der Mutter Hansens ein Geheimnis umweht, von dem niemand sprechen will, sowenig wie von den Verhältnissen des Barnabas und seiner Familie (vgl. S 100, 211 u. 271: »diese Dinge in den Mund zu nehmen, scheuen sie sich«, sagt Olga von den Dorfbewohnern), verweist noch ein weiteres Moment darauf, daß im Schicksal der Frau Brunswick das Sexuelle in gesellschaftsfeindlicher Radikalität eine Rolle spielte: Amalia äußert über K.s Interesse an Schloßgeschichten: »... ich hörte einmal von einem jungen Mann, der beschäftigte sich mit den Gedanken an das Schloß bei Tag und Nacht, alles andere vernachlässigte er, man fürchtete für seinen Alltagsverstand, weil sein ganzer Verstand oben im Schloß war. Schließlich aber stellte es sich heraus, daß er nicht eigentlich das Schloß, sondern nur die Tochter einer Aufwaschfrau in den Kanzleien gemeint hatte, die bekam er nun allerdings und dann war alles wieder gut.« (S 298 f.) Als K. darauf Olga fragt, wer gemeint sei, antwortet diese, vielleicht Brunswick, obwohl es für diesen

nicht ganz passe. Es ist nun auffällig, daß gerade ein solches extremes Streben Jarmila gekennzeichnet zu haben scheint. Vgl. dazu folgende Passage aus einem Brief an Milena (ergänzt durch Unpubliziertes), wo Kafka berichtet, wie ihm der Chefredakteur der *Prager Presse*, Arne Laurin (1889–1945; Näheres zu ihm in: R. *Musil, Briefe nach Prag,* hg. v. B. *Köpplová* u. K. *Krolop,* [Reinbek 1971], bes. S. 5 f. u. 85 f.), zweimal »mit vielen Nebenumständen« die gleiche Geschichte erzählte: »Ein Mädchen, die Braut eines andern, kommt zu ihm, sitzt trotz seines äußersten Widerwillens acht bis zehn Stunden bei ihm (das eine Mädchen in seiner Privatwohnung am Vormittag, das andere in der Redaktion bei Nacht, so verteilt er die Lichter) erklärt, daß sie ihn unbedingt haben muß und daß sie, wenn er sich weigert, aus dem Fenster springen wird ... Die eine (in der Wohnung) war Jarmila vor der Hochzeit, das andere (in der Redaktion) seine seit Donnerstag ihm angetraute Frau ...« (vgl. M 118 f. u. 184, wo Kafka wieder von Laurin spricht: »Es war nur auffallend, daß alle Leute, von denen er sprach, entweder ›Dummköpfe‹ oder ›Gauner‹ oder ›Fensterspringerinnen‹ waren ...«).

Das glückliche Ende, das Amalia erwähnt, stimmt zu Laurins Ehe, die nicht zu Brunswick stimmenden Momente zu der Tatsache, daß eben Jarmila und nicht Haas charakterisiert wird, die Dummköpfe zum Verlieren des Alltagsverstands und Jarmilas Verlobung (mit dem Redakteur, den sie nur heiratete, um dem verhaßten Elternhaus zu entfliehen [vgl. W. *Haas,* Die literarische Welt, S. 74], was natürlich wiederum die Verschmelzung dieser Figur mit Milena in der dichterischen Imagination Kafkas erleichterte) zu der erschlossenen früheren Liebesgeschichte der Schustersfrau.

154 M 221, vgl. unpublizierte Stellen nach 254 Z. 29, 255 Z. 6 und ein hierher gehöriges, nicht einordbares Brieffragment.

155 M. *Buber-Neumann,* Kafkas Freundin Milena, S. 79, 35, 37 u. 36; S 278, 210, 316 (»Bertuch ... hat nämlich einen ein wenig verkrüppelten Fuß und glaubte, nur der Vater sei imstande, ihm einen passenden Stiefel zu machen«, sagt Olga zu K.), 294, 216, 19 ff. u. M. *Buber-Neumann,* Kafkas Freundin Milena, S. 42.

156 M. *Buber-Neumann,* Kafkas Freundin Milena, S. 37.

157 So in dem Anm. III, 154 genannten Brieffragment.

158 S 193 ff. (vgl. auch M 88: »dann glaube ich wieder, daß ich Schläge ins Gesicht verdiene, wenn ich Wünsche ausspreche über diese Gegenwart hinaus«, 221 u. 222), 216 f., unpublizierte Stelle nach M 205 Z. 27: »Vlasta habe ich noch nicht telephoniert, ich wage mich nicht recht daran ... auch habe ich ihren Familiennamen vergessen und was täte ich, wenn Dein Vater beim Telefon wäre« u. 222: »Ich suchte sie ... in Deines Vaters Wohnung ... V. war nicht da, das hatte ich erwartet, aber ich hatte nur etwas tun wollen, auch erfahren wollen, wann sie früh kommt. Früh erwartete ich sie dann vor dem Haus, sie gefiel mir, klug, sachlich, offen.«

159 S 230, 235, 230 Z. 19, 226 u. 227. Die Stelle, wo K. an Friedas Erinnerungsfähigkeit appelliert, suggeriert, daß diese unter dem gleichen Lebensgesetz steht wie K. selbst. Die gleiche Vorstellung hatte nun auch Kafka von Milenas Lebensweise in Wien: »... wenigstens jetzt, während Du diesen schrecklichen Kampf dort kämpfst, wollte ich schweigen, aber es ist unmöglich, es gehört dazu, es ist eben *mein* Kampf.« (M 104)

160 S 129 u. K. *Hoffer,* Das Bild des Kindes im Werk Franz Kafkas, Graz 1970 (Masch. Diss.), S. 19, vgl. VII, Br 317, 161 f., S 130, H 217 u. eine Stelle aus einem Brief Kafkas an Julie Wohryzeks Schwester: »Es war zwischen uns festgestellt worden, daß ich Ehe und Kinder für das höchste Erstrebenswerte auf Erden in gewissem Sinne hielt, daß ich aber unmöglich heiraten konnte« (K.

Wagenbach, Julie Wohryzek, die zweite Verlobte Kafkas, in: J. *Born* u. a., Kafka-Symposion, S. 46).

161 M. *Buber-Neumann,* Kafkas Freundin Milena, S. 89; Kafka erzählte Vlasta, daß Milena »Unterrichtsstunden gab, in Schulen unterrichtete« (ungedruckt, nach M 255 Z. 6), über die Inserate in ungedruckten Stellen nach M 211 Z. 10 u. 243 Z. 26, 31, 47, 53, S 238, Br 391, Γ 438, M 149, 180, 106; Zitate: S 238 (das Glück, in Gisas Nähe atmen zu dürfen, entspricht genau Kafkas Wünschen hinsichtlich Milenas. Er schreibt ihr, er brauche »alle Zeit, die es gibt«, zum Denken an sie und für das Atmen in ihr [M 88], und später, aber keineswegs zur Beschreibung äußerlich vorhandener Nähe: »Ich gestehe: vor Glück wieder in Deiner starken Nähe zu atmen, denke ich kaum an Dich« [unpubliziert, nach M 224 Z. 29]; wenn er sich mit Milena vereine, heißt es an anderer Stelle, so sei es nicht in Polaks Bereich, also nicht auf der Ebene der Sexualität – M 93) u. M 102.

Was die Namensgebung angeht, so verweisen Gisa und Frieda durch den Vokalismus auf Milena (vgl. M 55: »der starke Ton auf dem ›i‹ ist arg, springt dir der Name nicht wieder fort? Oder ist das vielleicht nur der Glücksprung, den du selbst machst mit deiner Last?«), das anlautende F natürlich auf entsprechende Bildungen in andern Werken Kafkas, also auf Fanny im *Verschollenen,* Frieda Brandenfeld im *Urteil* und Fräulein Bürstner im *Prozeß,* die hinwiederum auf Felice Bauer, Kafkas erste Verlobte, verweisen; er selber hat es ja so gedeutet, dabei auch die Anordnung der Buchstaben stark berücksichtigt (T 297 u. F 394). Hinsichtlich des Schankmädchens könnte man also sagen, hier habe sich, wie in einigen andern, schon erwähnten minder wichtigen Punkten, die dem Milena-Erleben in gewisser Weise parallele erste Verlobungsgeschichte (M 226: »Du hast auch recht, wenn Du das, was ich jetzt getan habe, in eine Reihe stellst mit den alten Dingen ...«) dem biographischen Hintergrund des *Schloß*-Romans überlagert, vielleicht gefördert durch die Tatsache, daß Kafka in der Zeit, als er an diesem Werk arbeitete, größten Anteil am Lebensgang eines Mädchens namens Irene nahm – die deutsche Entsprechung dieses griechischen Namens ist, wie der Griechisch-Kundige wohl wußte, Frieda (vgl. S. 482 dieser Arbeit).

Als weitere äußere Anregung ist die Tatsache zu nennen, daß die Frau von Otto Groß, die Kafka zusammen mit ihrem Mann und ihrem Bruder Anton Kuh auf einer Eisenbahnfahrt persönlich kennengelert hatte (vgl. S. 381 f. dieser Arbeit u. Anm. III, 257), Frieda hieß. Daß sie ihn verließ und mit seiner Erlaubnis die Geliebte eines Züricher Anarchisten und Frauenhelden wurde (vgl. E. *Szittya,* Das Kuriositäten-Kabinett. Begegnungen mit seltsamen Begebenheiten, Landstreichern, Verbrechern, Artisten, religiös Wahnsinnigen, sexuellen Merkwürdigkeiten, Sozialdemokraten, Kommunisten, Anarchisten, Politikern und Künstlern, Konstanz 1923, S. 151), konnte Kafka entweder von Milena erfahren haben, mit der er über Groß sprach (M 112), oder von einer Schwester der Frau Groß, Mizzi Kuh, mit der Groß ebenfalls erotisch verkehrte und die Kafka 1920 besucht hatte, vgl. M 231 Z. 9; K. = Kuh nach der Handschrift; es ist vielleicht kein Zufall, daß auch dieser Name im *Schloß* bei der Frau des Vorstehers auftaucht (vgl. S. 89 ff.). Solche Assoziationen legten sich ja besonders auch deswegen nahe, weil Otto Groß und sein Nachfolger bei seiner Frau Frieda wie Klamm ausgesprochen polygame Züge an den Tag legten. Dazu kommt nun aber sicher, daß die Namen im *Schloß,* wenigstens teilweise und bis zu einem gewissen Grade, funktional zu verstehen sind, d. h. auf die Bedeutung ihres Trägers verweisen, und sei es in ironischer Brechung. Bürgel z. B. sagt über die seltene Möglichkeit, daß eine Partei nachts einen Sekretär überrascht, der eine gewisse Zuständigkeit für den betreffenden Fall besitzt:

»Aber eines Nachts — wer kann für alles bürgen? — kommt es doch vor.« (S 388) Neben dem Wortspiel ist die Tatsache von Interesse, daß er sich tatsächlich dafür verbürgt, daß K. seinen Beruf ausüben darf; die Rekonstruktion der fehlenden Teile des Romans ergab, daß dies nicht gelogen war (s. oben S. 298 f.).

Geht man davon aus, daß Bürgel wie die anderen Romanfiguren einen Aspekt der Innenwelt Kafkas verkörpert, so müßte man seine Frage in dem Sinne verstehen, daß Kafka hinsichtlich seiner Sehnsucht nach sozialer Verankerung nicht vollgültig für sich bürgen konnte. Genau dieses sagt er auch in an Felice und Milena gerichteten Schreiben. Abgesehen von seiner Liebe zu Felice er sich nicht ganz genau: »Es gibt Überraschungen und Enttäuschungen mit mir in unaufhörlicher Folge. Ich meine, diese Überraschungen und Enttäuschungen wird es nur für mich geben, ich werde alle Kraft aufwenden, nichts als die guten, die besten Überraschungen meiner Natur zu Dir zu lassen, dafür kann ich bürgen, nicht bürgen kann ich aber dafür, daß es mir immer gelingt. Wie könnte ich dafür bürgen angesichts des Durcheinanders meiner Briefe, das Du in der langen Zeit von mir bekommen hast?« (F 533, vgl. 458 u. M 48) Der vermutete Zusammenhang wird noch wahrscheinlicher, wenn man sich vor Augen hält, daß Bürgel ja die überraschend eintretenden positiven Möglichkeiten verkörpert, K.s Kampf zum Guten zu wenden.

Ähnliche Überlegungen gelten nun auch für das Wort Frieda. Um Felice zu zeigen, daß Georg Bendemanns Verlobte Beziehungen zu ihr habe, schreibt ihr Kafka: »›Frieda‹ hat so viele Buchstaben wie Felice und auch den gleichen Anfangsbuchstaben, ›Friede‹ und ›Glück‹ liegt auch nah beisammen.« (F 394) In bezug auf die Berliner Geliebte war also Frieda ein naheliegender Name, besonders auch, weil Kafka, unter Berufung auf die Philologie, »Milena« in das ihm richtiger scheinende »milenka« verändert, das im Tschechischen »Geliebte« bedeutet (M 76).

Aber eben in dem »nah beisammen« liegt die ganze Problematik der Geschlechtsbeziehungen Kafkas. Um es zunächst auf der biographischen Ebene zu demonstrieren: An Max Brod schrieb Kafka 1918: »›im Eros Ruhe, völliger Frieden‹ ist etwas so Ungeheueres, daß es schon durch die Tatsache, daß es Dich nicht widerspruchslos hinnimmt, widerlegt erscheint.« (Br 226) Kafka hatte Angst vor der Geschlechtsbeziehung, die er nicht in der direkten Weise wie sein Freund als Ausdruck des Göttlichen deuten konnte. (Br 297) Sexualität war eher als Liebe Nähe und Nacht, das »Glück« gerade eine Phase einer Beziehung, zum Beispiel der zu Milena, wo körperliche Besitzgier überwunden war, oder »das Stöhnen nach dieser Leistung«, wie Kafka im Hinblick auf das Wiener Zusammentreffen mit der Geliebten formuliert (Br 317 f.).

Wird also K.s erotische Partnerin im *Schloß* Frieda genannt, so kann der im Namen gesetzte Begriff nur in ironischer Verfremdung zum Tragen kommen, so die Ambivalenz des Autors diesem Lebensbereich gegenüber ausdrückend. Eine Stelle im Roman weist ausdrücklich auf diesen Sachverhalt hin: Nach dem Gespräch mit Hans reflektiert K., Essen, Wohnung und Dorfbehörden kümmerten ihn nur in Beziehung auf seine Braut: »Deshalb mußte er diese Stellung, welche Frieda einige Sicherheit gab, zu behalten suchen«; hat er im Hinblick darauf vom Lehrer zu dulden, so ist das nichts im Vergleich zu dem, was er erstrebt: »er war nicht hergekommen, um ein Leben in Ehren und Frieden zu führen.« (S 223) Frieda bringt K. also nicht Frieden, sondern Unruhe, sie verursacht seine »Wanderungen« (S 439 u. 444). Man muß diese Dialektik als Ausdruck der Wirkung verstehen, die Milena auf Kafka ausübte: »Darum ist nicht nur Deine körperliche Nähe, sondern Du selbst beruhigend-beunruhigend.« (M 182) Auch die in dem Zitierten vorausgesetzte Bindung beruflicher

Qualen an den Lebensunterhalt der Geliebten läßt sich auf dieser Ebene verstehen: Kafka unterstützte Milena 1920 für längere Zeit und mit bedeutenden Summen. Als er zum erstenmal auf diesen Punkt zu sprechen kommt, sieht er für den Fall, daß seine Briefpartnerin das Geld annimmt, einen »Nebenvorteil« für sich darin, daß er ein »entzückt arbeitender Beamter werden« würde (M 33); noch enger war die Abhängigkeit zwischen beruflicher Einschätzung und Liebesbeziehung womöglich während der Zeit, wo Kafka um Felice kämpfte, nur die Möglichkeit, mit ihr eine Ehe eingehen zu können, schien der eigenen Bürotätigkeit Sinn zu verleihen (vgl. T 365 ff.).

Auch den Namen Gisa könnte man noch auf spezifischere Weise durch Kafkas Geliebte determiniert finden, handelt es sich doch um eine Kurzform von Gisela (entsprechend kann Mila von Milena gebildet werden), einer Form, die in den Vokalen, ihrer Abfolge, dazu nach Silben- und Buchstabenzahl und natürlich in den Betonungsverhältnissen mit Milena übereinstimmt. Etymologisch bedeutet Gisa »von vornehmer Abkunft«, was dazu paßt, daß Milena »einer alten Prager tschechischen Familie« entstammte (M 273). Auch scheint es, daß die Vorstellungsinhalte, die Kafka mit dem Namen Milena verband (M 55: »was für ein reicher schwerer Name, vor Fülle kaum zu heben«), natürlich weil sie seine Trägerin kennzeichneten (M 131: »vielleicht könnte ich noch mehr Glück, noch mehr Sicherheit, noch mehr Fülle ertragen«), auf die Lehrerin im *Schloß* übergegangen sind, besitzt sie doch einen vollen, üppigen Körper (S 239), der freilich noch durch andere Umstände determiniert ist.

Es ist also gewiß teilweise unzutreffend, wenn Max *Brod* über die von Kafka im *Schloß* verwendeten Eigennamen schreibt: »Er nahm sie einfach aus der Lektüre, die ihn gerade beschäftigte. So weisen Namen wie ›Barnabas‹ oder ›Galater‹ darauf hin, daß Kafka in den Tagen der Niederschrift eifrig das Neue Testament las, ›Bertuch‹ deutet auf Goethelektüre, ›Gerstäcker‹ auf die kleine Bibliothek seiner Eltern.« (»Streitbares Leben«, S. 190) Das mag für einige der von Brod angeführten Namen durchaus zutreffen (schon der Fall des Barnabas ist aber fraglich), keineswegs aber für alle, und besonders nicht für solche, die sich mit Kafkas eigenen Namensexegesen, -verschlüsselungen oder Lebensumständen in nähere Verbindung bringen lassen.

162 M 91 f., S 240, Anm. I, 166, M 40 (»da ich ... Sie immerfort umflogen habe«), 72 (»Bis 12 1/2 Uhr habe ich gestern den Abend in Schreiben und dann noch mehr Nachdenken mit Dir verbracht«, vgl. 121, 131, 167, 175 u. 210 f.); die Ähnlichkeit in diesem Punkt mit den biographischen Gegebenheiten wird noch dadurch erhöht, daß Milena in Wien zunächst in einem möblierten Zimmer wohnte, in der Lerchenfeldstraße sich dann im fünften Stockwerk einmietete und Kafka im Juli 1922 Max Brod um »ein stilles Dachzimmer« bittet, von dem er sich gar nicht fortführen wollte (Br 393); Zitate: S 239, M 210 (vgl. 78 u. 97), 77, T 325 u. 567 (vgl. 321, 460, Br 139 u. F 385; man muß auch bedenken, daß Kafka in Spindlermühle, also im Februar 1922, noch einmal eine ähnliche Beziehung einging – T 571 f.).

163 Br 331.

164 So jedenfalls in einer von Kafka wieder getilgten Passage: »Eben erloschen drinnen die Kerzen, und im gleichen Augenblick erschien Gisa in der Haustüre; offenbar hatte sie noch bei Licht das Zimmer verlassen, denn auf Anstand legte sie viel Wert.« (S 503)

165 S 239, 240 u. M 138 (vgl. K. *Wagenbach*, Julie Wohryzek, die zweite Verlobte Kafkas, S. 51 u. Anm. III, 161 – vierter Absatz).

166 S 55, 65 (vgl. M 51 ff., 69 u. 76 f.), M 86, 87 (vgl. S 59) u. S 201; vgl. S 247, M 87 ff., 120, 122, 85 f., 93, 95, Br 322, 106, 132, 173 (vgl. Anm. III, 88 u. die Tatsache, daß Kafka schließlich Milena bat, den Briefwechsel mit Max Brod

abzubrechen – unveröffentlicht, nach M 177 Z. 18), 196 (diese Aussage zeigt auch, daß sich Brod der Ähnlichkeiten zwischen seinem und dem Lebensgang des Freundes durchaus bewußt war).

Auffällig wird im Roman betont, daß Friedas Zuwendung als Reaktion auf die Abhängigkeit K.s von der Familie des Barnabas zu verstehen sei: Gardena sagt: »Sie haben Frieda aus dem glückseligsten Zustand gerissen, der ihr je beschieden war, und es ist Ihnen vor allem deshalb gelungen, weil Frieda in ihrem kindlich übertriebenen Mitleid es nicht ertragen konnte, daß Sie an Olgas Arm hingen und so der Barnabasschen Familie ausgeliefert schienen. Sie hat Sie gerettet...« (S 81, vgl. 54 u. 80) Entsprechend äußert sich Frieda zu K. (dies ein neuer Beleg für die auf allen Ebenen zutage tretende Abhängigkeit des Schankmädchens von ihrer ehemaligen Dienstherrin und umgekehrt): »Meine Liebe zu dir hätte mir über alles hinweggeholfen... vor der Barnabasschen Familie hat sie dich gerettet.« (229 f.)

Unter eben diesem Begriff der Rettung wird nun auch Milenas Beziehung zu Kafka gedeutet: »Milena unter den Rettern, sie, die doch am eigenen Leib es immerfort erfährt, daß man den andern nur durch sein Dasein retten kann und sonst durch nichts. Und nun hat sie mich schon durch ihr Dasein gerettet und versucht es nun nachträglich noch mit andern so unendlich kleineren Mitteln.« (M 135) Läßt die Parallelität des bloßen und nicht gerade seltenen Ausdrucks noch einen Zweifel daran, daß die Romanstellen innerlich von Kafkas Verhältnis zu Milena abhängig sind, so schwindet dieser, wenn man erkennt, daß nicht nur der Begriff übernommen wurde, sondern der ganze Kontext, in den er eingebettet ist. Unter den nachgeordneten Mitteln, die nach Milenas Meinung zu Kafkas Rettung beitragen sollten, war auch ihr Plan, er sollte nach Davos fahren (M 136), und entsprechend meint Frieda an der angeführten Stelle, ihre Liebe hätte K. vorwärtsgetragen, »wenn nicht hier im Dorf, so anderswo« (S 229), d. h. sie bringt wie ihr reales Vorbild die Rettung des Geliebten mit einer Übersiedelung in ein südliches Land in Verbindung. Vor allem aber bemerkenswert ist die Deutung, die Frieda im gleichen Zusammenhang der Entwicklung ihrer Beziehung zum Landvermesser angedeihen läßt: »... wie es sich... wirklich so gestaltete, daß ich, so sehr ich mich anstrengte, dir nicht half, sondern dich hinderte... Daß du jetzt immerfort zu Klamm gelangen wolltest, war ja nur das ohnmächtige Streben, ihn irgendwie zu versöhnen. Und ich sagte mir, daß die Wirtin, die dies alles gewiß viel besser wisse als ich, mich mit ihren Einflüsterungen nur vor allzuschlimmen Selbstvorwürfen bewahren wollte.« (S 229) Dies ist der Ausdruck dafür, daß Milena glaubte, Kafka sei an ihr zerbrochen (M 249), und zwar weil dieser der Meinung war, die »Rettung« werde ihm schwierig, ja unmöglich, da er sich an Milena seines Schmutzes viel bewußter werde (M 229) oder da das Eigentümliche der Retter darin besteht, »daß sie das, was sie heranziehen wollten, mit tierischem Ernst hineinhämmern« (unveröffentlicht, nach M 132 Z. 22). Gerade der Rettungsversuch der Geliebten hindert Kafka, weil ihm seine Nichtigkeit dadurch bewußt wird und ihn zur Ohnmacht verurteilt; nichts anderes ist Frieda in den Mund gelegt (vgl. auch Anm. III, 95).

167 M 249 (»Angst ausgedehnt auf alles, Angst vor dem Größten wie Kleinsten«), S 258, 336, 506, 272, 292, 304, 333, 335, 510 f. u. 513 (Olga zu K.: »Wir dagegen, mit unseren traurigen Erfahrungen und Befürchtungen erschrecken ja, ohne uns dagegen zu wehren, schon über jedes Knacken des Holzes und, wenn der eine erschrickt, erschrickt auch gleich der andere und weiß nun nicht einmal den richtigen Grund«), FK 196, M 147 (vgl. auch Anm. III, 353), M. *Brod,* Der Prager Kreis, Stuttgart, Berlin, Köln, Mainz (1966), S. 102 (»Julie... hat das Modell zur tapferen ›Olga‹ in der ›Pariafamilie‹ des *Schloß*-Romans

geliefert. Sogar das Schusterhandwerk des Vaters stimmt«), S 307, 34, 291, Br 329 f., F 185, S 359, 357.
In dem Artikel *Geheimnisvolle Erlösung* deutet Milena z. B. eine bestimmte Auffassung, die Kafka von seiner Lungenkrankheit hatte. (A. X. *Nessey*, Tajemná vykoupení, in: *Tribuna* 3, Nr. 47 (25. 2. 1921), S. 1 f. Vgl. auch M 47 u. K. *Wagenbach*, Julie Wohryzek, die zweite Verlobte Kafkas, S. 52 f.; als weitere Determinanten wären die Briefaffäre (vgl. auch Anm. III, 149) und die Tatsache zu nennen, daß Kafka einen Aufsatz Milenas als »scharf und böse und antisemitisch« bezeichnete (M 190). Zitate: S 303, 518 u. M 207 (vgl. 142).

168 M 93, 198, 16, vgl. S 284 ff.

169 S 356, M 197 (vgl. 205 u. 203: »laß Dich nicht abschrecken von mir, auch wenn ich Dich einmal oder tausendmal oder gerade jetzt oder vielleicht immer gerade jetzt enttäusche.« Dazu stelle man K.s Aussage über Frieda Pepi gegenüber: »ich wäre glücklich, wenn sie zu mir zurückkäme, aber ich würde gleich wieder anfangen, sie zu vernachlässigen.« – S 444), FK 192, S 395, 442 (vgl. M 198) u. S 417, vgl. Br 316, 297. Die Stelle über Friedas Krankheit findet sich im Manuskript im Anschluß an die S 542 f. mitgeteilte Szene.

170 S 236; vgl. K. *Leonhard*, Ausdruckssprache der Seele. Darstellung der Mimik, Gestik u. Phonik des Menschen, Berlin, Tübingen (1949), S. 221 f. Angst: S 11, innere Erregung: S 34, 207 u. P 116, Erstaunen: S 429, Situationsverhaftetheit: Br 274, erotische Erfülltheit: P 121 u. Be 27; weitere Beispiele: H 365, Be 62, A 321 u. T 624.
Neigung des Kopfes zur Seite: vgl. K. *Leonhard*, Ausdruckssprache der Seele, S. 321 ff. u. H. *Strehle*, Analyse des Gebarens. Erforschung des Ausdrucks der Körperbewegungen, Berlin 1935, S. 124 f.

171 S 216 (vgl. P 88, 292, A 222, 327, E 205, F 235, 338, 402 u. 419; Körperstarre: T 9, S 112 u. Br 21; K. *Leonhard*, Ausdruckssprache der Seele, S. 245), B 172 (vgl. Br 9, A 54, 209, 235, 295 u. F 579; am besten vergleichbar mit der *Schloß*-Passage ist P 228, wo K. Leni starr ansieht, weil er kurz zuvor mit dem Mädchen gebrochen hat), F 687, Br 236 (vgl. 480) u. E 64.

172 S 355, 367 u. M 150; daß Friedas Habitus am Fenster des Schulhauses der Aspekt der Desorientiertheit zukommt, zeigt auch das frühe Stück *Zerstreutes Hinausschaun*, dessen zweiter Satz lautet: »Heute früh war der Himmel grau, geht man aber jetzt zum Fenster, so ist man überrascht und lehnt die Wange an die Klinke des Fensters.« (E 37)

173 S 184 ff., 192 u. 200 ff.

174 S 203, 220, 224 u. 228.

175 S 370, vgl. 355, 358, 365, 367, 258, 148 u. 447. In diesem Zusammenhang sei erwähnt, was M. *Buber-Neumann* über Milenas Ausdrucksbewegungen mitzuteilen weiß: »... vielsagend waren die Bewegungen ihrer Hände ... Diese Hände spiegelten beinahe jeden ihrer Seelenzustände klarer noch wider als Worte. Ihre Bewegungen waren zurückhaltend und sparsam, aber um so bedeutungsvoller war jede ihrer noch so kleinen Gesten.« (»Kafkas Freundin Milena«, S. 52)

176 Br 382 u. 374.

177 Br 373, vgl. 372, T 570 Z. 7 ff. u. J. *Loužil*, Dopisy Franze Kafky dělnické úrazové pojišťovně pro čechy v Praze, in: Sborník. Acta Musei Nationalis Pragae 8 (1963), S. 78.

178 Br 431.

179 Vgl. meinen Aufsatz »Kafkas Hebräischstudien. Ein biographisch-interpretatorischer Versuch«, in: Jahrbuch der Deutschen Schillergesellschaft 11 (1967), S. 527.

180 Br 354 ff., 359, 363, 364, 366 u. 374; vgl. M. *Pasley/K. Wagenbach,* Datierung sämtlicher Texte Franz Kafkas, in: J. *Born* u. a., Kafka-Symposion, S. 83.

181 Br 368, vgl. z. B. Br 259 Z. 10 mit 268 Z. 28 u. 278 Z. 2 (Kleopatra-Vergleich) u. oben S. 18.

182 H 388 (vgl. T 570, 574 u. Br 384 ff.), T 557 u. H 412.

183 Br 431 u. Passage nach T 579 Z. 24 (Treml war ein Bürokollege Kafkas, vgl. G. *Janouch,* Gespräche mit Kafka, S. 39 ff., 51 f., 92 ff., 198 u. 253; Ottlas und Vallis Mann wurden von Kafka Pepo genannt [Vokativ der Koseform für Josef], vgl. Br 327); vgl. Br 351, 362, 367, 370, 374 u. 375.

184 Br 372 (vgl. 373, 432 u. 429 f.) u. 432 (vgl. 372 Z. 10 ff. u. 373 Z. 5 ff.).

185 Br 371.

186 Br 369, T 552 u. Br. 370.

187 Br 365 (vgl. J. *Loužil,* Dopisy Franze Kafky, S. 78), T 563 (vgl. T 572: »Zwei Tage verloren, aber die gleichen zwei Tage gebraucht zur Einbürgerung«) und 436 u. 451.

188 Br 370 (der Grund für Kafkas Vorschlag war seine extreme Einsamkeit in diesen Tagen – vgl. Br 415) u. T 571 (vgl. Br 371, T 422 u. die beiden aufs *Schloß* bezüglichen Briefe Kafkas an Klopstock).

189 T 550 f. (der erwähnte Brief ist an Klopstock gerichtet [vgl. Br 364]; vgl. Br 365: »ich schreibe jetzt in der Wohnung meiner Schwester, mein Zimmer, die kalte Hölle, ist ungeheizt« u. M 154: »Auch habe ich das Glück der leeren Wohnung seit drei Tagen nicht mehr, ich wohne zuhause«) u. Br 369 (vgl. T 422).

190 T 553.

191 Zu diesem Problem vgl. meinen Aufsatz »Franz Kafka und die Wochenschrift ›Selbstwehr‹«, in: Deutsche Vierteljahrsschrift für Literaturwissenschaft und Geistesgeschichte 41 (1967), bes. S. 293.

192 Vgl. T 564 u. Br 431.

193 Vgl. FK 113; T 422, 435; zur Entstehung der *Verwandlung* s. meinen Aufsatz »Kafka und seine Schwester Ottla«, S. 411 ff.; G. *Janouch,* Gespräche mit Kafka, S. 74 u. F 319 f.

194 Am 20. Januar 1915 notiert Kafka ins Tagebuch über den *Prozeß:* »Ende des Schreibens. Wann wird es mich wieder aufnehmen? In welchem schlechten Zustand komme ich mit F. zusammen!« (T 458, er traf sich vier Tage später mit Felice in Bodenbach) Während der Neueinsatz des Schreibens in der ersten Februarwoche vollständig mißlang (T 461 f.), heißt es dann am 9. dieses Monats: »Gestern und heute ein wenig geschrieben. Hundegeschichte.« (T 462; gemeint ist die *Blumfeld*-Erzählung) Zur Datierung der *Forschungen eines Hundes* s. u. S. 357 ff.

195 Br 397, vgl. z. B. FK 110 u. 113 u. Br 150.

196 Einerseits heißt es in diesem Brief, die Lunge des Dichters habe den Frühling nicht so gut überstanden wie den Herbst und Winter, was darauf hinzuweisen scheint, daß diese Jahreszeit schon zu einem beträchtlichen Teil verflossen gewesen sein muß, andererseits schreibt Kafka, das Büro beginne erst »Ende des Monats«, jedoch mache der Arzt Einwendungen, so daß man nicht wisse, »wie es werden wird« (Br 374). Dies könnte sich auf den Juni 1922 beziehen, denn am 7. dieses Monats äußerte der Anstaltsarzt, auch bei Fortsetzung der Kur sei keine solche Besserung des Gesundheitszustandes zu erwarten, daß Kafka wieder in absehbarer Zeit dienstfähig werde (J. *Loužil,* Dopisy Franze Kafky, S. 79); allerdings muß man darauf wieder einwenden, daß die dienstfreie Zeit im Juni am 13. aufhörte (K. *Hermsdorf,* Briefe des Versicherungsangestellten Franz Kafka. Zu den Briefen Kafkas, in: Sinn und Form 9 [1957], S. 646 f.),

weil dem am 3. Mai endigenden Krankheitsurlaub noch der reguläre fünfwöchige Jahresurlaub zugeschlagen worden war. Vielleicht ist das Schreiben also doch auf Mitte April zu datieren (der bewilligte Erholungsurlaub reichte an sich nur bis 27. 4., obgleich Kafka in seinen an die Anstaltsleitung gerichteten Briefen vom 3. 5. als dem Tag ausgeht, an dem er wieder die Arbeit aufzunehmen habe), denn auch zu diesem Zeitpunkt wurde ihm vom Anstaltsarzt Dienstfähigkeit bescheinigt.

197 Br 374, vgl. T 580 Z. 11 f.
198 Br 379, vgl. P 317 u. Anm. I, 214.
199 T 575, 576, 578, vgl. das Ende dieses Kapitels.
200 M. *Brod*, Der Dichter Franz Kafka, in: *Die neue Rundschau* 35 (1921), S. 1214 (vgl. auch meinen Aufsatz »Kafka und ›Die neue Rundschau‹. Mit einem bisher unpublizierten Brief des Dichters zur Druckgeschichte der ›Verwandlung‹«, in: Jahrbuch der Deutschen Schillergesellschaft 12 [1968], S. 94 ff., bes. S. 110 f.) u. K. *Wolff*, Briefwechsel eines Verlegers 1911–1963, hg. v. B. *Zeller* u. E. *Otten*, Frankfurt/M. (1966), S. 389, vgl. 54 f.
201 K. *Wolff*, Briefwechsel eines Verlegers, S. 55.
202 K. *Wolff*, Briefwechsel eines Verlegers, S. 55, vgl. S. 89 dieser Arbeit.
203 Vgl. z. B. Br 151, wo Kafka an Kurt Wolff schreibt: »Ihr Angebot ... ist außerordentlich entgegenkommend, doch glaube ich, daß ... das Novellenbuch nur als naher Vor- oder Nachläufer einer neuen größeren Arbeit eigentlichen Sinn hätte, augenblicklich also nicht.«
204 Br 375, vgl. 379.
205 H 393 (vgl. M. *Pasley*/K. *Wagenbach*, Datierung sämtlicher Texte Franz Kafkas, S. 72, T 565 f. u. 567).
206 Vgl. T 569 f. mit 575 f. u. 578, T 564 Z. 12, 569 Z. 1 u. 570 Z. 21 ff. mit 576 Z. 1 u. Br 374; T 566 f. mit 578 u. 581; am 17. Februar heißt es im Tagebuch: »von Spindelmühle zurückgekommen« (unveröffentlicht).
207 T 564 ff. u. Br 415 (Brief an Max Brod vom September 1922 aus Planá): »Bliebe ich hier allein, wäre ich völlig einsam. Ich kann nicht mit den Leuten hier sprechen, und täte ich es, wäre es Erhöhung der Einsamkeit. Und ich kenne andeutungsweise die Schrecken der Einsamkeit, nicht so sehr der einsamen Einsamkeit, als der Einsamkeit unter Menschen, etwa in der ersten Zeit in Matliary oder an ein paar Tagen in Spindlermühle ...«
208 T 572 u. Br 295 f., vgl. E 267.
209 E 267 u. Br 284, vgl. 319, 338 u. Anm. III, 90.
210 T 566, 564, 571 u. E 260.
211 Vgl. M. *Pasley*/K. *Wagenbach*, Datierung sämtlicher Texte Franz Kafkas, S. 72 ff. Ob der genannte Briefentwurf tatsächlich auf Blätter des 6. Quarthefts konzipiert wurde, ist eine Vermutung, die nur auf einem Vergleich von Xerokopien beruht (Größe und Form des Papiers stimmen überein); geht man nur von den Maßen aus, könnten sie auch aus dem erwähnten braunen oder schwarzen Quarthaft stammen.
212 Daß das Fragment S 465 ff. eine frühere Gestaltung von S 372 ff. darstellen muß, ist aus zwei Gründen wahrscheinlich. Einmal ist aus der Entstehungsgeschichte des *Berichts für eine Akademie* bekannt, daß der Dichter, wenn Darstellungsschwierigkeiten auftraten, seiner Gestaltungskraft dadurch wieder aufzuhelfen suchte, daß er die zu erstellende Szene zunächst aus anderer Perspektive gab (vgl. M. *Pasley*, Beschreibung, Reihenfolge und Datierung der acht blauen ›Oktavhefte‹ (Ms Bodleian), in: J. *Born* u. a., Kafka-Symposion, S. 77, B 323–26 u. meinen Aufsatz »›Der Jäger Gracchus‹. Zu Kafkas Schaffensweise und poetischer Topographie«, S. 435 f.); und so wird ja auch K.s Zusammentreffen hier aus der Sicht von Dorfbewohnern erzählt. Dieses Argument

wird noch durch die Tatsache verstärkt, daß es auch von der Szene mit Momus im Ausschank eine von Kafka wieder verworfene längere Erstfassung gibt, wo K., indem er ein Blatt aus dem Protokoll des Dorfsekretärs liest, seine Bestrebungen aus der Sicht dieses Beamten (und Gardenas) dargestellt findet (S 487 ff.). Wichtiger als dieser Gesichtspunkt ist aber, daß Kafka in der fraglichen Variante noch davon ausgeht, daß K. vor den beiden Nachtverhören mit Pepi zusammentrifft und diese ihm schon zu diesem Zeitpunkt ihre Lebensgeschichte erzählt, und zwar in ihrem Zimmer. Als diese Passage niedergeschrieben wurde, war also das Gespräch zwischen Frieda und dem Landvermesser auf dem Gang des »Herrenhofs« noch nicht geplant. Der in der jetzigen Endfassung wahrnehmbare Differenzierungsprozeß (Art und Ort des Treffens mit Pepi wird jetzt aufgespalten in eine Szene im Ausschank, wo K.s Gesprächspartnerin erzählt, und in eine, freilich nicht mehr ausgeführte, im Zimmerchen Pepis und ihrer Freundinnen, wo diese hätten zu Wort kommen sollen – vgl. S 449 u. 454) ist gerade für die letzte Phase der Arbeit Kafkas am *Schloß* noch in einem Parallelfall nachweisbar: Was jetzt in zwei Szenen zwischen K. und der Herrenhofwirtin entfaltet wird (nämlich S 406, wo die Wirtsleute von den Sekretären herbeigeläutet werden, und S 452 ff., wo K. die Wirtin in das Privatkontor begleitet), sollte ursprünglich, wie unveröffentlichte, von Kafka getilgte Passagen des Romans beweisen, in einer einzigen, im Ausschank lokalisierten Erzähleinheit abgehandelt werden.

213 Die vorgenommene Rekonstruktion ist nur richtig, wenn das genannte schwarze Quartheft I entweder erst im September 1922 zur Verfügung stand oder doch vorher von Kafka aus Gründen der Ökonomie nicht benützt wurde (er könnte es Anfang dieses Monats aus Prag mitgebracht haben – vgl. Br 412 f.). Es enthält nämlich nur wenige kleine Fragmente (H 386: »Ich entlief . . . « – 387: ». . . die Wand ab«) und eine Variante des Beginns von *Forschungen eines Hundes* (vgl. M. *Pasley*/K. *Wagenbach*, Datierung sämtlicher Texte Franz Kafkas, S. 74). Hätte es schon im Juli und August als Arbeitsheft gedient, wäre es gewiß eher als das Tagebuch zur Fortsetzung der Niederschrift der *Forschungen eines Hundes* und zur Konzeption der nicht innerlich mit dem *Schloß*-Roman zusammenhängenden Fragmente benützt worden, die auf Blätter geschrieben werden mußten; diese stammen vom letzten der Hefte, die zur Aufnahme weiterer Romanteile bestimmt waren.
Eine Spätdatierung dieses schwarzen Quarthefts wird dadurch auch nahegelegt, daß es sich bei der genannten Variante zu den *Forschungen eines Hundes* offensichtlich um eine stark veränderte zweite Fassung handelt (vgl. B 350), also um eine spätere Stufe der Bearbeitung, die man frühestens auf die zweite Septemberhälfte, wenn nicht gar erst für die darauffolgenden Prager Wochen und Monate, anzusetzen hat, in denen Kafka nach eigener Aussage nichts zustande brachte (vgl. T 584). Zu Kafkas möglicher Arbeitsleistung im Juli 1922 vgl. Br 394 ff. u. T 437 u. 453.

214 Br 415 (vgl. 381 ff. u. J. *Loužil*, Dopisy Franze Kafky, S. 78), B 240 u. 241. Diese Aussage erinnert sehr an die schon zitierte Briefstelle, wo Kafka seine Arbeit am *Schloß* bewertet: ». . . dieses Schreiben ist mir in einer für jeden Menschen um mich grausamsten . . . Weise das Wichtigste auf Erden . . . Das hat mit dem Wert des Schreibens . . . gar nichts zu tun, den Wert erkenne ich ja übergenau, aber ebenso auch den Wert, den es für mich hat.« Daß Kafka tatsächlich auch »das dazu gehörige Alleinsein« vor jeder Störung bewahrte (Br 431), darf man schon deswegen glauben, weil er bereits im vorausgehenden Winter, wo er noch gar nicht literarisch arbeitete, »mit niemandem außer mit Max«, seinem Arzt und manchmal den andern Freunden ein Wort sprach (Br 367). Es ist nun bezeichnend, daß der große Brief vom Juli 1922, in dem Kafka

die Problematik seiner Schriftstellerei ausführlich aufrollte und der in der Tendenz dem eben Zitierten vollständig entspricht, unmittelbar durch den Zusammenbruch veranlaßt wurde, der zeitlich direkt vorherging. Es besteht also ein genetischer Zusammenhang zwischen den Vorgängen Anfang Juli und der Thematik der ja auch in andern Punkten extrem autobiographischen Erzählung — vgl. auch meine Arbeit »Motiv und Gestaltung bei Franz Kafka«, S. 13 ff. und den Aufsatz »Kafkas Hebräischstudien«, S. 543 ff.

215 Br 415 (vgl. T 583) u. Br 412, vgl. B 271 u. 267: ». . . daß er für die Dauer irgendwo eingerichtet ist und daß sein Leben nun gewissermaßen von selbst verläuft, kann niemand von sich behaupten, nicht einmal ich, dessen Bedürfnisse sich förmlich von Tag zu Tag verringern.« Die Übereinstimmung dieser Aussage mit Formulierungen in Briefen Kafkas aus Planá ist verblüffend: ». . . vorausgesetzt, daß man überhaupt davon reden kann, daß ich mein Leben ›eingerichtet‹ habe . . .« (Br 415) u. »Qualitativ ähnliches habe ich ja schon an mir erlebt, quantitativ noch nicht, es ist auch für mich eine schreckliche Steigerung und bedeutet zum Beispiel, daß ich aus Böhmen nicht mehr hinausfahren darf, morgen kann eine neue, übermorgen eine weitere, in einer Woche eine letzte Einschränkung kommen.« (Br 387 f. [datiert auf 5. 7. 1922!], vgl. 382 u. 386), vgl. T 583 Z. 20 f. u. Br 413 Z. 18.

216 Br 419 (datiert auf 21. 9. 1922; ›ich bin schon seit Montag in Prag‹, dieser Wochentag ist der 3. Septemberwoche war der 19., vgl. Br 418), T 584 (vgl. Br 422) u. Br 417 (vgl. 412 u. 413).

217 Vgl. H 411 f. mit T 582 (beidesmal ist der Begriff des »Verdachts« auffällig). Zu den Ursachen der Erregung, der Kafka bei der Lektüre des *Blüherschen* Buches unterlag (»Secessio judaica. Philosophische Grundlegung der historischen Situation des Judentums und der antisemitischen Bewegung«, Berlin 1922, vgl. T 577, Br 375, 380, 400, meine Arbeit »Motiv und Gestaltung bei Franz Kafka«, S. 33 ff. u. (zu der Frage, wie dieses Buch in Kafkas Freundeskreis eingeschätzt wurde) H. *Bergman*, Ein Brief von Felix Weltsch, in: Max Brod. Ein Gedenkbuch (1884–1968), hg. v. H. *Gold*, Tel-Aviv 1969, S. 99 ff.

218 Das Bruchstück, das auch noch bei der absoluten Chronologie der *Schloß*-Genese gleich eine erhebliche Rolle spielen wird, hat folgenden Wortlaut: »Auch Frieda wartet, aber nicht auf K.; sie beobachtet den Herrenhof und beobachtet K.; sie darf ruhig sein, ihre Lage ist günstiger, als sie selbst erwartet hat, sie kann neidlos zusehn, wie Pepi sich abmüht, wie Pepis Ansehen wächst, sie wird ja zu rechter Zeit ein Ende machen, sie kann auch ruhig zusehn, wie K. sich fern von ihr herumtreibt, dazu, daß er sie völlig verläßt, wird sie es nicht kommen lassen.« (S 471 f., vgl. M. *Pasley*/K. *Wagenbach*, Datierung sämtlicher Texte Franz Kafkas, S. 72)

219 H 388 u. 387, vgl. T 570, 574 u. 575.

220 H 389 u. T 562, vgl. S 461.

221 H 390 (vgl. S 88 »diese endlose Reise«), T 563, E 257 u. B 176.

222 H 390 f., vgl. »Riesengebirgs-Buchkalender 1972«, Kempten im Allgäu, S. 44 (über Spindlermühle): »Verfallene und verschüttete Stollen und zerbröckelte Mauern sind Zeugen der Vergangenheit.«

223 B 137 u. T 555, vgl. 549 u. 554, dazu J. *Renner*, »In dem Schneegebirge. Ein Heimatbuch aus Rübezahls Winterreich Riesengebirge«, 2. Auflage, Kempten im Allgäu 1964, S. 10.

114 T 551, Br 371, B 138 u. T 563.

225 H 391.

226 Vgl. »Riesengebirgs-Buchkalender 1972«, S. 42 u. die Karte »Umgebung von Spindlermühle«, in: »Riesengebirge mit Iser-, Lausitzer, Bobl-Katzbach-Gebirge und Waldenburger Bergland. Angaben für Automobilisten und Wintersportler«,

Berlin 1930, S. 125 gegenüber (Grieben-Reiseführer Bd 18). Wenn der Ich-Erzähler sich vor den »großen öden Räumen« fürchtet, die seine Umgebung kennzeichnen, so entspricht dies dem Umstand, daß bestimmte Hänge nahe Spindlermühle, an denen Promenaden vorbeiführten, »ziemlich öde« waren »Riesengebirgs-Buchkalender 1972«, S. 41).

Es soll aber nicht übersehen werden, daß der Text gleichzeitig wahrscheinlich auch durch Zürauer Erinnerungen Kafkas determiniert ist, die sich aufgrund gewisser situativer Analogien aufdrängen mußten. In einem offenbar 1920 entstandenen Fragment heißt es: »In einer Neumondnacht ging ich aus einem Nachbardorf nach Hause ... auf gerader, völlig dem Monde ausgesetzter Landstraße ... Ich war nicht mehr weit von der kleinen Pappelallee, an deren Ende dann schon unsere Dorfbrücke sich anschließt ...« (H 380, vgl. M. *Pasley/K. Wagenbach*, Datierung sämtlicher Texte Franz Kafkas, S. 69 f.) Dieses Bruchstück topographisch auf Zürau zu beziehen, hat man um so mehr Anlaß, als nächtliche Spaziergänge des Dichters zu Nachbarorten für den Winter 1917/18 tatsächlich belegt sind (vgl. z. B. H 99: »Nachtspaziergang nach Oberklee«), direkt hinter dem kleinen Zürau eine Art Hochplateau beginnt, das durch einen ins Gelände zumindest teilweise eingesenkten Weg zugänglich ist (vgl. Abb. 17 von 1921), öde, verhältnismäßig steil abfallende Hänge in Dorfnähe vorhanden sind (vgl. die Abb. von Zürau in: Franz Kafka 1883–1924. Manuskripte. Erstdrucke. Dokumente. Photographien, [Berlin] 1966, S. 82), der Dichter am Ringplatz bei der Kirche wohnte (Br 166 u. 231 [»als Anwohner der Kirche«], T 529 u. 537: »auf dem Abhang gegenüber meinem Fenster«), so daß er wie der Hund am Anfang und Ende eines Rundgangs an Marktplatz und Kirche vorbeikommen mußte, und daß am Ortseingang tatsächlich eine kleine Brücke vorhanden ist. Hier ergeben sich auch Beziehungen zum *Schloß*, denn Kafka betrat am 12. September 1917 den Flecken über diese Brücke und mußte zunächst das sogenannte »Untere Gasthaus« bemerken, das nur fünfzig Schritt vom Eingang zum Dorf abliegt (vgl. meinen Aufsatz »Kafka und seine Schwester Ottla«, S. 442).

227 Br 370, vgl. T 565 u. 564.

228 H 393.

229 T 546, vgl. Br 194 f.

230 Vgl. M. *Pasley/K. Wagenbach*, Datierung sämtlicher Texte Franz Kafkas, S. 72.

231 T 575, vgl. 704, 422, 435, vgl. FK 113, 130 u. 389; Urteile über den *Heizer*: T 305 u. F 291.

232 Das in Anm. III, 218 zitierte Fragment ist eine Variante einer Passage von Pepis Erzählung (S 441 Z. 25 ff.: »Inzwischen verliert Frieda nicht die Zeit, sie sitzt in der Schule, wohin sie ja K. wahrscheinlich gelenkt hat, und beobachtet den Herrenhof und beobachtet K. ...«). Offensichtlich muß es sich um eine gegenüber dem endgültigen Text ältere Vorstudie handeln. Bekanntlich hat Kafka die Arbeit an diesem letzten Teil des Romans aufgegeben, ohne daß er das zuletzt Verfaßte noch in Kapitel untergliedert hätte (M. *Pasley*, Zur äußeren Gestalt des ›Schloß‹-Romans, S. 188). Angesichts dieses Sachverhalts ist es schwer vorstellbar, daß der Dichter an einzelnen Passagen stilistisch gefeilt und ein derartiges Arbeitsergebnis nicht in das Quartheft eingetragen haben sollte, das den jetzigen Romanschluß enthält; dort war ja noch genügend Platz. Anders verhält es sich, wenn man die Fassung des Stoffs im heutigen Schlußkapitel für jünger hält. Nahegelegt wird das schon durch die Tatsache, daß die Stelle im Kontext der Erzählung Pepis wesentlich ausführlicher, konkreter und differenzierter sich darstellt als in der hier als ihre Vorform bezeichneten, die als Erzählidee oder Darstellungskern bezeichnet werden könnte. So wird beispielsweise die Frieda von Pepi unterschobene Überlegung, sie werde es nicht dazu

kommen lassen, daß K. sie völlig verlasse (S 472), später auf ungefähr zwei Druckseiten veranschaulicht: »Aber nicht nur diesen Botendienst leisten die Gehilfen, sie dienen auch dazu, K. eifersüchtig zu machen, ihn warmzuhalten! ... es entsteht für K. die Gefahr, daß es eine große Liebe wird ... Da entscheidet sich Frieda endlich auf Grund ihrer Beobachtungen zum großen Schlag: Sie beschließt zurückzukehren ... Wäre Frieda noch ein, zwei Tage länger in der Schule geblieben, ist Pepi nicht mehr zu vertreiben ... mehr als einen Tag braucht auch K. nicht mehr, um ihrer überdrüssig zu werden ... Und da, zwischen diesen beiden Gefahren ... ist sie es, die K., den noch immer sie liebenden, immer sie verfolgenden, fortjagt ... durch ihren Skandal viel lockender als früher ... und ihm und allen wieder unerreichbar wie früher«. (S 440 ff.) Pepis Aussage, Frieda könne ruhig zusehn, »wie K. sich fern von ihr herumtreibt« (S 472), wird in der endgültigen Gestaltung Kafkas sogar an eine andere Stelle loziert. Es heißt einige Zeilen vor dem Satz: »Inzwischen verliert Frieda nicht die Zeit« (S 439, er entspricht ja dem Beginn des Bruchstücks) über K. und seine ehemalige Braut: »statt bei ihr zu sitzen und sie zu bewachen, hält er sich kaum zu Hause auf, wandert herum, hat Besprechungen hier und dort, für alles hat er Aufmerksamkeit, nur nicht für Frieda ...« Diese Umstellung wäre dann kaum zu verstehen, wenn man das kleine Bruchstück Pepis Erzählung wirklich voraussetzte. Was die Ausgestaltung und Anreicherung in zuvor gegebenen Beispiel betrifft, so wurde schon darauf hingewiesen, daß spätere Varianten ursprüngliche Ansätze erweitern und entfalten (vgl. Anm. III, 212).
In der Nacht vom 1. zum 2. Februar 1913 schrieb Kafka an Felice, er habe im Bett gelegen und sei nur jetzt aufgestanden, um sich einiges für den *Verschollenen* zu notieren, das ihn mit Macht (vgl. Br 111) im Bett angefallen habe, obwohl er solche »vereinzelte Erleuchtungen künftiger Ereignisse mehr fürchte als verlange«. (F 280) Als einen derartigen, dem vorhandenen Romantext vorgreifenden Einfall hat man das Frieda-Bruchstück aufzufassen. Es könnte aus der Zeit stammen, wo Kafka plante, daß auf K.s Zusammentreffen mit Jeremias gleich Pepis Erzählung folgen sollte (vgl. S 468). Möglicherweise hatte Kafka K.s Auseinandersetzung mit dem Gehilfen Ende Juni bereits abgeschlossen (s. u.), so daß auch von daher die Datierung der *Forschungen eines Hundes*, die im braunen Quartheft auf das Frieda-Fragment folgen, auf Juli 1922 unangefochten bleibt. Denn es ist naheliegend, daß Kafka, der damals gerade begonnen hatte, das fünfte Quartheft mit Teilen des Romans zu beschreiben (s. u.), nicht in den augenblicklichen Handlungszusammenhang passende Gedanken in das braune Quartheft eintrug, das zu diesem Zeitpunkt noch leere Blätter aufwies.
Dieser Zeitpunkt ist aber nur der spätest mögliche, nicht der einzig denkbare. Kafka konnte auch in jeder früheren Arbeitsphase seit März die fragliche Erzählidee formuliert haben, die wenigen Manuskriptseiten, die zwischen dem *Hungerkünstler* und dem Frieda-Bruchstück (H 394–H 410) sich finden, könnten durchaus noch im Februar 1922 konzipiert worden sein.
Das Verhältnis des Frieda-Bruchstücks zur Variante der Bürgel-Episode (S 465 ff.) hat man sich etwa so vorzustellen, daß Kafka, nachdem er in den ersten Julitagen das 21. Kapitel beendet hatte (S 335 Z. 19 ff.–354, vgl. M. *Pasley*, Zur äußeren Gestalt des ›Schloß‹-Romans, bes. S. 187) und im Verlauf dieses Monats die *Forschungen eines Hundes* abgebrochen waren, die Anknüpfung an den Roman in der Form suchte, daß er das Intendierte zunächst aus der Optik der Gegenfiguren K.s konzipierte, was aber jetzt, nachdem das braune Quartheft vollgeschrieben war, auf Blättern geschehen mußte, die der Dichter aus einem weiteren, noch ungebrauchten Heft herausriß.
Zusammenfassend kann gesagt werden, daß es nicht möglich ist, dem Frieda-

Bruchstück Hinweise auf den Stand der Arbeit Kafkas am *Schloß* zu entnehmen. Auch ein Brief Max Brods an Kafka, der um den 20. Juli herum geschrieben wurde (vgl. M. *Pasley/K. Wagenbach*, Datierung sämtlicher Texte Franz Kafkas, S. 72) und sich auf Brods Lektüre des 8. und 9. Kapitels bezieht, beweist nur, daß Brod bis zu diesem Zeitpunkt noch nicht mehr gelesen hatte, nicht einmal aber, ob schon weitere Manuskriptblätter in seinem Besitz waren, und schon gar nicht, wieweit der Roman überhaupt gediehen war.

233 Nur im Sanatorium »Just-Jungborn« im Harz (1912) arbeitete Kafka einmal im Juli (Br 100), auch in den Jahren 1913–1917 verbrachte der Dichter zumindest einen Teil dieses Monats außerhalb Prags zur Erholung (F 427 u. 768 ff.). Die im Text geäußerte Vermutung wird noch durch die Tatsache gestützt, daß Kafka, wenn er Felice gegenüber späteres gemeinsames Zusammenleben ausmalt, immer davon ausgeht, er schreibe im Herbst und Winter, während er den Sommer als Ruhezeit einplante (vgl. F 412, 427 u. 451; 142 u. 408).

234 Vgl. Br 412, 413, S 521 ff., 540 ff. u. M. *Pasley*, Franz Kafka Mss, S. 56 ff., zur Datierung auch K 278 ff.

235 Ein Blick auf die Handschrift lehrt, daß mit dem Ende der Erzählung Pepis keine weitere Erzähleinheit mehr auf Anhieb gelingt, auch war sich Kafka offensichtlich sehr darüber im unklaren, zu welchem Zeitpunkt Gerstäcker in die Auseinandersetzung zwischen K. und Pepi beziehungsweise der Herrenhofwirtin eingreifen sollte.

236 Vgl. M. *Pasley/K. Wagenbach*, Datierung sämtlicher Texte Franz Kafkas, S. 72, S. 266, 341 (das vierte Quartheft endet mit der folgenden Aussage des Jeremias: »Da ging ich also zu ihr . . .«) u. T 440.

237 Br 413.

238 Vgl. T 557, 560, 567, 571 u. 580; Br 296 f., 396, S. 346 ff. u. K 269 ff. dieser Arbeit, meinen Aufsatz »Kafkas literarische Urteile«, S. 242 ff., K 298 u. S. 465 ff.

239 Vgl. K. *Baedeker*, Schlesien. Riesengebirge. Grafschaft Glatz. Reisehandbuch, 2. Auflage, Leipzig 1938, S. 144 f., »Riesengebirgs-Buchkalender 1972«, S. 41 f., Br 369, T 563 u. Anm. III, 206.

240 Br 311, 306 u. J. *Renner*, In dem Schneegebirge, S. 5, vgl. 9.

241 S 44, vgl. 18 f., 317 u. 451; K. *Baedeker*, Schlesien. Riesengebirge. Grafschaft Glatz, S. 144 f. (mit Karte), S. 17. Eine Abb. der Brücke in: J. *Renner*, In dem Schneegebirge, S. 204. In diesem Zusammenhang sei noch erwähnt, daß Kafka seinen Sanatoriumsaufenthalt in Matliary spät abends antrat. Dabei führte ihn eine Schlittenfahrt von der Bahnstation Tatra-Lomnitz durch Schnee und Bergwald an seinen Bestimmungsort (O 95).

242 »Riesengebirgs-Buchkalender 1972«, S. 41 u. 42 (über den Blick, den der Betrachter vom unmittelbar nördlich sich an den Ort anschließenden Ziegenrücken hat, heißt es: »Gegen Osten liegt in ihrer ganzen Pracht die Schneekoppe, ein aus der weißen und hohen Wiese gleichsam herauswachsender mächtiger Bergkegel, geziert mit einer Häuserkrone«); vgl. J. *Renner*, In dem Schneegebirge, Bild auf dem Buchdeckel (nach S. 368 als Abb. 16) u. »Riesengebirgs-Buchkalender 1972«, S. 38 mit S 14 f. u. 26.
Wenn man will, kann man hier sogar eine Verbindung zu Milena herstellen. Zu den sogenannten Koppentagen, wo die Gebirgler auf die Schneekoppe wallfahrteten und in der Kapelle Gottesdienste abgehalten wurden, gehörte natürlich auch der Namenstag des St. Laurentius selbst, der 10. August, dies war aber Milenas Geburtstag (M 163 u. 190).
Dazu kommt, daß Kafka über seine Rückfahrt aus Wien und Ankunft in Prag nach dem ersten Zusammentreffen mit der Geliebten schreibt: ». . . zu allem läutet eine kleine Glocke im Ohr: ›sie ist nicht mehr bei dir‹, allerdings gibt es

auch noch eine gewaltige Glocke irgendwo im Himmel und die läutet: ›sie wird dich nicht verlassen‹, aber die kleine Glocke ist eben im Ohr ...« (M 81) Während K. nach seinem Besuch bei Lasemann, wo Frau Brunswick weilte, und nach seiner ersten ausführlichen Betrachtung des Schloßkomplexes von Gerstäcker in den »Brückenhof« zurückgefahren wird, ereignet sich dies: »Das Schloß dort oben ... das K. heute noch zu erreichen gehofft hatte, entfernt sich wieder. Als sollte ihm aber noch zum vorläufigen Abschied ein Zeichen gegeben werden, erklang dort ein Glockenton, fröhlich beschwingt, eine Glocke, die wenigstens einen Augenblick lang das Herz erbeben ließ, so, als drohe ihm – denn auch schmerzlich war der Klang – die Erfüllung dessen, wonach es sich unsicher sehnte. Aber bald verstummte diese große Glocke und wurde von einem schwachen, eintönigen Glöckchen abgelöst, vielleicht noch oben, vielleicht aber schon in Dorfe. Dieses Geklingel paßte freilich besser zu der langsamen Fahrt und dem jämmerlichen, aber unerbittlichen Fuhrmann.« (S 26) Es scheint so, als sei die Metapher des Briefes an der Romanstelle einfach erzählerisch ausgeführt worden. Es stimmt ja nicht nur die Situation der das Läuten in sich Aufnehmenden und die Erwähnung zweier Glocken in der *Schloß*-Szene zur entsprechenden Vorstellung des Dichters, sondern auch der Aussagewert der Klänge: Der verheißungsvolle Ton der großen Glocke suggeriert gleichsam, daß K. ins Schloß gelangen könne, und dies bedeutet doch nichts anderes, als daß er, in die Gemeinschaft aufgenommen, auch Friedas sicher sein könnte, die dann nicht mehr Mittel für seine Zwecke wäre. Überhaupt paßt die Tatsache, daß Glocken rufen, sprechen und mahnen können, besonders gut zu der Art, wie Kafka zunächst sein Verhältnis zu Milena bestimmt: »nun ruft dich Milena mit einer Stimme, die dir in gleicher Stärke eindringt in Verstand und Herz.« (M 68) Ist hier neben dem akustischen, über größere Distanz sich vollziehenden Anruf vor allem das K. eigene Erbeben des Herzens vorgebildet, so an andern Stellen vor allem die mit möglicher Erfüllung des Wunsches verbundene Angst des Landvermessers: Wenn Milenas Briefe kommen, fängt der Dichter manchmal an zu zittern »wie unter der Sturmglocke« (M 56), meint, eigentlich fürchten zu sollen, wenn seine Briefe die Partnerin erreichen (M 48), und vergleicht überhaupt seine Lage mit der der Propheten vor Gott. Diese waren entsetzt, als die Stimme sie rief, und wollten nicht »und stemmten die Füße in den Boden und hatten eine gehirnzerreißende Angst« (M 40). Was die kleine Glocke betrifft, die auch im Roman näher beim Wahrnehmenden lokalisiert ist, so ist zu sagen, daß die in der Briefstelle vorausgesetzte Trauer Kafkas wegen der Trennung von Milena in der Jämmerlichkeit eine gute Entsprechung hat, der K. unterliegt, weil er seine Ziele nicht erreicht hat; vgl. auch S. 474 f. u. Anm. III, 278.

243 T 563, 568, 564 Z. 12 (vgl. Br 370 u. S 354) u. E. *Krause,* Wintersportzentrum Spindelmühle, in: Riesengebirgsheimat. Ausgabe B »Bergheimat« mit der Bildbeilage »Unser Sudetenland« 24 (1970), S. 61 u. 68 (vgl. die instruktiven Abb. in J. *Renner,* In dem Schneegebirge, S. 89 u. 94 f.).

244 T 563, 557 u. 574.

245 S 18, 23 ff., 31, 86 u. T 567; vgl. T 564 ff. mit S 88, 366 u. der im übernächsten Kapitel gegebenen Deutung der Unterhaltung K.s mit dem Vorsteher über die Organisationsformen der Schloßbürokratie; Zitat: M 262.

246 T 565 u. S 23.

247 S 43 ff., 16, 23 u. 177.

248 Br 370 f. u. S 521. Noch viel enger wird die Beziehung zwischen den beiden Ebenen, wenn man weiß, daß Kafka in der Szene zwischen K. und dem Lehrer, die wahrscheinlich noch im gleichen Monat niedergeschrieben wurden wie der zitierte Brief an Max Brod, zunächst K. den Gedanken unterlegt hatte, er habe »vor dem Lehrer die Prüfung nicht bestanden«! Diese in den Ausgaben nicht

vorhandene Variante ist mitgeteilt von W. H. *Sokel*, Franz Kafka – Tragik und
Ironie, S. 407. Daß die Kindlichkeit, derer sich Kafka durchaus bewußt war
(vgl. S. 404 ff., 438 f. u. Anm. III, 279), wohl auch Züge des Schülerhaften trug,
legt die Erinnerung nahe, die Kafkas Verleger Kurt Wolff vom ersten Zusammentreffen mit dem Dichter bewahrte: »Schweigsam, linkisch, zart, verwundbar,
verschüchtert wie ein Gymnasiast vor den Examinatoren ...« (»Autoren,
Bücher, Abenteuer. Betrachtungen und Erinnerungen eines Verlegers«, Berlin
[1965], S. 68). Vgl. auch das Schlußkapitel dieser Arbeit.

249 T 564, vgl. S 448.

250 T 565 (vgl. S 242), S 439, Br 306 (vgl. S 77, 82 f., 466, 89, 404 u. 73) u. S 223;
vgl. auch B 191 u. K 361.

251 T 567 u. S 225.

252 T 579, 580 (vgl. Br 374), Br 390 u. 391. Am 4. April 1922 notierte Kafka im
Tagebuch: »Wie weit ist der Weg von der inneren Not etwa zu einer Szene wie
der im Hof, und wie kurz ist der Rückweg? Und da man nun in der Heimat
ist, kann man nicht mehr fort.« (T 578) Es bestehen gewisse Motivverwandt-
schaften zum 8. Kapitel des Romans, wo K. im Hof des »Herrenhofs« auf
Klamm wartet; nach der erstellten Rekonstruktion muß dieser Teil des *Schlosses* in der zweiten Aprilwoche, also nur wenige Tage nach dem im Tagebuch
festgehaltenen Ereignis, entstanden sein.

253 S 353, Br 391 u. S 397, vgl. 371 f.

254 Unveröffentlichte Stelle hinter T 61 Z. 17, F 423 (vgl. T 404 u. unveröff. Passage nach Z. 7, Br 222 f., 323, M 170 f., T 361 [J. K. = Joine Kisch], 348 ff.,
M 118 f., Br 411 f. u. 410), T 579, Br 341, H 214, Br 330 (vgl. 419, S 16 f., 135
u. F 626), H 216, 217 u. 214 (vgl. auch K 75 ff.).

255 H. *Blüher*, Secessio judaica. Philosophische Grundlegung der historischen Situa-
tion des Judentums und der antisemitischen Bewegung, S. 21 (vgl. 39, 20 u.
23 ff.) u. 63 f., H. *Bergman*, Ein Brief von Felix Weltsch, in: Max Brod. Ein
Gedenkbuch (1884–1968), hg. v. H. *Gold*, Tel-Aviv 1969, S. 102, Br 380 (vgl.
T 582 f.), C. *Stölzl*, Kafkas böses Böhmen. Zur Sozialgeschichte eines Prager
Juden, (München 1975), S. 67 f. u. 68 (als Zitat aus A. *Nußbaum*, Der Polnaer
Ritualmordprozeß, Berlin 1906, S. 16, vgl. A. *Kohut*, Ritual-Mordprozesse.
Bedeutende Fälle aus der Vergangenheit, Berlin-Wilmersdorf [1913], S. 39 ff. u.
19 ff.), F 735 (vgl. 736 u. A. *Zweig*, Ritualmord in Ungarn. Jüdische Tragödie
in fünf Aufzügen, Berlin 1914, bes. S. 14 ff. u. 111 ff. u. FK 177), M 158 (vgl.
F 756, M 51 u. Br 275), M 122 f. (vgl. Br 317 u. T 554), R.-M. *Ferenczi*, Kafka.
Subjectivité, Histoire et Structures, Paris 1975, S. 61 (vgl. 62 u. 137 ff.), S 363
(vgl. 60), 345 (vgl. 422, 424, 83, 170 f. u. 480), 226, 232 u. 477 (vgl. 69).

256 Br 320, vgl. F. *Thieberger*, Oskar Baum über Otto Weininger, in: *Selbstwehr*
15, Nr. 6 (11. 2. 1921), S. 2, J. *Urzidil*, Judentum und Erotik, in: *Selbstwehr* 15,
Nr. 7 (18. 2. 1921), S. 1 ff. u. meinen Aufsatz »Franz Kafka und die Wochenschrift ›Selbstwehr‹«, bes. S. 298, O. *Weininger*, Geschlecht und Charakter.
Eine prinzipielle Untersuchung, 5. Auflage, Wien und Leipzig 1905, S. 423,
vgl. T 315, 183 u. FK 41; T 514 u. F 429: »... daß ich bis an den Hals in meiner Familie stecke«; Sentimentalität: »Geschlecht und Charakter«, S. 444 f. u.
Br 377, F 465 u. 656; die Stelle über Unmusikalität ist unpubliziert (gehört
hinter M 76 Z. 6), vgl. aber M 117, 154 u. 178; A. *Kuh*, Juden und Deutsche.
Ein Resumé, Berlin (1921), S. 10 f. (vgl. T 475 u. M. *Brod*, Heidentum, Christentum, Judentum. Ein Bekenntnisbuch, 2 Bde, München [1921], bes. Bd. I, S.
220 ff., Br 279 u. 297, wo Kafka eine Briefaussage Max Brods zitiert: »In der
Liebe habe ich das Intermittierend-Göttliche am ehesten, am häufigsten erlebt«), H 132 (vgl. S 148, 226 ff., 482 u. 140 f.).

257 Die ungedruckte Stelle ist hinter M 76 Z. 6 einzufügen (vgl. 112, F 771 u. M.

[ilena] *J. [esenská]*, Šaty a výchora [Kleider und Erziehung], in: *Tribuna* 2, Nr. 256 [31. 10. 1920], S. 5; die Aufsatzsammlung von Groß erschien in den *Abhandlungen aus dem Gebiet der Sexualforschung* 2 [1919/20], Heft 3); Br 196 (vgl. meine Arbeit »Motiv und Gestaltung bei Franz Kafka«, bes. S. 94 u. 106 f., wo Näheres über den Lebensgang von Otto Groß und seine Beziehungen zum Expressionismus gesagt ist); A. *Kuh*, Der unsterbliche Österreicher, S. 97 (vgl. »Juden und Deutsche«, S. 19 f.); O. *Groß*, Protest und Moral im Unbewußten, in: *Die Erde* 1 (1919), S. 683; O. *Groß*, Vom Konflikt des Eigenen und Fremden, in: *Um Weisheit und Leben. Vierte Folge der Vorarbeit* (1916), S. 3; S 243; H 168 u. 165; M 218 (vgl. 114, 213 u. S 285 f.), S 501 (vgl. 77, 168, 169, 517 u. Br 313: »... daß ich umherirre wie ein Kind in den Wäldern des Mannesalters«).

258 »Protest und Moral im Unbewußten«, S. 683, Br 187, M 246 (vgl. S 201, 421, 239, 242, 100, 278, 208, 287, 430, 442, 245, 301 u. 281).

259 Vgl. H. *Zohn*, Österreichische Juden in der Literatur. Ein bio-bibliographisches Lexikon, Tel-Aviv 1969, S. 34; A. *Kuh*, Der unsterbliche Österreicher, S. 32 (»Ich lernte die Stadt meiner Väter mit neunzehn Jahren kennen.«); ders., Zwischen Wien und Berlin. Entdeckungen eines Zugereisten, in: *Prager Tagblatt* 39, Nr. 164 (17. 6. 1914), S. 2 f.; ders., Werfel-Matinée, in: *Prager Tagblatt* 42, Nr. 278 (10. 10. 1917), S. 2 (»Franz Werfel. Ein Klumpenkopf in kurzen Leib gestemmt und gegen Wolken rennend. Vulkan ·oder Feuerwerk? ... Sein Schluchzen und Ächzen ist etwas angekainzelt. Aber die Art, wie das Wort wölbt und wirft, zum hallenden Klotz ballt und daran – wie er es selbst einmal nannte – steil hinauf schaut, regt beinah' zum Dichten an.« – Punktierung von Anton Kuh); M. *Brod*, Ein Wort über Anton Kuh, in: *Selbstwehr* 12, Nr. 23 (21. 6. 1918), S. 1 f.; B. *Viertel*, Anton Kuh, der Sprecher, in: *Prager Tagblatt* 43, Nr. 108 (11. 5. 1918), S. 4 (»das war kein Vortrag einer Abhandlung, keine Kathederarbeit, keine Rede wie Ja und Nein, nein, sondern allerpersönlichste Redekunst, Auswirken einer artistischen Eigenart. Sein Sprechertum braucht, wie die Schauspielerei, den Spiegel und das Echo, weil die Einzigkeit und Einmaligkeit des schöpferischen Ereignisses den Augenblick überdauern will und soll. Es kennzeichnet den Rhapsoden, daß nicht das Worüber, sondern das Wie seines Sprechens entscheidet ... Man sah einen prächtigen Augenblick lang im schmalen blassen Gesichte Anton Kuhs das Profil der Jugend aufleuchten, die den Geist ernst nimmt und an der Idee leidet, die kämpfen muß und produzieren will«); F. *Hildenbrandt*, ... soll ich dich grüßen von Berlin, München (1966), S. 128 ff. (»Geschichten von Anton Kuh«): »Mittelgroß, schlank, beweglich, fahrig mit einem immer bleichen Gesicht, zwischen dessen riesenhaften Poren sich stets ein nervöses Zucken bewegte, mit auf- und abwippenden schweren Augensäcken, schnell auf- und zuklappenden Augenlidern, einem Mund mit gewaltigen Lippen, einer dunklen wilden Zigeunermähne, deren Locken er unablässig mit kurzen schnellen Bewegungen zurückwarf, einem zerklüfteten Gesicht voll Klugheit und Hinterhältigkeit, in dem ein übergroßes Einglas festgerammt klebte.« (S. 128) Und: »Mein Gott, wie konnte dieser Mann erzählen! Heute noch packt mich in der Erinnerung wilde Begeisterung. Denn was er auch erzählte, stand leibhaftig vor einem, ob es ein Mensch, ein Tier, ein Baum, eine Begebenheit, ein Zustand war. Und alles mit tausend und wieder tausend Varianten, Kleinigkeiten, filigranhaften winzigen Nuancen. Seine Formulierungen waren zauberhaft. Wir alle, die ihm zuhörten, zerrissen uns ohne jeden Neid vor aufrichtigem Kummer, daß er niemals so schreiben konnte, wie er erzählen konnte. Es war eine Tragödie.« (S. 130) Zum »Arco«: Br 77, T 252, 286 u. 454, M 29, 100 u. 170; Zitate: M 231 Z. 9 (»Mizzi K. war hier«; K. = Kuh); Br 186, »Der unsterbliche Österreicher«, S. 23,

»Juden und Deutsche«, S. 25; Anton [Kuh], Kierling in der Literaturgeschichte. Zum Tode eines Dichters, in: Die Stunde 1924, Nr. 380 (11. 6. 1924), S. 3 u. Br 318 (vgl. Selbstwehr 15, Nr. 13, S. 1 f.).

260 A. Kuh, Juden und Deutsche, S. 39 f.; G. Janouch, Gespräche mit Kafka, S. 129; Br 336; »Juden und Deutsche«, S. 40 (vgl. Br 380), 12, 34, 108 u. 78; B 253, M 46 f., H 190 f., F 620, Br 249, H 211, Br 342 u. T 306 (vgl. S 160, 286, F 155 [»Menschen kommandieren oder wenigstens an sein Kommando glauben — es gibt kein größeres Wohlbehagen für den Körper«], 117, 123, Br 339 u. 417); Br 337 (vgl. H 199 f. u. M 46), Br 392; »Juden und Deutsche«, S. 23 f. (vgl. M 156), 36, 35, 34 (vgl. F. Werfel, Spiegelmensch. Magische Trilogie, München 1920, S. 12: »Willst du die Last von deiner Schulter kippen, / Die kaum dir noch die Haut geritzt?« — vgl. Anm. III, 360); M 239; die negative Bewertung des Stücks in einer gestrichenen, unpublizierten Tagebuchnotiz hinter T 580, Z. 2; »Juden und Deutsche«, S. 107 (vgl. 48, 64 f. u. 38; Parallelen: H 409, Br 333, T 550 Z. 1 ff., H 71 Z. 3, Br 379 Z. 29, F 696 f., M 9 Z. 20, 22 u. 220 f.), 111 (vgl. M 42, 182, G. Janouch, Gespräche mit Kafka, S. 108, 227 Z. 15 f., T 561, H 41, Br 195 f. u. T 567), 32, 35, 28 (vgl. Anm. III, 83), 44 u. 86 (vgl. S 40, 122, 125, 204 f. u. 67).

261 »Juden und Deutsche«, S. 111, 92 u. 72 (vgl. 71, B 94 f. u. E 145), 21 u. 19; B 268 u. 269; »Juden und Deutsche«, S. 19, 20, 41, 50, 45, 22 u. 23, B 95 (vgl. 268), 242 (vgl. 247 u. 250: ». . . ich hätte dann wohl meine Sündlosigkeit geopfert und mich auch auf die Hinterbeine zu stellen versucht«), 265, 256, 265, 253, 273 u. M 46 f.

262 Br 318 (vgl. Selbstwehr 15, Nr. 14 [8. 4. 1921], S. 1 ff.), S 14 (vgl. 13, 15 u. 19), 21 u. 23; S 290 (vgl. Br 431 f. [wo Kafka bestreitet, in Prag weniger »machtlos« zu sein als in Matliary], M 225, 228 f., S 63 [K. bleibt auf die Anrede »Mein süßer Liebling!« »still in Gedanken«, über die es in der Erstfassung hieß: »K. dachte mehr an Klamm als an sie. Die Eroberung Friedas verlangte eine Änderung seiner Pläne; hier bekam er ein Machtmittel, das vielleicht die ganze Arbeitszeit im Dorfe unnötig machte.« — S 476 f.], 363 u. 227 f.), S 275 (vgl. 274, 301, 310 [der Vater: »Ich werde Amalia die Ehre zurückgewinnen«], 329). Olga über Barnabas: ». . . daß er vorzeitig alterte, vorzeitig ein Mann wurde; ja, in manchem ernst und einsichtig über die Mannheit hinaus«; andererseits ist er kindlich (265 u. 332), »er wußte wohl, daß die sorgenlosen Jahre, die andere seines Alters erwarteten, für ihn nicht mehr vorhanden waren« (304); der autobiographische (vgl. auch meine Arbeit »Motiv und Gestaltung bei Franz Kafka«, S. 45 f.), jüdische (Anton Kuh kennt das Motiv der Überalterung ebenfalls: »Man ist nicht ungestraft tausend Jahre alt« — »Der unsterbliche Österreicher«, S. 38) Charakter dieser Stelle erhellt gleichfalls aus den Forschungen eines Hundes (»Ich aber habe dieses kindhafte Wesen behalten und bin darüber ein alter Hund geworden.« Und: Das Erlebnis mit den Musikhunden war folgenreich: »es hat mich um einen großen Teil meiner Kindheit gebracht, das glückselige Leben der jungen Hunde, das mancher für sich jahrelang auszudehnen imstande ist, hat für mich nur wenige kurze Monate gedauert.« — B 250 u. 250 f.) und Josefine (»eine wirkliche Kinderzeit können wir eben unseren Kindern nicht geben«; die Folge ist, daß eine »gewisse unerstorbene, unausrottbare Kindlichkeit« das Volk der Mäuse durchzieht — E 280). Man darf dies nicht nur als Metapher verstehen. Max Brod konnte nämlich in polemischer Zuspitzung gegen Kuh schreiben, der dem jüdischen Gesicht Unschönheit, »physiognomische Triebbewußtheit« bescheinigte (»Juden und Deutsche«, S. 11), neben dem Juden erscheine ihm »unter Umständen das Durchschnitts-Ariergesicht wie unfertig, embryonal, grünlich, nicht völlig ausgetragen.« (Selbstwehr 15, Nr. 14 [8. 4. 1921], S. 1) Es läßt sich belegen, daß sich diese Anschau-

ung der Dinge für Kafka und Brod tatsächlich empirisch manifestierte. In *Brods* Roman *Arnold Beer. Das Schicksal eines Juden* (Berlin 1912, S. 170) erschließt sich der Titelfigur im Anblick seiner alten Großmutter eine ganze Nation, eine Reihe von klotzstirnigen, gewalttätigen, aufdringlichen Ahnen. Das reale Vorbild für diese Figur war eine wegen ihres aufbrausenden Temperaments in der ganzen Familie Brod gefürchtete Großmutter des Autors in Gablonz, für die sich Kafka so sehr interessierte, daß er sie besuchte. Bezeichnend ist der Eindruck, den er von der fast hundertjährigen Frau empfing: »Lieber Max, aus dem Zimmer Deiner Großmutter, die wirklich zart, sanft und frisch wie ein Mädchen ist.« (Zitiert bei M. *Brod*, Der Prager Kreis, S. 96) Das Wort »wirklich« beweist, daß die beiden Freunde über die genannte Gegensätzlichkeit im Aussehen der Großmutter schon gesprochen hatten. Vgl. S 282, 125, 327, 256 f., 48 f., 305 u. 318, M. *Brod*, Zur Charakteristik der österreichischen Familie, in: *Berliner Tageblatt* 42, Nr. 148 (23. 3. 1914), 4. Beiblatt, vgl. F 342, M 174, F 475 f., M. *Brod*, Der Prager Kreis, S. 120 (»Baum war der erste unter uns vier fast Gleichaltrigen, der einen eigenen Hausstand gründete, uns in seiner eigenen Wohnung... nicht bei seinen Eltern empfing«), F 377 (am 4. 5. 1913: »Du schreibst, Pfingsten muß man die Vormittage mit dem Empfang zubringen, also auch Montag. Das ist schlimm«) u. 723 (es erregte in Berlin Unwillen, daß Kafka Felicens Mutter nicht zum jüdischen Neujahrsfest im Herbst 1916 gratuliert hatte).

263 K. *Wagenbach*, Julie Wohryzek, die zweite Verlobte Kafkas, S. 49 (vgl. T 550, 547 f., 573 f. u. 568), T 574 (vgl. H 93), S 34 (vgl. 10 u. 33) u. R. *Sheppard*, On Kafka's Castle. A Study, London (1973), S. 212.

264 S 14 u. 15 (vgl. 5 [»ein junger Mann... städtisch angezogen«], 52 [»... welche in... feinen städtischen Kleidern herausrauscht kam«], Br 339 ff., M 68, Br 195 f., 181, 231 u. meinen Aufsatz »Kafka und seine Schwester Ottla«, S. 442).

265 S 15 (vgl. Br 186, 231, S 327, T 422, M 163 u. K 99 f.). Zürauer Erfahrungen spiegelt auch folgende, aus dem Jahr 1920 stammende (vgl. M. *Pasley*/K. *Wagenbach*, Datierung sämtlicher Texte Franz Kafkas, S. 70) Passage, die ein kleines Erzählfragment beschließt: »Von weither bist du sichtbar, wie der Kirchturm eines Dorfes, auf Feldwegen von weither über Hügel und Täler streben dir einzelne zu.« (H 296)
K.s Heimaterinnerung — er erklettert als Junge die glatte, hohe Friedhofsmauer des Dorfes, was in ihm ein Siegesgefühl erweckt (S 44 f.) — mag auf eigene Anschauung in Zürau zurückgehen, vielleicht aber auch durch eine Kindheitserinnerung seines Schulfreundes Hugo *Bergmann* bestimmt sein, der über die Zeit der Sommerferien zu berichten weiß: »Der Aufenthalt im Dorf zur Zeit der Ernte, mit all den ländlichen Ereignissen, die mit dieser Zeit verbunden sind, hatte auf mich einen starken formativen Einfluß durch den engen Zusammenhang mit der Natur und mit den Menschen, den lebenden und den toten. Der Hof meines Onkels lag neben der katholischen Kirche und dem sie umgebenden Friedhof; aber diese Nähe hatte nichts Beängstigendes. Wir kletterten auf die Mauer, die zwischen dem Hof und dem Friedhof entlang lief, und sprangen von dort einmal in den Hof und einmal in den Friedhof, mit derselben Fröhlichkeit.« (»Erinnerungen an Franz Kafka«, in: Universitas. Zeitschrift für Wissenschaft, Kunst und Literatur 27 [1972], S. 741)

266 H 131 (vgl. 105 [»Zur Vermeidung eines Wortirrtums: Was tätig zerstört werden soll, muß vorher ganz fest gehalten worden sein; was zerbröckelt, zerbröckelt, kann aber nicht zerstört werden«], Br 193, wo die innere Lage des Prager Lebenskreises mit »Ruinenhaftigkeit« umschrieben wird, und 446, wo Kafka über seinen Gesundheitszustand sagt: »jeden Tag irgendein größerer Mangel, es rieselt im Gemäuer, wie Kraus sagt«). Vgl. auch T 563 u. F 741.

267 »Franz Kafka – Tragik und Ironie«, S. 401.

268 T 544 (vgl. S 466 f., H 128 über Poseidon: »eine von einer Gegenwart betäubte Möwe zog schwankende Kreise um sein Haupt« u. meinen Aufsatz »Der Jäger Gracchus«, bes. S. 404 f.), T 574, S 479 (vgl. 454) u. F 750 (vgl. Br 306 [März 1921]: »Ich wüßte, wo ich besser untergebracht wäre; in einem Dorfe mit einer leichten Arbeit, aber das Dorf kenne ich nicht« und 393 [Juli 1922]: »Und mir bitte ein stilles Dachzimmer ... aus dem ich mich gar nicht fortrühren will; man wird gar nicht merken, daß ich dort bin.« Es ist also gewiß kein Zufall, daß K.s erstes Domizil im »Brückenhof« ein Dachzimmer ist, das er als abscheuliches »Loch« bezeichnet und in dem er einen ganzen Tag und eine ganze Nacht im Bett liegt – S 82 u. 66).

269 S 145 (vgl. 55 f., 395, 160 f. u. 261 f.).

270 S 76 (vgl. 75, 74, 257, 265, 382, 408), 378 (vgl. 394 f. u. 127) u. 163.

271 Vgl. P 64 ff., 139 ff. u. meine Arbeit »Motiv und Gestaltung bei Franz Kafka«, S. 122 f., Zitat: M 208 (vgl. S 339).

272 O 52 (das Andere-nicht-ansehen-Können wird dort als etwas Entwürdigendes, aber fast Unvermeidliches angesehen, das Menschen, wenn sie nicht ganz sich entsprechend leben, an sich selbst ertragen müssen, vgl. Br 357 und den schon in Anm. III, 97 erwähnten aus Meran, wo Kafka kleine Pensionen wie die Ottoburg in Meran dadurch gekennzeichnet sieht, daß die Gäste zu eng aufeinander säßen), Br 412 u. B 297 (vgl. 217, H 233 u. 303).

273 S 398 Z. 19 ff., 401 Z. 15 ff., T 534 u. F 756. H. *Platzer Collins'* Aufsatz »Kafka's Views of Institutions and Traditions« (in: The German Quarterly 35 [1962], S. 492 ff.) beschäftigt sich fast nur mit den Erzählungen Kafkas im Sinne einer textimmanenten Synopse. Er ist deshalb keine Hilfe für Thema und Fragweise dieser Untersuchung.

274 T 570 (vgl. 564, 569, Br 372, 374 u. 373), S 374, 375, 396 (vgl. 103 u. Br 371 [»ich hatte schlechte Zeiten ... von den Nerven«], 374 [»Ich habe, um mich von dem, was man Nerven nennt, zu retten ... zu schreiben angefangen«], 370 [»schlaflos bis zur Verzweiflung«], Br 349, T 570 [wo davon die Rede ist, daß die Schläfrigkeit mit ihrer »nächtlich-täglichen Arbeit« alles niederbricht, was hindert, und den Weg freilegt«]; auch mußte Kafka während des Tages wegen seiner Krankheit sehr viel liegen – Br 350 u. 365).

275 T 569 u. F 358.

276 M 44 u. Br 384 (vgl. Br 372, 384 ff. u. M 259 ff.).

277 B 294 (vgl. T 560, M 237, T 570 u. *Janouch*, Gespräche mit Kafka, S. 109 ff.). Das Motiv der Tischlerei ist möglicherweise gar nicht nur direkt wegen Kafkas entsprechender Betätigung in den Roman gekommen, sondern auch durch Max Brods Roman *Tycho Brahes Weg zu Gott* vermittelt, der seinerseits in seinen Erzählelementen von Kafkas Vita beeinflußt sein mag. Dort wird jedenfalls die Ankunft des Gastes auf Benatek mit folgenden Worten beschrieben: »... zitterte Kepler ein wenig, als er die große Holztreppe mit ihren alten Stufen emporstieg. Sie führte nach ländlicher Art frei an der Außenseite des Schloßgebäudes empor und endete als eine geräumige, verandaartig überdachte Plattform in der Höhe des einzigen Stockwerks. Von hier aus durchschritten die Gäste mehrere Zimmer, in denen eifrige Tischlerei am Werke war. Drehbänke schnurrten, Hobel klangen scharf auf, der Geruch frischgeschnittenen Holzes, wie man ihn auf sonnigen Waldrodungen einatmet, durchdrang das ganze Haus und ein dichter Pelz von weißen gekräuselten Sägespänen lag überall in den kahlen halbfertigen Räumen.« (S. 30 f.) Neben der eindrucksvollen Beschreibung der handwerklichen Betätigung mag auch die Erwähnung von Freitreppe und Galerie Kafkas ähnliche Beschreibung des »Herrenhofs« mitgeprägt haben (vgl. o. S. 286 ff.).

Dies ist um so wahrscheinlicher, als auch einige andere Elemente in Kafkas Roman wiederkehren, so der Gedanke, das Schloß müsse angezündet werden und mit allen seinen Bewohnern verbrennen (S. 291: »Wie es ihm schon mehrmals vorgeschwebt war: Feuer wollte er anlegen, an vier Enden das Schloß anzünden und nicht nur Elisabeth sollte in der Flamme untergehen, auch der alte, ohnmächtige, verzweifelnde Tycho und alle, alle mit ihm ...« Punktierung von Brod; vgl. u. S. 475), der Handlungszug, daß Tycho, zwar kein Landvermesser, aber doch Landkultivierer und im Roman gepriesen als derjenige, der erstmalig den Himmelsraum exakt vermißt, eine fünfzehnjährige Bauernmagd verführt und zur Frau nimmt (S. 168 u. 200, vgl. S. 44 ff.), erinnert an K.s Beziehung zu Frieda und das unterschiedliche Schicksal der beiden Töchter Tychos (S. 297: »Die eine verdirbt an ihrer Keuschheit, die andere an ihrer Unkeuschheit«, vgl. 56) an dasjenige Olgas und Amalias (vgl. u. S. 454 ff.) Da fast alle diese Elemente auch in andern Werken Brods erscheinen, die Kafka als Vorlage zum *Schloß* dienten, ist der Anteil speziell dieses Romans nicht sicher auszumachen. Vgl. auch K 286 ff.

278 S 353, 370, 397, W. *Binder*, Das stumme Sein und das redende Nichts. Ein Aspekt des Kafkaschen Schloß-Romans, in: W. *B.*, Aufschlüsse. Studien zur deutschen Literatur, Zürich (1976), S. 381 (vgl. S 501 u. B 340) u. 391 (vgl. 400, 407; dies vielleicht eine Reminiszenz an Matliary, wo Kafka »das Läuten der Zimmerglocken« wahrnahm und mit den Verhältnissen in überfüllten Sanatorien vergleicht [Br 288]; gleich in seinem ersten Erfahrungsbericht aus Matliary hebt er hervor, daß es in der Hauptvilla, wo er aber nicht wohnte, sehr lärmend sei: »immerfort läuten die Glocken« – O 98, 373, 15 u. 77). Das Motiv, daß die erwachenden Beamten Tierstimmen imitieren, übernahm Kafka wohl aus Brods *Leben mit einer Göttin* – über seine Kenntnis des Romans zur Zeit der Niederschrift des *Schlosses* vgl. Anm. III, 393 –, wo die weibliche Hauptfigur morgens im Bett »kunstvoll kräht« und überhaupt Tiere nachahmt. (München [1923], S. 71, vgl. 99)

279 Hugo *Hecht*, Mitschüler Franz Kafkas und später Mediziner, spricht von mangelnder Reife Kafkas, besonders im geschlechtlichen Bereich (»Zwölf Jahre in der Schule mit Franz Kafka«, in: Prager Nachrichten 17, Nr. 8 [1966], S. 4); vgl. T 107: »Sie war siebzehn Jahre alt und hielt mich für fünfzehn- bis sechzehnjährig, wovon sie durch unser ganzes Gespräch nicht abgebracht wurde.« Kafka war damals 28 Jahre alt; Zitat: T 511, s. auch M 188 f., oben S. 10 ff. u. Anm. III, 248.

280 Br 417, 370 u. R. *Sheppard*, On Kafka's Castle, S. 216 f., vgl. B. *Beutner*, Die Bildsprache Franz Kafkas, München 1973, S. 222 ff. u. 63 ff. u. K. *Hoffer*, Das Bild des Kindes im Werk Franz Kafkas (Masch. Diss.), Graz 1970, S. 167 f.

281 S 409; vgl. K. *Wagenbach*, Julie Wohryzek, die zweite Verlobte Kafkas, S. 50, M 261; T 558 Z. 14, Br 383 u. F 289: »Hast Du jemals, außer wenn es auf Beziehungen zu Nebenmenschen ankam, Unsicherheit gekannt, gesehn, wie sich für Dich allein, ohne Rücksicht auf andere, verschiedene Möglichkeiten hierhin und dorthin eröffnen und damit eigentlich ein Verbot entsteht, Dich überhaupt zu rühren.« Die hier zum Ausdruck kommende Ambivalenz von Gefühlsinhalten ist besonders beim schizoiden Persönlichkeitsbild ausgeprägt, dem Kafka zugehört (vgl. S. 247 ff. dieser Arbeit). Natürlich tritt dieser Zustand noch gesteigert auf, wenn es um Beziehungen zu andern geht: »in meinen Briefen ist es meine ewige Sorge, Dich von mir zu befreien, wenn es mir aber einmal gelungen scheint, werde ich toll.« (F 365) Der Entstehung nach handelt es sich um eine Spaltungserscheinung, die eine künstlerische Schaffensweise ermöglicht, wo, wie bei Kafka (vgl. meine Arbeit »Motiv und Gestaltung bei Franz

Kafka«, S. 116 f.), das Unbewußte eine dominierende Rolle spielt: »Was abge-
spalten wird im eigentlichen Sinne, was weiterlebt, aber vom Ich möglichst
abgetrennt gehalten wird, ist zugleich gewünscht und verabscheut. Selbstverständlich braucht das von einer künstlerischen Idee nicht in ihrer Gesamtheit
so zu sein. Es können einzelne Züge derselben das ambivalente Ferment sein.
Goethe wird sich wohl immer seines Verhältnisses zu Friederike bewußt gewesen sein, aber es ist mir sehr fraglich, ob er sich darüber klar war, wie er sich
im Clavigo, im Ur-Faust und in der neuen Melusine selbst strafte und verteidigte gegenüber den Vorwürfen, die er sich dabei machen konnte.« (E. *Bleuler*, Naturgeschichte der Seele und ihres Bewußtwerdens. Mnemistische Biopsychologie, 2. A., Berlin 1932, S. 204) Eine weitere Schaffensvoraussetzung
besteht offensichtlich darin, vergangene Regungen wieder evozieren zu können: »Ein vergangenes Gefühl taucht bei der Ekphorie nahezu als solches wieder
auf und kann jedenfalls den ganzen Menschen wieder beherrschen wie zur Zeit
des Erlebnisses, dem es angehört.« (E. *Bleuler*, Naturgeschichte der Seele, S. 204)
Eben diese Suggestibilität war auch für Kafka kennzeichnend. Am deutlichsten
beschreibt er sie in einem Brief an die Schwester Julie Wohryzeks: »... ich war
doch nur wie einer der wund ist und solange er nirgends anstößt, leidlich lebt,
aber bei der ersten richtig treffenden Berührung in die schlimmsten ersten
Schmerzen zurückgeworfen wird und zwar nicht so als ob die alten Erlebnisse
wieder lebendig würden, nein, die sind und bleiben vergangen, aber es ist das
Formelle der Schmerzen übriggeblieben, förmlich ein alter Wundkanal und in
diesem fährt jeder neue Schmerz gleich auf und ab, schrecklich wie am ersten
Tag und schrecklicher weil man doch so viel weniger widerstandsfähiger ist.«
(K. *Wagenbach*, Julie Wohryzek, die zweite Verlobte Kafkas, S. 45 f.) Daß die
in sich zwiespältige Beurteilung eines Sachverhalts bei Kafka tatsächlich durch
Abspaltung von gefühlsbetonten Vorstellungskomplexen zustande kam, veranschaulicht folgendes Zitat aus einem Brief an Felice: »In Gedanken kann ich
mich teilen, ich kann ruhig und zufrieden an Deiner Seite stehn und dabei meinen in diesem Augenblick sinnlosen Selbstquälereien zusehn, ich kann in Gedanken über uns beiden stehn und im Anblick des Leides, das ich Dir, dem besten
Mädchen zufüge, um eine ausgesuchte Marter für mich beten, das kann ich.«
(F 459) Psychologisch gesehen herrschten also günstige Bedingungen dafür, daß
aus diesem Problemzusammenhang spontan der *Prozeß* erwachsen konnte.
Anregende und weiterführende Erwägungen zur Ambivalenz in Kafkas litera-
rischem Schaffen bei K. *Hoffer*, Das Bild des Kindes im Werk Franz Kafkas,
S. 79 ff. u. 141 ff.

282 H 419.

283 S 108, 382, 478, 339, 273 (»meistens vertreten einander die Beamten gegenseitig,
und es ist deshalb schwer, die Zuständigkeit dieses oder jenes Beamten zu
erkennen«), 285, 162 f. u. 386 ff.

284 S 397, 377 (Bürgel zeiht sich selber der »Geschwätzigkeit« [390], auch Erlanger
sollte, in der ersten Fassung der Verhörsszene, so gezeigt werden — 521 ff.);
typisch ist diese Eigenschaft besonders auch im Vergleich zum Verhalten der
höheren Beamten wie Sortini (»jeden ... vertrieb er durch sein Schweigen« —
277) oder Klamm (»er spricht angeblich stundenlang nicht« — 285). Hier scheinen Eigenheiten Kafkas durch Projektion personifiziert worden zu sein, den
sowohl Schweigen (»Mit meiner Mutter habe ich in den letzten Jahren durchschnittlich nicht zwanzig Worte täglich gesprochen, mit meinem Vater kaum
jemals mehr als Grußworte gewechselt« — F 457) als auch »Geschwätzigkeit«
auszeichneten (an Felice: »dieses Laster kennst Du noch nicht« — F 559, vgl.
T 570), vgl. Br 161 u. T 293 (Z. 19 f. muß, laut Handschrift, heißen: »Wie alles
gewagt werden kann ...«).

285 S 387, vgl. Br 161, 296 f. u. M 50 (über die drei Verlobungen): »Ich will nicht die lange Geschichte vor Ihnen ausbreiten mit ihren wahren Wäldern von Einzelheiten...« Hinsichtlich Milenas ergibt sich eine Modifikation Kafkas hinsichtlich seines Partners gegenüber den schon vergangenen Parallelfällen: »Anders ist nur, daß ich schon Erfahrung habe, daß ich mit dem Schreien nicht erst warte, bis man die Schrauben zur Erzwingung des Geständnisses ansetzt, sondern schon zu schreien anfange, wenn man sie heranbringt... so überwach ist mein Gewissen geworden« (M 226 f.). Was damit konkret gemeint ist, erläutert eine Eintragung im Tagebuch, die das 13. Quartheft eröffnet. Er brauche sich, schreibt Kafka dort, sein Verhältnis zu Milena nicht mehr umständlich bewußt machen wie früher, er sei in dieser Hinsicht nicht so vergeßlich wie einst, sondern ein lebendig gewordenes Gedächtnis (T 542). Man wird das so deuten müssen, daß sich schon beim Antippen bestimmter Sachverhalte ganze Gedankenketten und Schlußfolgerungen wie von selbst ergaben, also die Verhältnisse bis zur letzten Konsequenz durchschaut wurden, während von Kafka nicht in dieser Weise betreffende Sachverhalte gar nicht rezipiert wurden (vgl. M 262: »es war, als hätte ich alle Jahre hindurch nur nebenbei alles, was verlangt wurde, getan... bis dann die Krankheit aus dem Nebenzimmer rief und ich hinlief und ihr immer mehr und mehr gehörte«). Eine vergleichbare seelische Verfassung wird den Beamten im *Schloß* zugeschrieben: »Die Beamten sind sehr gebildet, aber doch nur einseitig, in seinem Fach durchschaut ein Beamter auf ein Wort hin gleich ganze Gedankenreihen, aber Dinge aus einer anderen Abteilung kann man ihm stundenlang erklären, er wird vielleicht höflich nikken, aber kein Wort verstehen. Das ist ja alles selbstverständlich« (S 313).

286 S 395 (vgl. 394 f. u. 524), vgl. M 33.

287 T 574 (vgl. 551, 563 u. Br 382).

288 »Von Grillparzer zu Kafka«, Wien 1962, S. 291 (ähnlich in dem Aufsatz »Kafka-Konferenz«, wo freilich *Fischer* ein gewisses Gespür dafür zeigt, daß die Gegenwelt der Hauptfigur im *Prozeß* funktional auf diese bezogen ist (»Franz Kafka aus Prager Sicht«, [Berlin] 1966, bes. S. 165 f.). Im Prinzip richtig dagegen ist der öfters von der amerikanischen Kafka-Forschung vertretene Ansatz. F. G. *Peters* schreibt: »Kafka represents his father as a Castle and presents him as a bureaucracy« (»The Transformation of the Father Image in the Works of Franz Kafka«, Columbia University 1963 [M. A. Thesis], S. 190), wobei vorausgesetzt ist, daß die Hierarchie der Instanzen ein Bild für bestimmte Lebensverhältnisse darstellt (S. 188). Noch allgemeiner faßt D. *Pearce* den Sachverhalt, wenn er das Schloß als Unbewußtes bezeichnet, das in einer gewöhnlichen und unreflektierten Person mit dem Dorf als seinem Bewußtsein in harmonischer Beziehung stehe. K.s Kampf mit der Bürokratie muß dann als Selbstanalyse eines Reflektierenden aufgefaßt werden, der das Absolute in sich erreichen will (»The Castle: Kafka's Divine Comedy«, S. 168 f.). Und W. H. *Sokel* beschreibt die besondere Gestaltungsweise Kafkas dadurch, daß er statt gewöhnlicher traumhafter Projektionen der Hauptgestalt »dreidimensional faßbare, unabhängig motivierte Charaktere« im *Schloß* verwirklicht sieht (»Franz Kafka — Tragik und Ironie«, S. 426 f.; F. *Beißner* verkennt diesen Zusammenhang, wenn er meint: »Kafkas Romane und Erzählungen sind, nach allem, auf weite Strecken wider den äußeren Anschein eigentlich monologisch insofern, als alles im traumhaften Bewußtsein einer einzigen Person abläuft.« [»Kafkas Darstellung des ›traumhaften innern Lebens‹. Ein Vortrag«, [Bebenhausen 1972], S. 33) Es gibt, wenn man davon ausgeht, Kafka stelle sein Inneres dar, nicht nur die Möglichkeit, gleichsam unwirkliche seelische Gegebenheiten als traumartige, den Gesetzen dieser Erlebnisart folgende Erzählzusammenhänge

zu geben, sondern auch die häufig in großer Dichtung verwirklichte, die an sich unfaßliche Gedankenwelt als äußere Gegebenheiten, auf Erzählfiguren projiziert, anschaulich zu machen, und eben diese Darbietungsweise ist im *Schloß* auf die komplizierteste Weise verwirklicht. Die genannten Forscher sind nur auf halbem Weg stehen geblieben, weil sie ihre richtige Grundthese nicht folgerichtig genug durchführen. Sie zeigen nicht, weil sie den biographischen Hintergrund des Romans gar nicht oder nur teilweise sehen, inwiefern die Gegenwelt des Landvermessers auch seine Züge (und die des Autors) trägt, was ja gerade dann der Fall sein muß, wenn man davon ausgeht, daß Kafka von der Weltsicht und den Bewertungsmaßstäben seines Vaters nie loskam.

289 »Kafka und Prag«, S. 98.

290 *Janouch*, Gespräche mit Kafka, S. 98 ff., Br 189 f., O 35, 54, M. *Brod*, Streitbares Leben, S. 103 u. S 527.

291 M 138 f., 104, Br 349 f., 308, FK 200, F 336, 356, 649, M 33 u. H 205.

292 *ma.*, Im Paßbüro, in: *Deutsche Zeitung Bohemia* 93, Nr. 265 (11. 11. 1920), 1. Beiblatt u. Br 377, vgl. J. *Bauer*, Kafka und Prag, S. 97 ff., Br 373, M 143 u. 187.

293 S 395 (vgl. 270), A 240, M 138 (vgl. T 57 f., F 153 u. 450), K. *Wagenbach*, Julie Wohryzek, die zweite Verlobte Kafkas, S. 50, T 512, 511 u. S 88 (vgl. 11, 497 u. 226 ff.).

294 Ein Beispiel für diese Sozialstruktur bei J. *Urzidil*, Die verlorene Geliebte, München (1956), S. 58 f.

295 S 121 f. u. »Franz Kafka und die Wochenschrift ›Selbstwehr‹«.

296 K. *Wagenbach*, Julie Wohryzek, die zweite Verlobte Kafkas, S. 50 u. S. 291 (vgl. 254: »ein Bauer oder ein Handwerker« und B 264, wo sich der Ich-Erzähler der *Forschungen eines Hundes* als »gewöhnliche[n] Mittelstand« bezeichnet).

297 S 130, vgl. Br 264, 265, 278 u. 281.

298 H 185 f., 199 f. u. F 68.

299 S 301, 323, 312 u. 303 f. Auf einem ähnlichen Ansatz baute R.-M. *Ferenzci* eine der vier Leseweisen auf, die ihre *Schloß*-Deutung konstituieren: »Le roman comporte donc une étude sociologique sur les rapports dialectiques entre les représentants du pouvoir d'une part, un groupe de la population paysanne tschèque d'autre part. Il retrace en même temps l'histoire d'un individu appartenant à la communauté juive qui se débat au sein de la réalité historique de cette époque où il jouit, en principe, de nouveaux droits (abtenus à la suite des luttes révolutionnaires de 1848), mais où ces droits sont contestés dans les faits.« (»Kafka«, S. 146)

300 S 276 ff. u. 353.

301 S 455, 543, 242, Br 306, S 92, M 246 f., vgl. H 213 u. 74 f.

302 S 101 (vgl. 100 Z. 2 f.), 94, 101 (vgl. 93) u. 103; vgl. R.-M. *Ferenczi*, Kafka, S. 166 u. 168.

303 T 459, F 616, B 241 (»Man darf eben nicht außer acht lassen, daß ich trotz meinen Sonderbarkeiten, die offen zutage liegen, doch bei weitem nicht völlig aus der Art schlage«), vgl. T 548, 562, M 262, Br 277 u. T 518.

304 S 92, F 413; über seine Arbeitskraft äußert der Vorsteher: ». . . es bleibt immer viel Unerledigtes zurück . . . Und gar, wenn ich jetzt krank bin, nimmt es überhand« (S 90). In ähnlicher Weise sah Kafka seine berufliche Tätigkeit, denn »Rückstände« hatte er immer (F 205, vgl. M 104). Was über Sordini gesagt wird, scheint eine Übersteigerung der Verhältnisse zu sein, die der Autor selber in seinem Büro vorfand: »mein Zimmer ist mir so geschildert worden, daß alle Wände mit Säulen von großen, aufeinandergestapelten Aktenbündeln verdeckt sind . . . und da immerfort den Bündeln Akten entnommen und eingefügt werden und alles in großer Eile geschieht, stürzen diese Säulen immerfort zusammen, und gerade dieses fortwährende, kurz aufeinanderfolgende Krachen ist für

Sordinis Arbeitszimmer bezeichnend geworden.« (S 98) An Felice schrieb Kafka: »Mein Schreibtisch im Bureau war gewiß nie ordentlich, jetzt aber ist er von einem wüsten Haufen von Papieren und Akten hoch bedeckt, ich kenne beiläufig nur das, was obenauf liegt, unten ahne ich bloß Fürchterliches.« (F 153) In nur wenig jüngeren Briefstellen ist sogar das für Sordini typische Geräusch vorgebildet: »... meine Rückstände konnten sich ein wenig unbeachtet aufhäufen. Jetzt aber kracht schon hie und da einer.« (F 159) Und noch deutlicher: »Solange ich selbst im Bureau bin, kann ich diesen hoch mit Rückständen bedeckten Tisch mit Einsetzung allerdings schon des letzten persönlichen Einflusses noch verteidigen, bleibe ich aber zuhause, dann steht mein Tisch allen frei und es ist gar nicht anders möglich, als daß tagsüber ununterbrochen einander ablösend kleine Explosionen von Rückständen stattfinden« (F 195)! Als Kontrastvorstellung wird K. genannt, er wolle »als kleiner Landvermesser bei einem kleinen Zeichentisch ruhig« seiner Arbeit nachgehen (S 99). Dazu paßt, daß Kafka nach Palästina auswandern und dort in einer Ecke, also ruhig, an einem kleinen »Buchbinderarbeitstisch; sich beschäftigen wollte. (Br 277; was den Beruf des Landvermessers betrifft, so dürfte Kafka weniger dadurch konstelliert worden sein, daß er 1912 einen Herrn kennenlernte, der diesen Beruf ausübte [vgl. T 672], sondern vor allem durch O. *Webers* Büchlein *Der Zuckerbaron. Schicksale eines ehemaligen deutschen Offiziers in Südamerika*, [Köln 1914 — Schaffstein's Grüne Bändchen, Nr. 54], das ihm so naheging, als handelte es von ihm selbst oder sei die Vorschrift seines Lebens, der er entwichen sei [F 738]; dort wird erzählt, wie sich die Titelgestalt sieben Jahre lang als Landvermesser betätigt, vgl. P. F. *Neumeyer*, Franz Kafka, Sugar Baron, in: Modern Fiction Studies 17 [1971], S. 5 ff.) Vgl. Br 165, S 103, Zitat: T 511, vgl. dazu, daß Kafkas Vater an Arterienverkalkung litt (und deswegen regelmäßig kurte), bei akuten Krankheiten von seiner Frau nach Kafkas Meinung aufopferungsvoll gepflegt wurde, die ihm im Geschäft Partnerin war (F 219, 321, 509, 85 u. Br 396).

305 F 756 u. M 251, vgl. J. *Born*, »Daß zwei in mir kämpfen...« Zu einem Brief Kafkas an Felice Bauer, in: Literatur und Kritik 3, Heft 22 (1968), S. 105 ff.

306 F 756, T 573 f., M 12 f., S 19, 21 f., 134, 103 u. 98, Zitate: T 574, M 255, S 97 u. Br 164.

307 S 95, F 756 u. T 564 f., vgl. S 89 u. 98 f.

308 S 101 f. (vgl. M 12 f., Br 161 u. F 753), T 564 u. 565, vgl. 420.

309 T 578, 580, M 226, 229, Br 307, M 33.

310 T 512 (S 93 f., 97 u. Br 161) u. S 241 (vgl. S. 278 ff. dieser Arbeit).

311 »Franz Kafka, der Künstler«, S. 379.

312 M. *Robert*, Das Alte im Neuen, S. 179, H. *Politzer*, Franz Kafka, der Künstler, S. 388, K.-P. *Philippi*, Reflexion und Wirklichkeit, S. 70 u. 75; weitere Positionen K 343 ff.

313 S 54, Br 252, S 110 (»die Opfer, die ich brachte, um von zu Hause fortzukommen«), M 32 u. K. *Wagenbach*, Julie Wohryzek, die zweite Verlobte Kafkas, S. 53.

314 M 32, K. *Wagenbach*, Julie Wohryzek, die zweite Verlobte Kafkas, S. 45 u. 48 (vgl. 43), S 357, 520 u. Br 252, vgl. S 298 f., 180, 515, 335 f., 250, 302, 274, O 92 u. 195.

315 »Der Prager Kreis«, S. 102 f.

316 K. *Wagenbach*, Julie Wohryzek, die zweite Verlobte Kafkas, S. 46 (vgl. 41 u. Br 247 u. 253), FK 369 f. (vgl. Br 253) u. O 75 (vgl. Br 256 ff.).
An Schelesen erinnert im *Schloß* die Tatsache, daß K. bei seinem ersten Aufenthalt in der Hütte des Barnabas sich zunächst an den Tisch der Familie setzt, wo gerade gegessen werden soll, dann aber doch nicht an der Mahlzeit teil-

nimmt, denn Kafka berichtet, er habe dort das gemeinsame Essen mit Julie wieder aufgegeben (S 48 u. K. *Wagenbach,* Julie Wohryzek, die zweite Verlobte Kafkas, S. 45); dann auch, daß sich der Landvermesser unter dem Blick Amalias unbehaglich fühlt (S 244 f. u. 475: »Nun wurde ihm aber der Blick Amalias lästig, und er sagte: ›Was hast du denn? Ich bitte, sieh mich nicht immerfort so an‹«). In seinem ersten, an Ottla gerichteten Brief aus Meran schreibt der Dichter über kleine Pensionen: »die Gäste sitzen aneinander, man schaut einander immerfort in die Augen, es ist eben wie bei Stüdl« (so hieß die Besitzerin der Pension in Schelesen). (O 77) Während der ersten Tage mit Julie hätten sich die beiden etwa beim »Einander-gegenüber-sitzen« dauernd angelacht, was quälend und beschämend gewesen sei (K. *Wagenbach,* Julie Wohryzek, die zweite Verlobte Kafkas, S. 45). Auf einer an Ottla gerichteten Karte, die auf ungefähr Mitte Dezember 1918 zu datieren ist, finden sich sechs kleine Zeichnungen von Kafkas Hand, denen er den Untertitel »Ansichten aus meinem Leben« gab (Br 247, eine Reproduktion der Karte in O, Abb. 16). Zwei davon sind besonders wichtig. Einmal ist ein Tisch zu sehen, reichlich gedeckt, an dem Kafka allein und offenbar ohne großen Appetit sitzt. Darunter ist wieder ein Tisch dargestellt, an dem sich zwei Personen gegenüber sitzen und anschauen. Links Kafka, der wie der kleine Hans Brunswick die »Arme eng am Leib« hat, also eine Haltung äußerster Verlegenheit einnimmt (S 207, vgl. 208 Z. 17 f.), rechts aber ein junges Mädchen in einer vergleichbaren Positur (die Arme liegen an den Oberschenkeln), was nur Olga Stüdl sein kann, war Kafka zu dieser Zeit doch der einzige Pensionsgast. Auf dem Tisch steht eine (Petroleum)lampe. Die Vergleichbarkeit dieser Situation mit der entsprechenden Romanszene wird noch dadurch erhöht, daß eine kleine Öllampe, die über dem Tisch in der Hütte des Barnabas hängt, für K. und die Gemeinde zum Zeichen für den Widerwillen wird, den sie seiner Familie gegenüber empfinden (S 307 u. 505 f.).

Noch etwas anderes fällt auf, was keineswegs Zufall sein kann. Die weibliche Figur hat schwarze Haare, über die ein helles Gebilde, Kopfbedeckung oder Band, hinausragt, während Kafka, der doch sehr dunkles Haar hatte, sich auf allen Teilbildern mit hellem Schädel darstellt. Nicht ohne Grund, denn er war der Auffassung, durch seine inneren Kämpfe um Felice ergraut zu sein (F 341, 344, 448 u. M 50).

317 FK 370 (vgl. Br 259: »... die Täuschung der 19 Jahre«), 371 u. Br 252: In einem auf den 27. 2. 1919 zu datierenden Brief Kafkas an seine Schwester Ottla schreibt er, Fräulein Stüdl habe für sie zwei Anstellungsmöglichkeiten, »eine davon bei ihrer Tante, deren Mann vorgestern gestorben ist, und die außer andern riesigen Dingen auch ein riesiges Gut hat«. (O 71) Daß derartige Gespräche zwischen Kafka und Fräulein Stüdl 1918/19 öfters stattgefunden haben müssen, läßt sich auch aus folgendem Zitat entnehmen, das einem Brief an Minze Eisner entnommen ist: »In Karlsbad ist, glaube ich, auch eine Verwandte des Frl. Stüdl, von der sie mir viel Gutes erzählt hat« (Br 259), vgl. FK 370: »Sie las seinen ›Landarzt‹, die Variationen über die Furchtbarkeit dieses Berufes; und als sie ihm das Büchlein zurückgab, erwähnte sie, daß auch ein kleiner Cousin von ihr an demselben Leiden habe sterben müssen wie die Bauersfrau in dieser Geschichte.« Bleibt nur die Schwierigkeit, woher Fräulein Stüdl von dem Briefverkehr zwischen Kafka und Minze und deren Berufszielen wußte. Die Lösung dürfte sehr einfach sein: Minze fuhr im September 1921 noch einmal nach Prag, wobei sie auch Kafka besuchte (Br 349 f.). Bei dieser Gelegenheit wird sie Fräulein Stüdl, die wie gesagt in Prag eine Wohnung hatte, besucht haben.

318 Br 267.

319 Br 258, K. *Wagenbach*, Julie Wohryzek, die zweite Verlobte Kafkas, S. 47,
S 263 (vgl. 507, wo K. zu Olga sagt: »Euch fällt offenbar nichts anderes zur
Last, als daß ihr weiterstrebt als die anderen . . .«), Br 252, 245 (vgl. M 173) u.
Apostelgeschichte Kap. IV, V. 36.

320 S 300 (vgl. FK 369 u. F. *Werfel*, Spiegelmensch, wo in der Eingangsszene der
Mönch zu dem um Aufnahme bittenden Thamal sagt: ». . . Jung/Bist du noch
heute« und dieser gegenfragt: »Und morgen?«, worauf die Antwort erfolgt:
»Bist du zeitlos und alterslos worden.« [S. 12] Vgl. auch Anm. III, 262 u. 407)
u. M 134 (vgl. Br 258, M 119, S 28 u. M. *Buber-Neumann*, Kafkas Freundin
Milena, S. 42, wo berichtet wird, daß die halbwüchsige Milena aus erzieheri-
schen Gründen ihre schwerkranke Mutter jahrelang bis zu derem Tode mit-
pflegen mußte).

321 Br 252, K. *Wagenbach*, Julie Wohryzek, die zweite Verlobte Kafkas, S. 50 (vgl.
39 f., M 89 f. u. S 274, 292 f., 294, 245 ff. u. 249, wo Amalia zu K. sagt, für ihn
täte sie manches, sei sie doch gutmütig), 48, Br 252, S 306 (vgl. 333), 318, 298
(vgl. 249, 251, 245 u. 509) u. 300 (vgl. 274).

322 S 505, 506 (vgl. Br 252, S 298 f. u. K. *Wagenbach*, Julie Wohryzek, die zweite
Verlobte Kafkas, S. 49: »Es gab zwar in der ferneren Umgebung J.s einige Kleinigkeiten, die mich störten . . .«), s. auch S 49, 250, 245 f., Anm. III, 320.

323 K. *Wagenbach*, Julie Wohryzek, die zweite Verlobte Kafkas, S. 46, vgl. S 509
(Olga über ihre Schwester: ». . . in letzter Zeit wage ich mit ihr manchmal kaum
das Nötigste zu sprechen. Sie scheint gar nicht zuzuhören, wenn man mit ihr
spricht, und wenn sie zuhört, scheint sie das Gesagte nicht zu verstehen, und
wenn sie es versteht, scheint sie es zu verachten. Aber das alles tut sie ja nicht
mit Willen, und man darf ihr nicht böse sein«), 289, Br 252, S 244, 249, u.
M 134.

324 S 506 u. Br 252; über sein Verhältnis zu Julie schreibt der Dichter: ». . . als
ich . . . nach Prag kam, flogen wir zueinander wie gejagt. Es gab keine andere
Möglichkeit, für keinen von uns.« (K. *Wagenbach*, Julie Wohryzek, die zweite
Verlobte Kafkas, S. 48) K. sagt zu Olga: »Wir sind aneinander gebunden, wie
eben der Bote an den Adressaten« (S 509), und dies ist die Antwort auf Olgas
Aussage, Amalia habe, überhaupt unruhig seit K.s Erscheinen, den ganzen Tag
auf K. gewartet.

325 S 213 (vgl. 318, 316, 302, 455, 316 f.), 485 (vgl. 321 u. 50 ff.), 543, 527, Br 386
(vgl. 382) u. T 575. Die Parallele zwischen K. und dem alten Schuster erkannte
schon M. *Walser*, Beschreibung einer Form, S. 37 f. Die aufgrund des Wort-
gebrauchs in alten Kräuterbüchern entstandene Wendung »das bittere Kraut«
ist sprichwörtlich und wird von Menschen meist in üblem oder ironischen
Sinne gebraucht. (J. u. W. *Grimm*, Deutsches Wörterbuch, Bd 5, Leipzig 1873,
bes. Spalte 2111 f.) Es ist unnötig und unsachgemäß, hier eine Anspielung aufs
Alte Testament sehen zu wollen. (So H. R. *Friederich*, K.'s »Bitteres Kraut«
and *Exodus*, in: German Quarterly 48 [1975], S. 355 ff.)

326 S 305, H 189, Br 396 (vgl. 275 u. 281), S. 319 u. H 175, vgl. S 283, Br 407 u.
H 193.

327 Vgl. M. *Brod*, The Castle: Its Genesis, in: Franz Kafka Today, S. 161 ff., M 28
u. Br 170.

328 Zu diesem Problemkreis vgl. meine Aufsätze »Der Jäger Gracchus«, S. 437 ff.
u. »Kafkas literarische Urteile«, S. 242 ff.

329 S 273, 279 f. u. 307, vgl. 275, 291, 305 u. 285.

330 In diesem Punkt hat K.-P. *Philippi* sicher recht (»Reflexion und Wirklichkeit«,
S. 84); der Sachverhalt spiegelt natürlich Kafkas Grundgefühl, wie es etwa im
Brief an den Vater entfaltet wird.

331 H 213 f., K. *Wagenbach*, Julie Wohryzek, die zweite Verlobte Kafkas, S. 46,

Br 252, S 281, H 220 u. K. *Wagenbach*, Julie Wohryzek, die zweite Verlobte Kafkas, S. 53.

332 H 214 (vgl. 218 u. E 74 [»während seines fünfjährigen Dienstes«] mit der Tatsache, daß Kafka im Oktober 1907 ins Erwerbsleben eintrat; die *Verwandlung* entstand im November und Dezember 1912; an dem Tag, an dem er diese Erzählung begann, spricht Kafka Felice gegenüber von seinem »schon fünf Jahre« dauernden Büroleben – F 102) u. S 273 (»Vor mehr als drei Jahren...«) u. K. *Wagenbach*, Julie Wohryzek, die zweite Verlobte Kafkas, S. 45. (Vgl. S 329, 321 u. K 198)

333 H 211 u. 213.

334 H 213 u. 214.

335 S 318 u. 392.

336 S 244 f.

337 S 318 (K.s Verhalten im Roman fällt unter die gleiche Kategorie: »er pendelt noch immer hier im Dorf zwischen den Sekretären hin und her« [466] oder treibt sich herum [522]; in diesen Zusammenhang gehört auch, daß sowohl K. als auch die Eltern des Barnabas »Wanderungen« unternehmen [439, 444 u. 244]; ein weiteres Einzelmoment also, das zeigt, daß das Schicksal der Schustersfamilie engstens mit den Lebensproblemen des Autors zusammenhängt), B 102 (»Auf dieser unendlich weiten Freitreppe treibe ich mich herum... immer in Bewegung. Aus dem Jäger ist ein Schmetterling geworden.« Nur die Bildebene ist verändert, wenn der Herrenhofwirt und seine Frau über K.s Herumstehen im Gang der Sekretäre meinen: »... wie hätte er sich dort herumtreiben können wie ein Tier auf der Weide« – S 408), H 237, 238 (Kafka zu sich selber über ein mögliches Dasein als Ehemann: »Du... wirst ein Narr, fliegst in alle Windrichtungen«) u. F 93 (»Da flattere ich auf den Gängen herum...«). Zur Interpretation des Begriffs vgl. o. S. 276.

338 K. *Wagenbach*, Julie Wohryzek, die zweite Verlobte Kafkas, S. 46 u. 47, S 318, M 248 u. T 554, vgl. S 245.

339 Vgl. K. *Leonhard*, Ausdruckssprache der Seele, S. 243 f. (»Wenn der Mensch einen bestimmten Gedanken festhält, dann ruht auch sein Blick... Sobald aber eine lebhafte Zuwendung zu einem neuen Gedanken oder auch zu einem Sinnesreiz erfolgt, führen die Augen eine lebhafte Bewegung aus der Mittellage heraus durch und zwar im wesentlichen zur Seite, nach rechts oder nach links«), A 74, M 257, T 629 u. S 239, Zitate: S 280, 282 u. 283.

340 S 318 u. H 39.

341 T 306, Br 412, 430, 415, T 566, S 180 u. 509, Zitat: K. *Wagenbach*, Julie Wohryzek, die zweite Verlobte Kafkas, S. 45.

342 T 294, 251, 251 f. u. 572, vgl. S 251.

343 Br 260.

344 E 315, A 95, P 179 u. S 206.

345 H 255 (vgl. M. *Pasley*/K. *Wagenbach*, Datierung sämtlicher Texte Franz Kafkas, S. 70, M 227, 223 f. u. 191).

346 S 245, 34 u. 327.

347 T 553.

348 S 263 (vgl. o. S. 265 ff. dieser Arbeit) u. M 173.

349 S 304 (vgl. Anm. III, 279 u. 262), M. *Brod*, Zauberreich der Liebe, S. 159 f., FK 40, F 729 (vgl. F 344), S 509, 357, 265, 517, B 214, Br 313 u. H 185, vgl. o. S. 404 f., S 383 f., 77, 122, K 286 ff. u. Anm. III, 359.

350 S 331 (vgl. 489 u. 258: »... für Barnabas ist es eine Lebensfrage, ob er wirklich mit Klamm spricht oder nicht.‹ – ›Für mich nicht minder‹, sagte K., und sie rückten noch näher zusammen auf der Ofenbank«) u. Br 464, vgl. S 263 ff. Die Übereinstimmung zwischen Barnabas und K. (und damit Kafka) zeigt sich

auch in folgenden Bildern und Einzelmotiven: Der Bote tritt der Behörde entgegen, »niemand sonst, nur er, erbarmungswürdig allein, zuviel Ehre noch für ihn, wenn er nicht sein Leben lang verschollen in einem dunklen Winkel der Kanzleien geduckt bleibt«. (S 270) Ähnlich sieht K. selber seine Lage, er fühlt sich »ohne Bekannte, ohne Zuflucht … ganz hilflos … jedem behördlichen Zugriff ausgeliefert« (S 241) und betont den ungeheuren Machtunterschied zwischen sich und dem Schloß (S 243), der ja auch darin greifbar wird, daß er es als angemessen empfände, wenn Barnabas, offenbar auch ein Nichts, zeitlebens in einer Ecke eines Bürovorraums verharrt.

Auch die Art, wie Klamms Blick eingesetzt ist, gehört in diesen Zusammenhang: In den beiden Briefen des Vorstehers an K. ist davon die Rede, daß er den Landvermesser nicht aus den Augen verlieren (S 36) bzw. im Auge behalten will (174), was K. so interpretiert, daß sein Vorgesetzter sich »anstrengen« müsse, ihn nicht zu vergessen (S 37). Ein ähnliches Verhältnis besteht nun Barnabas gegenüber. Der Bote wartet stunden- und tagelang, bis der Blick Klamms auf ihn fällt (S 260), den er auf sich zu ziehen versucht hatte (S 177 f., 261 f. u. 505). Entsprechend heißt es von K., er bemühe sich mit allen Kräften um einen Blick Klamms (S 163).

Noch deutlicher zeigt sich der behauptete Zusammenhang in der Durstmetaphorik. Über Milenas Briefe zu der Zeit, wo die Verbindung zur Geliebten glückhaft war, schreibt Kafka, man trinke sie, wolle nicht damit aufhören (M 30), lese sie, auch in der Angst, »so wie ein verdurstendes Tier trinkt« (M 56), und war als Folge davon »zehnmal stärker und zehnmal durstiger geworden«. (M 210) Dieser lebenstragende Bezug ist für K. Frieda und für Barnabas sein Amt. So wird eben diese Vorstellung auch auf diese Figuren, und zwar gerade in der zitierten spezifischen Ausprägung, angewendet: »hilflos, enttäuscht, um noch letztes Glück zu holen, fuhren manchmal ihre Zungen breit über des anderen Gesicht«, heißt es über K.s Vereinigung mit Frieda, eine Beschreibung, die die Beteiligten als durstige Tiere kennzeichnen soll (S 69, vgl. Anm. III, 125). Und über die Wirkung, die Olgas Informationen über das Schloß auf ihren Bruder ausübt, erzählt sie K.: »er, der … fast verdurstete vor Verlangen nach diesen Dingen, er trank alles in sich hinein und glühte vor Eifer nach Weiterem.« (S 325) (Vgl. auch, was Bürgel über das überraschende Erscheinen K.s bei ihm sagt: »Die niemals gesehene, immer erwartete, mit wahrem Durst erwartete und immer vernünftigerweise als unerreichbar angesehene Partei sitzt da.« – S 389)

351 S 330, vgl. 210 f., 261 (»Und hier ist Schusterarbeit aufgehäuft, die niemand macht und auf deren Ausführung Brunswick drängt), F 153 (»Durch dieses Schreiben … bin ich … zu einem Schrecken meines Chefs geworden. Mein Schreibtisch … ist … von einem wüsten Haufen von Papieren und Akten hoch bedeckt«) – diese negative Bewertung des Broterwerbs ist aber nur die eine Seite einer Haltung, die bei Kafka und dem Boten durch Ambivalenz gekennzeichnet ist (vgl. Anm. III, 281). Wenn Barnabas Erfolg hat und der Fragwürdigkeit des Erreichten sich klar wird, hat er keine Lust mehr, sein Botenamt auszuüben, er »nimmt die Schusterarbeit vor und versitzt dort auf dem Schemel die Nacht«. (S 262) Nicht anders verhielt sich Kafka, wenn er schlecht geschrieben hatte: »Habe ich nicht bei solchen Umständen allen Grund, mich ordentlich ans Bureau zu halten, wie der Wind alle Rückstände durchzuarbeiten und ein ordentlicher, aufmerksamer Beamter zu werden« (F 204 f.) –, Br 431 (vgl. oben S. 346 ff. dieser Arbeit), T 229 (»Als es in meinem Organismus klar geworden war, daß das Schreiben die ergiebigste Richtung meines Wesens sei, drängte sich alles hin und ließ alle Fähigkeiten leer stehn, die sich auf die Freuden des Geschlechtes, des Essens, des Trinkens, des philosophischen Nachden-

kens, der Musik zuallererst, richteten. Ich magerte nach allen diesen Richtungen ab«). Von diesen Zusammenhängen her ist es nicht ganz abwegig, wenn W. H. *Sokel,* freilich aus anderer Perspektive und durch fragwürdige Interpretation des Belegmaterials, zu dem Schluß kommt, Barnabas verkörpere Kafkas Schreiben (»Franz Kafka ─ Tragik und Ironie«, S. 479 ff.). Man muß vielmehr davon ausgehen, daß die literarische Arbeit eine etwas schlechtere Alternative zur Ehe darstellte, die Kafka immer dann ergriff, wenn ein Heiratsversuch mißlungen war (vgl. meine Untersuchung »Motiv und Gestaltung bei Franz Kafka«, S. 361 ff.). Die innere Nähe der beiden Lebensbereiche zueinander ermöglicht es, die Antinomie zwischen Brotberuf und Berufung als Erzählmoment für eine Figur zu benützen, die jedoch repräsentiert, was an Intentionen hinter diesen als Mittel für einen zu erreichenden Zweck aufgefaßten Daseinsmöglichkeiten steht.

352 S 324 u. M 134 f.; zu dem Stück *Vor dem Gesetz* bestehen Querverbindungen.

353 S 258, vgl. T 475 f., S. 449 dieser Arbeit, M 51, 22 u. FK 196, M 173 (»In den Kampf zwischen Dir und Max menge ich mich nicht ein. Ich bleibe zur Seite, gebe jedem sein Recht und bin in Sicherheit«) u. eine unpublizierte Stelle aus einem Brief, den Kafka im Sommer 1920 an Milena richtete: »brich den Briefwechsel mit Max ab, ihn kann ich nicht gut darum bitten.« (Nach M 177 Z. 18)

354 Br 289 u. 276, vgl. 284, 333, 281, 323 u. M 173.

355 S 267 (vgl. 264, wo Olga zitiert, was sie zu Barnabas zu sagen pflegt: »nicht in dem, was du im Schloß erreicht hast, aber in dem, was ich bei dir erreicht habe, enttäuschst du mich«) u. 268.

356 Br 409 f. (vgl. auch das nächste Kapitel dieser Arbeit), 409 u. M. *Brod,* Zauberreich der Liebe, S. 282.

357 Br 126, vgl. F 559.

358 M. *Pazi,* Max Brod. Werk und Persönlichkeit, Bonn 1970, S. 87.

359 M. *Brod,* Tycho Brahes Weg zu Gott, 16.─25. Tsd., Leipzig 1917, S. 106, 199, 206, 257, 97 f., 314, M. *Pazi,* Max Brod, S. 90 f., M. *Brod,* Tycho Brahes Weg zu Gott, S. 387. Wenn man sich die Frage stellt, wie Kafka dazu kam, gerade diesen Vorstellungszusammenhang als adäquates Bild seiner Lage zu rezipieren, so muß davon ausgegangen werden, daß an solcher Argumentationsweise ein polemisches, gegen seinen Vater gerichtetes Moment teilhat, der ja Anlaß und in gewisser Weise auch Ziel seines Schaffens war. Die Lebenszeugnisse zeigen nämlich, daß es zu den bedrückenden Urerfahrungen des Dichters gehörte, wie der Vater seine eigene Jugend mit der seiner Kinder verglich: »Unangenehm ist es zuzuhören, wenn der Vater, mit unaufhörlichen Seitenhieben auf die glückliche Lage der Zeitgenossen und vor allem seiner Kinder, von den Leiden erzählt, die er in seiner Jugend auszustehen hatte.« (T 215) Einen guten Einfluß auf seine Persönlichkeitsentfaltung habe dieses Aufwachsen »in Unselbständigkeit und äußerlichem Wohlbehagen« nicht gehabt, schreibt er an seine Eltern (FK 131).

Später dann, Ende 1917, gelangte er zu der Erkenntnis, daß er gegenüber den elterlichen Vorwürfen, er habe es zu leicht und unternehme (und unterstütze: Ottla) unsinnige Selbständigkeitsversuche, »fast völlig im Recht« sei, eine mögliche Berechtigung der väterlichen Argumentation liege höchstens darin, daß er in Hunger und Geldsorgen sich noch nicht bewährt habe. (O 49) Im *Brief an den Vater* dann endlich wird diese Position dahingehend radikalisiert, daß behauptet wird, der Sohn stehe hinsichtlich elementarer Lebensschwierigkeiten dem Vater in keiner Weise nach: »Das, was Du Dir erkämpfen mußtest, bekamen wir aus Deiner Hand, aber den Kampf um das äußere Leben, der Dir sofort zugänglich war und der natürlich auch uns nicht erspart bleibt, den müssen wir uns erst spät, mit Kinderkraft im Mannesalter erkämpfen. Ich sage nicht, daß unsere Lage deshalb unbedingt ungünstiger ist als es Deine war, sie ist jener vielmehr wahrscheinlich gleichwertig − (wobei allerdings die Grundlagen nicht verglichen sind)«. (H 185)

Wenn es auch explizite nicht eingestanden wird, so kommt doch tatsächlich durch die Art der Argumentation heraus, daß sich Kafka in extremerer Weise um seine Daseinsgrundlage bemühen mußte als sein Vater, weil seine in schwächlicher Disposition wurzelnden ungünstigeren Startbedingungen noch dadurch vermindert wurden, daß diese geringen Kräfte viel zu lange untrainiert blieben. In einer Jahre jüngeren Tagebuchstelle formuliert er deshalb: »... es gibt noch Waffen, so selten angewendet, ich dringe so schwer zu ihnen vor, weil ich die Freude an ihrem Gebrauch nicht kenne, als Kind nicht gelernt habe«. (T 564)

Und eben ein Lebensentwurf unter solchen Voraussetzungen wird im *Schloß* dargestellt. Wie in dem eben Zitierten bedient sich Kafka dabei der Kind-Erwachsenen-Metaphorik, wobei nicht nur der Landvermesser so eingeschätzt wird, sondern auch Barnabas, der als Erwachsener sich von »Kinderspeise« nährt (S 517) und das Gefühl hat, vom Schloß als kleines unbeschäftigtes Kind betrachtet zu werden, das »für die Erwachsenen irgendeinen Weg machen« will (S 508, vgl. Br 313: »... daß ich umherirre wie ein Kind in den Wäldern des Mannesalters« − Anm. III, 350 u. o. S. 390 f.). Das schon mehrfach erläuterte Motiv der Kindlichkeit im Spätwerk des Dichters meint also nicht nur Entwicklungslosigkeit, Scheitern, Judentum und tatfrische Jugendlichkeit (an seine Eltern schreibt Kafka 1914: »Ich bin jünger, als es den Anschein hat. Es ist die einzige gute Wirkung der Unselbständigkeit, daß sie jung erhält.« [FK 132] Eine Verkörperung dieser Spielart des Begriffs ist Gardenas Mann Hans, ist er doch unselbständig [S 125] und altert nicht − S 122), sondern auch Abhängigkeit und Kräftelosigkeit.

Daß die Vorwürfe des Vaters tatsächlich, wie es Kafka behauptet, in seinem Gehirn »förmlich Furchen gezogen haben müssen« (H 183), läßt sich auch daran ablesen, daß der Landvermesser gerade den Schwierigkeiten ausgesetzt ist, denen auch Hermann Kafka unterlag: Hatte dieser jahrelang ungenügende Winterkleidung (T 215 u. H 183), so tritt der Landvermesser ohne Pelz auf (S 543: »heruntergekommen, daß es einem ans Herz geht«), mußte eine Tante des Dichtes, mit der sich der Vater über die Vergangenheit unterhielt, als Kind noch »bei großer Kälte in einem nassen Röckchen um etwas laufen« (in der eben erwähnten, auf Barnabas bezüglichen Bildlichkeit scheint dieser reale Vorgang Grundlage der Metaphorisierung zu sein), so daß das Kleidungsstück erst abends im Bett trocknete (T 216), so hat das seine Entsprechung darin, daß K. in der Hütte des Barnabas in ärmlichem Aufzug und nassem Rock erscheint (S 512). Unbefriedigt über den Lauf der Dinge, will der Landvermesser in den »Brückenhof« zurückkehren, »naß, wie er war« (S 474), muß er ihn anziehen. Einer der Kernsprüche des Vaters war auch: »Von zuhause bekam ich gar nichts nicht einmal beim Militär, ich schickte noch Geld nachhause.« (H 183) Demgemäß muß auch K. völlig mittellos sein − er hat bezeichnenderweise auch eine glückliche Zeit als Soldat hinter sich (S 28) − und will »Frau und Kind etwas heimbringen« (S 11; natürlich ist K. unverheiratet, er will nur Mitleid erwecken und lügt deswegen; wie er das aber tut, paßt zum genetischen Kontext). Hatte der Vater früher »häufig gehungert« und mußte er schon als Kind so intensiv einem Erwerb nachgehen, daß keine Zeit für anderes blieb (T 215 u. H 183), so ist das im *Schloß* so repräsentiert, daß K. um jede Mahlzeit bangen und ringen (vgl. S. 285 dieser Arbeit) und daß er dauernd um seine Berechtigung als Landvermesser kämpfen muß (S 467). Schließlich kann man die Tatsache, daß der Vater zusammen mit seinen fünf Geschwistern in einem einzigen Raum schlafen mußte (K. *Wagenbach, Franz Kafka,* S. 16), im Werk darin repräsentiert sehen, daß K. nie in der Abgrenzung des persönlichen Bereichs schläft, sondern im »Brückenhof« unter den Gästen, in der dortigen Dachkammer mit den Gehilfen (auch die beiden Mägde stören), im Schulhaus unter Anwesenheit des Lehrers, Gisas und der Kinder und im Ausschank, wo Pepi anwesend ist und zumindest Gerstäcker und Frieda den Raum betreten, solange K. dort übermüdet auf den Fässern liegt. Möglicherweise ist durch die Erzählungen des Vaters auch die Motivik der auf die Familie des Barnabas bezüglichen Romanteile konstelliert, die innerhalb der Romanwelt am ehesten mit K.s Schicksal vergleichbar ist. Wenn Hermann Kafka schon als Kind ein Wägelchen durch die Dörfer schieben mußte und offene Wunden an den Beinen hatte (entsprechend sprang der erwähnten Tante die Haut an den Beinen, als sie bei großer Kälte, unzureichend gekleidet, Botengänge machen mußte), so erinnert das nicht nur an den »Handkarren«, in dem die Barnabasschen in mühevollen und beschämenden Fahrten in ihre jetzige kleine Hütte umziehen, sondern auch an die Gliederschmerzen des alten Schusters, die er sich bei seiner Warterei an Bertuchs Garten zugezogen hatte (S 317 f.).

360 F 758, Br 161, F 645, 559, M. *Brod,* Streitbares Leben, S. 202, F 178, unpublizierte Stelle hinter T 195 Z. 21 (vgl. Anm. III, 393 u. 489), F. *Werfel,* Spiegelmensch, S. 10, 54, 24, 23, 53 u. 155 (vgl. 57), korrespondierend damit Br 385, H 205, 121, Br 375, F 112, H 182 (vgl. H 204 ff. u. M 145 f.). Vgl. auch Anm. III, 260, 465 u. K 286 ff.

361 Br 417, 402 u. Br 431, Zitat 359 (K. sagt zu Olga über die Familie des Barnabas: »Wird mit euch gespielt, so mit mir nicht minder, dann ist es überhaupt ein einziges, ein erstaunlich einheitliches Spiel« – S 509).

362 S 34 (vgl. 41, 21 u. 47 f.) u. 329 f. (vgl. 265, 35 u. 304).

363 Br 319, 432 u. S 41, vgl. 34 u. Br 373.

364 Br 380, vgl. 354, 361, 418, 372, 368 (Olga zu Barnabas: »... warum zweifelst du, warum quälst du dich?« – S 259), S 257, Br 432, S 328 (»der Ehrgeiz des Barnabas«), Br 402 u. 302 (Klopstock ist »sehr strebend«).

365 Br 398, S 268 (vgl. 266) u. 267 f. Es sei darauf hingewiesen, daß die besondere Art der Bildlichkeit, in der das Streben des Barnabas sichtbar wird, einem herkömmlichen jüdischen Theologumenon folgt, das Kafka beispielsweise aus *Salomon Maimon's Lebensgeschichte* (hg. v. J. *Fromer,* München 1911) kennengelernt haben kann. Kafka las das Werk offenbar 1917 und hebt besonders den Abriß der Lehre des Maimonides hervor (Br 203), der sich im Anhang findet. Dort heißt es nun an einer Stelle: »Der König ... wohnt in seinem Palast. Von seinen Untertanen sind einige in seiner Residenz; andere wiederum außer derselben. Von den ersteren gibt es einige, die dem königlichen Palast den Rücken zukehren und sich von demselben entfernen. Andre gehn zwar nach dem Palast mit dem Vorsatz, dem König aufzuwarten, gelangen aber nie dahin. Andere gelangen zwar dahin, können aber den Eingang nicht finden. Einige kommen in den Vorhof, einige sind sogar schon in dem Palast, können aber dennoch den König nicht so leicht zu sehen oder zu sprechen bekommen, bis sie durch viele Mühe endlich dazu gelangen.« Es handelt sich bei diesen Ausführungen um ein Gleichnis, das die verschiedenen Arten des Gottesdienstes veranschaulichen soll: »Diejenigen, die mit Nachforschen über die Fundamente der Religion sich abgeben, sind schon im Vorhof ... Diejenigen endlich, die von allen eine gründliche szientifische Erkenntnis erlangt haben, sind schon in dem königlichen Palast.« (S. 459 u. 461; dieser Nachweis bei M. *Pasley,* Zur Entstehungsgeschichte von Franz Kafkas Schloß-Bild, in: Weltfreunde, S. 244 f.) Ein Aphorismus vom Jahr 1918 scheint das zitierte Bild fortzusetzen: »Vor dem Betreten des Allerheiligsten mußt du die Schuhe ausziehen, aber nicht

nur die Schuhe, sondern alles, Reisekleid und Gepäck, und darunter die Nacktheit und alles, was unter der Nacktheit ist, und alles, was sich unter dieser verbirgt, und dann den Kern und den Kern des Kerns, dann das übrige und dann
den Rest und dann noch den Schein des unvergänglichen Feuers.« (H 104 f.)
Es ist der sich dauernd intensivierende Annäherungsprozeß an Gott, der beiden
Texten gemeinsam ist. Er vollzieht sich durch ein Ablegen bzw. ein Durchschreiten von Bereichen oder Umkleidungen, die dem Zentralpunkt vorgelagert
sind. Barnabas, so deutet K., ist in einem »Vorraum« des Schlosses, von dem
Türen ins Innere weiterführen. Die Verwendung dieser dem theologischen
Bereich entstammenden Bildlichkeit lag um so näher, als für Kafka ein gelun-
genes Gemeinschaftsleben sehr eng mit einer Teilhabe am Göttlichen sich assoziierte. Vgl. auch K 245.

366 S 267 u. Br 432.
367 S 323, Br 319 u. S 201, vgl. 301 f., 210, 316, 310 f., 323, vgl. »Motiv und Gestaltung bei Franz Kafka«, S. 2 ff. u. C. *Stölzl*, Kafkas böses Böhmen, S. 20 ff.
368 S 323, vgl. Br 364, 164, 361 u. S 282.
369 T 445, F 43, 48 ff., 184 f., 464 f. u. 217.
370 F 465, vgl. T 475, Br 329 f. u. T 700.
371 S 335 (auch hier findet sich wieder eine Motivparallele zu K., insofern dieser,
falls erforderlich, sich ohne Bedenken der Verleumdung bedienen würde, um gegenüber dem Schloß zum Ziel zu kommen [S 365]; »Lüge und Heimlichtuerei« wendet er ohnehin an – S 242) u. 305, vgl. H 184 (Kafka schreibt dem Vater über
Ottla: »Sie wollte auf das Land, von dem Du gekommen warst, sie wollte
Arbeit und Entbehrungen haben, wie Du sie gehabt hattest, sie wollte nicht
Deine Arbeitserfolge genießen, wie auch Du von Deinem Vater unabhängig
gewesen bist. Waren das so schreckliche Absichten? So fern Deinem Beispiel
und Deiner Lehre?«), Br 291 (über die Stellung des Vaters in heutiger Zeit:
»er ist ja nur ein älterer Bruder, auch ein mißratener Sohn, der bloß kläglich
versucht, seinen jüngeren Bruder eifersüchtig im entscheidenden Kampf zu
beirren«) u. *Janouch*, Gespräche mit Kafka, S. 101 f.; S 257 u. 514 (vgl. 510).
372 F 730, 732 (vgl. Br 165, 87, T 274 u. 308; vgl. auch einen an Ottla gerichteten Brief aus Meran, wo Kafka über Ottlas Verhältnis zu ihrem Verlobten
meint: »... das ist nichts für Briefe, das ist für ›das Badezimmer‹«, H 181,
S 250, 281, 282 u. 298) u. S 309 (vgl. 304, 297 u. 305 u. F 750).
373 H 193, vgl. auch S 262, wo Olga erzählt, was geschieht, wenn Barnabas einen
Brief zur Bestellung erhält: »wir setzen uns dann hierher auf die Bank wie
jetzt, und er erzählt, und wir untersuchen dann alles einzeln und schätzen ab,
was er erreicht hat.«
374 S 346, vgl. 47 f., 248 u. F 91 (Ottla ist »geradezu riesig groß und stark«).
375 S 49, 250, 258, 327, H 192 f., F 730 u. Br 192.
376 S 327 u. H 193.
377 Br 329 f., vgl. Br 265. Zwei Dinge sind noch erwähnenswert. Einmal läßt sich
zeigen, daß Kafka Ottlas Leben unter ähnlichen Kategorien begriff wie dasjenige Klopstocks. Dieser spielte offenbar mit dem Gedanken, Journalist zu werden, wozu ihn Kafka ermunterte, indem er ihm vorschlug, Hans *Blühers*
Buch »Secessio judaica« zu besprechen. Klopstock, von anderem absorbiert, lehnte ab. Kafka kommentiert das so: »Mit meinem Vorschlag wollte ich ... nicht zu
einem in jedem Fall entscheidenden Wettkampf auffordern, etwa zum Kampf
zwischen Goliath und David, sondern nur zur seitlichen Beobachtung des
Goliath, zur beiläufigen Feststellung der Kräfteverhältnisse, zur Revidierung
der eigenen Bestände ...« (Br 380) Wenn hier das Daseinsmuster des Freundes
mit den Vorstellungen der biblischen Sage gedeutet wird, so bedeutet dies doch,
daß jemand allein, schwach und an Ausrüstung dem Gegner himmelweit unter-

legen, diesem doch entgegentritt. Eben dies war ja von Barnabas behauptet worden, der »erbarmungswürdig allein« der Behörde Widerpart bietet, deren unentwirrbare Größe betont wird (S 270, vgl. 269). In vergleichbarer Weise urteilte Kafka, als Ottla heiratete. Daß sie etwas Außerordentliches tue, dessen Ausführung außerordentlich schwer sei, beruhte für Kafka nicht nur darauf, daß er selber in analogen Kämpfen um die Frau unterlegen war, sondern vor allem auf der Tatsache, daß die Schwester einen christlichen Tschechen heiratete. Dies geschah im Sommer 1920, als Kafkas Verhältnis zu Milena gerade seine entscheidende Phase erreicht hatte. Es ist naheliegend, daß er die Ergebnisse, die seine Erfahrungen zeitigten, auf den Vergleichsfall übertrug, d. h. nichtiges, unbedarftes Judentum sich mit Fülle, Lebenskraft und Gemeinschaftssinn des christlichen Bereichs verbinden sah. Also schrieb er ihr Anfang 1919: »... daß Du so selbstvertrauend aus der Reihe trittst, wie etwa David aus dem Heer.« (O 69) Olga und Barnabas zu Geschwistern zu machen, fiel also, aus genetischer Sicht betrachtet, dem Dichter nicht schwer, weil die realen Vorbilder der genannten Figuren dem gleichen Lebensmuster zugeordnet waren. Was den Namen Olga betrifft, so kommt für seine Erklärung, neben seiner Ähnlichkeit mit Ottla, in Betracht, daß Fräulein Stüdl den Vornamen Olga führte und daß eine Gestalt in Max *Brods* Roman *Jüdinnen* (Berlin-Charlottenburg [1911]) so heißt, die Kontrastfigur zu einem Mädchen namens Irene ist (also auch eine »Frieda«, vgl. Anm. III, 161). Kafka wollte dieses Werk, das einen jungen Mann zwischen diesen beiden Frauen darstellt, die bestimmte jüdische Daseinsmöglichkeiten verkörpern, rezensieren (vgl. T 52 ff.), und in einem Brief aus dem Jahr 1918 spricht er davon, Olga sei »nicht primär geformt, sondern bewußt als Gegenspiel Irenes, als Rettung vor ihr« konzipiert (Br 226). Es ist daher naheliegend, daß er im *Schloß*, wo K. zwischen Frieda und Olga hin und her pendelt, zur Kennzeichnung der Erzählfigur, die das westjüdische Mädchen verkörpern sollte, den Namen Olga wählte. In diesem Zusammenhang darf auch ein kleines Erzählbruchstück erwähnt werden, das wenige Tage vor Kafkas Verlobung mit Felice Bauer Ende Mai 1914 entstand. Dargestellt wird eine Verlobungsfeier, auf der sich der Bräutigam abseits von der Festgesellschaft hält und deswegen von der Brautmutter ermahnt wird (T 374 f.; zum autobiographischen Hintergrund dieser Motive vgl. F 548 u. 553). Die Braut aber heißt Olga.

378 S 314 u. M. *Brod*, Zauberreich der Liebe, S. 154, vgl. M 50; in einer unpublizierten Tagebuchnotiz wird die Schwester als Affe Kafkas bezeichnet (hinter T 454 Z. 24).

379 S 271 u. B 256, vgl. 337 f.

380 Br 161 (vgl. 307) u. 282 (vgl. Br 361 u. 419).

381 S 327, H 183 f. u. 216 ff.

382 Zu diesem Punkt vgl. W. H. *Sokel*, Kafka's Metamorphosis. Rebellion and punishment, in: Monatshefte für deutschen Unterricht, deutsche Sprache und Literatur 48 (1956), S. 203 ff. u. H. *Kaiser*, Franz Kafkas Inferno. Eine psychologische Deutung seiner Strafphantasie, in: Imago 17 (1931), S. 41 ff. (Beide Beiträge jetzt wiedergedruckt in: Franz Kafka, hg. v. H. *Politzer*, Darmstadt 1973, S. 69 ff. bzw. 267 ff.)
In etwas verhüllter Form wird die genannte Gesetzmäßigkeit im Roman selber angedeutet. Olga hatte Barnabas einen kleinen Brief mit ins Schloß gegeben, in dem sie ihn der Aufmerksamkeit der Knechte empfahl, mit denen sie im »Herrenhof« dauernd zusammen war. Doch war diese Unternehmung ganz ohne Erfolg: »... es war eine Erlösung, die wir aus eigenem uns freilich auch und längst hätten verschaffen können, als ein Knecht, dem vielleicht der Brief

schon einige Male aufgedrängt worden war, ihn zusammenknüllte und in einen Papierkorb warf. Fast hätte er dabei, so fiel mir ein, sagen können: ›Ähnlich pflegt ja auch ihr Briefe zu behandeln.‹« (S 329) Olga, die dies erzählt, stellt also einen Zusammenhang zu Amalias Verhalten her, der zeigt, daß ihr dieser Strafmechanismus vertraut ist.

383 S 327, vgl. 319 u. 321.

384 H 187 u. 187 f.

385 H 174, 175 u. S 319. Verwiesen sei auch auf eine Passage in Max Brods Roman *Franzi oder Eine Liebe zweiten Ranges*, München (1922), S. 297, wo der Ich-Erzähler über die Jüdin und ihr Verhältnis zum Mann reflektiert: »Entweder sie ergibt sich gar nicht, auf keinen Fall, oder sie hat schon so sehr den Halt verloren, daß jeder sie haben kann. Wie eine Flaumfeder oder wie ein unbewegliches Stück Blei. Beides aber ist nicht das Gewicht des Lebens, – bei dem es eine furchtbare Schwere der Entscheidung gibt, mitten innen zwischen dem äußersten Nein und äußersten Ja. Die Christin nimmt ihre Hingabe sehr wichtig, ohne sie doch von vornherein ganz auszuschließen. Das ist ihre Gefahr. Gefahr aber ist das Lebendige des Lebens.« Die genannten Grundmöglichkeiten scheinen in Amalia, Olga und Frieda (bzw. Gardena) im *Schloß* erzählerisch entfaltet (vgl. auch Anm. III, 277). Zur Bedeutung des Brodschen Romans für Kafkas Werk vgl. das nächste Kapitel.

386 H 186, S 279, 319, 250, 308, 331, 299, 274 (Olga über ihre Schwester: »ihr düsterer Blick ... ging hoch über uns hinweg, und man beugte sich fast tatsächlich und unwillkürlich vor ihr«), 250 Z. 9, 291 Z. 4, 300 (Amalia trägt »den Kopf höher als alle«) u. H 173, Zitat: H 169.

387 Br 291, Br 337 u. F 465.

388 S 147, 425, 80, 435 f., 444 f., 420 f., 341, 146, 434, 418, 438, 146 f., 65, 422 f., 357 f., 291, 57, 159, 230, 443 (vgl. oben S. 193 dieser Arbeit), 62, 149, 417, 360 f., 437, 54 f., 437 f., 436, 370, M. *Pasley*, Franz Kafka Mss, S. 59, Zitate: 58 u. S 482; vgl. Anm. III, 396.

389 M 181, T 554, 183, T 500, Br 317, 418, 435 f., 447 u. M. *Pasley*, Franz Kafka Mss, S. 57, Zitate: M 183, S 421, 450, M 182 f. u. S 148.

390 S 148, M 182, O 106 u. S 419, vgl. 146, 418, 435, 420, 446, 434, 443 436 u. den Bericht in der *Karpathen-Post. Politisches Wochenblatt zur Förderung der gesamten Interessen des Zipser Deutschtums* 42, Nr. 5 (29. 1. 1921), [S. 2].

391 Br 411 (vgl. T 579 u. 580: »Maxens Leid«) u. 408, vgl. meinen Aufsatz »Kafkas literarische Urteile«, S. 244 f.

392 M. *Brod*, Mira. Ein Roman um Hofmannsthal, (München 1958). Der angenommene Zusammenhang wurde dem Verfasser von Max Brod ausdrücklich bestätigt.

393 Br 289 f., M. *Brod*, Mira, S. 117, 120 f., M. *Brod*, Franzi, S. 141, 142 f., S 146 u. 412, Zitate: M. *Brod*, Leben mit einer Göttin, München (1923), S. 222, 122, Br 400 (vgl. *Mira*, S. 228 u. *Leben mit einer Göttin*, S. 30 u. 36) u. F. *Weltsch*, »Leben mit einer Göttin«, in: *Selbstwehr* 17, Nr. 51/52 (21. 12. 1923), S. 1. Natürlich kannte Kafka im Sommer 1922 noch nicht die ganze Druckfassung des *Lebens mit einer Göttin*, doch hatte er zu der Zeit, als er Pepis Erzählung schrieb, zumindest die Bruchstücke gelesen, die Brod im Vorabdruck publizierte. (Br 399) Vgl. M. *Brod*, Leben mit einer Göttin, in: Der neue Roman [1], (Reichenberg 1922). Wie sehr er in die Sache verwickelt war, geht auch daraus hervor, daß *Brod* in *Mira* der Gegenfigur des Ich-Erzählers, dem verbissenglaubenslosen Prager Jugendfreund Gustav Kleinegger, Argumente in den Mund legt, die zumindest teilweise von Kafka stammen, freilich in der depravierten Form, die von der Konzeption des Romans her erforderlich ist. Kleinegger ist

dort die Objektivation der inneren Zweifel, gegen die der Erzähler bestehen muß.
Hier einige Beispiele für den gemutmaßten Zusammenhang. Ausführlich wird beschrieben, wie Kleinegger reagiert, als er von der Liebesaffäre erfährt: »Bei aller Freundschaft ging es hart auf hart. Ich sprach davon, daß meine neue Liebe göttliche Bedeutung für mich habe«, laut Gustav, dem »einzigen Vertrauten und Berater« des Erzählers, handelt es sich bei dem Ganzen weniger um eine harmonische als eine hormonische Abgestimmtheit. (S. 142, vgl. 143) Tatsächlich hatte Brod Kafka, den er selber in dieser Sache als seinen Berater empfand (FK 196), Vergleichbares geschrieben, zunächst in einem Jahre vorherliegenden Parallelfall. Kafkas Kommentar: »... was Dir hier erscheint und mit Gewißheit erscheint: ›im Eros Ruhe, völliger Frieden‹ ist etwas so Ungeheueres, daß es schon durch die Tatsache, daß es Dich nicht widerspruchslos hinnimmt, widerlegt erscheint. Nur wenn Du es mit weniger hohem Namen bezeichnen würdest, könnte man zweifeln. Aber ... eben weil Du es so bezeichnest, ist ein anderer Konflikt wahrscheinlicher.« (Br 226) Er wird im Kontext als Schwanken zwischen Ehe und Außer-Ehe bezeichnet (225). Eine despektierliche Auslegung dieser Kritik ist der aus *Mira* zitierten Aussage schon recht nahe, wird dort doch auch Geistiges auf Triebhaftes reduziert. Eine ähnliche Auseinandersetzung zwischen den beiden Freunden vollzog sich Anfang 1921, also in Hinsicht auf das Berliner Stubenmädchen. Kafka erklärt in einem Brief aus Matliary: »Du schreibst: ...›In der Liebe habe ich das Intermittierend-Göttliche am ehesten, am häufigsten erlebt‹« (Br 297), eine Sehweise, der der Dichter seine Angst vor dem Geschlechtlichen entgegensetzte.
Weiter sagt Gustav Kleinegger: »Die ungewöhnliche Intensität meiner Leidenschaft für Mira erklärte er damit, daß ich von ihr entfernt lebte ... der Romantiker verehrt das Unmögliche, das Unzugängliche, den Wahnsinn ... Fernliebe, Sehnsuchtsliebe, all das ist nichts weiter als rein privates Getue, unwichtig, hochgezüchteter Individualismus – einfach eine Schande« (S. 143 f.). Kafkas dieser Passage zugrunde liegenden Aussagen lauten: »Dieses Mädchen stand doch äußerlich ganz fern dem, was Dich in Berlin bezaubert hat ... nimmst Du so ernst, wie Du Dein Verhältnis zu dem Mädchen nimmst, auch das Mädchen selbst? Und heißt es nicht, etwas, was man nicht ganz ernst nimmt, ganz ernst lieben wollen, eben das Unmögliche wollen, so wie wenn einer, der einen Schritt nach vorn und dann wieder einen Schritt zurückgemacht hat, doch entgegen jedem Wirklichkeitsbeweis 2 Schritte nach vorn gemacht haben will, da er doch eben 2 Schritte und nicht weniger gemacht hat ... Eine Liebe über Länder hinweg? ... Ist das nicht ein Unmögliches? ... die Kräfte, die Dich in das Unmögliche treiben, sind sehr groß ...« (Br 289f.) Der Begriff des Unmöglichen, die Betonung der äußeren Distanz und des Unrealistischen sind beiden Texten gemeinsam.
Schließlich sagt der Prager Jugendfreund, das Verhältnis des Erzählers sei das »Unverantwortliche ... ins Unendliche Weisende, in gewissem Sinn nie zu Erlangende ... unzugängliches Märchenland. Der Mann zweier Frauen!« (S. 147) Die Parallele: »Du willst das Unmögliche ... Du dringst weiter vor als irgendjemand ... Es gibt Steigerungen des Unmöglichen, auch der Graf von Gleichen hat etwas Unmögliches versucht ... aber so unmöglich wie Deines war es nicht, er hat sie nicht im Morgenland gelassen und mit ihr eine Ehe über das Mittelländische Meer hinweg geführt ... Dann aber bleibt meiner Meinung nach ... nichts anderes übrig, als ... offen ... zu dritt zu leben« (Br 409 f.). Die wichtigen Elemente dieser Briefstelle finden sich auch bei Brod, die Vorstellung des nie Erreichbaren, die Benennung des Falls als märchenhaft (zum Graf von Gleichen und zur Verwendung dieses Motivs durch Kafka vgl. meine

Arbeit »Motiv und Gestaltung bei Franz Kafka«, S. 166 ff.) und die Betonung der Tatsache, daß der Freund jetzt zwei Frauen besitze. Was das nicht zu Verantwortende betrifft, so schrieb Kafka: »Wäre ich verheiratet und hätte ich meiner Frau etwas Gleichwertiges getan, würde ich, übertrieben ausgedrückt... in den Winkel gehn und mich umbringen.« (Br 295)

Es scheint, daß Brod, der immer in seinen Werken sich so eng wie möglich an eigenes Erleben hielt (vgl. M. *Brod*, Streitbares Leben, S. 116 f.: »Es ist viel Autobiographisches in jenen Werken *mit*verwendet, eingearbeitet... Aber das macht diese Werke noch nicht zu Biographien, da sie nach einem andern Formgesetz, dem der Dichtung und der frei schaffenden Phantasie aufgebaut sind, wenn auch viel Erlebtes und Erlittenes mit unter das Baumaterial aufgenommen ist... Oft ist beides so ineinandergewoben, daß der größte Meister das Gespinst nicht trennen könnte... So steht es auch um jene meiner Romane, in denen ein autobiographischer Einschlag bald deutlicher, bald weniger deutlich hervortritt«), bis in Einzelheiten hinein die Gestalt Kafkas in *Mira* verwertete. So läßt er z. B. Kleinegger sagen: »›So, du leidest?... Laß dich mal anschaun.‹ ... er... besah mich von vorn und von hinten. ›Du leidest also! Ganz genau so sieht ein Leidender aus. Genau auf dieses Stichwort der Kleinbürgerei habe ich gewartet!« (S. 148) Anläßlich der früheren, ins Jahr 1917 und 1918 fallenden und neben der Ehe Brods herlaufenden Liebesgeschichte schrieb dieser an Kafka, er fühle sich »krank, schuldbewußt, ohnmächtig« im Kampf mit seiner Aufgabe. Kafka meinte dazu, dieses Denken decke sich nicht mit dem positiveren Handeln Brods, das verrate, daß er nicht wehleidig sei und das gefühlte Leid nur ein Augenblickszustand. (Br 206) Brod nahm daran Anstoß, er behauptete, Kafka wolle ihn trösten, indem er sein Kranksein anzweifle. (Br 208) Auch charakterlich gleicht Kleinegger Kafka aufs Haar: Er ist unmusikalisch (S. 140), erringt »einen Scheffel lokaler Ehren« (S. 141 f.), preist die Ehe als Institution, in der sich die Bestimmung des Menschen verwirkliche (147). Um diese Zusammenhänge voll historisch würdigen zu können, muß man das Folgende mitbedenken: In die Gestalt des Gustav Kleinegger sind schlimme Erfahrungen Brods eingegangen, die er 1911 und 1912 mit Albert Ehrenstein und Paul Wiegler machte. Es handelte sich um Folgeerscheinungen einer Reise nach Berlin, wo Brod neben Eigenem auch Gedichte Werfels vorgetragen hatte. Wiegler redigierte damals noch den Literaturteil der Prager *Deutschen Zeitung Bohemia* (vgl. F 162). Die Vorgänge, die auch in Brods Roman *Zauberreich der Liebe* eingegangen sind und sich gewiß auch in der Dreiecksbeziehung Ursus – Kepler – Tycho de Brahe spiegeln sollen (die Schmähschriften, die Ursus gegen Tycho in *Brods* Roman *Tycho Brahes Weg zu Gott* losläßt, und die Tatsache, daß er Kepler [reales Vorbild: Werfel] auf seine Seite zu ziehen und ihn als den eigentlich großen Astronomen hinzustellen sucht, entspricht genau der Rolle, die Ehrenstein und Wiegler Max Brod gegenüber hinsichtlich dessen Schützling Werfel übernahmen, vgl. auch S. 442 f. dieser Arbeit), sind im »Streitbaren Leben« ausführlich dargestellt (S. 37 ff.). In den Lebenszeugnissen Kafkas finden sich damit übereinstimmende Hinweise (vgl. Br 93; dazu kommt eine unveröffentlichte Tagebuchstelle hinter T 195 Z. 21). Was nun Kafkas Anteil an der Sache betrifft, so schreibt Brod: »Natürlich sprach ich zu keinem anderen über die Sache – nur mit Kafka, der in seiner puritanischen Überstrenge alles so wendete, daß zu meinem Erstaunen für mich doch noch eine Schuld dabei herauskam... Ich mußte im vorliegenden Fall Kafkas Belehrung einstecken, obwohl mir dabei recht bitter zumute war. Fast wäre aus dem Wiegler-Zwischenfall, wie ich ihn im stillen nannte, auch noch ein kleines Zerwürfnis mit Kafka entstanden; doch lenkten wir kraft der zwischen uns herrschenden Wohlgesinntheit schließlich beide ein und sahen, von dem häßlichen Begegnis unabgeschreckt, mit Fassung der Zukunft entgegen.« (S. 46 f.) Von der hier geschilderten Diskrepanz her ist es kein allzu weiter Weg zu der grundsätzlichen Antinomie zweier Freunde im literarischen Werk Brods.

394 Br 290, vgl. S 71, 73, 366 u. M. *Pasley*, Franz Kafka Mss, S. 59.

395 M. *Brod*, Mira, S. 137 u. 192, Br 399, M. *Brod*, Franzi, S. 144 u. 211 f., M. *Brod*, Das tschechische Dienstmädchen, in: *Die Opale* 2 (1907), S. 39 ff. (es handelt sich um ein Zimmermädchen, das seine Stellung verläßt und später vom Ich-Erzähler beim Bierholen gesehen wird, also bei einer Tätigkeit, die derjenigen des gewesenen Zimmermädchens Pepi im *Schloß* entspricht), M. *Pazi*, Max Brod, S. 32 ff., M. *Brod*, Der Prager Kreis, S. 134 u. Br 453 Z. 15.

396 S 147, vgl. 450 (vgl. M 150 u. 183), 425, M. *Buber-Neumann*, Kafkas Freundin Milena, S. 49 (die im Text vertretene Position wurde dem Verfasser aus absolut zuverlässiger Quelle mitgeteilt). Natürlich ist auch ein rein romanimmanenter Zusammenhang zu bedenken: Die beiden Mägde Gardenas, die die in den »Brückenhof« zurückkehrende Frieda als »ihresgleichen« begrüßen (S 66), weil diese dort als Stallmagd ihre Laufbahn begonnen hat (S 57), schlafen in einem einzigen Bett (S 36). Durch dieses Motiv wird also ein Verweisungszusammenhang hergestellt, der dem Leser den Abstand Friedas von ihrem Ausgangspunkt und damit auch Pepi vor Augen führen soll.

397 M 286, 95 u. 96.

398 M. *Brod*, Mira, S. 124, M. *Brod*, Franzi, 106, 143, 137, 173, 213 u. 120, Zitate: 340 u. 341, S 146, 418 u. 432 (vgl. 146, M. *Pasley*, Franz Kafka Mss, S. 57 u. M 189).

399 M. *Pasley*, Franz Kafka Mss, S. 57 (vgl. M. *Brod*, Franzi, S. 123 u. 160), M. *Brod*, Leben mit einer Göttin, S. 198 (vgl. M. *Brod*, Franzi, S. 128 u. 125) u. M. *Brod*, Mira, S. 122.

400 S 146, vgl. 148 u. M 134.

401 M. *Brod*, Franzi, S. 173 (vgl. 106, 129 u. 143), M. *Brod*, Mira, S. 119, S 146 (vgl. 432 u. 418. Das Wort »Kleid« ist Pragismus und wie S 257 im Sinne von »Kleidung« zu verstehen), 20 (vgl. 147, 438, 34 u. 47) u. 456 (vgl. 432 f. u. M. *Pasley*, Franz Kafka Mss, S. 58).

402 S 419, 443, 424, M. *Brod*, Mira, S. 124, Zitate: M. *Brod*, Franzi, S. 139, M. *Brod*, Mira, S. 124, S. 424 f., 435 u. 147. ·

403 M. *Brod*, Mira, S. 125, M. *Brod*, Franzi, S. 141, 139, 140 u. 97 f., Zitate: S 434, 424, 422 u. 423.

404 M. *Brod*, Franzi, S. 106, 109, 114 ff., 128 ff. u. 134 f., M. *Brod*, Mira, S. 117 f., Zitat: T 591 (vgl. 563).

405 S 468, 396, 173, 412, 146, 148, 417, 62 u. 443.

406 M. *Brod*, Franzi, S. 135, 136, 137 u. 141 (Pepis Erzählung ist im Prinzip chronologisch aufgebaut; man könnte die einzelnen Sachkomplexe etwa so umschreiben: Pepis Träume und Gedanken bei K.s Ankunft im Dorf, ihre Arbeit als Zimmermädchen, Friedas Verhalten als Schankmädchen, Frieda angelt sich K., Pepis Vorbereitungen für die neue Stelle, Friedas Unfähigkeit, sich zu kleiden, Pepis Bewährung im Ausschank, Friedas Intrigen. Aber die Verknüpfung der Teile ist assoziativ, und die einzelnen Teile gehen ineinander über. Daß die Konkurrentin immer wieder mitbedacht wird, erhöht noch den Charakter des Unsystematischen. Für den so auf Formbewahrung und Artikulierung bedachten Kafka ist dies schon das Höchstmaß an naturalistischer Sprachgebung und deutlich genug, um seine Orientierung an der Vorlage glaubhaft erscheinen zu lassen), M. *Brod*, Mira, S. 131, M. *Brod*, Franzi, S. 136 u. M. *Pasley*, Franz Kafka Mss, S. 58.

407 S 147, 158 f., 445, 543, 443 f., 494 u. M. *Pasley*, Franz Kafka Mss, S. 59, M.

Brod, Franzi, S. 179, 124 f., 151 f., 136, 187, 145 u. 150 (vgl. S 448 u. M. *Pasley*, Franz Kafka Mss, S. 58). Man hat zu beachten, daß das Wort »Fratz« eine bestimmte Entwicklungsphase des Mädchens meint. Kleine Mädchen (eines ist dreizehnjährig) werden von Titorelli »Fratzen« genannt (P 172, vgl. 170). Olga in *Brods* Roman *Jüdinnen* sagt: »Wie ich noch klein war, ein dreizehnjähriger Fratz« (S. 271); an anderer Stelle bemerkt die Mutter der Hauptfigur Hugo: »Ja, Olga ... jetzt bist du ein richtiger Backfisch, voriges Jahr warst du noch ein Fratz« (S. 36); ein weiteres elfjähriges Mädchen wird ebenfalls mit diesem Begriff belegt (S. 101), der also die Phase der Vorpubertät abdeckt. Wenn ein Mädchen sich jedoch im Backfischalter noch durch jungenhafte Abenteuerlust, Streichespielen und originellen Übermut auszeichnete, konnte es natürlich auch so benannt werden. Immerhin läßt sich auch von daher bekräftigen, daß Pepi, die als »fast kindlich noch« eingeführt wird (S 148), höchstens 15 oder 16 Jahre alt sein kann. Kafka, in seiner Tendenz, alle Erzählgegebenheiten zu veräußerlichen und so dem Leser anschaulich zu machen, versuchte, dies auch in Pepis Aufmachung zum Ausdruck zu bringen. Pepis Haare sind nämlich »in einen starken Zopf geflochten«, und sie trägt ein »glatt niederfallendes Kleid«, das unten »kindlich ungeschickt von einem in einer Masche endigenden Seidenband zusammengezogen« ist (S 146 f.); K. findet später diese Frisur lächerlich, und was Pepi anhabe, »sei doch kein Kleid, sondern ein buntes Hemd« (M. *Pasley*, Franz Kafka Mss, S. 58). Nach dem Geschmack der Zeit kleidete man so einen »Fratzen«. Zur Illustration — für Kafka vielleicht sogar Quelle (vgl. Anm. III, 377) — zwei Zitate aus Brods *Jüdinnen*. Die schon erwähnte Elfjährige wird dort so beschrieben: »Eine große Bandschleife hing hinten vom Gürtel ihres weißen Kleidchens, die Haare waren ... in einen Zopf geflochten, der bei jeder trotzigen Bewegung wild hin und her flog.« (S. 285 f. Zum letzten Punkt gibt es ebenfalls eine exakte Parallele zu Pepi; im neunten Kapitel eilt sie »stolz, mit zurückgeworfenem Kopf ... ihrer Würde unwiderlegbar sich bewußt, schwenkend den Zopf bei jeder Wendung« hin und her — S 158). Bei einer früheren Begegnung mit Hugo zeigt sie sich wie folgt: »Sie trug ein rotes Leinenkleid mit weißen Punkten, das steif ohne Falte und fast ohne Wölbung den schlanken, noch ganz flachen Leib hinabfiel, sehr lang und übertrieben tief erst um die Hüften durch einen Gürtel aus demselben Stoff lose festgehalten, so daß die Taille unnatürlich gedehnt erschien.« (S. 194) Die Glätte des Kleides und das tiefsitzende, in einer Schleife endende Band ist auch Pepis Aufzug eigen.

408 M. *Brod*, Franzi, S. 127, 136, 137, 141, 135 (vgl. 127: »O wenn Sie wüßten, wie froh ich gewesen wäre, wenn Sie mich genommen hätten und weggeführt«; was Franzi hier zum Erzähler über ihre erste Begegnung sagt, fühlte auch Pepi beim Auftauchen K.s im Dorf: Sie liebt den »Mädchenbefreier« unsäglich und hätte sich von ihm gern von ihrer Stelle wegführen lassen — S 419, vgl. 420) u. S 443 (vgl. 418).

409 M. *Brod*, Franzi, S. 127, vgl. 137 u. 264, M. *Brod*, Mira, 170, 196 u. 242, Br 393, 408 u. 464 Z. 31.

410 S 443 (vgl. 448), 431, 415 u. 451 (vgl. 195, 363, 449 u. 447), M. *Brod*, Franzi, S. 141 u. 127 (vgl. 130 u. 133).

411 Br 399 u. 409, vgl. 404.

412 M. *Brod*, Leben mit einer Göttin, S. 121, vgl. 22 u. 109.

413 S 362, 316, 291 u. 147, Zitat: M. *Brod*, Mira, S. 120, vgl. S. 333 dieser Arbeit.

414 M. *Brod*, Franzi, S. 145 (vgl. Br 316) u. M. *Brod*, Leben mit einer Göttin, S. 109 u. 121 (vgl. S 23, 362 u. 367).

415 Vgl. M. *Pasley*, Franz Kafka Mss, S. 57 u. S 436.

416 Vgl. M. *Pasley*, Franz Kafka Mss, S. 56 ff. u. Br 408.

417 Eine ausführliche Darstellung des Vorgangs findet man in meinem Aufsatz
»Kafkas Briefscherze. Sein Verhältnis zu Josef David«, in: Jahrbuch der Deutschen Schillergesellschaft 13 (1969), S. 547 ff.

418 M. *Pasley*, Franz Kafka Mss, S. 57, vgl. M. *Brod*, Franzi, S. 99, M. *Brod*, Leben
mit einer Göttin, S. 209 f.

419 Br 409 u. M. *Brod*, Leben mit einer Göttin, S. 205, vgl. S 436, 148, 447 u. M.
Pasley, Franz Kafka Mss, S. 57.

420 B 279 (»die ersehnte Wärme versammelter Hundeleiber«, vgl. F 429), M. *Brod*,
Leben mit einer Göttin, S. 111, M. *Brod*, Franzi, S. 216; M. *Pasley*, Franz
Kafka Mss, S. 57 u. S 159, vgl. 436.

421 Beispiele für dieses Vorgehen Kafkas in meiner Arbeit »Motiv und Gestaltung
bei Franz Kafka«, S. 116 ff.

422 Br 369, M 264 u. 265.

423 Br 214 u. 215 (der postulierte biographische Zusammenhang wird durch den
Anfang des zitierten Briefes bewiesen, wo Kafka schreibt: »ich sehe Dich nicht
hier, nicht dort unbedingt lieben ... vielleicht kannst Du Dich für Ruth entscheiden« – Br 212); die so benannte Frau ist eine Figur in Brods autobiographischem Roman *Das große Wagnis*, wo am Ende dargestellt wird, wie der Ich-
Erzähler im Traum mit der geliebten Ruth nach Palästina auswandert (Leipzig
und Wien [1918], bes. S. 296 ff.); auf diesen Sachverhalt und die ihm zugrunde liegenden lebensgeschichtlichen Gegebenheiten nimmt Kafka Bezug,
wenn er wenig später brieflich Brod gegenüber erklärt: »So hast Du z. B. Deine
Frau geheiratet und mit ihr und über ihr die Literatur, so würdest Du z. B.
jetzt eine andere heiraten und mit ihr und über ihr Palästina« (Br 220). Ruth
ist also in der angeführten Passage eine Chiffre für die Geliebte Brods, die er
neben seiner Frau damals hatte. In Brods Theaterstück wird dieser Konflikt
systematisiert und auf ethische Grundmöglichkeiten bezogen, denn die hier
vorliegenden Figurenkonstellationen und Problemstellungen sind mit dem fast
gleichzeitig entstandenen Roman identisch. In seiner Autobiographie geht
Brod nur ganz kurz auf diesen Konflikt ein. Im Zusammenhang mit seinen
Unterrichtsstunden, die er, oft in Anwesenheit des an allem Ostjüdischen
interessierten Kafka, galizischen Flüchtlingskindern während des Ersten Weltkriegs gab, schreibt er: »Ich erlebte damals gerade eine der schmerzlichsten
Episoden meines Privatlebens, eine erotische Anfechtung in einem ganz anderen Lebenskreis. Kafka hielt mich mit dem Zuruf aufrecht: ›Denk an die
galizischen Mädchen!‹« (»Streitbares Leben«, S. 231)

424 M. *Brod*, Mira, S. 128 f. u. 135 (vgl. M. *Brod*, Franzi, S. 171 u. 180 f.), M 81,
108, 145, 9 u. M. *Brod*, Leben mit einer Göttin, S. 30 f., 36, 188, vgl. 41 u. 48.

425 M 198, 16, Br 411, FK 193 ff. (vgl. 196, wo Brod ausdrücklich die Analogie
der Lebensschwierigkeiten zwischen sich selbst und Kafka betont: »Als treuer
Sekundant meines Freundes, der mir seinerseits in meiner großen Liebe später
den gleichen Dienst erwies, plädierte ich bei Milena um schonungsvollere Behandlung des Kranken«), Br 407 (Kafka schreibt, Brod sei »immer auf der
Lauer nach Leipziger Briefen«), M. *Brod*, Leben mit einer Göttin, S. 86 (»Wären
ihre Briefe wenigstens regelmäßig gekommen, dreimal in der Woche, wie wir es
verabredet hatten«) u. Br 399.

426 M. *Brod*, Franzi, S. 208, 263 u. 209, FK 97, M. *Brod*, Streitbares Leben, S. 118 ff.,
F 701 u. meinen Aufsatz »Kafka und seine Schwester Ottla«, S. 432. Der Rausch-
giftgenuß war unter Intellektuellen weit verbreitet (daß Löwy ihm unterlag,
teilte Kurt Pinthus dem Verfasser freundlicherweise mit), nach einer ungedruckten Tagebuchstelle (hinter T 177 Z. 27) war Franz Blei, nach einer
ebenfalls nicht veröffentlichten Stelle aus einem Brief an Milena (nach M 76

Z. 6) Otto Groß süchtig. Milena nahm, wie Kafka zumindest ahnte, Kokain (vgl. M. *Buber-Neumann*, Kafkas Freundin Milena, S. 91 u. M 194).

427 T 450 f., Br 403, M. *Brod*, Leben mit einer Göttin, S. 72, F 650 (»Übrigens bin ich kein Kritiker, weiß so schlecht zu zerlegen, mißverstehe so leicht, lese so oft an Wichtigem vorüber, trage so unsicher den Gesamteindruck«), Zitat: Br 399.

428 M. *Brod*, Leben mit einer Göttin, S. 27 u. 43.

429 M. *Brod*, Leben mit einer Göttin, S. 42 u. 205, Zitat: M. *Brod*, Mira, S. 127; vgl. Anm. III, 242.

430 S 18, 23, 370 f., vgl. auch Anm. III, 365 u. S. 281 f., Zitat: S 26.

431 M. *Brod*, Franzi, S. 150, S 421, M. *Brod*, Leben mit einer Göttin, S. 107 u. 178, vgl. 191 u. Anm. III, 277.

432 Br 404, S 69 (bedenkt man, daß Kafka bei der ersten Vereinigung zwischen K. und Frieda ursprünglich geschrieben hatte: »jeder hatte des anderen Kleider mit Händen und Zähnen aufgerissen« [S 477], so wird man auch hinsichtlich der Tiermetaphorik an *Franzi* als Vorbild denken können, sagt doch der Ich-Erzähler dort: »ich, der vor wenigen Stunden noch ihren Leib wie ein wütendes Tier angegangen und zerrissen hatte« – S. 183), M. *Brod*, Leben mit einer Göttin, S. 70 (vgl. Anm. III, 278) u. M 234.

433 S 148, vgl. 437 u. M. *Pasley*, Franz Kafka Mss., S. 57 ff.

434 S 482, Br 297 (vgl. S 529, H 132, 216) u. T 475 (vgl. M. *Brod*, Mira, S. 126 u. 142).

435 Vgl. meinen Aufsatz »Kafkas literarische Urteile«, S. 228 ff.

436 S 148, 451, Zitat: Br 212 f.

437 Br 410, H 376 ff., S 451, M. *Brod*, Mira, S. 147, S 60 f., 494 f. u. 498.

438 S 433, 302, 146, 244, 47 u. 357, Zitat: M. *Brod*, Franzi, S. 103.

439 M. *Brod*, Mira, S. 138, vgl. 134, M. *Brod*, Leben mit einer Göttin, S. 80 u. M. *Brod*, Franzi, S. 171.

440 S 436, 432 f., 435 f., 273 f., Zitat: M. *Brod*, Franzi, S. 269.

441 Br 129, 309 u. S 450, vgl. B 250 (der Begriff auch B 218).

442 M. *Pasley*, Franz Kafka Mss., S. 58, 146 u. 148, vgl. M. *Brod*, Franzi, S. 150 (über Franzi und ihre Schwester: »... daß die beiden kleinen Fratzen ausrissen, zwölf und dreizehn Jahre alt«), 137 u. M. *Brod*, Mira, S. 121.
Bezeichnend ist auch, daß es gerade von Pepi heißt: »Träume von großer Zukunft hatte sie wie jedes Mädchen, Träume kann man nicht verbieten« (S 419), denn eben dies empfand Kafka als typisches Attribut geringen Lebensalters: »Jugend ist natürlich immer schön, man träumt von der Zukunft und erregt in den andern die Träume oder vielmehr man ist selbst ein Traum, wie sollte das nicht schön sein. Aber das ist doch eine Schönheit, die aller Jugend gemeinsam ist ...« (Br 262)

443 S 450 u. M. *Pasley*, Franz Kafka Mss., S. 58, vgl. S 54, M 50, 190, S 446 u. 147; vgl. Anm. III, 279.

444 Br 356, 359 u. 357, vgl. H 191, Br 85 (geschrieben am 17. 2. 1910: »Die Hochzeit ist vorüber, man verdaut die neue Verwandtschaft«; Elli wurde am 22. 9. 1889 geboren – K. *Wagenbach*, Franz Kafka, S. 192).

445 Br 356, M 56, vgl. S 303 f., E. T. *Beck*, Kafka and the Yiddish Theater. Its impact on his work, Madison, Milwaukee, London (1971), S. 218 (J. Löwy wurde am 10. 9. 1887 geboren und verließ Warschau 1904), T 489 (»Immer diese hauptsächliche Angst: Wäre ich 1912 weggefahren, im Vollbesitz aller Kräfte, mit klarem Kopf, nicht zernagt von den Anstrengungen, lebendige Kräfte zu unterdrücken!«), FK 132 (nach dem Scheitern der Verlobung im Sommer 1914 schrieb Kafka seinen Eltern einen langen Brief, in dem er ihnen seinen Plan mitteilt, sich selbständig zu machen und in Berlin als Freischaffender zu leben.

Darin heißt es: »Auch der Einwand, daß ich zu einem solchen Versuch zu alt bin, gilt nicht. Ich bin jünger, als es den Anschein hat. Es ist die einzige gute Wirkung der Unselbständigkeit, daß sie jung erhält. Allerdings nur dann, wenn sie ein Ende nimmt«) u. S 8 (K. ein »Mann in den Dreißigern«).

446 M. *Pasley*, Franz Kafka Mss, S. 58 f.

447 S 422 f., 8, 437 f., 149 ff., 250, 276 u. 304.

448 S 300, 304 u. T 577, vgl. Anm. III, 262.

449 T 544, vgl. B 260: »Ich bin also grundsätzlich nicht anders als jeder andere Hund ... Nur die Mischung der Elemente ist verschieden, ein persönlich sehr großer, volklich bedeutungsloser Unterschied.«

450 M. *Kudszus*, Between past and future. Kafkas later novels, in: Mosaic 3 (1969), Nr. 4, S. 107 ff., vgl. auch K 21 ff.

451 S 165, vgl. 167.

452 S 533, vgl. 167 u. 158.

453 H 203 u. S 169, vgl. o. S. 112 dieser Arbeit u. F 179.

454 Vgl. meine Arbeit »Motiv und Gestaltung bei Franz Kafka«, S. 361 ff., T 422, Br 374, T 229, F 66, Br 431, 396 u. 200 f. (»Hätte ich noch die alten Prinzipien: – meine Zeit ist der Abend und die Nacht, – wäre es schlimm, besonders auch, da es mit dem Licht Schwierigkeiten gibt. Da es aber nicht mehr so ist, ich ja gar nicht schreibe, mich vor mäuseloser beleuchteter Abend- und Nachtruhe zwar nicht fürchten würde, aber auch nicht auf sie abziele, die freie Zeit vormittag im Bett ... die paar Augenblicke beim Buch ... gegen Abend ein Spaziergang auf der Landstraße, mir als Alleinsein genügen und nur immer voller erfüllt sein wollten, ist äußerlich keine Klage nötig ...«), vgl. 392.

455 S 497, Br 290, Br 306 Z. 31 f., Anm. I, 166, M 251 Z. 29 ff., F 97 (»eine Beruhigung in dem Wagnis, sich an ein Lebendiges gehängt zu haben«) u. T 512 (»eine ewige Folge von Berechnungen«).

456 T 464, S 532 u. T 542.

457 S 491 u. F 307, vgl. meine Arbeit »Motiv und Gestaltung bei Franz Kafka«, S. 188 ff. u. (für die *Verwandlung)* meinen Aufsatz »Kafka und seine Schwester Ottla«, S. 414 f. (dazu M 156 u. Br 434).

458 Vgl. F 427, 153 u. J. *Born*, »Das Feuer zusammenhängender Stunden«. Zu Kafkas Metaphorik des dichterischen Schaffens, in: Das Nachleben der Romantik in der modernen deutschen Literatur, Heidelberg (1969), S. 177 ff.

459 F 178, 145 u. T 440, vgl. 293 f. u. 461.

460 M. *Pasley*, Zur äußeren Gestalt des ›Schloß‹-Romans, S. 183 (Faksimile 182).

461 S 44, vgl. Abb. 17, das Photo in: K. *Wagenbach*, Franz Kafka. In Selbstzeugnissen und Bilddokumenten, S. 110 u. oben S. 398 dieser Arbeit.

462 S 45, 17, 16 u. W. H. *Sokel*, Franz Kafka – Tragik und Ironie, S. 407.

463 M. *Pasley*, Zur äußeren Gestalt des ›Schloß‹-Romans, S. 183, vgl. S 196 u. 363.

464 Br 370 f., vgl. 290, S 208 f., 521, 132, 466, F 142, 619 f., T 365, S 227 u. oben S. 10 ff. dieser Arbeit.

465 Vgl. K 292 ff. u. Anm. III, 360.

466 B 161 ff., M 59 u. H 376 (zur Datierung vgl. M. *Pasley*/K. *Wagenbach*, Datierung sämtlicher Texte Franz Kafkas, S. 69 f.).

467 Kafka kannte sehr gut E. T. A. Hoffmann (vgl. meine Arbeit »Motiv und Gestaltung bei Franz Kafka«, S. 147) und Dostojewskis Roman *Der Doppelgänger;* zur Poseidon-Gestalt vgl. J. *Born*, Kafkas unermüdlicher Rechner, in: Euphorion 64 (1970), S. 404 ff.; o. S. 272 ff., T 550 u. 561.

468 Vgl. H. *Platzer Collins*, Kafka's »Double-Figure« as a Literary Device, in: Monatshefte für deutschen Unterricht 55 (1963), S. 7 ff.

469 P 267, A 340 f., S. 309 f. dieser Arbeit, A 268 ff., 258, 262, 337 f., 138, 262, S 28, 23, 204 (»Was für häßliche, schwarze Jungen es sind!«), 64, 69, 202 ff., T 554 (»das

Geschlecht drängt mich, quält mich Tag und Nacht«), u. M 181 (über das erste sexuelle Erlebnis: »... daß ich endlich Ruhe hatte von dem ewig jammernden Körper«), Zitat: FK 203.

470 Br 406 u. 405.

471 A 237 (vgl. 115 f.) u. P 267 (vgl. 266 u. 311).

472 S 342 u. 368.

473 S 345, 363, 367, 441 u. M 182; s. o. S. 377 ff. u. S 113 f.

474 S 339 (vgl. 148) u. T 566.

475 S 64, 69, 34 (»Die Gehilfen waren... damit beschäftigt, die Bauern von ihm abzuhalten... Da wurde ihre Gruppe von hinten mit raschem Schritt von einem Mann geteilt, der sich vor K. verneigte und ihm einen Brief übergab«), 173 (»Aber es waren nicht nur die Gehilfen, aus dem Dunkel zwischen ihnen trat Barnabas hervor«), 345 (Barnabas erscheint zum drittenmal; K. spricht gerade mit Jeremias), 91 (»Was K. nicht durfte, die Gehilfen durften es«), 79 f., 369, 7, 92, 204 (»Abgesandte Klamms«), 205 (»Ihre Augen, diese einfältigen und doch funkelnden Augen, erinnern mich irgendwie an die Augen Klamms«), FK 203 (»vielleicht war ich zu sehr Weib, um die Kraft zu haben, mich diesem Leben zu unterwerfen, von dem ich wußte, daß es strengste Askese bedeuten würde, auf Lebenszeit«) u. M 60 (Kafka läßt Milena in einem Traum sagen: »Wenn ich aufrichtig sein soll, ich dachte, Du wärest fescher«), Zitate: S 439 u. 501.

476 M 116, vgl. Br 328 f.

477 S 362, 368 f., 81, 341 u. Br 275.

478 S 444, M 254 f., S 358, 363, M 252, Br 318 (»Sie ist mir unerreichbar, damit muß ich mich abfinden«), 329 (»... daß sie von mir nichts mehr wissen will«) u. M 227.

479 S 52, 348 f., 171, 121, 120, Zitate: 51, 52 u. R.-M. *Ferenczi, Kafka*, S. 165.

480 S 302, 274, 291, 57, 77, 169 u. 455.

481 S 72 f., 62, 112, 114 u. 415 (hier und im Folgenden sind ungedruckte Partien der Handschrift mitverwertet).

482 S 56 (vgl. 434), 146, 445 f., 456 u. 434.

483 S 415 (vgl. 56 u. 413), 406 (vgl. 412, 63 u. 146), 498 (vgl. 146 f. u. 418), 433 u. 52 (vgl. 434 u. A 355).

484 S 432, 59, 457, 112 f., 454, 57 u. 158 (Zitate aus unpublizierten Passagen).

485 S 57 f., 355 f., 368, 146 (vgl. 419) u. 452.

486 S 17, 117, 461, Milena *[Jesenská]*, Návrh dětskych šatú [Vorschlag für Kinderkleider], in: *Tribuna* 4, Nr. 54 (15. 5. 1922, Modní Revue 21), S. 1 (vgl. S 146 u. 148), Milena *[Jesenská]*, Obuv [Schuhe], in: *Tribuna* 4, Nr. 45 (19. 3. 1922, Modní Revue 12), S. 5 (vgl. S 316, 453, M 24 u. 262), Milena *J. [esenská]*, Nové ozdoby jarních a letních obleků [Neuer Zierat an Frühjahrs- und Sommerkleidung], in: *Tribuna* 4, Nr. 41 (19. 2. 1922, Modní Revue 8), S. 3 f., Br 324, S 413 u. 52 (vgl. o. S. 324, *Franz Kafka 1883–1924. Manuskripte. Erstdrucke. Dokumente. Photographien*, S. 92, O 129, Br 361, 365, 368 u. 423). Vgl. auch K 60 ff. u. 145 ff.

487 Vgl. S 348 (die übrigen Attribute aus unpublizierten Passagen).

488 Vgl. A. L. *Livermore, Kafka and Stendhal's De L'Amour*, in: Revue de Littérature Comparée 43 (1969), S. 173 ff. Auch zwischen Stendhals Erzählband *Elf Liebesabenteuer* (Hannover [1922]; der Übersetzer ist Franz Blei; Kafka besaß das Werk in seiner Bibliothek – vgl. K. *Wagenbach, Franz Kafka*, S. 260) und dem *Schloß* bestehen trotz der vergleichbaren Thematik keinerlei Ähnlichkeiten. Ähnlich nichtssagend ist die Studie von A. *Rendi* (»Influssi letterari nel ›Castello‹ di Kafka«, in: Annali. Sezione Germanica 4 [1961], S. 75 ff.), wo ohne Quellenarbeit nur die von Kafka geschätzten Autoren aufgezählt und

als einflußreich für die Genese des *Schlosses* hingestellt werden. So herrsche z. B. gegenüber Flauberts *Éducation sentimental* eine »simpatia per un parallelismo di esperienze negative nella vita« (S. 83).

489 Vgl. M 101 (über Grillparzers *Armen Spielmann*: »... der Erzähler, dieser komische Psychologe ... ist ... der eigentliche arme Spielmann, der diese Geschichte auf möglichst unmusikalische Weise vormusiciert ...« Da Kafka vorher sagt, er schäme sich der Geschichte so sehr, als ob er sie selber geschrieben hätte, muß man annehmen, daß er den Erzähler der Rahmenhandlung mit dem Autor identifiziert), T 540 (über Hamsuns Roman *Segen der Erde*: »Eleseus hätte auch der Held des Buches werden können, wäre es sogar wahrscheinlich in Hamsuns Jugend geworden.« Kafka nimmt also eine direkte Beeinflussung des Erzählgangs durch Lebensprobleme des Verfassers an; zu den Einzelheiten vgl. meinen Aufsatz »Kafkas literarische Urteile«, S. 239), Br 222 (Kafka stellt hier das unglückliche Sexualleben seines Freundes Oskar Baum dar, wobei er schreibt: »Gewiß bleibt hier ein ungelöster Rest, für den z. B. charakteristisch ein novellistischer Versuch ist, den er einmal über das Thema einer Reihenfolge eigener Heiraten mit einer Reihe ihm gut bekannter Frauen und Mädchen gemacht hat, wobei sich immer am Ende vollständige Unmöglichkeit ergab.« Als Material für die bestehenden Lebensschwierigkeiten des Freundes wird also auch ein literarisches Werk wie ein direktes Lebenszeugnis herangezogen. Vgl. auch K. *Krolop*, Zu den Erinnerungen Anna Lichtensterns an Franz Kafka, S. 38 ff., wo Oskar *Baums* Novelle *Das junge Geschlecht* nach Erzählelementen und Thematik als eine Art Porträt der Familie Kafka gedeutet wird), 333 (Kafka spricht über Umformungen der biblischen Geschichte von Isaaks Opferung, die notwendig wären, damit diese seine eigene existentielle Situation träfe. Moderne Abrahame stünden auf ihrem Bauplatz und sollen ihren Sohn opfern, den sie noch gar nicht haben. In Hinblick auf *Werfels* Roman *Spiegelmensch* heißt es dann: »Bleibt also nur der Verdacht, daß diese Männer absichtlich mit ihrem Haus nicht fertig werden und – um ein sehr großes Beispiel zu nennen – das Gesicht in magischen Trilogien verstecken, um es nicht heben zu müssen und den Berg zu sehn, der in der Ferne steht.« Aber Werfels Stück ist nicht nur autobiographisch in dem von Kafka genannten Sinn [zu Motivähnlichkeiten mit Kafkas Selbstdeutungen vgl. o. S. 444 f.], sondern seine Figuren spiegeln auch reale Menschen der Umgebung Werfels. Thamals Vater hat in Werfels eigenem Vater sein Vorbild [vgl. A. *Mahler*, Mein Leben, S. 125], Spiegelmensch trägt zum Teil Züge von Karl Kraus [vgl. bes. *Spiegelmensch*, S. 186 ff.]. Dies war natürlich Kafka genau so bekannt wie die Tatsache, daß Karl Kraus in seiner literarischen Antwort *Literatur oder Man wird doch da sehn. Eine magische Operette*, die von Kafka sehr beachtet wurde [vgl. Anm. II, 44], Werfel und dessen Vater lächerlich zu machen suchte [vgl. M. *Brod*, Streitbares Leben, S. 68 f.: »Die Gastfreundschaft, die ihm Werfels Familie vornehm gewährte, hat Kraus später damit quittiert, daß er in seinem Pamphlet ›Literatur‹ ein entstelltes, meiner Erfahrung nach gänzlich unzutreffendes Schandporträt von Werfels Vater entworfen hat ... Ebenso ist der Sohn, Werfel selbst, gänzlich verzeichnet«]. Nicht anders ist die Verfahrensweise in Werfels *Schweiger*, einem Stück, über das sich Kafka maßlos erregte [Br 424 f. u. H 275 ff.], denn dort wird in der Gestalt des Dr. Otto Grund, der sich im Namen des Gesetzes selbst arretiert, kein geringerer als Otto Groß dargestellt [vgl. A. *Kuh*, Der unsterbliche Österreicher, S. 97], mit dem Kafka, wie gezeigt [vgl. das 4. Kapitel im dritten Teil dieser Arbeit], einiges verband), F 299 (Kafka besuchte die Prager Erstaufführung von Wedekinds Schauspiel *Hidalla oder Sein und Haben*; und wieder stieß er dabei auf Otto Groß, der diesmal in der Gestalt des Karl Hetman verkörpert ist – vgl. A. *Kuh*, Juden

und Deutsche, S. 17 f.) u. 659 (Kafka urteilt über den Roman *Der Kampf* seines Freundes Ernst Weiß: »Daß ich in dem Buch erscheine, glaube ich auch, aber nicht mehr als viele andere, denn darin bin ich wahrhaftig nicht vereinzelt«).

Wie Kafka die Literatur seiner Umgebung und die Werke der von ihm geschätzten Autoren sehen mußte, ist demnach eindeutig. Die dort auftauchenden Figuren erschienen ihm ausnahmslos als Projektionen von Lebensschwierigkeiten der Autoren, die sich an erfundene oder empirisch vorhandene Personen anhängten.

e) Verzeichnis der Abkürzungen

A = Kafka, Franz: Amerika. Roman [authentischer Titel: Der Verschollene], New York/(Frankfurt/M. 1953) (Gesammelte Werke, hg. von Max Brod)
B = ders.: Beschreibung eines Kampfes. Novellen, Skizzen, Aphorismen aus dem Nachlaß, New York/(Frankfurt/M. 1954) (Gesammelte Werke, hg. von Max Brod)
Be = ders.: Beschreibung eines Kampfes. Die zwei Fassungen. Parallelausgabe nach den Handschriften, hg. von Max Brod, Textedition v. Ludwig Dietz, (Frankfurt/M. 1969)
Br = ders.: Briefe 1902–1924, New York/(Frankfurt/M. 1958) (Gesammelte Werke, hg. von Max Brod)
E = ders.: Erzählungen, New York/(Frankfurt/M. 1952) (Gesammelte Werke, hg. von Max Brod)
F = ders.: Briefe an Felice und andere Korrespondenz aus der Verlobungszeit, hg. von Erich Heller und Jürgen Born, (Frankfurt/M. 1967) (Gesammelte Werke, hg. von Max Brod)
FK = Brod, Max: Über Franz Kafka: Franz Kafka. Eine Biographie. Franz Kafkas Glauben und Lehre. Verzweiflung und Erlösung im Werk Franz Kafkas, (Frankfurt/M. 1966)
H = Kafka, Franz: Hochzeitsvorbereitungen auf dem Lande und andere Prosa aus dem Nachlaß, New York/(Frankfurt/M. 1953) (Gesammelte Werke, hg. von Max Brod)
K = Binder, Hartmut: Kafka-Kommentar zu den Romanen, Rezensionen, Aphorismen und zum Brief an den Vater, München (1976)
M = Kafka, Franz: Briefe an Milena, hg. von Willy Haas, New York/(Frankfurt/M. 1952) (Gesammelte Werke, hg. von Max Brod)
O = ders.: Briefe an Ottla und die Familie, hg. von Hartmut Binder und Klaus Wagenbach, (Frankfurt/M. 1974) (Gesammelte Werke)
P = ders.: Der Prozeß. Roman, New York/(Frankfurt/M. 1950) (Gesammelte Werke, hg. von Max Brod)
S = ders.: Das Schloß. Roman, New York/(Frankfurt/M. 1960) [14.–16. Tsd.; die Seitenzahlen dieser Auflage unterscheiden sich von früheren innerhalb der Gesammelten Werke]
T = ders.: Tagebücher 1910 [recte 1909]–1923, New York/(Frankfurt/M. 1951) (Gesammelte Werke, hg. von Max Brod)

f) Verzeichnis der Abbildungen

Nach S. 32:
1 Eugenie Eduardowa (1882–1960) im Jahr 1913.
2 Friedland in Böhmen: Schloß Albrechts von Wallenstein. Ansichtspostkarte, die Kafka am 4. Februar 1911 aus Friedland an Elli und Karl Hermann nach Prag sandte. (O 14) Vgl. Br 87: »Das Schloß ist mit Epheu vollgestopft, in den Loggien reicht er bis zu halber Höhe. Nur die Zugbrücke gleicht jenen Nippsachen, um deren Ketten und Drähte man sich nicht kümmern will, weil es eben Nippsachen sind und trotzdem man sich in allem sonst Mühe gegeben hat.«

Nach S. 48:
3a Erste Seite der Paralleltagebücher, die Max Brod (links) und Kafka auf einer gemeinsam unternommenen Urlaubsreise im Sommer 1911 (26. August–13. September) führten. (Originalgröße ca. 10 x 15 cm)

3b Zweite Seite der Reisetagebücher Brods und Kafkas vom Sommer 1911. Diejenigen Passagen, die für die *Erste lange Eisenbahnfahrt* verwendet wurden, dem Eingangskapitel eines geplanten Romans *Richard und Samuel,* der von den beiden Freunden zusammen geschrieben werden sollte, sind nachträglich durchgestrichen worden. (Vgl. meinen »Kafka-Kommentar zu sämtlichen Erzählungen«, München [1975], S. 90 ff.)

Nach S. 64:

4 Die Kirche von Albogasio Superiore bei S. Mamette am Nordufer des Luganer Sees. (Blick von der Landseite nach Süden, Aufnahme von 1971) Vgl. T 607: »mittelalterlicher Zauberhut auf einem Glockenturm.«

5 Antonio Canova (1757–1822): »Amor und Psyche«, Marmorgruppe in der Villa Carlotta bei Cadenabbia am Comer See, die Kafka und Max Brod am 1. September 1911 besuchten. Vgl. T 607: »Fallendes Haar der Psyche.« (Reproduktion nach: Oberitalienische Seen. Gardasee. Comersee. Luganersee. Lago Maggiore, [2. A.], Wien, München [1957], S. 27)

6 Sommerhaus des Schriftstellers Antonio Fogazzaro (1842–1911) am Nordufer des Luganer Sees. Vgl. T. 607: »Villa mit zwölf Zypressen bei Oria.« (Aufnahme von 1972)

7 Der Rütli-Schwur, Fresko (1879–1882) von E. Stückelberg in der Tells-Kapelle (1879) bei Sisikon am Vierwaldstättersee. (Reproduktion nach einer Ansichtspostkarte des Verlags Engelberger in Stans.)

8 Vierwaldstättersee: Axenstraße mit Blick auf den Bristenstock. Moderne Ansichtspostkarte (Verlag M. Bürgl, Vitznau, Nr. 5041). Kafka schickte dieselbe Ansicht (nur belebt durch einige Spaziergänger, die sich an die Brüstung lehnen) am 29. August 1911 an seine Schwester Ottla nach Prag. (O 15) Vgl. T 605: »zwei Loggien in der Axenstraße (Max dachte sich hier mehrere, weil man auf Photographien immer diese zwei sieht)«.

9 Stresa am Lago Maggiore, wo Kafka und Brod am 5. und 6. September 1911 waren. Reproduktion nach einer Ansichtspostkarte, die Kafka von dort an Ottla schrieb. (O 16)

Nach S. 80:

10 Klara Thein (geb. 1884) mit Tochter Nora. Die Aufnahme dürfte etwa 1910/11 gemacht worden sein. Vgl. T 358: »Offenheit, offener Blick.«

11 Gertrud Kanitz (1895–1946). Reproduktion nach dem Titelphoto der illustrierten Wochenschrift *Roland,* hg. von Franz Blei, Jg. 23, Nr. 8 (18. Februar 1925). Vgl. T 519: »Verlockungen, mit denen das Wesen nicht mitgeht . . .«

Nach S. 304:

12 Textprobe aus der Handschrift des *Verschollenen:* Schluß des *Fragments II* (A 354 Z. 23–355 Z. 24), das im Oktober 1914 entstand. Aus Gründen der Raumersparnis wurden zwei Seiten (Originalgröße je ca. 17 x 23 cm) zusammenmontiert. Letztere, die nur die beiden letzten Zeilen enthält und nach dem Wort »Sie« unvermittelt abbricht, trägt noch den Vermerk: »Aus Franz Kafkas Roman ›Amerika‹ für Stefan Zweig — von seinem Freund Max Brod 28. 8. 1935«. Die Wiedergabe erfolgt mit freundlicher Genehmigung der Österreichischen Nationalbibliothek in Wien.

13 Manuskriptseite (Originalgröße ca. 20 x 25 cm) aus dem Gespräch K.s mit dem Brückenhofwirt im Eingangskapitel des *Schloß*-Romans (S 12 Z. 21–13 Z. 27), Oxford, Bodleiana. Mit freundlicher Genehmigung der Verlags Schocken Books Inc. (New York) und S. Fischer (Frankfurt/M.).

14 Milena Jesenská (1896–1944).

15 Gmünd, Grenzstation zwischen der Tschechoslowakei und Österreich. Hier trafen sich Kafka und Milena am 14. und 15. August 1920. Aus diesem Anlaß
schickte er Ottla die reproduzierte Ansichtskarte. (O 94) Weil er, der westjüdische Heimatlose (vgl. M 173), sich bei Milena »zuhause« fühlte (M 224) und
zu der am Wochenende stattfindenden Zusammenkunft als »Hausbesitzer« fuhr
(M 213), könnte die Topographie des Orts Vorlage für den »Kirchturm der
Heimat« gewesen sein, mit dem der Landvermesser K. das vor ihm liegende
Schloß vergleicht: »Jener Turm, bestimmt, ohne Zögern geradewegs nach oben
sich verjüngend, breitdachig, abschließend mit roten Ziegeln − was können wir
anderes bauen? − aber mit höherem Ziel als die niedrige Häusermenge und mit
klarerem Ausdruck, als ihn der trübe Werktag hat.« (S 15)

Nach S. 368:

16 Die »Schneekoppe« (1605 m), höchste Erhebung im Riesengebirge. Nach dem
Umschlagphoto von: In dem Schneegebirge. Ein Heimatbuch aus Rübezahls
Winterreich Riesengebirge, 2. A., hg. von Joseph Renner, Kempten im Allgäu
1964.

17 Zürau (1921). In dem Haus, das links in Verlängerung der Kirche steht, rechts
von der Dorfstraße liegt und vom etwas kleineren, dem Beschauer zugekehrten
Giebel eines daran angebauten Gebäudes fast verdeckt wird, wohnte Kafka vom
12. September 1917 bis zum 30. April 1918.

Nach S. 384:

18 Willy Haas (1891−1973) etwa 1912 (rechts mit Stock). Vgl. Br 315: »ich traute
Haas immer Großes zu«.

19 Otto Groß (1877−1920). Über ihn schrieb Franz Jung: »Zudem war es an sich
schon schwierig, den Gedankengängen zu folgen, besonders in der Form persönlichen Zusammenseins; sie waren überschattet von den äußeren Unzuträglichkeiten, die mit der Abhängigkeit von Opium und Kokain verbunden sind. Es
gehörte Phantasie dazu, zu Groß zu stehen.« (»Der Weg nach unten«, [Neuwied,
Berlin-Spandau 1961], S. 91) Und Anton Kuh spricht von seinem »hackigen,
wüst zerschnittenen Gesicht«, einem »gerupften Raubvogel« gleich, hinter dem
der liebe Struwelpeter hervorscheine (»Juden und Deutsche«, S. 17).

20 Anton Kuh (1891−1941). Nach Fred Hildenbrandts Erinnerung war er: »Mittelgroß, schlank, beweglich, fahrig mit einem immer bleichen Gesicht, zwischen
dessen riesenhaften Poren sich stets ein nervöses Zucken bewegte, mit auf-
und abwippenden schweren Augensäcken, schnell auf- und zuklappenden
Augenlidern, einem Mund mit gewaltigen Lippen, einer dunklen wilden Zigeunermähne, deren Locken er unablässig mit kurzen schnellen Bewegungen zurückwarf, einem zerklüfteten Gesicht voll Klugheit und Hinterhältigkeit, in dem ein
übergroßes Einglas festgerammt klebte.« (». . . soll ich dich grüßen von Berlin«,
München [1966], S. 128) Wiedergabe des Porträts mit freundlicher Genehmigung
des Bildarchivs der Österreich. Nationalbibliothek in Wien. Sign.: Pf. 4052: C(1).

21 Minze Eisner (1901−1972). Sie, der Kafka immer wieder anriet, sich in der
Landwirtschaft zu versuchen, hatte 1920 einen Ausbildungsplatz in der »Ahle-
mer Gartenbauschule« gefunden und ihm die dort am Pfingstmontag aufgenommene Photographie zugeschickt. Er schrieb ihr dazu: »Und auch ein
Schweinchen können Sie schon halten, würgen es zwar noch ein wenig, aber
halten es doch gut und haben dazu auch braune, glänzende, kräftige Arme.
Nein, wie viel lieber ist mir Minze auf dem Düngerkarren, als Kleopatra auf
ihrem goldenen Thron.« (Br 277 f., vgl. 256, wo Kafka sich durch ein hochstili-
siertes Photo von Minze an Kleopatra erinnert fühlte und seiner Briefpartnerin
nahelegt, »solchen Dingen gegenüber immer sich den Zweifel [zu] bewahren«.)

3. Literaturverzeichnis

a) QUELLEN

I. Kafkas Werke und Lebenszeugnisse

Vgl. das Abkürzungsverzeichnis S. 648.
The Diaries of Franz Kafka. 1910–1913, ed. by Max Brod, London 1948
Hermsdorf, Klaus: Briefe des Versicherungsangestellten Franz Kafka, in: Sinn und Form 9 (1957), S. 639 ff.
Loužil, Jaromír: Dopisy Franze Kafky dělnické pojišťovně pro čechy v Praze, in: Sborník. Acta Musei Nationalis Pragae 8 (1963), Series C, Nr. 2, S. 57 ff.

II. Andere Schriftsteller

Adler, Paul: Die Zauberflöte, Dresden-Hellerau 1916
Baum, Oskar: Zwei Erzählungen, Leipzig (1918)
Brod, Max: Das tschechische Dienstmädchen, in: *Die Opale* 2 (1907), S. 39 ff.
ders.: Zirkus auf dem Lande, in: *Die Schaubühne* 5, II (1. 7. 1909), S. 33 ff.
ders.: Jüdinnen. Roman, Berlin-Charlottenburg (1911)
ders.: Arnold Beer. Das Schicksal eines Juden. Roman, Berlin-Charlottenburg (1912)
ders.: Tycho Brahes Weg zu Gott. Ein Roman, 16.–25. Tsd., Leipzig 1917
ders.: Das große Wagnis, Leipzig und Wien (1918)
ders.: Franzi oder Eine Liebe zweiten Ranges. Ein Roman, München (1922)
ders.: Leben mit einer Göttin. Roman, München (1923)
ders.: Zauberreich der Liebe. Roman, Berlin, Wien, Leipzig 1928
ders.: Stefan Rott oder Das Jahr der Entscheidung. Roman, Berlin, Wien, Leipzig 1931
ders.: Der Sommer, den man zurückwünscht. Roman aus jungen Jahren, (Zürich 1952)
ders.: Mira. Ein Roman um Hofmannsthal, (München 1958)
Catullus, C. Valerius: Gedichte. Vollständ. Ausgabe. Deutsch von Max Brod, mit teilweiser Benützung der Übertragung von K. W. Ramler, München und Leipzig 1914
Dickens, Charles: David Copperfield. Roman. Übersetzt u. hg. von Richard Zoozmann. Mit einer Biographie u. zwei Bildnissen des Dichters, Leipzig (1910)
Döblin, Alfred: Die drei Sprünge des Wang-lun, Berlin 1920
Dostojewski, Fedor Michailowitsch: Rodion Raskolnikoff (Schuld und Sühne). Einleitung von Dimitri Mereschkowski. Übertragen von Michael Feofanoff, München und Leipzig 1908
Goethe, Johann Wolfgang von: Tagebücher 1775–1809, hg. von Peter Boerner, (München 1963)
Hebbels Briefe. Ausgewählt und biographisch verbunden von Kurt Küchler, Jena 1908
Hebbel, Friedrich: Tagebücher, Band 1: 1835–1839. Hamburg-Heidelberg-München-Hamburg, hg. von Richard Maria Werner, Berlin 1903
Hesse, Hermann: Gertrud, Berlin (1927)
Kleist, Heinrich von: Sämtliche Werke und Briefe, Band 2, (hg. v. Helmut Sembdner), Darmstadt 1962

Kraus, Karl: Literatur oder Man wird doch da sehn. Eine magische Operette, Wien 1921

Leppin, Paul: Daniel Jesus, Berlin, Leipzig 1905

Mirbeau, Octave: Le Jardin des Supplices, (104. Tsd.), Paris 1925

Němcová, Božena: Großmutter, München (1969)

Nossack, Hans Erich: Unmögliche Beweisaufnahme, Frankfurt M. (1959)

Rilke, Rainer Maria: Die Aufzeichnungen des Malte Laurids Brigge, in: R. M. R., Werke in drei Bänden, 3: Prosa, (Frankfurt/M. 1966), S. 107 ff.

Salus, Hugo: Christa. Ein Evangelium der Schönheit, (5. Tsd.), (Leipzig 1911)

ders.: Sommerabend. Neue Prosa, Leipzig 1916

Stendhal: Elf Liebesabenteuer, Hannover (1922)

Sternheim, Felix: Die Geschichte des jungen Oswald. Ein Roman in Briefen, München 1910 [recte 1909]

Tagger, Theodor (d. i. Bruckner, Ferdinand): Das neue Geschlecht. Programmschrift gegen die Metapher, Berlin 1917

Werfel, Franz: Spiegelmensch. Magische Trilogie, München 1920

Wiegler, Paul: Das Haus an der Moldau, Wedel (1948)

Zweig, Arnold: Ritualmord in Ungarn. Jüdische Tragödie in fünf Aufzügen, Berlin 1914

III. Zu Kafkas Biographie und geistigem Umfeld

A., F.: Das russische Ballett, in: *Deutsche Zeitung Bohemia* 82, Nr. 143 (25. 5. 1909, Morgen-Ausgabe), S. 6

B., Dr. v.: (Petersburger Ballett), in: *Prager Tagblatt* 33, Nr. 143 (25. 5. 1909), S. 8

Baedeker, Karl: Oberitalien mit Ravenna, Florenz und Livorno. Handbuch für Reisende, 18. A., Leipzig 1911

ders.: Schlesien. Riesengebirge. Grafschaft Glatz. Reisehandbuch, 2. A., Leipzig 1938

Benjamin, Walter: Berliner Kindheit um Neunzehnhundert, (5.–8. Tsd.), (Frankfurt/M. 1962)

Bergman, Hugo: Ein Brief von Felix Weltsch, in: Max Brod. Ein Gedenkbuch 1884–1968, hg. von Hugo Gold, Tel-Aviv 1969, S. 99 ff.

ders.: Erinnerungen an Franz Kafka, in: Exhibition Franz Kafka 1883–1924. Catalogue, Jerusalem 1969, S. 5 ff.

ders.: Erinnerungen an Franz Kafka, in: Universitas. Zeitschrift für Wissenschaft, Kunst und Literatur 27 (1927), S. 739 ff.

Berliner Tageblatt 39, Nr. 601 (26. 11. 1910), 1. Beiblatt u. Nr. 614 (3. 12. 1910), 1. Beiblatt

Blüher, Hans: Secessio judaica. Philosophische Grundlegung der historischen Situation des Judentums und der antisemitischen Bewegung, Berlin 1922

Braun, Felix: Das Licht der Welt. Geschichte eines Versuches als Dichter zu leben, Wien (1949)

Brentano, Franz: Psychologie vom empirischen Standpunkt, Band 1, hg. v. Oskar Kraus, Leipzig 1924

Brod, Max: Der Wert der Reiseeindrücke, in: *Frankfurter Zeitung* 55, Nr. 85 (26. 3. 1911), 4. Morgenblatt, S. 2 f.

ders.: Das kranke Italien, in: *Magdeburgische Zeitung* 1911, Nr. 511 (7. 10., Morgen-Ausgabe), S. 9

ders.: Zur Charakteristik der österreichischen Familie, in: *Berliner Tageblatt* 42, Nr. 148 (23. 3. 1914), 4. Beiblatt

ders.: Ein Wort über Anton Kuh, in: *Selbstwehr. Zionistische Wochenschrift* 12, Nr. 23 (21. 6. 1918), S. 1 f.

ders.: Der Nietzsche-Liberale. Bemerkungen zu dem Buch von Anton Kuh »Juden und Deutsche«, in: *Selbstwehr. Zionistische Wochenschrift* 15, Nr. 13 (1. 4. 1921), S. 1 f. u. Nr. 14 (8. 4. 1921), S. 1 ff.

ders.: Der Dichter Franz Kafka, in: *Die neue Rundschau* 35 (1921), S. 1210 ff. (Wiederabgedruckt in: Juden in der deutschen Literatur, hg. v. Gustav Krojanker, Berlin 1922, S. 55 ff.)

ders.: Es ist nicht leicht..., in: *Prager Abendblatt* 57, Nr. 192 (25. 8. 1923), S. 4

ders.: Franz Kafka als wegweisende Gestalt, St. Gallen (1951)

ders.: The Castle: Its Genesis, in: Franz Kafka Today, ed. by Angel Flores and Homer Swander, Madison 1958, S. 16 ff.

ders.: Über Franz Kafka: Franz Kafka. Ein Biographie. Franz Kafkas Glauben und Lehre. Verzweiflung und Erlösung im Werk Franz Kafkas, (Frankfurt/M. 1966)

ders.: Der Prager Kreis, Stuttgart, Berlin, Köln, Mainz (1966)

ders.: Streitbares Leben 1884–1968, München, Berlin, Wien (1969)

Buber-Neumann, Margarethe: Kafkas Freundin Milena, München (1963)

Dittmar, Julius: Im Neuen China. Reiseeindrücke, hg. v. Nicolaus Henningsen, Köln 1912 (*Schaffstein's Grüne Bändchen*, Nr. 24)

Engel, Nelly: Erinnerungen an Franz Kafka, in: *Neue Zürcher Zeitung* 193, Nr. 256 (17. 9. 1972, Fernausgabe), S. 53

Franz Kafka 1883–1924. Manuskripte. Erstdrucke. Dokumente. Photographien, (hg. v. Klaus Wagenbach), (Berlin) 1966

Das goldene Buch der italienischen Seen, hg. v. Walter Amstutz, (München 1938)

Groß, Otto: Vom Konflikt des Eigenen und Fremden, in: *Um Weisheit und Leben. Vierte Folge der Vorarbeit* (1916), S. 3 ff.

ders.: Protest und Moral im Unbewußten, in: *Die Erde* 1, Nr. 24 (15. 12. 1919), S. 681 ff.

ders.: Drei Aufsätze über den inneren Konflikt. Abhandlungen aus dem Gebiete der Sexualforschung 2 (1919/20), Heft 3

H., W.: Gustav Essmann: Vater und Sohn, in: *Neue Berliner Zeitung. Das 12 Uhr Blatt* 5, Nr. 137 (15. 6. 1923), S. 3

Haas, Willy: Meine Meinung, in: *Die literarische Welt* 2, Nr. 23 (4. 6. 1926), S. 2

ders.: Die literarische Welt. Erinnerungen, München (1957)

Hardt, Ludwig: Erinnerungen an Franz Kafka, in: *Die Fähre* 2 (1947), S. 75 ff.

Hecht, Hugo: Zwölf Jahre in der Schule mit Franz Kafka, in: Prager Nachrichten 17 (1966), Nr. 8, S. 3 ff.

Hildenbrandt, Fred: ... soll ich dich grüßen von Berlin, München (1966)

Hodin, Joseph Paul: Erinnerungen an Franz Kafka, in: Der Monat 1 (1949), Nr. 8/9, S. 89 ff.

ders.: Kafka und Goethe. Zur Problematik unseres Zeitalters, London, Hamburg (1968)

In dem Schneegebirge. Ein Heimatbuch aus Rübezahls Winterreich Riesengebirge, 2. A., hg. v. Joseph Renner, Kempten im Allgäu 1964

Janouch, Gustav: Gespräche mit Kafka. Aufzeichnungen und Erinnerungen. Erweiterte Ausgabe, (Frankfurt/M. 1968)

J.[esenská], M.[ilena]: Výkladní skříň [Schaufenster], in: *Tribuna* 2, Nr. 197 (21. 8. 1920), S. 2

J.[esenská], M.[ilena]: Šaty a výchova [Kleider und Erziehung], in: *Tribuna* 2, Nr. 256 (31. 10. 1920), S. 5

Nessey, A. X., [Milena Jesenská], Tanec nad propastí. Dopis z Vídně [Tanz überm Abgrund. Brief aus Wien], in: *Tribuna* 2, Nr. 259 (5. 11. 1920), S. 1 f.

Nessey, A. X., [Milena Jesenská], Moje přítelkyně [Meine Freundin], in: *Tribuna* 3, Nr. 22 (27. 1. 1921), S. 1 f.

Nessey, A. X., [Milena Jesenská], Tajemna vykoupení [Geheimnisvolle Erlösung], in: *Tribuna* 3, Nr. 47 (25. 2. 1921), S. 1 f.

Jesenská, Milena: Okno [Fenster], in: *Národní listy* 61, Nr. 265 (27. 9. 1921), S. 1 f.

J.[esenská,] Milena: Nové ozdoby jarních a letních obleků [Neuer Zierat an Frühjahrs- und Sommerkleidern], in: *Tribuna* 4, Nr. 41 (19. 2. 1922, Modní Revue 8), S. 3 f.

[Jesenská,] Milena: Obuv [Schuhe], in: *Tribuna* 4, Nr. 45 (19. 3. 1922, Modní revue 12), S. 4 f.

[Jesenská,] Milena: Návrh dětských šatú [Vorschlag für Kinderkleider], in: *Tribuna* 4, Nr. 54 (14. 5. 1922, Modní Revue 21), S. 1

[Jesenská,] Milena: Zástery do práce [Arbeitsschürzen], in: *Tribuna* 4, Nr. 55 (28. 5. 1922, Modní Revue 22), S. 3 f.

Jesenská, Milena: Dábel u krbů [Der Teufel am Herd], in: *Národní listy* 63, Nr. 16 (18. 1. 1923), S. 1 f.

[Jesenská,] Milena: Od člověka k člověku [Von Mensch zu Mensch], in: *Národní listy* 64, Nr. 12 (12. 1. 1924), S. 1 f.

Jesenská, Milena: Franz Kafka, in: *Národní listy* 64, Nr. 156 (6. 6. 1924), S. 5

Jung, Franz: Der Weg nach unten, (Neuwied, Berlin-Spandau 1961)

Kafka, Franz: Dopisy Mileně [Briefe an Milena], (Praha) 1968

Karpathen-Post. Politisches Wochenblatt zur Förderung der gesamten Interessen des Zipser Deutschtums 42, Nr. 5 (29. 1. 1921), S. 2

Knorring, Senta de: Un Grand Ami de la Danse. Édouard Fazer, in: Archives internationales de la danse [1], Nr. 4 (15. 10. 1933), S. 161 ff.

Krause, Erhard: Wintersportzentrum Spindelmühle, in: Riesengebirgsheimat. Ausgabe B »Bergheimat« mit der Bildbeilage »Unser Sudetenland« 24 (1970), S. 61 u. 68.

Kuh, Anton: Zwischen Wien und Berlin. Entdeckungen eines Zugereisten, in: *Prager Tagblatt* 39, Nr. 164 (17. 6. 1914), S. 2 f.

ders.: Werfel-Matinée, in: *Prager Tagblatt* 42, Nr. 278 (10. 10. 1917), S. 2

ders.: Juden und Deutsche. Ein Resumé, Berlin (1921)

[Kuh,] Anton: Kierling in der Literaturgeschichte. Zum Tode eines Dichters, in: *Die Stunde* 1924, Nr. 380 (11. 6.), S. 3

Kuh, Anton: Der unsterbliche Österreicher, München (1931)

Loužil, Jaromír: Ein unbekannter Zeitungsabdruck der Erzählung »Josefine« von Franz Kafka, in: Zeitschrift für deutsche Philologie 86 (1967), S. 317 ff.

M., A.: G. E. Lessing: Emilia Galotti, in: *Vossische Zeitung* 79 (1923), Nr. 160 (5. 4. 1923, Abend-Ausgabe), S. 2

Machaczek, Franz: Elf Brücken spannen den Weg . . ., in: Prager Nachrichten 4 (1953), Nr. 10, S. 3 f. u. 12 ff. u. Nr. 11/12, S. 6 ff.

Mahler-Werfel, Alma: Mein Leben, (Frankfurt/M.) 1960

Oberitalienische Seen. Gardasee. Comersee. Luganersee. Lago Maggiore, (2. A.), Wien, München (1957) (Europas Ferienstraßen 3)

Pazi, Margarita: Max Brod. Werk und Persönlichkeit, Bonn 1970

Politzer, Heinz: Ein Kafka-Autograph, in: Die Schrift 1 (1935), S. 94 ff.

Prag und Umgebung. Praktischer Führer, 14. A., neubearbeitet von Hugo Milrath, Berlin 1908/09 (Griebens Reiseführer Band 26)

Riesengebirge mit Iser-, Lausitzer, Bobl-Katzbach-Gebirge und Waldenburger Bergland. Angaben für Automobilisten und Wintersportler, Berlin 1930 (Griebens Reiseführer Band 18)

Riesengebirgs-Buchkalender 1972, Kempten im Allgäu (1971)

Die Sagen der Juden, gesammelt und bearbeitet von Micha Josef bin Gorion, Band 2: Die Erzväter, Frankfurt/M. 1914

Salomon Maimon's Lebensgeschichte, hg. von Jakob Fromer, München (1911)

Schur, Ernst: Der moderne Tanz. Mit 16 Kunstblättern, München 1910 st., a.: Russisches Ballett II. (Die Rast der Kavallerie – Pachita.), in: *Deutsche Zeitung Bohemia* 82, Nr. 144 (26. 5. 1909, Morgen-Ausgabe), S. 8

ders.: Russisches Ballett, in: *Deutsche Zeitung Bohemia* 86, Nr. 18 (19. 1. 1913, Morgen-Ausgabe), S. 11

Steinen, Karl von den: Bei den Indianern am Schingu. Aus dem bei Dietrich Reimer (Ernst Vohsen) in Berlin erschienenen Reisewerk St. über die 2. Schingu-Expedition 1887–1888, hg. v. Nicolaus Henningsen, Köln (1912) (*Schaffstein's Grüne Bändchen* Nr. 20)

Szittya, Emil: Das Kuriositäten-Kabinett. Begegnungen mit seltsamen Begebenheiten, Landstreichern, Verbrechern, Artisten, religiös Wahnsinnigen, sexuellen Merkwürdigkeiten, Sozialdemokraten, Kommunisten, Anarchisten, Politikern und Künstlern, Konstanz 1923

Thieberger, Friedrich: Oskar Baum über Otto Weininger, in: *Selbstwehr. Zionistische Wochenschrift* 15, Nr. 6 (11. 2. 1921), S. 2

ders.: Erinnerungen an Franz Kafka, in: Eckart 23 (1953), S. 49 ff.

Urzidil, Johannes: Judentum und Erotik, in: *Selbstwehr. Zionistische Wochenschrift* 15, Nr. 7 (18. 2. 1921), S. 1 ff.

ders.: Begegnungen mit Franz Kafka, in: Neue literarische Welt 3, Nr. 2 (25. 1. 1952), S. 3

ders.: Die verlorene Geliebte, München (1956)

Urzidil, Johannes/Jaenicke, Anselm: Prag – Glanz und Mystik einer Stadt, Krefeld 1966

Viertel, Berthold: Anton Kuh, der Sprecher, in: *Prager Tagblatt* 43, Nr. 108 (11. 5. 1918), S.4

Weber, Oskar: Der Zuckerbaron. Schicksale eines ehemaligen deutschen Offiziers in Südamerika, hg. v. Nicolaus Henningsen, Köln 1914 (*Schaffstein's Grüne Bändchen* Nr. 54)

Weininger, Otto: Geschlecht und Charakter. Eine prinzipielle Untersuchung, 5. A., Wien und Leipzig 1905

Weiß, Ernst: Bemerkungen zu den Tagebüchern und Briefen Franz Kafkas, in: Maß und Wert 1 (Sept./Okt. 1937), H. 2, S. 319 ff.

Weltsch, Felix: »Leben mit einer Göttin«, in: *Selbstwehr. Zionistische Wochenschrift* 17, Nr. 51/52 (21. 12. 1923), S. 1

ders.: Religion und Humor im Leben und Werk Franz Kafkas, Berlin-Grunewald (1957)

Worrmann, Curt D.: German Jews in Israel: Their Cultural Situation since 1933, in: Year Book of the Leo Baeck Institute 15 (1970), S. 73 ff.

Wolff, Kurt: Autoren, Bücher, Abenteuer. Betrachtungen eines Verlegers, Berlin (1965)

ders.: Briefwechsel eines Verlegers 1911–1963, hg. von Bernhard Zeller und Ellen Otten, Frankfurt/M. (1966)

Zielesch, Fritz: Max Brod: Die Fälscher, in: *Berliner Volkszeitung* 70, Nr. 98 (27. 2. 1922), S. 2

Zohn, Harry: Österreichische Juden in der Literatur. Ein bio-bibliographisches Lexikon, Tel-Aviv 1969

b) DARSTELLUNGEN

I. Zu Kafka

Adorno, Theodor W.: Aufzeichnungen zu Kafka, in: Th. W. A., Prismen. Kulturkritik und Gesellschaft, Berlin, Frankfurt/M. (1955), S. 302 ff.

Bauer, Johann: Kafka und Prag, (Stuttgart 1971)

Beck, Evelyn Torton: Kafka and the Yiddish Theater. Its impact on his work, Madison, Milwaukee, and London (1971)

Beißner, Friedrich: Der Erzähler Franz Kafka. Ein Vortrag, Stuttgart 1952

ders.: Der Schacht von Babel. Aus Kafkas Tagebüchern. Ein Vortrag, Stuttgart (1963)

ders.: Kafkas Darstellung des »traumhaften innern Lebens«. Ein Vortrag, (Bebenhausen 1972)

Benjamin, Walter: Franz Kafka, in: Franz Kafka, hg. von Heinz Politzer, Darmstadt 1973, S. 143 ff.

Beutner, Barbara: Die Bildsprache Franz Kafkas, München 1973

Bezzel, Chris: Natur bei Kafka. Studien zur Ästhetik des poetischen Zeichens, Nürnberg 1964

Binder, Hartmut: Motiv und Gestaltung bei Franz Kafka, Bonn 1966

ders.: Kafkas Hebräischstudien. Ein biographisch-interpretatorischer Versuch, in: Jahrbuch der Deutschen Schillergesellschaft 11 (1967), S. 527 ff.

ders.: Kafkas literarische Urteile. Ein Beitrag zu seiner Typologie und Ästhetik, in: Zeitschrift für deutsche Philologie 86 (1967), S. 211 ff.

ders.: Franz Kafka und die Wochenschrift »Selbstwehr«, in: Deutsche Vierteljahrsschrift für Literaturwissenschaft und Geistesgeschichte 41 (1967), S. 283 ff.

ders.: Kafka und »Die neue Rundschau«. Mit einem bisher unpublizierten Brief des Dichters zur Druckgeschichte der »Verwandlung«, in: Jahrbuch der Deutschen Schillergesellschaft 12 (1968), S. 94 ff.

ders.: Kafka und seine Schwester Ottla. Zur Biographie der Familiensituation des Dichters unter besonderer Berücksichtigung der Erzählungen »Die Verwandlung« und »Der Bau«, in: Jahrbuch der Deutschen Schillergesellschaft 12 (1968), S. 403 ff.

ders.: Kafkas Briefscherze. Sein Verhältnis zu Josef David, in: Jahrbuch der Deutschen Schillergesellschaft 13 (1969), S. 536 ff.

ders.: »Der Jäger Gracchus«. Zu Kafkas Schaffensweise und poetischer Topographie, in: Jahrbuch der Deutschen Schillergesellschaft 15 (1971), S. 375 ff.

ders.: Kafka und die Skulpturen, in: Jahrbuch der Deutschen Schillergesellschaft 16 (1972), S. 623 ff.

ders.: Kafka und Napoleon, in: Festschrift für Friedrich Beißner, hg. von Ulrich Gaier und Werner Volke, (Bebenhausen 1974), S. 38 ff.

ders.: Kafka-Kommentar zu sämtlichen Erzählungen, München (1975)

ders.: Kafka-Kommentar zu den Romanen, Rezensionen, Aphorismen und zum Brief an den Vater, München (1976)

Binder, Wolfgang: Das stumme Sein und das redende Nichts. Ein Aspekt des Kafkaschen Schloß-Romans, in: W. B., Aufschlüsse. Studien zur deutschen Literatur, Zürich (1976), S. 369 ff.

Blanchot, Maurice: The Diaries: The Exigency of the Work of Art, in: Franz Kafka Today, ed. by Angel Flores and Homer Swander, Madison 1958, S. 195 ff.

Born, Jürgen u. a.: Kafka-Symposion, Berlin (1965)

ders.: Franz Kafka und Felice Bauer. Ihre Beziehungen im Spiegel des Briefwechsels 1912–1917, in: Zeitschrift für deutsche Philologie 86 (1967), S. 176 ff.

ders.: »Daß zwei in mir kämpfen...« Zu einem Brief Kafkas an Felice Bauer, in: Literatur und Kritik 3 (1968), Heft 22, S. 105 ff.

ders.: »Das Feuer zusammenhängender Stunden«. Zu Kafkas Metaphorik des dichterischen Schaffens, in: Das Nachleben der Romantik in der modernen deutschen Literatur. Die Vorträge des Zweiten Kolloquiums in Amherst/Massachusetts, hg. von Wolfgang Paulsen, Heidelberg (1969), S. 177 ff.

ders.: Kafkas unermüdlicher Rechner, in: Euphorion 64 (1970), S. 404 ff.

Buch, Hans Christoph: *Ut pictura poesis*. Die Beschreibungsliteratur und ihre Kritiker von Lessing bis Lukács, München (1972)

Burns, Wayne: »In the penal colony«: Variations on a theme by Octave Mirbeau, in: Accent 17 (1957), H. 2, S. 45 ff.

Canetti, Elias: Der andere Prozeß. Kafkas Briefe an Felice, 3. A., (München 1970)

Čermák, Josef: Franz Kafkas Ironie, in: Philologica Pragensia (47) 8 (1965), S. 39 ff.

Collins, R.[obert] G.[eorge]: Kafka's Special Methods of Thinking, in: Mosaic. A Journal for the Comparative Study of Literatures and Ideas 3 (1969/70), Nr. 4, S. 43 ff.

Collins, Hildegard Platzer: Kafka's Views of Institutions and Traditions, in: The German Quarterly 35 (1962), S. 492 ff.

dies.: Kafka's »Double-Figure« as a Literary Device, in: Monatshefte für deutschen Unterricht 55 (1963), S. 7 ff.

Corngold, Stanley: Kafka's »Die Verwandlung«. Metamorphosis of the Metaphor, in: Mosaic. A Journal for the Comparative Study of Literatures and Ideas 3 (1969/70), Nr. 4, S. 91 ff.

Deleuze, Gilles/Guattari, Félix: Kafka. Für eine kleine Literatur, (Frankfurt/M. 1976)

Demmer, Jürgen: Franz Kafka der Dichter der Selbstreflexion. Ein Neuansatz zum Verstehen der Dichtung Kafkas. Dargestellt an der Erzählung Das Urteil, München 1973

Deutsche Geschichten. Anbruch und Gegenwart 1900–1918, hg. v. Marcel Reich-Ranicki, München (1971)

Emrich, Wilhelm: Franz Kafka, Bonn, Frankfurt/M. 1958

ders.: Die Bilderwelt Franz Kafkas, in: Franz Kafka, hg. von Heinz Politzer, Darmstadt 1973, S. 286 ff.

Ferenczi, Rose-Marie: Kafka. Subjectivité, Histoire et Structures, Paris 1975

Fickert, Kurt J.: The Window Metaphor in Kafka's »Trial«, in: Monatshefte für deutschen Unterricht 58 (1966), S. 345 ff.

Fietz, Lothar: Möglichkeiten und Grenzen einer Deutung von Kafkas »Schloß«-Roman, in: Deutsche Vierteljahrsschrift für Literaturwissenschaft und Geistesgeschichte 37 (1963), S. 71 ff.

Fingerhut, Karl-Heinz: Die Funktion der Tierfiguren im Werke Franz Kafkas. Offene Erzählgerüste und Figurenspiele, Bonn 1969

Fischer, Ernst: Franz Kafka, in: E. F., Von Grillparzer zu Kafka. Sechs Essays, Wien 1962, S. 279 ff.

Foulkes, A. Peter: The Reluctant Pessimist. A Study of Franz Kafka, The Hague, Paris (1967)

Frey, Gesine: Der Raum und die Figuren in Franz Kafkas Roman »Der Prozeß«, 2. A., Marburg 1969

Friederich, Reinhard H.: K.'s »Bitteres Kraut« and *Exodus*, in: German Quarterly 48 (1975), S. 355 ff.

Giesekus, Waltraut: Franz Kafkas Tagebücher, Bonn 1954 (Masch. Diss.)

Gräser, Albert: Das literarische Tagebuch. Studien über Elemente des Tagebuchs als Kunstform, Saarbrücken 1955

Gray, Ronald: Kafka's »Castle«, Cambridge 1956

Grenzmann, Wilhelm: Das Tagebuch als literarische Form, in: Wirkendes Wort 9 (1959), S. 84 ff.

Hillmann, Heinz: Franz Kafka. Dichtungstheorie und Dichtungsgestalt, 2. erweiterte Auflage, Bonn 1973

ders.: Kafkas »Amerika«. Literatur als Problemlösungsspiel, in: Der deutsche Roman im 20. Jahrhundert, hg. v. Manfred Brauneck, Bamberg (1976), S. 135 ff.

Hoffer, Klaus: Das Bild des Kindes im Werk Franz Kafkas, Graz 1970 (Masch. Diss.)

Jahn, Wolfgang: Kafka und die Anfänge des Kinos, in: Jahrbuch der Deutschen Schillergesellschaft 6 (1962), S. 353 ff.

ders.: Kafkas Roman »Der Verschollene« (»Amerika«), Stuttgart (1965)

Kaiser, Hellmuth: Franz Kafkas Inferno. Eine psychologische Deutung seiner Strafphantasie, in: Franz Kafka, hg. von Heinz Politzer, Darmstadt 1973, S. 69 ff.

Kobs, Jörgen: Kafka. Untersuchungen zu Bewußtsein und Sprache seiner Gestalten, hg. von Ursula Brech, Bad Homburg v. d. H. (1970)

Krolop, Kurt: Zu den Erinnerungen Anna Lichtensterns an Franz Kafka, in: Germanistica Pragensia 5 (1968), S. 21 ff.

Kudszus, Winfried: Erzählhaltung und Zeitverschiebung in Kafkas »Prozeß« und »Schloß«, in: Deutsche Vierteljahrsschrift für Literaturwissenschaft und Geistesgeschichte 38 (1964), S. 192 ff.

ders.: Between past and future. Kafkas later novels, in: Mosaic. A Journal for the Comparative Study of Literatures and Ideas 3 (1969/70), Nr. 4, S. 107 ff.

Kuepper, Karl J.: Gesture and Posture as Elemental Symbolism in Kafka's The Trial, in: Mosaic. A Journal for the Comparative Study of Literature and Ideas 3 (1969/70), Nr. 4, S. 143 ff.

Livermore, Ann Lapraik: Kafka and Stendhal's de L'Amour, in: Revue de Littérature Comparée 43 (1969), S. 173 ff.

Marache, Maurice: La Métaphore dans L'Oeuvre de Kafka, in: Études Germaniques 19 (1964), S. 23 ff.

Morand, Jean: Le Journal de Kafka ou L'irréductible Intériorité, in: Europe. Revue Littéraire Mensuelle 49 (1971), S. 95 ff.

Martini, Fritz: Franz Kafka: Das Schloß, in: F. M., Das Wagnis der Sprache. Interpretation deutscher Prosa von Nietzsche bis Benn, 4. A., Stuttgart (1961), S. 291 ff.

Middelhauve, Friedrich: Ich und Welt im Frühwerk Franz Kafkas, Freiburg 1957 (Masch. Diss.)

Neumeyer, Peter F.: Franz Kafka, Sugar Baron, in: Modern Fiction Studies 17 (1971), S. 5 ff.

Nußbaum, Arthur: Der Polnaer Ritualmordprozeß, Berlin 1906

Pasley, Malcolm: Franz Kafka Mss: Description and select inedita, in: Modern Language Review 57 (1962), S. 53 ff.

ders.: Asceticism and Cannibalism. Notes on an unpublished Kafka Text, in: Oxford German Studies 1 (1966), S. 102 ff.

ders.: Zur Entstehungsgeschichte von Franz Kafkas Schloß-Bild, in: Weltfreunde. Konferenz über die Prager deutsche Literatur, hg. von Eduard Goldstücker, (Berlin und Neuwied 1967), S. 241 ff.

Pearce, Donald: The Castle: Kafka's Divine Comedy, in: Franz Kafka Today, .ed. by Angel Flores and Homer Swander, Madison 1958, S. 165 ff.

Peters, Fred G.: The Transformation of the Father Image in the Works of Franz Kafka, Columbia University 1963 (M. A. Thesis)

Philippi, Klaus-Peter: Reflexion und Wirklichkeit. Untersuchungen zu Kafkas Roman »Das Schloß«, Tübingen 1966

Politzer, Heinz: Franz Kafka, der Künstler, (Frankfurt/M. 1965)

ders.: Franz Kafkas vollendeter Roman. Zur Typologie seiner Briefe an Felice Bauer, in: Das Nachleben der Romantik in der modernen deutschen Literatur. Die Vorträge des Zweiten Kolloquiums in Amherst/Massachusetts, hg. von Wolfgang Paulsen, Heidelberg (1969), S. 192 ff.

Ramm, Klaus: Reduktion als Erzählprinzip bei Kafka, (Frankfurt/M. 1971)

Rendi, Aloisio: Influssi letterari nel »Castello« di Kafka, in: Annali Istituto Universitario Orientale, Napoli, Sezione Germanica 4 (1961), S. 75 ff.

Richter, Helmut: Franz Kafka. Werk und Entwurf, Berlin (1962)

Robert, Marthe: Das Alte im Neuen. Von Don Quichotte zu Franz Kafka, München (1968)

Ruhleder, Karl H.: Die theologische Dreizeitenlehre in Franz Kafkas »Die Verwandlung«, in: Literatur in Wissenschaft und Unterricht 4 (1971), S. 106 ff.

Sebald, Winfried Georg: Thanatos. Zur Motivstruktur in Kafkas »Schloß«, in: Literatur und Kritik 7 (1972), H. 66/67, S. 399 ff.

Sheppard, Richard: On Kafka's Castle. A Study, London (1973)

Smith, David Edward: The Use of Gesture as a Stylistic Device in Heinrich von Kleist's »Michael Kohlhaas« and Franz Kafka's »Der Prozeß«, Stanford University 1971 (Masch. Diss.)

Sokel, Walter H.: Kafka's »Metamorphosis«. Rebellion and Punishment, in: Monatshefte für deutschen Unterricht 48 (1956), S. 203 ff.

ders.: Franz Kafka – Tragik und Ironie. Zur Struktur seiner Kunst, München, Wien (1964)

ders.: Kafka und Sartres Existenzphilosophie, in: Arcadia 5 (1970), S. 262 ff.

Spann, Meno: Die beiden Zettel Kafkas, in: Monatshefte für deutschen Unterricht 47 (1955), S. 321 ff.

Sparks, Kimberly: Drei schwarze Kaninchen. Zu einer Deutung der Zimmerherren in Kafkas »Die Verwandlung«, in: Zeitschrift für deutsche Philologie 84 (1965), S. 73 ff. (Sonderheft »Moderne Dichtung«)

Spilka, Mark: Dickens and Kafka. A Mutual Interpretation, London (1963)

Staroste, Wolfgang: Der Raum des Menschen in Kafkas »Prozeß«, in: W. S., Raum und Realität in dichterischer Gestaltung. Studien zu Goethe und Kafka, Heidelberg (1971)

Stölzl, Christoph: Kafkas böses Böhmen. Zur Sozialgeschichte eines Prager Juden, (München 1975)

Urzidil, Johannes: Da geht Kafka, erweiterte Ausgabe, (München 1966)

ders.: Epilog zu Kafkas Felice-Briefen, in: Das Nachleben der Romantik in der modernen deutschen Literatur. Die Vorträge des Zweiten Kolloquiums in Amherst/Massachusetts, hg. von Wolfgang Paulsen, Heidelberg (1969), S. 212 ff.

Wagenbach, Klaus: Franz Kafka. Eine Biographie seiner Jugend 1883–1912, Bern (1958)

ders.: Franz Kafka in Selbstzeugnissen und Bilddokumenten, (Reinbek bei Hamburg 1964)

Winkelman, John: An Interpretation of Kafka's »Das Schloß«, in: Monatshefte. A Journal Devoted to the Study of German Language and Literature 64 (1972), S. 115 ff.

II. Allgemein

Alewyn, Richard: Eine Landschaft Eichendorffs, in: Interpretationen. Deutsche Erzählungen von Wieland bis Kafka, (hg. von Jost Schillemeit), (Frankfurt/M. 1966), S. 87 ff.

Baumann, Ruth: Studien zur Erzählkunst Heinrich von Kleists, Hamburg 1928

Beutler, Ernst: Goethes Jugendbriefe, in: E. B., Wiederholte Spiegelungen. Drei Essays über Goethe, Göttingen (1957), S. 17 ff.

Bleuler, Eugen: Naturgeschichte der Seele und ihres Bewußtwerdens. Mnemistische Biopsychologie, 2. stark umgearbeitete A., Berlin 1932

Brinkmann, Hennig: Die deutsche Sprache. Gestalt und Leistung, Düsseldorf (1962)

Dal, Ingerid: Kurze deutsche Syntax, Tübingen 1952

Demetz, Peter: René Rilkes Prager Jahre, Düsseldorf (1953)

Eibl-Eibesfeldt, Irenäus: Grundriß der vergleichenden Verhaltensforschung, 2. A., München (1969) ders.: Liebe und Haß. Zur Naturgeschichte elementarer Verhaltensweisen, München (1970).

Erben, Johannes: Abriß der deutschen Grammatik, Berlin 1958

Erikson, Erik H.: Identität und Lebenszyklus. Drei Aufsätze, (Frankfurt/M. 1966) ders.: Jugend und Krise. Die Psychodynamik im sozialen Wandel, Stuttgart (1970)

Fischer, Ottokar: Mimische Studien zu Heinrich von Kleist, in: Euphorion 15 (1928), S. 508 ff.

Flämig, Walter: Zum Konjunktiv in der deutschen Sprache der Gegenwart. Inhalte und Gebrauchsweisen, Berlin 1959

Grimm, Jakob und Wilhelm: Deutsches Wörterbuch, Band 5, Leipzig 1873

Hamburger, Käte: Die Logik der Dichtung, 2. A., Stuttgart 1968

Hillmann, Heinz: Bildlichkeit der deutschen Romantik, (Frankfurt/M. 1971)

Jäger, Siegfried: Der Konjunktiv in der deutschen Sprache der Gegenwart. Untersuchungen an ausgewählten Texten, (München, Düsseldorf 1971)

Jung, Carl Gustav: Psychologische Typen, 9. revidierte A., (hg. von Marianne Niehus-Jung, Lena Hurwitz-Eisner u. Franz Riklin), Zürich und Stuttgart 1960

Kretschmer, Ernst: Körperbau und Charakter. Untersuchungen zum Konstitutionsproblem und zur Lehre von den Temperamenten, 25. ergänzte Auflage, hg. von Wolfgang Kretschmer, Berlin, Heidelberg, New York 1967

Krummacher, Hans-Henrik: Das ›Als ob‹ in der Lyrik. Erscheinungsformen und Wandlungen einer Sprachfigur der Metaphorik von der Romantik bis zu Rilke, Köln, Graz 1965

Lang, Wilhelm: Der Konjunktiv im Deutschen und sein Widerspiel, in: Der Deutschunterricht 13 (1961), H. 3, S. 26 ff.

Lausberg, Heinrich: Handbuch der literarischen Rhetorik, München 1960

Leonhard, K.[arl]: Ausdruckssprache der Seele. Darstellung der Mimik, Gestik und Phonik des Menschen, Berlin, Tübingen (1949)

Lersch, Philipp: Gesicht und Seele. Grundlinien einer mimischen Diagnostik, 3. A., München, Basel 1951

Oseretzky, N.: Über die Mimik bei verschiedenen Konstitutionstypen, in: Monatsschrift für Psychiatrie und Neurologie 83 (1932), S. 95 ff.

Plessner, Helmuth: Philosophische Anthropologie. Lachen und Weinen. Das Lächeln. Anthropologie der Sinne, hg. und mit einem Nachwort von Günter Dux, (Frankfurt/M. 1970)

Schneider, Wilhelm: Stilistische deutsche Grammatik, Basel, Freiburg, Wien 1959

Schöne, Albrecht: Über Goethes Brief an Behrisch vom 10. November 1767, in: Festschrift für Richard Alewyn, hg. v. Herbert Singer u. Benno von Wiese, Köln, Graz 1967, S. 193 ff.

Strehle, Hermann: Analyse des Gebarens. Erforschung des Ausdrucks der Körperbewegungen, Berlin 1935

ders.: Mienen, Gesten und Gebärden. Analyse des Gebarens, München 1954

Gesamtregister

Abhandlungen aus dem Gebiet der Sexualforschung 619
Abraham 389, 599, 646
Abstraktion 8, 13, 88, 113, 132, 140, 238 s. auch Denken
Die Abweisung 184, 555
Adler, Paul 507, 513, 514, 519, 522
Die Zauberflöte 508
Adorno, Th. W. XVII, 528, 568, 598
Die Aeroplane in Brescia 48
Ästhetik XX, 16, 18, 20, 30, 72, 73, 101, 225, 234, 258, 260, 298, 556, s. auch Erzähldublette, Funktionalisierung und Vorausdeutung
Ahasver 390, 425
Albrecht, Rolf XII
Alewyn, Richard 540
Alexander der Große 184, 391
Allegorie 415 f., 485
Alleinsein XIX, XX, 5, 46, 53, 78, 87, 92, 94, 96, 106, 108, 109, 136, 244, 245, 247, 268, 276, 277, 278, 279, 302, 320, 352, 357, 358, 362, 370, 391, 394, 413, 430, 434, 443, 450, 453, 560, 611, 612, 644 s. auch Gemeinschaft
Allemann, Beda 534
Als-ob-Satz XVIII, 131, 193 ff., 254, 310, 507 ff., 573 ff.
Ambivalenz XXII, 20, 26, 28, 109, 114, 124, 125, 184, 390 f., 412, 471, 502, 549, 550 f., 552, 606, 623, 631, 632
Amerika s. *Der Verschollene*
Amerika (als Land) 44, 66, 75, 121, 172, 211, 533, 562 s. auch New York
Amstutz, Walter 538
Anarchismus 47
Angst XXI, 11, 12, 15, 21, 27, 29, 32, 53, 78, 79, 131 f., 133, 136, 154, 185, 215, 274, 280, 302, 309, 319, 323, 339, 348, 357, 369, 371, 396, 399, 402, 408, 411, 418, 433, 452, 464, 501, 551, 540, 564 f., 590, 595, 606, 608, 609, 617, 631, 643
Anschaulichkeit XXII, 8, 12, 101, 140, 141, 175, 244, 246, 396
Antike XV

Antisemitismus 376 ff., 387
Aphorismus XVI, XXI, 34, 48, 80, 81, 84, 85, 86, 87, 88, 89, 90, 98, 119, 120, 136, 245, 247, 248, 252, 285, 401, 405, 406, 543, 544, 581, 634
Apostelgeschichte 624
Armsheimer, Iwan Iwanowitsch
Die Rast der Kavallerie 533
Armut 246, 273 ff., 298, 362, 389, 439, 441, 446, 483, 489, 583, 589
Auf der Galerie 193, 251, 489
Augen s. Blicke und Weinen
Ausdrucksbewegungen 103, 104, 115 ff., 265, 320, 344 f., 502, 514, 527, 549, 554, 563 s. auch Gestik und Körper
Der Ausflug ins Gebirge 243
Autismus 47

Baedeker, Karl 538, 616
Bäuml, Max 242
Der Bau 132, 141, 240, 275, 439, 529, 556, 563 f., 574, 577, 618
Bauer, Anna 78, 147, 395, 621
Bauer, Carl 78, 147, 395
Bauer, Erna 129, 566
Bauer, Felice XIX, XXI, XXII, XXIII, XXV, 3, 4, 5, 6, 7, 8, 9, 10, 15, 17, 19, 20, 23, 26, 30, 31, 32, 33, 36, 45, 51, 53, 54, 55, 60, 61, 68, 69, 77, 78, 79, 81, 83, 87, 96, 97, 102, 103, 106, 107, 108, 110, 111, 113, 114, 118, 123, 124, 129, 136, 137, 143, 144, 146, 147, 155, 156, 157, 158, 159, 160, 161, 169, 179, 180, 183, 185, 190, 191, 210, 219, 242, 243, 244, 249, 251, 253, 254, 265, 274, 275, 277, 278, 306, 307, 308, 311, 313, 320, 324, 325, 336, 337, 352, 366, 375, 378, 381, 388, 395, 412, 417, 418, 421, 438, 440, 443, 450, 487, 488, 489, 490, 494, 543, 549, 552, 561, 562, 563, 565, 566, 567, 574, 590, 597, 598, 605, 606, 607, 610, 615, 616, 621, 624, 627, 628, 630, 636
Bauer, Johann 409, 535, 570, 626
Baum, Oskar 33, 79, 84, 134, 141, 251,

280, 346, 357, 374, 380, 381, 395, 411, 427, 474, 502, 524, 531, 537, 551, 618, 621
Das junge Geschlecht 646
Zwei Erzählungen 522
Baumann, Ruth 153, 558, 565
Beck, Evelyn Torton 643
Beethoven, Ludwig van 53
Behrisch, Ernst Wolfgang 532
Beim Bau der Chinesischen Mauer 119, 125, 143, 184, 246
Beißner, Friedrich XV f., XX, 527, 528, 551, 625
Benjamin, Walter XVII, 55, 528, 536
Bentovim, Puah 95, 548
Berechnung 412, 450, 542, 551 f., 599, 644
Bergmann, Else 127
Bergmann, Hugo XII, 3, 44, 94, 95, 529, 534, 535, 537, 613, 618, 621
Ein Bericht für eine Akademie 243, 411, 560, 593, 611
Berliner Tageblatt 536, 621
Berliner Volkszeitung 555
Beschreibung eines Kampfes 37, 48, 89, 90, 118, 126, 131, 132, 147, 213, 220 ff., 244, 532, 577
Ein Besuch im Bergwerk 145, 185
Betrachtung 41, 68, 190, 593
Beutler, Ernst 532
Beutner, Barbara 9, 198, 404 f., 530, 573, 579, 623
Bezzel, Chris 62, 538
Bibel 95
Bilder von der Verteidigung eines Hofes 192
Binder, Hartmut XII, XVI, XVII, 528, 529, 530, 531, 532, 535, 536, 538, 540, 541, 548, 549, 551, 552, 553, 556, 566, 567, 574, 575, 579, 582, 585, 609, 611, 613, 614, 616, 619, 620, 621, 622, 623 f., 626, 629, 632, 635, 638 f., 642, 644, 646, 649
Binder, Wolfgang XV, 403, 527, 623
Bismarck, Otto Fürst von 440
Blanchot, Maurice XX
Blei, Franz 642, 645, 649
Bleuler, Eugen 624
Blick (Augen) 37, 39, 101, 102, 109, 117, 125 f., 128, 129, 130 ff., 153 f., 155, 157 ff., 163 ff., 215, 259, 260, 307, 308, 309, 310, 311, 313, 318, 320, 323, 326, 327, 329, 336, 342, 343, 399, 400, 401, 412, 413, 432,

434, 435, 436 f., 439, 446, 458 f., 462, 477, 489, 490, 491, 492, 494, 499, 541, 555, 556, 557 ff., 560, 562, 565, 567 ff., 578, 590, 594, 595, 603, 631, 637
Bloch, Grete 6, 69, 70, 156, 160, 244, 245
Blüher, Hans 540
Die Rolle der Erotik in der männlichen Gesellschaft 543
Secessio judaica 79, 80, 360, 376, 379, 613, 618, 635
Blumfeld, ein älterer Junggeselle 343, 352, 492, 576 f., 610
Böcklin, Arnold 64
Böhmen XVII, 62, 66, 69, 200, 328, 379, 409, 412, 427, 613 s. auch Prag
Aussig 17, 541
Bodenbach 541, 610
Chuchle 549
Dobřichovice 94, 95, 548
Flöhau 81
Franzensbad 91, 427
Friedland 51, 52, 55, 56, 57, 59, 60, 368, 464, 536, 648
Gablonz 621
Hohenelbe 367
Karlsbad 435, 628
Katharinaberg 19
Kratzau 3
Marienbad 581, 590
Oberklee 81, 614
Planá 28, 64, 174, 347, 353, 357, 358, 363, 364, 365, 372, 373, 427, 493, 598, 613
Polna XVI, 377, 378
Radotin 549
Reichenberg 51, 529
Riesengebirge 366, 367, 368, 613
Rumburg 69
Schelesen 25, 26, 421, 422, 423, 425, 430, 627
Schneekoppe 368, 616
Spindlermühle (Spindelmühle) 303, 349, 352, 355, 356, 360, 361, 362, 366, 367, 368, 369, 370, 371, 372, 401, 465, 590, 611, 613, 614
Strakonitz 588
Teplitz 422
Wossek 367, 588
Zuckmantel 336
Zürau 27, 33, 79, 80, 83, 84, 85, 86, 87, 94, 107, 108, 122, 183, 280, 323,

324, 346, 371, 385, 392, 397 f., 412,
451, 453, 491, 542, 543, 548, 614,
621
Böll, Heinrich
  Ansichten eines Clowns 518
Boerner, Peter 551
Bollnow, Otto Friedrich 524
Born, Jürgen 528, 530, 534, 536, 544,
552, 573, 582, 583, 605, 610, 611,
627, 644
Braun, Felix 539
Brauneck, Manfred 572
Brech, Ursula 528, 562
Brentano, Franz 137
  Psychologie vom empirischen Stand-
  punkt 557
Brief an den Vater XXIII, 12, 20, 31,
32, 43, 46, 61, 86, 88, 269, 383, 387,
389, 405, 414, 430 f., 432, 439, 450,
451, 453, 455, 481, 487, 503, 531,
537, 599, 629, 632
Briefe an Milena 592 f.
Brinkmann, Henning 562, 573, 574
Brion, Friederike 624
Brod, Adolf 574
Brod, Elsa 245, 340, 449, 451, 478, 562,
589, 642
Brod, Eltern 159, 160, 241
Brod, Fanny 548
Brod, Max XII, XV, XVI, XVII, XXIII,
XXV, 8, 11, 15, 19, 25, 27, 28, 29,
35, 37, 39, 48, 50, 53, 54, 56, 57, 58,
59, 62, 63, 64, 65, 66, 67, 68, 70, 71,
72, 73, 76, 77, 79, 80, 88, 89, 93,
101, 106, 107, 114, 120, 124, 128,
134, 135, 142 f., 146, 160, 191, 200,
214, 215, 242, 245, 248, 252, 280,
288, 298, 301, 309, 314, 315, 324,
325, 338, 339, 340, 341, 346, 347,
350, 351, 353 f., 355, 356, 358, 361,
363, 364, 365, 372, 374, 386, 387,
389, 393, 394, 395, 409, 422, 423,
427, 437, 438, 439, 440, 441, 442,
444, 445, 447, 449, 460 ff., 488, 491,
493, 494, 496, 502, 507, 516, 517,
518, 519, 522, 524, 529, 531, 533,
534, 535, 536, 537, 538, 539, 540,
541, 542, 545, 546, 551, 552, 557,
558, 562, 566, 567, 571, 580, 582,
583, 585, 587, 589, 592, 594, 598,
602, 603, 607, 608, 611, 612, 613,
616, 618, 619, 620, 621, 623, 626,
629, 632, 634, 637, 638, 639, 640,
645, 646, 648, 649

Anschauung und Begriff 8
Arnold Beer 64
Der Dichter Franz Kafka 353
Es ist nicht leicht . . . 541
Die Fälscher 555
Franzi oder Eine Liebe zweiten Ran-
ges 460 ff., 507, 509, 521, 522, 523,
526, 637, 640, 641, 642, 643
Das große Wagnis 642
Heidentum, Christentum, Judentum
91, 381, 618
Jüdinnen 50, 507, 519, 524, 525, 636,
641
Eine Königin Esther 472
Das kranke Italien 550
Leben mit einer Göttin 460 ff., 623,
637, 641, 642, 643
Mira. Ein Roman um Hofmannsthal
460, 637 ff., 643
Der Nietzsche-Liberale. Bemerkungen
zu dem Buch von Anton Kuh »Juden
und Deutsche« 386, 393, 395
Der Sommer, den man zurückwünscht.
Roman aus jungen Jahren 567
Stefan Rott oder Das Jahr der Ent-
scheidung 540
Das tschechische Dienstmädchen 462,
640
Tycho Brahes Weg zu Gott 442, 443,
507, 511, 519, 520, 522, 523, 524,
526, 562 f., 579, 591, 622, 632, 639
Über die Schönheit häßlicher Bilder
542
Der Wert der Reiseeindrücke 70 f., 540
Ein Wort über Anton Kuh 619
Zauberreich der Liebe 58, 438, 442,
451, 620, 632, 636, 639
Zirkus auf dem Lande 538
Zur Charakteristik der österreichischen
Familie 395, 621
Brod, Otto 144, 160
Brod, Sophie s. Friedmann, Sophie
Ein Brudermord 593
Die Brücke 118, 145, 489
Buber, Martin 442
Buber-Neumann, Margarethe 309, 313,
314, 329, 462, 582, 590, 593, 594,
595, 600, 602, 603, 604, 605, 609,
629, 640, 643
Buch, Hans Christoph 537, 568
Budapest 381, 385
Büchner, Georg
  Dantons Tod 210, 578
Bürotätigkeit XVI, XXII, 20, 26, 32, 50,

53, 54, 81, 83, 87, 101, 105, 111, 112, 113, 251, 274, 337, 349, 362, 402, 409, 410 ff., 430, 440, 480, 546, 548, 572, 574, 607, 610, 626 f., 630, 631
Burns, Wayne 552
Byron, George 49

Canetti, Elias 528, 549, 563, 590
Canova, Antonio
    Amor und Psyche 63, 538, 649
Carmen 128
Casanova, Giovanni Battista 8, 154
Catullus, C. Valerius 539
Čermák, Josef 531
Cervantes, Miguel de XV
Chemie 47
Collins, Robert George 549, 550
Corngold, Stanley 553

Daguerre, Louis 55
David 635, 636
David, Josef 79, 348, 532, 536, 542, 548, 610, 635, 636, 642
David, Ottla XXI, 3, 4, 10, 44, 51, 55, 67, 68, 79, 91, 97, 123, 124, 142, 174, 241, 248, 253, 275, 330, 350, 364, 400, 410, 413, 416, 422, 423, 427, 440, 449, 451, 453, 454, 455, 459, 529, 536, 538, 542, 546, 548, 552, 553, 554, 572, 595, 600, 601, 610, 628, 635, 636, 649, 650
Dehmel, Richard 16
Deleuze, Gilles 569
Delvedes, Herr
    Pachita 533
Demetz, Peter 61, 68, 538
Demmer, Jürgen XXI, XXII, 528
Denken XXII, 8, 10, 13 f., 118, 123, 132, 138, 140, 303, 549 f.
Detail 12, 14, 15, 56, 58, 61, 213, 538, 539
Deutsche Zeitung Bohemia 36, 37, 423, 532 f., 626, 639
Deutschland 37, 199, 280, 357, 376, 410, 533
    Bayern 469, 470
    Berlin XII, 6, 26, 50, 51, 64, 79, 85, 96, 112, 137, 160, 246, 274, 275, 331, 374, 378, 395, 444, 455, 461, 482, 507, 533, 542, 545, 548, 566, 583, 603, 621, 638, 639, 643
    Dresden 69, 74
    Hamburg 128
    Harz 616
    Karlsruhe 243
    Köln 518
    Leipzig 443, 593, 642
    Marbach/N. 588
    München 18, 461, 535, 541, 571
    Müritz 95, 96
    Nürnberg 461
    Ravensbrück 593
    Weimar 550
Dialog 4, 33, 101, 165, 166, 232 f., 245, 554
Diamant, Dora 6, 10, 96, 106, 134, 135, 248 f., 325, 545, 551, 584
The Diaries of Franz Kafka 533, 534
Dickens, Charles
    David Copperfield 138, 139 f., 185 f., 194 ff., 208, 211, 216, 218 f., 232 ff., 422, 507, 544, 558, 571, 573, 574, 578, 579
Dilthey, Wilhelm XXI
Diogenes 184
Dittmar, Julius 586
Döblin, Alfred
    Die drei Sprünge des Wang-lun 507, 514 f., 517, 518
Don Quichote XV, 389, 598 f.
Doppelgängermotiv 492
Dostojewski, Fedor Michailowitsch 194, 474, 525, 526, 562
    Der Doppelgänger 644
    Rodion Raskolnikoff (Schuld und Sühne) 507, 514, 515 f., 518, 586
Dux, Günter 571
Dynamik 8, 56, 57, 75, 164, 237, 260

Eduardowa, Eugenie 36, 37, 38, 533, 648
Ehe (Verlobung) 10, 11 f., 14, 15, 20, 30, 32, 47, 53, 55, 78, 84, 86, 87, 88, 93, 101, 106 f., 108, 109, 124, 154, 156, 157, 160, 190, 244, 265, 266, 271, 272, 285, 297 f., 312, 313, 314, 315, 320, 324, 326, 327, 328, 329, 331 f., 334, 337, 339, 340, 341, 356, 362, 371, 375, 376, 381, 383, 388, 393, 400, 413, 416, 417, 419, 421, 428, 429, 430, 432, 442, 453, 473, 487, 488, 494, 594, 604, 625, 630, 632, 638, 643 s. auch Alleinsein und Gemeinschaft
Ehrenfels, Christian von 113
Ehrenstein, Albert 93, 639
Eibl-Eibesfeldt, Irenäus 243, 570, 579, 580

Eichendorff, Joseph Freiherr von 69, 540, 576

Einfühlung s. Intuition

Einschränkung s. Reduktion

Eisner, Minze 8, 19, 129, 349, 422, 423, 424, 435, 451, 539, 583, 628, 650

Elf Söhne 145, 177, 179, 531

Emrich, Wilhelm XV, 9, 530

Engel, Nelly 581

Entlarvung eines Bauernfängers 249

Er 43, 49, 86, 87, 89, 90, 98, 402, 531

Erben, Johannes 573

Die Erde 619

Erikson, Erik H. 46, 534, 535, 536, 548

Erinnerungen an die Kaldabahn 277, 352, 583

erlebte Rede 131, 202, 222, 223, 224, 230, 556, 576

Ernst August, Herzog zu Braunschweig und Lüneburg 243

Die erste lange Eisenbahnfahrt 72, 649

Erstes Leid 89, 354 f.

Erzähldublette 30, 64

Erzählhaltung s. Perspektive

Essmann, Gustav
    Vater und Sohn 555

Existentialismus XV

Eysoldt, Gertrud 137

Die Fackel 387

Fanta, Bertha und Otto

Fazer, Edouard 533

Fenster 561 ff.

Ferenczi, Rose-Marie XVI f., 379, 415 f., 496, 528, 618, 626, 645

Fickert, Kurt J. 560

Fietz, Lothar 528

Figurengruppierung 149 ff., 255 ff., 344

Der Filmkurier 603

Fingerhut, Karl-Heinz 316, 537, 553, 595

Finnland 533

Fischer, Ernst 409, 625

Fischer, Ottokar 557

Flämig, Walter 573, 574

Flaubert, Gustave 66, 524, 535, 539
    Éducation sentimentale 646

Flores, Angel 528, 599

Fluch 88, 375, 393, 394, 418, 448, 452 f., 534

Fogazzaro, Antonio 62, 64

Fontane, Theodor 17, 531

Forberger, Jolan 330, 554, 600 f.

Forschungen eines Hundes XXIV, 48, 119, 142, 176, 184, 189, 190, 191, 268, 356, 357, 358, 359, 362 f., 364, 365, 387, 388, 390, 391, 392, 416, 452, 480, 484, 529, 577 f., 610, 612, 620, 625, 626

Foulkes, Albert Peter 9, 530, 553

Frankfurter Zeitung 540

Frankreich 37, 533, 598

Franz Joseph I. 377, 410

Freud, Sigmund 334, 376, 382, 384, 395, 543

Frey, Gesine 581

Friederich, Reinhard H. 629

Friedmann, Herr 598

Friedmann, Sophie 395, 449

Fromer, Jakob 634

Fuchs, Rudolf 571, 594

Fudschijama 556

Fürsprecher 361

Funktionalisierung XVIII, 121, 149, 158, 172, 175, 211, 235, 246 f., 261, 274, 316, 345, 357, 404, 420, 430, 500, 560, 579, 605 f., 640

Gaier, Ulrich 430

Galgon, Susi 324, 501

Galizien 105

Das Gassenfenster 242

Gehrts, Johannes 555

Geiz 3, 114, 387 f.

Gemeinschaft 12, 16, 33, 45, 48, 53, 60, 86, 87, 93, 97, 108, 125, 146, 163, 165, 191, 242, 243, 245, 250, 265, 276 f., 278, 355, 370 f., 396, 401, 406 f., 412, 426, 434, 486, 492, 494, 536, 591, 606, 617, 636 s. auch Ehe und Alleinsein

Generativität 96, 98

Geographie 67, 539 f.

Germanistik 47

Gerrit, Dora
    Kleine Erinnerungen an Franz Kafka 422

Gesetz 361, 375, 378

Gestik 37, 38, 66, 102, 103, 568 s. auch Blick und Körper

Fuß 118, 155, 308, 309, 310, 321

Hand 103, 117, 118, 125, 128, 130 ff., 153 f., 155 f., 158, 161, 240 ff., 308, 320, 562 f., 564, 565 f., 567, 578, 580, 581, 609

Kopf 177 ff., 342, 609

Gib's Auf! 38

Giesekus, Waltraud XIX, 528

Glasunow, Alexander
Panaderos 36
Gleichen, Graf von 478, 638
Glinka, Michail
Ein Leben für den Zaren 36
Goethe, Johann Wolfgang von XIX,
XXII, 5, 9, 502, 532, 573, 581
Clavigo 624
Faust XV, 328, 624
Die neue Melusine 624
Tagebücher 51, 104, 109, 551
Gogh, Vincenz van 64
Gold, Hugo 613, 618
Goliath 635
Gorion, Micha Josef bin 552
Gräser, Albert XIX, 528
Grass, Günter
Die Blechtrommel 518
Gray, Ronald 587
Grenzmann, Wilhelm XX
Grillparzer, Franz 242, 502, 535
Der arme Spielmann 31, 32, 271, 646
Des Meeres und der Liebe Wellen 51,
530
Grimm, Jakob und Wilhelm 629
Groß, Frieda 605
Groß, Otto 376, 381 f., 383 ff., 392, 393,
394, 559, 605, 619, 643, 646, 650
Blätter zur Bekämpfung des Machtwillens 382
Drei Aufsätze über den inneren Konflikt 382
Der Gruftwächter 119, 125, 131, 133,
145
Guattari, Félix 569

Haas, Herta XII
Haas, Jarmila 126, 330 f., 334, 335, 374,
377, 387, 600, 602, 603, 604
Haas, Willy 91, 126, 275, 330, 331, 332,
334, 377, 379, 529, 541, 557, 592,
600, 602, 603, 604, 650
Halleyscher Komet 35, 40
Hamburger, Käte 575
Hamsun, Knut 502
Segen der Erde 646
Handwerk 47, 87, 373, 402, 403, 413,
414, 416, 599, 622
Hardt, Ludwig 92, 93, 531
Haß XXIV, 46, 109, 444
Hauptmann, Gerhart
Die Jungfern vom Bischofsberg 39
Hebbel, Friedrich XIX, 17, 72
Briefe 531

Tagebücher 7, 49, 51, 536
Hebräischstudien 95, 96, 377, 380
Hecht, Hugo 539, 623
Heidegger, Martin 403
Heimkehr 90
Heirat wider Willen s. Molière
Der Heizer 75, 79, 148, 163, 190, 206,
208, 211, 212, 216, 257, 260, 262,
363, 521, 547, 562, 577 s. auch Der
Verschollene
Heller, Erich 549
Henningsen, Nicolaus 555, 586
Hermann, Elli 16, 44, 57, 91, 92, 374,
387 f., 481, 559, 643, 648
Hermann, Felix 388, 564
Hermann, Karl 374, 648
Hermann, Dr. Otto 367, 610, 612
Hermsdorf, Klaus 547, 610
Hesse, Hermann
Gertrud 507, 509, 510, 516, 521, 522
Hildenbrandt, Fred 619, 650
Hillmann, Heinz XVIII, XXII, 198 f.,
527, 529, 572, 573, 579
Hilsner, Leopold 377, 379
Hiroshige 556
Hochzeitsvorbereitungen auf dem Lande
XX, 61, 76, 90, 181, 222, 347
Hodin, Joseph Paul 534, 545, 551, 557,
573, 579
Hölderlin, Friedrich XX
Hoffe, Ilse Ester XII, 538
Hoffer, Klaus 334, 405, 604, 623, 624
Hoffmann, Ernst Theodor Amadeus 644
Lebens-Ansichten des Katers Murr 551
Hoffnung 43, 44 f., 48, 112, 371, 447,
483, 486 s. auch Verzweiflung
Hofmannsthal, Hugo von
Jedermann 137
Ein Hungerkünstler 165 f., 352, 353,
354, 355, 356, 360, 361, 362, 363,
388, 546, 547, 615
Hurwitz-Eisner, Lena 536
Hypochondrie 97, 246 s. auch Krankheit

Identität 45, 46, 47, 48, 53, 54, 55, 171,
300, 397, 400, 586
In der Strafkolonie 118, 133, 174, 176,
185, 230 ff., 352, 453, 547, 577
Indien 241
innerer Monolog 223, 255 s. auch erlebte Rede
Intimität 45, 47, 53, 55, 96, 98 s. auch
Ehe

Introversion 15, 103, 132, 165, 168, 246, 434
Intuition XX, 10, 11, 22, 25, 58, 136 f., 200, 246, 400 f., 429, 434 s. auch Typologie
Irene, Fräulein 347, 372, 482, 665
Ironie (Humor, Spaß, Witz) 3, 5, 14, 20 f., 25 f., 70, 71, 77, 411, 425, 478, 495, 571 f., 605
Isaaks Opferung 646
Isolation s. Alleinsein
Italien XXV, 64, 69, 79, 160, 592 s. auch Schweiz
  Albogasio Superiore 62, 649
  Brescia 55
  Cadenabbia 62, 66, 649
  Cremona 55
  Gardasee 67, 336, 599
  Mailand 71, 106
  Menaggio 62
  Meran XXI, 6, 18, 26, 69, 88, 269, 337, 338, 400, 458, 459, 481, 567, 592, 595, 622, 628, 635
  Oria 63, 649
  Porlezza 62
  Riva 35, 65, 67, 107, 336
  S. Mamette 649
  Stresa 67, 245, 649
  Tagliamento 543
  Venedig 8, 107, 154
  Verona 55
  Villa Carlotta 59, 62

Jäger, Siegfried 200, 202, 517, 518, 573, 574
Der Jäger Gracchus 266, 277, 452, 553, 583, 585, 611, 622, 624, 630
Jaenicke, Anselm 538
Jahn, Wolfgang XVI, XVII, 74, 255, 536, 540, 580, 581
Janouch, Gustav 132, 134, 135, 374, 529, 536, 556, 558, 565, 570, 577, 584, 585, 610, 620, 622, 626, 635
Japan 130
Jesaia 380
Jesenská, Frau 333, 629
Jesenská, Milena XVI, XVII, XXV, 4, 5, 6, 7, 8, 10, 11, 12, 13, 14, 15, 17, 18, 19, 20, 25, 26, 27, 29, 30, 31, 32, 33, 69, 77, 85, 88, 89, 90, 91, 92, 93, 94, 95, 97, 107, 108, 123, 124 f., 126, 145, 147 f., 154, 157, 158, 165, 166, 211, 244, 265, 266, 267, 269, 271, 276, 277, 279, 281, 301, 302, 306 ff.,

348, 350, 365, 366, 369, 372, 374, 375, 376, 377, 378, 381, 382, 383, 385, 386, 387, 389, 399, 400, 410, 412, 415, 417, 419, 420, 421, 424, 425, 430, 433, 436, 440, 442, 443, 462, 468, 469, 473, 476, 480, 481, 482, 488, 489, 492, 493, 495, 496, 500, 501, 502, 539, 545, 547, 550, 553, 555 f., 559, 561, 568, 571, 582, 584, 588 ff., 605, 606, 607, 608, 609, 616, 617, 625, 631, 632, 636, 642, 643, 645, 650
  Arbeitsschürzen 312, 594
  Fenster 561
  Franz Kafka 582
  Geheimnisvolle Erlösung 609
  Kleider und Erziehung 618 f.
  Meine Freundin 601 f.
  Neuer Zierat an Frühjahrs- und Sommerkleidung 645
  Tanz überm Abgrund. Brief aus Wien 584
  Der Teufel am Herd 582, 595
  Schaufenster 90, 545
  Schuhe 645, 501
  Von Mensch zu Mensch 321, 597
  Vorschlag für Kinderkleider 500, 645
Jesenský, Jan 31, 32, 315, 330, 332, 333, 334, 342, 425, 469, 495, 604
Jílovský, Staša 126, 323, 325, 326, 330, 597 f., 600, 603
Jorinde und Joringel 474, 475
Josefine, die Sängerin, oder Das Volk der Mäuse 48, 124, 125, 184, 438, 484, 553, 620
Judentum XVI, XXIII, 8, 22, 32, 38, 44, 47, 51, 52, 93, 95, 105, 106, 119, 123, 129, 133, 137, 138, 240, 265, 267, 272, 275, 313, 317, 334, 340, 341, 376 ff., 396, 398, 413, 414, 424, 429, 437, 438, 440, 443, 444, 445, 447 f., 449, 450, 455, 461, 462, 469, 473, 479, 484, 496, 554, 555, 556, 565, 582, 583, 584, 589, 633, 636, 637, 642, 643
Jung, Carl Gustav 134, 536, 580, 599
Jung, Franz 650
Junggeselle s. Metaphorik
Jurastudium 87

Kabbala 351
Kafka, Elli s. Hermann, Elli
Kafka, Hermann XXI, XXIII, XXIV, 20, 28, 32, 41, 46, 47, 53, 61, 78, 79, 81,

88, 106, 111, 112, 137, 143, 149, 151, 190, 191, 275, 313, 335, 362, 370 f., 374, 375, 380, 383, 388, 389, 395, 396, 416 f., 418, 419, 427, 429, 430, 431, 438, 444 f., 448, 450, 451, 453, 454, 455, 487, 534, 537, 543, 561, 564, 570, 588, 594, 607, 627, 632, 633, 634, 635, 643 s. auch *Brief an den Vater* und Macht

Kafka, Jakob 588

Kafka, Julie 28, 41, 46, 47, 78, 81, 100, 106, 112, 149, 151, 190, 191, 275, 304, 362, 374, 380, 388, 395, 416, 427, 438, 444 f., 451, 534, 564, 607, 624, 633, 634, 643

Kafka, Ottla s. David, Ottla

Kafka, Valli s. Pollak, Valli

Kaiser, Fräulein 81

Kaiser, Hellmuth 636

Kanaan 371

Kanitz, Gertrud 128 f., 555, 649

Karpathen-Post 637

Der Kaufmann 249

Kellermann, Bernhard 577

Kepler, Johannes 442, 444, 562 f., 579, 591, 622, 639

Kerner, Justinus

Die Reiseschatten 536

Kierkegaard, Søren XXIV, 53

Kinder auf der Landstraße 222

Kindheit s. Metaphorik

Kino 51, 55 f., 248 s. auch Zeichnung

Kirchner, Margarethe 53

Kisch, Familie 374

Kisch, Joine 618

Kisch, Paul 535, 571

Eine kleine Frau 136, 184 f., 186, 240

Der kleine Ruinenbewohner 40, 41, 48, 49, 62, 72

Kleist, Heinrich von 22, 140, 143, 153, 164, 540, 553, 557, 558, 573
Michael Kohlhaas 73 f., 124, 138 f., 562
Über die allmähliche Verfertigung der Gedanken beim Reden 552

Kleopatra 610, 650

Klopstock, Robert 14, 15, 32, 33 f., 97, 283, 346, 347, 348, 349, 350, 352, 358, 359, 372, 377, 404, 437, 444, 445, 447, 448, 472, 481 f., 501, 593, 594, 610, 634, 635

Klug, Frau 165, 189

Knorring, Senta de 533

Kobs, Jörgen 209, 210, 211, 212, 213,

214, 216, 217, 221, 528, 562, 578, 579, 580, 581, 598

Kodym, Dr. J. 610, 611

Köpplová, Barbara 604

Körner, Josef 81

Körper 38, 40, 41, 67, 247 f., 308, 462, 493, 494 s. auch Gestik
Frisur (Haar) 102, 103, 144, 248, 269, 308, 438, 462, 478 f., 498, 563
Gesicht 99, 100, 102, 103, 144, 180, 184, 248, 446, 483, 493, 549, 556, 620 s. auch Blick
Kleidung 100, 269, 274 ff., 292, 297, 313, 329, 428, 429, 457, 463, 479, 485, 496, 497, 498, 499, 500, 501, 566, 584, 633
Kopfbedeckung 127, 269, 566, 587, 603, 628

Kohler, Frau 330, 600, 601 f.

Konjunktiv XVIII f., 198, 199 ff., 508 ff., 573, 574, 575 f., 577 f.

Konvention XXII, 3 f., 6, 7, 9, 242 s. auch Tradition

Kornfeld, Paul 386

Kraft 6, 10, 15, 18, 26, 77, 100, 179, 183, 308, 435, 479, 480, 599 s. auch Schwäche

Krankheit XXV, 7, 10, 14, 15 f., 17, 21, 26, 33, 55, 76, 77, 95, 96, 112, 124, 132, 240, 265, 275, 304, 309, 323, 29, 333, 342, 346, 356, 357, 369, 410, 417, 418, 419, 430, 445, 470, 473, 545, 546 f., 574, 609, 610 s. auch Hypochondrie und Schlaflosigkeit

Kraus, Karl 16, 241, 379, 386, 387, 389, 548, 621
Literatur oder Man wird doch da sehn 554, 555, 646

Kraus, Oskar 557

Krause, Erhard 617

Kretschmer, Ernst 134 f., 247, 248, 580

Krojanker, Gustav 572

Krolop, Kurt 559, 564, 604, 646

Kropotkin, Peter 384

Krummacher, Hans-Henrik 576

Kudszus, Winfried XV, 485, 528, 644

Der Kübelreiter 277

Küchler, Kurt 531

Kuepper, Karl J. 528

Kuh, Anton 312, 376, 379, 381, 385 ff., 605, 619
Juden und Deutsche 381, 382, 386, 391, 618, 619, 620, 646 f., 650

Der unsterbliche Österreicher 386, 594, 598, 619, 620, 646
Werfel-Matinée 385
Kuh, Mizzi 386, 605, 619
Kyast, Lydia 37

Labyrinth 173
Ein Landarzt 98, 154, 258, 277, 303, 361, 423, 502, 544, 628
Ein Landarzt. Kleine Erzählungen XXIV, 547
Lang, Wilhelm 574
Langer, Georg 93
Lasker-Schüler, Else 16, 31
St. Laurentius 616
Laurin, Arne 374, 424, 604
Lausberg, Heinrich 531
Leonhard, Karl 167, 567, 568, 569, 570, 571, 572, 573, 579, 609, 630
Leppin, Paul 507, 513, 514, 519
Daniel Jesus 510, 512
Lersch, Philipp 141, 559, 570
Lessing, Gotthold Ephraim
Emilia Galotti 555
Leyen, Friedrich von der 461
Lewitan, Joseph D. XII, 534
Lichtenstern, Anna 559, 564, 646
Die literarische Welt 529
Livermore, Ann Lapraik 502, 645
Löw, Rabbi 443
Löwy, Alfred 100, 535
Löwy, Jakob und Julie 43, 301, 556
Löwy, Jizchak 154, 241, 251, 474, 480, 481, 482, 544, 642, 643
Löwy, Josef 581
Löwy, Rudolf 534
Loužil, Jaromír 545, 553, 609, 610, 612
Lüftner, Frau 323
Lüftner, Herr 324
Lüge XXI, XXII, 14, 33, 77, 107, 138 f., 279, 327, 358, 383, 403, 449, 473, 550, 595, 633, 635
Luther, Martin 138 f.

Machaczek, Franz 540 f.
Macht XV, XXIV, 32, 46, 49, 191, 383, 384, 385, 392, 429, 591, 631
Madrid 535
Magdeburgische Zeitung 550
Mahler-Werfel, Alma 555, 646
Maimonides 634
Mann, Thomas 199
Tonio Kröger 182, 278, 570, 585
Marache, Maurice 9, 530

Marathon 599
Marc Aurel 143
Mardersteig, Hans 354
Marlitt, Eugenie 460
Marokko 533
Marschner, Robert 574
Martini, Fritz XVII, 528, 560
Masaryk, Thomas 378
Mašata, Alice XII, 555
Metaphorik XXII, XXIV, 7 ff., 40, 48, 59, 63, 65 f., 69, 81, 82, 90, 94, 97, 99, 118 ff., 130, 132, 133, 135, 136, 140, 141, 142, 144 f., 147, 154, 156, 157, 178, 183, 204 f., 215, 218, 224, 234, 241, 244, 246, 265, 267, 268, 271, 272, 275, 276, 278, 280, 294, 299, 300 f., 302, 303, 306, 307, 309 f., 320, 321, 322 f., 330, 331, 336, 342 f., 346 f., 350, 355, 360, 368 f., 360, 371, 384, 396, 399, 401, 408 f., 417, 418, 419, 421, 426, 427, 433, 438, 439, 441 f., 447, 463, 476, 489, 491, 512, 523, 539, 540 ff., 548, 556, 558, 560, 563, 565, 576, 595, 610, 617, 618, 625, 631, 634 f., 644 s. auch Theater, Tod und Traum
Babylonischer Turm 118 f., 295, 391, 392
Essen 18, 379, 388, 389, 392 f., 440
Gespenster 94, 95, 104, 108, 280, 304, 305, 327, 343, 349, 350, 368, 402, 403, 404, 405, 550, 598
Junggeselle 49, 272 ff., 277, 278, 297 f., 304, 368, 398, 414, 426, 586, 590, 599
Kampf XIX f., 10, 14, 29, 32, 48, 63, 81, 82, 85, 87, 93, 94, 95, 97, 98, 103, 109, 180, 265, 267, 268, 269, 271, 273, 273, 276, 280, 298, 300, 337, 353, 355, 362, 371, 381, 392, 396, 397, 398, 399, 406, 407, 412, 416, 417, 418, 420, 426, 437, 439, 442, 443, 445, 466, 487, 488, 490, 492, 542, 548, 588, 599, 604, 606, 622, 627, 632, 635, 636
Kind, Jugendlichkeit (auch real) 10 ff., 17, 42, 43, 44, 46, 47, 53, 57, 68, 84, 97, 104, 105, 123, 126, 136, 151, 164, 168, 269, 278, 286, 301, 316, 324, 325, 326, 329, 332, 333, 334, 335, 369, 370, 371, 372, 373, 383, 382 f., 383 f., 390 f., 394, 398, 401, 403, 404, 412, 413, 414, 437 f., 438 f., 446, 462 f., 481, 483, 484, 491, 492, 497,

503, 537, 538, 565, 571, 572, 583, 597, 619, 620, 623, 632, 644
Kreis 91, 105 ff., 267, 269, 272, 301, 390, 399, 415, 429, 478, 480, 599
Tier (auch real) 7, 8, 18, 54, 55, 63, 72, 74, 80, 81, 88, 90, 94, 106, 109, 122 f., 153, 157, 168, 183, 218, 234, 256, 266, 275, 285, 315 f., 321, 322, 347, 355, 361, 377, 379, 380, 398 f., 403, 404, 405 f., 407, 416, 436, 445 f., 455, 484, 494, 523, 537, 548, 566 f., 575, 580, 588, 590, 596, 599, 603, 623, 630, 643, 644
Wanderung 97, 274, 276, 279 f., 283, 295, 309, 310, 337, 360 f., 371, 447, 503, 606, 630
Middelhauve, Friedrich 532
Militär 53, 87, 108 f., 211 f., 346, 459
Milrath, Hugo 536
Mimik s. Blick
Mirbeau, Octave
   Le Jardin des Supplices 118, 552
Mitleid 129 f., 136 f., 189
Molière 50
Morand, Jean XXII, 529
Moskau 533
Müdigkeit 281, 282, 284, 297, 299, 302, 308, 331, 339, 355, 369, 401 f., 408, 431 f., 465, 491, 492, 557, 585
Müller, Jens Peter 41
Musil, Robert 604
Mystik 133

Namensdeutungen 606 ff., 636
Napoleon 10, 530
Národní listy 597
Natur 18, 55, 59, 61 f., 66, 68 ff., 246, 329, 330
Němcová, Božena
   Großmutter 427 f., 479
Der neue Advokat 184, 241, 391
Neue Berliner Zeitung. Das 12 Uhr Blatt 555
Neuenborn, Paul 555
Die neue Rundschau 352, 354, 547, 611
Neues Testament 607
Neue Zürcher Zeitung 581
Neumeyer, Peter F. 627
Neurasthenie 6, 82, 98, 104, 152, 304, 346, 349, 365, 367, 398 f., 401, 402, 403, 405, 423, 430, 622 s. auch Krankheit
New York 163, 171, 172, 257, 534, 555
Nichtigkeit 5, 7, 17, 18, 43, 45, 46, 49,

93, 157, 209, 266, 268, 308, 317, 371, 399, 400, 420, 445, 584 s. auch Schwäche
Niehus-Jung, Marianne 536
Nijinski, Waslaw 37
Nossack, Hans Erich
   Unmögliche Beweisaufnahme 199, 574
Nußbaum, Arthur 618

Österreich XVI, 328, 409, 410, 530
   Gmünd 321, 328, 650
   Kierling 386, 620
   Klosterneuburg 386
   Wien XII, 6, 18, 20, 26, 107, 126 f., 128, 145, 157, 165, 199, 276, 309, 310, 312, 313, 314, 318, 319, 322, 329 f., 335, 337, 341, 344, 376, 377, 385, 386, 473, 476, 493, 567, 591, 593, 594, 596, 600, 602, 603, 606, 607, 616
offene und geschlossene Form 330
Olsen, Regine XXIV
Die Opale 640
oratio obliqua 102, 199 ff., 230, 507, 514, 519, 574 f.
Oseretzky, N. 557
Ostrčil, Bedřich 20, 595
Otten, Ellen 611
Oxford 649

Palästina 95, 144, 325, 539, 545, 627, 642
Panorama 55, 57, 378
Paris 35, 50, 51, 52, 60, 70, 581
Pasley, Malcolm XII, 363, 364, 475, 534, 536, 544, 545, 546, 549, 552, 565, 558, 570, 573, 577, 579, 582, 584, 585, 587, 588, 590, 597, 610, 611, 612, 613, 614, 615, 616, 621, 630, 634, 637, 640, 641, 642, 643, 644
Paulsen, Wolfgang 528
Pawlowa, Anna 37, 533
Pazi, Margarita 632, 640
Pearce, Donald 599, 600, 625
Perspektive XV, XVIII, 30, 56, 57, 65, 66 f., 68, 76, 77, 78, 106, 163, 164, 165, 170, 188, 201, 207, 209, 212, 213, 217, 218, 221, 223, 225, 226, 260, 271, 400, 441, 558
Peters, Fred G. 625
St. Petersburg 277, 329, 533
Petipa, Marius 533
Pfohl, Eugen 19, 81, 631
Philippi, Klaus-Peter XV, 300, 588, 627, 629

Photographie 4, 56 f., 103, 129, 144, 158, 159, 160, 169 f., 171, 172 f., 176, 248, 256, 257, 274, 325, 435, 501, 525, 536, 549, 567, 568

Pick, Otto 79

Pinthus, Kurt 642

Pipes, Herr 137

Platzer Collins, Hildegard 622, 644

Plessner, Helmuth 571, 572

Polak, Ernst 6, 15, 29, 311, 312, 313, 314 ff., 330, 331, 332, 338, 340, 341, 342, 374, 386, 387, 388, 408, 469, 473, 495, 589, 590, 592, 594, 595, 603, 605

Politzer, Heinz XVI, 420, 528, 530, 579, 627, 636

Pollak, Josef 348, 374, 610

Pollak, Oskar 7, 44, 535, 570

Pollak, Valli 44, 177, 244, 348, 374

Poseidon 492, 493, 622, 644, 646

Prag 26, 28, 36, 38, 51, 52, 58, 59, 61 f., 63, 69, 70, 77, 79, 81, 85, 86, 106, 108, 112, 119, 120, 128, 129, 137, 171, 173, 200, 266, 275, 288, 301, 310, 313, 327, 330, 331, 339, 342, 348, 350, 352, 353, 354, 355, 357, 358, 359, 363, 364, 365, 372, 373, 375, 379, 382, 385, 386, 388, 398, 404, 409, 410, 411, 420 f., 423, 427, 429, 447, 455, 462, 469, 488, 493, 501, 507, 514, 519, 524, 533, 536, 537, 538, 539, 540, 541, 549, 550, 552, 566, 584, 590, 592, 612, 613, 616, 620, 628, 629, 648, 649

Altstädter Gymnasium 105

Altstädter Rathaus 120

Altstädter Ring 62, 105

Arbeiter-Unfall-Versicherungs-Anstalt 288

Baumgarten 59, 68, 537

Bubnaer Bahnhof 541

Café »Arco« 386

Čechbrücke (Niklasbrücke) 165, 559

Chotek-Park 59, 63, 538

Deutsche Universität 105

Ferdinandstraße 112

Franz-Ferdinands-Brücke (Mánes-Brücke) 99

Hetzinsel 541

Hybernergasse 112

Josefsstadt 44

Karlsbrücke 8, 99

Karolinenthal 541

Kleinseite 99

Laurenziberg 43, 45, 47

Moldau 68, 541, 559

Niklasstraße 66, 143, 539, 554

Podol 112

Quai 99, 540

Rohansche Insel 541

(Civil-)Schwimmschule 330, 437, 537

Sophieninsel 537

Staatsbahnhof 541

Stadtpark 59, 112, 536, 565

Teinkirche 120

Troja 59, 537

Wenzelsplatz 112

Prager Abendblatt 541

Prager Presse 124, 604

Prager Tagblatt 36, 385, 533, 619

Přibram, Ewald Felix 81, 572

Přibram, Otto 572

Projektion 102, 341, 397, 398, 403, 404, 409, 442, 462, 481, 540, 624, 625

Propheten 617

Der Prozeß XII, XVI, XVII, 48, 73, 104, 125, 154, 155, 177, 186, 205 f., 210, 212 f., 217, 218, 219, 224, 225, 226, 235, 243, 255, 256, 298, 299, 300, 320, 352, 354, 363, 365, 366, 375, 384, 400, 409, 421, 430, 507, 519, 520, 521, 522, 560, 562, 566, 579, 586, 610, 624

Aufseher 253, 576

Auskunftgeber 173, 206

Block 124, 154, 174, 213, 236, 237, 252, 576, 630

Direktor 168

Direktor-Stellvertreter 174, 561, 575

Elsa 84, 162, 169, 534, 567

Fabrikant 174, 226

Fräulein Bürstner 148, 158 ff., 177, 566, 596, 605

Frau des Gerichtsdieners 148, 156, 161, 182, 202

Frau Grubach 159, 175, 561

Fräulein Montag 208

Geistlicher 563

Hasterer 257, 565

Henker 212 f., 493, 494

Huld 84, 124, 154, 161, 213, 237, 252, 556, 561

Italiener 168

K. 156, 158, 163, 167, 168, 169, 174, 175, 176, 177, 179, 180, 181, 182, 198, 202, 204, 206, 208, 209, 212 f., 214 f., 217, 219, 224, 225, 226, 227, 228, 229, 232, 235, 236, 252, 253,

257, 299, 300, 316, 435, 494, 519, 520, 556, 559, 560, 561, 565, 566, 575, 578, 581, 596, 625
Leni 148, 160 f., 182, 189, 219, 252, 534, 609
Onkel 185, 253, 375, 561, 578, 581
Titorelli 124, 174, 179, 180, 182, 207, 217, 225, 435, 560, 586, 641
Untersuchungsrichter 174, 181, 197, 228
Wächter 167, 217, 224, 561
psychästhetische Proportion 247
psychosoziales Moratorium 47
Pubertät 44, 45, 47, 247, 483

Ramler, Karl Wilhelm 539
Ramm, Klaus 534
Rechnen s. Berechnung
Rede über die jiddische Sprache 435
Reduktion XX, 5, 18, 28 f., 81, 98, 108, 110, 301, 426, 544
Reichmann, Herr 549
Reich-Ranicki, Marcel 535
Reimer, Dietrich 555
Reinhardt, Max 128, 137
Reinheit 104 f., 108, 304, 305, 315, 435, 544
Rendi, Aloisio 645
Renner, Joseph 613, 616, 617
Resignation 211, 212, 364, 409, 450
Retrospektion 93, 96, 98, 357
Rezensionen 146
Rhetorik XXIV, 4 f., 6 f., 13, 19 f., 21 ff., 30, 117, 146, 197, 215, 218, 222, 237, 529, 532
Richard und Samuel 50, 62, 63, 540, 649
Richter, Helmut 528
Riklin, Franz 536
Rilke, Rainer Maria 61
Die Aufzeichnungen des Malte Laurids Brigge 507, 511 f., 513, 515, 538
Rimsky-Korssakow, Nikolai
Scheherazade 37
Ritualmord XVI f., 377 ff., 618
Robert, Marthe XV, 420, 584, 627
Robinson Crusoe 9, 389
Rössler, Tile 95
Rohr, Mathilde von 17
Der Roland 649
Rolleston, James XV, 299 f., 527, 588
Ruhleder, Karl H. 153, 565
Rußland 378, 585

Die Sagen der Juden 119, 552

Salomon Maimon's Lebensgeschichte 634
Salus, Hugo 507, 513, 514, 519
Christa. Ein Evangelium der Schönheit 508 ff.
Sommerabend 508, 510
Salveter, Emmy 374, 439, 442, 460 ff., 638
Sancho Pansa XV
Sauer, August 535
Schaffstein, Hermann
Wir Jungen von 1870/71 190
Scham 46, 218, 376
Schillemeit, Jost 540
Schiller, Friedrich von 573
Wilhelm Tell 65
Schirajeff, Alexander 533
Schlaflosigkeit 21, 92, 95, 111 f., 113, 348 s. auch Krankheit
Schloffer, Eva XII
Das Schloß XV, XVII, 57, 69, 97, 103, 104, 121 ff., 126, 132, 145, 163, 187, 210, 213, 219, 224, 225, 226, 229, 238, 255, 256, 263 ff., 507, 527, 545, 552, 565, 582 ff.
Amalia 146, 173, 181, 239, 306, 312, 338 ff., 365, 385, 394, 403, 413, 420 ff., 449, 450, 451, 453, 455, 456, 457, 458, 463, 468, 478, 479, 480, 483, 484, 485, 496, 497
Barnabas 122, 159, 168, 169, 175, 198, 266, 269, 270, 273, 276, 278, 292, 293, 295, 297, 304, 304, 332, 338, 339, 340, 341, 365, 369, 370, 372, 383, 394, 414, 420, 441, 442, 445, 446, 447, 449, 450, 453, 454, 456, 463, 470, 473, 478, 483, 484, 487, 490, 496, 582, 586, 591, 607, 608, 620, 627, 628, 630, 631, 632, 634, 635, 636
Barnabas (Vater) 424, 426, 428, 431, 448, 451, 453, 454, 501, 560, 574, 620, 634
Bauer(n) (Diener) 168, 173 f., 175, 185, 189, 215, 256, 257, 270, 273, 290, 291, 292, 294, 297, 298, 310, 319 f., 340, 375, 379, 385, 398, 411, 413, 414, 417, 430, 448, 454, 455, 494, 645
Bertuch 468, 607, 634
Bratmeier (Bartmeier) 103, 215, 457, 460, 469, 470, 471, 479, 499, 500, 570, 587
Frau Brunswick 270, 283, 284, 285, 292, 304, 305, 329, 330, 331, 332,

333, 334, 371, 385, 416, 463, 603, 617
Hans Brunswick 123, 148, 177, 183, 193, 198, 209, 255, 328, 329, 330, 332, 333, 334, 342, 344, 345, 365, 385, 569, 582, 597, 603 f., 628
Herr Brunswick 284, 286, 329, 331, 332, 333, 334, 370, 385, 414, 415, 416, 417, 440, 448, 631
Bürgel 84, 103, 122, 125, 145, 146, 186, 215, 216, 239, 252, 266, 279, 283, 284, 285, 289, 290, 298, 299, 302, 357, 359, 364, 366, 400, 401, 403, 407, 431, 432, 585, 588, 605 f., 615, 624, 631
Erlanger 123, 146, 239, 270, 282, 285, 289, 290, 291, 292, 296, 302, 317, 341, 364, 370, 407, 408, 432, 586, 588, 590, 595, 624
Frieda 131, 143, 146, 167, 173, 175, 177 f., 183, 184, 185, 192, 193, 201, 203, 209, 219, 224, 238, 239, 254, 257, 266, 267 f., 270, 271, 272, 273, 276, 277, 278, 285, 289, 290, 291, 292, 293, 296, 297, 298, 299, 301, 302, 304, 305, 306 ff., 359, 364, 365, 366, 369, 371, 374, 375, 376, 379, 380, 381, 384, 385, 393, 394, 399, 412, 413, 420, 421, 425, 426, 438, 440, 448, 457, 458 f., 462, 463, 465, 466, 467, 468, 469, 476, 477, 478, 481, 482, 485, 487, 488, 489, 492, 493, 494, 495, 496, 497, 498, 499, 500, 501, 523, 584, 587, 588, 589, 590, 591, 593 ff., 612 ff., 616, 617, 620, 623, 631, 634, 637, 640, 643
Friedrich 288, 289, 302, 406
Galater 406, 486, 495, 607
Gardena 177 f., 181, 191, 192, 238, 268, 272, 273, 281, 285, 293, 294, 295, 296, 304, 305, 311, 313, 314, 315, 316, 320, 322, 323 ff., 332, 365, 371, 380, 381, 383, 385, 406, 412, 413, 414, 438, 439, 486, 495, 496, 497, 499, 500, 501, 569, 585, 597, 598, 600, 601, 602, 608, 612, 633, 637, 640
Gehilfe(n) 163, 175, 184, 185, 192, 201, 203, 204, 207, 219, 224, 251, 257, 271, 272, 278, 291, 292, 299, 302, 316, 327, 375, 379, 390 f., 400, 406, 422, 457, 469, 477, 492 ff., 499, 587, 589, 591, 615, 616, 634, 645
Gerstäcker 183, 270, 272, 273, 278,

293, 296, 297, 298, 301, 302, 303, 304, 324, 364, 368, 369, 371, 375, 414, 475, 583, 586, 607, 616, 617
Gisa 272, 278, 279, 293, 297, 329, 335, 336, 337, 375, 385, 605, 607, 634
Hans (Brückenhofwirt) 176, 183, 183, 189, 206, 252, 273, 282, 284, 287, 291, 292, 294, 296, 310, 314, 320, 321, 324, 325, 381, 390, 414, 439, 463, 481, 486, 497, 498, 500, 586, 593, 601, 602, 612, 630, 633, 649
»Herrenhof« 286 ff., 312, 386
Herrenhofwirtin 166, 167, 206, 227, 249, 270, 273, 282, 284, 287, 292, 294, 296, 364, 371, 405, 414, 426, 463, 465, 496 ff., 517, 585, 586, 587, 590, 612, 616, 630
K. XV, XVI, 57, 121, 122, 123, 125, 131, 143, 145, 145, 146, 148, 159, 163, 164, 166, 167, 173, 175, 176, 177 f., 179, 180, 183, 185, 188, 191, 192, 193, 195, 198, 201, 202, 204, 207, 209, 215, 216, 224, 225, 226, 227, 229, 235, 239, 252, 255, 257, 265 ff., 553, 577, 580, 582 ff., 649
Klamm 121, 122, 125, 143, 163, 168, 173 f., 175, 180, 185, 189, 192, 215, 246, 257, 272, 273, 281, 282, 283, 284, 287, 288, 289, 292, 295, 297, 303, 309, 310, 312, 313, 314 ff., 333, 337, 340, 341, 343, 365, 374, 375, 376, 379, 380, 383, 385, 388, 397, 399, 400, 403, 406, 407 f., 414, 430, 439, 440, 441, 457, 459, 467, 469, 483, 486, 487, 495, 496, 497, 500, 577, 586, 587, 589, 590, 591, 594, 595, 597, 602, 624, 630, 631, 645
Lasemann 175, 283, 284, 286, 302, 329, 331, 367, 370, 486, 491, 617
Lehrer 123, 270, 272, 273, 275, 278, 281, 282, 283, 284, 293, 297, 298, 333, 334, 337, 365, 370, 375, 491 f., 500, 588, 606, 617, 634
Mizzi 416, 417, 605
Momus 179, 180, 246, 282, 284, 285, 294, 296, 303, 315, 326, 406, 412, 486 ff., 576 612
Olga 121, 122, 168, 181, 183, 184, 188 f., 270, 272, 287, 290, 294, 295, 297, 310, 311, 314, 337 ff., 345, 365, 367, 384, 385, 394, 412, 413, 414, 420, 424 ff., 437, 438, 439, 440, 442, 444, 446, 448 ff., 479, 483, 484, 496,

574, 586, 589, 603, 608, 620, 623,
629, 631, 632, 634, 635, 636, 637,
641
Pepi 122, 125, 146, 154, 164, 180,
181, 183, 193, 195, 219, 267, 269,
270, 271, 273, 274, 276, 277, 282,
287, 290, 291, 292, 296, 297, 299,
302, 304, 305, 307, 308, 309, 311,
312, 313, 314, 317, 320, 322, 340,
341, 342, 345, 359, 360, 364, 367,
371, 372, 373, 380, 381, 384, 385,
399, 457 ff., 495, 496, 498, 499, 500,
501, 582, 584, 585, 587, 588, 591,
591, 596, 609, 612, 613, 614, 615,
616, 637, 640, 641, 643
Schloßbehörde XVI, 123, 125, 175,
268, 272, 280, 284, 289, 295, 302,
316, 317, 337, 369, 380, 396 ff., 432,
625 ff.
Schwarzer 225, 251, 267, 278, 279,
280, 281, 292, 301, 335, 336, 337,
375, 385, 432
Seemann 486
Sordini 288, 406, 415, 417, 418, 626,
627
Sortini 146, 181, 312, 341, 374, 375,
379, 384, 385, 394, 406, 414, 425,
427 ff., 449, 453, 454, 455, 479, 624
Vallabene 406
Vorsteher 84, 121 f., 270, 296, 297,
299, 334, 337, 365, 374, 375, 381,
408, 412, 414 ff., 417, 418, 495, 599,
600, 617, 626
Westwest 375, 500
Schmutz 80, 104, 108, 265 f., 308, 310,
322, 335, 431, 450, 494
Schneider, Wilhelm 573
Schnitzler, Arthur 142
Anatol 50 f.
Leutnant Gustl 223
Schöne, Albrecht 532
Schopenhauer, Arthur 190, 542, 554
Die Welt als Wille und Vorstellung
572
Schreiben (Literatur, Produktion) XV,
XVII, XX, XXI, XXII, XXIII, XXIV,
12 f., 14, 16, 24, 26, 31, 32, 35, 39,
41, 43, 44, 45, 48, 51, 52, 54, 76, 81,
86, 88, 89, 90, 92, 96, 98, 108, 109,
111, 112, 117, 118 f., 120 ff., 132,
135, 148, 149, 155, 157, 158, 241 f.,
245, 265, 269, 300, 320, 323, 328,
346 ff., 386, 388 ff., 407, 412, 428,
435, 440, 443, 444, 449, 454, 471,

472, 479, 486 ff., 502 f., 551, 605,
607, 610, 611 ff., 632, 639, 643, 644,
646 f. s. auch Tradition
Schuld 46, 93, 300, 371, 391, 393, 429,
453
Schur, Ernst 533
Schwäche 5, 87, 95, 111, 244, 246, 269,
271, 274, 396, 397, 399, 401, 412,
439, 445, 465, 471, 475, 583, 633
s. auch Kraft
Schweiz 96, 71, 73, 256
Arth-Goldau 65
Axenstraße 64, 67, 538, 649
Beckenried 65
Bristenstock 449
Brunnen 65
Davos 608
Flüelen 64, 538
St. Gallen 62
Gandria 62
Genfer See 539
Gersau 64
Gotthardbahn 67, 68
Jungfrau 65, 558
Lausanne 30
Luganer See 62, 63, 66, 449 s. auch
Italien
Lugano 62, 66
Mönch 65, 66, 558
Reiß 68
Rigi 64, 65
Rütli 65
Schillerstein 65
Sisikon 649
Spannörter 68
Tellskapelle 65, 649
Tessiner Wasserfälle 68
Titlis 65, 66
Urirotstock 65
Urner Becken 64
Vierwaldstätter See 67
Vitznau 64
Winterthur 71
Zürcher See 66, 539
Zürich 63, 71, 120
Zuger See 65
Sebald, Winfried Georg 584
Selbständigkeit XXII, 5, 26, 46, 179 f.,
315, 332, 350, 375, 438, 483, 487,
583
Selbstquälerei XXI, 12, 20, 21, 27, 28,
29, 46, 77, 78, 79, 80, 81, 82, 88, 98,
190, 280, 353, 355, 366, 376, 379,
383, 384, 387, 388, 402, 446, 450,

472, 473, 487, 488, 489, 588, 624,
636, 637, 644
Selbstwehr 380, 386, 393, 618, 619, 620,
637
Sexualität XVII, 27, 28, 29, 39, 42, 44,
45, 52 f., 54, 67, 97, 121, 154 ff., 171,
172, 182, 183, 184, 212, 247, 266,
309, 312, 314, 317 f., 319, 321, 322 f.,
374 ff., 327, 332, 335, 336, 374 ff.,
397, 400, 429 ff., 458 f., 465, 476,
477, 478, 481, 493, 499, 501, 550,
570, 596, 599, 605, 606, 623, 631,
638, 645, 646
Sembdner, Helmut 540, 553
Shakespeare, William
  Hamlet 537
  Komödie der Irrungen 50
Sheppard, Richard XV, 397, 621, 623
Slowakei
  Kaschau 459,
  Matliary 25, 26, 92, 275, 280, 301, 302,
  304, 320, 324, 336, 347, 349, 355,
  367, 374, 380, 386, 402, 445, 447,
  459, 501, 554, 556, 572, 583, 591,
  600, 601, 611, 616, 620, 623
  Preßburg 348
  Tatra-Lomnitz 616
Smith, David Edward 558
Söhne XXIV
Sokel, Walter H. XV, XVI, 314, 398,
  491, 584, 585, 594, 595, 618, 625,
  632, 636, 644
Sozialismus 47
Spanien 598
Spann, Meno 547
Sparks, Kimberly 564
Spilka, Mark 558
Das Stadtwappen 119, 392
Die städtische Welt 52
Staroste, Wolfgang 581
Statue (Skulptur) 56, 62, 63, 331
Steinen, Karl von den
  Die Indianer am Schingu 127, 555
Steinen, Wilhelm von den 555
Steiner, Marianne XII, 584
Steiner, Rudolf 549, 559
Stendhal
  De l'Amour 502
  Elf Liebesabenteuer 645
Sternheim, Carl 542
Sternheim, Felix
  Die Geschichte des jungen Oswald 30,
  532
Stifter, Adalbert 72

Stille 34, 94, 286, 403
Stölzl, Christoph XVI f., 377, 528, 584,
  618, 635
Stoeßl, Otto 111, 551, 584
Strachoff, Nikolai Nikolajewitsch 474
Strehle, Hermann 567, 568, 569, 570,
  571, 609
Strehlinger, Dr. Leopold 21
Strindberg, August 117
Stückelberg, E. 649
Stüdl, Olga 423, 424, 628, 636
Die Stunde 386, 620
Sündenfall 382, 392, 393
Swander, Homer 528, 599
Swift, Jonathan 16, 383
  Gullivers Reisen 174
Szittya, Emil 594, 605

*Tagebuch einer Reise nach Friedland
und Reichenberg* 48, 51 ff.
Tagger, Theodor (d. i. Bruckner, Ferdinand)
  Das neue Geschlecht 80, 81, 542 ff.
Talmud 106
Tanz (Ballett) 36 ff. s. auch Theater
Taussig, Elsa s. Brod, Elsa
Testament 546 f.
Theater XVIII, 23, 36, 38, 44, 47, 50 f.,
  52, 71, 95, 133, 135, 137, 212, 214,
  220, 239, 254, 257, 257, 274, 355,
  369, 492, 560, 566, 643
Thein, Klara XII, 126 f., 182, 555, 557,
  649
Thein, Nora 127, 649
Thieberger, Friedrich 105, 106, 380, 550,
  618
Tieck, Ludwig 576
Tier s. Metaphorik
Tisza-Eszlár 378
Tod 91, 157, 187, 218, 272, 276, 299,
  301, 316, 327, 336, 348, 349, 350,
  391 f., 426, 440, 492, 543, 545, 546,
  584, 590 f.
Tolstoj, Leo
  Der Tod des Iwan Iljitsch 361
Tradition XV, 8, 32, 241 f., 351, 369,
  388, 398, 485 s. auch Judentum
Traum 28, 38, 41, 42, 43, 44, 49, 80,
  95, 108, 113, 157, 177, 181, 183,
  243, 267, 318, 334, 355, 368, 402,
  419, 446, 462, 475, 482, 483, 492,
  499, 553, 576, 599, 625, 640, 643,
  645
Treml, Herr Dr. 348, 610
Treville, Frau de 70

Tribuna 90, 500, 545, 584, 593, 594, 645
Tschaikowsky, Peter
  Schwanensee 36
Tschissik, Mania 54, 103, 137, 165, 220
Typologie 55, 58, 71 f., 100, 246, 247, 557

Über Kleists ›Anekdoten‹ 435
Über Land und Meer 65
Ulvestad, Bjarne 517
Um Weisheit und Leben 619
Ungeduld 229, 434, 543
Unglücklichsein 41
Unruhe 87, 94, 107, 191, 302, 548, 606
Das Urteil XV, XXII, XXIII, XXIV, 48, 52, 54, 110, 190, 191, 241, 254, 277, 329, 334, 343, 352, 435, 453, 471, 545, 547, 559, 585, 600, 605
Urzidil, Johannes 140, 380, 528, 536, 538, 555, 558 f., 618, 626
Utitz, Emil 571

Vegetarianismus 61, 588
verba dicendi 232
Verlockung im Dorf 152
Der Verschollene XVI, XVII, XVIII, 52, 61, 62, 73 ff., 104, 121, 133, 134, 144, 150, 169, 171, 190, 191, 195, 210, 211, 213, 217, 219, 232, 252, 253, 254, 255, 257 ff., 270, 320, 352, 363, 440, 494, 500, 507, 519, 525, 545, 560 f., 586, 615, 649
  Beß 259, 260, 262
  Brunelda 145, 172, 180, 200, 211, 217, 218, 219, 254, 493
  Delamarche 74, 133, 141, 171, 172, 173, 184, 200, 207, 217, 218, 228 f., 234, 246, 249, 252, 253, 254, 261, 493 f., 563, 575, 580
  Fanny 605
  Green 61, 168, 175, 211 f., 217, 255, 257, 259, 566
  Heizer 156, 170, 172, 182, 207, 211 f., 214, 215, 216, 242, 257, 258, 520, 576
  Johanna 170 f., 172, 254
  Kapitän 131, 208, 211, 258, 262, 562
  Karl 61, 74, 76, 121, 131, 133, 141, 143, 145, 150, 156, 163, 168, 169, 170, 171, 172, 173, 175, 179, 180, 182, 184, 188, 190, 191, 196, 197, 198, 200, 201, 203, 204, 205, 207, 211, 212, 213, 214 f., 216, 218, 232,
    234, 237, 239, 246, 249, 254, 255, 257, 258, 259, 260, 261, 262, 270, 326, 411, 435, 493, 520, 525, 558, 564, 566, 575, 576
  Klara 170 f., 211, 254, 576
  Line 156
  Mack 203
  Oberkassier 208, 262
  Oberkellner 179, 258, 259, 260 ff.
  Oberköchin 171, 172, 179, 183, 254, 258 ff., 563, 565, 575
  Oberportier 143, 145, 179, 258 ff.
  Onkel 163, 171, 172, 197, 207, 212, 224, 254, 257, 258, 259, 562
  Pollunder 168, 171, 175, 198, 205, 211 f., 255, 257, 259, 566
  Renell 182
  Robinson 61, 74, 133, 141, 173, 180, 192, 200 f., 212 f., 218, 228, 234, 249, 257, 258, 260, 261, 433, 520, 563, 575
  Schubal 212, 242, 258, 262, 580
  Therese 131, 141, 170 f., 172, 173, 211, 257, 258 ff., 259, 266, 563, 565, 575
Vertrauen 17, 32, 45, 46, 103, 172, 266, 307, 405
Die Verwandlung XVIII, XXIV, 84, 127, 142, 148, 149 ff., 158, 173, 175, 179, 182 f., 185, 229, 250, 253 f., 255, 334, 386, 389, 430, 453, 502, 547, 562, 563, 564, 610, 630, 644
Verzweiflung 14, 38 f., 43, 48, 60, 77, 85, 94, 178, 351, 370, 399, 475
Viertel, Berthold 619
Viktor Emanuel II. 106
Viktoria Louise 243
Vlasta, Fräulein 330, 332, 333, 335, 604, 605
Vohsen, Ernst 555
Volke, Werner 530
Vondráčková, Jaroslava XII, 593
Vorausdeutung 168, 298, 477 f.
Vor dem Gesetz 586, 632
Vossische Zeitung 555

W., G. (die Schweizerin) 336
W., Hedwig 47
W., Herr 467, 473
Wagenbach, Klaus XII, 346, 363, 364, 422, 531, 534, 535, 536, 539, 540, 545, 546, 552, 556, 565, 571, 580, 583, 588, 605, 607, 609, 610, 611, 612, 613, 614, 616, 621, 623, 624,

626, 627, 628, 629, 630, 643, 644, 645
Wagner, Josef 19
Wallenstein, Albrecht von 368, 649
Walser, Martin XV, 299 f., 588, 629
Walser, Robert 544
Warschau 154, 482, 643
Wassermann, Jakob 461
Weber, Oskar
  Der Zuckerbaron 627
Wedekind, Frank
  Erdgeist 102
  Hidalla oder Sein und Haben 646
Wedekind, Tilly 102
Weinen 189 ff., 311, 378, 408, 572
Weiner, Alfred 603
Weininger, Otto 376, 380, 381, 386, 394, 618
Weiß, Ernst 92, 110
  Der Kampf 647
Weltsch, Betta 99, 449
Weltsch, Felix 14, 113, 129, 374, 376 f., 395, 440, 441, 518 f., 545, 551, 592, 637
Weltsch, Heinrich 100
Weltsch, Lise 127, 129, 449, 455
Weltsch, Ruth 588
Werfel, Fräulein 449
Werfel, Franz 354, 382, 385, 386, 442, 443, 444, 502, 543, 619, 639
  Besuch aus dem Elysium 385
  Schweiger 646
  Spiegelmensch 389, 444, 554 f., 620, 629, 634, 646
Werfel, Rudolf 444, 646

Werner, Richard Maria 536
Wiegler, Paul 639
  Das Haus an der Moldau 537, 552
Winkelman, John 584
Wie-Vergleich 99, 100, 195, 196, 197, 223, 234 ff., 513, 579 s. auch Als-ob-Satz
Wölfflin, Heinrich 300
Wohryzek, Frau 88, 421, 425, 434, 583, 604, 624
Wohryzek, Julie XVI, 86, 97, 108, 306, 308, 313, 337 ff., 375, 396, 413, 420, 421, 422, 423 ff., 430, 431, 432, 433, 450, 455, 458, 473, 583, 589, 597, 609 f., 621, 623, 626, 627, 628, 629, 630, 634
Wolff, Kurt 151, 353, 354, 355, 363, 593, 611, 618
Worrmann, Curt D. 545

Zeichnung 40, 56, 57, 95, 130, 186, 225, 243, 255, 491, 570, 580, 588, 628 s. auch Photographie
Zeller, Bernhard 588, 611
Zerstreutes Hinausschaun 609
Zerstreutheit 278, 281 f., 283, 285, 303
Zielesch, Fritz 555
Zohn, Harry 619
Zoozmann, Richard 199, 206, 208, 209, 558
Zukunft 21, 43, 47, 113, 114, 307, 412 s. auch Hoffnung
Zweig, Arnold
  Ritualmord in Ungarn 190, 378 f., 618
Zweig, Stefan 649